Le Routard
Provence

D1482590

Directeur de collection et auteur
Philippe GLOAGUEN

Cofondateurs
**Philippe GLOAGUEN
et Michel DUVAL**

Rédacteurs en chef adjoints
**Amanda KERAVEL
et Benoît LUCCHINI**

Directrice de la coordination
Florence CHARMETANT

Directrice administrative
Bénédicte GLOAGUEN

Directeur du développement
Gavin's CLEMENTE-RUIZ

Direction éditoriale
Catherine JULHE

Rédaction
**Isabelle AL SUBAIHI
Mathilde de BOISGROLLIER
Thierry BROUARD
Marie BURIN des ROZIERS
Véronique de CHARDON
Fiona DEBRABANDER
Anne-Caroline DUMAS
Géraldine LEMAUF-BEAUVOIS
Olivier PAGE
Alain PALLIER
Anne POINSOT
André PONCELET**

Conseiller à la rédaction
Pierre JOSSE

Administration
**Carole BORDES
Éléonore FRIESS**

2016

hachette

Remarque importante aux hôteliers et restaurateurs

Les enquêteurs du *Routard* travaillent dans le plus strict anonymat. Aucune réduction, aucun avantage quelconque, aucune rétribution n'est jamais demandé en contre-partie. Face aux aigrefins, la loi autorise les hôteliers et restaurateurs à porter plainte.

Avis aux lecteurs

Le Routard, ce n'est pas comme le bon vin, il vieillit mal. On ne veut pas pousser à la consommation, mais évitez de partir avec une édition ancienne. Les modifications sont souvent importantes.
Les réductions accordées à nos lecteurs ne sont jamais demandées par nos rédacteurs afin de préserver leur indépendance. Les hôteliers et restaurateurs sont sollicités par une société de mailing, totalement indépendante de la rédaction, qui reste donc libre de ses choix. De même pour les autocollants et plaques émaillées.

Avec routard.com, choisissez, organisez, réservez et partagez vos voyages !

✓ Rejoignez la plus grande communauté francophone de voyageurs : plus de **2 millions** de visiteurs !
✓ Échangez avec les routarnautes : forums, photos, avis d'hôtels.
✓ Retrouvez aussi toutes les informations actualisées pour choisir et préparer vos voyages : plus de 200 fiches pays, une centaine de dossiers pratiques et un magazine en ligne pour découvrir tous les secrets de votre destination.
✓ Enfin, comparez les offres pour organiser et réserver votre voyage au meilleur prix.

Pictogrammes du *Routard*

Établissements

🏠 Hôtel, auberge, chambres d'hôtes
⛺ Camping
🍴 Restaurant
🥖 Boulangerie, sandwicherie
🍦 Glacier
☕ Café, salon de thé
🍹 Café, bar
🎵 Bar musical
♫ Club, boîte de nuit
∞ Salle de spectacle
ℹ Office de tourisme
✉ Poste
🏪 Boutique, magasin, marché
@ Accès Internet
➕ Hôpital, urgences

Sites

🏖 Plage
🤿 Site de plongée
🚲 Piste cyclable, parcours à vélo

Transports

✈ Aéroport
🚆 Gare ferroviaire
🚌 Gare routière, arrêt de bus
Ⓜ Station de métro
Ⓣ Station de tramway
🅿 Parking
🚕 Taxi
🚐 Taxi collectif
⛴ Bateau
⛴ Bateau fluvial

Attraits et équipements

🏃 Présente un intérêt touristique
🏃 Recommandé pour les enfants
♿ Adapté aux personnes handicapées
🖥 Ordinateur à disposition
📶 Connexion wifi
Ⓤ Inscrit au Patrimoine mondial de l'Unesco

Le *Routard* est imprimé sur un papier issu de forêts gérées.

 Tout au long de ce guide, découvrez toutes les photos de la destination sur • *routard.com* • Attention au coût de connexion à l'étranger, assurez-vous d'être en wifi !

TABLE DES MATIÈRES

Attention, les départements des Alpes-Maritimes et du Var sont traités dans le guide *Côte d'Azur*, et les Hautes-Alpes dans *Isère, Hautes-Alpes*.

MARSEILLE, LA CÔTE BLEUE ET LE PARC NATIONAL DES CALANQUES

LE PAYS D'AUBAGNE ET DE L'ÉTOILE

LE PAYS D'AIX

LE PAYS DE SALON, L'ÉTANG DE BERRE ET LA PLAINE DE LA CRAU

Le plateau de Valensole

Recommandation à ceux qui souhaitent profiter des réductions et avantages proposés dans le *Routard* par les hôteliers et les restaurateurs.

À l'hôtel, pensez à les demander au moment de la réservation ou, si vous n'avez pas réservé, **à l'arrivée.** Ils ne sont valables que pour les réservations en direct et ne sont pas cumulables avec d'autres offres promotionnelles (notamment sur Internet). Au restaurant, parlez-en **au moment** de la commande et surtout **avant** que l'addition ne soit établie. Poser votre *Routard* sur la table ne suffit pas : le personnel de salle n'est pas toujours au courant et une fois le ticket de caisse imprimé, il est souvent difficile de modifier le total. En cas de doute, montrez la notice relative à l'établissement dans le *Routard* de l'année et, bien sûr, ne manquez pas de nous faire part de toute difficulté rencontrée.

IMPORTANT : DERNIÈRE MINUTE

Sauf rare exception, le *Routard* bénéficie d'une parution annuelle à date fixe. Entre deux dates, des événements fortuits (fermeture inopinée du site, catastrophe naturelle, modification des conditions d'accès à un site, etc.) peuvent intervenir et modifier vos projets de voyage. Pour éviter les déconvenues, nous vous recommandons de consulter la rubrique « Guide » par pays, puis région, de notre site ● *routard.com* ● et plus particulièrement les dernières ***Actus voyageurs.***

☎ **112** : c'est le numéro d'urgence commun à la France et à tous les pays de l'UE, à composer en cas d'accident, agression ou détresse. Il permet de se faire localiser et aider en français, tout en améliorant les délais d'intervention des services de secours.

LES COUPS DE CŒUR DU ROUTARD

Nous tenons à remercier tout particulièrement Loup-Maëlle Besançon, Thierry Bessou, Gérard Bouchu, François Chauvin, Grégory Dalex, Fabrice Doumergue, Cédric Fischer, Carole Fouque, Michelle Georget, David Giason, Claude Hervé-Bazin, Emmanuel Juste, Dimitri Lefèvre, Fabrice de Lestang, Romain Meynier, Éric Milet, Pierre Mitrano, Jean-Sébastien Petitdemange et Thomas Rivallain pour leur collaboration régulière.

Perrine Attout
Emmanuelle Bauquis
Jean-Jacques Bordier-Chêne
Michèle Boucher
Sophie Cachard
Caroline Cauwe
Lucie Colombo
Agnès Debiage
Jérôme Denoix
Tovi et Ahmet Diler
Clélie Dudon
Sophie Duval
Perrine Eymauzy
Alain Fisch
Cécile Gastaldo
Bérénice Glanger

Adrien et Clément Gloaguen
Bernard Hilaire
Sébastien Jauffret
Jacques Lemoine
Jacques Muller
Caroline Ollion
Justine Oury
Martine Partrat
Odile Paugam et Didier Jehanno
Émilie Pujol
Prakit Saiporn
Jean-Luc et Antigone Schilling
Alice Sionneau
Caroline Vallano
Camille Zecchinati

Direction: Nathalie Bloch-Pujo
Contrôle de gestion: Jérôme Boulingre et Alexis Bonnefond
Secrétariat: Catherine Maîtrepierre
Direction éditoriale: Catherine Julhe
Édition: Matthieu Devaux, Géraldine Péron, Olga Krokhina, Gia-Quy Tran, Julie Dupré, Victor Beauchef, Jeanne Cochin, Emmanuelle Michon, Flora Sallot, Quentin Tenneson et Sandra Vavdin
Préparation-lecture: Estelle Gaudin
Cartographie: Frédéric Clémençon et Aurélie Huot
Fabrication: Nathalie Lautout et Audrey Detournay
Relations presse France: COM'PROD, Fred Papet. ☎ 01-70-69-04-69.
● info@comprod.fr ●
Illustration: Anne-Sophie de Précourt
Direction marketing: Adrien de Bizemont, Lydie Firmin et Clémence de Boisfleury
Contacts partenariats: André Magniez (EMD). ● andremagniez@gmail.com ●
Édition des partenariats: Élise Ernest
Informatique éditoriale: Lionel Barth
Couverture: Clément Gloaguen et Seenk
Maquette intérieure: le-bureau-des-affaires-graphiques.com, Thibault Reumaux et npeg.fr
Relations presse: Martine Levens (Belgique) et Maureen Browne (Suisse)
Régie publicitaire: Florence Brunel-Jars. ● fbrunel@hachette-livre.fr ●

Remerciements

Bouches-du-Rhône

– Magali Di Duca, de l'Agence de développement du territoire ;
– l'office de tourisme de Marseille, Maxime Tissot, son directeur, Silvie Allemand et Marion Fabre ;
– France et Francis, fidèles adjoints pour Marseille, ses anecdotes, ses recoins cachés ;
– l'office de tourisme d'Aix-en-Provence, Géraldine Dingwall, Dominique Cornillet, Gabriel ;
– Francine Riou, de l'office de tourisme d'Arles ;
– tous, mais vraiment tous les offices de tourisme du département ;
– Cyprien Fonvieille, du Camp des Milles ;
– Isabelle Nohain-Raimu, qui a alimenté cet ouvrage de quelques belles anecdotes sur son grand-père, Raimu.

Vaucluse

– Martine Teston et Daniela Damiani, de l'ADT du Vaucluse ;
– Sylvie Joly, de l'OT Avignon tourisme ;
– Corinne Russo, qui connaît le coin comme sa poche ;
– Marie Chatelain, de l'OT intercommunal du pays des Sorgues en Provence.

Alpes-de-Haute-Provence

– Pierre Dabout et Isabelle Desbets, de l'ADT de Haute-Provence ;
– Éliane Dao-Lafont, du CCVU de Barcelonnette ;
– Denise et Abel Allibert ;
– Tous les offices de tourisme du département, serviables, accueillants et disponibles.

COMMENT Y ALLER ?

PAR LA ROUTE

➤ Par la classique *nationale 7,* chère à Charles Trenet. Bouchons en prime lors des grandes migrations estivales.

➤ *Par l'autoroute :* l'autoroute du Soleil vous y conduit directement. Autres possibilités si vous n'êtes pas trop pressé :

– en sortant à la hauteur de Montélimar, on traverse le Tricastin, région des bons côtes-du-rhône, par Valréas, Nyons, Vaison-la-Romaine, avant de découvrir les monts du Ventoux, le Luberon... ;

– à la sortie d'Avignon ou de Cavaillon, on accède directement au merveilleux Luberon (Gordes, l'abbaye de Sénanque) ;

– superbe itinéraire depuis Grenoble en traversant les Alpes par la route Napoléon (la N 85) : Digne, Castellane...

– *Tarifs autoroutiers :* pour connaître le coût de l'usage des principaux tronçons autoroutiers de l'Hexagone, consulter le site ● *autoroutes.fr* ●

➤ Pour les inconditionnels de l'auto-stop, sachez qu'en Provence il vaut mieux éviter les grandes villes (Aix, Marseille...). À Avignon, du centre, il faut parfois plusieurs heures pour atteindre la sortie idéale (pour le Sud, on vous conseille le pont de la Durance). Aix est cernée de périphériques (croisement de l'A 7 et de la N 7 ou D 7N selon les tronçons), il n'est donc pas facile d'en repartir. Les pancartes de destination sont alors nécessaires pour arrêter les automobilistes. Un conseil, donc, faites du stop aux gares de péage autoroutières ou dans les petits villages le long de la N 7 ou D 7N (nombreux feux et croisements).

> *Le covoiturage :* le principe est simple, économique, écologique. Il s'agit de mettre en relation un chauffeur et des passagers afin de partager le trajet et les frais, que ce soit de manière régulière ou de manière exceptionnelle (pour les vacances, par exemple). ● *blablacar.fr* ●

EN BUS

Lignes Express Régionales : rens au ☎ 0821-202-203 *(prix d'un appel local) ou sur* ● *info-ler.fr* ●

➤ Une ligne express : Aix-Toulon (tlj en été – sf dim et j. fériés sinon ; 10 A/R par j. dont 2-3 directs ; 1h15 de trajet) et d'autres lignes vers Brignoles, Draguignan, Saint-Maximin, Nice... Se renseigner avant.

▲ **EUROLINES**
☎ 0892-89-90-91 *(0,34 €/mn),* lun-sam 8h-21h, dim 10h-18h. ● *euro lines.fr* ● Eurolines propose 10 % de réduction pour les jeunes (12-25 ans) et les seniors. 2 bagages gratuits par personne en Europe. 21 agences en France. Première compagnie *low-cost* par bus en Europe, Eurolines dessert une soixantaine de villes françaises. Le principe : sur les trajets internationaux, Eurolines prend et dépose des passagers.

En Provence, Eurolines relie Marseille au départ de Paris, Lyon, Dijon, Perpignan, Valence et Chalon-sur-Saône.

EN TRAIN

Au départ de Paris

Les TGV et les trains de nuit partent de la gare de Lyon. En région parisienne, des TGV directs à destination de Marseille et d'Avignon sont au départ des gares de l'aéroport de Roissy-Charles-de-Gaulle et Marne-la-Vallée-Chessy. Les auto/trains (permettant de transporter votre voiture ou votre moto jusqu'à l'arrivée) à destination d'Avignon et de Marseille partent de la gare de Bercy.

➤ *Paris-Avignon :* nombreux TGV directs/j. Trajet le plus court : 2h40.

➤ *Paris-Arles :* nombreux TGV/j., directs ou avec changement à Avignon. Trajet le plus court : 3h50.

➤ *Paris-Marseille :* nombreux TGV directs/j. Trajet : 3h15.

Au départ de la province

Des auto/trains relient aussi la Provence au départ de Bordeaux, Lille, Nantes et Strasbourg.

➤ *De Lille :* TGV directs pour Avignon (4h de trajet) et Marseille (4h45 de trajet).

➤ *De Lyon :* TGV directs pour Avignon (en 1h) et Marseille (en 1h40).

➤ *De Bordeaux :* trains Corail directs pour Marseille (6h de trajet), un train de nuit.

➤ *De Strasbourg :* train de nuit pour Avignon et Marseille.

Pour préparer votre voyage

– *e-billet :* réservez, achetez et imprimez votre e-billet sur Internet.

– *m-billet :* plus besoin de support papier, vous pouvez télécharger le code-barres de votre voyage correspondant à votre réservation directement dans votre smartphone, à l'aide de l'application *SNCF Direct*.

– *Billet à domicile :* commandez votre billet par Internet ou par téléphone au ☎ 36-35 *(0,34 €/mn, hors surcoût éventuel de votre opérateur)* ; la SNCF vous l'envoie gratuitement à domicile sous 48h, en France.

Pour voyager au meilleur prix

La SNCF propose des tarifs adaptés à chacun de vos voyages.

➤ *Prem's :* des petits prix disponibles toute l'année, jusqu'à 90 jours avant le départ. Billets non échangeables et non remboursables (offres soumises à conditions). Impossible de poser des options de réservation sur ces billets : il faut les payer immédiatement.

➤ *Les IDTGV :* des prix mini, à saisir sur Internet uniquement.

➤ *Les tarifs Loisirs*

Une offre pour programmer votre voyage tout en gardant des billets modifiables : ils sont échangeables et remboursables. Pour bénéficier des meilleures réductions, pensez à réserver vos billets à l'avance (les réservations sont ouvertes jusqu'à 90 jours avant le départ) ou à voyager en période de faible affluence.

➤ *Les cartes de réduction*

Pour ceux qui voyagent régulièrement, profitez de réductions garanties tout le temps avec les cartes *Enfant +, Jeune 12-17, Jeune 18-27, Week-end* ou *Senior +* (valables 1 an).

Renseignements et réservations

– *Internet :* ● *voyages-sncf.com* ●

– *Téléphone :* ☎ *36-35 (0,34 € TTC/ mn).*

– Également dans les gares, les boutiques SNCF et les agences de voyages agréées.

Comment circuler en Provence ?

Le TER

Le conseil régional Provence-Alpes-Côte d'Azur et SNCF TER vous proposent de visiter les principaux sites touristiques de la région en TER (ports, plages, calanques...) et en toute liberté, avec la *carte ZOU !* 50-75 % qui permet de bénéficier de :

– 50 % de réduction sur vos trajets occasionnels, valable également pour 3 accompagnateurs ;

– 75 % de réduction sur un trajet

Partout,
dans le monde avec vous.

10%
de réduction
sur votre voiture Hertz !

Pour découvrir les bons plans du Routard avec toute la liberté et l'autonomie que permettent une voiture, Hertz vous offre **10%** de réduction sur votre prochaine location en France et dans la plupart des pays du monde.

Réservation sur **hertz.fr** ou au **00 33 1 39 38 38 38** en précisant le code de réduction CDP 967130.

Hertz

individuel privilégié pour le titulaire de la carte.

Coût de la carte : 15 € pour les moins de 26 ans, 30 € pour les plus de 26 ans. Et pour des excursions à la journée, vous pouvez optez, en été seulement, pour le *pass Bermuda* (6 € ; 10 € à 2 avec *Bermuda Duo*). Ces billets donnent droit à un nombre illimité de voyages durant toute une journée dans tous les TER entre Marseille et Miramas desservant les gares de la Côte Bleue. Tout au long de l'année, SNCF TER vous propose également des idées de sorties et des bons plans (réductions sur présentation du titre de transport TER) sur le site ● paca.ter.sncf.com ●

▲ **VOYAGES-SNCF.COM**

– Infos et résas depuis la France : ● *voyages-sncf.com* ● *et sur tablette et mobile avec les applis V. (trains) et V. Hôtels (hôtels).*
– Réserver un vol, un hôtel, une voiture : ☎ *0899-500-500 (1,35 € l'appel, puis 0,34 €/mn).*
– Une question ? Rubrique Contact ou au ☎ *09-70-60-99-60 (nº non surtaxé).*
Voyages-sncf.com, distributeur de voyages en ligne de la SNCF, vous propose ses meilleurs prix de train, d'avion, d'hôtel et de location de voitures en France et en Europe. Accédez aussi à ses services exclusifs : billets à domicile (en France), Alerte Résa, calendrier des prix, offres de dernière minute...

EN AVION

Les compagnies régulières

▲ **AIR FRANCE**

Rens et résas au ☎ *36-54 (0,34 €/mn – tlj 6h30-22h), sur* ● *airfrance.fr* ●*, dans les agences Air France et dans ttes les agences de voyages. Fermées dim.*
➤ Air France dessert Marseille au départ de Roissy-Charles-de-Gaulle (6 vols/j.) et Orly-Ouest (env 12 vols/j.). Également des vols au départ de la Corse, Bordeaux, Brest, Clermont-Ferrand, Lille, Lyon, Nantes, Rennes, Strasbourg et Toulouse.

Air France propose à tous des tarifs attractifs toute l'année. Vous avez la possibilité de consulter les meilleurs tarifs du momont sur Internet, directement sur la page « Meilleures offres et promotions ».

Le programme de fidélisation Air France-KLM permet de cumuler des *miles* à son rythme et de profiter d'un large choix de primes. Avec votre carte *Flying Blue,* vous êtes immédiatement identifié comme client privilégié lorsque vous voyagez avec tous les partenaires.

Air France propose également des réductions Jeunes. La carte *Flying Blue Jeune* est réservée aux jeunes âgés de 2 à 24 ans résidant en France métropolitaine, dans les départements d'outre-mer, au Maroc, en Tunisie ou en Algérie. Avec plus de 1 000 destinations, et plus de 100 partenaires, *Flying Blue Jeune* offre autant d'occasions de cumuler des *miles* partout dans le monde.

▲ **HOP ! Air France**

Rens et résas sur ● *hop.com* ● *ou* ● *airfrance.fr* ● *dans toutes les agences de voyages et ainsi qu'auprès des centres d'appel au* ☎ *36-54 (0,35 €/ mn. 7j./7) ou au* ☎ *0892-70-22-22 (0,35 €/mn tlj).*
➤ Depuis Marseille, vols directs vers Brest, Biarritz, Bordeaux, Lille, Lyon, Nantes, Paris, Rennes, Strasbourg et Toulouse.

Les compagnies *low-cost*

Ce sont des compagnies dites « à bas prix ». Elles desservent de nombreuses villes de province. Plus vous réserverez vos billets à l'avance, plus vous aurez des chances d'avoir des tarifs avantageux, mais il ne faut pas trop espérer trouver facilement des billets à prix plancher lors des périodes les plus fréquentées (vacances scolaires, week-ends...). N'hésitez pas à combiner les offres, d'autant plus que les compagnies *low-cost* permettent des vols simples. La résa se fait souvent par Internet et parfois par téléphone (pas d'agence, juste un numéro de réservation et un billet à imprimer soi-même). Des frais

À PARTIR DE
49€ TTC*

NE PASSEZ PLUS VOTRE WEEK-END À ALLER EN WEEK-END.

MARSEILLE HOP! **LILLE RENNES NANTES BORDEAUX PARIS STRASBOURG LYON TOULOUSE** EN MOINS DE 1H35.

VOUS Y ÊTES.

hop.com ou airfrance.fr
Billets en vente sur nos sites ou dans votre agence de voyage.

*Prix TTC à partir de 49 €, aller simple, hors frais de service, non remboursable et non modifiable, soumis à disponibilités, sur vols directs, pour un billet acheté au moins 40 jours avant le départ. Des frais variables s'appliquent pour les bagages en soute. Voir conditions sur hop.com ou airfrance.fr de dossier ainsi que des frais pour le règlement par carte de paiement peuvent vous être facturés. En outre, les pénalités en cas de changement d'horaires sont assez importantes. Afin de réduire les files d'attente dans les aéroports, certaines font même payer l'enregistrement aux comptoirs d'aéroport. Pour l'éviter, vous avez intérêt à vous enregistrer directement sur Internet où le service est gratuit. Il faut aussi rappeler que plusieurs compagnies facturent maintenant les bagages en soute ou limitent leur poids. En cabine également, le nombre de bagages est strictement limité (attention, même le plus petit sac à main est compté comme un bagage à part entière). À bord, c'est service minimum et tous les services sont payants (boissons, journaux...). Ne pas oublier non plus d'ajouter le prix du bus pour se rendre jusqu'au centre-ville. Attention également, au moment de la réservation par Internet, à décocher certaines options qui sont automatiquement cochées (assurances, etc.). Au bout du compte, même si les prix de base restent très attractifs, il convient de prendre en compte tous ces frais annexes pour calculer le plus justement son budget.

▲ **BRUSSELS AIRLINES**
● *brusselsairlines.com* ●
➢ Assure 2-3 vols/j. entre Bruxelles et Marseille.

▲ **CCM AIRLINES**
☎ *0825-35-35-35 (0,15 €/mn).* ● *air corsica.com* ●
➢ 9-18 vols/j. entre Ajaccio, Bastia, Calvi, Figari et Marseille.

▲ **RYANAIR**
Rens et résas : ● *ryanair.com* ●
➢ Vols entre Marseille et Brest, Lille, Nantes, Poitiers et Tours, ainsi que Bruxelles-Charleroi.

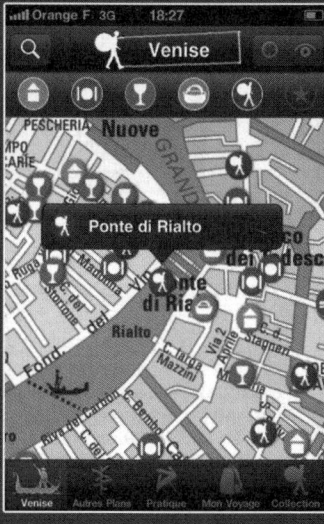
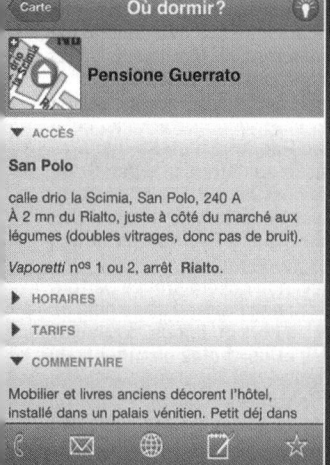

▶ Pour la carte générale
de la Provence, se reporter
au cahier couleur.

ABC DE LA RÉGION PACA

Les chiffres se rapportent à la région administrative dans son ensemble (6 départements), et non aux seuls 3 départements traités dans ce guide.
▶ *Superficie :* 31 400 km².
▶ *Préfecture régionale :* Marseille.
▶ *Préfectures :* Digne, Gap, Nice, Toulon, Avignon.
▶ *Population :* 4 920 000 hab.
▶ *Densité :* 158 hab./km².
▶ *PIB régional :* 95,67 millions d'euros (3ᵉ rang national).
▶ *Industries :* agroalimentaire, chimie, microélectronique, armement.
▶ *Agriculture :* vins, fruits, légumes, fleurs et plantes.

« Nulle part ailleurs, on peut faire si peu de chose
et y prendre autant de plaisir. »

Peter Mayle

« Redevenez cigales le temps d'un été ! » Ce slogan, la Provence aura mis quelques décennies à oser le reprendre. Les années 1990 avaient chassé l'image du farniente, de la douceur de vivre du temps de Marius, de César et des autres, pour mettre en avant ces trois mots d'ordre : « activité », « efficacité », « rentabilité ». Aujourd'hui, cette terre a su regagner son image, et on vient de loin pour photographier la Provence éternelle, celle que Peter Mayle a racontée avec humour, que Pagnol a filmée « avé ézagération », que Giono a dépeinte avec les plus beaux mots, que Van Gogh ou Cézanne ont croquée... C'est ce pays des chevaux blancs et des taureaux noirs, des olives et du pastis, des falaises ocre de Roussillon et des roches blanches des Alpilles, des vieilles villes aux tuiles rondes et des fontaines moussues que nous vous invitons à (re)découvrir.
En feuilletant le cahier d'images de la Provence, nous avons trouvé partout la même envie de mettre en avant ce qui fait le charme profond de ce coin de France haut en couleur : des marchés et des fêtes hors du temps, des huiles d'olive et de bons petits vins, de bonnes tables et des hôtes charmants, le tout sur fond de ciel bleu et de chants de cigales.
Partout ? Peut-être pas, mais ne parlons pas de sujets qui fâchent. Ah si ! Il faut tout de même poser un préalable : les amateurs de vin, qui connaissaient

surtout la Provence pour ses célèbres « côtes », savent que le chemin des vignes file bien au-delà, vers l'est, jusqu'à Fréjus...

Le Rhône à l'ouest, la ligne de partage des eaux à l'est et le littoral méditerranéen marquent les contours de la Provence. Le découpage, pour lequel nous avons opté dans ce guide, chatouillera certains puristes pour qui la Provence cède le pas à la Côte d'Azur à l'est d'Hyères ou de Saint-Tropez, et qui diront que la tuile romaine se transforme en ardoise à partir de Valence au nord... bien plus au nord qu'Orange ou Avignon.

Avignon, où il suffit toujours de passer le pont pour se retrouver sur une autre terre, bénie des dieux et des papes, ou simplement aimée des hommes. Marseille, cette porte de l'Orient, devenue « fenêtre » de l'Occident. Et entre les deux, tout un monde, et même plusieurs !

À deux pas de la Provence des foules touristiques, celle du ciel bleu, de la plage, des festivals, de l'accent qui pointe comme à la pétanque, il y a toujours l'autre Provence, celle des artisans, des pêcheurs, des bergers, des travailleurs de l'ombre.

Deux Provence en une, à découvrir selon ses goûts, ses envies du moment, sur les pas de Mistral ou de Cézanne, en suivant la route des oliviers ou celle des santonniers, sur les chemins d'un art de vivre encore préservé.

Une (re)découverte possible en suivant la route des vacances, cette nationale 7 (aujourd'hui départementale 905) qui n'a plus rien à voir avec celle que chantait Trenet, mais qui reste préférable à l'autoroute pour partir, ensuite, sur les chemins qui sentent bon l'aventure et la lavande, d'Avignon à Marseille en passant par Salon-de-Provence et Aix-en-Provence. Avec deux échappées obligatoires vers les Alpilles et le Luberon, sans oublier la Camargue, à visiter de préférence hors saison, sans moustiques ni touristes. Autre coin enfin à découvrir avec bonheur, les Alpes-de-Haute-Provence, un territoire à traverser entièrement, du pays de Forcalquier au plateau de Valensole, des gorges du Verdon aux vallées alpines. Combien seront surpris d'entendre l'accent marseillais à 3 000 m d'altitude, dans ces paysages chantés par Giono, aussi bien l'été que l'hiver ! D'ailleurs, l'autoroute est le moyen le plus rapide pour permettre à ceux de La Canebière d'aller, comme disait la chanson, au bout de la terre... en l'occurrence, la vallée de l'Ubaye ou celle de la Blanche, pour ne citer que ces deux vallées alpines. Après une balade estivale sous un ciel d'une pureté étonnante ou une descente à skis, ne vous étonnez pas, en regardant les menus, si les pieds et paquets et la daube provençale se mêlent souvent aux raclettes et autres plats montagnards. Simplement, au lieu d'un pastis, prenez un apéritif au génépi, ça leur fera plaisir et ça ne vous fera pas de mal. Au contraire !

AVANT LE DÉPART
....

Adresses utiles

◻ **Comité régional de tourisme Provence-Alpes-Côte d'Azur :** Maison de la région, 61, La Canebière, 13231 Marseille Cedex 01. ☎ 04-91-56-47-00. ● tourisme paca.fr ●

◻ **Comités départementaux de** tourisme : se référer aux chapitres correspondants.

◼ **Gîtes de France :** domaine de Garachon, 13410 Lambesc. Résas : ☎ 04-88-29-58-33. ● contact@gites defrance13.com ● gites-de-france-13. com ● Lun-ven 9h-17h.

Carte internationale d'étudiant (carte ISIC)

Elle prouve le statut d'étudiant dans le monde entier et permet de bénéficier de tous les avantages, services et réductions dans les domaines du transport, de l'hébergement, de la culture, des loisirs, du shopping...
La carte ISIC permet aussi d'accéder à des avantages exclusifs (billets d'avion spécial étudiants, hôtels et auberges de jeunesse, assurances, cartes SIM internationales, location de voiture...).

Renseignements et inscriptions
– *En France :* ● isic.fr ●
– *En Belgique :* ● isic.be ●
– *En Suisse :* ● isic.ch ●
– *Au Canada :* ● isiccanada.com ●

Carte d'adhésion internationale aux auberges de jeunesse (carte FUAJ)

Cette carte vous ouvre les portes des 4 000 auberges de jeunesse du réseau *HI-Hostelling* International en France et dans le monde. Vous pouvez ainsi parcourir 90 pays à des prix avantageux et bénéficier de tarifs préférentiels avec les partenaires des auberges de jeunesse *HI*. Enfin, vous intégrez une communauté mondiale de voyageurs partageant les mêmes valeurs : plaisir de la rencontre, respect des différences et échange dans un esprit convivial. Il n'y a pas de limite d'âge pour séjourner en auberge de jeunesse. Il faut simplement être adhérent.

Renseignements et inscriptions
– *En France :* ● hifrance.org ●
– *En Belgique :* ● lesaubergesdejeunesse.be ●
– *En Suisse :* ● youthhostel.ch ●
– *Au Canada :* ● hihostels.ca ●
Si vous prévoyez un séjour itinérant, vous pouvez réserver plusieurs auberges en une seule fois en France et dans le monde : ● hihostels.com ●

BUDGET

Nous vous indiquons ci-après l'échelle des tarifs auxquels nous nous référons pour le classement de nos adresses en France.

Hébergement

D'une manière générale, nous indiquons des fourchettes de prix allant de la chambre double la moins chère en basse saison à celle la plus chère en haute saison. Ce qui implique parfois d'importantes variations de prix, pas toujours en adéquation avec la rubrique dans laquelle l'établissement est cité. Le classement retenu est donc celui du prix de la majorité des chambres et de leur rapport qualité-prix.
À noter que lorsque les lieux d'hébergement sont équipés d'un accès Internet et/ou wifi, nous le mentionnons sans autre précision.
– Les tarifs des *campings* sont calculés sur la base d'un emplacement pour deux avec voiture et tente en haute saison. Ils sont classés en tête de rubrique « Où dormir ? ».
– Les *auberges de jeunesse* et *gîtes d'étape* pratiquent en règle générale des tarifs « Bon marché » pour une nuitée en dortoir (avec ou sans les draps). Le tarif indiqué est celui du lit en dortoir et/ou parfois de la chambre double, quand il y en a.

– En **chambres d'hôtes,** les prix sont donnés sur la base d'une chambre double. Ils incluent le petit déjeuner. Les cartes de paiement sont rarement acceptées. Dans les cas contraires, nous indiquons « petit déj en sus » et « CB acceptées ».
– Concernant les **hôtels,** la base reste celle d'une nuit en chambre double (sans petit déjeuner), sauf exception, notamment pour les chambres familiales.
– **Bon marché :** jusqu'à 50 €.
– **Prix moyens :** de 50 à 80 €.
– **Chic :** de 80 à 120 €.
– **Plus chic :** de 120 à 150 €.
– **Beaucoup plus chic :** plus de 150 €.

Restos

Au restaurant, notre critère de classement est le prix du premier menu servi le soir (hors boissons). Les notions de « Prix moyens » ou « Plus chic » n'engagent donc que les prix. Autrement dit, certains restos chic proposant parfois d'intéressantes formules, notamment au déjeuner, pourront malgré tout être classés dans la rubrique « Plus chic ».
– **Très bon marché :** moins de 15 €.
– **Bon marché :** de 15 à 25 €.
– **Prix moyens :** de 25 à 35 €.
– **Chic :** de 35 à 50 €.
– **Plus chic :** plus de 50 €.

> **Recommandation à ceux qui souhaitent profiter des réductions et avantages proposés dans le** *Routard* **par les hôteliers et les restaurateurs.**
>
> À l'hôtel, pensez à les demander au moment de la réservation ou, si vous n'avez pas réservé, **à l'arrivée.** Ils ne sont valables que pour les réservations en direct et ne sont pas cumulables avec d'autres offres promotionnelles (notamment sur Internet). Au restaurant, parlez-en **au moment** de la commande et surtout **avant** que l'addition ne soit établie. Poser votre *Routard* sur la table ne suffit pas : le personnel de salle n'est pas toujours au courant et une fois le ticket de caisse imprimé, il est souvent difficile de modifier le total. En cas de doute, montrez la notice relative à l'établissement dans le *Routard* de l'année et, bien sûr, ne manquez pas de nous faire part de toute difficulté rencontrée.

LANGUE RÉGIONALE

Le provençal

Si le latin est la langue écrite des Romains, les populations locales parlent un latin vulgaire appelé le gallo-romain. Au VIIIe s, deux grands groupes dialectiques apparaissent dans le nord et dans le sud de la future France : celui de la langue d'oc dans le Sud et celui de la langue d'oïl dans le Nord, ces deux noms provenant de la façon de dire « oui » dans ces deux langues. Progressivement, la langue d'oc – dite « occitan », terme apparu seulement au XIXe s – va devenir la langue de l'écrit, remplaçant le latin. En même temps, les troubadours diffusent cette langue qu'ils enrichissent. Mais la croisade contre les Albigeois (1209-1229) va porter un coup sévère au développement de la langue d'oc : d'une part, elle entraîne le déclin, en termes de splendeur et de richesse, des cours des seigneurs occitans, alors à la fois le centre et le principal moteur du rayonnement de la langue et de la civilisation occitanes ; d'autre part, le rattachement du Languedoc au royaume de France impose de facto la langue d'oïl dans la région, du moins parmi la noblesse. En 1539, l'ordonnance de Villers-Cotterêts, dans un souci de centralisation, obligera finalement l'usage du français dans tous les textes officiels. Ainsi, l'occitan disparaît de l'écrit mais reste la langue de la population du sud de la France. Au XIXe s, on le parle moins dans les villes, et l'école obligatoire, où seul le français est accepté et l'usage de l'occitan puni, contribue à son extinction.

Le provençal est une variante de l'occitan, au même titre que le languedocien ou le gascon. Il s'en différencie par certains éléments d'orthographe et de prononciation, et se décline à son tour en quatre dialectes : le provençal rhodanien, celui de Frédéric Mistral, le provençal maritime, de Marseille, le nissart, parlé à Nice et sa région, et le gavot, parlé dans le Luberon et les Alpes-de-Haute-Provence. Au cours du XIXe s, écrivains et historiens se firent les défenseurs du provençal, constituant sous l'impulsion de Mistral une association pour faire revivre la langue locale ; c'est le félibrige (voir plus loin). À partir du début du XXe s, de nombreux intellectuels, comme Félix-Marcel Castan et Robert Lafont, se font les défenseurs du provençal, qui continue à être parlé au quotidien. Après la création de l'Institut d'études occitanes en 1945 et de la confédération des *Calandretas* (écoles bilingues dont le nom signifie « petite alouette » en gascon) en 1979, l'occitan devient, dans les années 1980, une option au baccalauréat et est enseigné à l'université. Néanmoins, l'enseignement de l'occitan est toujours menacé, notamment car le nombre de postes offerts au CAPES d'occitan se compte aujourd'hui sur les doigts d'une main.

Lexique

On constate vite que la Provence, et tout particulièrement Marseille, a gardé des expressions, voire des formes de langage, parfois déconcertantes quand on se balade Larousse en poche... Ici, on est « de debout », on est « d'assis sur sa chaise », on dort « de couché » et on a les mains « faites de confiture » (on en a de partout).

Certains mots très français n'ont pas tout à fait la même signification qu'ailleurs... Au resto, si vous commandez un « tournedos », c'est un steak haché qui vous arrive. Une « émincée » est une escalope, et le loup de Méditerranée est ce poisson qu'on nomme bar dans l'Atlantique. Chez le boulanger, ne demandez pas un bâtard (vous vous prendriez un pain !), mais un restaurant. Et si on vous demande si vous avez passé « la pièce », il n'est pas question de donner un pourboire mais de laver le sol avec une serpillère. Voici quelques clés pour éviter le pastis et les pastissons...

Agachon, à l'agachon	À l'affut
Bazarette	bavarde
Bestiasse	personne dont on se moque
Biscaïre	(bisquer) éprouver du dépit
Blaguer	parler abondamment
Boudiou !	exclamation exprimant la surprise
Brave, il est brave	Il est gentillet (un poil dépréciatif)
Cacarinette,	se faire des nœuds au cerveau
avoir des cacarinettes	(la cacarinette est la coccinelle)
Caganis	le dernier-né d'une famille
Cagnard	soleil
Caguer, s'en caguer	S'en fiche (caguer signifie déféquer)
Capeù	chapeau
Chapacan	personne sans scrupule
Cougourde	courge ; par extension, quelqu'un de bête

Dache, aller à dache	aller au diable
Dégun	personne (y avait dégun)
Se dépéguer	sortir d'une situation difficile (la pègue, c'est la poix)
Dormiasse	personne qui dort beaucoup
Ensuqué	personne qui est lente à la compréhension
Escagasser	fatiguer, éreinter ; « Tu m'escagasses ! »
Espincher	observer, surveiller
Esquicher	écraser
Estranger	un étranger, au sens péjoratif du terme
Fada	fou, mais aussi passionné
Faï tira	laisse tomber
Fatigué, bien fatigué	très malade, mourant
Feignant, feignasse	fainéant
Filer une rue	suivre une rue
Gabian	goéland
Gallinette	terme affectueux employé par les parents pour leur progéniture
Gallino	poule
Gàrri	rat, également terme affectueux et amical
Il fait des gouttes	il pleut
Jobastre	soit une personne pas très douée intellectuellement, soit une personne qui prend de grands risques
Languir, se languir	attendre avec impatience ; également s'ennuyer
Longue, de longue	sans cesse (je travaille de longue)
Maï	plus, encore (i sian maï : ça recommence)
Mèfi	attention
M'en fouti	je m'en fous
Merlusso	morue
Morfale	affamé qui dévore
Néguer	noyer
Nono	dodo (il fait nono : il dort)
Œil, chaque fois qu'il lui tombe un œil	presque jamais
Oaï, mettre le oaï	mettre le désordre
Oursins, avoir des oursins dans sa poche	être radin
Pacoulin	vient de « pacan », paysan. Équivalent du « péquenot » des Parisiens
Pastis	au sens premier du terme, un grand désordre (qué pastis ! : quel fouillis !)
Patin-couffin	etc.
Pièce, la pièce	la serpillère
Ô pauvre !	ça alors !
Pègue, quel pègue !	quel collant ! (pègue signifiant la poix)
Peine, faire peine	apitoyer
Pénéquet	sieste
Pescadou	pêcheur
Peuchère, pécaïre	en provençal : utilisé pour marquer la pitié ou l'ironie
Pitchoun (pichot en provençal)	diminutif affectueux (existe au féminin)
Préférer mieux	préférer
Rataillon	restes d'un plat
Rencontrer une charrette	rencontrer une personne très bavarde

Rouste	raclée
Ruiner	blesser, détériorer
Stoquefiche	personne aussi maigre qu'un poisson fumé
Tanquer	se planter
Té !	tiens !
Tian	plat en terre
Tòti	imbécile
Vé !	regarde ! (permet d'insister)
Virer	tourner
Wagon	grand nombre, tas

LIVRES DE ROUTE

– *Dictionnaire amoureux de la Provence,* de Peter Mayle, Christophe Mercier, Daniel Casanave (Plon, 2006). De A à Z, avec des rubriques de dictionnaire, rédigées dans un style volontairement personnel et non académique, voici la Provence racontée avec humour, commentée avec passion par le plus provençal des Anglais.
– *Une année en Provence,* de Peter Mayle (Éd. du Seuil, coll. « Points », 1996). Un ancien publicitaire britannique s'installe en Provence dans une maison qu'il fait restaurer. Il y vit pendant un an et rédige cette savoureuse chronique d'un village provençal qui a connu un grand succès. Dans la même veine, du même auteur et chez le même éditeur : *Provence toujours.*
– *Colline,* de Jean Giono (Le Livre de Poche, n° 590, 1992). Une des œuvres majeures de Giono, enfant du pays de Manosque. Le sort d'un hameau est-il lié à celui d'un sourcier sorcier à l'agonie ? À lire aussi, du même auteur, *Regain, Que ma joie demeure, Le Chant du monde, Le Hussard sur le toit, Un roi sans divertissement...*
– *Le Mas Théotime,* d'Henri Bosco (Gallimard, coll. « Folio », n° 168). La vie paisible d'un mas familial en Provence, racontée par Henri Bosco, réputé aussi pour *L'Âne Culotte* et *L'Enfant et la Rivière* (Gallimard).
– *Les œuvres de Marcel Pagnol :* La Gloire de mon père, Le Château de ma mère, Le Temps des secrets, ainsi que le cycle *L'Eau des collines :* Jean de Florette et *Manon des sources* (Éd. de Fallois, coll. « Fortunio »), etc.
– *Provence insolite et secrète,* de Jean-Pierre Cassely (éd. Jonglez, 2015). Une stèle funéraire, une promenade, d'étonnants ex-voto, un palindrome de 295 caractères, un musée, une batterie militaire... autant de lieux qui jalonnent, photos à l'appui, la Provence intime que l'auteur nous invite à découvrir.

Les romans policiers

– *Leo Loden,* d'Arleston et Carrere ou Nicolöff (Éd. Soleil). Une vingtaine d'albums de B.D. qui vous feront découvrir Marseille et la Provence d'aujourd'hui, sourire aux lèvres, de *Terminus Canebière* à *Calissons et Lumières.* Plus d'infos sur ● *leoloden.free.fr* ●
– *La trilogie Fabio Montale,* de Jean-Claude Izzo (Gallimard, coll. « Folio Policier », 2006). Trois bouquins pour comprendre et mieux aimer Marseille, aux côtés du flic cher à Izzo, Fabio Montale : *Total Khéops, Chourmo* et *Solea.* Des quartiers nord aux ruelles du Panier, des quais du Vieux-Port aux calanques les plus reculées des bords de mer, Fabio Montale en sait tellement sur Marseille qu'il sent battre en lui les pulsations de la ville.
– *Les Nouveaux Mystères de Marseille,* de Jean Contrucci (Poche, 2005). Une enquête policière où un reporter au *Petit Provençal* prend le relais des flics pour percer le mystère du meurtre de la Villa aux Loups, dans un Marseille du XIXe s pas piqué des hannetons. Du même auteur, citons encore *Un jour tu verras* et *Comme un cheval fourbu.*

– *Le Dernier Secret de Richelieu,* de Jean d'Aillon (Éd. du Masque, coll. « Laby-rinthes », 2005). D'aventures en complots ourdis, toute l'effervescence des romans d'Alexandre Dumas pour raconter la fameuse énigme du Masque de Fer et sa prison, Pignerol, dans une langue riche et fluide.
– *Le Loup des Maures,* de Claude Gritti (éd. De Borée, 2014). Une histoire d'amour au XIXe s dans le pays des Maures, proche d'un imaginaire à la Giono, sur les traces d'Honoré, l'amoureux éconduit.

PERSONNES HANDICAPÉES

> ### Le label Tourisme et Handicap
>
> Ce label national, créé par le secrétariat d'État à la Consommation et au Tourisme en partenariat avec les professionnels du tourisme et les asso-ciations représentant les personnes handicapées, permet d'identifier les lieux de vacances (hôtels, campings, sites naturels, etc.), de loisirs (parcs d'attractions, etc.) ou de culture (musées, monuments, etc.) accessibles aux personnes handicapées. Il apporte aux touristes en situation de han-dicap une information fiable sur l'accessibilité des lieux. Cette accessi-bilité, visualisée par un pictogramme correspondant aux quatre types de handicaps (moteur, visuel, auditif et mental), garantit un accueil et une utilisation des services proposés avec un maximum d'autonomie dans un environnement sécurisant.
> Pour connaître la liste des sites labellisés : • *rendezvousenfrance.com* • (rubrique « Tourisme et Handicap »).
>
>

Par ailleurs, dans notre guide, nous indiquons par le logo ♿ les établissements qui possèdent un accès ou des chambres pouvant accueillir des personnes han-dicapées. Certaines adresses sont parfaitement équipées selon les critères les plus modernes. D'autres, plus simples, plus anciennes aussi, sans répondre aux normes les plus récentes, favorisent l'accueil des personnes handicapées en faci-litant l'accès à leur établissement, tant sur le plan matériel que sur le plan humain. Évidemment, les handicaps étant très divers, des lieux accessibles à certaines personnes ne le seront pas pour d'autres. Appelez donc auparavant pour savoir si l'équipement de l'hôtel ou du resto est compatible avec votre niveau de mobilité. Malgré les combats menés par les nombreuses associations, l'intégration des personnes handicapées à la vie de tous les jours est encore balbutiante en France. Il tient à chacun de nous de faire changer les choses. Une prise de conscience est nécessaire, nous sommes tous concernés.

PLONGÉE SOUS-MARINE

Jetez-vous à l'eau !

Pourquoi ne pas profiter de votre escapade dans cette région maritime pour vous initier à la plongée sous-marine ? Quel bonheur de virevolter librement en

compagnie des poissons, animaux les plus chatoyants de notre planète, de s'exta-
sier devant les couleurs vives de cette vie insoupçonnée...

Pour faire vos premières bulles, pas besoin d'être sportif ni bon nageur. Il suffit
d'avoir plus de 8 ans et d'être en bonne santé. Sachez que l'usage des médi-
caments est incompatible avec la plongée. De même, les femmes enceintes s'abs-
tiendront formellement de toute incursion sous-marine. Enfin, vérifiez l'état de vos
dents : il est toujours désagréable de se retrouver avec un plombage qui saute pendant les vacances. Sauf pour le baptême, un certificat médical vous est demandé,
et c'est dans votre intérêt. L'initiation des enfants requiert un encadrement qualifié
dans un environnement adapté (eaux tempérées, sans courant, matériel adéquat).
Non, la plongée ne fait pas mal aux oreilles ! Il suffit de souffler (sans trop forcer)
en se bouchant le nez. Il ne faut pas forcer dans cet étrange « détendeur » que
l'on met dans votre bouche, au contraire. Le fait d'avoir une expiration active est
décontractant, puisque c'est la base de toute relaxation. Sachez aussi qu'être
dans l'eau modifie l'état de conscience, car les paramètres du temps et de
l'espace sont changés : on se sent (à juste titre) ailleurs. En contrepartie de cet
émerveillement, respectez impérativement les règles de sécurité, expliquées au fur
et à mesure par votre moniteur. En vacances, c'est le moment ou jamais de vous
jeter à l'eau... de jour comme de nuit !

ATTENTION : pensez à respecter un intervalle de 12 à 24h avant de prendre
l'avion, afin de ne pas modifier le déroulement de la désaturation.

Les centres de plongée

En France, la grande majorité des clubs de plongée sont affiliés à la Fédération
française d'études et de sports sous-marins (FFESSM). Les autres sont rattachés
à l'Association nationale des moniteurs de plongée (ANMP), au Syndicat national
des moniteurs de plongée (SNMP) ou encore à la Fédération sportive gymnique
du travail (FSGT)... L'encadrement – équivalent quelle que soit la structure – est
assuré par des moniteurs brevetés d'État, véritables professionnels de la mer, qui
maîtrisent le cadre des plongées et connaissent tous leurs spots sur le bout des
palmes.

Un bon centre de plongée est un centre qui respecte toutes les règles de sécurité,
sans négliger le plaisir. Méfiez-vous d'un club qui vous embarque sans aucune
question préalable sur votre niveau ; non seulement il n'est pas « sympa », mais il
est surtout dangereux. Regardez si le centre est bien entretenu (rouille, propreté...),
si le matériel de sécurité – obligatoire – (oxygène, trousse de secours, téléphone
portable ou radio...) est à bord. Les diplômes des moniteurs doivent être affichés.
N'hésitez pas à vous renseigner, car vous payez pour plonger. En échange, vous
devez obtenir les meilleures prestations. Enfin, à vous de voir si vous préférez un
club genre « usine bien huilée » ou une petite structure souple, pratiquant la plongée à la carte et en petit comité.

C'est la première fois ?

Alors, l'histoire commence par un baptême : une petite demi-heure pendant
laquelle le moniteur s'occupe de tout et vous tient la main. Laissez-vous aller au
plaisir ! Même si vous vous sentez harnaché comme un sapin de Noël déraciné
hors saison, tout cet équipement s'oublie complètement une fois dans l'eau. Vous
ne descendrez pas au-delà de 5 m. Pour votre confort, sachez que la combinaison
doit être la plus ajustée possible afin d'éviter les poches d'eau qui vous refroi-
dissent. Puis l'histoire se poursuit par un apprentissage progressif...

Formation et niveaux

Les clubs délivrent des formations graduées par niveaux. Avec le niveau I, vous
descendez à 20 m accompagné d'un moniteur. Avec le niveau II, vous êtes

autonome dans la zone des 20 m mais encadré jusqu'à la profondeur max de 40 m. Ensuite, en passant le niveau III, vous serez totalement autonome, dans la limite des tables de plongée (65 m). Enfin, le niveau IV prépare les futurs moniteurs à l'encadrement...

Le passage de ces brevets doit être étalé dans le temps, afin de pouvoir acquérir l'expérience indispensable. Demandez conseil à votre moniteur (il y est passé avant vous !). Enfin, tous les clubs délivrent un « carnet de plongée » indiquant l'expérience du plongeur, ainsi qu'un « passeport » mentionnant ses brevets.

Reconnaissance internationale

Indispensable si vous envisagez de plonger à l'étranger. Demandez absolument l'équivalence CMAS (Confédération mondiale des activités subaquatiques) ou CEDIP *(European Committee of Professional Diving Instruct)* de votre diplôme. Le meilleur plan consiste à choisir un club où les moniteurs diplômés d'État sont aussi instructeurs PADI *(Professional Association of Diving Instructors*, d'origine américaine), pour obtenir le brevet le plus reconnu du monde ! En France, de plus en plus de clubs ont cette double casquette, profitez-en.

À l'inverse, si vous avez fait vos premières bulles à l'étranger, vos aptitudes à la plongée seront jaugées en France par un moniteur qui, souvent après quelques exercices supplémentaires, vous délivrera un niveau correspondant.

En Provence

Bercée par son climat velouté, la Méditerranée représente une véritable « mer de prédilection » pour la plongée. Ce n'est donc pas un hasard si ses eaux chaudes et limpides furent « l'atelier-laboratoire » privilégié des grands pionniers de l'aventure sous-marine... La *Mare nostrum* livre des épaves mythiques aux plongeurs et concentre, en certains points, les fabuleuses richesses de sa vie sous-marine. Mais aujourd'hui, cette mer fermée, à l'équilibre si fragile, est continuellement agressée par des activités humaines intenses et souvent irréfléchies... Au dernier acte des dégradations, on trouve la *Caulerpa taxifolia* (heureusement en train de disparaître) et la *Caulerpa racemosa* – algues mutantes venant de régions tempérées d'Australie – introduites accidentellement voici plus d'une vingtaine d'années. Partout où elles se développent, ces algues étouffent les autres espèces et deviennent dominantes. Leur expansion est alarmante, et certains sites de plongée magnifiques des Alpes-Maritimes et du Var sont d'ores et déjà transformés en luxuriants tapis vert fluo... Même la rade de Marseille est petit à petit colonisée par la *Caulerpa racemosa*. Faute de pouvoir enrayer ce fléau, les scientifiques tentent de contrôler et de limiter le développement de ces caulerpes en détruisant systématiquement de petites colonies isolées, en créant des zones sanctuaires (comme à Port-Cros) et en s'impliquant dans des campagnes d'information et de prévention auprès des plaisanciers, des pêcheurs et, bien sûr, des plongeurs. Attention, l'algue peut être transportée involontairement vers des zones encore saines simplement par les ancres des bateaux, et même par les sacs et les équipements de plongée, qu'il convient de vérifier avant toute nouvelle immersion.

– *La météo :* le beau temps améliore la qualité de la plongée. Période idéale : entre juin et novembre, avec température très confortable de 18 à 25 °C en surface (au fond, l'eau est plus froide). Attention, les rafales cinglantes de mistral ou vent d'est peuvent remettre en question la plongée ; mais certains coins ont des spots abrités en fonction des différents régimes météo. *Répondeur de Météo France :* ☎ 0899-71-02 (0,34 €/mn), suivi du numéro du département.

– *La profondeur :* un handicap, car très rapidement importante. Si plonger sur une roche permet, en général, de se maintenir à de petites profondeurs (ce n'est pas une raison pour faire n'importe quoi !), l'exploration des épaves – entre 40 et

60 m de profondeur – est réservée aux seuls plongeurs aguerris aux conditions de la plongée profonde.

– *La visibilité :* excellente ! De 20 m en moyenne. Sachez que l'eau est cristalline autour des îles et souvent trouble sur les épaves.

– *Les courants :* ils sont bien localisés mais peuvent être violents et conduire à l'annulation de la plongée. Donc, méfiance !

– *Vie sous-marine :* concentrée à certains endroits où elle est très riche. Votre moniteur vous familiarisera avec les beautés et pièges des fonds méditerranéens, tout en dégotant les choses intéressantes à voir. Certaines espèces affichent une présence systématique sur les spots : posidonies, gorgones, anémones, éponges, girelles, congres, murènes, sars, castagnoles, saupes, loups, rascasses, mérous...

– *Règle d'or :* respectez cet environnement fragile. Ne nourrissez pas les poissons, même si vous trouvez cela spectaculaire. Outre les raisons écologiques évidentes, certains « bestiaux » – trop habitués – risqueraient de se retourner contre vous (imaginez donc un bisou de murène !). Enfin, ne prélevez rien, et attention où vous mettez vos palmes !

– *Derniers conseils :* en plongée, restez absolument en contact visuel avec vos équipiers. Attention aux filets abandonnés sur les roches ou les épaves. Sachez enfin qu'en cas de pépin (il faut bien en parler !), votre bateau de plongée dispose d'oxygène (c'est obligatoire) et qu'il existe des caissons de recompression à Marseille et à Toulon.

Quelques lectures

– *100 belles plongées à Marseille et dans sa région,* de François Scorsonelli, Albert Falco, Hervé Chauvez et Marie-Laure Garrier (Éd. Gap, 2012).

– *Plongée plaisir (niveaux I, II ou III),* d'Alain Forêt et Pablo Torres (Éd. Gap, 2012-2013).

– *La Plongée expliquée aux enfants,* de Caroline Hardy (Éd. Amphora, 2004).

– *Planète mers,* de Laurent Ballesta et Pierre Descamps (Michel Lafon, 2008).

– En kiosque, le magazine *Plongeurs international.* ● plongeursinternational. com ●

SITES INTERNET

● *routard.com* ● Rejoignez la plus grande communauté francophone de voyageurs ! Échangez avec les routarnautes : forums, photos, avis d'hôtels. Retrouvez aussi toutes les informations actualisées pour choisir et préparer vos voyages : plus de 200 fiches pays, une centaine de dossiers pratiques et un magazine en ligne pour découvrir tous les secrets de votre destination. Enfin, comparez les offres pour organiser et réserver votre voyage au meilleur prix. Routard.com, le voyage à portée de clics !

● *provence-resa.com* ● Ce site, réalisé par le comité départemental de tourisme du Vaucluse, propose des hôtels, des chambres d'hôtes et des locations à petits prix, avec des réductions allant parfois jusqu'à 50 %.

● *om.net* ● Le site officiel du club favori des Marseillais (et de pas mal d'autres !). Toute l'actualité, les résultats, le calendrier et l'histoire de ce club mythique. On trouve aussi un forum pour discuter de son équipe préférée. Vous pourrez même réserver des places en ligne pour vous rendre au stade Vélodrome. « Trop puissant ! »

● *provence-insolite.org* ● Site réalisé par Jean-Pierre Cassely, coauteur de *Provence insolite et secrète,* qui a imaginé des visites insolites dans plusieurs villes de Provence : Marseille, Cassis, La Ciotat, Aubagne et Aix. Anecdotes et humour garantis. Photos, résumés et horaires des circuits.

● *routedesvinsdeprovence.com* ● Pour les amateurs d'œnologie ; plein de rencontres et de découvertes en perspective.

● *provenceweb.fr* ● Un site complet et à jour, présenté sous forme de rubriques thématiques ou chronologiques (actualité culturelle). Pour découvrir la région sous tous ses aspects : gastronomie, spectacles, météo...

● *laprovence.com* ● Le portail du quotidien *La Provence* avec un moteur de recherche, des rubriques variées et des reportages spécifiques.

● *olivierdeprovence.com* ● Toute l'histoire des célèbres arbres de Provence. Des petits secrets, des astuces de cuisine, des conseils beauté et santé, et une intéressante animation sur la fabrication de l'huile d'olive. On peut même acheter son olivier en ligne !

● *nouvello.com* ● Le seul magazine entièrement écrit en provençal : *Li Nouvello de Prouvènço.* Pour les curieux qui souhaiteraient avoir un aperçu de cette langue et de ce qu'ils peuvent en comprendre.

ARCHITECTURE

Les témoignages de l'architecture romaine sont nombreux en Provence : amphithéâtre d'Arles, arcs de triomphe à Cavaillon, Saint-Rémy, Orange avec sa décoration de frises et de trophées qui évoque les victoires de la IIe légion romaine, thermes d'Aix et d'Arles, théâtres antiques de Vaison-la-Romaine et d'Orange – le seul à avoir conservé son mur de scène –, le pont Julien à Bonnieux. À Aix-en-Provence, on a découvert un édifice de spectacle qui, par les dimensions de ses gradins, pourrait être aussi grand que le théâtre d'Orange. À Arles s'élève une cathédrale dont certains pensent qu'elle fut la première des Gaules. La Provence n'a pas fini de révéler ses trésors architecturaux... Le site de Vaison est aussi incroyable de richesses : thermes et villas, quartier commerçant, etc.

LES CLOCHERS PROVENÇAUX

Bien souvent, en Provence, les clochers d'églises et campaniles municipaux sont surmontés d'une structure en fer forgé qui soutient une cloche. Cette architecture, datant du XVIIe s et héritée des tours d'alerte utilisées à l'époque des razzias, offre beaucoup moins de prise au mistral. Elle est donc plus résistante que les clochers en pierre... et bien moins chère.

L'architecture romane, elle, s'épanouit au XIIe s et reste très influencée par les chefs-d'œuvre gallo-romains. Sa caractéristique essentielle demeure l'équilibre dû à l'accord entre les masses et les volumes. Les chapelles romanes sont émouvantes par leur simplicité et leur dépouillement intérieur (Saint-Trophime à Arles ou Saint-Quenin à Vaison-la-Romaine). En revanche, sur les portails d'églises ou de chapelles, on constate une grande imagination et un réel raffinement dans l'exécution, comme à Saint-Trophime. Enfin, on ne peut évoquer l'art roman provençal sans citer les abbayes de Sénanque et de Silvacane, la troisième « sœur cistercienne de Provence » étant au Thoronet, dans le Var.

En Provence, l'architecture gothique mettra du temps à s'affirmer. Il existe, en effet, un réel décalage entre la production artistique locale et celle du reste du royaume : l'arrivée du gothique date seulement du transfert des papes à Avignon au XIVe s. La caractéristique de l'art gothique provençal est celle de l'art gothique du Midi : une seule nef, un chœur déambulatoire, des contreforts à l'extérieur. Les plus beaux exemples du gothique provençal se trouvent à Avignon avec l'église Saint-Agricol et, pour n'en citer qu'une autre, l'église Saint-Didier.

Au Moyen Âge, l'architecture se renouvelle aussi dans les constructions militaires : tours défensives sarrasines destinées à repérer les brigands venus de la mer, châteaux forts le long du Rhône assurant le contrôle de la route entre Marseille et Lyon. L'exemple le plus significatif de cette architecture défensive est le magnifique palais des Papes à Avignon.

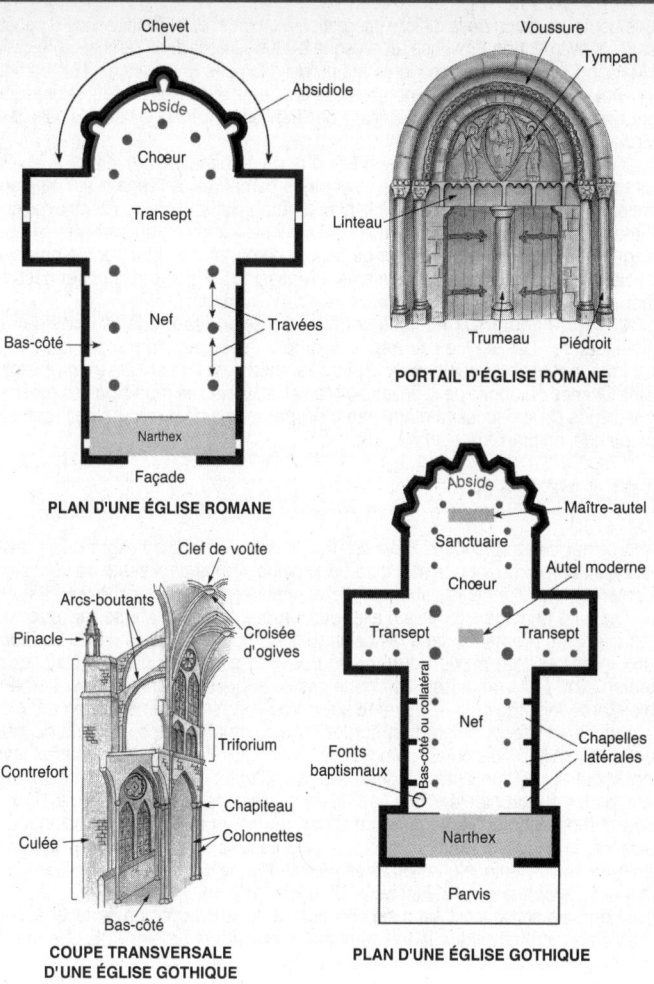

PLAN D'UNE ÉGLISE ROMANE

Chevet
Absidiole
Abside
Chœur
Transept
Nef — Travées
Bas-côté
Narthex
Façade

PORTAIL D'ÉGLISE ROMANE

Voussure
Tympan
Linteau
Trumeau
Piédroit

COUPE TRANSVERSALE D'UNE ÉGLISE GOTHIQUE

Clef de voûte
Arcs-boutants
Pinacle
Croisée d'ogives
Triforium
Contrefort
Chapiteau
Culée
Colonnettes
Bas-côté

PLAN D'UNE ÉGLISE GOTHIQUE

Abside
Maître-autel
Sanctuaire
Autel moderne
Chœur
Transept
Transept
Bas-côté ou collatéral
Nef
Chapelles latérales
Fonts baptismaux
Narthex
Parvis

CHÂTEAU FORT

Échauguette
Courtine
Contrescarpe
Assommoir
Escarpe
Poivrière
Herse
Mâchicoulis
Meurtrière

Sans doute en raison de la difficile intégration au royaume, la Renaissance a pénétré assez tardivement en Provence, et presque exclusivement dans l'architecture civile : la Maison Diamantée à Marseille en est un bel exemple. En revanche, l'art baroque s'épanouira dans la région ; de nombreuses chapelles et églises en sont l'illustration : chapelle de la Charité à Marseille, église des Pénitents-Noirs et église des Jésuites à Avignon.

Aux XVIIe et XVIIIe s, on peut parler d'âge d'or de l'urbanisme provençal. À Aix, les parlementaires font construire de splendides demeures, reprenant soit le plan à l'italienne avec façade sur rue, soit le plan d'hôtels particuliers parisiens avec cour et jardin. Tous les styles sont permis : sobriété ou explosion du baroque. Villes et villages ne sont pas épargnés par ce besoin de paraître affiché par les notables, et voient leurs centres harmonieusement redessinés. Enfin, châteaux et bastides viennent égayer, s'il en était besoin, la campagne provençale.

Au XIXe s, de nombreux édifices sont élevés selon les modèles classique ou Renaissance. Les églises reprennent différents styles, romano-byzantin ou gothique, pour le meilleur et pour le pire. L'architecture industrielle triomphe (gare Saint-Charles ou docks de la Joliette à Marseille). Enfin, les municipalités prennent conscience de la nécessité d'aménager l'espace urbain : on ajoute des fontaines aux places, on plante des arbres, etc.

CALANQUES

Il y a calanque et calanque ! Bien sûr, tout le monde a dans l'esprit des falaises blanches, surplombant une mer caraïbe, à peine vêtues d'un zeste de végétation et colorées par d'anciens cabanons de pêcheurs (eh oui, la pêche y était autrefois l'activité principale !). Mais n'allez surtout pas dire à un Marseillais que vous êtes allé vous promener dans les calanques du côté de Cassis ou de La Ciotat, deux villes qui font partie pourtant du nouveau parc national des Calanques, créé en 2012 ! Le vrai massif historique des calanques appartient, pour l'irréductible Marseillais, toujours aux 8e et 9e arrondissements de Marseille. Le parc « des Calanques » s'étend malgré tout sur les trois communes, et si les plus connues sont à Marseille (Callelongue, Morgiou, Sormiou, En Vau, Port Pin), Cassis (avec Port Miou) et La Ciotat (avec Figuerolles et le Mugel) ont aussi leurs calanques ! Sans parler des archipels et des îles : le Frioul avec les îles de Pomègues, Ratonneau et If ou encore l'île Verte de La Ciotat qui ont également leurs calanques... Laissons un peu rêver les citadins des autres grandes villes qui aimeraient pouvoir atteindre en bus, en quelques dizaines de minutes, ce décor de rêve où les vagues viennent doucettement « calancher » (d'où le nom !)...

L'idée de parc national est évoquée depuis 40 ans, seul moyen de protéger et gérer durablement un territoire à la fois terrestre, marin et périurbain. Trois communes, 8 500 ha, tel apparaît le cœur (terrestre) du parc... Son « cœur marin », lui, est de 43 500 ha.

Pour découvrir ce site de quelque 5 000 ha, il vous faudra circuler à pied ou en bateau (pour les périodes de fermeture du massif, voir plus loin le paragraphe « Environnement – Incendie et pollution »). Deux millions de visiteurs, sur terre comme sur mer, par an. Vous serez conquis par la beauté de ce décor naturel, mais vous devrez aussi le conquérir, en marchant longtemps sous le soleil, sur des sentiers odorants et des pistes parfois difficiles. 140 espèces terrestres végétales et animales protégées, désormais, 60 espèces maritimes patrimoniales, l'enjeu est d'importance. Plus d'infos sur ● calanques-parcnational.fr ●

CAMARGUE

En arrivant à Arles, le Rhône se sépare en deux bras, le Grand Rhône à l'est, le Petit Rhône à l'ouest. Entre les deux, la *Grand Mar,* la grande mer, c'est-à-dire l'étang du Vaccarès ainsi que quelques centaines de kilomètres carrés de terres inondables, jadis largement marécageuses, aujourd'hui bien domestiquées. C'est la Camargue.

Pour être exhaustif, il faut y ajouter un joli bout de plaine aride, caillouteuse, steppique, la Crau, qui n'est, selon certains, rien d'autre que l'ancien delta de la Durance.

La Camargue est le royaume d'un quatuor emblématique : le gardian, son petit cheval blanc (ah, *Crin-Blanc* !), le taureau camarguais, fin, délié, et le mérinos d'Arles. Quatuor parfaitement adapté au sol, à la fois fertile et ingrat, au climat et surtout au mistral, aux moustiques aussi, bien sûr. Rien, en fait, qui semble devoir attirer les touristes, et pourtant... La beauté rêche et âpre de la Camargue, la luminosité du ciel, la richesse de la faune en font un must pour les amateurs d'images hors du commun.

La Camargue n'est pas une contrée sauvage, loin de là, mais une magnifique symbiose entre l'homme et la terre. C'est que la terre est riche, formée de milliers de tonnes d'alluvions apportées par les fleuves. Le foin de la Crau parfume si délicieusement la viande des moutons mérinos qu'il a mérité une appellation contrôlée. En Camargue humide, le problème majeur fut longtemps les inondations, soudaines, imprévisibles. Quelques siècles de drainage, d'entretien des canaux, la régulation du Rhône et de la Durance ont permis de juguler la montée des eaux. Désormais, on contrôle les niveaux, ce qui permet de cultiver aussi bien le riz que les arbres fruitiers. Les roseaux qui servent à couvrir les petites cabanes camarguaises sont plantés de manière à protéger terres et hameaux de la violence du vent. Sur les digues, un lacis de routes conduit aux mas isolés dans des prairies humides, royaume du taureau.

La création du *parc naturel régional de Camargue* en 1970 a permis de protéger ce biotope exceptionnel et d'en tenir éloignés les démons du tourisme de masse.

CHEMINS DE
SAINT-JACQUES-DE-COMPOSTELLE

Les différents chemins de Compostelle convergent vers la côte galicienne espagnole et la cathédrale Saint-Jacques où sont conservées les reliques d'un des plus importants apôtres de Jésus, Jacques, mort en martyr vers l'an 35.

C'est en 800 qu'un ermite, guidé en songe par une étoile, retrouve le tombeau du saint. Le nom de Compostelle proviendrait d'ailleurs de *campus stellae*, « champ d'étoiles »... Dès le Xe s, des pèlerins en provenance de toute l'Europe viennent se recueillir sur ses reliques.

SAINT-JACQUES, NETTOYEUR D'ÂMES

Saint-Jacques était, avec Rome, l'un des deux pèlerinages qui effaçaient les péchés mortels. Très vite, le lieu connut un grand succès auprès des rois qui ne voulaient pas se soumettre à l'autorité du pape. En remerciement, l'évêque de Saint-Jacques, et surtout le roi d'Espagne, reçurent des dons qui permirent le financement d'une puissante armée. Voilà comment les Arabes furent chassés d'Espagne.

Au fil des ans, aux pèlerins se joignent amateurs d'art roman et férus de randonnées. Il faut dire que les chemins de Compostelle, cadre de ressourcement spirituel extraordinaire, sont aussi d'une beauté et d'un intérêt historique qui valent le détour : les échanges culturels et religieux et la nécessité d'héberger un grand nombre de pèlerins ont favorisé dès le Moyen Âge le développement des villes et des monuments-étapes sur le chemin.

Balisés en 1970 par la Fédération de randonnée pédestre, les quatre sentiers français commencent respectivement à Vézelay, au Puy-en-Velay, à Arles et à Tours (aujourd'hui à Paris). Depuis 1998, le parcours est classé au Patrimoine mondial de l'Unesco. Que vous partiez à pied, à cheval ou à VTT, que vous marchiez tout le long de la route ou sur les derniers kilomètres uniquement, ouvrez grand les yeux pour ne pas rater les beautés croisées sur le chemin : une auberge accueillante, une église romane perdue dans la campagne, les champs à perte de vue, et souvent de belles rencontres...

Pour plus de renseignements sur les chemins en région PACA : *Fédération Française des Associations des Chemins de Saint-Jacques-de-Compostelle (FFACC)*. ● compostelle-france.fr ●

CUISINE

Les spécialités

Une cuisine riche et délicieuse à base d'huile d'olive, d'herbes odorantes, d'ail et divers aromates. La cuisine provençale se caractérise par l'abondante utilisation de légumes ingénieusement associés pour compenser le déficit en viande, trop coûteuse dans la Provence pauvre d'autrefois. Nombre de recettes feront ainsi le bonheur des végétariens. Voici les spécialités les plus savoureuses, dont les effluves viendront sans cesse titiller vos narines.

– *L'agneau de Provence :* les côtelettes aux herbes poussent dans la rocaille, de la Durance jusqu'aux Baux. Il est vrai que les agneaux y broutent une flore particulièrement parfumée – le foin de la Crau jouit même d'une appellation contrôlée ! L'agneau de Sisteron, qui fut longtemps leur roi, a quelque peu perdu en crédibilité.

– *L'aïoli :* émulsion à froid, type mayonnaise, plutôt épaisse et fortement parfumée à l'ail. Se fait exclusivement à l'huile d'olive. Mais l'aïoli est aussi un plat à part entière, accompagné de morue et de légumes bouillis. Souvent consommé le vendredi au déjeuner.

– *L'anchoïade :* purée d'anchois mélangée à de l'huile d'olive et des câpres, très onctueuse au goût.

– *La daube :* morceaux de bœuf marinés dans du vin rouge, avant d'être revenus à l'huile d'olive avec du lard et des oignons, de l'ail et des aromates. Ensuite, on « l'oublie sur le petit feu » où il cuit des heures et des heures (et un peu plus si possible) dans sa marinade.

– *La bouillabaisse :* à tout seigneur, tout honneur. Au moins 12 poissons dans une soupe parfumée. D'abord plat des pauvres, il est devenu celui des très riches. La rareté des poissons (rascasse, loup, rouget de roche, etc.) entrant dans la composition de la bouillabaisse et la quantité limitée que l'on peut en pêcher expliquent le prix élevé de ce

PEUCHÈRE !

« Bouillabaisse » a pour origine deux mots bien provençaux : bodha *qui signifie « quand ça bout », et* baissa *qui veut dire « tu baisses » ; ce qui résume le secret de la bonne bouillabaisse : quand ça bout, tu baisses le feu. La bouillabaisse doit mijoter à petit feu.*

mets. Le poisson doit évidemment être très frais et le safran, mis dans un bouillon, de bonne qualité. Pour accompagner la bouillabaisse, une sauce onctueuse et épicée, la rouille, et des croûtons grillés, généreusement frottés à l'ail.

– *La bourride :* genre de bouillabaisse, un peu moins chère, avec des poissons blancs (mulet, baudroie, merlan) et servie surtout avec l'aïoli.

– *Les grenouilles à la provençale :* grillées dans l'huile avec de l'ail après avoir été roulées dans de la farine.

– **Le lapin à la provençale :** cuit au vin blanc, à tout petit feu, avec de l'ail, de la moutarde, des aromates et des tomates.

– **Les pieds et paquets :** selon la légende, ce sont les équarrisseurs qui inventèrent cette recette pour ne pas gâcher les abats. Vous ferez des pieds et des mains pour ces tripes à la marseillaise (alliées à des pieds de mouton), farcies et cuites à petit feu dans du vin blanc avec oignons, carottes et lard. Hmm ! Nombreuses variantes dans tout le pays.

– **La poutargue :** une spécialité typique de la ville de Martigues, que vous trouverez à Marseille et ailleurs dans toutes les bonnes épiceries. Ce caviar méditerranéen est confectionné à partir d'œufs de mulets salés et séchés. La poutargue se consomme coupée en fines tranches, sur des toasts ou râpée dans des plats.

– **La ratatouille :** mélange bien mijoté d'aubergines, courgettes, poivrons, tomates, oignons, ail, etc. À Nice, on fait revenir chaque type de légume indépendamment dans l'huile, avant de faire mijoter l'ensemble. À Marseille on fait ça « à la bohémienne », en faisant revenir et mijoter tout ce beau monde ensemble.

– **Le riz de Camargue :** grâce à la présence permanente d'une lame d'eau de 5 à 10 cm, le riz est cultivé depuis le XIIIe s en Camargue. Pourtant, les rizières ne se sont vraiment étendues qu'au cours de la Seconde Guerre mondiale, l'interruption du trafic maritime engendrant une pénurie alimentaire. Jusque-là, la riziculture servait surtout à préparer le sol pour la vigne.

– **La rouille :** complice indispensable de la bouillabaisse. Émulsion à froid, type mayonnaise, avec piments rouges, frais, écrasés avec de l'ail et (parfois) du corail d'oursin, auxquels on ajoute de l'huile d'olive et un peu de mie de pain.

– **Le sel de Camargue :** il décante doucement dans les bassins de Salin-de-Giraud, avant d'aller relever tous les plats provençaux.

– **La soupe au pistou :** un des temps forts de la cuisine provençale. Soupe aux légumes, parfumée avec une pâte composée de basilic et d'ail pilés dans de l'huile d'olive. Les puristes n'y mettent pas de fromage (trop italien), mais c'est excellent avec ou sans. Et, chose particulière, c'est une soupe qu'on mange dans les chaleurs de l'été, pour bénéficier de bons légumes de saison !

– **La tapenade :** purée d'olives noires (ou vertes) et de câpres (*tapena* en provençal, d'où le nom, pardi !) mélangée à de l'huile d'olive. Les Parigots l'étalent sur des tartines grillées. Les Provençaux la consomment en plat à part entière, avec des légumes crus : carotte, fenouil...

– **Les truffes du Tricastin :** on en trouve de novembre à mars. Bien que les alentours de Valréas produisent deux truffes françaises sur trois, ce « diamant noir » fut, curieusement, longtemps absent de la gastronomie locale. Aujourd'hui, on fait des kilomètres pour venir en chercher aux marchés de Richerenches, Valréas, Apt, Vaison ou Carpentras, ou pour participer à un week-end d'initiation à la truffe dans les auberges de pays.

LA TRUFFE, GRANDEUR ET DÉCADENCE

En un siècle, la production s'est effondrée pour deux raisons. Les truffières ont besoin de lumière. Le débroussaillage était assuré par les moutons et les chèvres, mais c'est de moins en moins le cas aujourd'hui. Enfin, les pluies sont nécessaires à certaines époques. Le réchauffement de la terre n'y contribue pas. Mais n'oubliez pas : pour 1 t ramassée dans le Périgord, 45 sont récoltées en Provence !

Les gourmandises

– **Le calisson :** spécialité aixoise. Son nom viendrait (mais il y a d'autres versions) du provençal *di calin soun*, qui signifie « ce sont des câlins ». Sa forme évoque une petite barque. Entre une feuille de pain azyme (dessous) et un glaçage royal (dessus), un incomparable mélange de pâte d'amandes, de miel et de fruits confits (melon, orange, mandarine, abricot).

– **Les fruits confits :** d'Apt, bien sûr, ville classée « Site remarquable du goût ». Une tradition préservée par les derniers artisans du pays. Qu'il s'agisse de fraises, d'abricots, de prunes, ces fruits confits n'ont rien à voir avec ce que vous pourriez goûter ailleurs. Mais le savoir-faire, allié aux ressources du sol et aux mérites du soleil, ici, ça a un prix !

– **La navette :** biscuit peu sucré, en forme de petite embarcation (pour rappeler l'arrivée des saintes Marie en Provence), généralement aromatisé à la fleur d'oranger, que les Marseillais préfèrent aux crêpes pour la Chandeleur.

– **Le nougat :** de Montélimar ? Non, malheureux, de Sault ou de Saint-Didier ! Celui que l'on fabrique ici, dans les monts du Vaucluse, n'a rien à voir, diront les puristes, avec celui du « Nord ». Les purs et durs le fabriquent encore avec des amandes de Provence, obligatoirement émondées. C'est traditionnellement l'un des 13 desserts de Noël.

– **Les papalines :** confiserie de chocolat, sucre et liqueur d'origan (Avignon).

LA PAPALINE

Spécialité d'Avignon, ce petit chocolat contient une liqueur extraite notamment de l'origan. Cette plante est connue depuis le Moyen Âge pour être un philtre d'amour, ce qui étonne quand on sait que cette confiserie fut créée en l'honneur des papes d'Avignon.

ÉCONOMIE

Une agriculture diversifiée

Grâce à la maîtrise de l'eau, l'agriculture et ses activités dérivées occupent une bonne place dans l'économie régionale. Quant à la production fruitière et maraîchère bio, la région PACA occupe la première place des régions françaises, avec 10,5 % de la surface agricole utile (SAU).

Le Vaucluse est un grand département viticole, des rives du Rhône aux montagnes calcaires, sans oublier les plaines du Comtat Venaissin. Les vignobles réputés y sont nombreux (gigondas, châteauneuf-du-pape, cairanne...) et on y développe aussi toutes sortes de cultures maraîchères et fruitières : 30 % de la production agricole de la région PACA (et 11,4 % en bio) proviennent de ce département. L'agriculture dans le Vaucluse emploie encore quelque 7 % des actifs.

Dans les Bouches-du-Rhône, en revanche, 2 % de la population active seulement sont employés dans l'agriculture. Le département est pourtant le premier producteur français de fruits et légumes. La totalité du riz régional y est cultivée (environ 70 % de la production française).

Dans les Alpes-de-Haute-Provence, paradoxalement, le secteur primaire n'occupe plus que 6 % de la population active. L'arboriculture traditionnelle représente 30 % du produit agricole brut (pommes, poires, pêches et brugnons) du département. L'élevage ovin est pratiqué sur les hauteurs, ainsi que la culture de la lavande.

Un tertiaire envahissant

Dans la région Provence-Alpes-Côte d'Azur, le secteur secondaire est sous-représenté. Ainsi, dans les Bouches-du-Rhône, 77 % des actifs travaillent dans le secteur tertiaire.

Pourtant, le port de Marseille représente le premier débouché de l'Europe occidentale sur la Méditerranée (avec le très important complexe de Fos-sur-Mer), et le département concentre presque la moitié des emplois industriels de toute la région (industries chimique, mécanique, alimentaire, raffinage, industrie nucléaire, métallurgie, etc.). Le Vaucluse, lui, s'est spécialisé dans l'industrie agroalimentaire, mais de nombreuses autres activités sont présentes : constructions mécaniques, métallurgie, chimie, etc. Quant à l'industrie dans les Alpes-de-Haute-Provence, elle est surtout axée sur les industries légères, telles que l'informatique ou le cosmétique.

C'est l'effet du soleil, de l'Europe et du TGV : le Sud a des allures de Silicon Valley, et le tertiaire y explose littéralement. C'est en particulier le cas pour le tourisme et pour le tertiaire dit « supérieur » – intelligence artificielle, robotique, hautes technologies et ses technopoles : Château-Gombert à Marseille, l'Europole de l'Arbois près d'Aix, Agroparc à Avignon ; les laboratoires de recherche les plus prestigieux se sont installés en Provence. La ligne de TGV qui met Marseille à 3h de Paris ne fait que renforcer l'attrait exercé par la région.

ENVIRONNEMENT

La faune camarguaise

– Le *cheval Camargue* est petit et robuste. Le sabot large et plat, il est bien adapté aux terres humides, et sa taille le rend peu sensible au mistral. Intelligent et facile à dresser, il est le parfait compagnon du gardian. Et une cavalcade de camarguais dans les rues d'Arles, ça vaut son pesant d'or ! Ne croyez pas ceux qui vous disent qu'il y a du cheval dans le saucisson d'Arles. C'est faux, on n'y met que de l'âne !

– Le *taureau Camargue* est également petit, fin, racé, nanti de cornes en lyre, très proche des taureaux que l'on voit sur les vases crétois. Quitte à décevoir bon nombre de nos lecteurs, précisons que la destination principale du taureau camarguais, ce n'est pas l'arène mais l'abattoir. Seuls 10 % des taureaux sont jugés assez braves pour aller charger les hommes qui les défient. Mais dans ces 10 %, il y a de vraies vedettes, des taureaux de légende, dont on parle encore 20 ans après. Quant aux autres, ils sont en général dignes de porter la mention AOP pour la viande de taureau Camargue, car il existe une AOC pour la viande de taureau camarguais, dont la chair doit être rosée, peu persillée et goûteuse. On fait également du saucisson de taureau en le mélangeant largement au porc pour aider à la conservation, car la viande de taureau camarguais se gâte très vite.

– Le *mérinos d'Arles* est un petit mouton à la laine blanche très épaisse, inaccessible aux moustiques. Il y a moins de 30 ans, les troupeaux de mérinos quittaient la Camargue en avril pour rejoindre les alpages de Haute-Savoie après une transhumance de près de 1 mois.

– Les *oiseaux* sont légion. Les flamants roses du sud du Vaccarès sont les plus connus, mais l'ornithologue amateur se régalera du spectacle permanent de tous les oiseaux d'eau : hérons, aigrettes graciles, vanneaux, courlis et chevaliers, ils sont tous là, sans oublier les milliers de canards.

– L'étang de Vaccarès est peuplé de *poissons* dont la pêche est très réglementée. Tous les vrais restos locaux proposent des fritures de

LES OISEAUX ? DES ANIMAUX PRÉHISTORIQUES

Leurs plumes en sont la preuve. Elles proviennent des écailles de reptiles marins. En sortant de la mer il y a quelques millions d'années, certains ont pris la voie des airs. Peu à peu, les écailles se sont transformées en plumes, bien plus légères.

petits poissons de l'étang juste passés à la poêle. C'est délicieux, mais le mets royal, ce sont les petites *crevettes grises* de l'étang, qui ne se pêchent qu'en hiver.

Incendies et pollution

La forêt provençale, essentiellement constituée de chênes blancs ou verts et de pins, est très importante. Malheureusement, chaque été en Provence, plusieurs milliers d'hectares de forêt, parfois même plusieurs dizaines de milliers, partent en fumée. Si les pyromanes défraient souvent la chronique, ils ne sont pourtant responsables que de 10 à 20 % des feux. La grande majorité des incendies sont provoqués par des imprudences. *Or attention : l'emploi du feu est interdit, donc ne faites ni feu ni barbecue, n'utilisez pas de camping-gaz, ne fumez pas.* Des conseils élémentaires mais toujours utiles, hélas ; il suffit chaque été de lire les journaux...

Pour prévenir les incendies, la préfecture des Bouches-du-Rhône a pris des mesures draconiennes : la circulation, automobile et piétonne, est strictement réglementée dans les massifs boisés du 1er juin au 30 septembre. Si vous êtes dans le coin à ce moment et que vous voulez aller vous balader du côté de la montagne Sainte-Victoire, des calanques, des Alpilles ou du Luberon, surtout n'oubliez pas de vérifier l'accessibilité au massif qui vous intéresse (qui peut n'être accessible que quelques heures dans la journée, ou parfois complètement interdit d'accès). Le comité départemental du tourisme des Bouches-du-Rhône a mis en place sur son site internet une rubrique d'information à ce sujet, actualisée tous les jours : • visitprovence.com/enviedebalade • ou ☎ *0811-20-13-13 (coût d'un appel local).* Bien lire les panneaux avant de s'engager sur une piste. Les autres départements de la région sont un peu moins drastiques.

GÉOGRAPHIE

La diversité est sans doute le mot qui caractérise le mieux la géographie des différents « pays » de la Provence. Quatre entités peuvent être dessinées.

La Provence littorale

À l'opposé de la côte du Languedoc, plate et monotone, le littoral provençal alterne caps, calanques et baies souvent très pittoresques lorsqu'ils ne sont pas défigurés par l'urbanisation

ALTITUDE ZÉRO

Marseille est la seule ville de France où l'on calcule le niveau moyen de la mer grâce à un marégraphe (un flotteur sophistiqué dans un puits). L'évaluation est complexe car des éléments perturbateurs interviennent : marées plus ou moins fortes, pression atmosphérique, fonte des glaces... Il fallut d'ailleurs 12 années, entre 1885 et 1897, pour déterminer cette référence.

et l'industrialisation. Ici, les précipitations sont assez rares (75 jours en moyenne par an). Pour ne garder que le meilleur de ce littoral maltraité, (re)lire les magnifiques pages de Jean-Claude Izzo sur les calanques de Marseille dans sa trilogie policière (voir plus haut, dans le chapitre « Provence utile », la rubrique « Livres de route »).

La Provence des plaines

Les plaines se succèdent le long du Rhône. Dans la basse vallée de la Durance et la plaine comtadine s'épanouissent vignobles, cultures maraîchères et fruitières dans un paysage quadrillé par les haies destinées à les protéger du vent, particulièrement violent ici. La campagne y est assez peuplée, conséquence de la « rurbanisation » qui entoure les villes comme Carpentras et Cavaillon.

Deux bassins prolongent cette plaine : la Crau, avec un sol couvert de galets et de pierres, et la Camargue, la plus grande plaine de Provence (75 000 ha), couverte d'étangs et de marais. Irrigation pour le premier et drainage pour le second ont permis de venir à bout d'un environnement défavorable à l'agriculture. La densité au kilomètre carré y est très faible. Les exploitations y sont, en revanche, étendues.

Entre les plaines de la vallée du Rhône et la Crau, quelques chaînons montagneux : la Montagnette et les Alpilles, contées par Daudet, bordées d'oliviers et de vignes, et au pied desquelles sont venus se poser de bien jolis petites villes et villages : Saint-Rémy, Maillane, Les Baux...

La Provence intérieure occidentale

Elle est constituée de différents « pays » :
– le pays d'Apt, situé entre les monts de Vaucluse et le Luberon ;
– le pays d'Aigues, entre le Luberon et le val de la Durance, domaine de la vigne ;
– le pays d'Aix, hélas trop touché par l'urbanisation, mais bordé par la montagne Sainte-Victoire, sujet préféré du peintre Cézanne.

La Provence des montagnes

Bassins, collines et plateaux sont dominés par différents chaînons montagneux, tels que les Baronnies, les Dentelles de Montmirail, le majestueux mont Ventoux et ses 1 909 m, le Luberon, la montagne de Lure, les contreforts alpins (Préalpes de Digne), la montagne Sainte-Victoire... Plusieurs points communs à tous ces massifs : l'absence de l'olivier, qui n'apprécie guère le gel, la présence de belles forêts de hêtres ou de chênes et une densité de population faible, bien sûr.
En revanche, sur le plan géologique, pas d'unité puisqu'il peut s'agir de massifs calcaires, principalement à l'ouest et au sud, comme d'amoncellements de cailloutis (plateau de Valensole).

UNE VICTOIRE QUI A LA PEAU DURE

En 107 av. J.-C., lorsqu'il vainc les Teutons à Aix-en-Provence (Aquae Sextus), le consul romain Caius Marius n'imagine pas inspirer un prénom encore très vivace aujourd'hui en Provence. Et que sa « sainte victoire » sera célébrée dans le nom du massif montagneux qui surplombe le lieu de la bataille. Une renommée à faire pâlir César, et aussi Fanny...

HABITAT

Qu'est-ce qui différencie un mas d'une bastide ? Si le mas désigne la petite exploitation familiale, la bastide, dans cette région, évoque une habitation secondaire jouxtée par des bâtiments ruraux.
– *Le mas :* prononcer le « s » ; lieu de l'exploitation familiale, c'est la demeure de petits propriétaires aisés. En plaine, il comporte en général deux niveaux : le rez-de-chaussée abrite la pièce à vivre, la « salle » et les dépendances agricoles. Au 1er étage se trouvent les chambres et le grenier. En montagne, le mas a le plus souvent trois niveaux ; le rez-de-chaussée abrite la bergerie, la cave, l'écurie, etc. ; au 1er étage, on trouve la salle de séjour, et au 2e étage les chambres. La toiture est en appentis (un seul pan) ou en bâtière (deux pans). Les matériaux utilisés proviennent des environs mêmes : pierre, chaux, argile, sable, etc. On est bien éloigné de la mode actuelle des pierres apparentes : autrefois, les murs de pierre étaient vite cachés par un crépi constitué de chaux et de sable coloré. La façade est exposée au sud, et les murs latéraux sont aveugles, permettant facilement l'ajout de nouveaux bâtiments, faisant du mas une demeure qui évolue au gré des besoins.
– *La bastide :* vaste demeure à la façade agrémentée de balcons et sculptures, les ouvertures étant réparties symétriquement. Les murs sont en pierre de taille. À côté de la bastide se trouvent les bâtiments d'exploitation. Les bastides sont installées non loin des villes (Aix, Marseille où, au début du XIXe s, on dénombrait

quelque 5 000 bastides dans les environs) et constituent en quelque sorte la résidence secondaire de la bourgeoisie aisée des villes. À l'arrivée des premières chaleurs, les familles de riches négociants ou de grands bourgeois quittent leurs hôtels particuliers pour s'installer dans les bastides. Avec armes et bagages : chaque printemps, c'est un véritable cortège de voitures attelées, pleines de malles remplies d'argenterie, de bibelots de famille, de petits meubles, de tableaux, voire de tapisseries !

Au départ, la bastide est surtout l'occasion de revenir, le temps d'un été, à une vie plus tranquille, à l'abri des regards. Une vie saine, faite de joies simples et de fêtes familiales. Pour les uns du moins. Pour qui a besoin de paraître, l'été peut n'être qu'une succession de réceptions. Des moissons aux vendanges, des fêtes de Pâques aux chasses d'automne, la demeure accueille famille et amis, jusqu'aux premiers froids. Au fond d'eux-mêmes, les propriétaires de bastides provençales restent de vrais conservateurs, qui s'enorgueillissent de pouvoir faire goûter à leur table les produits de leurs récoltes. On va manger les légumes du jardin, boire le vin de la propriété. Pas besoin que ce soit de grands crus, pourvu qu'ils soient au goût des familles... De la ferme voisine arrivent les œufs, le lait, les volailles, les fruits et les légumes.

– *La cabane de gardian :* aussi emblématique de la Camargue que le flamant rose ! Petite maison trapue aux murs de pisé couverts d'un toit de roseaux, piqué d'une poutre. Ces mêmes roseaux qui servent de cloison entre deux pièces minuscules : la salle à manger et la chambre. Percée d'une seule et unique porte sur l'avant, la cabane s'arrondit sur l'arrière pour résister au vent.

– *La borie :* partie intégrante des paysages du Luberon et des monts du Vaucluse, ces discrètes et toutes rondes cabanes de pierre témoignent d'un joli savoir-faire : leurs voûtes en encorbellement tiennent en effet sans aucun liant. Les bories servaient d'écurie, de bergerie ou de remise.

– *Le cabanon :* « pas plus grand qu'un mouchoir de poche », disait Vincent Scotto... Il se raréfie aux abords des grandes villes, avec l'avancée des quartiers périphériques. À la campagne, en revanche, beaucoup en possèdent un. On passe son dimanche au cabanon, en famille. Ceux du bord de mer se sont endurcis, pour affronter le temps. Ces petites constructions de plain-pied, toutes simples et souvent construites dans l'illégalité, se sont progressivement imposées dans le paysage provençal dont celui du littoral marseillais, des calanques côté Cassis à celles de la Côte Bleue, jusqu'à la mythique plage camarguaise de Beauduc. Parce que la plage est à deux pas du boulot, le bateau à 2 km et qu'il n'y a rien de mieux qu'un apéro ou un aïoli au cabanon, entre amis ou en famille, pour tout oublier, à la sortie de l'hiver ! Ici, on a toujours le parasol, parfois l'électricité mais rarement la TV.

HISTOIRE

C'est vers 600 av. J.-C. que les **Grecs de Phocée fondent Massalia (Marseille)** dans une région alors occupée par des populations autochtones, les Ligures, auxquelles il faut ajouter les Celtes, venus d'Europe centrale aux VIIIe et VIIe s av. J.-C. Les Grecs créent des comptoirs le long de la mer Méditerranée et, surtout, introduisent les cultures de la vigne et de l'olivier. Les échanges entre la Grèce et la nouvelle colonie se développent rapidement. Marseille dispose pratiquement du monopole du commerce du vin, que l'on transporte dans les fameuses amphores. Mais c'est la **colonisation romaine** qui fixa les limites de la Provence ; la région représentait une zone stratégique pour l'impérialisme romain. Dès le IVe s av. J.-C., des liens s'étaient créés entre Marseille et Rome, en particulier lors des guerres puniques ; en 125 av. J.-C., la ville de Marseille demande le soutien des Romains face aux coalitions celto-ligures. Rome intervient très rapidement et efficacement, mais ne quitte plus la région. Peu à peu, le sud de la Gaule devient une nouvelle province romaine, la *Gallia Transalpina*, puis la *Gallia Narbonnensis*.

Les Romains marquèrent la Provence d'une empreinte durable : création de villes (Apt, Arles, Carpentras, Digne, Vaison-la-Romaine, Aix-en-Provence), d'un réseau de routes (via Julia Augusta, de Fréjus à Aix), de *villae* (domaines agricoles). De nos jours, les traces de cette occupation sont bien présentes : aqueducs, arènes, théâtres d'Orange, de Vaison, d'Arles et désormais d'Aix, etc. De fait, la civilisation latine pénétra beaucoup plus les villes que les campagnes.

Lors du déclin de l'Empire romain d'Occident, le christianisme étend son influence autour des évêchés d'Arles et de Marseille.

Puis vient l'époque troublée : occupations successives de la région par les Wisigoths, les Burgondes et les Ostrogoths.

En 535, *les Francs annexent pacifiquement la Provence.* Les évêques acceptent cette occupation car les Francs sont convertis au catholicisme romain.

À la fin du VIIIe s, *la Provence intègre l'Empire carolingien,* mais est affaiblie dans son activité économique, la Méditerranée, devenue arabe, étant alors considérée comme dangereuse. L'économie, qui s'était ouverte sur toute la Méditerranée au temps des Romains, se referme sur elle-même pour plusieurs siècles.

Le *traité de Verdun,* qui partage l'empire de Charlemagne en 843, donne la Provence à Lothaire. À sa mort, son fils Charles hérite du premier royaume de Provence – qui couvre en fait toutes les terres s'étendant de la mer Méditerranée à Lyon.

Au Xe s, ce royaume est incorporé à celui de Bourgogne, qui devient le *royaume de Bourgogne-Provence.* La région est administrée par des comtes et vicomtes qui prennent immédiatement leur indépendance vis-à-vis de la tutelle bourguignonne. Parmi eux, Guillaume le Libérateur : il expulse les Sarrasins qui terrorisent la région et prend le titre de marquis de Provence. C'est la première dynastie des comtes provençaux (fin du Xe s), qui coïncide avec un renouveau économique : les échanges maritimes reprennent peu à peu avec la Méditerranée et l'Europe continentale.

Après une période troublée, marquée par des successions et des alliances, un traité établi en 1125 partage la Provence entre les comtes toulousains (qui disposeront des terres situées à l'ouest du Rhône et au nord de la Durance) et les comtes catalans (espaces délimités entre Rhône, Durance et Alpes). Avignon ainsi que quelques autres villes deviennent indépendantes.

Le commerce – grâce au Rhône qui permet le transport des produits du Nord vers l'Orient, et inversement des épices ou soies vers l'Europe continentale – devient florissant. Néanmoins, les rivalités intestines demeurent.

La Provence tombe entre les mains de Charles d'Anjou, fils de Blanche de Castille, qui devient Charles Ier de Provence en 1246 et acquiert parallèlement en Italie du Sud le royaume de Naples. La Provence est alors sous l'influence de la Grande Cour royale de Naples. En 1317, des modifications territoriales qui donneront naissance à l'actuelle *enclave des Papes* apparaissent. L'évêque d'Avignon, Jean XXII, est nommé pape. Or, en raison des guerres d'Italie, la papauté n'y est plus en sécurité ; le nouveau pape s'installe donc dans son ancien palais épiscopal, contrôlant ainsi Avignon et son comtat ; une propriété qui durera presque 100 ans. Mais l'alliance de Naples et de l'Anjou perd de sa puissance, et au milieu du XIVe s une guerre éclate entre Naples et la France. Malgré la tenue des premiers états de Provence, le territoire reste en proie à de graves troubles.

Il s'ensuit une période de *renouveau économique* sous le règne du « bon roi René », qui lègue le comté à son neveu Charles du Maine, lequel ne pourra le conserver : Louis XI réunit la Provence et la France en 1482. Une Constitution provençale instaure les conditions de la réunion au royaume. La Provence garde ses usages et privilèges, mais peu à peu, dès le début du XVIe s, ce ne seront qu'affrontements entre le pouvoir central et les institutions régionales.

Sous François Ier, *l'édit de Joinville amoindrit les attributions des états,* ayant pour objectif d'aligner le système traditionnel provençal sur celui du royaume. Avec l'ordonnance de Villers-Cotterêts, qui instaure l'usage du français dans tous les actes officiels, se poursuit la diminution de l'usage du latin et, par voie de conséquence, du provençal.

Les nobles locaux ne se laissent pas faire devant cette politique d'unification : *l'édit des élus de 1630, qui donne aux délégués royaux la possibilité de percevoir l'impôt,* est le point de départ de la révolte des *cascavéu* (nom du grelot, emblème des parlementaires rebelles). Plus tard, l'édit de Fontainebleau, qui transforme l'organisation du Parlement, est à l'origine de nouveaux troubles.

Louis XIV sera le symbole de la centralisation et de la *mainmise du pouvoir royal.* Ses intendants succèdent aux gouverneurs pour administrer la province, les privilèges accordés aux notables sont amoindris. Marseille essaie de résister pour maintenir ses libertés municipales ; les troupes du roi occupent la ville, et l'ancienne autorité consulaire est abolie. En 1771, la réforme du chancelier Maupeou, visant à supprimer le Parlement pour le remplacer par la Cour des comptes, provoque de violentes réactions. Louis XVI rétablit les parlements. Le retour des parlementaires à Aix est accueilli dans la liesse. Les états de Provence se réunissent une dernière fois de 1787 à 1789. Mais en fait, les parlementaires cherchent plus à maintenir leurs prérogatives qu'à préserver une réelle indépendance de leur comté.

Cette période de domination du pouvoir central s'accompagne d'une certaine prospérité économique, entachée par des *épidémies de peste* dont la plus meurtrière, en 1720, sera à l'origine de la mort de 100 000 personnes. Au XVIIIe s se dessine un formidable mouvement de concentration de population à Marseille : à la fin du XVIIIe s, la ville compte environ 120 000 habitants. Les activités industrielles y sont relativement limitées, mais des industries de corps gras sont déjà implantées et feront la fortune de la ville. Dans l'arrière-pays, la vigne prend son essor ; parallèlement à la culture du blé se développe la culture du mûrier, et l'élevage des ovins augmente.

En 1790, la division de la France en départements conduit bien sûr à la *disparition de l'ancienne Provence,* qui se trouve partagée en trois départements : les Bouches-du-Rhône (avec pour chef-lieu Aix), le Var et les Basses-Alpes. Les États pontificaux constitueront ensuite le département du Vaucluse auquel seront ajoutés les districts d'Apt, Sault et Orange.

Pendant la Révolution, on n'échappe pas au clivage entre mouvements populaires contre les notables (Mirabeau se fera un fervent défenseur des droits du tiers état) et contre-révolutionnaires qui, grâce à l'aide des Anglais et des Espagnols, s'empareront de Toulon.

À son retour de l'île d'Elbe, Napoléon emprunte la fameuse route aujourd'hui dite « Napoléon », passant à Grasse, Digne et Gap. Pendant l'Empire et la Restauration, la droite monarchique reste la tendance dominante. Mais avec la révolution de 1848, la Provence bascule à gauche, laissant le courant traditionnel subsister dans certaines parties : par exemple, la région d'Arles où naît d'ailleurs le félibrige (voir plus haut la rubrique « Langue régionale » dans le chapitre « Provence utile »).

Au XIXe s, agriculture et industrie sont en plein essor. Les surfaces irriguées doublent, permettant d'accroître les cultures maraîchères et fruitières. Quant à l'industrie, elle se concentre entre Rhône et Var. À l'intérieur du pays, on trouve de nombreux secteurs en pleine croissance : métallurgie, extraction de lignite (charbon), matériaux de construction, etc. La croissance de la population de Marseille s'accentue, atteignant les 500 000 habitants en 1900. Puis de nombreuses vagues d'immigration viennent grossir le nombre d'habitants : Arméniens, Italiens et plus tardivement Maghrébins. Les principales industries sont liées aux produits d'importation agricoles : sucreries, chocolateries, pâtes alimentaires, etc.

En 1956 est instituée la « région de programme » Provence-Corse-Côte d'Azur (devenue PACA en 1970) qui déborde le cadre traditionnel de la Provence.

Sont en effet incluses dans cette région redéfinie les Alpes-Maritimes et les Hautes-Alpes. Cette création artificielle posera de nombreux problèmes d'adaptation.

60 % des habitants de la région PACA habitent les Bouches-du-Rhône et le Vaucluse. Après l'explosion démographique des villes (Aix, Marseille, Avignon), les villages proches des centres urbains connaissent à leur tour une forte croissance due à la

GO FAST !

Le débarquement en Normandie ne s'est pas si bien passé : les Alliés ont mis 3 mois pour sortir du bourbier normand au lieu de 3 semaines. En revanche, le débarquement en Provence du 15 août 1944 fut rapide et efficace, et la région fut totalement libérée en 15 jours. Cette écrasante victoire a pourtant laissé peu de traces dans les mémoires.

« rurbanisation » (on travaille en ville, mais on habite à la campagne).

Quelques dates

– **27 000 ans av. J.-C. :** pendant la Grande Glaciation, des énergumènes couvrent de graffitis une caverne des environs de Cassis. Depuis, la mer a noyé l'entrée de la grotte de Cosquer, inaccessible sauf aux plongeurs.

– **600 av. J.-C. :** fondation de *Massalia* (Marseille) par les Phocéens. À son tour, la ville part fonder Nice, Hyères, Antibes et Agde.

– **124 av. J.-C. :** venue défendre une nouvelle fois Marseille, Rome trouve plus commode de rester. La *Provincia* (Provence) est née. Elle devient bientôt « une autre Italie » (Pline).

– **Ier s av. J.-C. :** les Romains affirment leur présence en Provence, construisant villes, ports et voies routières. Arles détrône Marseille.

– **413 :** invasion des Barbares.

– **535 :** en passant sous la coupe des Francs, la région perd son statut de star du soleil pour devenir l'appendice lointain d'un empire du Nord.

– **IXe s :** création du premier royaume de Provence.

– **883 :** les Sarrasins transforment le massif des Maures en base militaire.

– **XIVe s :** les papes s'installent à Avignon pour 70 ans.

– **Fin du XIVe s :** les pestes, la disette et l'insécurité tuent la moitié des Provençaux.

– **1482 :** la Provence devient française, à l'exception de la Savoie, de Monaco et du Comtat Venaissin.

– **XVIIe s :** Richelieu puis Louis XIV renforcent le pouvoir central. Toulon port de guerre, galères à Marseille... La côte provençale devient une base majeure pour la « Royale ».

– **1660 :** venu châtier un complot, Louis XIV prend Marseille. Le rouleau compresseur de la francisation s'est mis en marche.

– **1720 :** terrible peste qui décime la population. Marseille perd la moitié de ses habitants.

– **1789 :** la province, avec à sa tête Mirabeau, n'est pas la dernière à participer à la Révolution. Avec l'instauration des départements disparaît l'ancienne Provence.

– **1793 :** après s'être mis au rouge révolutionnaire *(La Marseillaise),* les Provençaux – régionalisme oblige – se distinguent : Marseille vire au blanc, Toulon s'offre aux Anglais. Reprise par Bonaparte, elle est rebaptisée Port-la-Montagne, Marseille devenant quant à elle – suprême outrage – Ville-sans-Nom.

– **Fin du XVIIIe s :** avec Honoré Fragonard et Joseph Vernet, la Provence se hisse au pinacle des arts picturaux.

– **1815 :** Napoléon débarque de l'île d'Elbe et emprunte, par Grasse, Digne et Gap, la route qui porte aujourd'hui son nom.

– *1848 et 1851 :* de nombreuses villes provençales manifestent de profonds sentiments républicains, à l'occasion de la révolution d'abord, puis lors du coup d'État de Napoléon III.

– *1854 :* fondation du félibrige, mouvement régionaliste culturel.

– *1860 :* le comté de Nice et la Savoie sont rattachés à la France, en échange de l'intervention de Napoléon III en faveur de l'unité italienne contre les Autrichiens. L'année suivante, Menton et Roquebrune sont rachetées à la principauté de Monaco.

– *1942 :* les troupes allemandes envahissent la Provence. Le 11 novembre...

– *1944 :* le 28 août, Marseille est libérée.

– *1947 :* Jean Vilar crée le Festival d'Avignon.

– *1956 :* la « région de programme » Provence-Corse-Côte d'Azur voit le jour.

– *1965 :* les premières installations du port de Fos sortent de terre.

– *1970 :* création du parc naturel régional de Camargue.

– *1974 :* première réunion du conseil régional de la nouvelle région PACA (la Corse faisant cavalier seul depuis 1970).

– *1977 :* le Luberon devient à son tour parc naturel régional. Les Marseillais, eux, prennent le métro.

– *1988 :* fermeture des chantiers navals de La Ciotat.

– *1993 :* l'OM gagne la ligue des champions (une première pour un club français).

– *2001 :* Marseille est à 3h de Paris en TGV.

– *2003 :* une canicule exceptionnelle accentue les dégâts provoqués par les incendies incessants (près de 40 000 ha pour l'ensemble de la région PACA).

– *2004 :* l'épave de l'avion d'Antoine de Saint-Exupéry est enfin retrouvée au large de l'île de Riou, près de Marseille.

– *2006 :* l'« année Cézanne » à Aix-en-Provence commémore le centenaire de la mort du peintre. Également, à Aix, inauguration en octobre du *Pavillon noir,* somptueux centre chorégraphique dessiné par l'architecte Rudy Ricciotti.

– *2007 :* les Alpilles sont classées « Parc naturel régional » par décret.

– *2012 :* création du parc national des Calanques.

– *2013 :* Marseille « Capitale européenne de la culture ».

JEUX DE CARTES

Les jeux de cartes, proscrits par l'Église, ont débarqué en France par la pieuse terre de Provence. Un demi-siècle après Pagnol, les joueurs de belote – ou de manille – font toujours partie du florilège régional, au même titre que le pastis ou les boules. C'est à Marseille, enfin, qu'est né le fameux tarot divinatoire qui devait prédire tant de sornettes aux gogos du monde entier...

LAVANDE

On ne peut dissocier la lavande de la Provence, et on a tous en tête les photos de champs violets de lavande des monts du Vaucluse, du pays de Sault ou du plateau de Valensole. La lavande était déjà cultivée du temps des Romains, qui l'utilisaient pour parfumer le linge et les bains. Ce n'est cependant qu'au XIXe s que la culture s'est développée, pour atteindre son apogée dans les années 1920, liée à la présence de parfumeries, près de Grasse, qui utilisaient l'huile essentielle de lavande. Avec la violette, elle était la seconde des fleurs tolérées – jadis – dans la parfumerie masculine. Aujourd'hui, alors que la lavande synthétique envahit les lessives, la vraie lavande disparaît progressivement des montagnes.

Il faut distinguer la lavande fine, qui pousse entre 600 et 1 600 m, et le lavandin (hybride entre la lavande aspic et la lavande officinale), qui est cultivé au-dessous de 600 m. C'est le lavandin qui est le plus répandu, plus facile à cultiver, permettant une meilleure production d'huile essentielle, même si son essence est de moins bonne qualité olfactive. La récolte se déroule au début de l'été dont les grosses chaleurs permettent la montée de l'essence dans les glandes sécrétrices de la lavande.

Si, dans les monts reculés de la Drôme ou du Vaucluse, on voyait encore récemment des alambics grimper dans les champs de lavande, parmi les sauterelles aux ailes rouge et bleu, rares sont aujourd'hui ceux qui distillent encore, à la ferme, de la « vraie » lavande. En Provence, la production est concentrée sur le plateau d'Albion, la montagne de Lure, le val de Sault, et mécanisée depuis les années 1970. La lavande est distillée dans un alambic à vapeur qui permet d'extraire l'huile essentielle de la plante (voir l'intéressant musée de la Lavande à Coustellet, dans le Vaucluse).

MISTRAL

Son nom dérive de « magistral » : le vent dominant, en somme. Un vent du nord, froid et sec. Engendré par les hautes pressions situées sur le Massif central ou l'est de la France, il s'engouffre dans le couloir rhodanien pour combler les dépressions en Méditerranée. Rafraîchissant l'été, il donne l'impression de pénétrer partout en hiver. Il souffle couramment à 80-100 km/h (record de 270 km/h au sommet du mont Ventoux), autour de 120 jours par an au niveau d'Orange et 90 jours par an à Marseille. On dit qu'il « sort » toujours par multiple de 3, soufflant 3, 6 ou 9 jours de suite. Et s'il permet la superbe et légendaire pureté azuréenne des ciels provençaux, il est également une plaie pour les habitants. Frédéric... Mistral ne disait-il pas : « Mistral, Parlement d'Aix et Durance sont les fléaux de la Provence. » Les épanchements de la Durance sont jugulés par les ponctions qui lui sont faites entre Sisteron et Manosque... mais le mistral demeure.

NOËL EN PROVENCE

La veille de Noël, surtout, mais désormais aussi les quatre week-ends de l'Avent, précédant la fête, les marchés se transforment en véritables foires aux santons, d'Aix-en-Provence, Aubagne ou Châteaurenard à Martigues et Vitrolles, sans oublier Marseille et les allées de Meilhan, où la foire a été créée en 1802, au son du fifre et du tambourin. La tradition marseillaise est née à la fois de la ferveur populaire pour la célébration de la Nativité et de l'apparition de cette figurine typiquement provençale qu'est le *santon* (voir plus loin « Santons de Provence »).

Après la messe de minuit, on place le petit Jésus dans la crèche, le Ravi peut lever les bras au ciel et on reprend des forces en se régalant des 13 desserts (le Christ et ses apôtres), tradition qui aurait été instaurée vers 1920. Depuis, elle a fait fortune... chez les commerçants : fougasse à l'huile, pompe au sucre parfumée à la fleur d'oranger, nougat noir et blanc, figues sèches, amandes, noix, raisins, miel, pommes ou poires, dattes, fruits confits...

PERSONNAGES

Les comédiens, les acteurs, les cinéastes

– *Daniel Auteuil* *(né en 1950) :* ce vrai Méditerranéen est né à Alger, et a grandi en Avignon. Le public le découvre d'abord sur les planches – qu'il ne quittera jamais – avant de le voir sous l'œil des caméras, et puis, plus récemment, réalisateur. Entre autres fameuses récompenses, il recevra le césar du meilleur acteur en 1987 pour *Jean de Florette*, puis en 2000 pour *La Fille sur le pont*. Dernièrement, il a réalisé la célèbre diptyque marseillaise de Pagnol *(Marius, Fanny et César),* chantre de la Provence.

– **Fernandel** *(1903-1971) :* « Je suis laid, vindicatif et prétentieux, j'aime les cravates voyantes et les calembours, je gagne trop d'argent, je manque de goût, j'ai horreur de la lecture, je préfère Scotto à Beethoven, Dubout à Daumier, Létraz à Racine, j'ai un petit cerveau de bureaucrate dans un crâne de cheval... » Autoportrait sans concession de l'acteur d'origine marseillaise, de son vrai nom Fernand Contandin, qui, dans une filmographie pléthorique (plus de 125 films), a alterné navets et chefs-d'œuvre sans se départir de son sourire d'anthologie.

– **Robert Guédiguian** *(né en 1953) :* cinéaste social, né à l'Estaque d'un père arménien et d'une mère allemande, Guédiguian est largement associé à Marseille et à son quartier d'origine. Ses « petits films » faits avec de « petits moyens » sur de « petites gens » ont rencontré le grand public à la sortie de *Marius et Jeannette* en 1997, puis de *Marie-Jo et ses deux amours.* Des films écrits pour sa compagne, Ariane Ascaride, autre enfant du pays. D'autres films depuis sont devenus des références auprès des fans : *Voyage en Arménie, Lady Jane, L'Arme du crime, Le Promeneur du Champ-de-Mars...*

– **Marcel Pagnol** *(1895-1974) :* né à Aubagne, l'écrivain cinéaste y passa son enfance avant de s'installer dans les faubourgs de Marseille, dans les quartiers de La Barasse, puis de Saint-Loup, où son père était instituteur. Sa famille habita ensuite dans le quartier de La Plaine (au 52, rue Terrusse). Le petit Marcel fut élève au lycée Thiers, où son meilleur camarade était **Albert Cohen** (auteur, entre autres, de *Belle du Seigneur* et Prix Nobel de littérature). Il est le plus connu, avec Giono et Daudet, des écrivains provençaux. Le plus facile à lire, et peut-être le plus incompris aujourd'hui. Certains trouvent des aspects dans son œuvre beaucoup plus noirs que la version donnée ensuite dans les films, même ceux réalisés par lui. Comme décor de ses films, Pagnol utilisa souvent le Vieux-Port de Marseille, qu'il adorait, ainsi que le quartier des Quatre-Saisons et le village de La Treille où son père louait la *Bastide Neuve* (hameau des Bellons). Ses studios marseillais se trouvaient impasse des Peupliers, puis au 11, rue Jean-Mermoz. Il y tourna les scènes d'intérieur de ses nombreux films, les extérieurs étant filmés dans les collines de Marseille et d'Aubagne. Le côté parfois caricatural des personnages et situations qu'il a mis en scène agace parfois un peu localement... Il repose au cimetière de La Treille, entre Marseille et Aubagne.

– **Yves Montand** *(1921-1991) :* Ivo Livi est né en Toscane (Italie). La famille s'installe à Marseille, où Ivo passe son enfance. Il est contraint de travailler dans une savonnerie à 11 ans, puis comme docker, et connaît le chômage. À force d'avoir entendu sa mère lui crier de son balcon : « Ivo monta ! », il en fait son nom de scène. Il se produit d'abord comme artiste de music-hall dans les salles des quartiers nord. Puis en 1939, il joue à l'*Alcazar.* C'est là que va commencer sa brillante carrière. Marié à Simone Signoret (1949), il joue dans près de 50 films et tourne avec Marilyn Monroe en 1960. Artiste (à la fois chanteur et acteur) aux idées de gauche, très engagé, il prend ses distances avec l'URSS et continue, jusqu'à la fin de sa vie, de militer en faveur des Droits de l'homme aux côtés d'Amnesty International.

– **Henri Verneuil** *(1920-2002) :* de son vrai nom Achod Malakian, né à Rodosto (Turquie), il est le fils d'un immigré arménien. Il passa son enfance à Marseille, au 588, rue Paradis. Journaliste, puis cinéaste, il produisit son premier film en 1947. Sa renommée devint vite internationale avec *Mélodie en sous-sol* (1963). Il travailla pour Hollywood en 1966 et 1967, puis revint en France, fort de son succès. Ses derniers films, *Mayrig* et *588, rue Paradis,* racontent l'histoire de sa famille et son enfance à Marseille.

Les artistes, les chanteurs, les musiciens

– **Maurice Béjart** *(1927-2007) :* né dans le quartier de La Plaine, d'un père philosophe (Gaston Berger) qui possédait une usine d'engrais chimiques. Ce Marseillais est devenu l'une des grandes figures de la danse française et de la chorégraphie moderne. Rénovateur du ballet contemporain, converti à l'islam, il travailla longtemps à Bruxelles avant de se fixer à Lausanne.

– **Les Gipsy Kings :** si, depuis 1986, année de ses plus grands tubes *(Jobi Joba, Bamboleo),* ce groupe fondé à Arles est un peu passé de mode en France, sa rumba flamenca version grand public continue à remplir les salles aux États-Unis comme au Japon.

– **Élie Kakou (1960-2001) :** un personnage très attachant qu'on a du mal à qualifier de simple comique, devenu célèbre grâce à sa création sur scène, entre autres, de la terrible *Madame Sarfaty,* et qui était originaire de Marseille, comme son accent le laissait entendre.

– **Darius Milhaud (1892-1974) :** né à Aix-en-Provence, il se passionne très jeune pour la musique et montre des dons précoces. Proche de Paul Claudel, il se rend avec lui au Brésil où il découvre de nouveaux rythmes et sonorités. De retour à Paris, il participe au groupe des Six, formé autour de Cocteau, et découvre ensuite le jazz aux États-Unis. Imprégné de ces différents courants musicaux, il compose des opus éclectiques (plus de 450 !), en s'attaquant à tous les genres (opéra, musique de chambre...). Le conservatoire d'Aix-en-Provence porte aujourd'hui son nom. Quelques œuvres évoquent sa Provence natale : *Suite provençale, Ouverture méditerranéenne, Le Train bleu...*

– **Vincent Scotto (1876-1952) :** nos parents ont tous eu un jour sur le bout des lèvres l'une ou l'autre des increvables ritournelles de Scotto : *J'ai deux amours, Sous les ponts de Paris, Marinella.* Ce Marseillais d'origine et de cœur a aussi écrit des opérettes *(Un de La Canebière)* et la musique des films de Pagnol.

– **Jean Vilar (1912-1971) :** on s'attend encore aujourd'hui à croiser son inimitable silhouette (salopette, casquette aussi inamovible que la cigarette au coin de la bouche) sur la place de l'Horloge ou dans la cour du palais des Papes d'Avignon. Un des grands du théâtre français du XXe s. Très marqué par Charles Dullin, il devient metteur en scène en 1942 avec la pièce de Strindberg, *La Danse de la mort,* dont il est le principal interprète. En 1943, il fonde la compagnie des Sept. Avec *Meurtre dans la cathédrale* de T. S. Eliot, créé au *Vieux-Colombier,* c'est la consécration. Vilar devient un des maîtres incontestés de la mise en scène. Il interprète ensuite *Roméo et Juliette* d'Anouilh et *Jeanne au bûcher* de Claudel. Mais c'est avec la création du Festival d'Avignon en 1947 que Jean Vilar devient définitivement célèbre (voir le chapitre « Avignon »).

Les peintres, sculpteurs, créateurs

– **César (1921-1999) :** le plus célèbre des sculpteurs contemporains français. Né César Baldaccini, dans le quartier de la Belle-de-Mai, et fils de parents immigrés italiens. Il soude des rebuts de ferraille, des tiges et des blocs de métal, et trouve là son style. Il serait dommage de réduire son œuvre aux fameuses « compressions ». Marseille possède trois de ses œuvres : les portes de la bibliothèque de la ville (rue du 141e-RIA), la pale d'hélice sur la corniche

ITINÉRAIRE D'UN ACTEUR GÂTÉ

Jean-Paul Belmondo (le fils de Paul) a toujours refusé de recevoir un « césar ». Malgré tout, primé en 1989, il en bouda la remise. On dit que c'est parce que César avait été préféré à Paul Belmondo (père de l'acteur) pour créer le trophée suprême du cinéma français. Dommage, la cérémonie aurait été Bébel...

Kennedy et le pouce en bronze poli (6 m de hauteur, 6 t) sur l'avenue de Hambourg, près du musée d'Art contemporain.

– **Paul Cézanne** *(1839-1906) :* né et mort à Aix-en-Provence. Référence de toutes les avant-gardes de la première moitié du XXe s, le peintre aixois était en fait d'un redoutable conformisme social, qui courut toute sa vie après la Légion d'honneur. Lié aux impressionnistes, Cézanne reste fidèle à certains de leurs principes, comme la peinture en plein air ou les ombres colorées, mais s'intéresse surtout à la modification des couleurs d'un objet en fonction de la lumière qui l'éclaire, et commence à peindre les sujets observés de deux ou trois points de vue. Il partage son temps entre Paris, l'Estaque et Aix-en-Provence. En 1895, première exposition à Paris, organisée par Ambroise Vollard, qui lui achète de nombreuses toiles. Reconnu enfin, Cézanne continue d'aller plus loin dans son art avec l'apparition de compositions opaques ; les éléments entrant dans l'élaboration d'une toile se situent dans un plan unique, sans profondeur. Ce qui explique qu'après sa mort son œuvre aura une influence considérable sur le fauvisme et le cubisme.

– **Honoré Daumier** *(1808-1879) :* né à Marseille, place Saint-Martin, il a suivi son père, maître verrier, parti tenter sa chance à Paris en 1816. Dommage pour les politiques et la bonne bourgeoisie, sur lesquels ce caricaturiste incisif tirera plus tard à boulets rouges dans *Le Charivari,* ancêtre de notre *Canard enchaîné.* Copain de Corot et de Delacroix, il a aussi laissé quelques belles toiles qui ne lui ont pas apporté la gloire. Il est mort fauché et presque aveugle.

– **Christian Lacroix** *(né en 1951) :* né à Arles. Le plus provençal des grands couturiers ! C'est d'ailleurs grâce à ces racines assumées et revendiquées que Lacroix, qui avait fait ses classes chez Hermès puis chez Patou, a rencontré le succès : son style baroque, son goût de l'opulence réinterprété avec des influences provençales, gitanes ou hispaniques, aux couleurs chatoyantes, éblouissent la France des années 1990. Deux Dés d'or, distinction suprême de la profession, à son palmarès, Christian Lacroix est devenu une référence culturelle incontournable.

– **Vincent Van Gogh** *(1853-1890) :* né en Hollande, d'un père pasteur, c'est en Provence (aidé moralement par son frère Théo) que ce peintre tourmenté (c'est rien de le dire !) connaîtra sa période la plus productive. En 1888, Van Gogh s'installe à Arles où il loue en mai la célèbre maison jaune. Entre deux crises d'exaltation délirante et une tentative d'assassinat sur son invité Gauguin, il peint et dessine sans relâche : *La Moisson, Les Roulottes, Le Café, Le Soir,* les fameux *Tournesols.* Il s'automutile (célèbres portraits à l'oreille coupée) et demande alors à être interné à l'hospice de Saint-Rémy-de-Provence en mai 1889. Connaissant des moments de travail intenses qui alternent avec des crises éprouvantes, il y peindra encore quelques toiles célébrissimes, telles que *La Chambre à coucher à Arles, Le Parc de l'hôpital au bord des Alpilles, L'Enclos au soleil couchant vu de l'asile de Saint-Rémy.* En mai 1890, il décide de retourner à Paris et se suicide à Auvers-sur-Oise le 27 juillet suivant.

Les écrivains, les savants, les aventuriers

– **Antonin Artaud** *(1896-1948) :* né à Marseille. Son père était employé aux docks de la Joliette. À 20 ans, il monta à Paris où il devint l'assistant de Louis Jouvet au théâtre Pigalle. Auteur, il écrit *L'Ombilic des limbes* et *Le Pèse-nerfs,* œuvres de poésie surréaliste, ainsi que *Le Théâtre et son double* et *Van Gogh le suicidé,* qui défendent la conception d'un « théâtre de la cruauté ». Acteur, il joue dans *Jeanne d'Arc* et dans le *Napoléon* d'Abel Gance, dans lequel il tient le rôle de Marat. De santé fragile, il fait de nombreux séjours dans des maisons de repos. Son aventure intérieure le conduisit aux limites de la folie et lui valut d'être longtemps classé parmi les artistes « écorchés vifs » et les « poètes maudits ».

– **Pierre Boulle** *(1912-1994) :* plus que de sa jeunesse tranquille à Avignon, sa ville natale, c'est dans sa vie aventurière (planteur de caoutchouc en Malaisie, combattant des FFL en Birmanie) que cet écrivain a puisé la matière de son plus célèbre roman, *Le Pont de la rivière Kwaï* (1959), adapté par le cinéma hollywoodien avec le succès que l'on sait. Autre adaptation réussie, la célébrissime *Planète des singes.*

– **René Char** *(1907-1988) :* depuis Apollinaire, la poésie française n'avait pas connu une telle révolution que celle apportée par cet amoureux de L'Isle-sur-la-Sorgue. René Char commence à écrire en 1929, après avoir rencontré Picasso et Breton. En 1941, il entre dans la Résistance. En 1945, il publie *Seuls demeurent,* et en 1947, *Le Poème pulvérisé.* Une œuvre qui connaît la consécration avec sa publication dans la Pléiade en 1983.

– **Edmonde Charles-Roux** *(née en 1920) :* fille d'une famille de diplomates et d'industriels marseillais et avignonnais proches du félibrige (mouvement littéraire provençal). Infirmière, elle est affectée dans un corps d'ambulancières, puis nommée à l'état-major de l'armée du général de Lattre en 1944. Épouse de Gaston Defferre, présidente de l'académie Goncourt de 2002 à 2014, c'est une grande dame des lettres et une personne courageuse. Elle est la figure majeure de l'actualité littéraire marseillaise. Son œuvre comprend plusieurs romans marqués par sa jeunesse et son engagement dans la guerre dont *Oublier Palerme,* prix Goncourt 1966, *Une enfance sicilienne,* 1981.

– **Alphonse Daudet** *(1840-1897) :* né à Nîmes, Alphonse Daudet s'installe vite à Paris où il se consacre à la littérature. Il devient célèbre avec la publication des *Lettres de mon moulin,* en 1866. Autres œuvres inspirées par cette région : *Tartarin de Tarascon, Tartarin dans les Alpes* et *Port-Tarascon,* dominées par la caricature. En 1869, Daudet publie *L'Arlésienne,* qui inspirera le compositeur Bizet. Alphonse Daudet passa de longs moments à Fontvieille, dans les Alpilles, comme hôte au château de Montauban.

– **Alexandra David-Néel** *(1868-1969) :* cette routarde avant l'heure (elle fut la première femme à pénétrer et résider dans Lhassa, la cité interdite) a terminé une vie de périples dans une petite maison au pied des Préalpes, à Digne... « ce Tibet en miniature pour Lilliputiens ».

– **Jean-Henri Fabre** *(1823-1915) :* nul n'est prophète en son pays. Cet entomologiste en est le plus parfait exemple. Quasiment inconnu en France, c'est une vraie star au Japon, où la moindre réédition de ses bouquins pulvérise des records de vente. Grillé comme prof parce qu'il avait osé expliquer la reproduction (des fleurs !) dans un collège de jeunes filles d'Avignon, ce touche-à-tout s'est installé définitivement en 1879 à Sérignan-du-Comtat, dans sa maison de campagne, *l'Harmas.* Encyclopédiste, il a laissé derrière lui une œuvre monumentale dans tous – ou presque – les domaines.

– **Jean Giono** *(1895-1970) :* intrinsèquement lié à sa région natale (il a habité toute sa vie à Manosque), Giono a trouvé dans ce pays violet les thèmes inspirateurs de son œuvre. Ses premiers romans, *Colline* et *Regain,* évoquent le retour à la nature. Il devient très célèbre avec la publication de *Que ma joie demeure* et *Le Chant du monde* dans les années 1930. En 1939, Giono prône le refus de la guerre, et ses écrits pacifistes entraîneront son emprisonnement à la Libération pour sympathie avec le régime de Vichy. Très marqué par cette expérience, il changera de ton dans ses écrits suivants, traduisant une inquiétude nouvelle, dans *Un roi sans divertissement* ou *Le Hussard sur le toit,* adapté au cinéma par J.-P. Rappeneau.

– **Jean-Claude Izzo** *(1945-2000) :* disparu trop tôt, il a écrit de superbes polars qui auront marqué la littérature policière française de la fin du XXᵉ s. Sa trilogie marseillaise des temps modernes se poursuit avec des romans et quelques nouvelles. Une œuvre « à l'arraché », pleine de colère et de tendresse. Izzo a su décrire, mieux que quiconque, le Marseille en mutation que vous découvrirez aujourd'hui.

– **Charles Maurras** *(1868-1952) :* né à Martigues. Bizarrement, la plupart des notices biographiques de la documentation touristique du coin évoquent l'homme de lettres, le provençaliste convaincu, jamais le militant d'extrême droite...

– **Peter Mayle** *(né en 1939) :* cet Anglais a abandonné la publicité et la vie à Londres pour le Luberon. Son livre *Une année en Provence,* publié en 1994, où il décrit avec humour (et parfois un brin de condescendance) sa vie quotidienne à Ménerbes, a connu un succès inouï. Idem pour le suivant, *Provence toujours* (1995). Responsable d'une invasion de touristes et un peu fâché avec certains habitants du coin, Mayle a fui le Luberon pour y revenir, paraît-il, incognito, et peut-être aussi y écrire son dernier ouvrage en date, *Dictionnaire amoureux de la Provence* (2006).

– **Frédéric Mistral** *(1830-1914)* : né dans une famille de paysans aisés, celui que Lamartine salua comme un nouvel Homère a passé son enfance à Maillane. Il doit abandonner des études qui s'annonçaient brillantes pour aider son père, malade, aux travaux de la ferme. Il commence pourtant aussi à écrire et prend une part active à la naissance du

ON N'EST JAMAIS SÛR DE RIEN

Mistral, dont le nom évoque un vent bien provençal, est en fait originaire du... Dauphiné. Quant à la famille Mistral, on a retrouvé le berceau familial à Valence, et ce, depuis le XIVe s. Il est vrai que c'est dans cette ville que le mistral (le vent !) prend vraiment son élan...

félibrige (voir « Langue régionale »). La notoriété vient avec la publication de *Mireio*, poème dramatique sur la Provence. Il contribue beaucoup à faire connaître le félibrige, en publiant des articles dans *L'Armana provençau* et *Le Trésor du félibrige*, dictionnaire provençal-français et encyclopédie de la langue d'oc. Il reçoit le prix Nobel de littérature en 1904.

– **Nostradamus** *(1503-1566)* : né à Saint-Rémy-de-Provence, sous son vrai nom Michel de Notre-Dame, il s'est établi à Salon-de-Provence en 1547. Nous n'ajouterons pas beaucoup de lignes à l'impressionnante littérature qui a été produite au fil des siècles autour de ses célèbres *Centuries.* D'autant que si vous croyez à la plupart des interprétations de ces prophéties, vous ne devriez pas être en train de lire ce texte...

– **Marcel Pagnol** *(1895-1974)* : voir plus haut son portrait en tant que cinéaste.

– **Pétrarque** *(1304-1374)* : né à Arezzo, ce poète italien fuit l'Italie, très fâché avec les Guelfes. Il suit des études de droit à Montpellier, qu'il abandonne pour aller à Avignon. Admirateur des textes des auteurs antiques et des poètes de son époque, son érudition fait forte impression à la cour papale où il devient secrétaire d'un cardinal. En 1327, il rencontre l'amour de sa vie, Laure de Noves, qu'il chante avec émotion et raffinement dans les poèmes de son *Canzoniere*. En 1341, il sera honoré par la distinction de « poète des poètes » qu'il reçoit au Capitole à Rome. Ayant participé activement à la renaissance des lettres et à la redécouverte de textes oubliés, il annonce les humanistes. Il voyage en Europe et écrit *La Vie des hommes illustres*. Désireux de prendre le large, il se retire à Fontaine-de-Vaucluse mais meurt en Italie, à Arque.

– **Edmond Rostand** *(1868-1918)* : né à Marseille, dans un immeuble bourgeois de style parisien, aujourd'hui au 14, rue Edmond-Rostand, au sein d'une famille de négociants aisés. Si ses premiers poèmes ont fait un flop, il a connu une gloire immortelle avec *Cyrano de Bergerac* en 1897. D'autres pièces, dont *L'Aiglon,* avec Sarah Bernhardt, suivront.

– **Sade** *(1740-1814)* : déjà marquis, pas encore (tout à fait) divin, Donatien Alphonse François de Sade a fait son entrée en Provence à l'âge de 4 ans, confié à son oncle, abbé érudit et libertin, au château de Saumane. En 1771, Sade, qui a déjà été emprisonné pour affaire de mœurs, s'installe au château de Lacoste, dans le Luberon. Il y est assigné à résidence après un premier scandale sexuel à Arcueil. Il le quittera fissa pour l'Italie après la fameuse affaire de Marseille (juin 1772 – une partie fine doublée d'empoisonnements). Condamné à mort par contumace, son effigie et celle de son valet sont exécutées sur la place d'Aix. Il reviendra pourtant à Lacoste de 1774 à 1778. Embastillé et plusieurs fois libéré puis emprisonné, il finira ses jours à l'asile de Charenton. Le château de Lacoste, pillé en 1792, sera vendu en 1796.

– **Émile Zola** *(1840-1902)* : fils d'un ingénieur italien qui travaillait dans le coin, il a passé son adolescence à Aix-en-Provence où il a été le condisciple d'un certain Paul Cézanne. Cézanne qui, seul parmi les jeunes bourgeois de ce collège, témoignera de l'amitié à un Zola déjà marginal. Sa jeunesse à Aix est évoquée dans *L'Œuvre,* où le personnage de Claude Lantier est évidemment inspiré par Cézanne. Le portrait de ce peintre raté fâchera d'ailleurs définitivement les deux amis d'adolescence.

Les sportifs, les stars de l'audiovisuel

– *Éric Cantona (né en 1966) :* né à Marseille, cet ancien footballeur a d'abord été l'attaquant le plus talentueux de l'équipe de Manchester United avant de s'orienter vers le cinéma. En 1995, *Le bonheur est dans le pré* d'Étienne Chatiliez lui offre un de ses premiers rôles. *Les Enfants du marais* en 1999, film de Jean Becker, confirme sa reconversion. En 2009, il coproduit et interprète son propre rôle dans le film de Ken Loach *Looking for Éric,* présenté à Cannes en sélection officielle la même année. Il s'oriente ensuite vers la réalisation tout en s'occupant activement de la promotion du *beach soccer* (foot sur la plage) en France et dans le monde.

– *Jean-Pierre Foucault (né en 1947) :* né à Marseille, présent sur les écrans télé depuis les années 1970, il est l'une des figures incontournables parmi les animateurs du PAF avec l'émission « Qui veut gagner des millions ? ». Il est aussi président de l'association OM qui gère le centre de formation du club marseillais.

– *Jacques Mayol (1927-2002) :* le plongeur qui servit de modèle au héros du film *Le Grand Bleu,* de Luc Besson. Né à Shanghai, fils d'un architecte et d'une pianiste marseillaise, il bourlingua dans sa jeunesse. Chroniqueur radio au Canada, puis bûcheron en Suède. En Floride, il découvrit les dauphins, la passion de sa vie. Il s'installa sur l'île d'Elbe où, à 56 ans (1983), il pulvérisa la barre des 105 m, ouvrant la voie à la plongée profonde en apnée.

– *Zinédine Zidane (né en 1972) :* né dans les quartiers nord de Marseille, ce fils de Kabyles a grandi dans une cité défavorisée où il découvrit très jeune le ballon rond. Il entre dans l'équipe de France des minimes. À 16 ans, il est milieu de terrain à Cannes. À 18 ans, le voilà titulaire. Meneur de jeu de l'équipe de France, il entre dans la légende en marquant deux buts décisifs contre le Brésil lors de la finale de la Coupe du monde 1998, remportée par les Bleus à Saint-Denis. Depuis que son portrait géant a été projeté sur l'Arc de triomphe le soir de la victoire, Zidane est devenu le symbole de l'intégration à la française. Zidane reste aussi l'un des rares joueurs français à avoir marqué l'histoire du foot par son talent et sa personnalité.

– *Samir Nasri (né en 1987) :* né à Marseille dans le quartier de la Gavotte Peyret, le « Petit Prince » du football intègre à l'âge de 8 ans l'équipe poussin de l'OM. En juin 2004, Samir Nasri est sacré meilleur joueur du championnat d'Europe avec l'équipe de France des moins de 17 ans. Ovationné par le public, le « minot marseillais » est convoqué dès 2007 par Raymond Domenech pour participer aux qualifications pour l'Euro. Après avoir fait rêver les fans de l'OM par son agilité et sa technique irréprochable, il file à l'anglaise en 2008 vers Arsenal où il se place sous la protection d'Arsène Wenger puis à Manchester City.

Les politiques

– *Adolphe Thiers (1797-1877) :* marseillais d'origine, avocat de métier puis homme politique intervenant dans les hautes sphères de l'État. On s'en souviendra (malheureusement...) parce qu'il a donné l'ordre de réprimer dans le sang la Commune de Paris. L'immeuble de la famille Thiers, situé rue Thiers (quartier de La Plaine), est aujourd'hui le siège de l'académie de Marseille.

– *Gaston Defferre (1910-1986) :* né dans l'Hérault, de vieille souche protestante, il entra dans la Résistance pendant l'Occupation pour diriger le réseau Brutus. À la Libération, élu maire socialiste de Marseille jusqu'en 1945, il fut à nouveau réélu en 1953 et resta à la tête de la ville, sans interruption, jusqu'en 1986 ! Gaston, pilier de la vie politique marseillaise, personnalité charismatique (mélange d'autoritarisme et de populisme), a marqué la ville de son empreinte. Il a été plusieurs fois ministre sous François Mitterrand. Il restera un des grands maires de Marseille.

– *Jean-Claude Gaudin* (né en 1939) : né à Mazargues dans les quartiers sud, il enseigne l'histoire-géo pendant 15 ans, tout en faisant de la politique son cheval de bataille. Benjamin, à 26 ans, du conseil municipal de Marseille, il est d'abord socialo-centriste, proche de Defferre, puis, s'orientant plus à droite, il s'oppose à celui-ci et devient député puis sénateur UDF. Élu maire de Marseille depuis 1995,

LE DERNIER DUEL

En 1967, le député Ribière, s'étant fait traiter d'abruti par Gaston Defferre, maire de Marseille, demanda réparation par l'épée. Légèrement blessé à l'avant-bras, Ribière fut vaincu. Il se mariait le lendemain et Defferre avoua qu'il voulait toucher son adversaire à la braguette pour compliquer sa nuit de noces.

il a été vice-président à l'UMP et président de l'UMP au Sénat.

– *Honoré Gabriel, comte de Mirabeau* (1715-1791) : s'il n'est pas né à Aix-en-Provence, il s'y est marié, y a… divorcé et laissé suffisamment de dettes pour être emprisonné à Manosque et au château d'If. Élu simultanément à Marseille et à Aix comme représentant du tiers état, en 1789, il choisit Aix, qui lui offrira la postérité en donnant son nom à un cours.

– *Le roi René Ier le Bon* (1409-1480) : fils de Louis II de Sicile et de Yolande d'Aragon, il n'est que peu resté dans cette Provence sur laquelle il régnait. Mais les 7 années qu'il a passées dans son palais d'Aix-en-Provence ont laissé le souvenir d'un bon roi. Sa cour à Aix attirait nombre d'artistes. Après la mort de son successeur et neveu Charles du Maine, Louis XI rattacha la Provence à la France en 1482.

PÉTANQUE

La pétanque est le jeu le plus populaire du Midi. Jusque dans les années 1910, on jouait au jeu provençal, en faisant trois pas avant de lancer la boule. En raison de ses rhumatismes, un joueur dénommé Jules Hugues, dit « le Noir », proposa de jouer pieds (*pèds* ou *pès* en provençal) « tanqués », c'est-à-dire arrêtés, immobiles (du provençal *tanco*).

LA PÉTANQUE, SPORT DANGEREUX

En avril 1792, des soldats jouaient avec des boulets de canon dans la salle des munitions du couvent des Récollets. Une étincelle mit le feu aux poudres. Palmarès : 38 morts !

La pétanque se joue par équipe de deux (doublette) ou de trois (triplette). On utilise des boules métalliques mesurant de 7,5 à 8 cm de diamètre et pesant entre 620 et 800 g. Le jeu consiste à « pointer », c'est-à-dire à expédier sa boule le plus près possible d'une grosse bille en bois appelée « cochonnet ». En principe, on joue les pieds immobiles sur une distance d'environ 10 m. En Provence, cette distance peut être supérieure à 10 m et les joueurs sont autorisés à bouger : c'est la « longue ». Si l'on a trop bien « pointé », l'adversaire doit alors « tirer », c'est-à-dire chasser, en la frappant, la boule trop bien placée. Parfois, les grands tireurs réussissent même à enlever la boule adverse et à prendre sa place. Ça s'appelle « faire un carreau ».

SANTONS DE PROVENCE

Les santons (de *santoun*, « petit saint » en provençal) sont des figurines de terre cuite peinte servant à orner les crèches de Noël. La Provence connut une longue tradition de crèches d'église, avec parfois des sujets vivants.

L'art du santon de Provence connut son apogée dans la première moitié du XIXe s. Un certain Jean-Louis Agnel est donné pour avoir créé les premiers santons en terre cuite, tels qu'ils existent aujourd'hui. Et, depuis ce temps, les sujets qui viennent attendre l'arrivée du petit Jésus ont peu changé, avec leurs costumes d'époque. Certes, ils sont parfois accompagnés par quelque liberté du santonnier... Fernandel, Raimu.

Il existe actuellement de nombreux santonniers en Provence. Dans les 3 semaines qui précèdent Noël, il y a des foires aux

SANTONS RÉVOLUTIONNAIRES

C'est la Révolution française qui popularisa involontairement les santons en fermant les églises. Un fabricant de statues de Marseille eut alors l'idée de fabriquer en série des santons bon marché pour que les gens puissent installer des crèches chez eux. À côté des figurines classiques (Sainte Famille, bergers, Rois mages, etc.), on trouvait tous les personnages de la vie villageoise et du folklore de Provence : le paysan, le joueur de tambourin, le rémouleur, le marchand de gallines (de poules), le pêcheur...

santons à Aix, Marseille, Arles... À partir de Noël et durant tout le mois de janvier, un peu partout en Provence se jouent des pastorales. Ce sont des pièces de théâtre populaire en provençal, en partie chantées, qui mettent en scène la naissance du Christ, vue de façon naïve. Les acteurs y sont vêtus comme les santons.

SITES INSCRITS AU PATRIMOINE MONDIAL DE L'UNESCO

Organisation
des Nations Unies
pour l'éducation,
la science et la culture

En coopération avec
le centre du patrimoine mondial de l'UNESCO

Pour figurer sur la Liste du patrimoine mondial, les sites doivent avoir une valeur universelle exceptionnelle et satisfaire à au moins un des 10 critères de sélection. La protection, la gestion, l'authenticité et l'intégrité des biens sont également des considérations importantes.

Le patrimoine est l'héritage du passé dont nous profitons aujourd'hui et que nous transmettons aux générations à venir. Nos patrimoines culturel et naturel sont deux sources irremplaçables de vie et d'inspiration. Ces sites appartiennent à tous les peuples du monde, sans tenir compte du territoire sur lequel ils sont situés. Pour plus d'informations : ● whc.unesco.org ●

Les sites concernés en Provence sont les suivants : les **monuments romains et romans de la ville d'Arles** (13), les **calanques de Marseille** (13) ; le centre historique d'Avignon (84) : le **palais des Papes,** l'**ensemble épiscopal** et le **pont d'Avignon ;** le **théâtre antique d'Orange** (84), **ses abords et l'arc de triomphe.**

TAUROMACHIE

– **La course camarguaise :** spectacle total, elle est peut-être le spectacle taurin le plus proche des origines antiques.

Le taureau est lâché dans l'arène, porteur d'une cocarde attachée au moyen de fils de laine décorés de pompons, en laine également, entourant les cornes. Les *raseteurs* vont aller le défier, provoquer sa charge, l'esquiver tout en cherchant dans un premier temps à décrocher la cocarde. Spectacle tout en finesse et rapidité mais non sans danger, puisque la longueur du bras est approximativement celle de la corne ! Quand la cocarde est enlevée, il s'agit d'aller attraper les glands, plus petits et encore plus difficiles à décrocher. Enfin, les meilleurs vont aller s'emparer des fils de laine, s'ils le peuvent.

À chaque étape, il y a des récompenses, soit honorifiques (des points), soit financières (primes offertes par les organisateurs ou le public).

Bien entendu, il ne suffit pas d'être courageux ou vif. Il faut également parfaitement comprendre et connaître la bête pour essayer de la tromper, de l'amener à la position où le trophée sera accessible. Même pour le profane, la complicité entre le raseteur et le taureau est perceptible. Il est vrai qu'ils peuvent se retrouver plusieurs fois par saison, voire d'une saison à l'autre. De plus, les raseteurs peuvent jouer en groupe, certains attirant le taureau en position afin de permettre à l'un d'entre eux d'arracher le trophée.

La course camarguaise est certainement la meilleure introduction possible à la tauromachie, puisque aucun sang ne coule. Elle partage avec la course espagnole la connaissance et l'estime portée au taureau. Son côté ludique n'est qu'apparent : ce n'est pas un jeu mais un combat, et si la mort en est absente, les blessures ne sont pas rares. Les taureaux sont traditionnellement amenés aux arènes lors d'un *abrivado* : les gardians à cheval forment un triangle dans lequel sont enfermés les taureaux. C'est une cérémonie tout ce qu'il y a de sérieux, car les connaisseurs jugent tout : l'habit des gardians, leur tenue à cheval, la manière dont la *manade* (ensemble des chevaux et des taureaux) évolue, sans à-coups, harmonieusement, sans que la moindre échappée ne soit offerte aux taureaux. Il y a d'ailleurs régulièrement des concours de manades où les meilleurs élevages défilent au petit galop dans les rues des villes, afin que l'on juge aussi bien de leur compétence que de leur élégance. Après la course, les taureaux sont ramenés aux pâturages lors d'un *bandido*, *abrivado* moins formel car les bêtes sont fatiguées et les habits parfois fripés. Dans toutes les ferias, *abrivados* et *bandidos* sont de grands moments à ne manquer sous aucun prétexte.

Sur le modèle navarrais, on voit de plus en plus souvent des *encierros* : les taureaux sont lâchés dans les rues de la ville pour le plaisir de la jeunesse qui va courir devant eux pour les défier. Ils sont la plupart du temps « emboulés » (leurs cornes portent des boules qui les rendent moins dangereuses), et comme ils sont plus petits que les taureaux espagnols, les risques sont nettement moins élevés qu'à Pampelune, par exemple.

Il n'en reste pas moins qu'un taureau est une masse de muscles, et que les chutes peuvent être sérieuses, ainsi que les risques de piétinement. Donc, prudence et surtout respect des coureurs chevronnés qui connaissent bien le parcours et ses difficultés. Comme en Espagne, la plupart des accidents arrivent aux touristes. Vous voilà prévenu.

– *La corrida :* voici quelques repères permettant de suivre une corrida sans trop de problèmes. Attention, on ne vous dit pas : « Il faut y aller, c'est génial ! » On vous informe !

Une corrida est, avant tout, un combat mettant en scène un taureau. Elle se déroule suivant un protocole bien précis, dont chaque phase est annoncée par un thème musical joué par l'orchestre des arènes. Tout commence par un défilé préliminaire, le *paseo*. Deux hommes à cheval en costume sombre s'avancent vers le président, suivis par les trois matadors et leurs équipes de *peones* et de picadors à cheval. Le rituel commence. Il se compose de trois phases appelées *tercios*.

Le taureau entre dans l'arène. Les *peones* font d'abord courir l'animal pour que le matador étudie son adversaire. Quand il le décide, il exécute quelques passes. La présidence ordonne alors l'entrée des picadors. Le *tercio de piques* commence. Une bonne pique est portée au *morillo* (protubérance musculaire en arrière de la nuque). Il s'agit de calmer la fougue initiale du taureau sans pour autant réduire sa puissance.

Ensuite vient l'épisode des banderilles, plus connu du grand public. Ce sont des bâtonnets de 70 cm de long, terminés par des harpons. Le torero – ou ses *peones* – va les placer par paires toujours sur le *morillo,* un peu en deçà des blessures dues aux piques. Pour qu'une pose soit réussie, le banderillero doit marquer un temps d'arrêt, avoir les pieds joints au moment où il plante les banderilles. C'est le début du *tercio de muleta.* Le matador se présente devant la présidence avec son épée et la *muleta,* un bâton de 50 cm avec le fameux tissu rouge. Il s'ensuit une série de passes, des « naturelles », des « statutaires », des *manoletinas...* C'est là que le public crie les « olé » de rigueur.

Ultime phase, l'estocade portée avec l'épée. Pas besoin de faire un dessin, même s'il y a des règles très précises. S'il manque l'estocade à l'épée – ce qui est considéré comme une faute –, il achève le taureau au poignard. À la demande du public, il est récompensé par une oreille. La seconde oreille est accordée par le président à sa propre appréciation. Exceptionnellement, on accorde la queue. Mort, le taureau quitte l'arène après un tour de piste, tiré par des chevaux. Mais bon, le taureau s'en fiche : il est mort sans rien avoir demandé !

En Provence, on peut voir des corridas à Arles et aux Saintes-Maries-de-la-Mer, pendant les ferias.

TISSUS : DES INDES À LA PROVENCE

Il faut remonter jusqu'au milieu du XVIIe s pour trouver les origines du tissu provençal. La naissance de l'industrie cotonnière moderne date en fait de la création de la Compagnie des Indes en 1664. Les toiles arrivant alors de Marseille, par voie de mer, révélaient des imprimés aux couleurs vives, en provenance des Indes.

Il suffit d'aller au musée Souleiado, à Tarascon, pour revivre la passionnante histoire de l'impression et découvrir les anciens secrets de fabrication de la région. Les boutiques *Souleiado* ont assis leur fortune autour de ces tissus descendant de la tradition des « indiennes », qui connurent un franc succès en Provence. Vu leur prix très élevé, l'industrie textile française ne tarda pas à créer ses propres ateliers de fabrication.

La Provence a su conserver la tradition à travers le travail des étoffes. Aujourd'hui imprimées à la main ou par de gros rouleaux de cuivre, les productions s'inspirent de dessins sculptés par des artisans il y a plus de 200 ans et puisent dans d'authentiques documents anciens des trésors de motifs toujours renouvelés.

Parmi les tissus les plus typiques, il faut accorder une place particulière aux *boutis,* ces tissus capitonnés aux motifs piqués que les femmes confectionnaient jadis pendant de longs mois. D'abord destinées à l'ameublement, ces étoffes de coton piquées servaient aussi à fabriquer les robes du dimanche. Et ces cotonnades, malgré la mécanisation industrielle et la disparition progressive des manufactures, surent rester fidèles aux techniques des anciens.

VINS ET ALCOOLS

On a longtemps rabaissé les vins de Provence au rang de breuvage estival. Or, non seulement ils sont connus et appréciés depuis l'Antiquité, mais les choses ont changé depuis quelques années et la qualité est en train de prendre le pas sur la quantité.

Au premier rang viennent, bien sûr, les *côtes-du-rhône,* qui se sont surtout développés avec l'État papal sur la rive gauche au XIVe s et au XVIIe s sur l'autre rive. L'appellation date de 1937 (un bail déjà !). Même si les plus grands (côte-rôtie, hermitage, saint-joseph...) sont en Rhône-Alpes, sur la haute vallée du fleuve, la Provence a elle aussi ses *côtes-du-rhône villages,* et même quelques crus intéressants. D'abord, le *châteauneuf-du-pape,* vin corsé, charpenté, au bouquet puissant et complexe, accompagnant parfaitement les viandes rouges, le gibier et les fromages à pâte fermentée. Quant aux *vacqueyras* et *gigondas* produits près de Vaison-la-Romaine, ces nobles vins rubis au fort goût de prune et de cerise prennent de l'ampleur en vieillissant, au point de ressembler à leur voisin papal. Il faut dire que la Provence, où le soleil favorise l'abondance, produit la plus grosse part des côtes-du-rhône mis sur le marché. Ils se distinguent plus par leur « fruit » (cépages grenache et syrah) et leur légèreté (cépages cinsault et mourvèdre) que par leur finesse aristocratique, mais on les boit souvent avec plaisir. Les vins de coteaux ayant l'avantage sur ceux des plaines, nous conseillons les rouges du Tricastin (au nord-est d'Orange), étiquetés en *coteaux-du-tricastin* ou en *côtes-du-rhône*. Pour une démonstration plus complète – et grisante –, offrez-vous une visite des caves coopératives de Rousset-les-Vignes et de Saint-Pantaléon, en Drôme provençale, près de Valréas.

Les amateurs de vins doux naturels craqueront pour le célébrissime *muscat-de-beaumes-de-venise,* aromatique et fruité, produit du curieux terroir des Dentelles de Montmirail, désormais classé « Site remarquable du goût ». Le *rasteau,* quant à lui, provient du nord du Vaucluse – un département qui peut désormais s'enorgueillir de vins de pays dignes de figurer sur les bonnes tables de la région : les *côtes-du-ventoux, côtes-du-luberon,* etc.

Viennent enfin les *côtes-de-provence,* connus surtout pour le rosé et sa bouteille si caractéristique. Ici, pas de grands crus, mais des vins de plus en plus remarquables qui méritent vraiment d'être redécouverts avec bonheur. Un bon côtes-de-provence rouge, quant à lui, s'accorde parfaitement avec pâtés et gibier. Le cassis blanc accompagne à merveille le poisson et la bouillabaisse.

Le *bandol,* qu'on voit peu sur les tables en France, est une excellente AOC, qui mérite d'être découverte.

Et les chemins de traverse vous feront sûrement découvrir quelques sympathiques vins de pays et AOC, comme ceux produits autour de Tarascon, dans les Alpilles ou autour de la montagne Sainte-Victoire.

Le pastis

Inventé au début du XXᵉ s pour remplacer l'absinthe tout juste interdite, le « pastaga », compagnon indispensable de l'apéro, est un véritable rite après le boulot. Les conversations s'échauffent vite à partir du quatrième. Le rituel consiste à dire, quand votre tour arrive : « C'est la mienne ! » En voici les ingrédients : environ 50 g d'anis vert, une demi-gousse de vanille, de la cannelle et 1 l d'alcool à 90°. Il

MERCI PAULOT !

Le régime de Vichy devait préférer l'eau minérale puisque la production d'alcool fut interdite dès 1940. Paul Ricard embaucha alors tous ses ouvriers dans son domaine de Camargue pour développer la riziculture (avec peu de succès d'ailleurs ; ce n'était pas leur métier). Cette décision permit au personnel d'échapper au STO en Allemagne.

s'agrémente d'une eau bien fraîche, mais PAS DE GLAÇONS, malheureux ! Une « momie » est un tout petit verre de pastis (presque un dé à coudre), qui permet de tenir plus longtemps. Goûtez à certains mélanges harmonieux : avec du sirop de menthe (un « perroquet »), avec de la grenadine (une « tomate ») et avec du sirop d'orgeat (une « mauresque »). Les plus osés tenteront le « lama hurlant » (avec limoncello et Tabasco !), le « coquelicot » (avec de la liqueur de cassis) ou le « mazout » (avec du Coca-Cola)...

LES BOUCHES-DU-RHÔNE

Provençales de cœur, de corps et d'esprit, les Bouches-du-Rhône pêchent leurs origines bien loin dans l'histoire de la Terre et de l'homme. La formation des Alpes, tout d'abord, il y a 25 millions d'années, en a façonné le visage en plissant la montagne Sainte-Victoire, le massif de la Sainte-Baume et le superbe massif des calanques. Les peuplades celto-ligures,  les Phocéens, les Romains, les Teutons ont mâtiné leurs cultures pour donner l'âme des Provençaux qui vous accueilleront avec bonhommie, franchise et se poileront franchement quand vous les qualifierez de buccorhodaniens ! Le carton-pâte de ce que le petit et le grand écran serinent à longueur de fiction a ensuite donné à cette terre un imaginaire, voire des clichés : des cigales ? Il y en a, mais juste en été. Du pastis ? Il y en a, dégustez-le sous un platane, mais jamais entre les repas. La sieste ? Oui, les touristes prennent le temps de la faire... Des spécialités culinaires ? Bouillabaisse à Marseille, gardiane de taureau à Arles, calissons à Aix, daube et ratatouille... partout : ouille, pensez à pouvoir entrer dans le maillot de bain ensuite ! La pétanque ? Elle a été inventée ici, à La Ciotat, mais les gens du cru prennent aussi le temps de travailler entre deux parties. La mer ? Elle est là, belle et bonne, à consommer sans modération, dans les calanques de Marseille, de Cassis, ou sur les plages infinies de la Camargue. Des personnages ? Vous rencontrerez du beau monde ici : Cézanne qui traîne ses pinceaux à Aix-en-Provence, Mistral qui souffle ce qu'il peut à Saint-Rémy et sur le reste de la Provence, Pagnol qui galèje à Aubagne, Fernandel ou Charpin qui font *s'estrasser de rire* tout Marseille et même des *estrangers* comme Daudet le Parigot venu faire le Tartarin dans les Alpilles, Raimu le Toulonnais qui a posé son musée à Marignane et Van Gogh pris des couleurs à Arles. De belles villes ? Il y en a : Aix-en Provence la cultivée, une des plus belles cités du Sud soit dit en passant ; Arles l'historique ; Marseille la cosmopolite ; Cassis la paisible ; Aubagne la pagnolesque... Et de croquignolets villages dans les Alpilles à rendre jalouses toutes les crèches... les crèches provençales, pardi !

Adresses et infos utiles

🛈 **Bouches-du-Rhône Tourisme :** *Le Montesquieu, 13, rue Roux-de-Brignoles, 13006.* ☎ *04-91-13-84-13.* ● *infos@visitprovence.com* ● *visit provence.com* ● *Tlj sf w-e 9h-12h30, 14h-17h30.* Attention, pas d'accueil grand public sur place, par tél, courriel ou courrier. Excellente documentation thématique (sites, loisirs, manifestations, hébergements...) sur Marseille et les Bouches-du-Rhône. Bouches-du-Rhône Tourisme est à l'origine de l'appli mobile *My Provence Bons Plans,* qui met à contribution les habitants qui partagent leurs Bons Plans et coups de cœur. Publie également l'excellente brochure *Les Tables 13* sélectionnant des restaurateurs qui garantissent une cuisine à base de produits du territoire.

■ **Gîtes de France :** *domaine de Garachon, 13410* **Lambesc.** *Résas :* ☎ *04-88-29-58-33.* ● *contact@gites defrance13.com* ● *gites-de-france-13. com* ● *Lun-ven 9h-17h.* Label de gîtes ruraux et chambres d'hôtes du département.

🚌 **Cartreize :** *bus départementaux. Rens au* ☎ *0810-001-326 (prix d'un appel local) et sur* ● *cartreize.com* ● Liaisons entre les grandes (et petites) villes du département.

MARSEILLE, LA CÔTE BLEUE ET LE PARC NATIONAL DES CALANQUES

MARSEILLE

(13000) 861 700 hab. *Carte Bouches-du-Rhône, C3-4*

> ❱ Pour se repérer, voir le plan de la ville, les zooms 1 (Vieux-Port) et 2 (cours Julien), ainsi que le plan du métro et du tram de Marseille sur le plan détachable.

Plus d'un touriste vous dira « Marseille, on aime ou on n'aime pas ! ». Nous nous mettrons en quatre pour vous la faire aimer. Tout d'abord, laissons aux vestiaires les préjugés sur la saleté, l'insécurité, le brouhaha de la ville. Oublions que « l'autoroute du Soleil » longe les gris blocs de béton des quartiers nord et que le TGV arrive sur les quais de la gare Saint-Charles et pas directement sur ceux du Vieux-Port. Malgré la mauvaise réputation qu'on lui colle, Marseille est l'une des villes les plus attachantes de France et du Bassin méditerranéen. Aux premiers échanges avec des gens du cru, l'accent de Fernandel et Raimu éclairera votre cœur. Un accent qui, certes, a évolué. Les opérettes de Scotto ont vécu, la trilogie de Pagnol a pris des couleurs actuelles, les poissonnières ont des villas sur la Côte Bleue... Mais cette ville rayonne, baignée par une rade somptueuse piquetée d'îles et d'îlots, sous les bons auspices de ses deux mères tutélaires : la bonne mer et de la Bonne Mère, et cette ville bouge de long en large. Et fichtre qu'elle est

PLANS ET CARTES EN COULEURS

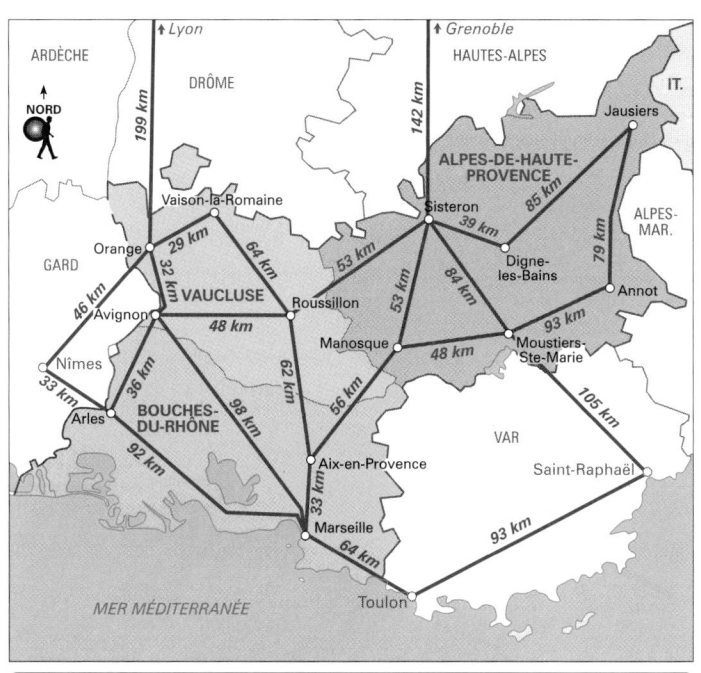

CARTE DES DISTANCES

2

LA PROVENCE

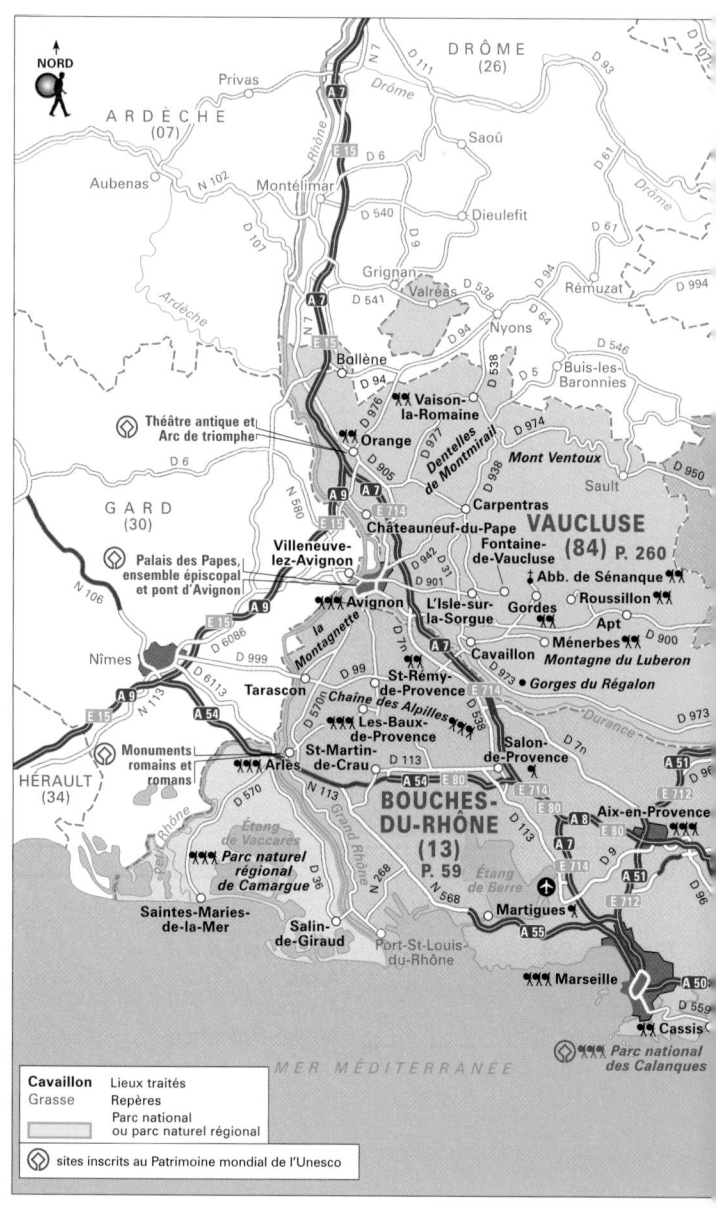

NORD

Privas

DRÔME
(26)

ARDÈCHE
(07)

Aubenas

Montélimar

Saoû

Dieulefit

Grignan
Valréas

Rémuzat

Nyons

Buis-les-
Baronnies

Bollène

Vaison-
la-Romaine

Théâtre antique et
Arc de triomphe

Orange

Dentelles
de Montmirail

Mont Ventoux

Sault

GARD
(30)

Carpentras

Châteauneuf-du-Pape

VAUCLUSE
(84) P. 260

Villeneuve-
lez-Avignon

Palais des Papes,
ensemble épiscopal
et pont d'Avignon

Fontaine-
de-Vaucluse

Abb. de Sénanque

Roussillon

Avignon

L'Isle-sur-
la-Sorgue

Gordes

Apt

Nîmes

la
Montagnette

Ménerbes

Montagne du Luberon

Cavaillon

Tarascon

St-Rémy-
de-Provence

Gorges du Régalon

Chaîne des Alpilles

Durance

Monuments
romains et
romans

Les-Baux-
de-Provence

Salon-
de-Provence

HÉRAULT
(34)

St-Martin-
de-Crau

Arles

Aix-en-Provence

Étang
de Vaccarès

Parc naturel
régional
de Camargue

BOUCHES-
DU-RHÔNE
(13)
P. 59

Étang
de Berre

Saintes-Maries-
de-la-Mer

Salin-
de-Giraud

Port-St-Louis-
du-Rhône

Martigues

Marseille

MER MÉDITERRANÉE

Cassis

Parc national
des Calanques

Cavaillon	Lieux traités
Grasse	Repères
	Parc national ou parc naturel régional

sites inscrits au Patrimoine mondial de l'Unesco

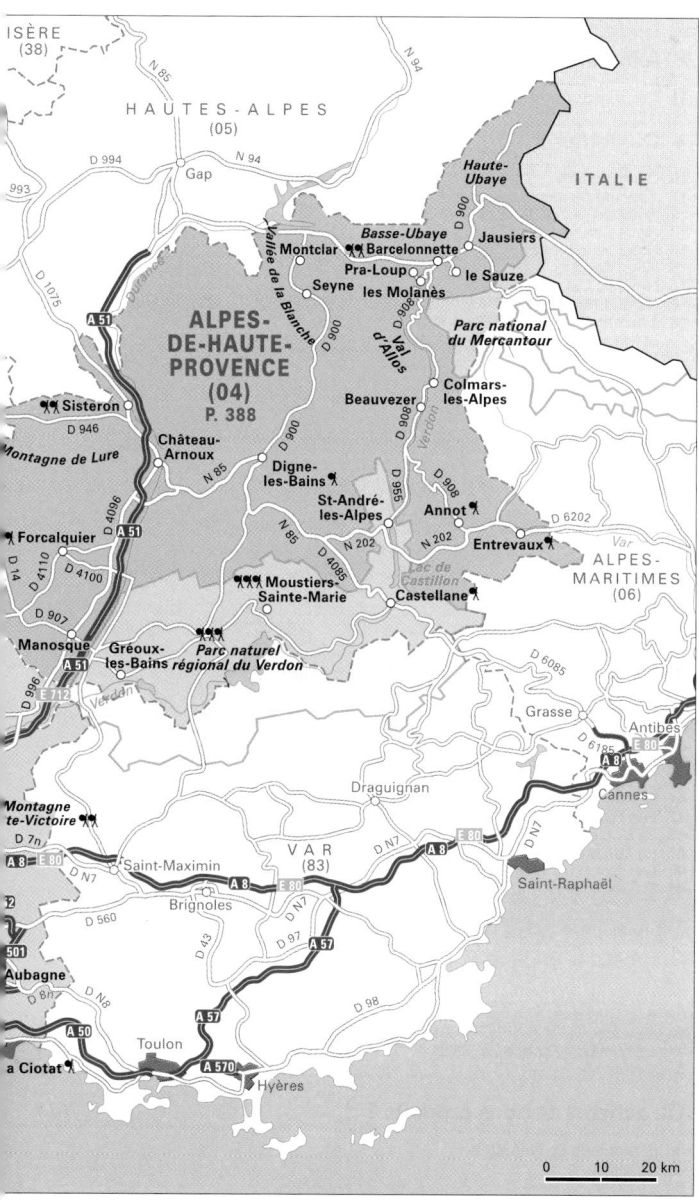

ISÈRE
(38)

HAUTES-ALPES
(05)

D 994   N 94
Gap

993

N 85

N 94

ITALIE

Haute-
Ubaye

D 900

Basse-Ubaye
Montclar   Barcelonnette   Jausiers
Pra-Loup   le Sauze
Seyne   les Molanès

D 51

Vallée de la Blanche

ALPES-
DE-HAUTE-
PROVENCE
(04)
P. 388

D 900

Val
d'Allos

Parc national
du Mercantour

D 908

Sisteron
D 946

Château-
Arnoux

Beauvezer   Colmars-
les-Alpes

Montagne de Lure

N 85

Digne-
les-Bains

Verdon

D 908

D 4086

St-André-
les-Alpes   Annot

D 955

D 908   D 6202

Var

Forcalquier

D 110   D 4100

D 14

N 85   N 202

D 4085

N 202   Entrevaux

ALPES-
MARITIMES
(06)

Moustiers-
Sainte-Marie   Castellane

D 907

Lac de
Castillon

Manosque   Gréoux-
les-Bains   Parc naturel
régional du Verdon

D 996   A 51

E 712

Verdon

Grasse   D 6085

Antibes
D 6185   E 80

A 8

Cannes

Draguignan

Montagne
te-Victoire

D 7n

A 8   E 80

A 8   E 80

VAR
(83)

D N7   A 8   E 80

D N7

Saint-Maximin

D N7   A 8   E 80

Saint-Raphaël

72

D 560   Brignoles

D 43   D 97   A 57

501

Aubagne   D 8n7

D N8

D 98

A 57

A 50   Toulon

a Ciotat   A 570

Hyères

0   10   20 km

4

ARLES

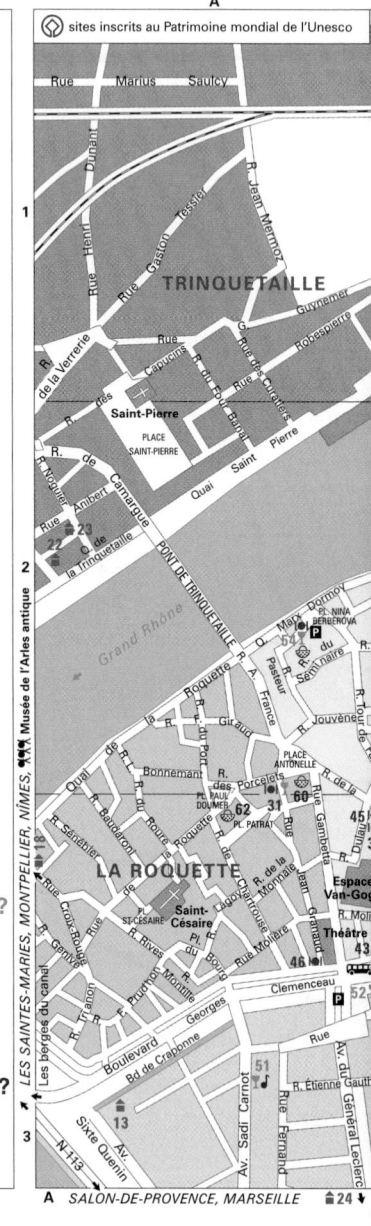

A

⊚ sites inscrits au Patrimoine mondial de l'Unesco

TRINQUETAILLE

Saint-Pierre

PLACE SAINT-PIERRE

PONT DE TRINQUETAILLE

Grand Rhône

LA ROQUETTE

Espace Van-Gogh

Théâtre

SALON-DE-PROVENCE, MARSEILLE   🛏 24 ↓

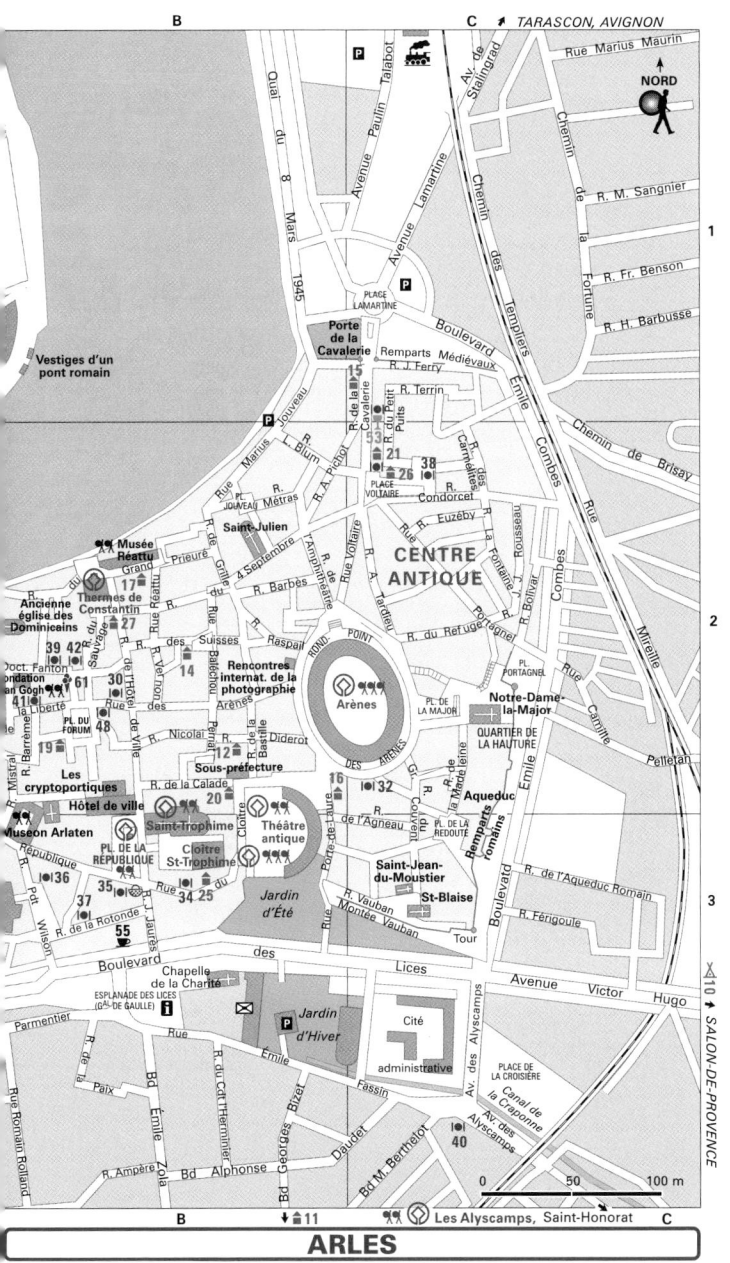

ARLES

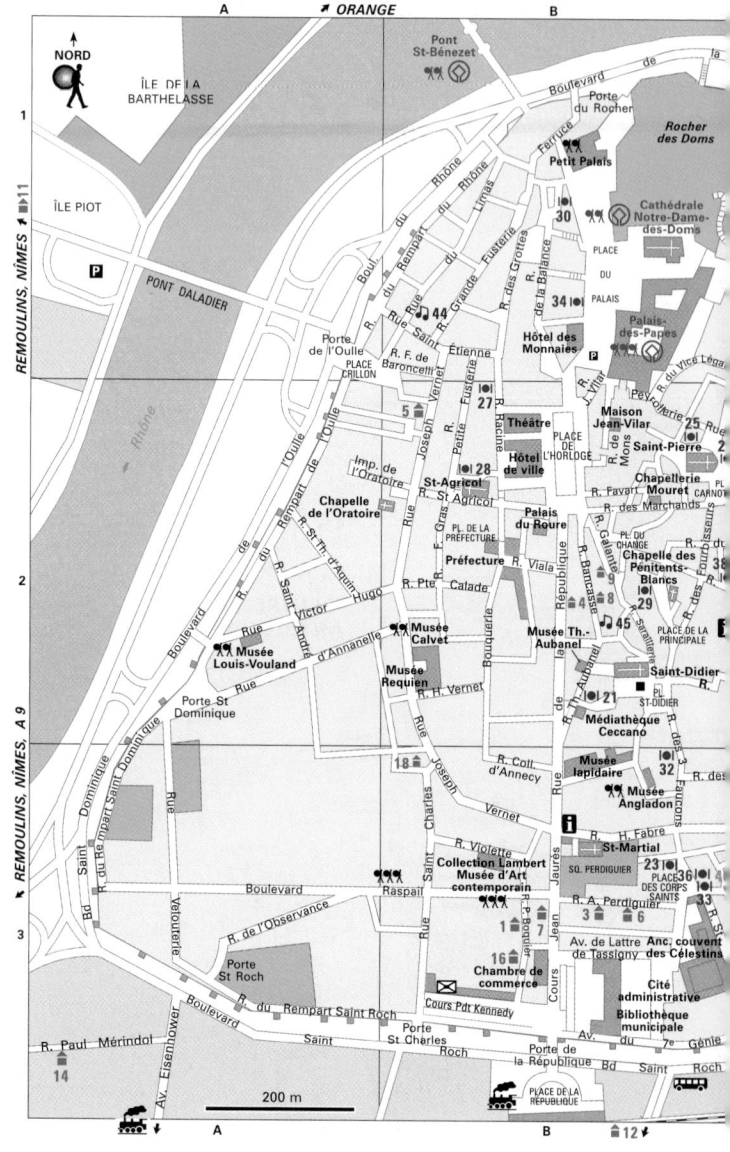

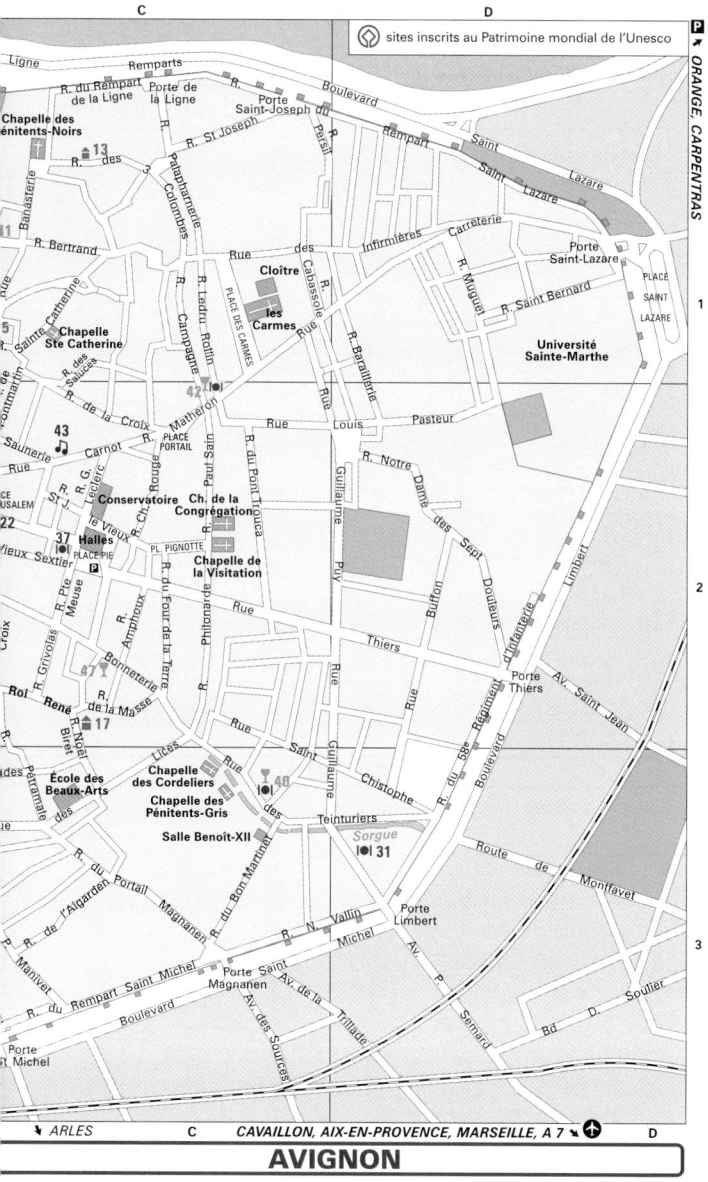

ARLES · C · CAVAILLON, AIX-EN-PROVENCE, MARSEILLE, A 7 · D

AVIGNON

Où manger ?	31 Le Numéro 75	41 Bistrot Utopia
21 L'ami voyage... en compagnie	32 Le Caveau du Théâtre	42 Mon Bar
22 AOC	33 La Princière	46 Les Célestins
23 Le Pili	34 Le Moutardier du Pape	47 Pub Z
25 L'Épicerie	36 Chez Ginette & Marcel	
26 Chez Lulu	37 Vin sur Vin	**Où danser ?**
27 La Fourchette	38 Le Petit Comptoir	43 Le Red Zone
28 L'Essentiel	**Où boire un verre et**	44 L'Esclave bar
29 Naka	**grignoter sur le pouce ?**	45 Les Ambassadeurs
30 Le 46	40 La Cave des pas sages	

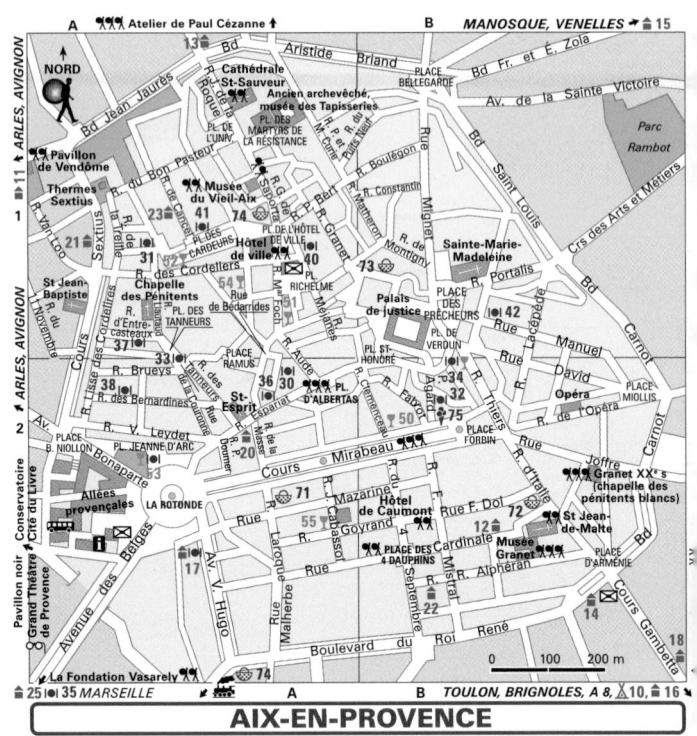

AIX-EN-PROVENCE

NE PASSEZ PLUS POUR UN TOURISTE

GRÂCE À L'APPLICATION **MY PROVENCE / BONS PLANS**

UNE APPLICATION FAITE PAR DES LOCAUX POUR DÉCOUVRIR
LES **BOUCHES-DU-RHÔNE** COMME UN LOCAL.

Crédit photo : ©E. DAUTANT

DISPONIBLE GRATUITEMENT

PROPOSÉ PAR
BOUCHES-DU-RHÔNE TOURISME

DÉPARTEMENT
**BOUCHES-
DU-RHÔNE**
bdr13.fr

PROVENCE **BOU
CHES** MARSEILLE
**–DU
** CAMARGUE **RHÔ
NE** TOURISME

MARSEILLE

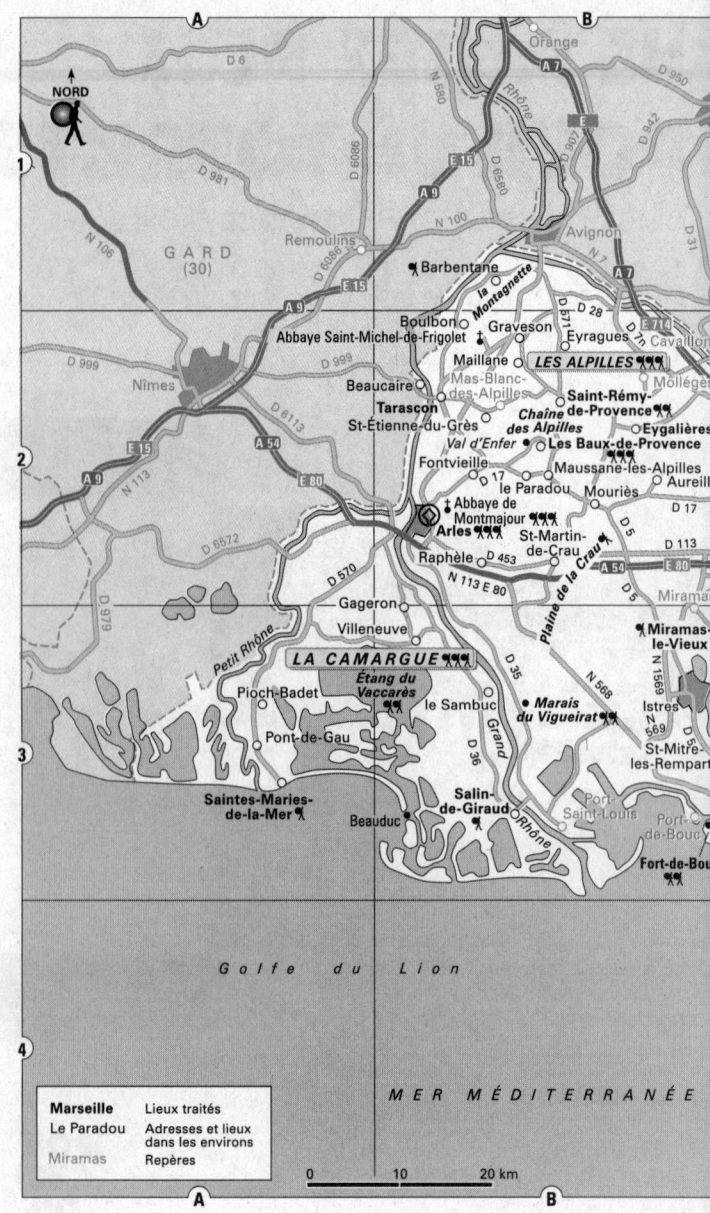

NORD

A

B

Orange

D 6

D 950

D 842

D 907

D 31

N 580

Rhône

E 15

1

D 981

D 6086

A 9

N 100

Avignon

N 106

GARD
(30)

Remoulins

Barbentane

la
Montagnette

D 28

D 571

E 714

Cavaillon

D 6086

A 9

E 15

Boulbon

Graveson

Eyragues

A 7

N 7

Abbaye Saint-Michel-de-Frigolet

Beaucaire

Maillane

Mas-Blanc-
des-Alpilles

LES ALPILLES 🎭🎭🎭

Mollégès

D 999

D 999

Nîmes

Tarascon

St-Étienne-du-Grès

**Saint-Rémy-
de-Provence** 🎭🎭

*Chaîne
des Alpilles*

Eygalières

D 6113

Val d'Enfer ●

●**Les Baux-de-Provence**
🎭🎭🎭

A 54

E 80

2

A 9

N 113

E 80

Fontvieille

○ 17

Maussane-les-Alpilles

Mouriès

Aureill

D 17

D 6572

le Paradou

‡ **Abbaye de
Montmajour** 🎭🎭🎭

Arles 🎭🎭🎭

D 5

St-Martin-
de-Crau

D 453

D 113

E 80

Mirama

D 979

Raphèle

N 113 E 80

A 54

D 5

D 570

Gageron

Plaine de la Crau

D 5

Villeneuve

LA CAMARGUE 🎭🎭🎭

**Miramas-
le-Vieux**

N 1569

Petit Rhône

*Étang du
Vaccarès*
🎭🎭

D 36

N 568

Pioch-Badet

le Sambuc

● *Marais
du Vigueirat* 🎭🎭

Istres

N 569

3

Pont-de-Gau

Grand Rhône

St-Mitre-
les-Rempart

D 36

Port-
Saint-Louis

Port-
de-Bouc

**Saintes-Maries-
de-la-Mer** 🎭

**Salin-
de-Giraud**

Beauduc

Rhône

Fort-de-Bou
🎭🎭

Golfe du Lion

4

MER MÉDITERRANÉE

0   10   20 km

A

B

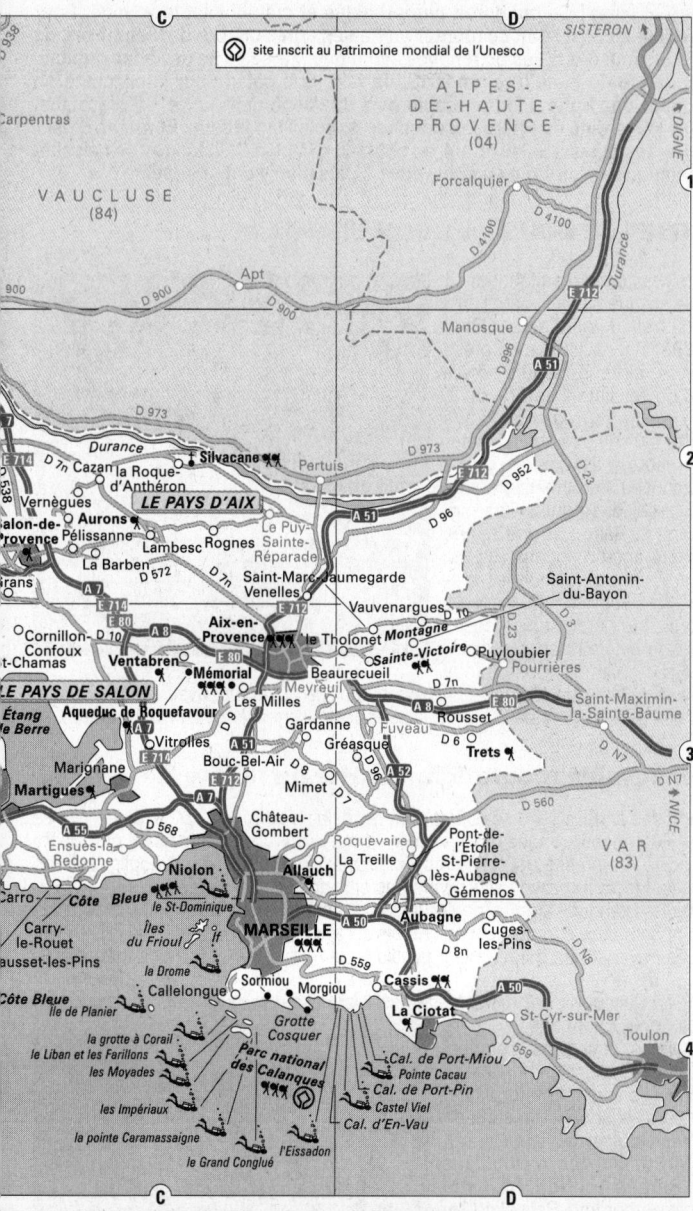

site inscrit au Patrimoine mondial de l'Unesco

SISTERON

ALPES-
DE-HAUTE-
PROVENCE
(04)

Carpentras

VAUCLUSE
(84)

Forcalquier

D 4100

D 4100

Durance

Apt

E 712

D 900

D 900

Manosque

A 51

D 973

Durance

D 973

Pertuis

D 96

D 952

D 23

Cazan

la Roque-
d'Anthéron

Silvacane

LE PAYS D'AIX

E 712

Vernègues

Aurons

Salon-de-
Provence

Pélissanne

Lambesc

Rognes

Le Puy-
Sainte-
Réparade

A 51

rans

La Barben

D 572

D 7n

Saint-Marc-
Venelles

Jaumegarde

Vauvenargues

D 10

Saint-Antonin-
du-Bayon

E 714

E 80

Cornillon-
Confoux
t-Chamas

D 10

A 8

Aix-en-
Provence

E 712

le Tholonet

Montagne

D 23

D 3

Ventabren

Mémorial

E 80

Beaurecueil

Sainte-Victoire

Puyloubier

Pourrières

LE PAYS DE SALON

Les Milles

Meyreuil

D 7n

Saint-Maximin-
la-Sainte-Baume

Étang
e Berre

Aqueduc de Roquefavour

A 7

D 9

Gardanne

Fuveau

A 8

Rousset

E 80

D 7

Marignane

Vitrolles

E 714

Bouc-Bel-Air

D 8

Gréasque

D 96

A 52

Trets

D 6

D N7

NICE

Martigues

A 55

D 568

Mimet

Château-
Gombert

D 7

D 560

VAR
(83)

Ensuès-la-
Redonne

Niolon

Allauch

Roquevaire

La Treille

Pont-de-
l'Étoile

St-Pierre-
lès-Aubagne

Gémenos

Carro

Côte Bleue

le St-Dominique

Îles
du Frioul

if

MARSEILLE

A 50

Aubagne

Cuges-
les-Pins

D N8

Carry-
le-Rouet

sausset-les-Pins

la Drome

Callelongue

Sormiou

Morgiou

D 559

Cassis

La Ciotat

A 50

D 559

St-Cyr-sur-Mer

Toulon

Côte Bleue

Île de Planier

la grotte à Corail

le Liban et les Farillons

les Moyades

Grotte
Cosquer

Parc national
des Calanques

Cal. de Port-Miou

Pointe Cacau

Cal. de Port-Pin

Castel Viel

les Impériaux

Cal. d'En-Vau

la pointe Caramassaigne

l'Eissadon

le Grand Congloué

LES BOUCHES-DU-RHÔNE

longue et large ! Ce chaudron pluriethnique et cultuel vaut le voyage. Pour s'en convaincre, il suffit de monter au Panier, après un tour du Vieux-Port, de visiter les musées créés ou rénovés avant que Marseille ne devienne capitale européenne de la culture, en 2013, de faire une balade sur la corniche en marquant une halte à l'improbable port du vallon des Auffes ou d'assister, depuis les jardins du Pharo, au coucher de soleil sur la rade. Et même d'oser pousser jusqu'aux îles du Frioul, au château d'If, ou à Callelongue où naissent les calanques. Nombreux y sont venus... plus d'un y ont pris racine !

MARSEILLE NOUS FAIT SON CINÉMA

MARSEILLE

Des frères Lumière qui ont ouvert la voie au cinéma en filmant l'arrivée du train en gare de La Ciotat en 1896 (il n'y avait pas de grève surprise, alors...) jusqu'au tournage du feuilleton de France 3, *Plus belle la vie*, regardé chaque soir par plus de 6 millions de téléspectateurs, c'est peu dire qu'il y a toujours eu une caméra braquée sur Marseille. Pagnol, Charpin, Fernandel, Raimu et une armée de petits acteurs locaux (Rellys, Maupi, Rilda... dont seuls les spécialistes se souviennent encore) y ont jadis tourné de somptueuses pages du cinéma français, avant que Guédiguian n'impose à tous

ATOUT PRENDRE...

La trilogie de Pagnol fut tout d'abord une pièce de théâtre. Lors de sa création, Raimu (allias César), trouvant les scènes d'amour longuettes, suggéra à son copain Marcel d'alléger son œuvre. Alors, Pagnol supprima... la partie de cartes (!). Raimu usa d'un subterfuge pour que cette scène soit finalement jouée lors de la première. Devant l'énorme succès remporté, Pagnol plia, tout en maugréant... « Cette partie de cartes n'est pas digne de mon œuvre, mais de l'Alcazar. » Marcel, on t'aime, mais tu nous fends le cœur !

le talent de ses odes sociales ancrées autour de l'Estaque, avec ses interprètes fétiches : Ariane Ascaride la Marseillaise et Jean-Pierre Darroussin le Parisien.

La mauvaise réputation, théâtre ou réalité ?

À partir des années 1930 se diffuse l'image, déjà en germe au XIXe s, d'une ville de Marseille « noire », rongée par le vice, le crime, la corruption et la faune grouillante des ports. La presse nationale, complaisante, joue un rôle non négligeable en amplifiant (déjà !) certains faits divers pas plus nombreux ici qu'ailleurs.
Toutes les grandes vedettes de l'époque ont chanté les airs légers, populaires, de Vincent Scotto, ce compositeur marseillais qui allait faire rêver la France des premiers congés payés. Ceux qui n'avaient jamais vu la mer allaient découvrir, médusés, à travers des opérettes comme *Les Gangsters du château d'If, Arènes joyeuses* ou *Un de La Canebière*, ces drôles de Marseillais. Resteront dans les têtes, longtemps après, des chansons toujours ensoleillées, mais aussi – et c'est plus pervers – instilleront l'image de marlous feignants, truqueurs, menteurs, pourvus d'un sens de l'honneur tout relatif.
Le cinéma enfonce le clou dans les années 1960-1970 avec des films comme *Borsalino* ou *French Connection*, figurant Marseille comme une plaque tournante de tous les trafics internationaux où le Marseillais

LE MILIEU DU MILIEU

Le film Borsalino *avec Delon et Belmondo racontaient les aventures rocambolesques de deux sympathiques malfrats : Carbone et Spirito. La réalité est plus sordide, car ils aidèrent la Gestapo et fournirent des armes à Franco. D'ailleurs, l'un fut tué par la Résistance en 1943 et l'autre tomba suite au démantèlement de la French Connection.*

fait de la figuration dans des règlements de comptes entre gangs ou dans des scandales politiques et financiers...

Pagnolades

On se fait de Marseille une image de ville ensoleillée, légère, rigolarde « avé l'assent ». Une image accompagnée d'attributs bien caricaturaux : le « marcel », tricot de peau qui colle au corps, le pastis, les boules de pétanque ou les cartes (pas pour la belote, ici on joue à la « contrée »). Pour en remettre une louche dans la bouillabaisse, ajoutez une écharpe de l'OM et le brave Marseillais est habillé pour l'hiver.

Ce stéréotype-là du Marseillais (décidément au centre de bien des critiques !) est apparu dès le XIXᵉ s, sous la plume de quelques écrivains et dans les airs de chansonniers locaux. Il prend racine dans un ouvrage du Marseillais Joseph Méry, *Marseille et les Marseillais* (1860), puis se diffuse en France à travers les « histoires marseillaises » (qui s'exportent aux quatre coins de l'Hexagone sans doute lors du premier conflit mondial), et finit par trouver une cristallisation sonore et visuelle dans l'œuvre cinématographique de Marcel Pagnol, qui n'est somme toute pas seul coupable de ces clichés. Finalement, on a injustement taxé de pagnolades toutes les comédies, galéjades et chansons marseillaises un peu légères. D'ailleurs, les opérettes et revues « marseillaises » des années 1930 ont participé de cette imagerie d'Épinal, relayées par les facéties des humoristes locaux contemporains (Élie Kakou, Patrick Bosso, Kamel), des groupes de musique (Massilia Sound System, Quartiers Nord) ou par les Marseillais eux-mêmes, qui adorent jouer au Marseillais, pour rire.

Ils ont fini par se coller une réputation de fanfarons, exagérateurs, bavards ou galéjeurs. Mais comme les Marseillais ont un cœur grand comme ça, ils accueillent toujours avec bonhommie et sans préjugé aucun les Bretons avé leurs chapeaux ronds, les Alsaciennes avé leur grand nœud sur la tête et même les Parisiennes en tailleur Chanel et voilette... mais que monsieur laisse au vestiaire son écharpe du PSG : là, ça énerve !

Adresses et infos utiles

Topographie de la ville

Si vous arrivez en train, plutôt que de vous engouffrer directement dans le métro, sortez de la gare Saint-Charles, clignez des yeux et admirez la vue depuis l'esplanade. Une belle entrée en la matière ! En descendant l'escalier monumental, vous foulerez un monument historique. Au pied, les boulevards d'Athènes et Dugommier mènent rapidement à La Canebière, qu'il suffit de descendre pour rejoindre le Vieux-Port.

En venant du nord, en voiture, on a le choix, au niveau des Pennes Mirabeau, entre l'autoroute A 7 (Marseille centre) et l'autoroute A 55 (Marseille Vieux-Port).

L'A 55 offre une vue panoramique sur la baie et « survole » les quartiers portuaires. On aborde le centre par le Vieux-Port. De là, le tunnel Prado-Carénage (payant) permet de passer sous le centre-ville et de retrouver la lumière du jour à l'est de la ville, aux alentours du stade Vélodrome (plages du Prado, calanques...).

L'autoroute A 7 mène droit à la gare Saint-Charles. Ah, un truc ! Vous avez quitté Paname ou Lyon par « l'autoroute du Soleil » mais vous entrerez à Marseille par « l'autoroute nord » (c'est ainsi qu'on nomme l'A 7 ici).

En venant d'Aix, Toulon, Nice, on emprunte l'autoroute A 50 (dite « autoroute est »). Possibilité de prendre le tunnel Prado-Carénage (payant) pour joindre directement le Vieux-Port.

Une fois dans le centre, laissez votre voiture pour découvrir la ville à pied ou à vélo, quartier par quartier. La cité étant bâtie sur des collines, vos mollets chaufferont immanquablement.

Alors hardi, et prenez le tram, le bus, le métro ou le vélo pour rejoindre les « quartiers » excentrés, anciens villages aujourd'hui absorbés par la conurbation.

Une conurbation qui ne doit pas faire oublier les prodigieuses calanques (classées parc national), à portée d'une stridulation de cigale, derrière ce massif qui ferme la ville au sud. Marseille est la seule grande ville abritant un tel paradis à 20 mn de voiture du centre.

Infos touristiques

Office de tourisme et des congrès (zoom 1 détachable, D4, **1**) : 11, La Canebière, 13001. ☎ 0826-500-500 (0,15 €/mn). • info@marseille-tourisme.com • marseille-tourisme.com • Ⓜ Vieux-Port/Hôtel-de-Ville. Lun-sam 9h-19h, dim et j. fériés 10h-17h. Excellent accueil, très pro, bonne documentation sur la ville et ttes ses possibilités, résa d'hôtels (sur place et sans commission), visites guidées, concerts et activités sur • resamarseille.com • Également un point info à la gare Saint-Charles tlj pdt les vac scol, Pâques-sept, 10h-18h.
– **Visites guidées** : infos et résas au ☎ 0826-500-500 (0,15 €/mn). • resamarseille.com • L'office de tourisme propose de découvrir Marseille sous ses aspects les plus classiques comme les plus insolites. Les incontournables : le quartier du Panier, autour du Vieux-Port, Notre-Dame-de-la-Garde, etc. Les exclusivités : la Cité radieuse de Le Corbusier, le street art, le marégraphe.
– Vente du **City Pass** : valable 24h, 48h ou 72h (24, 31 ou 39 €/adulte, 17, 20 ou 23 €/enfant). Il donne accès aux transports en commun, aux musées, à une visite guidée, aux petits trains touristiques et au bateau pour le château d'If, réductions boutique...
Association Marseille Provence Greeters : résas en ligne sur • marseilleprovencegreeters.com • Belle opportunité de découvrir Marseille au travers de rencontres avec d'accueillants Marseillais amoureux de leur ville : anecdotes, lieux secrets, etc.

Culture

Espace culture (plan détachable E4, **7**) : 42, La Canebière, 13001. ☎ 04-96-11-04-60 ou 61 (billetterie). • espace culture.net • Ⓜ Noailles. Tlj sf dim et j. fériés 10h-18h45. Association qui informe sur nombre d'activités culturelles de la ville, notamment en éditant un agenda mensuel gratuit, In Situ. On peut, sur place ou sur leur site internet, réserver pour certains spectacles.

Représentations diplomatiques

Consulat de Suisse : 7, rue d'Arcole, 13006. ☎ 04-96-10-14-10. Ⓜ Estrangin/Préfecture. Lun-ven 9h-11h30.
Consulat de Belgique : 112, bd des Dames, 13002. ☎ 04-96-11-69-55. • marseille@diplobel.fed.be • Ⓜ Joliette. Lun-ven 8h30-13h.

Santé, urgences

SOS Médecins : ☎ 04-91-52-91-52.
Samu : ☎ 04-91-38-45-15.
Hôpital de la Timone (hors plan détachable par G5) : 264, rue Saint-Pierre, 13005. ☎ 04-91-38-00-00. Ⓜ Timone.
Centre antipoison : à l'hôpital Sainte-Marguerite, 13009. ☎ 04-91-75-25-25.
Pharmacie (zoom 1 détachable, D4, **6**) : 4, quai du Port, 13002. ☎ 04-91-90-00-57. Ⓜ Vieux-Port/Hôtel-de-Ville. Tlj 9h-20h. Pour les pharmacies de garde : • pharmaciesdegarde marseille.wordpress.com •
SOS Voyageurs : gare Saint-Charles, quai A. ☎ 04-91-62-12-80. Tlj sf dim et j. fériés 9h-19h. Cette antenne d'assistance essaie de trouver des solutions à tout ce qui pourrait transformer une arrivée ou un départ en cauchemar (perte de bagages, de papiers d'identité, etc.). Les cas les plus fréquemment traités sont évidemment les vols, soyez vigilant.
Police : 66-68, La Canebière, 13001 (zoom 2 détachable, E4, **3**). ☎ 04-88-77-58-00. Ⓜ Noailles. Également : 2, rue Antoine-Becker,

*13002 (zoom 1 détachable, C3, **3**).*
☎ 04-91-39-80-00.
■ **Objets trouvés** *(hors plan détachable par D1) :* 41, bd de Briançon, 13003. ☎ 04-91-50-26-60. Ⓜ *Bougainville. Lun-ven 8h45-12h, 12h45-16h30.*
■ **Météo marine :** ☎ 32-01 ou 32-50 *(1,35 € puis 0,34 €/mn).*

Transports

> ▶ Pour le plan du métro et du tram de Marseille, se reporter au plan détachable.

– **Tramway, métro, bus et bateau-bus :** *avec la RTM (Régie des transports marseillais) ;* 6, rue des Fabres, 13001 *(zoom 1 détachable, E4, **4**).* ☎ 04-91-91-92-10. ● *rtm.fr* ● *Ticket : 1,90 € à bord (1,50 € au distributeur). Tickets valables 1h sur tt le réseau. Cartes 10 trajets et pass 1, 3, 7 j. Billets disponibles dans les stations de métro, à la gare Saint-Charles ou chez les commerçants agréés RTM. Les transports fonctionnent 5h-0h30 env.*
– **Navette maritime :** *avec la RTM (voir ci-avant). Traversée : 5 € (incluant 1h30 d'interconnexion sur le réseau des bus-tram-métro de la RTM). Fin avr-fin sept, 8h-19h (22h fin juin-fin août).* 2 lignes relient le Vieux-Port à la Pointe-Rouge d'une part, à l'Estaque d'autre part *(chichi fregi* à la clé !). Une très belle façon d'éviter le trafic urbain tout en découvrant la superbe façade maritime de Marseille (en particulier par la navette de la Pointe-Rouge).
– Un bon plan : si vous prévoyez d'utiliser les navettes maritimes (5 €/traversée donc 10 € A/R), sachez qu'elles sont en accès libre avec les *pass* RTM de 7 j. (13,70 €)... faites le calcul !
– **Bicyclette :** *avec Le Vélo.* ☎ 01-30-79-29-13. ● *levelo-mpm.fr* ● *Paiement par CB obligatoire. Accès au service (valable 7 j.) : 1 € ; 1re ½ heure gratuite, puis 1 € chaque ½ heure.* Malgré le relief de la ville **Le Vélo,** disponible dans 160 stations, remporte un franc succès. Au passage, on révisera ses classiques d'Yves Montand (le Marseillais de l'étape).

– **Balades en pousse-pousse :** *résa obligatoire au* 🖳 *06-26-51-66-12.* ● *proxipousse.com* ● *Compter 5 € d'abonnement (valable 1 an) puis 6 € par tranche de 15 mn. Pour une découverte originale de la ville.*
– **Bon à savoir :** le site ● *lepilote.com* ● recense tous les modes de transports urbains et interurbains. Également sur appli iPhone.
✈ **Aéroport Marseille-Provence :** *à Marignane, à 25 km au nord-ouest.* ☎ 0820-81-14-14 *(0,12 €/mn depuis un poste fixe).* ● *marseille.aeroport. fr* ● Aéroport international, qui dessert – lignes régulières ou *low-cost* – toutes les grandes villes françaises et un certain nombre de destinations en Europe et dans le monde. Point d'infos touristiques. Documentation et plan de ville gratuits.
➢ **Navette en bus depuis/vers l'aéroport :** ☎ 0810-003-566 *(prix d'un appel local depuis un poste fixe).* ● *navettemarseilleaeroport.com* ● Ttes les 15-20 mn. De l'aéroport à Marseille-gare Saint-Charles, 5h10-0h10. De la gare vers l'aéroport, 4h30-23h30. Tarif : 8,20 €. Trajet : 25-40 mn.
■ **Location de voitures :** *Hertz,* ☎ 0825-091-313 *(0,15 €/mn). Europcar,* ☎ 0825-358-358 *(0,15 €/mn depuis un poste fixe). Avis,* ☎ 0821-230-760 *(0,12 €/mn depuis un poste fixe). Agences ouv tlj env 7h-minuit.*
🚌 **Gare routière** *(plan détachable E3) :* attenante à la gare SNCF. Rens : ☎ 04-91-08-16-40. Ⓜ *Gare-Saint-Charles. Achat des tickets à bord des cars ou au guichet (tlj 5h30-21h30).*
➢ **Pour Aix-en-Provence :** ● *navet teaixmarseille.com* ● Bus ttes les 10-20 mn (30 mn après 21h) 5h45-minuit. Également des liaisons pour Vitrolles, Martigues... Compter 5,70 € pour Aix.
➢ **Pour La Ciotat et Aubagne :** départs de Castellane (Ⓜ Castellane), à l'angle de l'av. Cantini (pour La Ciotat) et de la rue du Rouet pour Aubagne *(plan détachable F6).* Compter respectivement 4,90 et 3,60 €.
➢ **Pour Cassis :** départs de Castellane (Ⓜ Castellane), au début de l'av. du Prado *(plan détachable F6)* avec le réseau Transmétropole (ligne M8 depuis l'arrêt du bus n° 21). Compter 2,70 €.

MARSEILLE

🚆 **SNCF gare Saint-Charles** (plan détachable E3) : ☎ 36-35 (0,34 €/mn). ● sncf.fr ● Ⓜ Gare-Saint-Charles. TGV pour Paris (3h), Lyon et la Côte d'Azur (Toulon, Saint-Raphaël, Nice...), entre autres.

➢ **Liaisons régionales en TER (Train express régional) :** au départ de Marseille-Saint-Charles. Trains réguliers pour Aix (env 40 mn), Aubagne (env 15 mn), Cassis (15-20 mn), l'Estaque, Martigues, Miramas, Toulon, Avignon...

🚕 **Taxis :** ☎ 04-91-02-20-20. ● taxi marseille.com ● ou ☎ 04-91-92-92-92. ● lestaxismarseillais.com ● En ville et à la gare Saint-Charles. Attention, le règlement par carte de paiement fonctionne moins bien à Marseille qu'ailleurs !

■ **Location de voitures :** à la limite de l'enceinte de la gare Saint-Charles, bd Voltaire. Accès au-delà de la voie A, suivre P2. **Hertz,** ☎ 04-91-05-51-20. **Europcar,** ☎ 0825-895-680 (0,15 €/mn depuis un poste fixe). **Avis,** ☎ 0820-611-636. Agences ouv tlj, env 8h-21h. Également **Firefly,** (● firefly carrental.com ●), loueur de voitures low-cost ; kilométrage illimité et prix intéressants.

🚢 **Gare maritime de la Joliette** (plan détachable B-C3) : parvis de la Joliette, entrée terminal 2, port autonome, 13002. Ⓜ Joliette.

■ **Compagnie SNCM** (plan détachable C3, 8) : 47, bd des Dames, 13002. ☎ 32-60 (0,15 €/mn). ● sncm. fr ● Ⓜ Joliette. Lun-ven 9h-18h, et sam 9h-12h d'avr à mi-août. Départs pour la Corse, la Sardaigne, l'Algérie et la Tunisie.

Marchés

– **Au Vieux-Port** (plan détachable C-D4) : Ⓜ Vieux-Port/Hôtel-de-Ville. Sam, le mat. Pour les amoureux des fleurs, un marché attachant.

– **Marché aux poissons** (plan détachable D4) : tlj, le mat, sur le Vieux-Port, quai des Belges. Ⓜ Vieux-Port/Hôtel-de-Ville. Elle est fraîcheuuuu, ma rascaaasse ! Elle bâille un peu ? C'est qu'elle est fatiguée, peuchère...

– **Marché du cours Julien** (plan détachable F5) : cours Julien (6e arr.). Ⓜ Notre-Dame-du-Mont/Cours-Julien. Fruits, légumes lun-sam 8h-13h (bio le mercredi). Et dans un autre genre : livres anciens le 2e samedi du mois.

– **Marché de La Plaine** (plan détachable F4) : pl. Jean-Jaurès (5e arr.). Ⓜ Notre-Dame-du-Mont/Cours-Julien. Lun-sam, le mat. Alimentation, fripes et fleurs.

– **Marché aux puces** (hors plan détachable par C1) : av. Cap-Pinède (15e arr.). Bus n° B2, arrêt Lyon-Cap-Pinède. Le dimanche à l'aube. Ambiance merguez-frites !

– **Marché du Prado** (plan détachable F6) : av. du Prado, côté impair, à partir de la pl. Castellane (6e arr.). Ⓜ Castellane. Tlj sf dim, le mat. Alimentation et vêtements. Le vendredi, plantes et fleurs côté impair.

– **Marché des Capucins** (plan détachable E4) : pl. des Capucins (1er arr.). Ⓜ Noailles. Tlj 8h-19h. Le plus typique et le moins cher du centre. Poissons, fruits, légumes et viande halal.

– **Marché de la Joliette** (plan détachable C2-3) : Ⓜ Joliette. Le mat lun, mer et ven.

Fêtes et manifestations

Danse, musique, sport, cinéma... Chaque année, les fêtes, foires, festivals et autres manifestations se déclinent à l'infini, témoignant d'un extraordinaire bouillonnement culturel.

Fêtes

– **Carnaval :** avr. Des chariots thématiques et leurs personnages bigarrés déambulent jusque sur La Canebière.

– **Fête du Vent :** sept. Rendez-vous sur les plages du Prado pour célébrer le vent et ses ambassadeurs, les cerfs-volants.

– **Fêtes de quartier :** nombre de quartiers organisent des manifestations pérennes. Ainsi, fin juin, **Les 4 saisons** au Panier (concerts, danse, théâtre de rue...) ou la **Saint-Éloi**, à Château-Gombert, avec son traditionnel défilé de cavaliers.

Les foires

Pour le plaisir de flâner, goûter et repartir les bras chargés de beaux objets, ne négligez pas les foires. À citer, parmi les plus courues :
– **Journées des plantes et jardins :** *avr et sept, sur le cours Julien.*
– **Foire internationale de Marseille :** *fin sept-début oct.* Un classique de la vie marseillaise, avec moult délégations de pays étrangers (artisanat, gastronomie...) au parc des expositions Chanot.
– **Foire aux santons :** *de mi-nov à fin déc.* C'est la plus ancienne de Provence (200 ans). *O tempora, o mores,* elle a abandonné les allées de Meilhan, où elle se tenait depuis sa création, pour occuper la place Charles-de-Gaulle sur le bas de La Canebière. Des groupes de musiciens et de danseurs viennent célébrer cet incontournable rendez-vous de Noël (entrée gratuite).

Les festivals

– **Babel Med Music :** *un w-e en mars. Dock des Suds, 12, rue Urbain-V, 13002.* ☎ 04-91-99-00-00. • *dock-des-suds.org* • Rendez-vous européen incontournable des musiques du monde, Babel Med Music dédie une scène aux nouveaux sons de la Méditerranée. Ce festival se fait l'écho de l'explosion des nouveaux lieux indépendants du monde arabe, en présentant des artistes souvent étouffés pour donner lieu à une scène de musiques actuelles...
– **Festival de B.D. des Calanques et des Bulles :** *2 j. fin mars ou début avr. Entrée gratuite.* • *descalanquesetdes bulles.net* • Depuis 15 ans, les élèves d'Euromed Management réunissent les passionnés de B.D. avec dédicaces, expositions, concours, animations pour les enfants...
– **Festival international des Musiques d'aujourd'hui :** *mai.* • *gmem.org* • Différents lieux culturels de Marseille (TNM La Criée, église Saint-Laurent...) sont investis pour rendre hommage à la création contemporaine.
– **Printemps de l'art contemporain :** *4 j. fin mai.* • *marseilleexpos.com* • Une vingtaine de galeries et autres lieux membres du réseau « Marseille expos » proposent vernissages, représentations, lectures, rencontres et autres mini-événements festifs et conviviaux.
– **Festival de Musique sacrée :** *début mai-début juin.* Beau répertoire d'œuvres majeures interprétées en l'église Saint-Michel. Autres concerts proposés dans les églises de la ville par le conservatoire de région.
– **Festival de Danse et des Arts multiples de Marseille :** *de mi-juin à mi-juil.* ☎ 04-91-99-02-50. • *festivalde marseille.com* • 3 semaines ponctuées d'une riche programmation de création contemporaine de dimension internationale : danse, théâtre, musique, installations, films, vidéos. Le tout présenté en des lieux de l'aventure industrielle marseillaise, espaces méconnus, oubliés ou disparus.
– **Festival international du Documentaire :** *début juil.* ☎ 04-95-04-44-90. • *fidmarseille.org* • Ce festival international du Documentaire accueille des films et des artistes qui jouent avec l'art du témoignage, sans critère de format. C'est le rendez-vous international incontournable des réalisateurs, des producteurs et des financeurs.
– **Festival Mouvement international pour les musiques innovantes :** *5 j. début juil.* • *amicentre.biz* • Lové dans le cadre idyllique de l'hôpital Caroline sur les îles du Frioul, le festival-atelier MIMI est l'un des rendez-vous français incontournables des musiques contemporaines et innovatrices.
– **Festival de jazz des Cinq Continents :** *avt-dernière sem de juil, au palais Longchamp.* • *festival-jazz-cinq-continents.com* • Les plus grands artistes internationaux au rendez-vous.
– **Festival international de Folklore :** *1 sem en juil, à Château-Gombert.* • *roudelet-felibren.com* • Un festival dont le galoubet n'a pas pris une ride malgré les années.
– **Art-O-rama :** *début sept (expos).* • *art-o-rama.fr* • Premier salon international d'art contemporain du sud de la France. Novateur dans le concept, il réunit artistes, galeristes, collectionneurs, institutionnels ou commissaires

MARSEILLE

autour de projets curatoriaux.
– *Marsatac :* 3 j. fin sept. • marsatac. com • Le plus important festival de musiques actuelles en Provence et l'un des festivals leaders sur les musiques électro en France et en Europe.
– *Fiesta des Suds :* 4 j. mi-oct. • dock-des-suds.org • Investissant des lieux inattendus de Marseille, la Fiesta des Suds fixe le pouls de la ville sur un tempo haletant.
– *ActOral :* de fin sept à mi-oct. • acto ral.org • Rencontres d'auteurs, metteurs en scène, chorégraphes, interprètes, plasticiens, pour des lectures et spectacles singuliers brouillant les frontières entre les champs artistiques.

Manifestations sportives

Pour une envie de se remuer les gambettes, une multitude de manifestations sportives se déroulent dans la cité phocéenne :
– *Open 13 de tennis :* fin fév. • open13.fr • Les meilleurs tennismen du moment réunis dans un décor

thématique renouvelé chaque année.
– *Les Voiles du Vieux-Port :* 4 j. en juin. • lesvoilesduvieuxport.com • Une quarantaine de voiliers de tradition animent la « scène » du Lacydon.
– *Le Défi de Monte-Cristo :* 2 j. en juin. • defimonte-cristo.com • Parcours de 5 km avec ou sans palmes au départ du château d'If. Si vous avez plus de 16 ans, jetez-vous à l'eau !
– *Mondial de pétanque/La Marseillaise :* juil. • lamarseillaise.fr • Créé par Paul Ricard en 1962, il est devenu le « Roland Garros des boules ».
– *Septembre en mer :* début sept, de La Ciotat à Martigues. Rens et programme : ☎ 04-91-90-93-93 ou • sep tembreenmer.com • Un événement proposé depuis 1999, qui imprègne l'ensemble du bassin autour d'une centaine de manifestations en tout genre.
– *Semi-marathon Marseille-Cassis :* dernier dim d'oct. • marseille-cassis. com • Pour vous mesurer à des champions de la course à pied, n'hésitez pas à vous inscrire, vous reviendrez flapi mais bougrement fier !

Où dormir ?

Outre les adresses listées ci-après, voir également l'offre mise en place par l'office de tourisme, « L'Échappée belle » : nuits et City Pass compris, à partir de 65 €/pers. Résas : ☎ 04-86-09-50-34 ; • marseille-tourisme.com • Pour des locations meublées, le réseau *Home Marseille* propose studios, apparts et villas disséminés dans toute la ville (☎ 09-81-22-72-22 ; • home marseille.com •). Compter 60-90 € pour 2 en studio. Min 5-7 nuits.

Auberges de jeunesse et *hostel*

🏠 *Hôtel Vertigo* (plan détachable E3, 11) : 42, rue des Petites-Maries, 13001. ☎ 04-91-91-07-11. • contact@hotel vertigo.fr • hotelvertigo.fr • Ⓜ Gare-Saint-Charles. Congés : nov-fév. Compter 17-35 €/pers en chambres et dortoirs (4-16 pers) ; serviette en sus. 🖥 🛜 Une très bonne surprise que cet *hostel* d'à peine 20 chambres, situé

à deux pas de la gare. D'ailleurs, les routards du monde entier ne s'y sont pas trompés, atmosphère conviviale garantie ! On peut aussi bien y dormir dans un dortoir avec douches communes qu'en chambre double avec salle de bains privée. 2 « cabanons » ont été aménagés dans la petite cour. Le top, la chambre avec une petite terrasse. Beaucoup de couleurs partout (on pense aux années 1970 !). Cuisine à disposition, attenante au petit salon. Également un bar avec – dixit – « la bière la moins chère de Marseille ». Un second hôtel Vertigo au 38, rue Fort-Notre-Dame vers le Vieux-Port (zoom 1 détachable, D5, 38), ☎ 04-91-54-42-95. Prix et prestations équivalents.
🏠 *Auberge de jeunesse de Bois-Luzy* (hors plan détachable par G3) : château de Bois-Luzy, allée des Primevères, 13012. ☎ 04-91-49-06-18. • marseille.bois-luzy@hifrance.org • hifrance.org • Au nord-est de la ville, à env 5 km du centre. Ⓜ La Fourragère, puis bus n° 9 (jusqu'à 21h),

arrêt Félibre-Laurier ou 700 m à pied. Accueil tlj 9h-10h, 17h-21h. Ouv mars-10 nov. Carte d'adhésion obligatoire. Compter 19,80-21,90 €/pers en dortoir et 22,50-24,50 €/pers en chambre double. 🖥 🛜 Une belle bastide construite en 1850, avec un hall impressionnant que dominent 2 coursives. Chambres de 2 à 7 lits. Magnifique point de vue sur la mer et sur la Bonne Mère, surtout au coucher du soleil, et même depuis certaines chambres. Celles-ci sont un peu anciennes mais propres. Cuisine à disposition. Pour les contemplatifs, car le secteur est très calme.

🛏 **Auberge de jeunesse de Bonneveine** (plan Marseille – Les plages, J9, 168) : impasse du Docteur-Bonfils, 13008. ☎ 04-91-17-63-30. ● accueil-marseille@hifrance.org ● ajmarseille.org ● Ⓜ Rond-Point-du-Prado, puis bus n° 44 (jusqu'à 21h), arrêt Place-Bonnefon ; bus de nuit n° 583 depuis Canebière-Bourse. Tlj 7h-22h sf pdt les repas. Fermé de mi-déc à fin janv. Carte d'adhésion obligatoire (en vente sur place 7-11 €). En dortoir 22,90-24,40 €/pers ; doubles 26,10-27,60 €. Draps et petit déj inclus. Plats du jour 4,50-9 €. Parking gratuit. 🛜 Café offert sur présentation de ce guide. Une auberge moderne, sans grand charme mais pas loin de la plage, dans un quartier tranquille. En tout, 150 lits dans des dortoirs non mixtes de 4 à 6 lits, et des chambres doubles (lits séparés). Consignes à bagages et coffres individuels. Terrasse, accès billards, distributeurs alimentaires et petite restauration. Micro-ondes et frigos à dispo, mais pas de cuisine. Organise des balades en canoë-kayak, notamment dans les calanques. Bonne ambiance.

Quartiers du Vieux-Port, de l'Opéra et du Panier

De bon marché à prix moyens

🛏 **Hôtel Relax** (zoom 1 détachable, D5, 18) : 4, rue Corneille, 13001. ☎ 04-91-33-15-87. ● hotelrelax@free.fr ● hotelrelax.fr ● Ⓜ Vieux-Port/Hôtel-de-Ville. Ouv tte l'année.

Doubles 60-65 €. 🛜 Apéritif offert sur présentation de ce guide. Carrément sur la place de l'Opéra, ce petit hôtel à l'ancienne s'est mis à niveau sans remiser au placard sa déco d'il y a 20 ans (tapisserie et couvre-lits à fleurs) ni ses espaces communs d'un kitsch absolu. Certaines chambres, plutôt petites mais bien équipées, donnent sur l'opéra, d'autres sur un mur... Double vitrage côté rue, clim, etc. Accueil authentique et gentil.

🛏 **Hôtel Marseille Vieux-Port** (zoom 1 détachable, D5, 13) : 46, rue Sainte, 13001. ☎ 0892-680-582 (0,34 €/mn). ● ibisbudgethotel.ibis.com ● h2575@accor.com ● Ⓜ Vieux-Port/Hôtel-de-Ville. ⚒ Doubles 70-90 € selon offre et demande (réduc sur Internet). Arrivée possible 24h/24. Parking fermé payant. 🛜 Hôtel Ibis budget au charme prémâché des hôtels de chaîne, avec un grand lit doublé d'un lit superposé, mais à prix plutôt doux et bien situé. Préférer les chambres du bâtiment ancien ou celles donnant côté port ou sur la place piétonne. Petit déj d'un bon rapport qualité-prix.

🛏 **Appartement d'hôtes l'Atelier du Vieux-Port** (zoom 1 détachable, D5, 36) : 10, cours Jean-Ballard. 🖥 06-08-67-00-45. ● resa@atelierduvieuxport.com ● atelierduvieuxport.com ● Ⓜ Vieux-Port/Hôtel-de-Ville. Compter 80 € pour 2 (3 nuits min), 550 €/sem. Clim. Petit appartement lumineux d'un seul volume, perché à 50 m du port, au 5e et dernier étage d'un immeuble sans ascenseur. Rénové sans perdre son cachet, cet ancien atelier du peintre Raymond Fraggi (1902-1976), le grand-père des proprios actuels, vaut tout de même la grimpette. Tomettes à l'ancienne, poutres en mâts de bateau, meubles en bois, tableaux de l'artiste aux murs et, côté confort, une cuisine bien équipée.

Prix moyens

🛏 **Hôtel Saint-Ferréol** (plan détachable E4-5, 26) : 19, rue Pisançon, 13001. ☎ 04-91-33-12-21. ● reservation@hotel-stferreol.com ● hotel-stferreol.com ● Ⓜ Vieux-Port/Hôtel-de-Ville. Doubles 85-100 € selon *confort et saison.* 💻 📶 Posté non loin du Vieux-Port et à l'angle de la rue Saint-Ferréol, l'une des rues piétonnes les plus commerçantes de la ville, cet hôtel propose des chambres raffinées et confortables, plus ou moins grandes selon le prix (idem pour la taille du lit), avec double vitrage ou doubles fenêtres, clim. Déco étudiée, notamment le mobilier et le coin bureau. Accueil aimable et efficace.

🛏 *Hôtel Hermès (zoom 1 détachable, D4, 12) :* 2, rue Bonneterie, 13002. ☎ 04-96-11-63-63. ● hotel.hermes@ orange.fr ● hotelmarseille.com/her mes ● Ⓜ Vieux-Port/Hôtel-de-Ville. ♿ *Doubles 85-125 € selon confort et saison.* 💻 📶 *Réduc de 10 % sur présentation de ce guide.* Un hôtel stratégiquement situé juste derrière le Vieux-Port, et c'est là son principal atout. Les chambres sont banales, étroites mais fonctionnelles, bien tenues, climatisées et insonorisées. Les plus chères jouissent d'une vue latérale sur le port. Sur le toit, la chambre nuptiale embrasse tout le panorama, jusqu'à la Bonne Mère. On peut monter son plateau du petit déj jusqu'à la terrasse du dernier étage, avec vue panoramique sur le Vieux-Port. Ça claque ! Accueil sympa.

🛏 *Hôtel Alizé Vieux-Port (zoom 1 détachable, D4, 10) :* 35, quai des Belges, 13001. ☎ 04-91-33-66-97. ● reservation@alize-hotel.com ● alize-hotel.com ● Ⓜ Vieux-Port/Hôtel-de-Ville. *Doubles 60-130 € selon catégorie, vue et période.* 💻 📶 *Un petit déj/séjour offert sur présentation de ce guide.* Idéalement placé et souvent complet. Chambres climatisées et insonorisées. Certaines, les moins petites, donnent sur le Vieux-Port ; les autres, avec leur fenêtre en verre dépoli donnent sur un mur et sont assez sombres (et un peu chères pour le coup). Accueil aimable.

De chic à plus chic

🛏 *Hôtel Escale Océania (zoom 1 détachable, D4, 14) :* 5, La Canebière, 13001. ☎ 04-91-90-61-61. ● escaleoceania.marseille@oceaniahotels.com ● oceaniahotels.com ● Ⓜ Vieux-Port/Hôtel-de-Ville. *Doubles 99-190 € selon*

catégorie et saison (+ 20 € pour les « de luxe »). Petit déj 11-12 €. 💻 📶 Bel immeuble haussmannien idéalement placé et joliment rénové. Chambres spacieuses tout confort : sous combles et sans vue pour les moins chères, donnant sur La Canebière ou sur la place Gabriel-Péri (plus calmes) pour les autres, avec vue latérale sur le Vieux-Port. Agréable décor contemporain. Beau petit déjeuner-buffet servi sous une verrière du XIXᵉ s. Accueil souriant et pro.

🛏 *Hôtel La Résidence du Vieux-Port (zoom 1 détachable, D4, 16) :* 18, quai du Port, 13002. ☎ 04-91-91-91-22. ● info@hrvpm.com ● hotel-residence-marseille.com ● Ⓜ Vieux-Port/Hôtel-de-Ville. *Doubles 160-200 € selon confort et saison.* 💻 📶 Un hôtel de charme, entièrement rénové, idéalement situé pour découvrir la ville. Pleines de couleurs, un peu vintage, d'un excellent niveau de confort (moquette moelleuse, grande salle d'eau, lits douillets...), les chambres s'ouvrent sur un balcon-terrasse dominant le Vieux-Port, avec vue sur Notre-Dame-de-la-Garde. Waouh ! Accueil agréable et bon petit déj-buffet à apprécier en salle ou en terrasse.

🛏 *New Hotel Vieux-Port (zoom 1 détachable, D4, 15) :* 3 bis, rue Reine-Élisabeth, 13001. ☎ 04-91-99-23-23. ● marseillevieux-port@new-hotel. com ● new-hotel.com ● Ⓜ Vieux-Port/Hôtel-de-Ville. *Doubles 140-180 € (jusqu'à 210 € avec terrasse).* 📶 Hôtel de bon confort, à deux pas du Vieux-Port. La décoration est une invitation à un voyage, ô combien confortable, dans les pays du Sud, avec une pointe de nostalgie pour le temps des colonies (Pondichéry, Veracruz...). Les chambres standard ne sont pas très grandes et n'ont pas de vue sur le port. Préférez donc les supérieures ou, mieux encore, celles tout en haut avec terrasse si vous pouvez vous offrir (l'ascenseur s'arrêtant à l'avant-dernier étage).

Autour de La Canebière

Prix moyens

🛏 *Les Maisons de Marseille (zoom 2 détachable, F4, 25) :* 37, rue

Sénac-de-Meilhan, 13001. ☎ 06-11-73-35-55. ● contact@maisonsdemarseille.com ● maisonsdemarseille.com ● Ⓜ Réformés/Canebière. Doubles 66-93 €, studio pour 2 pers 82-119 €, également des suites, minilofts et un appart. 2 nuits min. 🛜 Réduc de 5 % sur présentation de ce guide. Les proprios sont passionnés de design et d'art contemporain, et ça se voit ! De la chambre standard au grand appart avec cuisine, les matériaux chauds et traditionnels se mêlent à la perfection avec le style arty des années 1950. Meubles colorés, poutres apparentes, mosaïques et murs vert, jaune ou rose mélangent leurs formes géométriques pour créer des chambres originales et confortables. Les amateurs d'art devraient être comblés... et les autres aussi !

🛏 **Hôtel Saint-Louis** (plan détachable E4, 23) : 2, rue des Récollettes (cours Saint-Louis), 13001. ☎ 04-91-54-02-74. ● info@hotel-st-louis.com ● hotel-st-louis.com ● Ⓜ Noailles. Doubles 76-106 € selon orientation. 🛜 Au cœur du quartier populaire de la rue d'Aubagne. Derrière sa belle façade néoclassique, une petite adresse qui a effectué quelques efforts de rénovation. Chambres pas très sexy à l'arrière (elles donnent sur un mur). À l'avant, on est protégé du brouhaha de la rue et du quartier populeux par un double vitrage. Clim bienvenue.

🛏 **Hôtel Azur** (plan détachable F4, 24) : 24, cours Franklin-Roosevelt, 13001. ☎ 04-91-42-74-38. ● info@azur-hotel.fr ● azur-hotel.fr ● Ⓜ et 🅣 Réformés/Canebière. Doubles 73-83 € selon taille ; familiale 115 €. 🛜 Café offert sur présentation de ce guide. Situé dans une rue relativement calme et tempête. Chambres rénovées, colorées, avec AC pour la plupart. Demandez-en une côté cour-jardin, elles sont très agréables. Également des chambres familiales pour 4. Le petit déj se prend dans la cour verdoyante. Accueil aimable. Un bon rapport situation-prix.

🛏 **Le Ryad** (zoom 2 détachable, E-F4, 19) : 16, rue Sénac-de-Meilhan, 13001. ☎ 04-91-47-74-54. ● contact@leryad.fr ● leryad.fr ● Ⓜ Noailles. Doubles 72-130 €. Petit déj 12 €. 🛜 Réduc de 10 % sur présentation de ce guide. La rue n'a rien d'accueillant, la maison,

si. Une manière de riad, en somme, avec un jardin étonnant pour rajouter à l'impression de voyage. Du blanc, du sobre. Musique d'ambiance. Une minisuite rouge et gris, un coin lecture ou enfants. Quant à la petite chambre sous les toits, avec une petite terrasse et vue sur Notre-Dame-de-la-Garde, on craque. Beaux petits déjeuners.

Quartiers de la Préfecture et de Castellane

Bon marché

🛏 **Hôtel Lutia** (plan détachable F6, 29) : 31, av. du Prado, 13006. ☎ 04-91-17-71-40. ● contact@hotellutia.com ● hotellutia.com ● Ⓜ Castellane. Doubles 65 € (avec w-c sur le palier), 70-75 € tt confort ; familiale 102 €. 🖥 🛜 Réduc de 10 % sur présentation de ce guide. Sur la grande avenue du Prado, à deux pas de la place Castellane. Le secteur est un peu bruyant mais les fenêtres ont un double vitrage. Chambres couleur tapenade aux deux olives. Toutes avec brasseur d'air et frigo. Les deux du dernier étage jettent un œil sur la Bonne Mère. Accueil très sympa.

🛏 **Chambre d'hôtes Romain & Pascal** (plan détachable E6, 33) : 33, rue Falque, 13006. ☎ 06-77-94-34-50. ● contact@bnbromainpascal.com ● bnbromainpascal.com ● Ⓜ Castellane. Doubles 70-76 € ; apparts 75-114 €/j. pour 2 pers (min 2 nuits) ou 156-238 €/sem. Parking payant. 🛜 Romain, très sympa, vous propose, outre la chambre avec terrasse dans son propre logement, des appartements équipés et meublés avec une déco follement design, dont 4 dans son immeuble et 3 sur le Vieux-Port, qui vont vous faire craquer. Bref, largement de quoi satisfaire tous les budgets et les goûts !

De bon marché à prix moyens

🛏 **Hôtel Edmond Rostand** (plan détachable E6, 21) : 31, rue Dragon, 13006. ☎ 04-91-37-74-95. ● info@hoteledmondrostand.com ●

hoteledmondrostand.com ● Ⓜ *Estrangin/Préfecture. Doubles 69-99 € selon saison.* 🖥 🛜 *Un petit déj/chambre/nuit offert sur présentation de ce guide.* Un hôtel moderne, dans une rue tranquille, non loin de la maison natale d'Edmond Rostand. 15 chambres climatisées et insonorisées sur 4 niveaux donnant sur cour ou rue (moins tranquilles mais au même prix). Celles du 4e étage sont mansardées. À la fois central et calme, l'ensemble est sobre et confortable. Bémol pour l'accueil un rien blasé et poussif.

🛏 ***Mama Shelter*** *(plan détachable F5, 22)* **:** 64, rue de la Loubière, 13006. ☎ 04-84-35-20-00. ● marseille@mamashelter.com ● mamashelter.com ● Ⓜ *N-D-du-Mont/Cours Julien.* Compter 79-139 € *la double selon confort et... opportunité. Petit déj 16 € (!).* 🖥 🛜 Au cœur d'un Marseille populaire et authentique, le *Mama Shelter* a décidé de casser les codes en proposant une alternative à l'hôtellerie traditionnelle : un lieu de vie, de rencontres et d'échanges comme en témoigne le monde qui se presse au bar. Le décor est mis en scène par Philippe Starck : une influence de Méditerranée qui rend l'endroit unique, branché et pas donné. Pour le resto, voir plus loin « Où manger ? ».

🛏 ***Hôtel Adonis Marseille Vieux-Port*** *(plan détachable D5, 28)* **:** 26, *rue Breteuil, 13006.* ☎ *04-91-37-78-86.* ● hotel.dupalais@wanadoo.fr ● hotel-palais-marseille.com ● Ⓜ *Estrangin/Préfecture. Doubles 77-109 €. Clim.* 🛜 Un petit hôtel gentiment chic aux couleurs pimpantes et déco moderne. Bien placé, avec tout le confort souhaité pour rassurer les hommes d'affaires et les amateurs d'atmosphère.

Quartiers de la gare Saint-Charles et Belsunce

Bon marché

🛏 ***Chambre d'hôtes chez Marie*** *(plan détachable F3, 30)* **:** 17, pl. Alexandre-Labadié, 13001. ☎ 04-91-62-95-72. 📱 06-63-45-60-18. ● mariebotella@free.fr ● marseille-hotes.org ● Ⓜ *Réformés/Canebière. Double 60 €.* 🛜 Entre la gare Saint-Charles et La Canebière, au 3e étage d'un immeuble 1930 donnant sur une agréable rotonde arborée dont les immeubles épousent la belle courbe. Une seule chambre mais charmante, avec une grande salle de bains. Si elle n'est pas libre, la fille de Mme Botella en loue également une non loin de là, sur le boulevard d'Athènes.

Prix moyens

🛏 ***Pension Edelweiss*** *(plan détachable E3, 35)* **:** *6, rue Lafayette.* ☎ *09-51-23-35-11.* ● info@pension-edelweiss.fr ● pension-edelweiss.fr ● Ⓜ *Gare-Saint-Charles. Tte l'année. Doubles 85-90 € selon saison, petit déj inclus.* 🛜 On grimpe l'escalier en bois brut de ce bel appartement de ville rénové sans y perdre son âme, jusqu'à atteindre les 4 grandes chambres au charme rétro, avec salle de bains privée. Les 2 moins chères donnent côté rue, les autres côté cour, la plus grande – et la plus chère bien sûr – s'ouvrant sur une jolie terrasse. Un vrai nid cosy et sympa, à deux pas de la gare.

Quartiers du stade Vélodrome et du Prado

De prix moyens à chic

🛏 ***Hôtel Le Corbusier*** *(plan Marseille – Les plages, K9, 169)* **:** 280, bd Michelet, 13008. ☎ 04-91-16-78-00. ● albange@club-internet.fr ● hotellecorbusier.com ● Ⓜ *Rond-Point-du-Prado puis bus n° 21 ou 22, arrêt Le-Corbusier. Doubles 79-158 € selon confort.* 🛜 *(payant).* Bienvenue dans un hôtel original et historique tout à la fois puisqu'il se trouve dans la Cité radieuse de Le Corbusier. Si les chambres les moins chères sont monacales (avec sanitaires à partager), les plus grandes, comme les studios, font 32 m² et profitent d'une vue lointaine sur la mer. Dormir ici est une expérience quasi culturelle. Comme pour les résidents, accès gratuit au tennis, à la salle de gym et à la pataugeoire !

🛏 **Chambres d'hôtes Villa Monticelli** *(plan Marseille – Les plages, J8,* **172***) : 96, rue du Commandant-Rolland, 13008.* ☎ *04-91-22-15-20.* ● *contact@ villamonticelli.com* ● *villamonticelli. com* ● Ⓜ *Rond-Point-du-Prado puis 500 m à pied. Doubles 110-120 €. Parking clos (payant).* 🖥 📶 Dans une villa d'inspiration toscane, 5 chambres aux couleurs chaudes, confortables et de taille variable, mais toujours vastes. Salle de bains, clim, insonorisation et bonne literie. Accès à une cuisine entièrement équipée. Coin salon garni de beaux livres sur Marseille. Petite terrasse pour le petit déj, jardinet. Si le calme est indéniable, on est en revanche un peu loin de tout. Bon accueil.

Vers la Corniche, les plages et les calanques

De prix moyens à chic

🛏 **Hôtel Péron** *(plan détachable A6,* **20***) : 119, corniche Kennedy, 13007.* ☎ *04-91-31-01-41.* ● *contact@hotel peron.com* ● *hotelperon.com* ● *Bus n° 83, arrêt Corniche-Frégier. Doubles 84-97 €.* 📶 Un hôtel hors du temps, qui plaira aux nostalgiques du Marseille de Scotto : fresques murales assez kitsch en plâtre moulé, les poissons et fruits de mer en céramique vous suivant jusque dans les salles de bains... Délicieusement désuet, même si les prix sont bien au goût du jour. Un lieu familial, et c'est peu dire, on y croise toute la dynastie, du petit dernier à la grand-mère. Il appartient d'ailleurs à la même famille depuis 4 générations. Bon, évidemment, on est au bord de la route, ce qui peut perturber la vue côté mer, mais l'ensemble est bien insonorisé.

🛏 **Chambres d'hôtes Villa Valflor** *(plan Marseille – Les plages, J10,* **175***) : 13, bd Molinari, 13008.* ☎ *04-91-72-03-54.* ● *villa-valflor@wanadoo.fr* ● *villavalflor.com* ● Ⓜ *Rond-Point-du-Prado puis bus n°19, arrêt Vieille-Chapelle. Doubles 120-130 € ; gîtes 700-840 €/sem.* 🖥 📶 À deux pas des plages, 5 chambres d'hôtes dans une

bastide du XIXᵉ s qui fut sans doute la propriété de la famille Molinari, spécialisée dans le poisson et la... quincaillerie. La propriétaire, qui en a hérité, a su en faire une maison agréable à vivre, avec un joli jardin (palmiers, fontaine, terrasse et véranda pour le petit déj), une belle piscine et une déco d'inspiration italienne. Les chambres, à l'étage, tout aussi soignées, sont de tailles différentes, spacieuses et lumineuses (l'une d'elles peut accueillir 4 personnes).

🛏 **Hôtel Le Richelieu** *(plan détachable A5,* **27***) : 52, corniche Kennedy, 13007.* ☎ *04-91-31-01-92.* ● *info@ hotel-marseille-richelieu.com* ● *hotel-marseille-richelieu.com* ● *Bus n° 83, arrêt Catalans. Doubles 89-100 € selon confort, vue et saison.* 🖥 📶 *Un petit déj par chambre et par nuit offert sur présentation de ce guide.* Un hôtel les pieds suspendus au-dessus de l'eau. Rénovées de façon un peu artisanale, les chambres restent tout de même gaies. Si vous en voulez une avec balcon et vue sur la mer, la note sera plus salée. En contrepartie, beau panorama sur le château d'If et les îles du Frioul. Côté rue, heureusement qu'il y a un double vitrage car l'hôtel borde la corniche. Jolie terrasse commune pour prendre son petit déj (assez moyen) en surplomb de la mer, un œil braqué sur la plage des Catalans en contrebas.

🛏 **Chambres d'hôtes Bastide du Roucas** *(plan Marseille – Les plages, I7,* **176***) : 5, rue Étienne-Mein, 13007.* ☎ *04-91-31-79-83.* ● *bastideduroucas@gmail.com* ● *bastide-roucas. com* ● *Bus n° 61, arrêt Bompard-Beaulieu. Doubles 95-110 € selon saison. Parking intérieur gratuit.* 📶 Dans le joli quartier du Roucas Blanc, avec ses lacis de ruelles grimpantes et ses points de vue sur la corniche. Belle bastide du XIXᵉ s, ancienne procure des Pères du Saint-Esprit. Superbement rénovée, avec piscine, joli jardin et vue sur la mer, elle abrite 2 chambres raffinées, chacune avec son cabinet de toilette. Accès indépendant. Bon accueil.

🛏 **New Hotel Bompard** *(plan Marseille – Les plages, I7,* **174***) : 2, rue des Flots-Bleus, 13007.* ☎ *04-91-99-22-22.* ● *marseillebompard@new-hotel.com* ●

new-hotel.com ● ⚠️ *Suivre la corniche Kennedy, tourner à gauche juste avt le resto Le Ruhl ; ensuite, c'est fléché. Bus n° 61, arrêt Bompard-Beaulieu. Doubles 125-165 € selon saison et vue (rue ou jardin). Beau petit déj servi dans le jardin fleuri* 🖥️ 📶 Sur les hauteurs de la corniche, au milieu d'un grand jardin planté d'acacias et de palmiers, un ensemble hôtelier comptant un

bâtiment ancien rénové, une annexe de luxe aux couleurs provençales et une piscine. Calme absolu donc, sauf peut-être pour les chambres qui donnent sur le parking privé ! Pas très grandes, les chambres sont en revanche sobres et élégantes, avec pour certaines une terrasse ou un balcon. Resto sur place. Accueil pro.

MARSEILLE

Où manger ?

Évidemment, l'équation reste vraie : Marseille égale bouillabaisse (et tout un tas d'autres recettes poissonnières) plus pieds-paquets. Mais Marseille, ville ouverte sur le monde, goûte aussi une cuisine métissée par tous ces exilés venus un jour poser ici leurs marmites. On y dégote de petites gargotes populaires et bon marché : cantines de quartier et orientales foisonnent dans le centre-ville. La pizza y brille, fille d'Italie comme bien des Marseillais qui commandent « la pizza moit-moit ». Attention, beaucoup de restos ferment le dimanche soir.

Quai du Vieux-Port, quartier du Panier, docks de la Joliette et rue de la République

Très bon marché

|●| Spok *(plan détachable C3, 40)* : 48, rue Mazenod, 13002. ☎ 04-91-91-57-29. M. et 🚋 Joliette. *Ouv lun-ven 9h-17h env. Plat du jour 10,90 € ; salades 4,10-7,80 € ; sandwichs 3,80-5,70 €.* Une petite chaîne comme on les aime : locale, fraîche et sympathique. On choisit sa salade, son wrap et sa soupe, que l'on prend soi-même dans les vitrines réfrigérantes. L'accueil lui, n'a rien de réfrigérant. *2 autres adresses kif-kif en ville :* 67, bd Notre-Dame *(plan détachable D6, 40)* ; 🚇 Estrangin/Préfecture *et* 7, rue Lulli *(zoom 1 détachable, D5, 40)* ; 🚇 Vieux-Port/Hôtel-de-Ville.

|●| Les Délices de Julie *(zoom 1 détachable, D4, 74)* : 28, Bonneterie, 13002. ☎ 09-80-62-20-85. 🚇 Vieux-Port/Hôtel-de-Ville. *Tlj sf w-e. Formules 7,50-10,50 €.* Une envie matinale ? Un en-cas vite fait ? Une faim d'après-midi ? Vos pas vous mèneront forcément chez Julie, son comptoir frais, sa petite salle, ses 4 tables sur rue. Elle compose en direct salades, focaccias, sandwichs, sans oublier de gourmandes tartes à fond caramélisé.

Bon marché

|●| Bobolivo *(zoom 1 détachable, C4, 89)* : 29, rue Caisserie, 13002. ☎ 04-91-31-38-21. ● bobolivo@orange.fr ● 🚇 Vieux-Port/Hôtel-de-Ville. *Mar-sam midi et soir et dim midi en hte saison. Formule déj avec café 17 € ; menu 25 €.* Une espèce de décor de théâtre patiné où l'on se sent de suite bien, une cuisine de bistrot sincère, goûteuse, servie généreusement. Bons produits, sens des épices, simplicité... Plus des grillades au feu de bois irrésistibles.

|●| Le Cafouch aux Saveurs *(plan détachable C3, 50)* : 20, rue Mazenod, 13002. ☎ 04-91-31-67-14. ● info@lecafouch.com ● 🚇 Joliette. 🚋 République-Dames. *Tlj sf w-e. Le midi slt. Plats 12-15 €. Formule déj avec café 16,50 €. Café offert sur présentation de ce guide.* Une cuisine de femmes, une cuisine de voyages, mais surtout une cuisine méditerranéenne gourmande, équilibrée et généreuse, qui plaît beaucoup à la clientèle (féminine mais pas que) du quartier des docks. On vient ici pour prendre des couleurs, des saveurs, du plaisir. Chaque jour, l'équipe dynamique propose des plats différents, comme à la maison, avec des produits simples, frais. Desserts à craquer.

|●| Au Bout du Quai (zoom 1 détachable, C4, **92**) : 1, av. Saint-Jean, 13002. ☎ 04-91-99-53-36. ● aubout duquai@hotmail.fr ● Bus nº 60 ou 82, arrêt Capitainerie. Tlj sf dim soir et mar tte la journée. Slt à la carte, plats 14-24 € ; compter env 40 €. Dans un cadre contemporain tout blanc plaisant, ouvert, aéré, une cuisine méditerranéenne pleine de fraîcheur à des prix (encore) raisonnables. Ça chante dans les assiettes et de copieuses portions... Clientèle de potes et de familles que le volubile patron va saluer chaleureusement.

|●| Le Clan des cigales (zoom 1 détachable, C3, **61**) : 8, rue du Petit-Puits, 13002. ▤ 06-63-78-07-83. ● b.fraysse@ sfr.fr ● **T** Sadi-Carnot. Tlj midi slt, sf dim (et lun hors saison). Congés : janv. Formule 19 €. CB refusées. Une boutique avec un coin épicerie, une salle à l'ancienne dans l'arrière-boutique et une grande terrasse pour savourer les petits plats d'une fourmi besogneuse qui n'a pas pour autant renié le temps où elle était cigale. Courte carte basée sur de bons produits : assiettes composées, tarte salée du jour, ravioles... Son aïoli s'est taillé une petite réputation auprès des habitués. Une tarte aux fruits de saison et un petit thé bien choisi pour conclure, et nous voilà de nouveau d'attaque pour une balade dans le Panier.

|●| L'Arlecchino (plan détachable C3, **49**) : 8, rue Jean-François-Leca, 13002. **M** Joliette. **T** République-Dames. ☎ 04-91-90-18-90. ● a.polverari@ free.fr ● Fermé sam soir, dim et j. fériés. Congés : 1 sem autour du 15 août. Résa conseillée au déj. Plusieurs formules midi et soir 15-17 €. Pizza 11 €. Voilà une escale animée au déjeuner, où se retrouvent les employés du coin. Ici, on travaille en famille et dans la bonne humeur, pour proposer une cuisine simple et réussie. Pizzas, salades, viandes... Le plat du jour est une bonne affaire, et les formules aussi. Quant aux desserts maison, ils sont généreusement servis et réussis. Également des tables sur un bout de trottoir.

|●| Étienne (zoom 1 détachable, D3, **90**) : 43, rue de Lorette, 13002. **T** Sadi-Carnot. Tlj sf dim. Plats 14-16 €. CB refusées. Est-ce cet aspect de resto d'avant la révolution industrielle ou la réputation d'original du patron qui explique son succès ? Toujours est-il qu'on y est serré comme les ingrédients de sa fameuse pizza aux anchois. Ici, la plupart des clients se connaissent, se saluent, ça vibrionne autour des viandes grillées au feu de bois. Une véritable institution. Pas de réservation, il faut tomber dessus à la fin de sa visite du Panier.

|●| Chez Angèle (zoom 1 détachable, C4, **46**) : 50, rue Caisserie, 13002. ☎ 04-91-90-63-35. **M** Vieux-Port/ Hôtel-de-Ville. Tlj. Formule déj avec café 12 € ; pizzas 8-18 €. Apéritif ou digestif offert sur présentation de ce guide. Une petite trattoria toute simple où l'on mange depuis des années des pizzas au feu de bois. Également des grillades et des pâtes fraîches. Bonne ambiance et brouhaha garantis. Un ensemble marseillais pur jus.

De prix moyens à chic

|●| Café des Épices (zoom 1 détachable, C4, **53**) : 4, rue du Lacydon, 13002. ☎ 04-91-91-22-69. ● contact@ cafedesepices.com ● **M** Vieux-Port/ Hôtel-de-Ville. Tlj sf sam soir, dim, lun et j. fériés. Congés... selon l'humeur. Résa fortement conseillée. Formule et menu déj 25-28 €, menu 45 € le soir. Face à un champ d'oliviers dessiné par un célèbre paysagiste, on vient surtout vivre ici une expérience des saveurs. Le chef a des idées plein sa cuisine de poche et ne se prosterne pas devant les poncifs provençaux. De l'épicé, de l'acidulé, du croquant, du moelleux, du sucré... Bref, un resto qui mérite largement l'attente, comme avant de s'embarquer pour un beau voyage. Soirées tapas au milieu des oliviers et de l'été. Terrasse qui s'enflamme certains soirs.

|●| Un Sourire sous l'Olivier (zoom 1 détachable, C4, **53**) : 4, rue du Lacydon, 13002. ☎ 04-91-52-75-42. ● yonnisaada@gmail.com ● **M** Vieux-Port/Hôtel-de-Ville. Tlj sf ven et sam. Formule et menu déj en sem 22-27 €,

MARSEILLE

carte 40 € le soir. Mitoyen du *Café des Épices*, ce restaurant partage avec lui une terrasse fabuleuse sous les oliviers. Yonni Saada, formé en Israël et chez de grands chefs locaux, revisite la tradition version casher, et le résultat est plus rassurant que vraiment surprenant. Bons produits, beau travail. Ici, on œuvre en famille, les habitués sont là, qui créent l'ambiance certains soirs.

⦿ On dîne (zoom 1 détachable, D4, **51**) : 22, rue de la Guirlande, 13002. ☎ 09-83-53-83-41. ● on-dine@bbox. fr ● Ⓜ Vieux-Port/Hôtel-de-Ville. Tlj sf w-e. Menu le midi 25 €, le soir 32 €. On dîne midi et soir, au calme, à deux pas du port, de l'hôtel de ville et de l'hôtel-Dieu, sur une terrasse cachée par les immeubles Pouillon ; et surtout, on y dîne très bien. Du frais, de l'inventif, de la simplicité bien dosée, jusqu'à l'addition, qui ne force pas la dose, car ici on ne triche pas avec la qualité des produits.

⦿ Schilling (zoom 1 détachable, C4, **43**) : 37, rue Caisserie, 13002. ☎ 04-91-01-81-39. Ⓜ Vieux-Port/Hôtel-de-Ville. Tlj sf mar-mer et dim soir. Formules midi 19,50-21 €. Menu 30 €. Si vous résistez aux sirènes de la place voisine, vous ne résisterez pas aux appels de la mer lancés ici. La daurade s'y enivre de whisky et jus de viande, le poulpe se fume, le maquereau se met en carpaccio, les médaillons de baudroie s'acoquinent aux gésiers de canard... Même les mises en bouche donnent le ton de ces astucieux et inattendus croisements des saveurs en rien... « exotiques » dus au chef d'origine écossaise. Le tout est fin, présenté avec goût. Service flegmatique pas avare de conseils.

⦿ Le Poulpe (zoom 1 détachable, C4, **48**) : 84, quai du Port, 13002. ☎ 04-95-09-15-91. Ⓜ Vieux-Port/Hôtel-de-Ville. Tlj sf dim. Formule et menu déj 19-22 €. Carte 35 €. Si le menu du chef n'est affiché sur l'ardoise que quelques minutes avant le service... c'est qu'il évolue en fonction des arrivages car cet octopode joue la carte de la proximité. Le poisson a l'accent de la rade, la viande le parfum des collines, les légumes ont pris leurs couleurs au soleil de Provence. La salle agréable, pas tentaculaire, est délaissée par la clientèle au profit de la terrasse qui regarde le port comme toutes ses voisines. Service efficace.

De chic à très chic

⦿ Une Table au Sud (zoom 1 détachable, D4, **60**) : 2, quai du Port, 13002. ☎ 04-91-90-63-53. ● unetableausud@ wanadoo.fr ● Ⓜ Vieux-Port/Hôtel-de-Ville. Tlj sf dim soir et lun. Fermé 2 sem début janv, 2 sem en août et à Noël. Menus déj 29 € puis 48-87 €. Table éclatante de soleil au 1er étage d'une maison avec vue sur le Vieux-Port, gardé par son fort Saint-Nicolas, et que Notre-Dame-de-la-Garde couve d'un bon regard maternel depuis son perchoir. Un lieu avec une montée d'escaliers d'anthologie qui déjà « vous fait tourner la tête », un sourire chaleureux à l'accueil, un ballet de serveurs bien réglé et une cuisine assez époustouflante. Formé ici même par Lionel Lévy (parti jouer dans la cour des grands... hôtels !), Ludovic Turac, et l'un des jeunes chefs les plus remuants et imaginatifs de Marseille. Un chef qui, à tout juste 27 ans, a déjà vu s'éclairer sa première belle étoile et défend le goût, le terroir, mais aussi l'originalité, les légumes méconnus et les plats oubliés.

⦿ Le Miramar (zoom 1 détachable, D4, **52**) : 12, quai du Port, 13002. ☎ 04-91-91-10-40. ● contact@bouil labaisse.com ● Ⓜ Vieux-Port/Hôtel-de-Ville. Tlj sf lun. Bouillabaisse célébrissime (ou bourride, sur commande) 63 €/pers et carte env 80 €. Une institution dont certains caïds marseillais avaient fait leur table bien avant les politiciens locaux. Christian Buffa, un chef passé par les cuisines de Bocuse, prépare de superbes poissons pêchés au bout des lignes des palangriers locaux ou minutieusement choisis à la criée de Marseille. Grande terrasse face au port. Belle carte des vins.

Quai Rive-Neuve, quartiers de l'Opéra et Saint-Victor

Sur le pouce

⬳ Boulangerie Aixoise (zoom 1 détachable, E5, **88**) : 45, rue Francis-Davso, 13001. ☎ 04-91-33-93-85. Ⓜ Vieux-Port/Hôtel-de-Ville. Tlj sf dim et j. fériés 6h30-19h30. Temple couru par les Marseillais, malgré son nom rappelant l'ennemi héréditaire (on plaisante !). Savoureuses pâtisseries provençales aux pignons, fruits secs et/ou fruits confits. Mais aussi sandwichs de grande qualité, aux différents pains spéciaux maison.

Bon marché

I●I Chez Vincent – Le Vésuve (zoom 1 détachable, D5, **54**) **:** 25, rue Glandevès, 13001. ☎ 04-91-33-96-78. Ⓜ Vieux-Port/Hôtel-de-Ville. Mar-sam midi et soir. Fermé en août. Plats et pizzas à partir de 10 €. De bonnes pizzas et des plats goûteux servis sans façons dans une salle climatisée, sous le regard de la vieille génération sicilienne, un peu fatiguée. Les cannellonis, lasagnes, poivrons grillés au feu de bois ont leurs habitués, à commencer par les chanteurs et les fidèles de l'Opéra qui viennent ici jouer les prolongations, entre embrassades et applaudissements. Rose (la propriétaire octogénaire) y travaille depuis 1946 !

I●I La Casertane (zoom 1 détachable, D5, **55**) **:** 71, rue Francis-Davso, 13001. ☎ 04-91-54-98-51. Ⓜ Vieux-Port/Hôtel-de-Ville. Tlj sf dim. Ouv le midi slt. Plats 13,50-16,50 €. Une épicerie-restaurant où il vaut mieux venir en début ou en fin de service pour trouver une table libre. Assiettes d'antipasti et de charcuterie pour se faire plaisir. Et si vous avez encore faim, offrez-vous un plat de pâtes fraîches. Terrasse.

I●I Il Canaletto (zoom 1 détachable, D5, **94**) **:** 8, cours Jean-Ballard, 13001. ☎ 04-91-33-90-12. Ⓜ Vieux-Port/Hôtel-de-Ville. Tlj sf lun. Congés : fin juil-fin août. Pâtes et plats 10-16 €. CB refusées. Installée là bien avant que la place ne devienne touristique, une bonne vieille adresse italienne qui n'a pas vu le temps passer. Comme là-bas, cuisine de qualité régulière et à prix raisonnables. Poisson d'une belle fraîcheur, pâtes cuites juste comme il faut. Terrasse aux beaux jours.

I●I Le Mas de Lulli (zoom 1 détachable, D5, **56**) **:** 4, rue Lulli, 13001. ☎ 04-91-33-25-90. Ⓜ Vieux-Port/Hôtel-de-Ville. Tlj sf dim ; service

jusqu'à 6h. Fermé 3 sem août-sept. Formule déj en sem 15 €, carte 25-35 €. Café offert sur présentation de ce guide. Une équipe fidèle au poste depuis des lustres et un des rares bistrots de nuit à Marseille. Pâtes très bonnes et tout à fait abordables. La carte est riche de spécialités locales et provençales. Bonne ambiance dans ce lieu incontournable du Marseille by night (à une rue de l'Opéra). Terrasse au calme.

I●I O'Stop (zoom 1 détachable, D5, **57**) **:** 16, rue Saint-Saëns, 13001. ☎ 04-91-33-85-34. ● lestoprestaurant@gmail.com ● Ⓜ Vieux-Port/Hôtel-de-Ville. Tlj 11h-6h. Sandwichs 3-5 €. Carte 20-25 €. Apéritif offert sur présentation de ce guide. Une adresse sans prétention, façon tavola calda italienne avec ses plats mijotés qui vous narguent depuis le comptoir-vitrine. Des spécialités maison bien d'ici et autres sandwichs bien préparés, sont à déguster à même ledit comptoir, ou sur une brassée de table. Ce snack attire un public divers qui va du bobo marseillais à la touriste japonaise affolée par le service en passant par les chanteurs, techniciens et habitués de l'Opéra juste en face.

De prix moyens à chic

I●I O² Pointus (zoom 1 détachable, C5, **83**) **:** quai Marcel-Pagnol, 13007. ☎ 04-91-33-81-40. ● o2pointus@free.fr ● Bus n° 82 ou 83, arrêt Fort-Saint-Nicolas. Tlj. Formule déj (avec verre de vin et café) 19,50 € et menus 39-49 €. Posé à l'entrée du Vieux-Port, bien gardé par les forts Saint-Jean et Saint-Nicolas, ce restaurant du club nautique a le pied marin. On y voit passer les bateaux, et pas seulement en suçant des glaces à l'eau, mais en dégustant d'excellents desserts précédés par une flottille de plats salés pas bateaux du tout. Car ceux qui imaginaient une simple cuisine de cambuse trouvent ici une adresse semi-gastronomique à partager avec une clientèle chic (n'y venez pas en tongs...), dans une salle panoramique joliment dressée ou sur le pont arrière que bénit la Bonne Mère.

I●I L'Aromat (zoom 1 détachable, D5,

42) : 49, rue Sainte, 13001. ☎ 04-91-55-09-06. ● laromat@orange.fr ● Ⓜ Vieux-Port/Hôtel-de-Ville. Tlj sf sam midi, dim et lun soir. Au déj, formule 17 € et menus 19-22 € ; autres menus 40-59 €. Kir offert sur présentation de ce guide. Une cuisine méditerranéenne adaptée avec amour et humour à notre temps. Le chef, passé par L'Épuisette et le Livon, continue de réinventer la cuisine du Sud tandis que son associé associe (c'est son rôle !) les vins de producteurs qu'il aime bien... Déco sobre faite de tons blanc et gris.

I●I *L'Oliveraie* (zoom 1 détachable, D5, *59*) : 10, pl. aux Huiles, 13001. ☎ 04-91-33-34-41. Ⓜ Vieux-Port/Hôtel-de-Ville. Tlj sf sam midi et dim. Menus déj 23 € (vin compris), 28 € soir et w-e ; carte 45-50 €. Café offert sur présentation de ce guide. Une jolie voûte de pierre, de longues banquettes de moleskine, des couleurs chaudes, un accueil et un service ensoleillés, et des plats dignes de ce nom. Un nom qui devrait vous éviter toute confusion si vous êtes accro à la cuisine au beurre. Ici, tout est fait maison, jusqu'aux glaces et au pain de campagne. Petite mezzanine plus intime.

I●I *Le 29* (zoom 1 détachable, D5, *44*) : 29, pl. aux Huiles, 13001. ☎ 04-91-33-26-44. Ⓜ Vieux-Port/Hôtel-de-Ville. Tlj. Menus déj 20 € et soir 27-52 €. Une déco résolument contemporaine, une salle plus intime en mezzanine et la grande terrasse sur la place bien agréable. Ici, on ne travaille qu'avec des petits producteurs locaux, ce qui laisse augurer de la fraîcheur et de la qualité des produits, de saison, s'il vous plaît. À souligner, des desserts pas à la traîne, le chef étant pâtissier de formation. Très bon choix de vins au verre.

I●I *César's Place* (zoom 1 détachable, D5, *91*) : 21, pl. aux Huiles, 13001. ☎ 04-91-33-25-22. ● contact@restaurant-cesarplace.com ● Ⓜ Vieux-Port/Hôtel-de-Ville. ♿ Tlj sf dim. Congés : 1 sem à Noël et Jour de l'an. Formule déj 23 € ; menu du soir 39 €. Bouillabaisse 48 €. Un des beaux et bons restaurants de la place aux Huiles. Élégant décor design ou terrasse, plats provençaux originaux et mariage réussi des produits, qu'il s'agisse des viandes fondantes, des poissons cuits à la perfection ou des desserts insolites et savoureux. La carte des vins met en avant le sud de la France avec des bouteilles d'appellations choisies en connaisseur.

I●I *La Passarelle* (zoom 1 détachable, C5, *66*) : 52, rue du Plan-Fourmiguier, 13007. ☎ 04-91-33-03-27. ● lapassarelle@gmail.com ● Ⓜ Vieux-Port/Hôtel-de-Ville. Tlj mars-oct. Plats 19-25 €. Ici, la cuisine est ouverte sur la salle. Il en sort une soupe de fanes de radis, une daube provençale, un poisson grillé servi avec un risotto à l'encre de seiche, des desserts aux fleurs comestibles... Accueil à la bonne franquette. Le mobilier est de bric et de broc, côté salle. Une terrasse très agréable, sous la tonnelle et bien au calme de l'autre côté de la ruelle. Accueil avenant.

I●I *Le Grain de Sel* (zoom 1 détachable, D5, *47*) : 39, rue de la Paix-Marcel-Paul, 13001. ☎ 04-91-54-47-30. Ⓜ Vieux-Port/Hôtel-de-Ville. Tlj sf dim-lun. Le midi en sem, et le soir sam (plus jeu-ven juil-août). Congés : 2 sem fin août. Formule et menu déj sem 23-27,50 €. Carte le soir 40-45 €. Pierre Giannetti fait partie des nouveaux chefs qui donnent à Marseille des élans gastronomiques, tout en simplicité. De la salle, on le voit qui s'applique à chaque plat, jetant juste un œil ensuite pour guetter la réaction du client. Ce chef autodidacte pratique une cuisine d'instinct, de précision, de finesse et de goût, que les habitués ne cessent d'encenser. En rappelant d'abord que les légumes cuisinés viennent de son jardin potager à Martigues. Réservez, c'est indispensable, succès oblige.

I●I *Le Malthazar* (zoom 1 détachable, D5, *69*) : 19, rue Fortia, 13001. ☎ 04-91-33-42-46. ● lemalthazar@gmail.com ● Ⓜ Vieux-Port/Hôtel-de-Ville. Tlj. Au déj, formule 22 €, menu 26 € ; menu-carte 32 € ; menu burger 25 € dim. Digestif offert sur présentation de ce guide. Michel Porthos, ex-grand chef doublement étoilé du Saint-James à Bouliac, a choisi de quitter la Gironde pour s'installer à Marseille. Changement de vie, plus que de ville puisqu'il a vécu 15 ans à la Belle-de-Mai. Au Malthazar, il propose une carte de brasserie aux accents méditerranéens qui bénéficie de son caractère, de sa renommée, tout autant que de son amour des produits, qu'ils soient d'ici... ou d'Asie. Patio agréable à la fraîche.

🍴 ***Chez Loury – Le Mistral*** *(zoom 1 détachable, D5, 93) :* 3, rue Fortia, 13001. Ⓜ *Vieux-Port/Hôtel-de-Ville.* ☎ 04-91-33-09-73. ● *info@loury. com* ● *Tlj sf dim et j. fériés. Menu bouillabaisse 32 €. Carte 38-45 €.* Une bouillabaisse servie, depuis plus de 30 ans, dans cette adresse discrète qui a forgé sa réputation sans tapage au long des années. Certes, le cadre est resté dans son jus, un poil désuet avec de grosses lumières style années 1970. La terrasse sur la ruelle est plutôt tranquille. C'est pro, authentique, goûteux. Une adresse qui vieillit un peu et qui connaît quelques faiblesses.

Autour de La Canebière (Belsunce et Noailles)

Très bon marché

🍴 Plein de petits restos maghrébins dans le quartier de Belsunce, notamment rue Francis-de-Pressensé *(zoom 1 détachable, D-E3).*

Bon marché

🍴 ***Sauveur*** *(plan détachable E4, 67) :* 10, rue d'Aubagne, 13001. ☎ 04-91-54-33-96. ● *pizza-sauveur@hotmail. fr* ● Ⓜ *Noailles. Tlj sf dim-lun. Fermé 2 sem en mai et 3 sem fin juil. Pizzas 11-17 € (selon appétit). Carte 20-25 €. Apéritif ou café offert sur présentation de ce guide.* Cette pizzeria, réputée depuis des lustres (elle a été créée par Sauveur Di Paola en 1943), sert de savoureuses pizzas cuites au feu de bois. La carte propose sinon des pieds et paquets ou des lasagnes, pour permettre aux habitués de varier les plaisirs. Goûtez aussi aux desserts siciliens maison. Vente à emporter.

🍴 ***Ivoire Restaurant*** *(Mama Africa ; zoom 2 détachable, E4, 71) :* 57, rue d'Aubagne, 13001. ☎ 04-91-33-75-33. ● *gayedoudou@hotmail.com* ●

Ⓜ *Noailles. Tlj 12h-2h. Plats et formules 9,50-12 €.* Noailles et Belsunce regorgent de restos orientaux, mais la communauté africaine aussi est bien présente. Chez Félicité, on vient se rassasier dans un décor sans prétention d'un bon et copieux *tilapia* à la braise, de classiques *yassa* et *maffé* (sauce cacahuète parfumée et viande tendre), de spécialités ivoiriennes comme le *kédjénou* (poulet à l'étouffée) accompagné de couscous de manioc. Certes, il ne faut pas être pressé car tout est fait à la commande, mais avec le sourire.

🍴 ***Le Comptoir Dugommier*** *(zoom 2 détachable, E4, 95) :* 14, bd Dugommier, 13001. ☎ 09-50-12-32-62. ● *contact@comptoirdugommier.fr* ● Ⓜ et Ⓣ *Noailles. Ouv le midi lun-sam ; le soir jeu-sam. Congés : fêtes de fin d'année. Plats 10-15 €, formule déj 20 €. Carte 20 €. Café offert sur présentation de ce guide.* Ce vieux troquet du tonnerre, avec moulures, vieilles enseignes et grands miroirs, repris par une jeune équipe a immédiatement trouvé sa vitesse de croisière. Du frais, rien que du frais, des plats modernes et de qualité et un service enlevé. Réservez car c'est devenu un rendez-vous prisé. Ambiance copains-copines.

De bon marché à prix moyens

🍴 ***La Boîte à Sardine*** *(zoom 2 détachable, F4, 96) :* 2, bd de la Libération, 13001. ☎ 04-91-50-95-95. ● *contact@ laboiteasardine.com* ● Ⓜ et Ⓣ *Réformés/Canebière. Mar-sam 11h-15h, plus jeu soir et j. fériés. Carte 30 €.* La boîte s'est agrandie en avalant un ancien bistrot d'angle, mais comme le succès est toujours au rendez-vous, ça coince parfois... Un vrai bistrot de la mer à la déco aussi savoureuse que la carte (belle collection de boîtes de sardines que les habitués rapportent de leurs voyages !). Prises du jour inscrites sur l'ardoise. Un plat chaque jour suivant un thème. Parfois, si vous avez de la chance, des couteaux grillés comme à Barcelone... Pour le poisson, cuisson et sauce à la demande. Accueil franc et prix abordables, que vouloir de plus ?

|●| *Le Fémina, Chez Kachetel* (plan détachable E4, 65) : 1, rue du Musée, 13001. ☎ 04-91-54-03-56. ● kachetel. femina@hotmail.fr ● ⓜ Noailles. ✿ Tlj sf dim soir et lun. Congés : août. Couscous 13-24 € (+ 2 € à l'orge). Digestif offert sur présentation de ce guide. Transmis « de père en fils et de mère en fille depuis 1921 » : voilà une institution marseillaise ! Vaste salle avec pierres apparentes et fresques naïves représentant la vie dans la campagne de Kabylie. Le couscous s'y sent chez lui... sous toutes ses formes. Celui à base de semoule d'orge, typiquement kabyle, excellent pour la santé, plus digeste que celui de blé mais plus lourd pour le porte-monnaie.

|●| *Toinou Dégustation* (plan détachable E4, 68) : 3, cours Saint-Louis, 13001. ☎ 04-91-33-14-94. ⓜ Noailles. Tlj midi et soir. Carte env 30 €. 50 ans de succès ! Ici, rassurez-vous, on proposera toujours des choses simples : moules de Bouzigues, délicieux plateaux de fruits de mer, huîtres... *Les Mangeuses d'oursins* de Picasso n'ont qu'à bien se tenir ! Dégustation en libre-service partiel.

|●| *Chez Noël* (zoom 2 détachable, F4, 75) : 174, La Canebière, 13001. ☎ 04-91-42-17-22. ⓜ et ⓣ Réformés/Canebière. Tlj sf lun, midi et soir jusqu'à minuit. Août, ouv le soir slt. Plat du jour 10 € le midi en sem. Pizzas 9-17 €. Carte 25-30 €. Une façade désuète au pied de l'église des Réformés. La pizza se décline en 3 tailles, une « moyenne » est déjà bien copieuse. Pâtes fraîches et bonnes viandes également, passées au feu de bois, elles aussi. Salle un peu tristoune en revanche ; pas de terrasse.

Quartiers de La Plaine, de la Préfecture et de Castellane

De très bon marché à bon marché

|●| 🍷 *Waaw* (zoom 2 détachable, F5, 97) : 17, rue Pastoret, 13006. ☎ 04-91-42-16-33. ● contact@ waaw.fr ● ⓜ Notre-Dame-du-Mont/ Cours-Julien. ✿ Tlj sf dim-lun 17h (12h sam)-minuit. Compter 12-15 €. 🛜 *Waaw* veut dire « What an amazing world ». Ici, outre de précieuses infos culturelles et musicales, vous dégusterez de belles « waassiettes » gourmandes élaborées suivant le marché et l'humeur de la maison, ainsi que des pâtisseries. Le soir, à l'heure de l'apéro, fromages et charcutailles. Mon tout dans une atmosphère vraiment déliée et reposante, affalé dans un mobilier de récup' à lire sur de grands tableaux noirs les intéressantes propositions de concerts, à rêvasser ou à dévorer votre plat...

|●| *O' Douro – Le Roi du poulet* (zoom 2 détachable, F5, 70) : 14, pl. Notre-Dame-du-Mont, 13006. ☎ 04-91-42-87-46. ⓜ Notre-Dame-du-Mont/Cours-Julien. ✿ Tlj sf lun et mar-jeu midi. Menus 17-25 €. Un des plus vieux restaurants portugais de Marseille, sur l'une des places les plus animées du quartier de La Plaine. Sandwichs à emporter ou à avaler en terrasse. Les murs blancs de la grande salle ont remplacé les azulejos... mais la tradition lusitanienne est restée : cochon de lait au four, morue sous différentes formes et poulet bien sûr. Rien de gastronomique mais pratique.

|●| *Les Trois Rois* (zoom 2 détachable, F4, 78) : 24, rue des Trois-Rois, 13006. ☎ 04-91-53-44-84. ⓜ Notre-Dame-du-Mont/Cours-Julien. Ts les soirs sf mar. Formule 17 €, menu 23 €. Dans cette salle contemporaine, vous serez certainement les seuls à ne pas claquer la bise au serveur avant d'aller saluer les cuistots dans leur antre... Ce petit resto branchouille est une adresse pleine de gaieté où la cuisine colorée trouve son inspiration tous azimuts. C'est frais, c'est maison, présenté avec verve et servi avec entrain. Quant aux desserts, ils font les malins avec leur brin d'originalité, et c'est plutôt réussi.

|●| *Le Quinze* (zoom 2 détachable, F4, 72) : 15, rue des Trois-Rois, 13006. ☎ 04-91-92-81-81. ⓜ Notre-Dame-du-Mont/Cours-Julien. Ts les soirs. Congés : 2ᵈᵉ quinzaine de juil. Menus 17,50-20,50 €. Apéro maison offert sur présentation de ce guide. Dans ce resto de la rue des Trois-Rois où les adresses jouent du coude, la bonne humeur règne depuis plus de 30 ans. Cuisine familiale à la bonne franquette (daube provençale, porcelet au cidre) copieuse, simple et bon ce qu'il faut.

De bon marché à prix moyens

I●I L'Oleas (zoom 2 détachable, E4, 98) : 27, cours Julien, 13006. ☎ 04-91-47-83-73. ● loleas.marseille@gmail.com ● Ⓜ Notre-Dame-du-Mont/Cours-Julien. Tlj sf dim, lun et mer soir. Congés : août. Menus 13-19,50 € (au déj), 28 €. Café offert sur présentation de ce guide. Cadre très sobre comme pour mieux souligner que ce qui compte ici, c'est ce qu'il y a dans l'assiette. Belle restauration à base d'excellents produits, pleine d'inspiration et d'idées... Cuisine de pro, cuissons exactes, mise en valeur des goûts et des saveurs, on sent une vraie « patte » derrière tout ça ! En prime, accueil affable et service efficace. Agréable terrasse aux beaux jours.

I●I Le Goût des Choses (zoom 2 détachable, F5, 99) : 4, pl. Notre-Dame-du-Mont, 13006. ☎ 04-91-48-70-62. ● contact@legoutdeschoses.fr ● Ⓜ Notre-Dame-du-Mont/Cours-Julien. Tlj sf lun et mar. Congés : 1 sem à Noël. Formules déj 16-22 €, menus 27-36 €. Le pari du Goût des Choses fut d'accrocher et de fidéliser une clientèle avec une cuisine riche de saveurs subtiles et d'harmonieuses alliances. Olivier Rathery, qui a beaucoup voyagé, a butiné, au long des routes, parfums, épices et idées originales. Résultat : des petits plats élaborés et doux aux papilles proposés dans un cadre lui-même fort en goût. Beaux menus aux délicieux desserts. Accueil et service discrets. Terrasse sur rue.

I●I Les Pieds dans le Plat (zoom 2 détachable, F5, 77) : 2, rue Pastoret, 13006. ☎ 04-91-48-74-15. ● lespieds dansleplat13@gmail.com ● Ⓜ Notre-Dame-du-Mont/Cours-Julien. Tlj sf dim-lun. Congés : 2 sem en août et 24 déc-3 janv. Formule et menu déj 18-21 €. Carte env 50 €. Pas mal de choix au tableau noir, des ris de chevreau poêlés au croustillant cochon de lait, en passant par les kefte de sardine

et le méchoui d'épaule d'agneau. Aux beaux jours, on apprécie la fraîcheur du petit patio intérieur et, vu le sympathique accueil et l'atmosphère relax, on pardonne aisément un service le soir parfois un peu dépassé !

I●I Le Boucher (plan détachable E6, 64) : 10, rue de Village, 13006. ☎ 04-91-48-79-65. Ⓜ Castellane. Tlj sf dim-lun et j. fériés. Congés : fin juil-fin août. Résa le soir en fin de sem. Plat du jour 12,50 €, menu déj en sem 24 € et 35 € le soir. On accède au patio plein de plantes vertes en traversant une boucherie de quartier. Aujourd'hui, c'est le restaurant qui fait vivre le petit commerce. Bien sûr, les viandes sont sélectionnées et « traçables » : fleur d'Aubrac, veau, magret de canard ou agneau. Ça se paie un peu mais on vous la sert en quantité. Panaché de 2 tartares (300 g !) et pièces du boucher à toutes les sauces servis avec des frites maison et 2 légumes. Spécialité de millefeuille de bœuf. Pieds-paquets en hiver. Semaines à thème. Sourire franc du collier (et surtout du boucher !).

I●I La Cantinetta (zoom 2 détachable, E4, 73) : 24, cours Julien, 13006. ☎ 04-91-48-10-48. Ⓜ Notre-Dame-du-Mont/Cours-Julien. Tlj sf dim ; service jusqu'à 22h30. Fermé 3 sem août-sept. Résa conseillée le soir. Plat du jour 11 € au déj ; carte 30-35 €. Digestif offert sur présentation de ce guide. Un vieux bistrot revisité en bas du cours, très couru lui-même, si l'on peut dire. Agréable jardin intérieur. Toute l'Italie revue et interprétée par un jeune chef, fou de cuisine et respectueux des saisons qui vous offre l'Italie du Nord en hiver et celle du Sud à la belle saison.

I●I Mama Shelter (plan détachable F5, 22) : 64, rue de la Loubière, 13006. ☎ 04-84-35-20-00. Tlj midi et soir. Formule et menu déj 15-19 €. Compter 30-40 € à la carte. La carte du restaurant a été établie, comme dans les autres restos du groupe, par Jérôme Banctel. La cuisine, simple, rend hommage à la Méditerranée. La déco est signée Philippe Starck. Canapés fleuris et fauteuil cosy pour les tables individuelles, bancs et fauteuil en bout de table pour les grandes tables d'hôtes.

Le long bar, avec son enfilade de « bouées canard » accrochées au plafond tout du long et le *Bar à pastis* dans la cour intérieure se donnent déjà des airs de bord de plage !

Quartiers Cinq-Avenues, Longchamp, gare Saint-Charles et Belle-de-Mai

Bon marché

|●| *La Cantine de Nour d'Égypte* (plan détachable F3, **63**) : 10, rue Bernex, 13001. ☎ 09-80-63-06-56. ● *National. Tlj sf ven et dim soir. Assiette de mezze 10 €, plats du jour 12-16 €. Délicieux brunch. Une infusion offerte sur présentation de ce guide.* Assis à terre sur un pouf ou à table, on déguste des assiettes de *mezze* égyptiens ou des plats du jour frais et savoureux : houmous, caviar d'aubergine, falafels aux herbes, calamars, soupes froides à la coriandre à accompagner de thé à la menthe ou d'infusion d'hibiscus... Ce resto (et centre culturel) chaleureux allie une déco mi-orientale, mi-brocante à un service adorable.

|●| *Longchamp Palace* (plan détachable F3, **131**) : 22, bd Longchamp, 13001. ☎ 04-91-50-76-13. ● longchamppalace@gmail.com ● *National. Tlj sf ven jusqu'à 22h (minuit le w-e). Plats 13,50-17 €. Brunch dim 18 €. Not so far au palais Longchamp,* un bistrot où l'on sert une cuisine *fusion food* volontiers voyageuse. On s'installe au long comptoir pour boire un verre, en attendant que se libère une table ou l'un des tonneaux posés sur le trottoir. À l'arrière, une salle et un patio.

Prix moyens

|●| *Les Grandes Tables de la Friche* (plan détachable F-G2, **100**) : 41, rue Jobin, 13005 (accès piétons et voitures 12, rue François-Simon). ☎ 04-95-04-95-85. ● friche@lesgrandestables. com ● Bus n° 49 ou 52, arrêt Belle-de-Mai-La-Friche. Tlj sf dim (le programme des événements provoque des exceptions). Plats 9-15 €. Carte env 30 €. Bienvenue dans le plus chaleureux et sympathique cadre *destroy* qui soit.

Magnifiques graffs dans la cour et prouesses des skateurs à proximité. Immense salle et agréable terrasse. Cuisine du quotidien fraîche avec une vraie touche créative. Une gastronomie décalée et réjouissante !

|●| *Chez Vincent* (plan détachable G3, **87**) : 2 bis, av. des Chartreux, 13004. ☎ 04-91-49-62-34. Ⓜ *Cinq-Avenues/Longchamp. Tlj sf dim. Ouv le midi et tard le soir. Résa conseillée en fin de sem. Pizza env 15 € ; carte env 40 €.* Grande salle haute de plafond, avec poutres apparentes. Nombreuses photos de sportifs et vedettes aux murs (Carlos, Brialy, Renaud, Salvador et même Léo Ferré). Bonne cuisine de qualité régulière et beau choix à la carte. Au hasard, soupe de poisson, tête de veau, pizza, pâtes au noir, etc. Tables un peu trop serrées peut-être, mais accueil à l'image du lieu, plein de chaleur.

Quartiers du Pharo, de la Corniche et du Prado

Les occasions pour grignoter côté mer, côté plage, à Marseille, ne manquent pas, qu'on fasse dans le simplissime, dans l'insolite ou le grandiose.

Très bon marché

|●| *Viaghji di Fonfon* (plan détachable A6, **84**) : vallon des Auffes, 13007. ☎ 04-91-52-78-28. ● contact@viagh jidifonfon.com ● Bus n° 83, arrêt Vallon-des-Auffes. Tlj midi et soir. Plat du jour ou salade 10 €. Carte 18-22 €. Petit frère du prestigieux *Chez Fonfon*, ce lieu tout petit, tout simple, tout féminin, hospitalier et pas dispendieux du tout, renoue avec le passé populaire de ce port miniature. Celui où grand-maman vivait dans une des petites maisons de pêcheurs sur le quai, juste en face des tables où on s'est posé pour savourer le lieu. La cuisine aux accents de l'île de Beauté, 100 % maison, a les petites imperfections de l'artisanat, mais des élans du cœur que la raison ne saura chinoiser... *Buon viaghju !*

Bon marché

|●| *Le Baron perché* (plan détachable B6, **86**) : 45, rue Châteaubriand,

13007. Bus n° 81, arrêt Place-du-4-Septembre. ☎ 09-51-24-89-52. ● lebaronperche@gmail.com ● Tlj sf lun-mar et dim soir, 12h-minuit. Fermé en août, et 25 déc-1er janv. Formule déj 13 € ; carte env 30 €. Café offert sur présentation de ce guide. Pas vraiment perché ce *Baron*, installé dans une rue hyper calme du quartier du Pharo, pas très loin de la baie des Catalans. De la rue, on ne soupçonne pas l'adorable petite cour où l'on peut déjeuner ou dîner si tranquillement, ou encore la petite salle au-delà. Dans l'assiette, une bonne petite cuisine italo-proven-çale plutôt créative, servie avec sym-pathie et qui ne déçoit pas.

|●| *Les Akolytes* (plan détachable B5, **41**) : 41, rue Papety, 13007. ☎ 04-91-59-17-10. ● lesakolytes@hotmail.fr ● Bus n° 82, arrêt Plage-des-Catalans. Tlj sf sam midi et dim. Résa conseillée, surtout le soir. Plat du jour et formule au déj en sem 12-19 €. Carte env 30 € le soir. Vue imprenable sur la baie des Catalans. Décor minimaliste : tables en fer, chaises en plastique *seventies* et assiettes transparentes, comme à la cantine, voilà pour le décor. Dans l'assiette, le choix entre une douzaine de petits plats servis comme des tapas à la « française », délicieux et inventifs à souhait. Clientèle résolument jeune.

|●| *Pizzeria des Catalans* (plan déta-chable B5, **81**) : 3, rue des Catalans, 13007. ☎ 04-91-52-37-82. Bus n° 82, arrêt Plage-des-Catalans. Tlj sf dim soir et lun, avr-oct et le reste de l'année mar-dim midi slt. Fermé 2 sem pdt les fêtes de fin d'année. Pizzas 13-15 €, plats 12-24 €. Posée à même la plage du même nom, la ter-rasse de cette pizzeria attire la grande foule dès les beaux jours. Quand la plage est ouverte, on joue les voyeurs estivaux, un œil sur les sirènes en mail-lot, un autre sur les garçons de plage qui jouent au beach-volley. Et on ne cherche surtout pas à se compliquer la vie avec la carte. Parfait pour avaler une pizza aux anchois ou une friture de calamars en prenant le soleil.

|●| *Chez Jeannot* (plan détachable A6, **82**) : 129, rue du Vallon-des-Auffes, 13007. ☎ 04-91-52-11-28. Bus n° 83, arrêt Vallon-des-Auffes. ♿ Tlj sf dim soir et lun (ouv dim soir en plein été).

Pizzas 9-19 €. Carte 25-35 €. Une insti-tution. On vient surtout pour le cadre, absolument idyllique, avec ses bateaux amarrés, son vallon et son viaduc... Agréables terrasses, ensoleillée ou couverte, et grande salle abritée du vent. On y mange d'honnêtes pizzas, des pâtes fraîches maison, mais sur-tout de bons poissons grillés et des fruits de mer. Bon accueil familial.

De prix moyens à chic

|●| *La Buvette du chalet* (plan détacha-ble B4, **80**) : jardin Émile-Duclaux (palais du Pharo), 13007. ☎ 04-91-52-80-11. Bus n°s 81, 82 ou 83, arrêt Le-Pharo. Tlj le midi mars-oct, plus le soir (sf dim) juin-sept. Fermé en cas de pluie ou de mistral. Carte 30-35 € le midi, env 40 € le soir. Guinguette cachée en léger contrebas du jardin du Pharo, sous le palais, face à la plus admirable vue sur le Vieux-Port qui soit. Celle-là même qui inspira Joseph Vernet dans sa série des ports de France représentés pour Louis XV. Cuisine traditionnelle à la mode de Marseille exécutée quasiment en plein air. Plats du jour, grillades et salades qui ne cherchent pas à vous en mettre plein la vue... les prix, si.

|●| *Le Comptoir marseillais* (plan Marseille – Les plages, J8, **104**) : 5, pro-menade Georges-Pompidou, 13008. ☎ 04-91-32-92-54. ● contact@ lecomptoirmarseillais.com ● Bus n° 83, arrêt Place-Amiral-Muselier. Tlj hte saison (ouv slt le soir en août) et fermé dim soir et lun le reste de l'année. Menu 32 €. À l'étage, grande salle au décor contemporain ou la très agréable terrasse à l'ombre de petits oliviers. Cuisine méditerranéenne d'une remarquable fraîcheur, grand sens des saveurs, des herbes et des épices, un vrai bonheur. Pâtes fraîches à la cuis-son exacte, gnocchis, etc. Fruits de mer à partir d'octobre. Clientèle d'habi-tués, de copains et amis que le patron vient chaleureusement saluer. Service toujours souriant, aimable et efficace...

|●| *Chez Fonfon* (plan détachable A6, **84**) : 140, rue du Vallon-des-Auffes, 13007. ☎ 04-91-52-14-38. ● contact@ chez-fonfon.com ● Bus n° 83, arrêt Vallon-des-Auffes. Tlj. Bouillabaisse

50 €, carte 45-60 €. Face au cadre superbe du vallon des Auffes, un décor moderne et chaleureux pour déguster l'une des bouillabaisses les plus réputées de la ville. Elle régale vos narines dès l'entrée dans la salle.

Sinon, craquez pour le poisson au sel et à l'argile ou le panier du pêcheur à la plancha. Les tables proches de la fenêtre dégustent le spectacle des pointus rentrant au port. Accueil et service très prévenants.

Où acheter de bons produits ?

Navettes et biscuits

❧ *Le Four des navettes de Saint-Victor* (plan détachable C5, **189**) : 136, rue Sainte, 13007. ☎ 04-91-33-32-12. Bus nᵒˢ 60, 80 ou 81, arrêt Saint-Victor. Ouv lun-sam 7h-20h, dim 9h-13h et 15h-19h30. La plus ancienne boulangerie de Marseille. Fondée en 1781 par monsieur Aveyrous, elle perpétue la tradition des navettes, dont la forme évoque la barque qui aurait amené Marie-Madeleine, Marthe et Lazare depuis la Terre sainte. Les navettes sont proposées au détail ou dans la traditionnelle boîte métallique.

❧ 🖎 *Plauchut* (zoom 2 détachable, F4, **185**) : 168, La Canebière, 13001. ☎ 04-91-48-06-67. Ⓜ et Ⓣ Réformés/Canebière. Tlj sf lun 8h-20h. Congés : août. Ici, on travaille selon des recettes traditionnelles depuis 1820 (le splendide décor délicieusement désuet est d'ailleurs d'époque) : viennoiserie pur beurre, confiseries, chocolats et glaces maison... La spécialité du lieu (de novembre à avril), ce sont les « Baisers de Marseillais », une ganache au chocolat... Plein d'autres recettes à l'ancienne, comme les navettes et les croquets (excellents biscuits secs aux amandes). Dégustation sur place au salon de thé.

❧ *Les Navettes des Accoules* (zoom 1 détachable, C4, **181**) : 68, rue Caisserie, 13002. ☎ 04-91-90-99-42. Ⓜ Vieux-Port/Hôtel-de-Ville. Tlj 9h30-19h (10h-18h dim). Chez les Orsoni, le père était cuisinier, la grand-mère boulangère. Il était logique que José, natif de Marseille, fabrique à son tour les traditionnelles navettes (confectionnées sans levure, elles se conservent longtemps), mais aussi des *canistrelli* (à l'anis, aux amandes, à l'orange, au chocolat, aux raisins), des croquants, de délicieux macarons (pur amande et

miel) et des *cucciole* au vin blanc (spécialité d'origine corse). Qualité constante et accueil variable.

❧ *Boulangerie Michel* (zoom 1 détachable, E4, **182**) : 33, rue Vacon, 13001. ☎ 04-91-33-79-43. Ⓜ Vieux-Port/Hôtel-de-Ville. Tlj sf dim 7h-20h. Cette bonne boulangerie chère aux Marseillais fabrique depuis plusieurs générations la pompe à huile, l'un des 13 desserts de Noël de la tradition provençale, ainsi qu'un excellent pain rectangulaire (au semi-levain) et le pain marseillais (au levain naturel). Espace salon de thé mitoyen de la boutique.

Chocolats

❧ *La Chocolaterie marseillaise* (zoom 1 détachable, C3-4, **183**) : 47, rue du Petit-Puits, 13002. ☎ 04-84-26-27-11. Ⓣ Sadi-Carnot. Mar-dim 11h (14h dim)-18h. Nos lecteurs gourmands mais au régime iront par la rue du Petit-Puits jusqu'à cette minuscule boutique. On y trouve un chocolat sans beurre ni crème. Ne demandez pas la recette à Michèle Leray, c'est un secret de famille ! Des dizaines de variétés surprenantes : citron vert et coriandre, melon et calissons, noisettes salées et huile d'olive, fenouil, lavande, etc. Pas donné mais vraiment délicieux.

❧ *Dromel Aîné* (plan détachable F6, **184**) : 19, av. du Prado, 13006. ☎ 04-91-80-08-08. Ⓜ Castellane. Tlj sf dim 9h (9h30 lun)-19h. Août, fermé 13h-15h30. Un très grand chocolatier-confiseur marseillais depuis 1760. Ses dragées de toutes obédiences et ses chocolats sont des trésors de finesse et de gourmandise. Également des navettes, macarons, marseillotes, etc. Pour Noël, on fait la queue ici afin d'acheter les fameux marrons glacés. Choix de cafés torréfiés et de thés.

✤ *Le Temps d'un Chocolat* (*zoom 1 détachable, E5, 188*) : 14, rue Haxo, 13001. ☎ 09-82-39-10-55. Ⓜ *Vieux-Port/Hôtel-de-Ville. Mar-sam 10h-18h30. Congés : août.* Après un parcours dans plusieurs maisons parisiennes, Claude Krajner s'est installé à Marseille. Parmi ses spécialités : les « exquimaux » glacés. Tout aussi délicate, sa collection de ganaches et pralinés confectionnés à partir de grands crus de cacao et de saveurs fruitées.

Pastis et autres produits du cru

✤ *La Maison du pastis* (*zoom 1 détachable, C4, 186*) : 108, quai du Port, 13002. ☎ 04-91-90-86-77. ● *lamaisondupastis.com* ● Ⓜ *Vieux-Port/Hôtel-de-Ville. Tlj avr-déc, 10h-19h (17h dim) ; plus aléatoire en hiver.* Une foultitude de grandes marques et de produits locaux ; en tout, quelque 95 types de pastis artisanaux dont certains maison.

✤ *Les Voûtes de la Major* (*zoom 1 détachable, C3, 190*) : quai de la Tourette. *Bus n° 82, arrêt La-Major.* Les soubassements de la Major, voûtes utilisées jadis comme chais qui recevaient les vins venus d'Algérie, accueillent dorénavant un espace commercial de 7 200 m². Salaisons, fruits et légumes, pâtes...

Où faire une pause sucrée-salée ?

☛ ✤ *Plauchut* (*zoom 2 détachable, F4, 185*) : adorable salon de thé, voir plus haut « Où acheter de bons produits ? ».

☛ ✤ *Le Patio* (*zoom 2 détachable, F4-5, 113*) : 59, pl. Jean-Jaurès, 13006. ☎ 04-91-42-97-85. ● *lepatiolaplaine-com@yahoo.fr* ● Ⓜ *Notre-Dame-du-Mont/Cours-Julien. Tlj sf dim jusqu'à 20h. CB refusées.* Voilà l'occasion de s'offrir un aller simple au pays des épices. La charmante Schérazade en a rassemblé ici de plus ou moins connus (hmm... la fève tonka à l'incroyable parfum d'amande), à découvrir en dégustant un bon thé (glacé, pourquoi pas ?), un chocolat maison (parfois épicé justement). En salle ou en terrasse.

☛ |●| *Teavora* (*plan détachable G3, 112*) : 65, bd Longchamp, 13001. ☎ 04-91-95-73-90. ● *teavora@hotmail.fr* ● Ⓣ *Longchamp. Tlj sf lun 12h-14h, 16h30-minuit (1h ven-sam, 22h dim). Petites formules (thé + verrine + pain d'épice) 5 €.* Une cabane à la fois unique en son genre, à Marseille du moins. On sonne, et l'on doit se déchausser si l'on veut aller plus loin que la boutique à l'entrée : c'est les pieds dans le sable, de la musique (douce ou moins douce) dans la tête, que vous savourerez la tarte salée du jour ou un muffin du moment. Ambiance orientale et *cocooning* pour une pause gourmande, vautré(e) sur des coussins.

☛ *Torréfaction Noailles* (*plan détachable E4, 110*) : 56, La Canebière, 13001. ☎ 04-91-55-60-66. Ⓜ *Noailles. Tlj 7h (10h dim)-19h30.* Un beau décor à l'ancienne sur ce boulevard « mythique ». Café moka, arabica, de Colombie ou du Brésil, on trouve de tout dans ce temple de La Canebière, même d'excellents caramels, chocolats, calissons et biscuits. Jus de fruits maison délicieux.

☛ *Maison Debout* (*zoom 1 détachable, D5, 111*) : 46, rue Francis-Davso, 13001. ☎ 04-91-33-00-12. ● *cbaille@cafesdebout.com* ● Ⓜ *Vieux-Port/Hôtel-de-Ville. Tlj sf dim 8h30-19h30, 9h30-18h lun.* « Caféine » les gens depuis 1932. Debout dans la boutique... ou, mieux encore, assis en terrasse. Des sacs de café par terre, au fond pour les dégustations, près d'une trentaine de cafés différents, plus d'une centaine de thés à goûter, ou un bon chocolat chaud. On y déguste aussi sur le pouce cake pistache, financier, tarte chocolat, barres marseillaises, voire des glaces artisanales en été.

☛ |●| *Cup of Tea* (*zoom 1 détachable, C4, 122*) : 1, rue Caisserie, 13002. ☎ 04-91-90-84-02. ● *cupoftea@hotmail.fr* ● Ⓜ *Vieux-Port/Hôtel-de-Ville. Tlj sf dim et j. fériés 8h30 (9h30 sam)-19h.* Thés

3,50-5 € ; quiches et salades env 8 €. Un salon de thé-café-librairie accroché au Panier avec une hotte pleine d'éditeurs locaux. Joli décor intime avec mezzanine et belle terrasse, souvent ombragée. Quiches et salades composées. Un bon choix de thés évidemment, quelques tisanes, un très bon chocolat chaud et un accueil froid. Idéal pour un grignotage littéraire.

Où s'offrir une glace ?

¶ **Vanille noire** *(zoom 1 détachable, C4, 107)* : 13, rue Caisserie, 13002. Ⓜ Vieux-Port/Hôtel-de-Ville. *Mars-oct, tlj 12h30-19h ; nov, w-e slt.* Dans une boutique à peine plus grande qu'un petit pot de glace et sur une vaste terrasse, Nicolas vous fait partager son entrain pour la vraie glace MAISON. Fruits frais et vanille en gousse (noire, pardi !), une dose de passion et quelques secrets bien gardés sont la signature du lieu.

¶ **La Maison de la glace** *(zoom 1 détachable, D4, 108)* : 19, rue de la République, 13013. ☎ 04-91-90-35-35. Ⓣ Sadi-Carnot. *Tlj sf dim-lun jusqu'à 19h30. Fermé janv-fév.* Régale depuis 1947. Impossible d'échapper à la façade rose et aux 24 parfums de la maison : calisson, navette, verveine, citron-basilic... Sorbets à base de fruits frais.

Où boire un verre ? Où manger sur le pouce ?

Sortez vos lunettes de soleil : tout le monde sait qu'il est (très) souvent accroché à l'endroit de Marseille sur les cartes météo. Soleil, terrasses, vous aurez vite fait le rapprochement. On trouve matière cours d'Estienne-d'Orves (le Vieux-Port), cours Julien (La Plaine), place de Lenche (le Panier) et place Félix-Éboué (face à la préfecture) notamment.

Quelque part in the city...

¶ **Carry Nation** *(plan détachable, D6)* : *résas sur • carrynation.fr •* On vous confirmera par courriel le lieu et le mode d'accès... *Tlj sf dim et lun 19h-2h. Cocktail 10 € sans alcool, 12-15 € avec.* Un extérieur qui n'a rien d'un bar... un code secret pour ouvrir la porte d'une fausse boutique, une penderie factice ouvrant sur un sombre couloir, et on atteint une salle chaleureuse, façon *thirties* américaines. Serveurs avec borsalino (on est à Marseille, non ?), ambiance fox-trot, et un faiseur de cocktails inventif autant qu'expert qui s'agite avec brio derrière son bar. Les boissons goûtent et coûtent pas mal, mais ne comptez pas sur nous pour balancer la maison aux incorruptibles d'Eliot Ness !

Quartiers du Vieux-Port et du Panier

¶ ♪ **La Caravelle** *(zoom 1 détachable, D4, 120)* : 34, quai du Port, 13002. ☎ 04-91-90-36-64. Ⓜ Vieux-Port/Hôtel-de-Ville. Au 1er étage de l'Hôtel Bellevue. *Tlj 7h-2h. Apéro-kemia 18h30-21h. Concerts (jazz, blues, soul...) ts les mer et ven à 20h30 env (pas de concerts l'été) 3 €.* Voici le plus petit mais le plus joli balcon sur le port. Idéal pour bronzer à l'heure du petit déj ou de l'apéro. Salle à l'intérieur assez hors du temps qui joue une partition jazzy. Ouvert depuis 1938, et le décor n'a pas bougé depuis.

¶ **Bar de la Marine** *(zoom 1 détachable, D5, 125)* : 15, quai de Rive-Neuve, 13007. ☎ 04-91-54-95-42. Ⓜ Vieux-Port/Hôtel-de-Ville. *Tlj 7h-2h.* Pratiquement en face de l'embarcadère du ferry-boat, un lieu étonnant, qui traverse le temps. Dire qu'il y en a encore pour croire que c'est ici que s'est tournée la célébrissime « partie de cartes » du film de Pagnol !

¶ ❙●❙ **Le Bar des Treize Coins** *(zoom 1 détachable, C4, 126)* : 45, rue Sainte-Françoise, 13002. ☎ 04-91-91-56-49. Ⓣ Sadi-Carnot. *Tlj 9h-minuit (vers 21h hors saison), voire bien plus* tard selon affluence. Congés : janv. Une devanture à l'ancienne, badigeonnée de fresques qui dépeignent avec humour des tranches de vie du Panier. Une minuscule salle un brin rétro et, surtout, la terrasse, squattant la placette avec ses tables colorées. Sous les arbres, on s'y retrouve à toute heure, du café à l'apéro, pour blaguer en hommage à la rue voisine, celle « des bavardages ». Une institution dans le quartier, où l'on peut venir grignoter presque à toute heure.

Y |●| **Les Buvards** (zoom 1 détachable, D4, **146**) : 34, Grand-Rue, 13002. ☎ 04-91-90-69-98. ● lesbuvards@gmail.com ● **Ⓜ** Vieux-Port/Hôtel-de-Ville. Tlj sf lun midi, sam midi et dim. Congés : 1re quinzaine de janv et août. Plats 13-17 €. Cave à vins, cave à manger, qu'importe le titre. On vient là pour suivre les conseils de Fred, côté bar comme en salle. Pied de cochon grillé, jambon à l'os, harengs pomme purée, des petits plats à l'ardoise qui donnent soif. Et là, ça tombe plutôt bien.

Y |●| ♪ **Le Palais de la Major** (zoom 1 détachable, C4, **131**) : 2, pl. Albert-Londres, 13002. ☎ 04-91-44-13-13. Bus n° 82, arrêt La-Major. Tlj 7h-2h. Concerts ou DJ mer-sam dès 23h. Carte 25-30 €. Les hautes voûtes en brique de ces anciens chais accueillent un bar-resto au décor néo-Art-déco jusqu'au bout des falbalas. Après la visite des musées voisins, on se cale dans un fauteuil frangé en velours pour observer. Un immense lustre digne de l'opéra, une fresque florale au plafond, de lourds rideaux à pompons, un vieil escalier à vis qui se tord le cou pour reluquer les danseuses du bas-relief sur le bar monumental. Et, malgré ses aspects de vieille dame surannée, on y guinche toutes les fins de semaines au rythme de DJ et groupes bien de notre temps.

Quartier de l'Opéra, cours d'Estienne-d'Orves, Saint-Victor

Y Polikarpov (zoom 1 détachable, D5, **127**) : 24, cours d'Estienne-d'Orves, 13001. ☎ 04-91-52-70-30. **Ⓜ** Vieux-Port/Hôtel-de-Ville. Tlj 8h-2h. Fermé

24 déc et 31 déc. Happy apéro 19h-21h. Le « Poli », peut-être le bar le plus populaire de cette place mythique... Un signe : la foule très « tendance » des 25-45 ans devant certains soirs. À quoi est-ce dû ? Au nombre de vodkas proposées (certaines pas trop chères), à la terrasse, à l'originalité des cocktails, à l'atmosphère électrique, à la bonne sélection musicale et à l'excellent DJ (mer-sam) ! Allez savoir... Prost !

Y Fietje (plan détachable, C5, **128**) : 143, rue Sainte, 13007. ☎ 09-82-34-17-62. Bus n° 53, arrêt Sainte-Petit-Chantier. Tlj sf dim et lun 17h-23h (minuit sam). Bière pression 3,50 €. Au pays du pastis, les « biroutards » viendront ici tâter la mousse. Très beau choix à la pression ou en bouteille... et quelques exemplaires réservés aux plus aguerris (la Maredsous titre 9,5 % tout de même !).

Y |●| **La Part des Anges** (zoom 1 détachable, D5, **121**) : 33, rue Sainte, 13001. ☎ 04-91-33-55-70. ● marseille@lapartdesanges.com ● **Ⓜ** Vieux-Port/Hôtel-de-Ville. Tlj sf dim-lun et j. fériés 9h-2h. Formule 15,50 € le midi (plat, verre de vin et café gourmand). Carte 25 € (midi)-40 €. Un bar à vins à l'atmosphère et au cadre éclectiques, décoré de vieilles pubs émaillées Dubonnet ou rhum Saint-James, des tableaux éclairés par des lampes industrielles articulées... En entrant, on tombe d'emblée sur des bouteilles, bien alignées dans leurs casiers : plus de 500 références. Pour accompagner ces vins, petits plats revisitant aussi bien le fish and chips ou les panisses que les classiques cuissons au vin. Clientèle de trentenaires fringants et d'anges célibataires dans une ambiance joyeuse. Accueil sympa.

Y Unic Bar (zoom 1 détachable, D5, **124**) : 11, cours Jean-Ballard, 13001. ☎ 04-91-33-45-84. **Ⓜ** Vieux-Port/Hôtel-de-Ville. Tlj 7h30-4h (2h en hiver). Consos 2,50-7 €. Un bistrot (d'oiseaux) de nuit, des jeunes, des moins jeunes, des voisins ou des marins, des rockers et des marginaux, des photos qui racontent quelques chaudes soirées passées... Une ambiance un rien interlope. Patronne adorable. Pour nos lecteurs noctambules.

MARSEILLE

La Canebière et La Plaine

🍽 |●| La Tasca *(plan détachable G5, 132)* : 102, rue Ferrari, 13005. ☎ 04-91-42-26-02. ● *reservation@latasca.fr* ● Ⓜ *Notre-Dame-du-Mont/Cours-Julien* puis 500 m à pied. ♿ *Mar-sam 19h-minuit. Tapa env 5 €. Menu 35 €.* Voici un bar à tapas chaleureux où se retrouve une jeunesse chahuteuse et heureuse de vivre. Cadre assez baroque, avec moulures et bougies fondues telles des sculptures. Longue liste de mets au tableau noir. Honnêtes tapas servies au comptoir, en salle ou dans le jardin, à accompagner d'une bouteille de vin espagnol ou sud-américain (au verre sur demande). Bonne musique de fond et personnel *muy simpático*.

🍽 Au Petit Nice *(zoom 2 détachable, F4, 135)* : 28, pl. Jean-Jaurès, 13001. 🖥 06-64-89-58-03. Ⓜ *Notre-Dame-du-Mont/Cours-Julien. Tlj sf dim et lun 9h (13h sam)-2h. Congés : 2 sem fin déc-début janv et juil. Conso ou sandwich env 2,50 €.* Ambiance décontractée et déco déjantée pour un café après le marché du samedi ou à l'heure sacrée de l'apéro. Le patron est un ancien boxeur (un titre de champion d'Europe !), avec une tête à faire du cinéma. Terrasse protégée du vent et consos vraiment modiques attirent les jeunes par paquets.

🍽 L'Équitable Café *(zoom 2 détachable, E4, 130)* : 54, cours Julien, 13006. ☎ 04-91-47-34-48. ● *envisages@mars net.org* ● *equitablecafe.org* ● Ⓜ *Notre-Dame-du-Mont/Cours-Julien. Tlj sf dim 17h (18h lun)-23h (minuit ven, 1h du mat sam). Congés : août.* Un bar associatif (l'adhésion est obligatoire, son prix libre) où, entre concerts, conférences, débats, projections... il se passe toujours quelque chose, depuis 10 ans. Également une épicerie bio, un coin enfants, des revues alternatives, une bibliothèque... Côté comptoir, des bières artisanales, du café équitable. Bref, un lieu alternatif et militant, où s'inventer un autre monde.

Où écouter de la musique ? Où sortir ?

Marseille est une ville qui vibre à l'heure de l'apéro. Une « heure » qui peut durer une bonne partie de la soirée ! Pastis (dites « fly » pour faire couleur locale) et *kemia* de rigueur. Faites donc comme tout un chacun, laissez venir... S'il vous reste des envies de prolonger la nuit, faites votre marché de *flyers* dans les bars : on y pêche l'actualité musicale, branchée ou alternative. Il y a des lieux fort sympathiques, dont pas mal de petits clubs où se produisent de jeunes groupes, mais dont on a vite fait le tour. D'ailleurs, passé minuit en semaine, on ne rencontre souvent pas âme qui vive du Vieux-Port au Prado. Marseille est comme ça. Certains soirs, il y a « le feu », d'autres « dégun » (personne) dans les rues.

Sorties sages comme une image

Pour entendre concerts (classiques ou pas), assister à des pièces de théâtres et autres spectacles, voir la rubrique « Adresses et infos utiles. Lieux culturels ».

Les quartiers animés le soir

Au fait, sans parano aucune, se souvenir que Marseille n'est pas une ville riche. Laissez les bagouses *at home*.
– *La Plaine* : ça étonne toujours les *estrangers* qu'à Marseille on « monte à La Plaine » ! Quartier qui s'étend entre le cours Julien et la place Jean-Jaurès. C'est la zone branchée de la planète Mars(eille). Bars et restos à foison, ainsi que des petites salles de concerts et de spectacles. Rockers alternos et rappeurs, motards et intellos, étudiants et zonards cohabitent pacifiquement.
– Le *bord de mer*, de la Corniche à la Pointe-Rouge, s'adresse surtout (et surtout l'été) à ceux qui préfèrent des ambiances plus « Côte d'Azur », l'Escale Borély attirant une clientèle plus friquée qui aime ce qui brille.
– *Autour du Vieux-Port*, l'îlot Thiars et le quai de Rive-Neuve font dans le mélange des genres, jeunes et moins jeunes, Marseillais et touristes. Bars,

boîtes de nuit, restos, clubs plus ou moins privés, il y en a pour tous les goûts.

Quartiers du Vieux-Port et de l'Opéra

♪ **Le Pelle-Mêle** (zoom 1 détachable, D5, **134**) : 8, pl. aux Huiles, 13001. ☎ 04-91-54-85-26. Ⓜ Vieux-Port/Hôtel-de-Ville. Tlj sf dim en saison (plus lun hors saison) 17h30-2h. Concert mer-sam 19h30-23h30. Tapas offertes avec l'apéro 19h-21h. Congés : 1 sem fin déc-début janv. Si New York a ses « clubs de jazz », Marseille a son « bistrot de jazz ». Petite scène cernée de photos noir et blanc des musiciens passés par ici : Abercombie, Petrucciani...

♪ |●| **U.Percut** (zoom 1 détachable, C5, **133**) : 127, rue Sainte, 13007. ☎ 04-91-39-22-15. • contact@u-percut.fr • u-percut.fr • Bus n° 53, arrêt Sainte-Petit-Chantier. Mar (mer en été)-sam 19h-2h. Entrée : 10 € max. Une salle sur 2 niveaux, on grignote des tapas dans celle du haut en attendant de s'en mettre plein les oreilles dans celle du bas avec une programmation de DJs en vogue ou de pointures de la hip-hop, du jazz ou de la soul...

La Canebière et La Plaine

♪ **L'Espace et le Café Julien** (zoom 2 détachable, E4, **141**) : 39, cours Julien, 13006. ☎ 04-91-24-34-10. • espace-julien.com • Ⓜ Notre-Dame-du-Mont/Cours-Julien. Fermé juil-sept. Concerts parfois gratuits. Une institution ! Bonne programmation, totalement éclectique (hip-hop, rock, chanson, etc.). Une grande salle (L'Espace, avec son millier de places debout ou 600 assises) pour les têtes d'affiche et un « café » plus intime avec 150 à 200 places pour des soirées avec DJs.

|●| ♥ **La Maison hantée** (zoom 2 détachable, E-F4, **136**) : 10, rue Vian, 13006. ☎ 04-91-92-09-40. • lamaisonhantee.net • Ⓜ Notre-Dame-du-Mont/Cours-Julien. Tlj à partir de 19h, sf dim. Une soirée à thème chaque mois. Fermé 11 juil-20 août env. Plat du jour 10 €. Carte 20 €. Apéritif offert sur présentation de ce guide. L'histoire

musicale de la ville s'est écrite entre ces murs, depuis 20 ans : du punk au hip-hop (IAM y a fait ses classes), connus ou inconnus, des centaines de groupes ont joué ici. Et continuent, d'ailleurs, tous les 15 jours environ. Décor de train fantôme de fête foraine (bouh !) et rock dur en fond sonore. Mais n'ayez pas peur, l'accueil y est vraiment cool... Billard.

▼ ♪ ♫ **Cubaïla Café** (zoom 2 détachable, F5, **143**) : 40, rue des Trois-Rois, 13006. ☎ 04-91-48-97-48. • cubailacafe.fr • Ⓜ Notre-Dame-du-Mont/Cours-Julien. ♿ Ouv mar, jeu-sam et parfois dim 20h-2h. Congés : août. Au rez-de-chaussée, un resto aux saveurs cubaines et espagnoles. C'est au sous-sol (à partir de 23h) que l'on s'enfonce corps et âme dans l'enfer de la salsa. Concerts de musique cubaine ou brésilienne certains soirs. Clientèle très comme il faut (pour le quartier). D'ailleurs, petite sélection à l'entrée. Terrasse.

Quartiers de la Belle-de-Mai et de Longchamp

♪ ♫ **Cabaret Aléatoire de la Friche** (plan détachable F-G1-2, **160**) : 41, rue Jobin, 13003. ☎ 04-95-04-95-09. • cabaret-aleatoire.com • Bus n° 49 ou 52, arrêt Belle-de-Mai-La-Friche. Programmation sur le site. Congés : août. Ici, tous les courants artistiques émergents sont représentés : les musiques actuelles mais aussi les arts visuels et le multimédia. Ça commence en terrasse par des concerts gratuits (ven-sam 19h-23h), puis on fonce (ven slt, 23h-5h du mat ; entrée 5 €) dans les entrailles de la guinche au « club éphémère ».

♪ **L'Embobineuse** (plan détachable E1, **144**) : 11, bd Bouès, 13003. ☎ 04-91-50-66-09. • lembobineuse.biz • Bus n° 49 ou 52, arrêt Cristofol-Auzias (mais le retour se fera à pied – 20 mn jusqu'à La Canebière – ou en taxi). Ouv slt soirs de concert. Congés : août. Une ½ douzaine de concerts/mois. Programme complet sur le site internet. À deux pas de La Friche La Belle-de-Mai, une salle dédiée à la création musicale, entre musiques expérimentales et performances. Pointu, parfois déroutant.

La corniche et les plages

♈ ♩ The Red Lion (plan Marseille – Les plages, J10, **190**) : 231, av. Pierre-Mendès-France, 13008. ☎ 04-91-25-17-17. ● redlion.com ● Bus n°19, arrêt Vieille-Chapelle. Tlj 16h-2h (4h ven-sam et veille de j. fériés). Happy hours (17h-21h), concerts et événements musicaux tlj (programmation sur le site). Un pub, un vrai, où l'on parle presque que anglais qu'avé l'assent. Décor dans l'esprit et grande terrasse en bois qui court le long du trottoir. Pour les amateurs de coucher de soleil... il est bien là (presque tous les soirs) et de bains de minuit (un rite du coin), la plage est juste en face.

♩ Le Bazar (plan Marseille – Les plages, K8, **192**) : 90, bd Rabatau, 13008. ☎ 04-91-79-08-88. Ⓜ Rond-Point-du-Prado puis 200 m à pied. ♿ Ouv jeu-sam à partir de minuit. Entrée : 10 €

jeu, 20 € ven-sam (1 conso comprise). Pour son espace VIP avec une terrasse de 400 m² et ses cabanes suspendues au milieu des palmiers... Et pour la musique, avec la présence de quelques-uns des meilleurs DJs (house et techno surtout) du moment. On peut dire que ça décoiffe. Clientèle jeune et branchée. Sélection à l'entrée.

♪ Ⓘ❶Ⓘ Sport's Beach Café (plan Marseille – Les plages, J9, **194**) : 138, av. Pierre-Mendès-France, 13008. ☎ 04-91-76-12-35. ● info@sports beach.fr ● Bus n° 19, arrêt Hippodrome-Plage. ♿ Tlj (sf le soir dim-mer, hors saison). Plat du jour 14 €. Carte 45-50 €. Boîte jusqu'à 2h. Entrée gratuite (sf soirées spéciales). 🛜 Vestiaire obligatoire en hiver (payant). Sélection à l'entrée. Un lieu de rendez-vous de la jeunesse dorée (au soleil), friande de la piscine en été (location de transats payante) avec écran géant (films cultes en août) et de la piste de danse aux premiers frimas.

Achats

Savon de Marseille

🌸 Savonnerie marseillaise de la Licorne (zoom 2 détachable, E4, **208**) : 34, cours Julien, 13006. ☎ 04-96-12-00-91. ● soap-marseille.com ● Ⓜ Notre-Dame-du-Mont/Cours-Julien. Tlj sf dim. Visite gratuite des ateliers à 11h, 15h et 16h. Une savonnerie artisanale qui travaille avec des parfums et colorants naturels. À l'issue de la visite, le savon n'aura plus de secrets pour vous ! Accueil sympathique. Une autre boutique sur le Vieux-Port, au 24, quai de Rive-Neuve (zoom 1 détachable, C-D5, **208**). Ⓜ Vieux-Port/Hôtel-de-Ville.

🌸 La Savonnerie Le Sérail (hors plan détachable par F1, **200**) : 50, bd Anatole-de-la-Forge, Sainte-Marthe, 13014. ☎ 04-91-98-28-25. ● leserail@leserail.com ● savon-leserail.com ● En voiture : autoroute d'Aix, sortie Arnavaux, 2e rond-point à gauche et 1er feu à droite ; c'est face au Clos de la Margeraie. Boutique ouv lun-ven 9h-12h, 14h-17h. Cette savonnerie artisanale

de Marseille existe depuis 1949. Ici, on fabrique encore le savon à l'ancienne, c'est-à-dire au chaudron.

🌸 Où est Marius ? (zoom 1 détachable, C4, **204**) : 48, rue du Lacydon, 13002. ☎ 04-91-90-60-66. ● contact@ouestmarius.fr ● Ⓜ Vieux-Port/Hôtel-de-Ville. Tlj sf lun-mar 11h-19h. Belle sélection de produits provençaux, de la Sainte-Beaume à la Camargue : savons, sels, pastis et compagnie.

🌸 72 % Pétanque (zoom 1 détachable, C3, **61**) : 10, rue du Petit-Puits, 13002. ☎ 04-91-91-14-57. ● philippechailloux.com ● Ⓣ Sadi-Carnot. Tlj 10h30-18h30 (10h-17h dim). Une de nos boutiques préférées, juste à droite de la Vieille-Charité. Son nom rappelle le taux d'huile nécessaire au savon de Marseille... et la forme de certains savons créés par Philippe Chailloux. Farceur et créatif, il passe son temps à inventer de nouveaux : melon, chocolat, romarin, feuille de tomate, et même un au pastis ! Belle collection de vieux savons de Marseille. Bref, un fondu du savon.

Et les prix sont raisonnables.

⚭ **La Compagnie de Provence** (zoom 1 détachable, C4, **202**) : 1, rue Caisserie, 13002. ☎ 04-91-56-20-94. Ⓜ Vieux-Port/Hôtel-de-Ville. Tlj 10h-19h (18h dim et pause déj en hiver). Un magasin assez tendance proposant du savon de Marseille sous toutes ses formes (traditionnel ou liquide). Une autre boutique au 18, rue Francis-Davso (zoom 1 détachable, E5, **202**).

Boules de pétanque

⚭ **La Boule bleue : boutique** (zoom 1 détachable, C3-4, **203**) 4, pl. des Treize-Cantons, 13002. Ⓣ Sadi-Carnot. Tlj sf dim 10h-19h. **Usine** (hors plan détachable G4, **203**) au 57, montée de Saint-Menet, 13011. Tlj sf w-e 9h-12h, 14h-18h (17h et sans coupure déj ven). Dernière fabrique artisanale de Marseille qui commercialisa les premières boules de bois cloutées pour créer en 1947 la fameuse boule en acier bleuté, cette entreprise familiale fait du sur-mesure et grave à votre nom (sur commande, 1 semaine à l'avance) la triplette de vos rêves : de compétition, haut de gamme en inox (ne rouillent pas !) ou en acier au carbone. Dans cette petite boutique-musée, on peut même s'entraîner à pointer. Pas de carreau ! Vous risqueriez de casser celui de l'écran vidéo qui présente cette saga commencée en 1904.

Santons

⚭ **Santons Marcel Carbonel** (zoom 1 détachable, C5, **205**) : 47, rue Neuve-Sainte-Catherine, 13007. ☎ 04-91-54-26-58. • santonsmarcelcarbonel. com • Ⓜ Vieux-Port/Hôtel-de-Ville. On peut visiter l'atelier (lun-jeu 9h-13h, 14h-17h) et la boutique-musée au n° 49 (mar-sam 10h-12h30, 14h-18h30, plus lun en déc). Santonnier depuis 1935. Figurines pastorales classiques.

⚭ **Arterra** (zoom 1 détachable, C3, **206**) : 15, rue du Petit-Puits, 13002. ☎ 04-91-91-03-31. Ⓣ Sadi-Carnot. Tlj sf dim 9h (10h sam)-13h, 14h-18h (17h ven). Pour ceux qui veulent découvrir une nouvelle génération de santons. La technique reste traditionnelle, mais le style est plus moderne que les autres. Belle création originale : les personnages d'Arlésiennes, danseuses de farandole. Atelier et boutique.

À voir, à faire : les incontournables marseillais

Prévoyez plusieurs jours pour tout voir, ou revoir, dans cette ville dont la seule façade maritime s'étend sur 57 km et qui compte quelque 240 km² de superficie. Une ville passionnante, foisonnante, qui mérite plus qu'un coup d'œil rapide, de l'Estaque aux calanques et du Vieux-Port au pays de Pagnol, en passant par La Canebière qui ne va plus « jusqu'au bout de la terre », comme on le chantait dans les années 1930, mais qui vous mènera dans un Marseille perdu et retrouvé. Côté musées, Marseille ne s'est pas « déphocée », offrant de nombreuses collections antiques, ethnographiques, d'arts classique, moderne et contemporain, de traditions...

– Le **City Pass** est valable pour les expos permanentes des musées (et inclut d'autres avantages). • resamarseille.com • Compter 24 € pour 1 j., 31 € pour 2 j. et 39 € pour 3 j. En vente à l'office de tourisme.

IMPORTANT : les collections permanentes des musées municipaux sont gratuites le 1er dimanche du mois.

– **Circuits commentés :** deux compagnies distinctes de bus touristiques, **L'Open Tour** (départ face à l'hôtel de ville, tlj à partir de 10h, ttes les 45 mn env ; pass 1 j. 19 € ou 2 j. 22 € ; • marseille.opentour.com • ; ☎ 04-91-91-05-82), tour commenté avec 16 arrêts possibles, on descend, on visite et on prend le suivant ; **City Tours** (départ au 9, La Canebière, tlj à 10h45 et 14h ; tour de 2h 16 € ; • nap-tourisme.fr • ; ☎ 0826-500-500, 0,15 €/mn depuis un poste fixe). Tour commenté avec un seul arrêt de 40 mn à Notre-Dame-de-la-Garde. Et ceux à qui le bus donne le mal de mer prendront le **petit train touristique** (départ au 174, quai du Port, tlj env 10h-12h, 14h-18h – 16h déc-mars ; ttes les

20-30 mn – 40 mn déc-mars ; 2 tours de 1h-1h20 7-8 € ; ● petit-train-marseille. com ● ; ☎ 04-91-25-24-69).

DU CÔTÉ DU VIEUX-PORT

➢ *Accès :* Ⓜ *Vieux-Port/Hôtel-de-Ville. De là, possibilité de remonter tt le quai du Port par les bus n°s 60 et 82 (jusqu'au MuCEM) ; le quai de Rive-Neuve par les bus n°s 82 et 83 (jusqu'au Pharo et au-delà). Le ferry-boat relie les 2 rives à la hauteur de l'hôtel de ville.*

🖌🖌🖌 Le Vieux-Port *(zoom 1 détachable) :* si un Marseillais prétend que c'est le plus beau du monde, vous le trouverez chauvin. Mais il faut dire qu'il y a de quoi s'ébaudir face à cette myriade de bateaux striant la magnifique calanque du Lacydon où débarquèrent les Phocéens. Une calanque bénie par une sainte trinité : Notre-Dame-de-la-Garde, l'abbaye Saint-Victor et le clocher des Accoules. Une calanque gaillardement gardée par les forts Saint-Nicolas et Saint-Jean

SARDINE OU SARTINE ?

Les Marseillais seraient-ils exagérateurs, comme le laisse supposer la légende largement répandue de la « Sardine » qui aurait bouché le port de Marseille ? Que nenni : un navire appelé La Sartine a effectivement été coulé par les Anglais dans la passe du Vieux-Port au XVIIIe s, en obstruant l'accès pour quelque temps. Depuis, les Marseillais prétendent que c'est un poisson qui a bouché le port !

dont la pierre rose de la Couronne prend de magnifiques teintes au soleil couchant. Alors, sincèrement, vous connaissez au monde un port plus beau que celui-ci ?

🖌🖌 Les quais : ils ont été bâtis sous Louis XIV. Les nazis, qui considéraient Marseille comme « un foyer d'abâtardissement pour le monde occidental », en ont largement modifié l'aspect, le long du *quai du Port* notamment. Hitler lui-même décide, début 1943, la destruction à l'explosif de près de 2 000 maisons, faisant évacuer par la force 20 000 personnes. Quelques rares monuments en réchapperont, comme l'hôtel de ville (XVIIe s) et sa belle architecture d'inspiration génoise ou, juste derrière, le pavillon Daviel (du nom du premier oculiste à avoir pratiqué l'opération de la cataracte, en 1745), ancien palais de justice, avec son élégant balcon en ferronnerie. C'est l'architecte Fernand Pouillon qui reconstruisit après guerre une bonne partie du quai au pied du Panier. Après quelques mésaventures financières, il finit en prison, où il écrivit *Les Pierres sauvages* (prix Médicis quand même !) avant de s'exiler en Algérie, où il exerça ses talents (Dar-el-Mansour et les Mille Colonnes à Alger notamment). Et puis, bien plus récemment, l'agitation frénétique des quais qui anime les tableaux de jadis s'est éteinte dans le cadre d'un projet de semi-piétonisation pensé par le Britannique Norman Foster et le paysagiste Michel Desvigne. Finies les multiples baraques qui donnaient raison aux Parisiens venus chercher ici plus de désordre que dans leur métro. Désormais, une « ombrière », ma chère, abrite un bout (mais pas deux) du quai des Belges. L'horizon s'est dégagé sur le quai de Rive-Neuve et sur le quai du Port. Ce dernier abrite, dernier vestige d'un temps que les moins de 20 ans... bref, un figuier hors d'âge bel et bien vivant, même s'il semble fossilisé.

🖌 Le marché aux poissons *(zoom 1 détachable, D4) : chaque mat à partir de 8h.* Là, rascasses, congres, girelles, daurades, poulpes ou galinettes sont vendus à la criée. Enfin, c'est une façon de dire que les poissonnières ont le verbe latin et haut. Comment oublier cette marchande de poisson qui, le soleil commençant à faire des siennes, apostrophe les passants qui regardaient ses moules avec méfiance : « Hé, elles sont fraîches, qu'est-ce que vous croyez... elles bâillent un peu, les pauvrettes, mais c'est de fatigue ! »

MARSEILLE

🏛 **L'église Saint-Ferréol-des-Augustins** (zoom 1 détachable, D4) : *rue de la République.* Sa façade blanche (de 1875) se détache au bout du bassin du Port. Ce fut l'une des plus grandes églises de Marseille, construite à l'emplacement du couvent des Grands-Augustins (XIVᵉ s). Aujourd'hui, elle donne une touche de sérénité au quartier. Large nef voûtée d'ogives.

Au sud du Vieux-Port

Derrière le quai de Rive-Neuve, l'*îlot Thiars,* site de l'arsenal des Galères, réaménagé à la fin du XVIIIᵉ s, présente une unité architecturale sans égale dans la ville. Flânez sur la *place Thiars* (zoom 1 détachable, D5), qui dégage une atmosphère de *campo* vénitien. Du temps des galères, un canal en L occupait les actuels *place aux Huiles* et *cours d'Estienne-d'Orves.* Tout

MARSEILLE

le quartier était alors bouclé. Les galériens y vivaient mais ne pouvaient en sortir. Comblé au début du XXᵉ s, le canal a été remplacé par un parking aérien monstrueux puis de nos jours par cette agréable place à l'italienne avec ses terrasses.

🏛 ∞ **L'Opéra** (zoom 1 détachable, D5) : Ⓜ *Vieux-Port/Hôtel-de-Ville.* Reconstruit en 1924, après un incendie, dans le pur style Art déco, il reste une référence en France pour tous les amoureux du lyrique, qui apprécient tout autant les prestations des chanteurs que l'intérieur, superbe, et surtout l'atmosphère de ce petit bijou, où admirateurs comme détracteurs n'hésitent pas à donner de la voix, les grands soirs. L'extérieur du bâtiment a été entièrement restauré en 2013.

🏛 **Le fort Saint-Nicolas** (plan détachable B-C5) : *2, bd Charles-Livon, 13007. Visites lors des Journées du patrimoine.* Cet ouvrage en étoile fut érigé sur ordre de Louis XIV, le Roi-Soleil. Il avait moins pour objet de défendre la ville que de mater ses révoltes ! En effet, les canons du fort étaient tournés vers la ville. Partiellement démantelé par les révolutionnaires en 1790, qui y voyaient le symbole de l'absolutisme royal, le fort fut ensuite reconstitué et coupé en deux par le boulevard Charles-Livon. L'armée occupe toujours la partie haute, la partie basse accueillant un jardin public. Au pied du fort se trouvait le mythique pont transbordeur, détruit en 1945.

🏛 👷 **Le jardin et le palais du Pharo** (plan détachable B4-5) : *58, bd Charles-Livon, 13007. Bus nº 82 ou 83. Le palais se visite slt pdt les Journées du patrimoine. Jardin ouv 7h-21h (20h en hiver). GRATUIT.* Ce fut d'abord un site balnéaire jusqu'en 1860 avant que Napoléon III ne lance la construction du palais (entre 1858 et 1870), qui ne fut achevé qu'après sa chute. Il est bâti sur le promontoire de la Tête de More, qui domine l'entrée du port. L'impératrice Eugénie fit un procès à la ville de Marseille pour le récupérer, gagna son procès et... finalement le donna à la Ville en 1883. Du jardin autour du palais on bénéficie d'une vue admirable sur le Vieux-Port et la ville d'un côté, de l'autre la Méditerranée et au loin les îles du château d'If et du Frioul. Espace jeux pour les enfants, très sympa.

🏛 **L'abbaye Saint-Victor** (plan détachable C5) : *3, rue de l'Abbaye, 13007.* ☎ 04-96-11-22-60. • *saintvictor.net* • *Bus nº 55, arrêt Saint-Victor. Tlj 9h-19h. Entrée (crypte) : 2 € ; gratuit moins de 12 ans.* Sur un site vraisemblablement occupé par l'un des premiers monastères des Gaules, fondé au début du Vᵉ s en l'honneur de saint Victor, martyr du IIIᵉ s. Détruite par les Sarrasins, l'abbaye sera reconstruite au XIᵉ s, puis fortifiée au XIVᵉ s par le pape Urbain V, avant d'être sécularisée au XVIIIe s. N'en subsiste aujourd'hui que cette basilique où sont exposés le sarcophage d'une jeune fille trouvée en 1971 avec une croix en or *(traditio legis)*, un autel paléochrétien et un tableau de l'école du Caravage. Dans la superbe crypte, vestiges (à priori) de la première église (Ve s) enterrée lors de la construction de l'abbaye au XIe s et remarquable ensemble de sarcophages antiques, païens et chrétiens.

🐾🐾🐾 **Notre-Dame-de-la-Garde** (plan détachable D6) : ☎ 04-91-13-40-80. En voiture, Notre-Dame-de-la-Garde est fléchée à partir du Vieux-Port. Bus n° 60 depuis le quai des Belges (Vieux-Port). À pied, compter env 30 mn par le cours Puget et le jardin de la Colline. Basilique et crypte ouv 7h30-18h15 (19h15 avr-sept). Musée ouv mar-dim 10h-17h30 ; entrée : 6 € ; réduc.

LE POIS DE LA RELIGION

Pour faire acte de contrition, les ouailles qui ont un « service particulier » à demander à la Bonne Mère y grimpent à pied depuis le pied de la colline, en ayant pris soin de garnir leurs chaussures de... pois chiches. Mieux vaut en avoir dans les chaussures que dans la tête !

Sur un piton calcaire culminant à 157 m, la « Bonne Mère » est à Marseille ce que le Pain de Sucre est à Rio : un lieu magique d'où l'on épouse du regard toute une ville. La première chapelle fut construite en 1214 par l'ermite maître Pierre, sous l'autorité de l'abbé de Saint-Victor. À la mort de l'ermite, la chapelle devint un prieuré, reconstruit au XVe s et agrandi au XVIe s. Après la visite de François Ier, le 22 janvier 1516, on adjoignit un fort au site de Notre-Dame-de-la-Garde ; enfin, en 1853, on détruisit la vieille chapelle pour édifier une basilique plus vaste, capable d'accueillir les pèlerins qui, depuis les premières épidémies de choléra, affluèrent en nombre (plus de 1,5 million de visiteurs chaque année).

Extraordinaire collection d'ex-voto (tableaux souvent d'une naïveté confondante, maquettes de bateaux ou d'avions suspendues à la nef ou exposées dans les couloirs...) qui témoignent d'une expression de la foi très méditerranéenne comme, dans la crypte, les plaies d'un Christ en croix, creusées à force d'avoir été touchées. Et même des ex-voto pour remercier le Ciel... d'une victoire de l'OM ! De style romano-byzantin, dans un déploiement de marbres et de mosaïques, la « Bonne Mère » est surmontée d'une statue de la Vierge étincelante de 9,70 m de hauteur. Comme l'écrit l'auteur marseillais Louis Brauquier dans *Et l'au-delà de Suez* : « Tu restes le signe et le haut phare. La reine au règne d'or, celle qui tient l'amarre. Et maîtrise la mer. »

– Un *musée* raconte en neuf séances thématiques l'histoire du site depuis sa fondation jusqu'à nos jours. Il explique l'histoire de la basilique, son architecture et son décor, en particulier l'art de la mosaïque, et présente plusieurs centaines d'ex-voto anciens. Un parcours pédagogique et des ateliers pour les enfants sont prévus.

🍴 **L'Eau Vive** : ☎ 04-91-37-86-62. ⚒ Tlj sf lun 8h-17h30. Fermé 2 sem en janv. Carte 12-15 €. Pour rester dans l'ambiance, et si vous n'êtes pas allergique à un *Ave Maria* chanté, allez manger un morceau à la cafétéria de Notre-Dame. Bonne petite cuisine familiale. Calme, gentillesse et petits prix. Choisissez une table à côté d'une fenêtre pour profiter de la vue.

Au nord du Vieux-Port

🐾 **La rue de la République :** petite incursion sur cette artère héritée des ambitions urbanistiques de la fin du XIXe s, quand on n'a pas hésité à faire une percée dans la colline. Elle se donne des airs de Parisienne avec ses bâtiments haussmanniens, dont certains ornés de jolis décors. Imposante place Sadi-Carnot. De là, on peut grimper dans le quartier du Panier, ou revenir vers le Vieux-Port.

🎥 *L'hôtel de ville (zoom 1 détachable, D4) : quai du Port. Visites guidées payantes (voir avec l'office de tourisme).* Face au bassin du Vieux-Port, belle construction du XVIIᵉ s en pierre rose de la Couronne. Le quartier a été transformé grâce au bel aménagement de la place Villeneuve-Bargemon : vaste esplanade ombragée par des platanes, avec vue sur le Vieux-Port et Notre-Dame-de-la-Garde.

🎥🎥 *Le musée des Docks romains (zoom 1 détachable, C4) : pl. Vivaux (au pied du Panier), 13002. ☎ 04-91-91-24-62. Tlj sf lun et j. fériés 10h-18h. GRATUIT.* En 1947, avant la reconstruction du Vieux-Port détruit par les Allemands, des fouilles ont mis au jour les vestiges d'un entrepôt commercial romain. Notamment un ensemble de *dolia* (grosses jarres à huile et à vin, à l'intérieur enduit de poix, dont la contenance atteignait les 2 000 l, voire plus) qui, conservé en place et en l'état, constitue l'élément central de ce musée, au propre comme au figuré. S'y trouvent également nombre de découvertes archéologiques sous-marines illustrant le commerce de Marseille et ses liens avec le reste de la Méditerranée dans l'Antiquité. Les trois vitrines centrales sont le résultat des fouilles de Cousteau. Voir, entre autres, un très beau manche de patère à tête de panthère en bronze, les différents modèles d'amphores marseillaises, les restes de la galère de César et le trésor de pièces de monnaie du IIIᵉ s trouvées au large de La Ciotat. Également la mosaïque polychrome de la Baigneuse datant du IIIᵉ s apr. J.-C., provenant des thermes découverts sous la place Villeneuve-Bargemon.

🎥 *La Maison diamantée (zoom 1 détachable, C4) : 2, rue de la Prison, 13002.* La maison présente un décor mural à bossage de la fin du XVIᵉ s : observez la pierre taillée en pointe de diamant.

🎥🎥 *L'hôtel de Cabre (zoom 1 détachable, D4) : à l'angle de la Grande-Rue et de la rue Bonneterie.* C'est la plus ancienne maison de Marseille (1535), au décor Renaissance française assez chargé. Lors de la reconstruction du quartier, cette maison a carrément été soulevée d'un bloc puis tournée à 90° pour être dans l'alignement des nouveaux bâtiments !

Le quartier du Panier

➢ *Accès :* Ⓜ *Vieux-Port/Hôtel-de-Ville.* 🚊 *Sadi-Carnot ou bus nᵒ 49 pour l'approcher, mais la visite se fait à pied.*

🎥🎥🎥 *Le Panier (zoom 1 détachable, C-D3-4) : l'office de tourisme propose des visites guidées du quartier plusieurs fois/sem.* Drôle de nom de quartier, non ? Origine religieuse (une statue de Vierge au panier qui recueillait les fleurs accompagnant parfois les prières des paroissiens) ou profane du nom d'un cabaret, les historiens balancent encore aujourd'hui. Mais peu importe au fond. Compris entre le quai du Port, la place de la Major et la rue de la République, derrière l'hôtel de ville, c'est un quartier où l'on retrouve le véritable esprit de Marseille. Ici se sont installés pendant longtemps les immigrés débarquant par vagues à Marseille : les Italiens et les Arabes. Beaucoup de marins y habitaient, du moins quand ils n'étaient pas sur les mers du globe (une coutume voulait que l'on garde, dans les maisons, un lit fait pour pouvoir accueillir à l'improviste tout marin débarqué qui se présenterait). C'était un quartier interlope de petits truands, de voyous et de grands bandits (Pierrot le Fou y est né). Hitler prendra prétexte de sa mauvaise réputation pour le faire raser en 1943 (il se limita heureusement à la partie basse du Panier).
Voici une suggestion d'itinéraire : abordez le quartier par la *place Daviel,* derrière le Vieux-Port et au pied des arcades de l'*hôtel-Dieu,* un grand bâtiment du XVIIᵉ s, restauré au XIXᵉ. Jetez un coup d'œil à la *place des Augustines,* vestige du couvent des religieuses ursulines créé en 1632. Au nᵒ 6, porte centrale avec balcon Régence et décor à la marguerite. Bonaparte aurait habité au nᵒ 4.

MARSEILLE

Il est temps de prendre la délicieuse ***montée des Accoules*** (son clocher solitaire est le dernier vestige d'une église du XIe s). Tournez ensuite dans la ***rue des Moulins.*** De la ***place des Moulins*** (qui en a compté jusqu'à 15 au XVIe s ; il en reste trois, cherchez bien), gagnez la bibliothèque du Panier au 1, rue des Honneurs, ancien ***couvent du Refuge*** aujourd'hui entièrement réhabilité. Ce fut un couvent-prison pour filles de mauvaise vie. Elles y entraient par cette rue (anciennement baptisée rue du Déshonneur) et en sortaient par la rue des Repenties !

Empruntez ensuite, après avoir traversé la ***rue du Panier,*** véritable colonne vertébrale du quartier, la ***rue des Pistoles,*** qui débouche sur la ***Vieille-Charité,*** magistral ensemble architectural du XVIIe s (voir plus loin). Un peu plus haut dans la *rue du Petit-Puits,* plusieurs ateliers-boutiques (céramique, santons, tourneur sur bois, savonnerie...). Si vous rejoignez la rue de la République, ne manquez pas le ***passage de Lorette*** au bout de la rue du même nom : bienvenue à Naples !

En poursuivant vers le sud et la mer, la ***rue de l'Évêché*** avec le commissariat central (justement surnommé « l'évêché » par les Marseillais), qu'on retrouve dans tous les bons polars. On débouche ensuite sur la villageoise ***place de Lenche,*** vraisemblablement siège de l'agora antique. Son nom viendrait de celui d'un riche Corse, le sieur Linciu, qui possédait ici un atelier de corail et un hôtel particulier au XVIe s. À l'extrémité de la rue Saint-Laurent, un des rares bâtiments rescapés des bombardements de 1943 : la jolie petite église du même nom, de style romano-provençal *(ouv en sem 14h-18h)* et qui fut amputée de sa façade orientale lors de la construction du fort Saint-Jean. C'était la paroisse des pêcheurs et des gens de mer. La chapelle Sainte-Catherine, construite par les pénitents blancs au XVIIe s, est contiguë à l'église. Du parvis, belle vue sur le Vieux-Port et le fort Saint-Nicolas ; de là on peut accéder au MuCEM par la passerelle. La balade se termine par l'***esplanade de la Tourette,*** au pied de la cathédrale de la Major.

🌂🌂🌂 ***La Vieille-Charité*** *(zoom 1 détachable, C3) :* 2, rue de la Charité, 13002. *GRATUIT.*

La Vieille-Charité, l'une des plus belles œuvres de Pierre Puget, est aussi l'une des rares qui lui aient survécu. Superbe témoignage de l'architecture civile du XVIIe s, utilisée pour l'enfermement des vagabonds jusqu'au siècle suivant. Elle fut ensuite convertie en hospice au XIXe s, puis en caserne au XXe s, avant d'être finalement abandonnée à son triste sort. Elle menaçait de tomber en ruine lorsque Le Corbusier attira l'attention des autorités sur ce chef-d'œuvre qui fut classé Monument historique en 1951. La chapelle centrale est l'un des plus beaux édifices baroques français. Admirez sa lumineuse pierre rose, ses harmonieuses proportions et son portique de style corinthien. Ce bijou est serti par quatre bâtiments identiques, parcourus sur deux étages par des galeries à arcades. Un ensemble admirable !

– ***Les musées :*** dans les galeries autour de la chapelle. ☎ 04-91-14-59-18 ou 24. ♿ Tlj sf lun 10h-18h. Billets : 5 € pour les collections permanentes (gratuit moins de 18 ans), et 8-10 € pour les expos temporaires. Visites commentées : 3 €/pers (programme sur ● marseille.fr ●).

Le musée d'Archéologie méditerranéenne (1er étage)

🌂🌂🌂 ***La salle Clot-Bey :*** collection égyptienne à ne pas manquer car c'est la deuxième de France après celle du Louvre ! Très ingénieuse présentation, on se croirait à l'intérieur d'une pyramide. Pas moins de 2 000 objets évoquant la vie quotidienne ou les rites funéraires, de l'époque prédynastique (3175 av. J.-C.) à l'époque copte (IVe s apr. J.-C.) : amulettes, sarcophages, momies humaines ou animales, vases, coffrets à khôl, délicats petits bronzes... Quelques pièces rares, voire uniques au monde, comme les quatre stèles orientées du général Kasa, qui servaient à protéger son caveau contre toutes les forces hostiles, ou encore la célèbre table d'offrandes dite « de Marseille » ainsi qu'un livre des Morts en écriture hiératique. Également une insolite sculpture en argile de Bès (dieu de la Fécondité) avec un impressionnant « phallus apotropaïque »...

🏃🏃 *La salle Borély :* collections classiques du Proche-Orient et du Bassin méditerranéen. Panorama des civilisations à travers une multitude d'objets (bronzes, terres cuites, verrerie...) proche-orientaux, chypriotes, étrusques et romains.

Le musée d'Arts africains, océaniens et amérindiens (2e étage)
Une collection vraiment extraordinaire. À ne pas manquer.

🏃🏃 *La salle Léonce-Pierre-Guerre :* collection d'Afrique. Parmi les objets rituels (superbement présentés sur fond noir), signalons notamment les statues de reliquaire fang et les masques guerzé et baoulé de Côte-d'Ivoire, le masque marka du Mali, un masque-heaume de Sierra Leone ou encore l'étonnant masque bwa du Burkina Faso. Intéressantes statuettes et poids pour peser l'or.

🏃🏃🏃 *La salle Henri-Gastaut :* collections océanienne et amérindienne. La plus étonnante des collections reste celle du professeur Gastaut, centrée sur le crâne humain, sans doute unique au monde. Têtes réduites jivaros, crânes décorés ou surmodelés du Vanuatu (ex-Nouvelles-Hébrides), d'Irian-Jaya, de Papouasie-Nouvelle-Guinée... Chef-d'œuvre de l'art primitif, une tête-trophée mundurucu (Brésil). Impressionnant ! Également des coiffes d'Indiens d'Amérique, le chambranle d'une porte kanak, etc. De la culture hopi, de superbes poupées Kachina. Dans la dernière salle, un beau masque kanak. Enfin, une collection presque complète de masques de cérémonie ramenée du Vanuatu. Un film raconte le voyage dans cet ancien condominium franco-britannique à 500 km au nord de la Nouvelle-Calédonie et la négociation qui s'y déroula pour acheter ladite collection.

🏃 *La salle François-Reichenbach :* collection d'art populaire du Mexique. C'est François Reichenbach qui a offert cette foisonnante collection de masques de danse et de carnaval ainsi que de figures sculptées. Si vous aimez les couleurs, vous allez être servi !

|●| 🍸 *Le Charité Café,* pour une pause sucrée-salée en terrasse. Rien | n'y est gratuit, en dépit de ce que son nom pourrait laisser penser.

La nouvelle façade portuaire : du MuCEM au Silo

➤ ***Accès :*** *depuis le Vieux-Port, bus n° 49 ou 60 ou* **Ⓜ** *ou* **Ⓣ** *Joliette.*

Ce nouveau quartier est un immense projet, localement connu sous le nom d'***Euroméditerranée,*** destiné à réhabiliter les quartiers portuaires sinistrés. Musées, commerces et nouveaux espaces urbains tentent d'y prendre le relais d'une activité maritime déclinante. En tout, 3,5 milliards d'investissements publics et privés qui s'étirent sur 15 ans et 2,7 km de front de mer *(plan détachable B-C2-3-4).* Pour en savoir plus : ● *euromediterranee.fr* ●

🏃🏃🏃 🚶 *Le fort Saint-Jean :* *entrée soit depuis l'extrémité du quai du Port (niveau bas), soit depuis le Panier ou le MuCEM par les passerelles. GRATUIT. Horaires, accès aux expos et coordonnées identiques à celles du MuCEM, voir juste après. Plan, support de visite, distribué à l'entrée.* Ce splendide ouvrage défensif initié au XIIe s abrite des vestiges gréco-romains (non visibles) et se compose d'une chapelle, d'une tour défensive carrée, dite « du roi René » (XVe s) et d'une autre érigée par les armateurs au XVIIe s pour éclairer l'entrée du port... Projection audiovisuelle dans la salle du corps de garde pour comprendre tout ça. Sur les terrasses, d'où les points de vue sur la passe et la ville sont inégalables, un agréable parcours botanique méditerranéen, le *jardin des migrations,* complète la visite.

🏃🏃🏃 🚶 *Le MuCEM* *(musée des Civilisations de l'Europe et de la Méditerranée ; plan détachable B4) :* esplanade du J4, 13002. ☎ 04-84-35-13-13. ● mucem.org ● 🐾 *Tlj sf mar ; mai-juin et sept-oct 11h-19h, juil-août 9h-20h, nov-avr 11h-18h ;*

MARSEILLE

nocturne ven jusqu'à 22h mai-oct. Entrée : 8 € ; tarif réduit 5 € ; famille (2 adultes + 5 enfants max) 12 € ; accès gratuit le 1er dim du mois. Guide multimédia 2 €. Accès au musée : depuis le Vieux-Port ou le Panier via la passerelle du fort Saint-Jean ou via l'esplanade du J4. L'Odyssée des enfants (pour les 7-12 ans ; fermeture 1h avt le musée). Librairie. Munissez-vous du plan, très bien fait.

Le MuCEM englobe un autre site, dans le quartier de la Belle-de-Mai (expos régulières).

– Le projet architectural phare de « Marseille capitale européenne de la culture 2013 » combine la restauration réussie du vieux fort Saint-Jean qui surplombe l'entrée maritime de la ville, et l'édification du bâtiment ultra-contemporain imaginé par Rudy Ricciotti. Une partie est ceinte par une dentelle de béton derrière laquelle une rampe permet d'accéder au toit-terrasse. Une agréable déambulation aérée et à l'abri du soleil.

– Plus qu'un seul musée, le MuCEM propose une riche programmation culturelle : films, débats, concerts, spectacles, parfois en plein air ; sans compter les quatre espaces de restauration proposés par Gérald Passédat, allant du snack au resto gastronomique. Adulé pour son restaurant triplement étoilé à Endoume, ce chef a laissé dubitatifs les Marseillais et pas mal d'autres du côté du MuCEM...

– Le musée est tourné vers le large, comme pour mieux illustrer sa vocation de passerelle entre les civilisations des différentes rives de la Méditerranée. Bon, maintenant, qu'abrite vraiment le musée des Civilisations de l'Europe et de la Méditerranée ? Une bonne partie des collections provient du musée parisien des Arts et Traditions populaires (définitivement fermé) et du musée de l'Homme. Une approche plutôt thématique a été choisie dans l'exposition permanente.

Outre l'expo permanente de la galerie de la Méditerranée, 2 espaces sont consacrés aux expos temporaires, un aux enfants (l'Odyssée des enfants), et un dernier aux projections audiovisuelles.

C'est de ce môle J4 qu'embarquaient ou débarquaient les voyageurs du monde entier, et de là aussi que les migrants fuiront le nazisme vers les États-Unis.

Une première salle explique le début de l'agriculture. La sédentarisation est devenue possible grâce au développement de la culture du blé et la maîtrise de l'irrigation des champs, de l'élevage, la transhumance des troupeaux, et la pêche. L'agriculture a modelé les paysages méditerranéens. Et, à partir du moment où l'homme domestique la nature, ses croyances animistes vont changer ; lui qui se plaçait à l'égal des animaux se représente désormais supérieur, et ses dieux au-dessus de lui encore. Plus que le blé, aujourd'hui c'est la culture de la vigne et des oliviers qui est emblématique du Bassin méditerranéen.

Dans une autre salle, Jérusalem illustre et synthétise la présence des trois monothéismes dans le Bassin méditerranéen.

Puis c'est la naissance de la citoyenneté et de la démocratie, celle des cités grecques et l'organisation de la ville qui en découle. On découvre les guerres, les cités-États (Gênes, Venise...). La démocratie a longtemps exclu certaines franges de la population, comme les femmes. Peu à peu, on bénéficie de la libre circulation (ou au contraire l'entrave à cette libre circulation des individus), avec la république, les Droits de l'homme. Pour évoquer le respect des lois, on découvre une vraie guillotine, brrr !

Enfin, les expéditions maritimes, qui, grâce à la cartographie juive, aux mathématiques arabes et aux sciences chrétiennes, ont permis aux Méditerranéens de découvrir l'existence d'autres mers, et d'initier de grandes découvertes.

Autant d'objets (objets du quotidien ou d'art, photos, cartes, sculptures...) auxquels se mêlent quelques vidéos et une poignée d'installations contemporaines intéressantes.

Une gracieuse passerelle suspendue au-dessus de l'eau permet de rallier le fort Saint-Jean.

🏃 *La Villa Méditerranée (plan détachable B4) :* esplanade du J4, 13002. ● villamediterranee.org ● Le bâtiment conçu par Stefano Boeri est tout à fait étonnant et représente une véritable prouesse technologique en soi. Il se déploie en fer à cheval, avec des espaces situés sous la mer et une avancée en porte à faux longue de 40 m, à 19 m de haut.

🏃🏃🏃 *Le musée Regards de Provence (zoom 1 détachable C4) : allée Regards-de-Provence, 13002.* ☎ *04-96-17-40-40.* ● *museeregardsdeprovence. com* ● *Tlj 10h-18h. Entrée collection temporaire : 6 €, réduc. Entrée « Mémoire de la Station » : 3,50 € ; réduc. Billet jumelé : 7,50 € ; réduc.*
Créée en 1998, la Fondation Regards de Provence – Reflets de Méditerranée a installé son musée dans l'ancienne station

LA PORTE DE L'ORIENT

En 1669, un édit promulgué par Colbert érige Marseille en port franc et lui donne le monopole du commerce maritime vers le Levant. C'est ainsi que l'importation des « indiennes », ces cotons imprimés venant d'Orient, fera la fortune de la ville mais aussi son malheur lorsqu'en 1720 elle introduira... la peste.

sanitaire maritime, construite par Fernand Pouillon en 1948. Héritière des lazarets (établissement de quarantaine), c'était un édifice de détection et de prophylaxie. Elle constitue un patrimoine portuaire à l'architecture moderniste de style « paquebot », sobre, fonctionnelle et unique en son genre.
Le musée Regards de Provence expose une partie de sa collection sur Marseille au rez-de-chaussée, et sur la Provence au 1er étage.
Un film sur la station sanitaire, située à l'emplacement des autoclaves et des étuves, nous éclaire sur les grandes épidémies qui ont décimé les habitants, et notamment la terrible peste de 1720. Elle se propagea parce qu'un capitaine de navire contourna l'obligation de quarantaine pour vendre ses marchandises sans attendre. Résultat : 100 000 morts !

🍴 *Regards Café (zoom 1 détachable, C4, 45) : av. Vaudoyer, 13002.* ☎ *04-96-17-40-45.* ● *regardscafe@ gmail.com* ● *Tlj sf lun 10h-18h. Plats du jour 14-19 €.* Entrée côté boulevard, face au MuCEM. La cafétéria de musée comme on les aime, avec vue, avec vie, et à des prix corrects pour une vraie bonne prestation. Service efficace et plaisant, malgré l'affluence, et cuisine qui suit, sans paniquer. Plats dans l'air du temps. Terrasse et grandes baies vitrées pour profiter de la fabuleuse vue.

🏃🏃 *La Vieille-Major (zoom 1 détachable, C3-4) :* c'est l'ancienne cathédrale, édifiée au XIIe s à l'emplacement où saint Lazare, Marie-Salomé et Marie-Madeleine, les tout premiers chrétiens, auraient débarqué en venant de Terre sainte. Elle souffre beaucoup de l'ombre de la Nouvelle-Major, une étonnante « pièce montée » néobyzantine. La Vieille, un bel exemple de style roman provençal avec coupole octogonale, se vit amputée de sa façade et de deux travées lors de la construction, au XIXe s, du monstre voisin.

🏃🏃 *La cathédrale de la Major (zoom 1 détachable, C3-4) :* ● *cathedrale.mar seille.free.fr* ● *Tlj sf mar 10h-19h (18h en hiver).* En pierre verte de Florence et blanche de Calissane, ce gros édifice domine l'entrée du port. De dimension comparable à l'église Saint-Pierre-de-Rome, ce fut la première cathédrale édifiée en France après deux siècles d'abstinence. Elle n'est pas orientée est-ouest, selon la tradition, mais nord-sud. Le projet de Vaudoyer reposait sur l'idée d'un syncrétisme entre gothique, roman et byzantin, au grand dam de Viollet-le-Duc. Et en effet, elle est byzantine par sa décoration intérieure, à l'extérieur, romane par son élévation, et gothique par son plan. La première pierre fut posée par Napoléon III en 1852, mais les travaux demandèrent plus de 40 ans. Jamais trop aimée des Marseillais, qui lui préfèrent Notre-Dame-de-la-Garde, certains lui reprochèrent d'avoir l'aspect d'une caisse débarquée là d'un bateau venu d'Orient.

Impression finalement renforcée aujourd'hui avec le blanc parallélépipède de la Villa Méditerranée et son voisin noir du MuCEM.

⚔️ Le FRAC-PACA *(Fonds régional d'Art contemporain ; plan détachable C2) :* *20, bd de Dunkerque.* ☎ *04-91-91-27-55.* ● *fracpaca.org* ● *Mar-sam 12h-19h. Nocturne gratuite jusqu'à 21h 1 ven/mois. Fermé j. fériés. Entrée : 5 € ; réduc.* Le FRAC, on le sait, a pour mission de soutenir et de sensibiliser les publics à l'art contemporain. Il trouve ici un lieu à la hauteur de ses ambitions : le nouveau FRAC, dessiné par l'architecte Kengo Kuma, est un grand module de 516 m², qui permet le déploiement des collections sur plusieurs plateaux.

➢ **Le boulevard du Littoral** *(plan détachable C1-2-3) :* il continue à porter vos pas vers les quartiers restés portuaires. Au passage, jetez un coup d'œil aux anciens **docks de la Joliette,** bel exemple d'architecture industrielle de la fin du XIXᵉ s. En face, le centre commercial les **Terrasses du port,** classieux docks des temps modernes d'où vous pourrez toujours avoir une belle vue sur et la **grande jetée.** Bâtie en 1884 pour protéger alors les nouveaux bassins de la Joliette, lorsque l'activité portuaire était florissante. Au loin, le **Silo,** ancien réservoir à grains transformé en salle de spectacle, et enfin la moderne **tour CMA-CGM.**

DU CÔTÉ DE LA CANEBIÈRE

La Canebière, les quartiers Belsunce et de Noailles

⚔️ La Canebière *(plan détachable D-E-F4) :* Ⓜ *Vieux-Port/ Hôtel-de-Ville ou Noailles.* C'est l'avenue la plus célèbre de Marseille, presque son symbole, popularisée par une chanson de Vincent Scotto (« Elle part du Vieux-Port, et sans effort, elle va jusqu'au bout de la terre,

> ### UN PEU DE CULTURE
>
> *On l'a oublié, mais Canebière vient du latin* cannabis *qui signifie... chanvre. En effet, autrefois, les terrains étaient plantés de chanvre dont on faisait les cordages pour les bateaux.*

notre Cane-Cane-Cane-Canebièreuuuu... »). Ce boulevard, qui n'a jamais connu d'arbres mais des lampadaires, descend en pente douce vers le bassin du Vieux-Port. Il a inspiré bien des artistes et écrivains. Joseph Conrad, qui vécut 3 ans et demi à Marseille, l'évoque dans ses souvenirs : « Pour moi, La Canebière a été une rue qui menait vers l'inconnu. » Et pour Edmond About, « La Canebière est une porte ouverte sur la Méditerranée et sur l'univers entier ; car la route humide qui part de là fait le tour du monde ». Tout en bas de La Canebière s'élève la **Bourse** (voir plus loin), pur exemple de l'architecture du Second Empire. Devant ce monument, le roi Alexandre de Yougoslavie fut assassiné par des anarchistes croates en 1934. Un peu plus haut, en remontant La Canebière sur le trottoir de gauche, le magasin C & A est installé dans l'**ancien grand hôtel du Louvre et de la Paix** que les anciens Marseillais continuent d'appeler **hôtel de la Marine,** car réquisitionné par la Marine française en 1941 puis occupé par la *Kriegsmarine* allemande. Les cariatides de la façade représentent les quatre continents. Une plaque rappelle que, le 29 février 1896, la première projection publique des frères Lumière eut lieu dans cet hôtel. Sur le trottoir d'en face, achetez une écharpe à la **boutique officielle de l'OM,** ou faites une pause à la célèbre *Torréfaction Noailles,* au nº 56. Plus haut, belle restauration de l'ancien **hôtel Noailles** (devenu un commissariat).

♥♥ ♟️ _La Bourse et le musée de la Marine et de l'Économie_ (zoom 1 détachable, D4) **:** 9, La Canebière, 13001. ☎ 0810-113-113 (0,06 €/mn). Ⓜ Vieux-Port/Hôtel-de-Ville. Tlj 10h-18h. Entrée : 2 € ; réduc ; gratuit moins de 12 ans. Audioguide inclus. Créé en 1599, ce bâtiment abrite la plus ancienne chambre de commerce et d'industrie du pays et même du monde, paraît-il. Notez les noms des comptoirs gravés dans la pierre du hall principal. Fleuron du style architectural Second Empire à Marseille, ce beau musée expose des collections racontant l'histoire du port et de son commerce. Nombreuses peintures, superbes maquettes de paquebots du XIXᵉ s. Superbes affiches anciennes, présentées par roulement. Galerie de peinture où les marines classiques se mêlent aux toiles plus « sociales ». Petite librairie spécialisée.

♥♥ _Le musée d'Histoire de Marseille_ (zoom 1 détachable, D4) **:** rez-de-jardin du centre commercial Centre-Bourse, 13001. ☎ 04-91-55-36-00. ♿ Tlj sf lun et j. fériés 10h-19h. Accès par le Centre-Bourse. Entrée : 5 € ; réduc ; gratuit moins de 18 ans et pour ts le dim 10h-13h. Audioguide inclus dans le prix. Accès gratuit aux vestiges dans les jardins. Billet incluant le mémorial de La Marseillaise (voir plus loin).

La plus ancienne ville de France a un vrai musée racontant son histoire ! Il tisse un fil d'Ariane long de 2 600 ans qui présente l'histoire maritime et portuaire de Marseille, à travers 13 séquences, de 600 av. J.-C. à aujourd'hui. De la plus petite pièce de monnaie aux immenses galères, les objets présentés ont tous une valeur historique inestimable, mis en valeur par une muséographie bien du XXIᵉ s : audioguide, écrans tactiles, maquettes de la cité aux différentes époques...

« Un voyage de 1 000 lieues débute toujours par un premier pas » (Lao Tseu), alors ne ratez pas le film présenté en début d'exposition, qui évoque l'occupation humaine des collines marseillaises à l'époque de la grotte Cosquer, il y a 30 000 ans. Reste ensuite à dérouler le fil de l'histoire dès l'arrivée des Phocéens (voir les incroyables squelettes de galères) qui fondèrent Massalia la Grecque avec ses temples, ses drachmes (en attendant l'euro), ses objets de la vie quotidienne. Au détour des sépultures présentées, notez que certains squelettes ont une pièce de monnaie dans la bouche : une pratique courante alors pour que le défunt puisse payer Charon, ce batelier chargé de leur faire traverser le Styx vers le royaume des morts. Puis Massilia la Romaine, conquise par César, qui donnera durablement un prénom à plein de petits Provençaux. Plus loin, le Moyen Âge dont on découvre les ateliers d'artisans aux métiers aujourd'hui disparus. Le rattachement de Marseille au royaume de France, puis Louis XIV et les grandes réalisations architecturales (la Vieille-Charité, l'arsenal des Galères, les forts Saint-Jean et Saint-Nicolas...), la grande peste et jusqu'à la période industrielle moderne avec le pont transbordeur qui barrait l'horizon à l'entrée du port, et avant de passer aux fameux savons de Marseille (dont le fameux _Le Chat_ !). Le site archéologique attenant au musée, découvert accidentellement en 1967 lors de travaux de construction, est une véritable « salle à ciel ouvert ».

♟️ _Le mémorial de La Marseillaise_ (plan détachable E4) **:** 23-25, rue Thubaneau 13001. ☎ 04-91-55-36-00. Ⓜ Noailles. ♿ Visites mar et ven à 10h15 et 14h30. Billet commun avec le musée d'Histoire de Marseille (voir plus haut). Résa obligatoire. C'est de Marseille que partirent, le 2 juillet 1792, les fameux bataillons de volontaires pour Paris. Ils s'emparèrent comme d'un hymne du _Chant de guerre pour l'armée du Rhin_ composé par Rouget de Lisle en avril de la même année. Le TGV n'existant pas alors, il faudra près d'un mois aux troupes marseillaises pour traverser la France, devancées par leur hymne. Arrivée triomphale à Paris qui est conquise par ce nouveau chant, vite rebaptisé _La Marseillaise_. On connaît la suite... La scénographie est réussie, tout à la fois ludique, pédagogique et interactive. Extraits de documents d'époque, banque audio des multiples versions de _La Marseillaise_, diorama mettant en scène des acteurs de cette période révolutionnaire... Ah, ça ira, citoyenne, citoyen !

MARSEILLE

𝕏 Le quartier Belsunce *(plan détachable D-E3-4) :* **T** *Belsunce-Alcazar.*

Tout autour du cours Belsunce, où les dames chic venaient jadis faire admirer leurs toilettes, le quartier est aujourd'hui habité en majorité par les immigrés. Les Arméniens y arrivèrent en 1915, les Italiens (dont des antifascistes) dans les années 1930, les Maghrébins lors du boom économique d'après guerre. Bon nombre de pieds-noirs s'y installèrent aussi après 1962. En outre, c'est l'un des poumons économiques de Marseille. On vient de loin pour y faire ses achats. Ainsi,

UNE *MARSEILLAISE* AUTRICHIENNE ?

Composée en 1792 par Rouget de Lisle, La Marseillaise *compte environ 600 variations ou interprétations : punk, reggae, communarde, féministe, pacifiste, en langue des signes. Ou simplement suggérée... Schumann ou les Beatles la font sonner dans certaines de leurs œuvres, emphatique. Le plus confondant est que les notes des « Allons-enfants » se distinguent très clairement dans le 25e concerto pour piano de Mozart composé en... 1785. Wolfgang, génie de la République ?*

origines diverses, ethnies et religions cohabitent : grossistes juifs, travailleurs africains, Maghrébins (dont beaucoup de Mozabites exerçant dans le détail et demi-gros), Libanais pratiquant l'import-export et Arméniens dans le cuir. La liste serait longue... et avec tout ça, n'oublions pas que le quartier porte le nom de l'évêque resté au chevet des Marseillais lorsqu'ils étaient décimés par la peste au XVIIIe s.

– La bibliothèque de l'Alcazar *(zoom 1 détachable, E4) :* 58, cours Belsunce, 13001. ☎ 04-91-55-90-00. Tlj sf dim-lun (et sam en été) 11h-19h (18h en été). Un lieu qui a donné un coup d'accélérateur intellectuel au quartier. La bibliothèque se trouve à l'emplacement même de l'ancien Alcazar, bâti en 1857 et décoré en « fantaisie mauresque » pour ressembler à l'Alhambra de Grenade. Après un incendie en 1873, il est rebâti en 1889 et son entrée surmontée d'une monumentale marquise.

UNE PÉPINIÈRE DE JEUNES TALENTS

Parmi une foultitude d'artistes accomplis, l'Alcazar a vu quelques jeunot(e)s y débuter leur carrière ou s'y révéler. Des novices du music-hall soumis à la pression d'un public marseillais impitoyable. Quelques-un(e)s s'en sont sortis, avec à la clé une carrière pas trop mauvaise... Felix Mayol, Yves Montand, Tino Rossi, Dalida... mais aussi Fernandel ou Maurice Chevalier !

Seul vestige restant aujourd'hui de ce haut lieu de la culture marseillaise de jadis.

– La halle Puget *(zoom 1 détachable, E4) :* juste à l'arrière de la rue Colbert. À l'allure de temple grec et à la très belle pierre blonde, elle porte le nom de son très marseillais architecte, Pierre Puget.

𝕏 Le quartier de Noailles *(plan détachable E4-5) :* **M** *Noailles.* Le ventre éternel de Marseille. Un lieu qui fascine toujours autant, qui résonne comme une bouffée d'exotisme. Empruntez la rue des Feuillants jusqu'à la place du Marché-des-Capucins, en forme de triangle, pour respirer les bonnes odeurs d'épices d'un marché qui attire toujours une foule dense. Pour la curiosité, faites un détour chez *Empereur* (☎ 04-91-54-02-09 ; 4, rue des Récolettes ; tlj sf dim 9h-19h), la plus vieille quincaillerie de France. Un charme incroyable.

𝕏 La rue d'Aubagne *(plan détachable E4-5) :* **M** *Noailles.* L'axe le plus animé de cette partie de la ville. « Descendre la rue d'Aubagne, à n'importe quelle heure du jour, était un voyage. Une succession de commerces, de restaurants, comme autant d'escales. Italie, Grèce, Turquie, Liban, Madagascar, la Réunion, Thaïlande, Vietnam, Afrique, Maroc, Tunisie, Algérie », écrit Jean-Claude Izzo dans

Total Khéops. Rue Méolan, l'**herboristerie du Père Blaize** (☎ 04-91-54-04-01 ;
mar-sam 9h30-18h30) est ouverte depuis 1815. Plus haut, de l'autre côté du cours
Lieutaud percé en 1864, on grimpe à La Plaine.

Le quartier de La Plaine

Drôle de « plaine » en réalité que
ce plateau en pleine ville, à une
centaine de mètres au-dessus du
niveau de la mer... Alors, « mon-
tons à La Plaine », comme disent
les Marseillais !

🎬🎬 Tout s'ordonne autour de la
place Jean-Jaurès *(zoom 2 détachable, F4),* vivante le jour, animée
le soir. La Plaine est un lieu où sortent bobos en mal de sensations,
jeunes à la recherche d'une fiesta,

> **PLUS FORT
> QUE ROLAND GARROS**
>
> *Roland Garros est réputé avoir tra-
> versé le premier la Méditerranée, au
> départ de Saint-Raphaël, en 1913. Or,
> dès 1886, un dénommé Louis Capazza
> relia Marseille (au départ de La Plaine)
> à Apietto, en Corse... en ballon diri-
> geable. Alors, qui a gagné le set ?*

et population qui zone... On est au royaume du tag et de la fresque murale. C'est
clairement un des quartiers de la « Nuit marseillaise ». Il est impensable de ne pas y
passer ! Autour du **cours Julien** pullulent les restaurants branchés, les cafés, les bars
de nuit. Les jeunes (et moins jeunes) Marseillais s'y retrouvent le soir en fin de semaine.
Également des créateurs de vêtements, et deux ou trois bouquinistes dans la journée
au début du cours Julien.

La préfecture, le cours Pierre-Puget, la rue Paradis

🎬🎬 Perpendiculairement à La Canebière s'allongent des rues très commerçantes
et tracées au cordeau. Les longues **rues Paradis** et **de Rome** – cette dernière
débouche sur la **place Castellane** *(plan détachable E-F6),* où trône l'allégorique
fontaine Cantini – se partagent la mode. Remonter la tout aussi longue et semi-
piétonne **rue Saint-Ferréol** (les Marseillais disent « Saint-Fé ») jusqu'à l'imposante
préfecture des Bouches-du-Rhône, édifiée en 1861. Les rues voisines regorgent
d'**hôtels particuliers** des XVIIIᵉ et XIXᵉ s (visite possible avec l'office de tourisme).

🎬🎬 **Le musée Cantini** *(zoom 1 détachable, E5) :* 19, rue Grignan, 13006. ☎ 04-91-
54-77-75. Ⓜ *Estrangin/Préfecture. Tlj sf lun 10h-18h. Ouv lun de Pâques et de Pentecôte ; fermé 1ᵉʳ janv, 1ᵉʳ mai, 1ᵉʳ nov, 25-26 déc. Entrée :* 5 € *; gratuit moins de 18 ans
et le 1ᵉʳ dim du mois (8 € avec les expos temporaires) ; réduc.* Dans un hôtel particulier
du XVIIᵉ s, édifié à l'origine pour le compte de la Compagnie du Cap-Nègre et qui
porte aujourd'hui le nom d'un sculpteur marseillais, Jules Cantini (1826-1916). Avec
un peu de chance, vous pourrez, au gré des expos et grands événements qui se
succèdent ici, redécouvrir les avant-gardes qui ont marqué le début du siècle, autour
d'André Derain, Raoul Dufy, Albert Marquet, les œuvres majeures des surréalistes,
Max Ernst, André Masson, Victor Brauner, ainsi que les œuvres de la seconde moitié
du XXᵉ s d'Antonin Artaud, Alberto Giacometti, Balthus, Francis Bacon.

🎬 **Le cours Pierre-Puget** *(plan détachable D-E5) :* Ⓜ *Estrangin/Préfecture.*
Ouvert en 1800 à l'emplacement de l'ancien rempart de l'époque Louis XIV, ce
cours ombragé se termine par une butte rocheuse, le jardin Puget qui permet
d'accéder à Notre-Dame-de-la-Garde.

🎬🎬 **La rue Sylvabelle** *(plan détachable D-E5-6) :* Ⓜ *Estrangin/Préfecture.* Une
de nos rues préférées dans ce quartier, car très homogène de style. Elle relie la
préfecture au boulevard Notre-Dame, coupant les rues Paradis et Breteuil. C'est
une rue « bourgeoise » (traduire : sans commerces) assez étroite et qui monte vers

le ciel bleu. Elle est encore bordée de beaux immeubles (bien conservés) datant du Second Empire et du début de la IIIe République. Vers 1880-1900, de nombreux consulats de pays étrangers y avaient pignon sur rue. Le jeune marin Joseph Conrad y aurait même vécu dans ses années marseillaises (vers 1875) : l'auteur de *La Flèche d'or* et d'*Au cœur des ténèbres* aurait habité au n°°82, face à l'ex-consulat du Paraguay (n° 79), un très bel immeuble.

🎞 *L'église Saint-Nicolas-de-Myre* (plan détachable E5-6) *:* 19, rue Edmond-Rostand. La construction de cette église à Marseille témoigne de l'importance de « la porte du Levant » dans les relations avec les pays méditerranéens. Érigée en 1821 par l'archevêque de Myre (actuelle Turquie) à la demande des réfugiés grecs catholiques venus d'Égypte et de Syrie, Saint-Nicolas-de-Myre est la première église catholique orientale de France et du monde. Dès l'origine, ses prêtres servirent de traducteurs et d'intermédiaires entre les Orientaux et les pouvoirs publics. Un vrai dépaysement d'y découvrir une architecture et une décoration mâtinant l'Orient et l'Occident.

Au nord de La Canebière, autour du palais Longchamp

🎞 *Le palais Longchamp* (plan détachable G3) : pl. Henri-Dunant, 13004. Ⓜ Cinq-Avenues/Longchamp. 🚊 Longchamp. Un édifice aussi original que grandiloquent, inauguré en 1869 pour célébrer l'arrivée de l'eau de la Durance. La composition centrale symbolise celle-ci et ses affluents, entourés de la vigne et du blé. Agréable parc classé qui a fait l'objet de réaménagements paysagers, où les gens du quartier viennent volontiers s'étaler au soleil (son inclinaison incline au bronzage...).
– *Le musée des Beaux-Arts :* aile gauche. ☎ 04-91-14-59-30. Tlj sf lun 10h-18h. Ouv lun de Pâques et de Pentecôte ; fermé 1er janv, 1er mai, 1er nov et 25-26 déc. Entrée : 5 € ; réduc ; gratuit moins de 18 ans et le 1er dim du mois. Monumentalité des espaces, éclairage naturel grâce à une verrière, le musée des Beaux-Arts présente les chefs-d'œuvre de sa collection permanente. Même si l'escalier, orné de deux imposantes peintures de Puvis de Chavannes, tient à lui seul autant de place que les salles, prenez le temps de découvrir ce lieu assez incroyable.
– 🎞 *Le Muséum d'histoire naturelle de Marseille :* aile droite. ☎ 04-91-14-59-50. ● museum-marseille.com ● ♿ (accès possible au 1er étage, à la salle Provence et aux expos temporaires). Tlj sf lun et j. fériés 10h-18h. Entrée : 5 € (8 € en cas d'expo temporaire) ; réduc ; gratuit moins de 18 ans. Dans la salle Safari-muséum, grande collection d'animaux naturalisés et de squelettes impressionnants (section ostéologie, soit la science de l'anatomie des os). Dans la jolie salle Provence (classée), à l'étage, présentation de la faune et de la flore provençales dans l'esprit des muséums du XIXe s. Très élégant. Également des expositions temporaires.

MARSEILLE, TOUJOURS UN PEU PLUS LOIN

LA BELLE-DE-MAI

« Autour du boulevard de la Révolution, chaque nom de rue salue un héros du socialisme français. Le quartier avait enfanté des syndicalistes purs et durs, des militants communistes par milliers. Et de belles brochettes de truands. Francis le Belge était un enfant du quartier. »

Jean-Claude Izzo, Total Khéops (Gallimard, « Série noire »).

➤ *Pour s'y rendre :* depuis le métro Réformés/Canebière, bus n° 33 ou 34, arrêt Belle-de-Mai-Loubon ou n° 49, arrêt Belle-de-Mai-La Friche.

Circonscrite par le boulevard National à l'ouest, la rue Guibal à l'est et le bou-levard Plombières au nord, la Belle-de-Mai fut le plus important point de chute de l'immigration italienne entre la seconde moitié du XIXe s et le début du XXe. Ouvrier, de gauche (longtemps communiste), c'est l'un des quartiers populaires les plus emblématiques de Marseille. Lieu de naissance du sculpteur César Baldaccini, la Belle-de-Mai fut longtemps réputée pour sa riche vie sociale et associative, et l'atmosphère conviviale, quasi familiale, de ses rues.

Chronique d'un vieux quartier marseillais

Le quartier se développe véritablement avec l'ouverture de la gare Saint-Charles et l'apparition des premières industries : la fabrique d'allumettes Toussaint-Caus-semille (en 1847), la manufacture des tabacs de la rue Guibal (en 1868), puis des raffineries de sucre et autres industries alimentaires.

En mars 1871, le bataillon de la Belle-de-Mai prend la direction de la Commune de Marseille, la plus importante après Paris. Le quartier est si rouge que Jules Guesde, grand dirigeant ouvrier de l'époque et expert en la matière, le surnomme « boulevard de la Révolution ». En 1881, élection à la Belle-de-Mai de Clovis Hughes (1851-1907) comme premier député socialiste en France (ici, on prononce « Clovizugues »). Cet ancien communard, poète à ses heures, sera réélu jus-qu'en 1889, puis deviendra député de Montmartre, à Paris. À partir de cette épo-que, la Belle-de-Mai élira systématiquement des députés de gauche et se révélera une pépinière d'hommes politiques de grande importance régionale, notamment Bernard Cadenat (1853-1930), qui fut député-maire de Marseille, et Jean Cristofol (1901-1957), élu député communiste en 1936, puis réélu jusqu'en 1956 et l'un des fondateurs du quotidien *La Marseillaise*. Le 27 mai 1944, lors du bombardement américain sur la gare Saint-Charles, le quartier reçut son lot de bombes. Beaucoup de morts ; l'église et de nombreuses maisons furent alors détruites.

Aujourd'hui, les trekkeurs urbains s'y baladent avec plaisir ; rien de fascinant à voir dans la Belle-de-Mai. En dehors de la Friche elle-même, ses jardins, ses lieux de vie et de spectacles (voir plus bas), jetez un œil à la **caserne de Muy** *(plan déta-chable F2)*, d'un luxe architectural inouï pour un tel usage, reflet de la mégalomanie de Napoléon III. Longer le **Gyptis** *(plan détachable F1)*, l'ancien cinéma devenu théâtre, fierté culturelle du quartier, puis la **maison natale du sculpteur César** *(plan détachable E1)*, et, si vous êtes dans le coin un jour de marché *(lun, mer et ven mat)*, redescendre par la **place Cadenat** *(plan détachable F1)*.

♜♜♜ **La Friche La Belle-de-Mai** *(plan détachable F-G1-2)* : *entrée piétons 41, rue Jobin ; accès véhicules et parking 16, rue François-Simon.* ☎ 04-95-04-95-04. ● *lafriche.org* ● ♿ *Lun-sam 8h30-minuit (plus les soirs de spectacles), dim 8h-22h. Point info.*

C'est dans le cadre d'une ancienne manufacture de tabac que la Friche s'est installée en 1991, réunissant sur 45 000 m^2 toutes les disciplines artistiques émer-gentes à travers une soixantaine d'associations : théâtre, musique, danse contem-poraine, cirque, marionnettes, arts plastiques, cinéma, photographie, vidéo, multi-média, etc.

Marseille bouge, ici, ça se sent, ça se voit. Toute l'année, des résidences d'artistes de tous domaines. Mais aussi des expos des associations à demeure qui dynamisent la scène de l'art contemporain. Sans oublier l'action musique de l'Ami (Aide aux musiques innovatrices), et la scène musiques actuelles du *Cabaret Aléatoire* (funk, soul, rock, abstract hip-hop et musiques électro, et à l'affût des tendances musicales de demain), tous les stages, ateliers et formations diverses... Il se déroule ici quelque 700 événements par an ! Aussi bien sur le plan architec-tural que pour son volet « programmation », La Friche La Belle-de-Mai a réussi en 2013 une spectaculaire transformation, dont la construction de l'imposante Tour Panorama. Bref, non pas un mais des lieux grands ouverts sur la vie et sur la ville. Voir la programmation sur le site internet.

La Friche abrite également Radio-Grenouille (88.8 FM) et, bien sûr, un bar-restaurant ouvert à tous (voir plus haut « Où manger ? »).

CHÂTEAU-GOMBERT

Connu pour sa technopole, Château-Gombert est resté un charmant petit village qui défend farouchement son identité provençale comme l'illustre le fronton de l'ancien bureau de poste avec son buste de Frédéric Mistral, sa cigale et l'imparable devise « *lou souleù me fai canta* »... on traduit ? Sur la place des Héros, face à la fontaine glouglouante, une jolie petite église du XVIIᵉ s avec clocher-campanile, et bien sûr un musée étonnant, créé en 1928 par Jean-Baptiste Julien-Pignol, un félibre passionné, décidé à poursuivre l'œuvre de Mistral. Comme à l'époque on faisait aussi dans le social, le bâtiment de style Renaissance accueillit en même temps un hospice de vieillards et un dispensaire pour les nourrissons !
➤ *Pour y aller :* ⓜ *La Rose puis bus nᵒ 5 ou 5T, arrêt Palama-Château-Gombert.*

À voir

🎎 *Le musée du Terroir marseillais (Musée provençal) :* 5, pl. des Héros, 13013. ☎ 04-91-68-14-38. ● espace-pignol.com ● Mer-ven 10h-13h, 14h-17h ; w-e slt l'ap-m ; fermé j. fériés. Entrée : 6 € ; réduc ; gratuit moins de 7 ans. Visite guidée payante sur rdv.
Riches collections ethnographiques se répartissant dans plusieurs salles issues de la maison originelle de la famille Pignol ou de sa pittoresque extension néo-Renaissance. Cadre un rien suranné, particulièrement chaleureux et familial. Vêtements et costumes traditionnels, coiffes, faïence de Saint-Jean-du-Désert, une petite souillarde reconstituée. Également quelques jouets anciens (les *taraillettes* : terres cuites miniatures pour jouer à la dînette), broderies, maquettes de

COUP DE POMPE

Tradition provençale oblige, le 24 décembre, la messe de minuit est précédée du rituel « gros souper ». Un repas composé de sept plats évoquant les sept douleurs de la Vierge, et, plus réjouissant, les 13 desserts évoquant la Cène. Parmi eux, la pompe, une brioche plate à l'huile d'olive, symbole du pain partagé par le Christ. Elle se rompt aujourd'hui encore, en famille et même chez les plus laïques.

bateaux. Belle collection de tambourins provençaux et de santons, bien sûr. Des automates font revivre l'intimité d'une chambre bourgeoise et une scène du foyer familial à la veille de Noël. Ici, la reconstitution d'un cabanon, la « destination week-end » des Marseillais. Là, une salle agraire qui permet de découvrir les techniques agricoles perturbées par l'arrivée des eaux des canaux d'irrigation au XIXᵉ s. Collection d'art sacré dans la chapelle au fronton « piquée » à l'ancienne église de La Ciotat.

ALLAUCH

Allauch (prononcez « Allo »), c'est un peu Marseille-village. Sauf que ce village-ci a pris des accents « astérixiens », en résistant depuis des lustres aux sirènes de l'absorption par sa grande voisine. Et le résultat est admirable. Quelques virages suffisent à oublier l'urbanisme des banlieues de la deuxième ville de France pour trouver à Allauch des ruelles tortueuses et un véritable village-crèche, avec une tradition de confiseurs qui ravira les gourmands, et d'où l'on jouit de la plus admirable vue qui soit sur Marseille, la rade et les îles. Épatant si vous n'avez pas prévu de balade dans les villages typiques de l'arrière-pays provençal.

➤ *Pour y aller :* Ⓜ *La Rose puis bus n° 144, arrêt Allauch-Village.*

🅸 *Office de tourisme :* esplanade Frédéric-Mistral. ☎ 04-91-10-49-20. ● ot. *allauch@visitprovence.com* ● *tourisme.allauch.com* ● *Tlj 9h-12h30, 14h-18h en été (pause déj 30 mn plus tôt en hiver).* Accueil très pro et documentation complète sur toute la région.

Où manger ? Où boire un verre ? Où acheter des douceurs et prendre un thé ?

|●| 🍷 *Au Toqué du Vin :* 8, rue des Moulins. ☎ 04-91-68-74-09. *Tlj sf lun. Formule déj en sem 18,50 €. Ardoises de charcuterie ou fromage 13-19,50 €. Carte 30-40 €. Vins au verre 5-7,50 €.* Belle affaire si on vous dit que Julia (au piano), et Anthony (à la flûte... enfin, le sommelier quoi) ont fait leurs classes chez des étoilés. Vous êtes là pour boire un bon verre de vin, sélectionné et dont on vous parlera avec passion et science, accompagné d'une assiette d'excellentes charcuteries et non moins bons fromages. Ou encore vous régaler de plats et desserts classiques mais avec un grain de folie bien contrôlée (on est toqué ou pas !). La salle et la terrasse tropézienne se rincent l'œil avec une vue à couper le souffle sur le massif de l'Étoile, un bout de Marseille et une bribe de mer. Un professionnalisme qui ne se la raconte pas !

🍬 ⊛ *Le Moulin bleu :* 7, cours du 11-Novembre. ☎ 04-91-68-19-06. ● *au-moulin-bleu.com* ● *Tlj sf lun mat 8h30-12h30, 14h30-19h.* Une confiserie flanquée d'un petit salon de thé qui ne date pas d'hier. On y vend tout ce qui résonne comme autant de souvenirs d'enfance gourmands pour les Marseillais : les chiques, suce-miel, casse-dents et autres calissons, navettes, nougats. M. Eymery, tentateur devant l'Éternel, est fournisseur officiel des hosties du Vatican !

MARSEILLE

À voir

🎥🏃 *Le village* (hors plan détachable par G3) *:* l'office de tourisme propose un plan commenté très bien fait du village. Ne vous en privez pas, on vous met juste en appétit avec les meilleurs morceaux. Sur l'esplanade devant l'office de tourisme, cinq *moulins à vent* ont résisté au temps. Deux ont retrouvé leurs ailes prêtes à se donner aux caresses du mistral, dont un datant de 1729 et au mécanisme restauré *(visites possibles, rens à l'office de tourisme).* Au bout de l'esplanade, une *table d'orientation* agrémente le superbe panorama. On vous laisse ensuite vous perdre (pas trop quand même) dans les rues du village, en notant au passage l'église, chapeautée par un toit de tuiles vernissées multicolores (une tradition venue de Bourgogne qui a séduit quelques rares clochers en Provence), avant de visiter le *musée du Symbole et du Sacré.* Après quoi on recommande la grimpette jusqu'au sommet de la colline, aux restes très ruinés du château et à la chapelle de *Notre-Dame-du-Château* *(ouv dim mat slt).* Panorama exceptionnel ! Au passage, histoire de faire une pause à mi-hauteur, notez la *poterne* (jadis l'un des accès au château).

🏃 *Le musée d'Allauch* (musée du Symbole et du Sacré) *:* pl. du Docteur-Chevillon. ☎ 04-91-10-49-00. ● *musee@allauch.com* ● *musee.allauch.com* ● *Tlj sf lun et j. fériés 9h-12h, 14h-18h. GRATUIT.* Pas de panique, même les laïcs invétérés trouveront leur voie dans cet intéressant musée consacré à la religion catholique. Au gré d'une muséographie moderne, il présente des objets du culte de belle facture. Une façon pour qui n'a pas l'intention d'entrer dans les ordres, ni même de se faire enfant de chœur, de saisir la signification des couleurs de la chasuble du prêtre selon les événements célébrés, et de réviser en images son vocabulaire religieux : ostensoirs, encensoirs, ciboires, calices, candélabres, lanternes de procession et autres pales (ces fines étoffes brodées qui recouvrent le calice durant la messe). L'étage supérieur montre un joli vrac d'objets, de la préhistoire à nos jours, découverts dans le coin.

UN P'TIT BLANC ? OU UN GROS ROUGE ?

Le vin liturgique consommé lors de l'eucharistie symbolise le sang du Christ. Et pourtant, ce vin est traditionnellement du blanc. Car il est plus doux au palais de l'officiant pour les messes célébrées à jeun. Mais surtout pour ne pas souiller les tissus liturgiques, blancs (eux aussi !), coûteux, fragiles et finement ouvragés. Honni soit donc le rouge qui tache !

Fêtes et manifestations

– **Fête de l'Âne :** *1ᵉʳ w-e de déc.* Éleveurs d'ânes et de mules, métiers d'antan dont un incontournable maréchal-ferrant, promenades à dos d'âne...
– **Crèche de Noël :** *déc-janv.* À Marseille et ses environs, chaque église fait concours d'orgueil en espérant présenter une crèche plus belle que la paroisse voisine. Mais la plus réputée reste et demeure celle d'Allauch, à ne surtout pas rater si vous êtes dans la région à l'époque de Noël. On ne la trouve pas dans l'église, mais dans la salle dite du *Vieux Bassin,* ou dans l'ancienne usine électrique (se renseigner à l'office de tourisme).

LA TREILLE ET LE PAYS DE MARCEL PAGNOL

Une belle balade à faire à l'est, aux confins du 11ᵉ arrondissement de Marseille, autour de La Treille, charmant petit village perché où Marcel Pagnol (1895-1974) repose, et jusqu'aux limites d'Aubagne, où il est né. Pagnol qui a sorti le cinéma des studios pour l'exposer aux superbes lumières de Provence. Pagnol qui a rendu cet art parlant... avec l'accent de Marseille. Pagnol qui s'est mis à raconter tout haut des histoires faussement « provinciales » aux résonances quasi universelles. Pagnol qui est pourtant parfois mal vu ici : beaucoup ne lui pardonnent pas d'avoir donné d'eux une image de Marseillais hâbleurs, tricheurs, fainéants, plus portés sur la galéjade que sur le travail.
Et pourtant voyez-les, aux beaux jours, partir voir Marseille d'en haut, à travers la garrigue parfumée, sur les pas des personnages de Pagnol, pour découvrir des sites et des paysages que ses films ont rendus célèbres. Car dans le fond, les Marseillais l'aiment et le respectent leur académicien !
➤ **Pour y aller :** Ⓣ Les Caillols, puis bus nº 12 S, arrêt La-Treille.

Où dormir ? Où manger autour de La Treille ?

De prix moyens à plus chic

🏠 **La Bastide des Escourches :** 6, chemin des Escourches, 13011 Éoures. ☎ 06-09-84-39-83. ● bastide.des.

escourches@orange.fr ● bastidedesescourches.com ● À 300 m de l'église (direction Aubagne), prendre à droite le chemin de la Montadette (terminus du bus nº 12), puis tourner 300 m plus loin à droite, c'est 200 m après. Ouvtte l'année. Doubles 70-80 € et suites

100-130 € selon saison et taille. Table d'hôtes 25 €. 🛜 Pour ceux qui recherchent le calme et un peu de nature pas trop loin du centre-ville. Élégante bastide du XIXe s'offrant la jouissance d'un parc et d'une forêt de 13 ha. 5 chambres d'hôtes un rien rustiques, spacieuses et bien entretenues. 2 suites comportant chacune 2 chambres communicantes, salon et une vue soit côté vallon (salle de bains privée à l'étage inférieur), soit côté Garlaban. Piscine. Bon accueil.

🍽 *Les 3 Frères :* pl. Saint-Christophe, 13011 *Les Accates.* ☎ 09-50-33-12-09. 📱 06-24-45-05-07. ● *brasserieles3freres@gmail.com* ● 🏃 *Depuis La Valentine (à 3,5 km d'Éoures ou par la sortie n° 4 de l'A 50 en venant du centre de Marseille), prendre la direction des Accates ; c'est au centre du village. Tlj midi et soir. Résa ultra-conseillée. Formule déj en sem 12,90 € et menu 29,90 €.* Digestif maison offert sur présentation de ce guide. Au pied des pistes de randonnée, à l'ombre de la charmante église, l'impression d'être à mille lieues de Massalia. Sur la petite terrasse donnant sur la rue, ou dans une charmante petite salle au cadre sobre et élégant, vous allez vivre une heureuse expérience culinaire. Famille hyper accueillante, aux petits soins pour ses clients. Cuisine traditionnelle pleine de soleil à partir d'excellents produits locaux. Parmi les spécialités, sauté de veau aux olives, le crumble marseillais, etc. Mon tout servi généreusement dans une atmosphère conviviale. Addition raisonnable, un authentique moment de félicité !

🍽 🚃 *Le Cigalon :* 9, bd Louis-Pasteur, 13011 *La Treille.* ☎ 04-91-43-03-63. *Tlj sf dim soir, lun midi et mer ; ven-sam et dim midi slt hors saison. Résa conseillée. Menus 27-34 €.* On y vient pour sa belle terrasse au cœur du village offrant une vue bien reposante sur la région, mais aussi pour le cadre rustique et authentique d'une auberge ouverte depuis près d'un siècle. Pagnol y a d'ailleurs tourné. Agréable cheminée. À table, plats provençaux fort honnêtes. Vins un peu chers, cela dit. Accueil aimable.

🍽 *Le Relais de Passe-Temps :* vallon de Passe-Temps, La Treille, 13190 *Allauch.* ☎ 04-91-43-07-78. ● *lepas setemps@wanadoo.fr* ● 🏃 *À 1,5 km au nord de La Treille (panneaux). Tlj sf dim soir, lun-mar. Ouv le midi les j. fériés. Congés : de début janv à mi-mars. Formules déj 27-32 € en sem ; menu 40 €.* Dans un vallon isolé, cette auberge a quelque chose de bout du monde, plantée dans son coin de garrigue où l'on se sent bien. Belle salle rustico-chic. Et la cuisine provençale, fine et mijotée avec brio, ne donne pas envie de repartir de sitôt. D'ailleurs, les clients du resto ont libre accès au tennis, à la piscine et au terrain de boules ! Balade digestive conseillée aux alentours. Accueil jovial et attentif.

MARSEILLE

À voir. À faire à La Treille et dans les environs

🎭 *Le village :* au milieu de la garrigue, sur un flanc de colline miraculeusement préservée, La Treille est un adorable village provençal. Ici, impossible d'échapper au fantôme du célèbre cinéaste-écrivain ! Pagnol tourna plusieurs films dans les collines alentour : *Manon des sources, La Fille du puisatier, Regain, Cigalon* et *Angèle.* Installez-vous à la terrasse du *Cigalon,* café-restaurant qui servit de cadre au film de Marcel Pagnol du même nom et qui n'a guère changé depuis les années 1930, et profitez de ce panorama (presque) intemporel.

🎭 *La tombe de Marcel Pagnol :* l'écrivain-cinéaste repose dans le petit cimetière à droite de la route principale, en entrant dans le village quand on vient de Marseille. Pas de croix, juste une inscription latine extraite des *Bucoliques* de Virgile, dont Pagnol avait, dans sa jeunesse, livré une traduction : « Il avait aimé les sources, ses amis et la femme. » Ou « sa » femme... dans une version plus politiquement correcte, qui oublie ses nombreuses conquêtes... À ses côtés repose Estelle Pagnol, sa fille disparue très jeune.

⚞ La Bastide Neuve : située à un bon kilomètre au nord du village. On peut y monter à pied en suivant une route goudronnée et étroite. Dépasser le panneau du *Relais de Passe-Temps*. Juste après la buvette *Les Bartavelles* se trouve sur la gauche la *Bastide Neuve*. Citation de Pagnol sur l'un des murs. C'était la maison de vacances familiale. Tout autour poussent des oliviers à flanc de colline. Pour les fans de Pagnol, des circuits (fléchés) partent à travers les vallons, la garrigue parfumée de thym et de romarin à la recherche des souvenirs de son œuvre.

⚞👫 La Maison des cinématographies de la Méditerranée : château de La Buzine, *La Valentine*, 56, traverse de La Buzine, 13011. ☎ 04-91-45-27-60. ● labuzine.com ● Ⓜ *La Timone*, puis bus nᵒˢ 12, 12a ou 12s jusqu'à *La-Valentine-Centre-Commercial*, et enfin bus nᵒ 51, arrêt *Château-de-la-Buzine*. Tlj (sf lun oct-mai). Entrée (expo permanente) : 7,70 € ; réduc ; pass famille 22 €.

LE CHÂTEAU DE MA MÈRE

Marcel Pagnol acquit le château de La Buzine sans le visiter. C'est bien plus tard qu'il reconnut la propriété qu'il traversait clandestinement, dans son enfance, en guise de raccourci et qui inspira son fameux roman, Le Château de ma mère. *Pagnol venait d'acheter l'édifice mythique de sa jeunesse, sans le savoir.*

À l'origine, La Buzine est un souvenir d'enfance que Marcel Pagnol évoque dans son livre *Le Château de ma mère*. Le 21 juillet 1941, Pagnol acheta La Buzine pour réaliser son rêve de jeune garçon : en faire une cité du Cinéma, une sorte d'Hollywood en Provence. En 1942, le château fut réquisitionné et servit de maison de repos pour les marins allemands (Gestapo et espionnage y résidèrent). Après avoir été longtemps squattée, La Buzine devint inhabitable. En 1995, le château est racheté par la mairie de Marseille mais il faut attendre 2011 pour que la demeure soit classée Monument historique et rouvre ses portes au public.

Aujourd'hui, La Buzine est devenu un lieu culturel dédié au cinéma méditerranéen. Un parcours interactif dans « les entrailles du château » vous fait revivre comme si vous y étiez des scènes de films avec des acteurs célèbres, dans des lieux récurrents de l'univers du cinéma, tels qu'un café, une place, un cinéma, une maison. Également une belle salle de cinéma avec un orchestre et un balcon, comme autrefois, dans laquelle on découvre des projections de films du patrimoine et d'art et essai *(tarif ciné : 6,90 € ; réduc)*. Festivals, concerts, animations... ponctuent en outre l'année. Le grand salon de réception, véritable galerie d'art, accueille quant à lui des expos sur l'art contemporain. Un autre étage vous plonge dans la vie de Marcel Pagnol avec son lot de photos, de correspondance... Une bibliothèque, une vidéothèque et une boutique (on s'en doutait !) complètent le lieu.

⚞⚞⚞ Les circuits Pagnol : rens à l'office de tourisme d'Aubagne. ☎ 04-42-03-49-98. ● tourisme-paysdaubagne.fr ● L'office de tourisme d'Aubagne a mis en place plusieurs itinéraires pour découvrir, entre Aubagne, le Garlaban et La Treille, tous les lieux qui ont fourni matière à l'œuvre de Pagnol et ceux dont il a fait ses décors de tournage : le puits de Raimu, le mas de Massacan, la ferme d'Angèle, La Treille, ou encore l'épicerie du *Schpountz* à Éoures (qui existe toujours, fort justement renommée *Aux Tropiques...* il faut (re)voir le film pour comprendre !).

MARSEILLE CÔTÉ PLAGES

Chaussez le maillot de bain : de l'Estaque (au nord) aux calanques (au sud), Marseille déroule près de 57 km de littoral et une bonne cinquantaine de spots de baignade.

DU STADE VÉLODROME À LA CAMPAGNE PASTRÉ

Le stade Vélodrome *(plan Marseille – Les plages, K8) :* bd Michelet, 13008. Rond-Point-du-Prado. *Rens auprès de l'office de tourisme pour les visites.* ☎ 0826-500-500 *(0,15 €/mn depuis un poste fixe).* Mythique. Le stade a été rénové pour la Coupe du monde 1998 et peut, grâce à ses tribunes en forme d'oreilles de Mickey, accueillir 60 000 personnes (c'est le deuxième plus grand stade de France). Pour accueillir l'Euro 2016, il a été à nouveau agrandi de 7 000 places. Un beau cadeau pour l'Olympique de Marseille, qui a fêté son centenaire en 1999. On a tout écrit ou presque sur l'OM, sur ses affaires ou sur ses aspects sociologiques. Pour se remémorer les exploits du club au cours du XXe s, ceux que le ballon rond démange feront un pèlerinage au *musée de l'OM* (sous le virage sud), avec en prime la possibilité d'acheter gadgets et souvenirs à la boutique officielle. Mais c'est surtout à l'occasion d'un match qu'il faut s'imprégner de l'ambiance des grands soirs.

La Cité radieuse de Le Corbusier *(plan Marseille – Les plages, K9) :* 280, bd Michelet, 13008 *(prolongement de l'av. du Prado).* Rond-Point-du-Prado, puis bus n° 21 ou 22, arrêt Le-Corbusier. *Résa obligatoire à l'office de tourisme ou sur • resa marseille.com • Visite guidée (2h) :* 10 €/pers.

LE NOMBRE D'OR DU XXe S

Le Corbusier réinterpréta le fameux nombre d'or utilisé depuis l'Antiquité grecque. Il modélisa un homme type, le modulor, de 1,83 m pour dimensionner toutes ses unités de vie : la hauteur des plafonds (2,26 m) est celle de ce modulor qui lève le bras, l'évier (86 cm) est juste à hauteur de main, le comptoir du bar (1,13 m) entre cuisine et salle de vie est celle du modulor accoudé... Ça ne marche pas avec les Pygmées !

Visite passionnante de l'une des œuvres les plus célèbres de l'architecte Le Corbusier, classée Monument historique. Lors de sa construction, en 1952, la Cité radieuse fut surnommée ironiquement « la maison du fada » par des Marseillais dubitatifs face à ce bâtiment juché sur ses pilotis. Une « unité d'habitation » par laquelle « Corbusier » prétendait répondre au problème du logement collectif tout en anticipant celui des transports.

Ce diable d'homme foisonnait d'idées sur la société (certaines paraissent aujourd'hui un brin machos... femme au foyer, famille modèle avec deux enfants...), sur l'architecture (des plafonds bas, à dimension humaine, des pièces qui anticipent l'usage qu'en feront leurs occupants : cuisine avec tout « sous la main », chambre des parents avec meuble à langer, celle des enfants avec espace hygiène, espace repos, espace jeux et espace étude), sur la technique (des pilotis utilisés pour évacuer les eaux usées, mais aussi tous les déchets, des systèmes de ventilation intégrés...). Le Corbusier s'inspire de la vie monacale des chartreux, à la fois reclus (les appartements sont parfaitement isolés les uns des autres) et communautaires (tous les services et activités dont l'homme « moderne » pouvait avoir besoin pour s'épanouir socialement sont accessibles au sein même de l'immeuble : commerces, école, équipements sociaux et sportifs, et même un hôtel pour recevoir les amis de passage ; voir « Où dormir ? »).

Les appartements ne sont pas très hauts de plafond, mais la plupart sont en duplex et disposent d'une double exposition vers la mer et vers les collines (ce qui explique cet aspect non aligné du bâtiment par rapport au boulevard). Des matériaux nobles ont été utilisés (escalier en chêne massif...). On y trouve aussi des gadgets inédits pour l'époque, comme le tapis à ordure ou les boîtes de livraison et les glacières, de grosses boîtes dans les couloirs où étaient livrées des provisions et de la glace tous les matins. Voir aussi les douches et les cuisines, révolutionnaires à l'époque. Au 8e étage, une petite école maternelle pour les enfants du quartier. Au 9e, sur le toit, on trouve une minipiscine autour de laquelle,

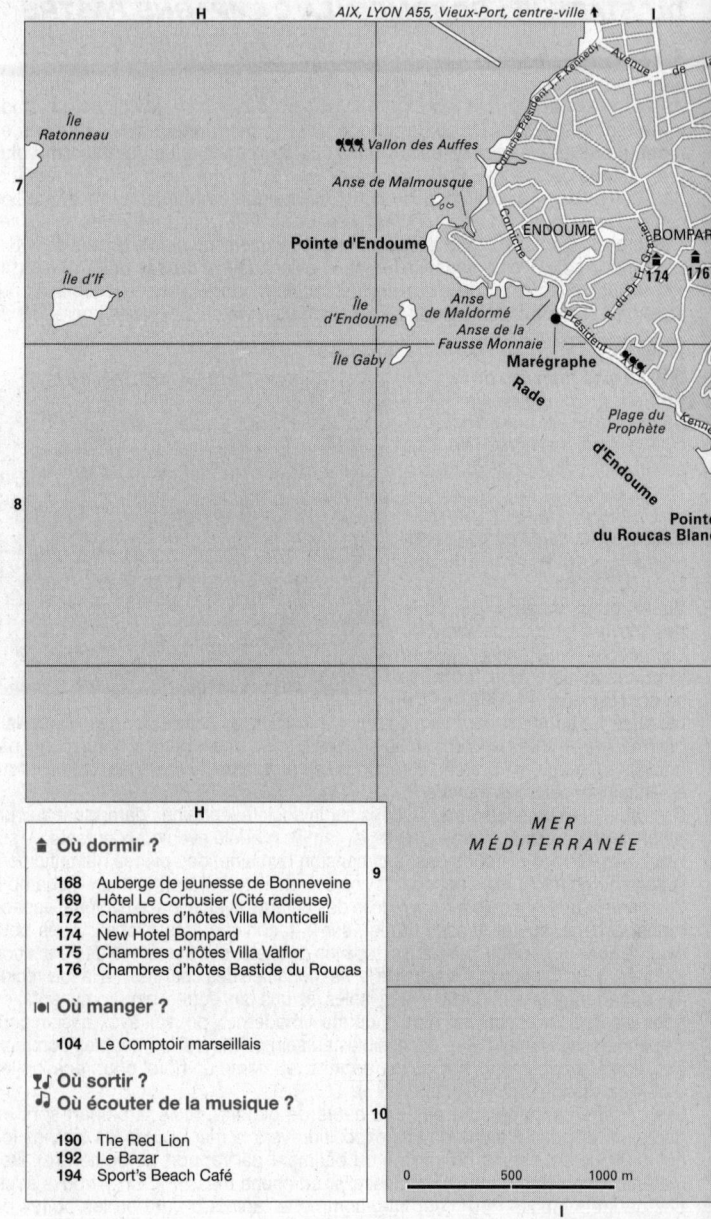

MARSEILLE

AIX, LYON A55, Vieux-Port, centre-ville ↑

Île Ratonneau

Vallon des Auffes

Anse de Malmousque

Pointe d'Endoume

ENDOUME

BOMPAR

174   176

Île d'If

Île d'Endoume

Île Gaby

Anse de Maldormé
Anse de la Fausse Monnaie

Marégraphe

Rade

Plage du Prophète

d'Endoume

Pointe du Roucas Blanc

MER MÉDITERRANÉE

⌂ Où dormir ?

168 Auberge de jeunesse de Bonneveine
169 Hôtel Le Corbusier (Cité radieuse)
172 Chambres d'hôtes Villa Monticelli
174 New Hotel Bompard
175 Chambres d'hôtes Villa Valflor
176 Chambres d'hôtes Bastide du Roucas

|●| Où manger ?

104 Le Comptoir marseillais

⫩♪ Où sortir ?
♫ Où écouter de la musique ?

190 The Red Lion
192 Le Bazar
194 Sport's Beach Café

0   500   1000 m

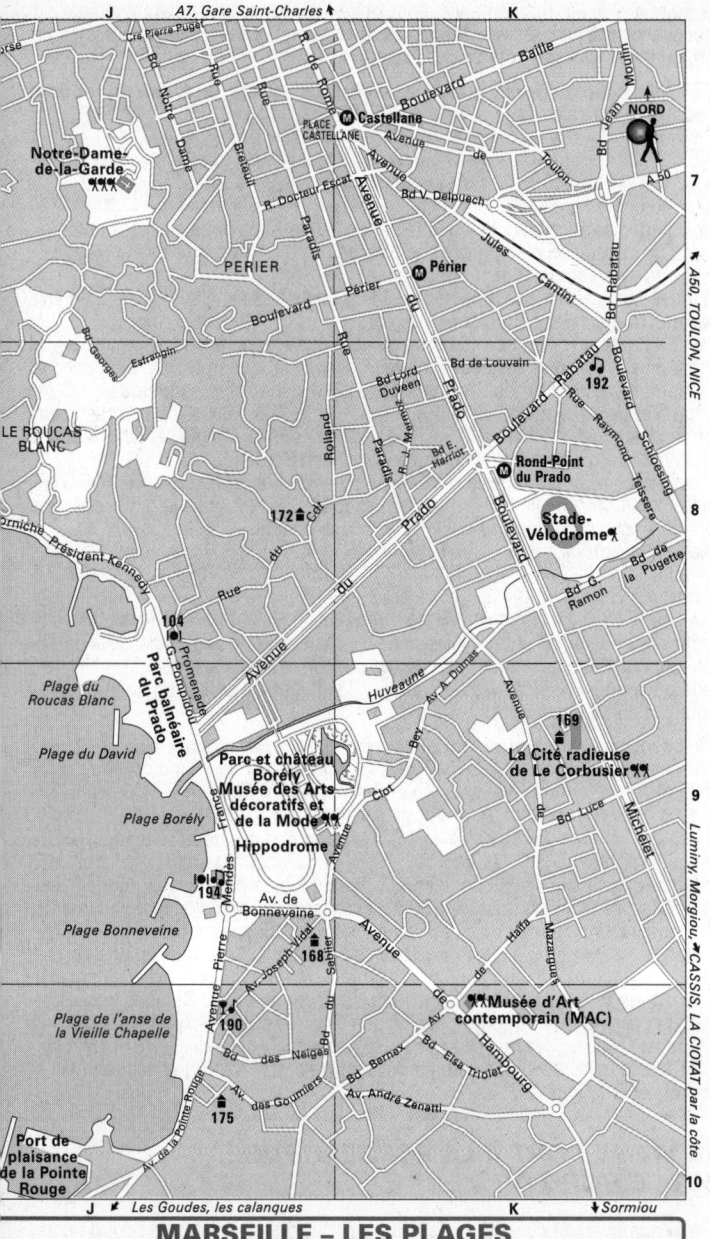

MARSEILLE – LES PLAGES

les soirs d'été, les habitants viennent boire l'apéro, et un ancien gymnase qui accueille depuis juin 2013 le *MAMO,* dédié au design et à l'art contemporain, sous la baguette du designer marseillais Ora-Itö (● mamo.fr ● ; entrée : 5 €).

🏃🏃‍♂️🚶‍♀️ *Le château Borély – Musée des Arts décoratifs, de la Faïence et de la Mode* (plan Marseille – Les plages, J-K9) : 134, av. Clot-Bey, 13008. ☎ 04-91-55-33-60. Ⓜ Rond-Point-du-Prado puis bus n° 44, arrêt Clot-Bey-Paul. ♿ Tlj sf lun 10h-18h ; fermé j. fériés. Entrée : 5 € ; réduc ; gratuit moins de 18 ans et le 1er dim du mois. Billet combiné musée + jardin botanique : 6 € ; réduc.

Ce beau château, planté dans un immense parc, fut construit entre 1760 et 1770 par le négociant-armateur Louis Borély. Il constitue, sans doute, le meilleur témoignage de la tradition méridionale des bastides, avec sa façade sobre et classique tandis que le décor intérieur frappe par sa richesse.

Le musée qu'il abrite désormais est dédié à l'*art de vivre,* à la *mode* et aux *arts décoratifs,* faïence, céramiques de Marseille et de Moustiers, mobilier, objets d'art. Le fonds du département mode comprend de nombreuses pièces issues de prestigieuses maisons de haute couture : Chanel, Alaïa, Lacroix... On peut admirer sur deux niveaux du mobilier, des objets d'art décoratifs, céramiques... C'est l'occasion de se rappeler qu'au XVIIIe s, Marseille était l'un des plus prestigieux centres faïenciers de France. À voir aussi, des pièces de Picasso et des créations de Starck, Garouste et Bonetti, sans oublier René Ben Lisa.

☞ Le pavillon Est héberge le *Café Borély,* un resto-salon de thé (☎ 04-91-22-46-87, mêmes horaires que le musée), proposant des brunchs le dimanche, une librairie ainsi qu'un atelier de pratique artistique pour les enfants.

– *Le jardin botanique :* ☎ 04-91-55-24-96. Tlj sf lun 10h-18h (coupure déj 12h-13h en sem ; 13h-14h le w-e). Congés : 20-31 déc. Entrée : 3 € ; visite guidée 3 € en sus ; réduc.

– *Le parc :* Ⓜ Rond-Point-du-Prado puis bus n° 83, arrêt Parc-Borély. Ouv tte l'année, 6h-21h. GRATUIT. En juillet, il devient le rendez-vous mondial de la pétanque, pour un concours placé sous l'égide du journal La Marseillaise. Belle piste pour rollers et vélos, manèges, location de rosalies, de voitures électriques et de barques.

🏃🏃 *Le musée d'Art contemporain* (*MAC* ; plan Marseille – Les plages, K10) : 69, av. de Haïfa, 13008. ☎ 04-91-25-01-07. Ⓜ Rond-Point-du-Prado puis bus n° 23 ou 45, arrêt Hambourg-Haïfa. ♿ Tlj sf lun et j. fériés 10h-18h. Entrée : 5 € (8 € pour les expos temporaires) ; réduc ; gratuit moins de 18 ans et le 1er dim du mois. Visites publiques accompagnées : 4 €. Dans un cadre aéré et lumineux, expositions temporaires (artistes internationaux) et collection permanente dont celle consacrée aux installations de Jean-Luc Parant (oh, la belle Jaguar rouge !). Les œuvres issues du fonds du musée (600 pièces) sont exposées de façon tournante, comme les compressions du local César, quelques reconnaissables silhouettes de Niki de Saint Phalle, quelques fameux bleus du Niçois Yves Klein ou une contre-basse déstructurée de son concitoyen Arman, des nouveaux réalistes (Tinguely), et quelques fortes individualités comme Rauschenberg ou Richard Baquié en passant par des œuvres du groupe Support-Surface ou de l'Arte Povera. Films et vidéos au *Cinémac.* Ne manquez pas le gigantesque *Pouce* de César sur le rond-point tout proche, ni les sculptures du petit parc derrière, signées Jean-Michel Alberola et Erik Dietman.

DU VIEUX-PORT À LA POINTE-ROUGE, PAR LE BORD DE MER

Outre l'agréable découverte des quelques perles qui ponctuent ce bout de côte, notre petit doigt nous dit que vous trouverez un tas de raisons objectives d'y piquer une tête dans la mer. Pour rassurer les plus inquiets, les plages sont surveillées de juin à début septembre : Les Catalans, Le Prophète, Le Prado, Borély,

La Vieille-Chapelle et La Pointe-Rouge. Elles sont vraiment aux portes de la ville. Et on y accède à pied ou en bus, si facilement ! Sous les pavés, la plage !

La corniche Kennedy

➤ *Accès :* *bus n° 83 depuis le Vieux-Port, sur les 5 km de la corniche Kennedy jusqu'aux plages du Prado.*

🎭🎭🎭 *La corniche Kennedy* *(plan détachable A5-6) :* la corniche (rares sont les Marseillais qui la complète du nom de feu JFK) est dotée du plus long banc du monde (homologué par le *Guinness Book*). Été comme hiver, elle offre l'un des plus beaux paysages maritime qui soient (et on est dans la deuxième ville de France !) : la rade de Marseille et ses îles. C'est aussi l'itinéraire préféré des joggers marseillais, sauf les jours de tempête, et encore.

🎭 *La plage des Catalans* *(plan détachable A5) :* son nom vient des pêcheurs catalans qui étaient autrefois rejetés par ceux du Vieux-Port. À quelques centaines de mètres seulement du palais du Pharo, cette toute petite plage est la plus proche du centre-ville. Idéale avec des enfants, elle est donc souvent bondée l'été. Son petit côté années 1960 n'est pas déplaisant. On y trouve le plus ancien club de volley-ball de France.

🎭🎭🎭 *Le vallon des Auffes* *(plan Marseille – Les plages, I7) :* situé juste en contre-bas du *monument aux morts d'Orient,* c'est l'un des lieux magiques dont Marseille a le secret. Vous allez craquer à votre tour pour ce petit port de pêche de carte postale avec un viaduc en fond de décor. Laissez la corniche tout là-haut et descendez vers ce lieu hors du temps qui a gardé ses maisons de pêcheurs, ses *pointus* (bateaux de pêche). Tout ça vous rappellera Fernandel dans *Honoré de Marseille.*

🎭 *Malmousque* *(plan Marseille – Les plages, I7) :* une crique de galets et de rochers, secrète, planquée au pied du quartier-village d'*Endoume,* avec son lacis de ruelles, d'escaliers et de jardins suspendus.

🎭 *La plage du Prophète* *(plan Marseille – Les plages, I8) :* blottie sous la corniche, une plage de sable blanc, entourée de rochers et du même genre que la plage des Catalans. Consignes et petit restaurant.

🎭🎭 *Les villas de la corniche :* la corniche appartient ensuite aux somptueuses villas du XIXe s. Le *château Berger* (centre de thalassothérapie), qui se croit dans la Loire, la *villa Valmer* et son agréable parc public, le *castel Alléluia* et sa tour médiévale en miniature, la *villa Gaby,* où séjourna le général Aoun après sa fuite du Liban, et enfin le *château Talabot,* qui domine superbement le site (éclatant contraste entre son toit vert-de-gris et la brique de ses murs). Derrière cette partie de la corniche s'étend le très, très chic quartier du *Roucas-Blanc.* En

MARSEILLE, VILLE DE RÉFÉRENCE

C'est dans le bâtiment du marégraphe installé à Endoume en 1884 qu'a été fixé, après plusieurs années d'étude du niveau des marées, le point de référence des altitudes pour toute la France. L'appareil d'époque fonctionne toujours, même s'il est désormais secondé par une palanquée d'appareils numériques. Attenant à l'anse de la Fausse-Monnaie : on espère qu'il indique un vrai niveau !

continuant, avant de redescendre vers les plages du Prado, l'immense sculpture de César en bronze (haute de 9 m), en forme de pale de bateau, fut érigée en 1970 comme *mémorial aux rapatriés d'Algérie* : 8 ans avant, le maire socialiste, Gaston Deferre, déclarait d'eux « Qu'ils aillent se réadapter ailleurs »... Ambiance !

Des plages du Prado à la Pointe-Rouge

➤ **Accès :** Ⓜ *Rond-point du Prado, puis bus nº 19 pour rejoindre les plages. Navette maritime Vieux-Port/Pointe-Rouge, avr-sept, 8h-19h (22h fin juin-fin août), traversée : 5 €.*

➤ **Les plages du Prado** *(plan Marseille – Les plages, J8-9) :* promenade Georges-Pompidou. Au débouché de l'avenue du Prado, vous ne raterez pas la statue de David, fidèle reproduction de l'œuvre de Michel-Ange à Florence (une tradition voulait que les étudiants en médecine l'affublent d'un maillot, d'un slip ou lui badigeonnent le sexe lors du bizutage...). Et là s'étend la **plage Gaston-Defferre,** 45 ha de pelouses pour les footballeurs du dimanche et les amateurs de cerfs-volants. Cinq plages de sable et de petits galets aménagées dans les années 1980 avec les déblais des travaux du métro. Ambiance tranquille le matin, plus bruyante l'après-midi. Située le long de l'avenue Mendès-France, la **plage Borély** (ou Escale Borély) est une plage de sable aménagée avec transats, parasols et matelas (à louer). Endroit peut-être plus chic, avec restos et bars branchés. La **plage de l'Huveaune** (près du champ de courses) est ouverte aux surfeurs et aux baigneurs. Puis, la **plage Bonneveine** aligne pas mal de véliplanchistes. Elle dispose d'une zone de jeux.

➤ Plus loin, la **plage de la Vieille-Chapelle** *(plan Marseille – Les plages, J9-10) :* est équipée d'un skate-park, le plus beau de France selon les amateurs. Les jours de compétition, on se croirait en Californie.

➤ **La plage de la Pointe-Rouge** *(plan Marseille – Les plages, J10) :* devant le port de la Pointe-Rouge, plage de sable qui existait avant les aménagements des plages du Prado et restée familiale et populaire. Très recherchée par les débutants en planche à voile. Après le port de la Pointe-Rouge, le **Bain des Dames** et le **Fortin,** deux minuscules plages de galets, avec de bien typiques cabanons... anciens hangars à bateau.

➤ En suivant le bord de la côte jusqu'à la Madrague de Montredon, vous découvrirez quelques petites plages nichées dans des anses comme celle de **Bonne Brise** ou des **Phocéens.** Par-delà débutent les calanques, mais c'est déjà une autre histoire : voir plus loin...

LES ÎLES AU LARGE DE MARSEILLE

> « Le départ de Marseille, les îles blanches et nues, Pomègues, Ratonneau, les grandes silhouettes frontonnantes de Marseille-Veyre, jusqu'à l'éperon détaché de Maïre, le graduel recul de la grande ville, sèche et pâle, les montagnes du fond ressortant peu à peu, tout ce paysage où Notre-Dame-de-la-Garde met un point d'or, m'est resté comme l'un des plus beaux souvenirs de tout le voyage qui me menait jusqu'en Extrême-Asie. »

> **André Chevrillon, 1928.**

➤ **Pour y aller :** compagnie **Frioul If Express,** 1, quai de la Fraternité, 13001 Marseille. ☎ 04-96-11-03-50. ● frioul-if-express.com ● Tlj ; 1er départ à 9h50, dernier retour à 18h15 (17h25 hors saison). Billet A/R : 10,50 €. Billet combiné avec les îles du Frioul : 15,60 € (transport slt). Env 15 départs/j. (10 slt pour le château d'If). Pour le château d'If slt, également la compagnie **Croisières Marseille Calanques,** 1, La Canebière, 13001 Marseille. ☎ 04-91-33-36-79. ● croisieres-marseille-calanques.com ● Billet + accès : 15,50 €.

🎣 **Le château d'If :** ☎ 06-03-06-25-26. ● resa-if@monuments-nationaux.fr ● monuments-nationaux.fr ● Tlj (sf lun de mi-sept à mars) 10h-18h (17h de mi-sept à *mi-mai). Fermé 1er janv et 25 déc. Accès : 5,50 € ; réduc ; gratuit moins de 18 ans venant en famille et pour les 18-25 ans.*

L'île d'If est la plus petite de l'archipel : 300 m de long sur 180 m de large (3 ha). C'est son château qui l'a rendue célèbre. Il fut édifié sur ordre de François Ier. Celui-ci fit une première visite sur l'île en 1516, afin d'y admirer un rhinocéros offert par un maharadjah des Indes au roi du Portugal, lequel l'offrit au pape. Ayant noté l'importance stratégique du site, le roi ordonna sa fortification dès 1524. Devenu prison d'État en 1634, on y enferma des princes, des protestants, des gentils-hommes turbulents (Mirabeau y fut incarcéré 6 mois sur ordre de son père), des insurgés de 1848 et des communards de 1871. Contrairement à la légende, le Masque de Fer et le marquis de Sade n'y ont jamais été emprisonnés. Mais l'ima-ginaire s'empara du lieu avec Alexandre Dumas, qui y enferma Edmond Dantès, le héros de son roman *Le Comte de Monte-Cristo.* La réalité a rejoint la fiction : sa supposée cellule se visite aujourd'hui !

🍴🍽 *Marseille en Face : au pied du château. Jours et heures d'ouverture du château. Formule 19 €, menu 24 €, plats 13,50-17 €.* Vous rêviez du château d'If lorsque votre regard courait sur la mer ? Eh bien vous y voilà, dans l'ancien logis du gouverneur, face à Marseille, à siroter une boisson ou à grignoter un petit plat, tout en savourant le panorama.

🌳🌳 *Les îles du Frioul (îles de Pomègues et Ratonneau) :* reliées entre elles par une digue depuis le début du XIXe s, ces îles sont devenues un quartier « mari-time » de Marseille, suite à la construction, dans les années 1970, d'un projet immobilier discutable et, d'ailleurs, jamais mené à terme. Le roi François Ier y chassa, paraît-il. Mais les forêts d'alors ont laissé place à la roche quasi nue et quelques arbustes anamorphosés par le vent. Relativement plates, elles sont par-faites pour aller passer la journée, pique-nique en poche, dans de petites criques secrètes aux eaux limpides, quasiment désertes, et d'où l'on découvre une vue panoramique sur tout Marseille.

Sur l'*île Ratonneau,* on peut voir les ruines de l'hôpital Caroline, destiné à l'isolement des malades contagieux (fièvre jaune), cons-truit en plein vent pour l'évacuation des miasmes. On peut visiter le chantier de l'ancien hôpital pendant les Journées du patri-moine et le Festival Mimi.

L'*île de Pomègues* servait aussi de port de quarantaine.

> ## PROTÉGÉS PAR LES MORTS ?
>
> *Sur l'île Ratonneau, pendant la der-nière guerre, l'armée allemande bâtit d'énormes blockhaus. Pour se proté-ger des attaques aériennes, les soldats construisirent un faux cimetière en éri-geant de gigantesques croix. Elles sont toujours visibles aujourd'hui.*

Les îles accueillent tous les ans début juillet, le temps d'un week-end, le *Festival Mimi,* dédié aux musiques contemporaines.

Plongée sous-marine au large de Marseille

Il est bien loin le temps où le proprio du *Vieux Plongeur* – magasin de plongée incontournable à Marseille – vendait ses « masques-bulle » et « nageoires de caoutchouc » aux premiers aventuriers du monde sous-marin... Car, avant même de savoir shooter dans un ballon, Marseille était une plongeuse émérite. Ses pre-mières bulles remontent aux années 1930. Depuis ces temps héroïques, Marseille la Bleue s'impose comme la grande mecque de la plongée sous-marine française. On y trouve, entre autres, le siège de la Fédération française d'études et de sports sous-marins (FFESSM), la fameuse Comex et encore le Centre océanologique de Marseille (COM). Marseille est une étape incontournable dans la vie d'un plongeur. De tombants colorés en épaves luxuriantes, ses eaux cristallines livrent richesses et curiosités fabuleuses. Côté météo, les plus belles plongées sont accessibles par mistral ; mais le choix sera limité si le vent d'est se met à souffler.

Clubs de plongée

Pour obtenir des informations sur la plongée à Marseille (les clubs, ce qu'il faut savoir, l'achat de matériel, etc.), consulter le site ● plongeemarseille.fr ●

■ *Les Plaisirs de la mer :* 1, quai Marcel-Pagnol, 13007. ☎ 04-91-33-03-29. ● mcmplongee.fr ● Bus n° 82 ou 83, arrêt Fort-Saint-Nicolas. En contrebas du fort Saint-Nicolas, sous la balise verte marquant l'entrée du Vieux-Port. Tlj en été ; w-e hors saison. Résa obligatoire. Baptême 49 € ; plongée 26-48 € selon équipement ; forfait dégressif à partir de 6 plongées. Depuis le Vieux-Port, sur un chalutier et 2 vedettes de transport de passagers, baptêmes, formations jusqu'au niveau III et encadrement sur les meilleurs spots du coin. Pour sortir des plongées classiques, demandez-leur donc (ils sont sympas) de vous emmener sur un petit tombant de derrière les fagots : c'est leur grande passion !

Initiation enfants à partir de 8 ans.
■ *Atoll Club :* 31, traverse Prat, 13008. ☎ 04-91-72-18-14. ● atollplongee.com ● Bus n° 19, arrêt Pointe-Rouge. Tte l'année, tlj. Résa obligatoire. Baptême 60 € (!) ; plongées 35-60 € selon équipement et technicité. Plongée à la carte et en petit comité sur les 4 embarcations rapides de cette école (FFESSM, ANMP, PADI) où les moniteurs brevetés d'État proposent baptêmes sur mesure, formations jusqu'au niveau IV et brevets PADI, ainsi que des explorations dont vous garderez le plus vif souvenir. Initiation enfants dès 8 ans. Équipements complets fournis. Hébergement possible en chambres de 2 à 4 personnes et restauration sur place.

Nos meilleurs spots

Autour de l'île de Riou

🐟 **Les Impériaux** (niveau I min ; 15-60 m) : la plongée phare de la côte marseillaise. Vie sous-marine luxuriante et très sauvage sur ces trois « cailloux » magnifiquement découpés au sud-est de l'île de Riou. L'Impérial du large, ouvert sur la pleine mer, offre parfois d'impressionnantes rencontres avec les grands pélagiques (sérioles, thons...).

🐟 **La grotte à corail** (tous niveaux) : sur la face sud de l'île Maïre, une balade fabuleuse au pays de « l'or rouge », comme l'appellent les vieux scaphandriers marseillais. Par seulement 15 m de fond, vous déclencherez un incendie sans précédent en braquant votre lampe torche sur les parois de cette arche recouverte de corail rouge. Surtout, ne touchez à rien et faites attention à l'amplitude de votre palmage.

🐟 **Le Liban et les Farillons** (niveau II min ; 24-37 m) : au sud-est de l'île Maïre, cette plongée surréaliste débute par l'exploration du *Liban*, sombré en 1903. Pour son ultime croisière fantôme, le paquebot – brisé en deux – a revêtu un somptueux manteau de gorgones rouge et jaune (n'oubliez pas votre lampe torche !), où se pelotonnent les nouveaux passagers de la *first class* : congres pépères, murènes craintives et langoustes curieuses. Les classiques castagnoles accompagnent cette visite généreuse en curiosités (hélice de bronze, proue majestueuse...). Puis vous remonterez tranquillement le long du proche tombant des Farillons, où trois arches poissonneuses et colorées – véritables cathédrales – garnies de corail rouge et d'anémones encroûtantes achèveront de vous émerveiller... Évitez toute incursion dans l'épave. Site exposé.

🐟 **Les Moyades** (niveau II min ; 20-40 m) : à la pointe ouest de Riou, la plongée bénie des photographes ! Vous dévalez un superbe tombant où les gorgones éclatantes dissimulent de nombreuses langoustes (repérez leurs antennes !). Les rascasses, cigales de mer et congres placides ont trouvé refuge dans les failles (n'oubliez pas votre lampe torche, là encore !), survolées par des nuages de castagnoles et de mendoles (rayures bleues). En zone de « non-prélèvement », du parc national des Calanques, vous apercevrez sûrement des barracudas disputer le terrain aux mérous.

⚓ *La pointe Caramassaigne* *(niveau II min) :* à l'est de Riou, la plongée marseillaise par excellence. Incendie de couleurs sur ce tombant (60 m maxi) littéralement recouvert de gorgones rouges, d'anémones jaunes et d'éponges rose et orange éclatantes. Dans ce grand « jardin à la marseillaise », vous croiserez loups, sars, dentis, ainsi que des mérous très attachants. De beaux congres dans les éboulis. Courant souvent violent. « À deux brassées de palmes », le tombant du *Grand Conglué* (60 m) offre des beautés sous-marines qui n'ont – bien heureusement – rien de fatal ! Cousteau y a fouillé plusieurs épaves antiques dans les années 1950...

Autour de l'île de Planier

⚓ Au large de la cité phocéenne, un haut lieu de la plongée méditerranéenne réputé pour ses épaves. Le cargo *Chaouen* (de 8 à 36 m ; niveau I confirmé) coulé en 1970 révèle sa silhouette enchantée aux plongeurs néophytes. Équipage charmant et paisible (congres, rascasses...) camouflé parmi les gorgones du *Dalton* (niveau II ; de 15 à 32 m), un autre cargo sombré en 1928 et qui devint la vedette du film *Épaves,* tourné par Cousteau dans les années 1950. Par 45 m de fond, les plongeurs – aguerris – surprendront un poisson-lune et survoleront murènes, congres et homards qui se partagent le cockpit du *Messerschmitt 109* (niveau III confirmé), avion allemand de la Seconde Guerre mondiale. Les eaux cristallines de l'île offrent également d'éblouissants tombants peuplés de poulpes, loups, dentis, daurades, castagnoles, et même quelques liches.

Au nord de la rade

⚓ *Le Saint-Dominique* *(niveau II) :* plongée « coup de cœur » sur ce voilier de trois mâts coulé en 1897 par 33 m de fond devant le port autonome de Marseille. Son immense coque métallique – intacte droite et dénudée – affiche encore toute l'élégance de la marine à voile (sans les mâts !). Coup d'œil spectaculaire à la proue, où des nuées de castagnoles se livrent à de vastes mouvements « gymnasticatoires » sous l'œil perçant du nouvel équipage : congres, murènes et rascasses, tapis dans les cales vides. Attention aux filets.

La Drôme

⚓ *La Drôme* *(niveau III confirmé) :* épave mythique d'un transporteur de munitions reposant depuis 1918 au beau milieu de la rade de Marseille. Par 51 m de fond, le navire – coupé en deux – livre une très jolie silhouette et des locataires de taille (congres, langoustes...). Surprenante pièce d'artillerie sur l'arrière. Éviter toute incursion à l'intérieur. Pour votre sécurité, cette plongée délicate ne doit pas excéder 15 mn.

L'ESTAQUE ET LES « QUARTIERS NORD »

Partir à la découverte de l'Estaque s'impose si vous voulez sortir de l'hyper-centre-ville et vous offrir un bol d'air marin. Au passage, les « quartiers nord » alternent grandes tours, barres d'immeubles, friches industrielles très glamour avec de petites impasses secrètes, pompeusement baptisées « boulevard » ou « avenue », où il fait bon vivre au rythme d'un Marseille un peu intemporel.

L'ESTAQUE

À une dizaine de kilomètres au nord-ouest du Vieux-Port, l'Estaque est un quartier de Marseille resté des plus authentique. Au nord, certes, mais pas l'un des « quartiers nord » du parler marseillais ! De la route, on ne devine pas vraiment que ce village, outre son port intime, abrite un charmant lacis de ruelles et de demeures à tuiles rouges dégringolant de la colline... Il faut s'y plonger pour saisir ce qui fascina Cézanne, Braque, Dufy et tant d'autres.

> ### AMOUR SECRET
>
> *Cézanne vécut avec l'un de ses modèles, Hortense Fiquet, dont il eut un fils. Il cacha longtemps cette naissance hors mariage, craignant que son banquier de père, à cheval sur les conventions, ne vînt à lui serrer les cordons de la bourse !*

Un peu d'histoire

La vocation maritime de l'Estaque est certainement liée à sa situation privilégiée, celle d'être abritée du mistral, comme le Vieux-Port. C'était donc un idéal « point d'attache du bateau » (*l'Estaco* en provençal). Au cours des siècles, le port de pêche se développa en se spécialisant dans la sardine. Quant aux pentes de Saint-Henri, il y poussait des vignes donnant un fameux vin du temps des Grecs et des Romains. L'Estaque connut donc la noria des galères venues charger les amphores de ce précieux nectar. *O tempora, o mores*, au XIXe s, les vignes allèrent se faire vendanger ailleurs lorsqu'on découvrit que l'argile du sous-sol était une source de richesse bien supérieure.

Les tuiles

Ici, on était pêcheur ou tuilier, l'argile de Saint-Henri se prêtant parfaitement à la fabrication des tuiles (dûment estampillées d'une abeille ou d'une étoile). Un incessant balai de tartanes les amenaient au port de la Joliette d'où elles partaient coloniser les toits un peu partout en France et dans le monde, les cargos les transportant en « fret de retour ». C'est ainsi que les maisons des colons du Delta, de Saigon ou de Hanoi, en Indochine, prirent un air si méditerranéen... Toutes les petites tuileries disparurent dans les années 1930-1940. Aujourd'hui, il n'en reste qu'une, très moderne, à Saint-André.

Un quartier populaire sans chichis

Les fameuses joutes de l'Estaque (d'avril à septembre), la Fête de l'Estaque (le 1er week-end de septembre) où l'on honore saint Pierre-ès-Liens, patron des pêcheurs, et le pèlerinage de la Galline (le 2e dimanche de septembre) restent des grands moments de l'année. Et pendant longtemps, le dimanche vit arriver les flots de citadins venus manger du bon poisson frais, se détendre et faire la fête. Aujourd'hui encore, l'Estaque a su conserver une âme forte et un caractère populaire bien ancré. Et ce n'est pas le cinéaste Robert Guédiguian qui le démentira, lui qui s'en est inspiré et s'en inspire toujours. Nul n'a été autant marqué par les lieux de son enfance, au point d'en faire le cadre de (presque) tous ses films...

L'Estaque et les peintres

La situation privilégiée du village, sa merveilleuse lumière, son charme naturel se devaient obligatoirement d'attirer les artistes. Avec Collioure et Menton, l'Estaque fut ainsi le lieu qui séduisit le plus de peintres. Les raisons du succès : un panorama sur le golfe de Marseille tout simplement fascinant, une conjonction de formes, de lignes et de couleurs assez unique. À un peintre sensible, il ne pouvait échapper cette combinaison de verticalité (les cheminées d'usine), d'horizontalité (la mer) et de courbes harmonieuses (les collines, les arches des viaducs). En prime, le jeu ahurissant des couleurs (toutes ces teintes d'ocre, cette avalanche de rouges, de verts et de bleus). Pas étonnant, dans ces conditions, qu'on retrouve l'Estaque immortalisé par trois périodes fondamentales de la peinture : l'impressionnisme, le fauvisme et le cubisme (avec même un zeste d'expressionnisme). Quelques noms ?

– **Paul Cézanne** *(1839-1906) :* véritablement amoureux du site, il y vint régulièrement et réalisa de 1870 à 1886 une grosse production : plus de 30 tableaux et de nombreux dessins. Il lança la mode de ce lieu auprès de certains de ses coreligionnaires à palettes.

– **Pierre-Auguste Renoir** *(1841-1919) :* il vint peindre aux côtés de Cézanne en 1882. Malade, il dut aller se refaire une santé en Algérie et ne laissa que quatre toiles représentant l'Estaque.

– **Georges Braque** *(1882-1963) :* il séjourna ici quatre fois, à des périodes artistiques différentes : de fin 1906 à début 1907, le style fauve ; en septembre 1907, les balbutiements du cubisme ; l'année suivante, de vrais tableaux cubistes. En 1910, dernier séjour.

– **André Derain** *(1880-1954) :* c'est le premier à venir après Cézanne et Renoir (en 1905-1906). Il nage alors en plein fauvisme et signe une quinzaine de toiles, principalement des vues du port et du vallon de Riaux.

– **Raoul Dufy** *(1877-1953) :* il débarque à l'Estaque en 1908 pour dire bonjour à Braque (originaire du Havre comme lui) et tombe lui aussi sous le charme. Il y produira une dizaine de toiles dont quelques-unes sont heureusement restées à Marseille.

– **Émile-Othon Friesz** *(1879-1949) :* dans son prosélytisme pour l'Estaque, Braque entraîne dans l'aventure artistique cet autre Havrais. Cependant, ce dernier ne se laisse pas séduire par la manière cubiste et perpétue le style fauve.

– **Adolphe Monticelli** *(1824-1886) :* un vrai peintre marseillais, lui, élève de Ziem et ami de Cézanne. Considéré comme l'un des précurseurs de l'expressionnisme du XXe s, il fut tout à fait incompris à l'époque.

– **Albert Marquet** *(1875-1947) :* il y séjourna plusieurs fois en 1918-1919 et peignit souvent la terrasse de Château-Fallet.

– **August Macke** *(1887-1914) :* un grand photographe, pour finir. Braque s'inspira de ses photos pour certaines de ses œuvres. Macke fut, en septembre 1914, du côté allemand, l'un des premiers morts de la Grande Guerre.

MARSEILLE

Comment y aller ?

➢ **En voiture :** depuis le Vieux-Port, prendre la rue de la République, pl. de la Joliette, bd de Dunkerque, puis l'autoroute du Littoral (A 55 ; sortie l'Estaque).

➢ **En bus :** depuis le métro La Joliette, bus n° 35. Tlj 2-4 bus/h.

➢ **En train :** depuis la gare Saint-Charles. Le 1er arrêt du train de la Côte Bleue. 6h30-20h50, une trentaine de trains/j.

➢ **En bateau :** depuis le Vieux-Port, avr.-sept. 1-3 traversées/j. Trajet env 30 mn pour 5 € (combiné avec 1h30 de transport sur le réseau terrestre de la RTM).

Où dormir à l'Estaque et dans les environs ?

🏠 **Chambres d'hôtes Ose Iris** *(plan L'Estaque B1, 11) :* 5, montée des Iris, 13016. ☎ 06-22-04-36-20. ● co.osei ris13016@gmail.com ● hoteldunord. coop/author/brij-et-vincent ● *Tte l'année. Double 55 €.* Dans une de ces ruelles pentues typiques de l'Estaque et dans une coquette maison blanche

MARSEILLE

MARTIGUES ↑ Plages de Corbières, ↑ Fondation Monticelli – Fortin de Corbières

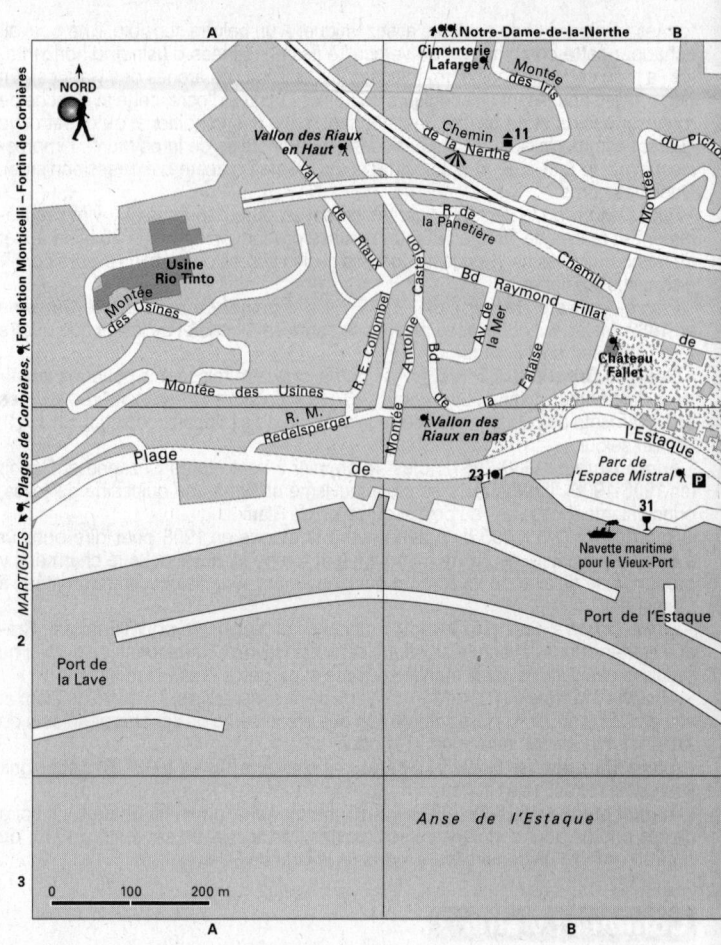

≜	Où dormir ?	|◉|	Où manger ?
	10 Hôtel Bénidorm		**20** Kiosques de chichi-fregis
	11 Chambres d'hôtes Ose Iris		**21** Le Grand Pavois
			22 Le Petit Naples

de ce quartier-village. 3 petites chambres bricolo-déco, simplement jolies et à prix d'amis. D'ailleurs, vu l'accueil de Brij et Vincent, quand on boucle sa valise, on a vraiment l'impression de quitter des amis. Et puis, depuis les terrasses, il y a cette vue somptueuse sur l'Estaque et, naturellement, la Méditerranée...

≜ **Hôtel Bénidorm** (plan L'Estaque D2, **10**) : 734, chemin du Littoral, l'Estaque, 13016. ☎ 04-91-46-12-91.

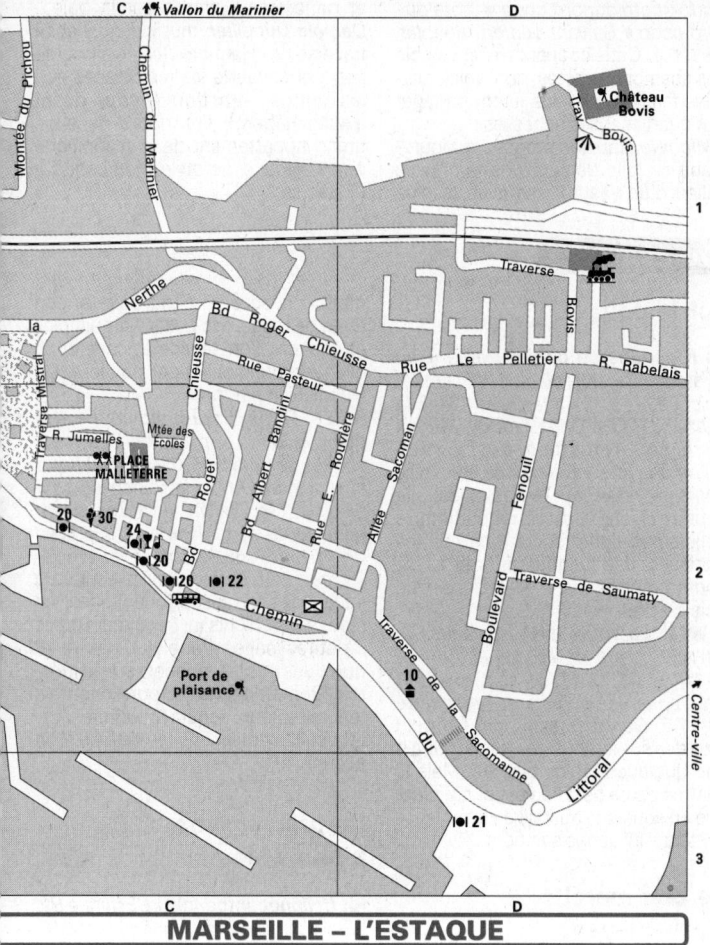

MARSEILLE

MARSEILLE – L'ESTAQUE

23 L'Hippocampe	
24 La Voûte	

● hotelbenidorm@orange.fr ● hotelbe nidormlestaque.fr ● Doubles 47-57 €. Parking gratuit. À deux pas du port et de l'animation. Une petite structure de 2 étages qui s'est donné des airs de modernité et bien tenue pour celles et ceux qui souhaiteraient s'immerger dans l'ambiance de l'Estaque. Les moins chères ont leur w-c en commun, mais toutes on douche ou bains, et la clim. Bon accueil.
🏨 **Hôtel du Nord :** 📱 06-52-61-71-57.

● *info@hoteldunord.coop* ● *hoteldunord.coop* ● *Suivant confort, doubles 40-100 €.* Cette coopérative rassemble des chambres d'hôtes, dont voici quelques familles qui vous feront partager leur quartier et ses richesses :
– *Michèle Rauzier* propose à Mourepiane sa jolie demeure de famille au milieu d'un vaste jardin avec piscine et panorama superbe sur la baie... *Danièle Ducellier,* musicienne, habite traverse de l'Harmonie (ça ne s'invente pas !) et accueille les mélomanes et... les autres ; *Martine Ricou,* quant à elle, héberge ses hôtes dans un grand appartement de la magnifique *villa Palestine* de style mauresque à l'Estaque...

Où manger ?

Sur le pouce

|●| *Kiosques de chichi-fregis* (plan L'Estaque C2, **20**) : *plage de l'Estaque. Chichi 2,50-3,80 €. Panisses 3,20 € la douzaine.* C'est *Chez Freddy, Magali* ou à *Lou Goustado de l'Estaco* qu'on déguste, le dimanche en famille (mais le reste du temps aussi), le fameux *chichi-fregi*, un roboratif mais délicieux beignet sucré local, ou les panisses, des beignets frits et salés, confectionnés avec de la farine de pois chiches.

🍷 |●| ♪ *La Voûte* (plan L'Estaque C2, **24**) : *50, plage de l'Estaque, 13016.* ☎ 04-91-03-73-17. *Tlj sf dim soir et lun. Tapas 4-7 €, plats et bruschette 14-17 €. Concerts sam soir.* On peut lézarder sur le bout de trottoir qui aligne quelques tables bistrots. Mais le charme de ce petit lieu est plutôt planqué en sous-sol, au frais de la fameuse voûte qui lui donne son nom.

De bon marché à prix moyens

|●| *Le Grand Pavois* (plan L'Estaque D3, **21**) : *promenade de la plage, 13016.* ☎ 04-91-46-01-19. Au rond-point de sortie de l'Estaque en retournant vers le centre-ville, prendre à droite (panneau « Marins pompiers »). Accès par la grille blanche avec un interphone type « *Société nautique Estaque Mourepiane* ». C'est 10 m au-delà à gauche (attention, pas d'enseigne). *Tlj le midi (le soir sur résa). Menu 14 €.* Planquée dans ce coin de port, cette adresse se mérite ! Mais on n'est pas déçu du voyage dans ce resto qu'on pourrait qualifier de « routier des mers », avec son menu unique, son quart de rouge, ses petits plats simples et copieux, son service efficace et sa clientèle principalement ouvrière. Du Guédiguian pur fruit.

|●| *Le Petit Naples* (plan L'Estaque C2, **22**) : *14, plage de l'Estaque, 13016.* ☎ 04-91-46-05-11. *Tlj sf mer et sam midi. Ouv slt le soir en juil-août jusqu'à 23h. Fermé à la Toussaint. Réserver le w-e. Menu déj 13 €, avec vin ; menu le soir 30 €, avec vin et café. Pizzas 12-15 € selon taille.* Un peu à l'écart des terrasses touristiques, un resto sans chichis (ni *fregi*), qui empile 2 petites salles l'une sur l'autre et quelques tables posées sur le trottoir. Bonnes pizzas et poissons frais (daurade, loup, requin, baudroie...), le tout cuit lentement au feu de bois. Bon accueil.

De prix moyens à plus chic

|●| *L'Hippocampe* (plan L'Estaque B2, **23**) : *151, plage de l'Estaque, 13016.* ☎ 04-91-03-83-78. ● *info@hippocamperestaurant.fr* ● *Tlj sf lun soir ; hors saison fermé le soir lun-jeu, dim soir et j. fériés. Résa ultra-conseillée. Carte env 40 €.* Un petit cadre tout simple avec sa belle vue panoramique depuis la salle ou la terrasse sur les petits bateaux qui vont sur l'eau. Extrêmement populaire pour ses pizzas croustillantes, ses copieuses salades composées, ses pâtes fraîches et, surtout, de fort belles viandes. Poisson au poids acheté à la criée de Saumaty, non loin de là. D'octobre à mars, fruits de mer. Tablées de familles et joyeuses bandes le dimanche midi.

Où boire un verre ? Où déguster une glace ?

🍸 **Brasserie Au Bord de l'Eau** *(plan L'Estaque B2, 31)* : *parc de l'Espace Mistral. Tlj 9h-19h.* Tout est dit dans le nom de ce lieu qui trempe les pieds de ses verres directement dans les flots, en vis-à-vis de la sortie du port, avec une jolie vue sur la chaîne de la Nerthe.

🍦 **Gelati Nino** *(plan L'Estaque C2, 30)* : *88, plage de l'Estaque.* Un « artiste glacier », avec une grande terrasse pour déguster une bonne sélection de parfums, dont certains plairont aux ados, *snickers, bubbly,* spéculos...

À voir. À faire

Partir sur les traces de Cézanne et de Braque donne l'occasion de parcourir les ruelles du bourg et les hauteurs (un chemin des peintres présente des lutrins reproduisant tel ou tel tableau face au paysage qui l'a inspiré). Au passage, on hume les chaleureuses atmosphères des films de Robert Guédiguian, même si certaines scènes furent tournées à Saint-Henri (bon, on ne va pas se mettre à faire du chauvinisme de quartier !).
– Visite guidée possible via l'office de tourisme de Marseille.

À L'ESTAQUE, ON NE SE LA JOUE PAS !

C'est une blague classique qui montre que pour ses habitants, l'Estaque c'est presque le centre du monde ! À la gare de Pékin, un Chinois, ayant entendu parler du chemin des peintres Braque et Cézanne et des films de Guédiguian, veut acheter un billet de train pour l'Estaque. L'employé lui demande alors : « L'Estaque-gare ou l'Estaque-plage ? »

MARSEILLE

➤ Départ du **port** *(plan L'Estaque B-C2)*, qui inspira beaucoup Derain (plusieurs déclinaisons de *Barques de pêcheurs,* 1906), ainsi que Braque et Marquet. Une partie du port a été joliment réaménagée en **parc de l'Espace Mistral** *(plan L'Estaque B2)*.

🧗 **Château-Bovis** *(plan L'Estaque D1)* : monter ensuite au « plateau » au-dessus de la gare. Joli point de vue depuis la traverse Bovis et charmantes maisons sur la gauche. Monter jusqu'au long bâtiment jaune, tout en haut du chemin, avec devant ses joueurs de boules du dimanche. Autour de vous, rien n'a changé : les ocres, rouilles, verts et bleus de la palette cézannienne sont tous là, superbement réunis.

🧗🧗 **La place Malleterre** *(anciennement pl. de l'Église ; plan L'Estaque C2)* : *prendre la tortueuse montée des Écoles.* Cézanne y fait de nombreux séjours entre 1870 et 1882. Sa mère y louait une maison (plaque sur la façade). Place toujours paisible et charmante qu'aimait beaucoup Zola. Il ne vint que quelques jours en 1870, mais resta 5 mois en 1877. Rejoindre la rue des Jumelles avec ses jolies maisons précédées de courettes et jardinets, puis remonter la traverse Mistral.

🧗 **Les vieilles demeures** : le **Château-Fallet** *(plan L'Estaque B1)*, cette ancienne bastide où Paganini résida au XVIIIe s, fut transformée en *Hôtel de la Falaise* au milieu du XIXe s. Il inspira la plume de Zola ou d'André Suarès, puis les pinceaux de Cézanne, Braque (*Terrasse à l'Estaque,* 1908, au musée d'Art moderne de Paris), Dufy et Marquet (*La Terrasse,* 1918, au Statens Museum for Kunst de Copenhague). Peu visible de l'extérieur. On voit finalement mieux cette bastide rose depuis le parc de l'Espace Mistral, en bas de la colline d'où vous admirerez également, au n° 126, la belle *Villa Palestine* de 1905, au style oriental.

🗙🗙 **Notre-Dame-de-la-Nerthe** (hors plan L'Estaque par B1) : on y parvient par le chemin de la Nerthe. Beaux points de vue après la montée des Iris. Dans sa dernière partie, itinéraire délicieusement rocheux, bucolique et sauvage pour ce mini-hameau de rêve. Quelques privilégiés y résident encore. Chapelle datant du XIe s et longtemps lieu de pèlerinage très populaire des Marseillais. On y honore la Madone « à la poule ». Fête le 2e dimanche de septembre.

🗙 **Le vallon des Riaux en haut** (plan L'Estaque A1) : accès par la montée Antoine-Castejon. Cézanne y peint Maisons à l'Estaque. En 1908, le viaduc du chemin de fer inspire grandement Braque. Il le peint tantôt dans des teintes cézanniennes, tantôt dans des camaïeux de bleus (Viaduc à l'Estaque, 1907, au Minneapolis Institute of Art). Derain y traîne également ses pinceaux. Plus haut, les tout derniers témoignages de la **cimenterie Lafarge** (plan L'Estaque B1), lieu de scènes importantes du film Marius et Jeannette, aujourd'hui démantelée.

🗙 **Le vallon des Riaux en bas** (plan L'Estaque B2) : émouvant, c'est exactement ici que fut signé l'acte de naissance du cubisme. En effet, en 1908, lors de son troisième voyage, Braque fait une fixation sur un petit groupe de maisons accrochées à la colline. Deux ans auparavant, il les a peintes à la manière fauve. Pourtant, cette fois-ci, il les dépouille de leurs portes et fenêtres et tout détail est gommé... Elles n'apparaissent plus que comme de gros cubes. On dit qu'un journaliste écrit à propos de ce tableau (Maisons à l'Estaque, au Kunstmuseum à Berne) : « Qu'est-ce donc que cette peinture tout en cubes ? » Le terme « cubisme » est lancé. Regardez le lutrin dans le petit parc à côté du stade : les demeures sont toujours là, mais les cheminées de l'**usine Rio Tinto** qui avait fait fuir Cézanne et fasciné Braque, sont parties en fumée ! Ce site de produits chimiques, Ugine-Kuhlmann de son dernier petit nom, ferma en 1989, avant d'être totalement démantelé...

🗙 **La Fondation Monticelli – Fortin de Corbières** (hors plan L'Estaque par A2) : route du Rove (fléché). ☎ 04-91-03-49-46. ● fondationmonticelli.com ● ♿ Bus n° 35, juin-août. Ouv mer-dim 10h-17h. Fermé janv. Entrée : 8 € ; réduc. Dans un ancien fortin du XIXe s (qui servait à surveiller les mouvements des bateaux de commerce). Joli appareillage de pierre fort bien rénové et mis en valeur. Le lieu rend hommage au peintre marseillais méconnu Adolphe Monticelli, figure importante du mouvement impressionniste du XIXe s. Quelques objets lui ayant appartenu – comme sa palette, offerte par les Garibaldi – ponctuent le parcours. Outre les œuvres du maître, le lieu accueille des expositions temporaires au 1er étage. Mais malgré la qualité des peintures présentées, il faut bien reconnaître qu'un des plus séduisants tableaux est celui que l'on observe dans l'encadrement de la grande fenêtre du 1er étage, c'est-à-dire la vue exceptionnelle sur la baie de Marseille et le port de l'Estaque !

⌂ **Les plages de Corbières** (hors plan L'Estaque par A2) : au nord de l'Estaque, bien indiqué depuis la route. Bus n° 35, juin-sept. Gazons en pente, buissons et aires de pique-nique appréciées des familles. Faites une pause avant de poursuivre votre route sur la Côte Bleue.

LES « QUARTIERS NORD » DE MARSEILLE

Hormis l'Estaque, les autres secteurs composant les quartiers nord ne se visitent pas avec la démarche touristique habituelle. Entre usines, logements sociaux, villas bourgeoises et anciennes terres des bastides, voici une urbanisation totalement chaotique, qui compose un paysage urbain particulier. Ils possèdent aussi leur propre histoire, des lieux culturels bien vivants et des dizaines de milliers d'habitants fiers et heureux d'y vivre.

Où manger ?

|●| **Restaurant pédagogique de l'E2C (école de la 2ᵉ chance) :** 360, chemin de la Madrague-Ville, pl. des Abattoirs, 13015. Dans le quartier Saint-Louis-la Calade. Résas : ☎ 04-96-15-80-62. Ⓜ Bougainville puis bus nᵒ 70, arrêt Les-Abattoirs. Ouv le midi slt : self tlj, resto mar-jeu. Congés : 1 sem Noël-Jour de l'an et de mi-juil à fin août. Menu 12 € au resto et 7,50 € au self. Ce restaurant-école est destiné à réinsérer des jeunes sortis du système scolaire et à leur redonner le goût des études. Abrité dans le superbe cadre des anciens abattoirs remarquablement rénovés (et ouverts au public). 2 formules : le self offrant un très bon repas pour une poignée d'euros (et garantie de trouver de la place) et, à côté, le restaurant dans une agréable et lumineuse salle. Plats goûteux et copieux. Le jeudi, menu à thème (bouillabaisse chaque dernier jeudi du mois). Étonnez-vous qu'il faille réserver !

À voir. À faire aux Aygalades et dans les quartiers voisins

– Pour découvrir la fabrication traditionnelle du savon de Marseille fortement ancrée dans ce quartier, on peut suivre la **route du Savon** proposée par un groupe de savonneries toujours en activité dans les 14ᵉ et 15ᵉ arrondissements. Visites thématiques avec la coopérative Hôtel du Nord (voir plus haut « Où dormir à l'Estaque et dans les environs ? »).

LE SAVON DE MARSEILLE

La première savonnerie date de 1370. Le procédé nous est venu d'Alep (Syrie) par le biais des croisades. Colbert en réglementera la fabrication. Composé à 72 % d'huile d'olive, il a la particularité de flotter sur l'eau.

🚶 **La Savonnerie du Midi :** 72, rue Augustin-Roux, 13015, Les Aygalades. ☎ 04-91-60-54-04. Ⓜ Bougainville puis bus nᵒ 30, arrêt Cité-des-Arts-de-la-Rue et enfin 400 m à pied par la traverse du Cimetière en longeant l'autoroute. Boutique ouv lun-jeu 13h-15h30. Située le long du ruisseau des Aygalades, et près d'une magnifique cascade, cette ancienne minoterie de la fin du XIXᵉ s abrite la dernière des savonneries construites par ici. Avec ses pierres usées, elle témoigne de l'histoire des huileries et des savonneries à Marseille et de celle de la famille Garbit, fabricant du fameux couscous. L'usine est toujours en activité et, même si les chaudrons ont cessé en 1999, tout est encore en place. Les projections au fond du chaudron et une belle exposition vous livreront tous les secrets du savon de Marseille et son rôle précurseur dans le développement de la publicité.

🚶 **La savonnerie Le Sérail :** 50, bd Anatole-de-la-Forge, 13014. ☎ 04-91-98-28-25. ● savon-leserail.com ● À 500 m de la station de TER Sainte-Marthe. Lun-ven 9h-12h, 14h-17h. Pour les visites, ven ap-m 14h-16h. Cette fabrique de véritable savon de Marseille, créée en 1949 par Vincent Boetto, a conservé toute son authenticité et son caractère. La fabrication artisanale est réalisée entièrement en chaudron à l'ancienne. Cette méthode traditionnelle nécessite exactement 72 % d'huile (d'olive pour le savon vert et végétale pour le savon blanc) puis près de 20 étapes et manipulations pour arriver à un produit fini irréprochable.

– **L'Alhambra :** 2, rue du Cinéma, 13016. ☎ 04-91-03-84-66. ● alhambracine. com ● Ⓜ Bougainville puis bus nᵒ 36, arrêt Rabelais-Frère. En voiture : autoroute du Littoral (A 55), sortie Saint-André-Saint-Henri. Suivre Saint-Henri, puis c'est fléché. Entrée : 5 €. Il faut se payer une toile dans ce vénérable et superbe cinéma

MARSEILLE

Art déco, dernier représentant des populaires salles de quartier des années 1930. À l'abandon, il fut sauvé en 1990 sous l'égide de *René Allio* et de l'actrice *Catherine Rouvel*. Aujourd'hui, doté des nouvelles technologies, il refait son cinéma, mais propose aussi débats, expos diverses, rencontres et échanges avec les étudiants du cinéma avec des ateliers d'expérimentation et des salles de montage... Et dehors, l'atmosphère unique du quartier Saint-Henri, une place méditerranéenne intacte et des cafés hors du temps (où vous rencontrerez peut-être Marius et Jeannette, qui sait !)...

LA CÔTE BLEUE

À l'ouest de l'Estaque et au nord de Marseille, la chaîne de l'Estaque (ou de la Nerthe) fait barrage entre l'étang de Berre et la Méditerranée, sur 25 km entre rade de Marseille et golfe de Fos. Largement moins connue des touristes que le massif des calanques. Mais pas des Marseillais, qui aiment à venir s'oxygéner sur les plages de sable de gentilles stations balnéaires comme dans de minuscules criques hérissées de cabanons.

➤ *Le train de la Côte Bleue :* env 14 départs/j. (8 le w-e), 5h30-20h3 ; rens TER ☎ 0800-11-40-23 (service et appel gratuits depuis un poste fixe). Pour éviter l'asphyxie de la circulation le week-end, une bonne solution que de prendre ce tortillard que les Marseillais de souche appellent « train de la Couronne », au départ de la gare Saint-Charles. Il circule en surplomb du littoral (superbe vue sur la baie et Marseille) et s'arrête dans de pagnolesques petites gares à Niolon, Ensuès-la-Redonne, Carry-le-Rouet, Sausset-les-Pins et La Couronne. Les randonneurs emprunteront le GR 51, qui suit d'anciens sentiers de douaniers où les gabelous guettaient autrefois les barques qui déchargeaient dans les calanques autre chose que du poisson...

Attention, ne traversez en aucun cas la voie ferrée, ne la longez pas et n'empruntez pas les tunnels. Tous les ans, des accidents sont à déplorer, dus à l'imprudence de certains piétons.

NIOLON (13740)

Minuscule port de pêche niché dans une calanque. Un certain charme, une ambiance « cabanonnière », en ce lieu devenu aujourd'hui un important centre de plongée. Un conseil à nos lecteurs automobilistes : n'essayez pas de plonger jusqu'au port en voiture ; garez-vous juste avant la voie ferrée. De toute façon, l'accès à Niolon est interdit aux véhicules le week-end en été.

LA FAMEUSE BROUSSE DU ROVE

Dans les collines autour de Niolon paissent les chèvres du Rove, auxquelles on doit une célèbre et superbe brousse. Ce fromage frais doit son nom au vinaigre blanc que l'on incorpore au lait en ébullition pour le faire « brousser ».

Où dormir ? Où manger dans le coin ?

Bon marché

🏠 |●| *Auberge du Mérou :* 3, chemin du Port, calanque de Niolon, 13740 Le Rove. ☎ 04-91-46-98-69. ● contact@aubergedumerou.fr ● aubergedumerou.fr ● Tlj sf dim soir et lun hors saison. Résa conseillée. Double 49 €. Menus 27-38 €. 📶 Digestif maison offert sur présentation de ce guide. On s'enthousiasme tout autant de la vue panoramique sur Marseille et ses îles du Frioul que du poisson frais, grillé juste et bien sous vos yeux, ou d'une jolie cuisine, entre terre et mer et bien d'aujourd'hui. Quelques chambres dans le style bateau (au sens premier du terme !) pour qui voudrait prolonger le séjour.

CARRY-LE-ROUET (13620)

Avec une avenue Don-Camillo longeant la plage Fernandel, devinez quel comédien célèbre avait élu résidence dans cette gentille station balnéaire ? Gentille si l'on sait fermer les yeux sur cette invraisemblable tour des années 1970 plantée en plein cœur...

– **Oursinades :** *3 premiers dim de fév.* Sacrifiez à ce rite bon enfant où l'on se régale d'oursins et autres fruits de mer arrosés d'un coup de blanc.

Où dormir ?

🏠 **Villa Arena :** *pl. Camille-Pelletant (av. Aristide-Briand).* ☎ 04-42-45-00-12. ● villa-arena@yahoo.fr ● villa-arena-hotel.com ● *Doubles 65-85 €.* 📶 Cette imposante bâtisse très XIXᵉ s en jette. La réception et le bar (inévitablement *lounge*) aussi. Tout en préservant des traces du passé (la fresque au plafond de l'escalier), la déco s'est pris un coup de mistral de modernisme derrière les oreilles. Les chambres, climatisées, sont d'un irréprochable confort.

SAUSSET-LES-PINS (13960)

Les pins, on les rencontre en arrivant de Carry-le-Rouet, masquant quelques jolies villas. Petite ville agréable avec son port qui abrite aujourd'hui plus de plaisanciers que de pêcheurs, et sa promenade en front de mer offrant une belle vue sur la rade de Marseille.

– **Oursinades :** *3 derniers dim de janv.*

Adresse utile

🗗 **Office de tourisme :** *16, av. du Port.* ☎ 04-42-45-60-65. *Tlj en été 9h-12h,* *14h-18h (17h15 et fermé sam ap-m et dim en basse saison).*

Où dormir ?

🏠 **Chambres d'hôtes La Restanque – Côte Bleue :** *23, av. des Micocouliers.* ☎ 04-42-44-65-73. 📱 06-71-71-63-55. ● florence.kudszuspetit@wanadoo.fr ● larestanque-cotebleue.com ● *Depuis le port, prendre la D 5 direction Martigues, 800 m après prendre à gauche l'av. des Belges, encore 200 m puis encore à gauche. Doubles 70-85 € selon taille. Clim.* 📶 *Réduc de 10 % à partir de 7 nuits consécutives sur présentation de ce guide.* Petite villa dans un quartier résidentiel perché et tranquille. 3 chambres côte à côte ouvrant sur une véranda et... la mer au loin. On a bien aimé l'ambiance zen de la chambre rouge. Mais vous avez le droit de préférer les 2 autres ! Petite piscine hors sol dans un jardin fleuri. Accueil plein d'attentions.

CARRO (13500)

Petit port de pêche et pittoresque marché aux poissons, à découvrir de bon matin, quand reviennent les chalutiers. Quelques rochers plats pour la bronzette et spot de planche à voile des Arnettes. Sur la route de La Couronne se dresse le cap

Couronne (panorama sur la Côte Bleue et, au loin, la rade de Marseille). Au pied du cap, la plage du Verdon (la plus grande de la Côte Bleue), noire de monde aux beaux jours. Parking payant en saison. Vers Sausset-les-Pins, juste après le tranquille village de La Couronne, nichées entre les rochers, les jolies plages de Sainte-Croix et de la Saulce. De Carro, on peut pousser jusqu'à la charmante petite ville de Martigues.

Où dormir ? Où manger ?

Campings

✕ **Camping la Côte Bleue :** *chemin de la Batterie, La Couronne, 13500 Martigues.* ☎ 04-42-81-00. ● *arquet@semovim-martigues.com* ● *vacances-cotebleue.com* ● *Entre la plage du Verdon et celle de La Couronne (fléché). Ouv avr-fin sept. Empl. tente 18-47 € selon saison. Mobile homes 2 pers 273-819 € selon saison. Dans un joli site, encore presque sauvage, sous les pins et les cigales, en surplomb de la Méditerranée. Petite plage, très nature, elle aussi, à 300 m. Épicerie, piscine, club enfants, restaurant... Le site accueillait en 2013 le tournage de la série Camping Paradis ! Un peu chérot quand même en été.*

✕ **Camping Flower Marius :** *route de la Saulce, La Couronne, 13500 Martigues.* ☎ 04-42-80-70-29. ● *contact@camping-marius.com* ● *camping-marius.com* ● *À 3 km de Carro direction Sausset puis fléchage. Ouv d'avr à mi-oct. Empl. tente 19-42 € selon saison et confort. Loc en tente toilée (5 pers) ou chalet (3 pers) 240-784 €/*sem selon saison. Camping familial, à 200 m de la plage, qui a fêté ses 50 ans en 2013. Emplacements ombragés pour la plupart et bien isolés par des haies, déclinés en 3 versions plus ou moins équipés, mais tous disposent d'un évier. Prêt de VTT et de kayaks de mer pour profiter de la Côte Bleue.*

Prix moyens

|●| **Le Chalut :** *13, pl. Joseph-Fasciola.* ☎ 04-42-80-70-61. ● *viviane.simon@gmail.com* ● *Sur le port. Tlj sf mar et mer midi en saison ; fermé dim soir, lun soir et mar hors saison. Résa conseillée. Formule en sem 27 €. Menu 39 € le w-e. Le bon resto familial qui fait depuis près de 20 ans le plein d'habitués en semaine comme le dimanche. Cadre sans façons, vue sur le port depuis les baies vitrées de l'étage. Bons poissons a la plancha (et à l'huile d'olive de Maussane !) et, sur commande, une vraie bouillabaisse. C'est frais, simple, bon, et on n'en demande pas plus. L'important, c'est de ne pas être pressé.*

LE PARC NATIONAL DES CALANQUES

« Touche pas à mes calanques », a-t-on pu voir fleurir ici ou là à l'annonce du classement en parc national du massif des Calanques et du cap Canailles, en avril 2012, sur une superficie de 158 100 ha (dont 90 % maritimes) autour de Marseille, Cassis et La Ciotat. Dans une société qui se réglemente chaque jour un peu plus, ne plus pouvoir pêcher ou plonger, quand et où on veut, voilà qui pouvait inquiéter une population qui profite, tout simplement, d'une fenêtre de liberté en ce lieu magique et sauvage...
Pour bien vivre ce petit paradis, premier conseil, ne dites jamais à un Marseillais que vous allez visiter les Calanques de Cassis, malheureux, il se vexerait ! Même si certaines sont, il est vrai, géographiquement plus proches

de Cassis, les Calanques restent très majoritairement sur le territoire de la commune de Marseille.

Deuxième conseil, évitez les grands week-ends et les dimanches !

Troisième conseil, partez avec un pote marseillais, cassidains ou ciotaden qui connaît bien le lieu, ou équipé d'une bonne carte IGN, car on perd vite le fil du sentier qu'on voudrait suivre (y compris le GR 98 qui suit tout simplement la côte).

COMMENT DÉCOUVRIR LES CALANQUES ?

À pied

Le massif des Calanques n'est, pour l'essentiel, accessible qu'à pied ou en bateau. Nous vous détaillons ci-après l'accès à chacune d'elles.

➤ Pour traverser tout le massif, le GR 98-51 (balisage rouge et blanc ; 28 km, soit 11-12h pour un marcheur moyen) suit la ligne de crête. Le sentier démarre à Marseille du parc Adrienne-Delavigne, après l'église de la Madrague de Montredon (bus n° 19 jusqu'à son terminus) et file jusqu'à Cassis. Les bons marcheurs pourront faire l'excursion dans la journée.

De nombreux autres sentiers balisés sillonnent le massif. Si vous comptez principalement faire trempette, pour rejoindre les criques isolées il faut crapahuter, parfois longtemps, sans être assuré de profiter seul du lieu à l'arrivée.

■ *Bureau des guides et accompagnateurs de randonnées et escalade :* permanence (Matthieu Lupo), ☎ 06-85-55-04-47. ● guides-calanques. com ● Résas possibles via l'office de tourisme de Cassis, durant l'été. Propose des randonnées accompagnées dans les calanques, des parcours aventure, descentes en rappel...

En voiture

➤ De Marseille, on a un aperçu des paysages à partir de la calanque de Saména. Le route côtière mène jusqu'à Callelongue. Gare aux bouchons sur la route du retour en été ! On pénètre également le massif à Morgiou et Sormiou, accessibles en voiture hors saison. Mais cet accès est strictement réglementé en été et le week-end à l'intersaison.

En bus

➤ De Marseille, les premières calanques, de Saména à Callelongue, sont desservies par les bus n° 19 (depuis le Ⓜ Rond-Point-du-Prado) puis n° 20.

En bateau

➤ *De Marseille :* plusieurs départs par jour depuis le quai des Belges (Vieux-Port) et le quai de la Fraternité (face à La Canebière).

– *Icard Maritime :* ☎ 04-91-33-36-79. ● visite-des-calanques.com ● Compter 23-29 € ; réduc. Deux circuits distincts de visite des calanques : le grand (3h15) jusqu'à Port-Miou et le petit (2h15) jusqu'à Sugiton. En juillet et août, « calanque et baignade » à Sugiton et « naturoscope », randonnée palmée sur un sentier sous-marin. D'autres balades sont proposées côté Côte Bleue.

➤ *De Cassis :* avec le *GIE des Bateliers Cassidains* (plan Cassis B2, **2**), sur le port. ☎ 06-86-55-86-70. ● calanques-cassis.com ● Prix : 16-27 €. Quatre croisières au choix, 3, 5, 8 ou 9 calanques. Comptez de 45 mn à 2h. Plusieurs départs par jour, tous les jours (sous réserve des conditions météo et d'un nombre minimum de passagers). Billets en vente directement à l'embarquement, sur le quai (kiosque jaune et rouge) ou directement auprès du batelier (en hiver).

➤ *De La Ciotat :* avec *Les Amis des Calanques,* sur le port. ☎ 06-09-35-25-68 ou 06-09-33-54-98. ● *visite-calanques.fr* ● Env 2 départs/j. avr-juin et sept-oct (en principe à 10h30 et 15h), et 7-8 départs/j. 10h-17h30 juil-août. Compter 25-30 € selon circuit. Sur un catamaran à vision sous-marine, un monocoque ou un semi-rigide. Balades de 45 mn à 2h45 dans les calanques de La Ciotat et celles de Cassis à Marseille.

➤ *En kayak de mer :* le kayak permet d'approcher au mieux les calanques (à partir de 16 ans), même si, on radote, le bivouac y est interdit. Le bureau des guides à Cassis propose des sorties kayak, entre autres. Plusieurs autres prestataires :

– *Raskas Kayak (Jérémie Metzer) :* 6, rue Jacquemet, 13114 **Puyloubier.** ☎ 04-91-73-27-16. ● *raskas-kayak.com* ● Compter 35 € la ½ journée, 65 € la journée découverte. Excursions (demi-journée et journée) et stages (3 à 5 jours) au départ de Marseille ou de Cassis.

– *CSLN (Cassis Sports Loisirs Nautiques) :* plage Montmorin, 13260 **Cassis.** ☎ 04-42-01-80-01. ● *cassis-kayak.fr* ● Location de kayaks monoplaces et biplaces, stages enfants.

– *Provence Kayak Mer :* ☐ 06-12-95-20-12. ● *provencekayakmer.fr* ● À Cassis, Marseille et La Ciotat. Balades à la journée ou à la demi-journée avec notamment une formule « coucher de soleil » sous le cap Canaille.

À VTT

Désolé, la roue a tourné... ce sport est désormais strictement réglementé dans les calanques.

Conseils et règles d'accès

– *Le camping et le bivouac sont interdits toute l'année.* Un seul lieu d'hébergement dans les calanques mêmes : l'auberge de jeunesse *La Fontasse* (voir plus loin « La calanque de Port-Miou »).

– *La meilleure saison :* de mi-septembre à fin juin.

– *ATTENTION :* par arrêté préfectoral, l'accès (en voiture et à pied) aux calanques est réglementé et peut être restreint ou fermé, du 1er juin au 30 septembre, en cas de risque majeur d'incendie.

– *Afin d'éviter toute mauvaise surprise,* vérifier les conditions d'ouverture au public, au choix : *en téléchargeant l'application mobile* MyProvence Envie de balade ; *en téléphonant au* ☎ 0811-201-313 (0,06 €/mn) puis précisez le massif forestier qui vous intéresse ; sur ● *paca.gouv.fr/files/massif* ●

– *Cartes de randonnée et Topoguides :* carte IGN série Plein Air au 1/15 000, *Les Calanques, de Marseille à Cassis.* Topoguides FF Rando : *Les Calanques... à pied, de Marseille à Cassis* (n° 132), éd. 3, avr 2012.

– ATTENTION, pas de tongs ! Prévoir de *bonnes chaussures* (qui dit terrains calcaires dit éboulis et certains passages peuvent être abrupts) et une *casquette* (peu d'ombre et le soleil brille ici presque toute l'année !), et emporter 1 à 2 l d'*eau* par personne (il n'y en a pas dans les calanques).

– *Pas facile de se nourrir, entre Marseille et Cassis,* il n'y a aucun restaurant à Port-Pin, En-Vau ou Port-Miou. Alors on pense à son pique-nique !

⊚ LES CALANQUES, DE MARSEILLE À CASSIS

LA MADRAGUE DE MONTREDON

Bienvenue à Montredon. C'est le début des calanques. Oubliez Marseille, ses embouteillages, vos soucis. La route qui longe le littoral commence à virer-tourner.

Pour les amateurs de plage, quelques endroits à retenir. L'**Abri Côtier** est une plage de sable appréciée par les jeunes des quartiers sud. Hélas, elle n'est pas toujours très propre. Entre la pointe de Montredon et le port de la Madrague, la **plage de la Verrerie,** bordée de cabanons creusés dans la roche, en sous-sol. Gentil **port de la Madrague,** bien loin de tout.

Où manger ?

|●| **Chez Aldo :** 28, rue Audemar-Tibido, 13008. ☎ 04-91-73-31-55. ✆ Tlj sf dim soir et lun. Congés : vac de fév et 2e sem sept. Résa impérative le w-e. Petite friture 14 €. Carte 35-45 €. Bouillabaisse sur commande env 48 €/pers. Apéritif offert sur présentation de ce guide. Il y a de la pizza pour amuser le monde, et du beau poisson, apporté par les pêcheurs du port de la Madrague, à savourer simplement grillé. Ici, malgré le cadre élégant, pas de chichis : on partage la friture, on goûte les moules en laissant traîner une narine envieuse vers les calamars a la plancha des voisins. Accueil sympathique, grande terrasse, pour en prendre plein la vue... la belle vie, quoi !

|●| **Au Bord de l'Eau :** 15, rue des Arapèdes, 13008. ☎ 04-91-72-68-04. Tlj sf le midi mar-jeu en juil-août ; tlj sf mar soir-mer le reste de l'année. Congés : déc-janv. Pizzas 12-15 €. Poissons 17-29 €, viandes 21 €. Très agréable terrasse les pieds dans l'eau où il faut essayer de trouver une table. Casanis dans les verres, salade de poulpe et loup grillé a la plancha avec une purée d'ail délicieuse, on savoure l'instant. Mais certains voisins sont mécontents de leur assiette. Vaut principalement pour sa situation privilégiée et le charme de ce port de poche.

LA CALANQUE DE SAMÉNA

À la sortie sud de la Madrague de Montredon, cette crique rocheuse abrite une petite plage de graviers, entre quelques pins et des tamaris. À droite, au-delà du petit cap, les rochers qui regardent Marseille sont réservés aux tenues d'Adam (peu d'Èves, d'ailleurs !).

Où dormir ? Où manger ?

⌂ **Chambres d'hôtes Villa d'Orient :** 30, calanque de Saména, 13008. ☎ 06-03-67-16-38. ● lavilladorient@gmail.com ● villadorient.com ● Bus n° 19 (jusqu'au terminus). Doubles 75-95 €. ☏ Dans une belle villa cachée à quelques pas de la mer, 4 jolies chambres colorées et chaleureuses. Vincent les a rénovées avec beaucoup de goût, même si la salle de bains/w-c en est juste séparée par un paravent, autant prévenir ! Vous passerez cependant tout votre temps sur la terrasse panoramique, où sont servis les petits déjeuners, ou dans le beau jardin, si vous trouvez qu'il y a tout à coup trop de monde à la plage, qui n'est qu'à 3 mn de la maison.
⌂ **La Petite Calanque :** 22, calanque de Saména, 13008. ☎ 06-12-03-18-43. ● contact@lapetitecalanque.com ●

lapetitecalanque.com ● ✆ Doubles 85-100 € selon taille et saison. Gîtes 510-610 €/sem. Table d'hôtes 30 €. ☏ Maison de style antillais, avec une très agréable varangue ourlée d'un lambrequin, sur un jardin au calme. Cadre gentiment désuet : hauts plafonds et vieux carrelages, vénérable mobilier et éléments de décor ancien donnant un charme particulier à l'ensemble. Barbecue dans le jardin. Accueil très prévenant.
|●| **Le Tamaris :** 40, calanque de Saména. ☎ 04-91-73-39-10. Tlj (sf mar hors saison). Pizzas 14-17 €, plats 22-28 €. Ce resto propose sa délicieuse cuisine à base de poisson. À des prix qui vous feront peut-être choisir plutôt une pizza (et encore...). Certes, la vue est extra.

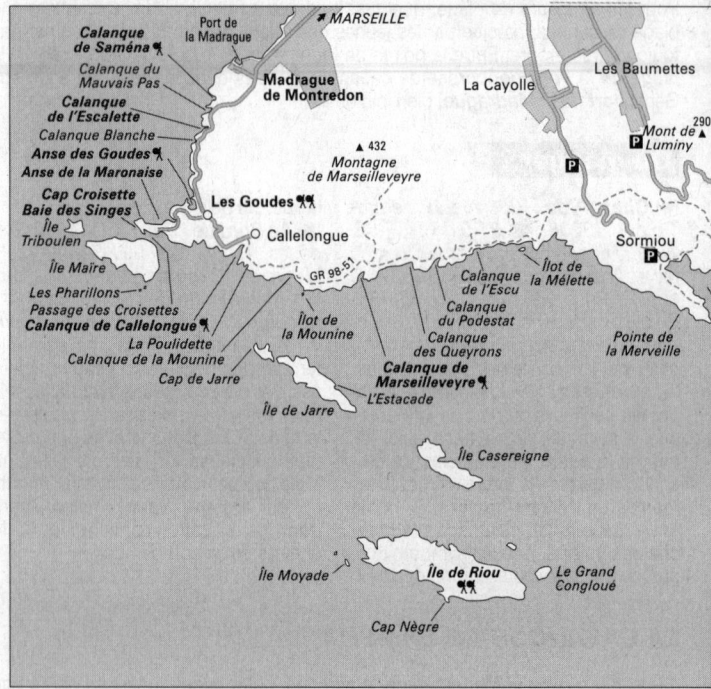

LA CALANQUE DE L'ESCALETTE

Une petite calanque, juste après Montredon, en allant vers Callelongue. Une usine de plomb en ruine domine le site, rappelant l'époque où les bateaux chargés de produits chimiques accostaient ici.

Où manger ?

|●| **Le Petit Port :** route des Goudes, lieu-dit L'Escalette, 13008. ☎ 04-91-72-20-00. Tlj sf dim soir et lun hors saison. Pizzas 14-20 €. Carte 35-45 €. Accrochée au-dessus du microport empierré de L'Escalette, une longue terrasse pétillante où l'on travaille poissons et fruits de mer en couleurs, le plus souvent grillés et accompagnés de légumes du soleil. Bonne salade de poulpe. Un peu cher tout de même.

LES GOUDES

L'anse des Goudes a servi de lieu de tournage à certains films de Jean-Pierre Melville, et surtout de pied-à-terre à Fabio Montale, le héros déprimé d'Izzo.

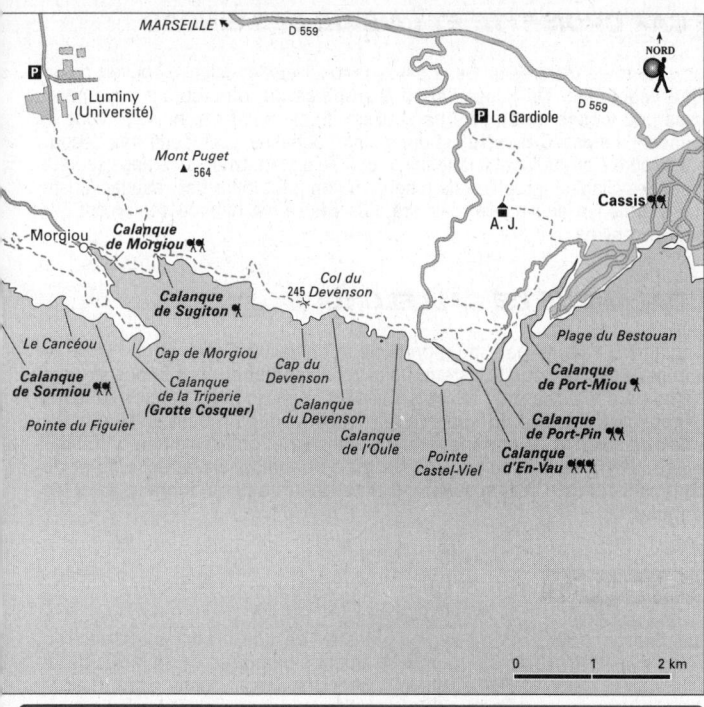

LA CÔTE BLEUE ET LE PARC NATIONAL DES CALANQUES

◎ LES CALANQUES, DE MARSEILLE À CASSIS

Où manger ? Où boire un verre ?

|●| L'Esplaï du Grand Bar des Goudes : 25-29, rue Désiré-Pella-prat, 13008. ☎ 04-91-73-43-69. Tlj sf mer avr-oct et pdt vac scol hors saison ; nov-mars, ouv jeu-dim. Congés : début janv-début fév. Bourride 32 €, bouillabaisse 48 €. Carte 50 €. Du cinoche sur grand écran, pour les fans d'Izzo et les nostalgiques de Lautner. Pas seu-lement depuis la terrasse, si vous avez eu la prudence de réserver, mais déjà côté rue, au bar, en face, si vous arrivez à approcher du comptoir, les habitués restant un poil méfiants. Le patron, les cuis-tots, les serveurs, tout le monde ici fait son cinéma, naturellement, mais la cuisine, surtout si vous tapez dans les plats du jour, ne devrait pas vous faire regretter le spectacle.

🍺 |●| 20 000 Lieues sous les bières : 12, bd Delabre, 13008. ☎ 04-91-25-05-24. Tlj sf lun hors saison. Ambiance Led Zep et Harley Davidson dans ce lieu qui navigue entre le pub et le repaire de cor-saires. Pour ceux qui hésitent entre le vert du billard et le bleu de la mer, la salle est largement ouverte sur la rade de Marseille par de grands hublots. Vue extra que les embruns, ou l'abus de bière, pourront embru-mer. Quelques petits plats de pubs et pizzas ajoutent du solide dans le liquide.

LE CAP CROISETTE ET LA BAIE DES SINGES

Une petite route traverse un beau paysage rocailleux et calcaire couvert d'une maigre végétation. On passe l'**anse Maronaise** où, d'octobre à novembre, pousse une variété de bruyère particulière (*Erica multiflora,* puisque vous le demandez). Le **cap Croisette** est une pointe rocheuse, solitaire et très découpée. La route s'arrête là, et il faut finir la course à pied. Une petite anse secrète (la baie des Singes) fait office de plage, où l'on peut louer des matelas. Juste en face, gros îlot sauvage et calcaire, l'*île Maïre* est habitée seulement par quelques chèvres.

LA CALANQUE DE CALLELONGUE

« Et quand je vais au bout du monde, je m'en vais à Callelongue », chante le groupe Massilia Sound System. Voici le lieu secret où tout Phocéen vient de temps à autre chercher l'âme de sa ville, aujourd'hui connu de tous les amoureux de Marseille. Et vous verrez : même sous un petit soleil d'hiver, elle ne manque pas de prétendants. À Callelongue, on trouve un port miniature avec de rares bateaux et une poignée de maisons de pêcheurs et de cabanons discrets. C'est aussi un point de départ des randonnées dans les calanques.

Où manger ?

|●| **La Grotte :** 13008. ☎ 04-91-73-17-79. ● la.grotte13@gmail.com ● *Tlj, tte l'année. Carte 40-50 €.* Dans le cadre d'une ancienne usine du XIXᵉ s restaurée, avec un décor totalement baroque, un vieux zinc et de grands tableaux à dorures. Parfait pour un dîner en amoureux : vu le prix, il vous restera de quoi lui offrir une alliance en argent plutôt qu'en or... à moins de lui offrir une simple bonne pizza. Pour le déjeuner, tonnelle sous la vigne et les bougainvillées. Il n'est pas interdit de commander un poisson grillé ou un tartare de charolais coupé au couteau.

L'ÎLE DE RIOU

L'île de Riou, inhabitée et classée réserve naturelle, abrite une variété de lapins dite « aux courtes oreilles ». De nombreuses épaves parsèment les fonds sous-marins de ce secteur du littoral. Des plongeurs y ont retrouvé les restes du *Grand-Saint-Antoine*, le voilier de commerce qui apporta la peste à Marseille en 1720. Sur le site du Grand Congloué, le commandant Cousteau exhuma sa première épave. Et dans le même coin, on découvrit les preuves que la disparition en mer de Saint-Exupéry n'était pas accidentelle (à lire : *Saint-Exupéry : l'ultime secret* de J. Pradel et L. Vanrell, éd. Le Rocher).

QUAND SAINT-EX TUTOYAIT LES NUAGES...

En 1944, l'aviateur-écrivain Antoine de Saint-Exupéry disparaît en vol. On crut longtemps à un accident, sans en connaître le lieu exact. Le repêchage de sa gourmette, puis d'un débris de son avion non loin de l'île de Plane et une longue enquête, mèneront jusqu'au pilote allemand qui reconnut avoir mitraillé l'avion de l'homme de lettres.

LA CALANQUE DE MARSEILLEVEYRE

Une très belle marche de 1h30, plutôt facile, au départ de Callelongue, mène à Marseilleveyre et sa petite plage opportunément flanquée d'un resto avec terrasse.

Où manger ?

IOI *Chez le Belge :* pas de tél. Slt le w-e hors saison, tlj en été (accès réglementé). Compter 15-20 €. Ce Belge est un « immigré » venu se balader ici il y a bien longtemps et qui a préféré ne pas repartir. Depuis, ses filles ont pris la relève, exploitant le filon non sans humour. Le panorama vaut le détour, ou plutôt le parcours. Le menu est indéboulonnable : une côtelette et des spaghettis. Parfait pour les groupes d'affamés... L'endroit est ravitaillé, non pas par les corbeaux, simplement par bateau.

LA CALANQUE DE SORMIOU

➤ *Accès : en voiture,* par Mazargues. Suivre ensuite les panneaux « Sormiou ». Accès interdit (8h-19h) aux voitures les w-e au printemps et en automne, ainsi que tlj en été. Parking de délestage obligatoire alors, à 1h de marche (3,5 km). Hors saison, on accède jusqu'au parking de la calanque (à 4 €) à 5 mn de la mer ; *en bus,* ligne n° 23 à prendre au métro Rond-Point-du-Prado, arrêt La-Cayolle puis 1h15 de marche jusqu'à la calanque.
– Bon plan : si vous prévoyez de manger dans l'un des restos de la calanque, donnez votre numéro d'immatriculation lors de la réservation. Vous êtes censé bénéficier de l'accès résident pour aller jusqu'au parking de la calanque.
– Attention : certains véhicules sont vandalisés sur les parkings de délestage... Mieux vaut donc venir en bus.

Cette calanque est tout simplement superbe. Comme sa jumelle Morgiou, depuis le début du XXᵉ s, elle est occupée par des cabanons de pêcheurs, une centaine en tout, qui forment un ensemble homogène, avec leurs tonnelles et leurs toits en tuiles. Ici, on est locataire de père en fils, privilège rare. Et tout ce petit monde se réunit entre soi, en été, autour du traditionnel aïoli du 15 août, jour de la Sainte-Marie, en hommage à deux femmes, la

LE SECRET DES CABANONS

L'ensemble de la calanque de Sormiou appartient aux descendants de Marie de Sormiou qui acheta le lieu en 1885. Les cabanons qui s'y trouvent sont loués aux mêmes familles depuis des générations. Ainsi, comme ils n'appartiennent pas à ceux qui les occupent, aucune opération immobilière n'est possible et l'endroit garde tout son charme.

mère de Jésus et Marie de Sormiou, la propriétaire de la calanque, qui a légué à ses héritiers un joli pactole. Profitez sans compter des eaux limpides : elles sont publiques et gratuites, elles !

Où manger ?

IOI *Le Château :* au niveau du parking de la calanque. ☎ 04-91-25-08-69. Ouv avr-sept tlj. Carte 30-40 €. Atmosphère paisible, belle terrasse où la vue et la cuisine ont la même inspiration : la mer. Il y a de la bouillabaisse, bien sûr, mais vous n'êtes pas obligé d'en manger à chaque sortie. C'est comme la choucroute en Alsace, on s'en lasse. Bon accueil.

LA CÔTE BLEUE ET LE PARC NATIONAL DES CALANQUES

LA CALANQUE DE MORGIOU

➤ **Accès :** en voiture par Mazargues, puis la prison des Baumettes et le chemin de Morgiou ; route d'accès à la calanque fermée (8h-19h) les w-e au printemps et en automne et tlj en été. Bus n° 22, arrêt Baumettes. Ensuite, 1h de marche (3,5 km). Certaines années, si vous venez en juin, vous assisterez à la « Journée des ânes ». Une fête peu connue, qui rappelle le temps jadis où les poissonnières venaient chercher ici le poisson qu'elles transportaient ensuite en ville à dos d'âne. Aujourd'hui, le village est resté typique, dans l'esprit du moins, même s'il y a un peu moins de pêcheurs faisant la sieste au soleil.

Où manger ?

|●| **Nautic Bar :** ☎ 04-91-40-06-37. ● barnauticresto@gmail.com ● Tlj sf dim soir (et lun hors été). Congés : début nov-début fév. Résa conseillée. Carte 30-45 €. CB refusées. Dans les calanques, on dit « Chez Sylvie » quand on parle de ce resto, idéal pour une pause revigorante. Terrasse avec vue sur mer. Brise de mer, poissons grillés et vin frais, une trilogie classique. Bouillabaisse sur commande, ou friture (hmm, avec un peu de chance il y aura des girelles !).

LA GROTTE COSQUER OU LE LASCAUX SOUS-MARIN

Inaccessible au public (son entrée a été murée suite à un accident mortel). Seuls les archéologues y accèdent pour leurs recherches. C'est dans cette grotte sous-marine du cap Morgiou qu'ont été découvertes en 1991, par le plongeur Henri Cosquer, les plus anciennes représentations d'animaux que l'on connaissait à l'époque. Cosquer faisait de l'exploration sous-marine à ses heures libres. Un jour, par hasard, dans la calanque de la Triperie, il découvre un passage étroit dont l'entrée était située à 38 m sous le niveau de la mer. En remontant cet oblique boyau rocheux long d'une centaine de mètres, il atteignit une incroyable salle souterraine (hors d'eau) méconnue, aux parois couvertes de représentations préhistoriques. Elles datent d'il y a au moins 27 000 ans (les peintures de Lascaux remontent « seulement » à 16 000 ans). Depuis, la grotte Chauvet, découverte en Ardèche, a battu tous les records d'ancienneté, avec des gravures vieilles de 320 siècles !

LA CALANQUE DE SUGITON

➤ **Accès :** en voiture, par Mazargues. Suivre ensuite les panneaux « Luminy ». Sinon, bus n° 21, au départ de Castellane jusqu'au terminus Luminy ; ensuite, compter env 1h de marche (4 km de descente). La balade commence par un large chemin plat, très fréquenté le dimanche, menant à un superbe point de vue plongeant sur le cap Morgiou. Descente possible sur Sugiton en 30 mn avec de beaux points de vue et un petit bain au milieu des rochers. Attention, ça monte au retour. Collée à la calanque de Sugiton se trouve la calanque des Pierres Tombées (désormais interdite d'accès).

LA CALANQUE D'EN-VAU

➤ **Accès :** à 15 km de Marseille et à 5 km de Cassis. Prendre, sur la D 559, à hauteur du camp de Carpiagne, la route en direction de la mer jusqu'au parking de la Gardiole. Fermé en été. Un large sentier descend à la calanque via le vallon boisé de la Gardiole. Compter 3-4h aller-retour. Ce sentier est fermé l'été. On peut aussi y accéder depuis Cassis, via Port-Miou et Port-Pin (compter 2h l'aller simple). Superbe rando, facile pour le début, mais ATTENTION, elle est vraiment sportive sur la fin du parcours quand il s'agit de descendre dans la calanque. Dernière possibilité, ceux qui suivent le GR 98 depuis Marseille et qui verront au passage les calanques les plus secrètes du massif, dont celles du Devenson et de l'Oule (accès difficile, voire déconseillé). La calanque d'En-Vau est la plus connue, la plus photogénique des calanques. Et incontestablement l'une des plus belles, avec ses aiguilles et falaises tombant dans la mer turquoise, qui font le bonheur des grimpeurs (nombreux sites d'escalade). Il y a une charmante petite plage de sable et de galets. À éviter l'été et les week-ends, pour qui n'aime ni le bruit ni la foule.

LA CALANQUE DE PORT-PIN

➢ *Accès :* à 1h de Cassis via Port-Miou (compter 40 mn depuis le parking de la presqu'île, voir ci-après).
À peine moins encaissée que ses voisines. Petite plage de sable exposée plein sud, entourée de pins dont on se demande comment ils poussent sur les rochers. Idéale pour la baignade. C'est bien sûr la foule en été et les grands week-ends.

LA CALANQUE DE PORT-MIOU

Stationnement possible (accès réglementé le w-e avr-sept) sur le parking de la presqu'île. Tarif forfaitaire : 7 €/j. Ensuite, 10 mn à pied suffisent pour y accéder. En saison, accès en navette (A/R 1,60 €) depuis le parking relais gratuit des Gorguettes (à l'entrée de Cassis). Navettes tlj 9h-20h en juil-août ; w-e et j. fériés, avr-juin et sept.
La plus proche de Cassis (et la seule sur le territoire de cette commune). Cette longue calanque (1,2 km) est aussi des plus fréquentée par les promeneurs comme par les plaisanciers. Port-Miou ressemble à un vrai petit port avec sa capitainerie. Une calanque au visage de loup de mer, largement balafrée qu'elle est par une ancienne carrière de pierre. Prolongez la balade jusqu'à la pointe Cacau. Au passage, jetez un coup d'œil ou plutôt écoutez le son du *Trou Souffleur*, curiosité géologique. De la pointe, jolie vue sur les falaises de la calanque d'En-Vau.

Où dormir ?

🛏 *Auberge de jeunesse La Fontasse :* lieu-dit La Fontasse, 13260 Cassis. ☎ 04-42-01-02-72. Par la D 559, à une douzaine de km de Marseille et 6 km de Cassis, tourner à droite (c'est fléché) pour la maison forestière de la Gardiole (3 km de petite route, puis 2 bons km de piste caillouteuse). Attention, en saison, l'accès en voiture à l'AJ ne peut se faire que si vous avez réservé (barrière). À pied, se faire déposer (bus Marseille-Cassis) à l'arrêt Camp-militaire de Carpiagne ou bien, si l'on a un sac pas trop lourd, monter à l'AJ depuis la calanque de Port-Miou (4 km, soit env 1h de marche). Ouv 15 mars-31 déc, réception ouv 8h30-10h30, 17h-21h. Avec la carte FUAJ (obligatoire et en vente sur place), dortoirs (7 lits) 13,70 €/pers. Enfants acceptés à partir de 7 ans. Auberge installée dans un ancien relais de chasse, isolée au cœur d'une nature exceptionnelle, avec une vue non moins exceptionnelle sur le cap Canaille. Un vrai retour à la nature : citerne d'eau de pluie (et des bassines pour prendre sa douche !), panneaux solaires et éolienne pour l'électricité... Cuisine à disposition (apportez vos provisions !). Excellent accueil, et plein de bons conseils à glaner. En juillet-août, présentez-vous dès le matin, car l'AJ affiche vite complet.

LA PRESQU'ÎLE DE PORT-MIOU

➤ *Accès :* départ du parking de la presqu'île à Cassis ; navettes depuis parking des Gorguettes (à l'extérieur du bourg ; A/R 1,60 €) les w-e et j. fériés d'avr-juin, sept et tlj en été. Le *sentier du Petit Prince* fait référence à la gourmette de Saint-Exupéry retrouvée au large. Il a est équipé de panneaux d'information. Une balade de 1h-1h30, accessible à tous, permettant de découvrir le milieu naturel, l'histoire des calanques, etc.

Plongée sous-marine dans les calanques

En plongeant dans l'azur méditerranéen, les hautes falaises brutes des calanques se transforment en tombants colonisés par une vie luxuriante très sauvage. Ces fonds peuvent être classés parmi les plus spectaculaires de la Méditerranée française, surtout quand l'eau – très limpide – est investie en profondeur par les intenses rayons du soleil. Une escorte de dauphins viendra peut-être compléter l'envoûtement...

Club de plongée

■ *Cassis Calanques Plongée :* 3, rue Michel-Arnaud, 13260 **Cassis.** ☎ 06-71-52-60-20. ● cassis-calanques-plongee.com ● Tlj de mi-mars à mi-déc. Baptême env 65 € (!) ; plongée env 37-57 € selon équipement ; forfaits dégressifs pour 6 et 10 plongées. Ancien club (FFESSM, ANMP) d'Henri Cosquer qui fit jaillir à la connaissance de l'*Homo modernicus* la fameuse grotte préhistorique (voir plus haut). On embarque aujourd'hui à bord du *Cro-Magnon*, un chalutier de plongée où les moniteurs brevetés d'État assurent baptêmes, formations niveaux I à III, explorations (selon météo) et plongées de nuit. Plongée Nitrox et randonnée palmée dans les calanques pour se familiariser en douceur (sentier sous-marin Olivier-Gyus). Équipements complets fournis.

Nos meilleurs spots

⚓ *Castel Viel (niveau I) :* juste au pied de la falaise. Gorgones et corail rouge éclatant enflamment littéralement ce tombant somptueux qui dégringole jusqu'à 40 m de profondeur (courte plate-forme à 17 m). Les loups, mérous, sars, saupes, girelles paons et castagnoles, aux couleurs et reflets chatoyants, viennent enrichir cet énorme bouquet. À « deux brassées de palmes », les surplombs d'une fameuse *grotte à Corail* (12 à 24 m) sont fascinants.

⚓ *La pointe Cacau :* accessible aux plongeurs débutants. Au pied d'une falaise qui chute dans le bleu méditerranéen, une cascade d'éboulis rocheux suivis d'un magnifique tombant (43 m max) fleuri de gorgones et corail rouge. Devant vos yeux éblouis, les langoustes, mérous, girelles paons, loups, anthias, castagnoles, et même parfois un poisson-lune ou un saint-pierre, déclenchent un véritable incendie de couleurs (inutile de faire le ☎ 18 !). Présence de trois beaux canons de bateau.

⚓ *Le phare de la Cassidaigne (à partir de 6 m ; niveau I) :* au sud des fameuses calanques, ce vaste plateau rocheux entouré de tombants permet plusieurs plongées magnifiques. Eaux limpides où se déploie une vie particulièrement sauvage. Spot exposé.

⚓ *L'Eissadon (15 m ; niveau I min) :* à proximité de la pointe de l'Îlot. Ambiance surréaliste dans cette faille entrecoupée de tunnels que vous visiterez un à un.

À explorer l'après-midi, quand le soleil donne à la roche des couleurs bien vives. Jeunes mérous en pagaille.

DE CASSIS À LA CIOTAT EN PASSANT PAR LA ROUTE DES CRÊTES

CASSIS

(13260)   7 700 hab.   *Carte Bouches-du-Rhône, D4*

Ce petit port de pêche s'est réfugié dans une échancrure entre les calanques et le cap Canaille qui s'enflamme à la fin du jour. Le village aussi s'enflamme, lorsque déferlent les touristes par vagues de plus en plus fortes en juillet-août, multipliant par quatre la population. Un afflux massif qui fait perdre à ce sympathique port coquet et bourgeois une bonne partie de son charme. On ne saurait donc que trop vous conseiller de découvrir Cassis hors saison, ou du moins à la mi-saison. Vous pourrez alors flâner sur les hauteurs à la recherche des belles villas balnéaires de l'entre-deux-guerres, grimpant dans les pins à l'assaut des collines. Enfin, les calanques (voir plus haut), escapades idéales pour un pique-nique ou un vrai casse-croûte marin, offrent des espaces sauvages relativement tranquilles à qui se donne la peine de marcher un peu... ou à ceux qui disposent du budget suffisant pour louer un bateau, évidemment.

Signalons aussi pour qui ne se contente pas de vivre d'amour et d'eau salée que le vignoble cassidain, avec ses 12 domaines AOC depuis 1936, produit des blancs secs et fruités (70 % de la production) aux arômes d'agrumes, de miel, d'amandes se mariant très bien à la cuisine provençale.

> **LA CÔTE BLEUE ET LE PARC NATIONAL DES CALANQUES**

LE FRUIT DE L'IMAGINATION

Un rapport entre le cassis et la ville du même nom ? Eh bien non ! Le port méditerranéen situé au cœur des Calanques tire son nom de ses origines latines : il s'appelait Carsicis Portus au Ve s. On ne prononce d'ailleurs pas le « s » pour la ville alors qu'on le prononce pour le fruit. Ce ne sont pas les Cassidains qui vont nous contredire !

Comment y aller ?

➢ **En bus :** avec le réseau **Transmétropole** *(NAP Tourisme : ☎ 04-91-36-06-19 ou 0820-821-400 – n° Indigo)*. Ligne M8 pour Marseille. Départs de Castellane, sur l'av. du Prado, à l'arrêt de bus n° 21. Plus économique et pratique que le train, puisque la gare de Cassis se trouve à plus de 3 km du port, mais moins rapide *(trajet : 40 mn ; 2,70 €)*. Pour La Ciotat, ligne M5. Avec **Cartreize,** bus pour Aubagne (• *cartreize.com* •).

➢ **En train :** ☎ *36-35 (0,34 €/mn). Cassis est à 30 mn de la gare Saint-Charles. Navettes en autocar (ligne* La Marcouline*) coordonnées avec les trains (ligne* La Marcouline*) coordonnées avec les trains, elles relient la gare de Cassis au centre du village (hors plan par A1, rond-point du casino) tlj tte l'année (sf 1ᵉʳ mai). Ticket A/R 1,60 €.*

– *Stationnement et circulation :* une pierre d'achoppement dans cette ville-calanque lorsque les chaleurs pointent le nez, avec leur lot de visiteurs.

🅿 D'avr à mi-nov, parking relais gratuit aux Gorguettes avec une navette (ticket A/R 1,60 €) pour le centre-ville (rond-point du casino). Navette env ttes les 30 mn 9h-20h les w-e, j. fériés et ponts avr-juin et de sept à mi-nov (tlj pendant les vac scol de Pâques) ; juil-août, rotation ttes les 10 mn tlj 9h-20h, puis ttes les 30 mn jusqu'à 1h.
D'avr à mi-sept, une navette relie les Gorguettes à la calanque de Port-Miou avec arrêt à la plage du Bestouan : tlj juil-août, slt les w-e, j. fériés et ponts à mi-saison ; ttes les 20 mn, 9h-20h.

Les parkings proches du centre-ville Mimosa *(hors plan par B1)* et Viguerie *(plan A1)* sont gratuits la 1re heure. Si vous séjournez quelque temps, ils proposent des forfaits 3-7 j. (35-70 € ; en vente au parking Mimosa slt). Certains hôtels disposent également d'un parking et/ou de garages.

Adresse et infos utiles

🅸 *Office de tourisme (plan A2) : quai des Moulins.* ☎ 0892-390-103 *(0,34 €/ mn).* ● *info@ot-cassis.com* ● *ot-cassis. com.* ♿ *Tlj (sf dim ap-m hors saison).* Bon matériel touristique, bon accueil et bons conseils. Bref, que du bon... Central de réservations pour les hébergements et les activités (à l'accueil et sur le site internet). Propose également de 1 à 3 visites guidées thématiques par semaine (historique, cinéma et people, vignoble).
■ *Location de vélos électriques :* 🖥 06-26-04-05-28. ● *cassisavelo.fr* ● *Compter 22 € les 4h et 32 € la journée (dégressif).* Pratique pour explorer ces environs vallonnés, où la circulation automobile et le stationnement s'avèrent pénibles une bonne partie de la saison. Les vélos vous sont livrés.
– *Marché :* mer et ven mat, sur la pl. Baragnon et les rues adjacentes. Parking du casino gratuit pour l'occasion. Sinon, petit marché paysan sam mat, pl. Clemenceau.

Où dormir ?

Camping

⚐ *Camping Les Cigales (hors plan par A1, 10) : av. de la Marne.* ☎ 04-42-01-07-34. ● *campingcassis.com* ● À 1,5 km du centre, fléché depuis la D 559 (en direction de Marseille). *Arrêt de bus Cartreize « Clos des Oliviers ». Ouv 15 mars-15 nov. Empl. tente 21 €.* Un camping, un vrai, sans mobile homes. Le sol est caillouteux, parfois légèrement en pente, mais les emplacements sont bien délimités et à l'ombre pour la plupart, calés sous les pins et les oliviers. Les sanitaires ont bien vécu mais sont bien entretenus. Sur place, bar, épicerie, aire de jeux, machines à laver. Reste à y trouver de la place en saison (réservation impossible, arriver tôt le matin).

Auberges de jeunesse

🏠 *Auberge de jeunesse La Fontasse (hors plan par A1, 11) : lieu-dit* La Fontasse. ☎ 04-42-01-02-72. Voir plus haut la calanque de Port-Miou, dans « Les calanques, de Marseille à Cassis ».
🏠 *Cassis Hostel (hors plan par A1, 23) : 4, av. du Picouveau.* ☎ 09-54-37-99-82. ● *cassishostel@free.fr.* ● *cassishostel.com* ● *Congés : déc-janv. Selon saison, dortoirs 4-6 lits 24-35 €/ pers ; doubles 60-85 € (w-c sur le palier) ou 70-100 € (tt confort) ; petit déj inclus.* 🖥 📶 Noyée dans un coquet jardin de plantes méditerranéennes, cette charmante villa très *fifties* a su relooker son intérieur : jeune, bien au goût du jour avec une décoration évoquant le voyage. Le parfait pied-à-terre pour des aventuriers en herbe, prêts à en découdre avec le parc national des Calanques. Dortoirs d'un confort correct, chambres pas immenses mais agréables, cuisine à dispo pour faire son petit frichti, bon accueil et... une terrasse avec les pieds dans l'eau d'une jolie piscine à débordement. Bande de veinards !

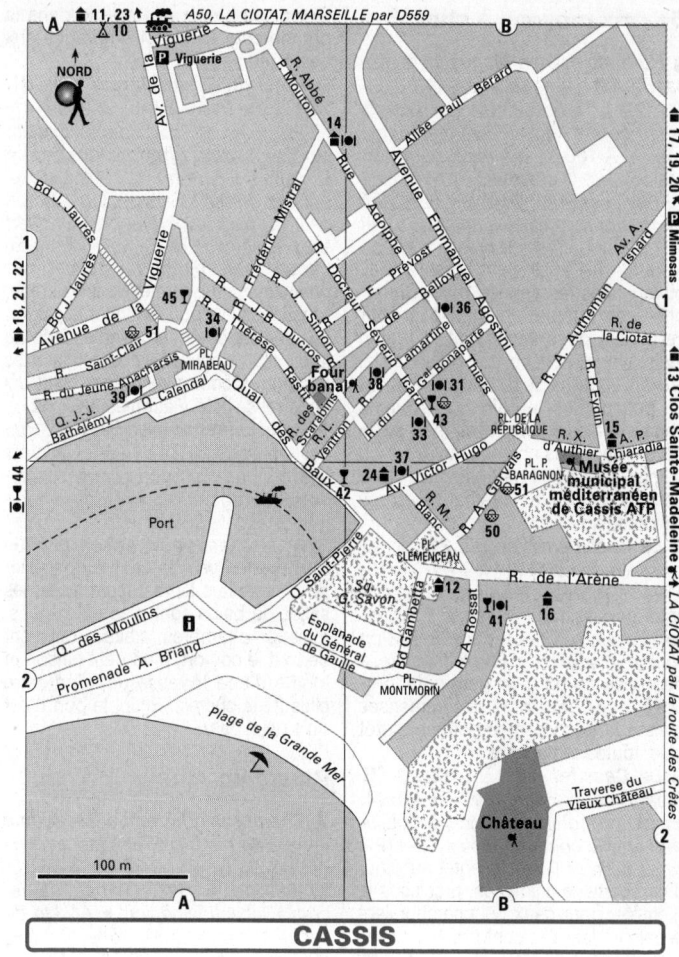

CASSIS

■	Adresse utile	18	Le Jardin d'Émile	38	Fleur de thym
🖪	Office de tourisme	19	Les Jardins de Cassis	39	Nino
		20	La Demeure	🍷 ❙●❙	Où boire un verre ?
🏕 🏠	Où dormir ?		insoupçonnée		Où grignoter ?
10	Camping Les Cigales	21	Hôtel de la Plage « Le	41	Divino
11	Auberge de jeunesse		Mahogany »	42	La Marine
	La Fontasse	22	La Rade	43	Le Chai Cassidain
12	Le Cassitel	23	Cassis Hostel	44	Le Naïo
13	Hôtel de France	24	Le Cassiden	45	Pastis et Compagnie
	Maguy	❙●❙	Où manger ?		
14	Le Clos des Arômes	31	Le Bonaparte	⊛	Où acheter de bons
15	Hôtel du Grand Jardin	33	Saveurs latines		produits ?
16	Hôtel Laurence	34	L'Escalier		
17	Chambres d'hôtes	36	L'Atelier Traiteur	50	Sucr'é Délices
	La Bastidaine	37	Angelina	51	L'eau de Cassis

De prix moyens à chic

🏠 **Hôtel de France Maguy** (hors plan par B2, **13**) : av. du Revestel. ☎ 04-42-01-72-21. ● hoteldefrancemaguy@gmail.com ● hoteldefrancemaguy.com ● À 100 m du rond-point du casino, sur la hauteur. Congés : de mi-nov à mi-fév. Doubles 62-130 € selon confort et saison, petit déj inclus. Café offert sur présentation de ce guide. 🖥 🛜 Un petit hôtel familial, ouvert dans les années 1950. Chambres confortables (climatisées pour certaines) dans l'esprit de la région mais avec une déco très personnelle, réussie et pleine de fantaisie. Certaines un peu petites toutefois. Les moins chères ont les w-c privatifs, mais sur le palier ; une, plus chère, s'ouvre sur un balcon. Quelques petites suites dans des édicules au rez-de-chaussée. Très bon accueil.

🏠 **Le Cassiden** (plan B2, **24**) : 7, av. Victor-Hugo. ☎ 04-42-01-72-13. ● reservation@hotel-le-cassiden.fr ● hotel-le-cassiden.fr ● Fermé 2de quinzaine de janv. Doubles 63-93 € selon confort et saison. 🛜 En plein centre, à deux pas du port, un petit hôtel proposant des chambres pas immenses mais à la déco contemporaine plutôt gaie, toutes climatisées.

🏠 **Le Cassitel** (plan B2, **12**) : 3, pl. Clemenceau. ☎ 04-42-01-83-44. ● cassitel@hotel-cassis.com ● hotels-capcanaille.com ● Doubles 69-119 € selon taille et vue. Un hôtel au cœur d'une certaine animation, précisons-le d'entrée, pour ceux qui chercheraient le calme. Jolies et confortables chambres au goût d'aujourd'hui avec clim. Petits balcons face au port pour certaines, les plus chères.

🏠 |❚| **Le Clos des Arômes** (plan A1, **14**) : 10, rue Abbé-Paul-Mouton. ☎ 04-42-01-71-84. ● closdesaromes@orange.fr ● le-clos-des-aromes.fr ● Resto fermé mer hors saison. Doubles 69-99 € selon taille et vue. Menus 29-39 €. Vieille maison de village rénovée, dans une rue tranquille, éloignée ce qu'il faut du port et du bruit. Petites chambres à la déco discrètement provençale. Sans clim, elles donnent sur le jardin (plus chères) ou sur l'église. Au restaurant, cuisine traditionnelle.

Cheminée l'hiver et terrasse dans la grande cour fleurie et ombragée aux beaux jours.

🏠 **Hôtel du Grand Jardin** (plan B1, **15**) : 2, rue Pierre-Eydin. ☎ 04-42-01-70-10. ● contact@hoteldugrandjardin.com ● hoteldugrandjardin.com ● Congés : de mi-nov à début mars. Doubles 86-90 €. Garage payant. 🛜 Un petit déj par chambre et par nuit offert sur présentation de ce guide. En plein centre mais plutôt au calme. Les chambres, avec clim et double vitrage, fonctionnelles, donnent pour la plupart sur une terrasse verdoyante, face au jardin municipal. Idéal pour les familles (chambres communicantes). Petit déj en terrasse l'été. Patron accueillant.

🏠 **Hôtel Laurence** (plan B2, **16**) : 8, rue de l'Arène. ☎ 04-42-01-88-78. ● info@cassis-hotel-laurence.com ● cassis-hotel-laurence.com ● Congés : de mi-nov à janv. Doubles 59-101 € selon type de chambre et saison. L'hôtel n'est certes pas de ceux à conseiller aux personnes aimant leurs aises, les salles de bains sont plus qu'exiguës, mais les chambres, claires, jouissent de tout le confort, d'un petit balcon et même d'une terrasse pour 2 d'entre elles (plus chères). Enfin, le port n'est qu'à deux pas.

Plus chic

🏠 **Chambres d'hôtes La Bastidaine** (hors plan par B1, **17**) : 6 bis, av. des Albizzi. ☎ 04-42-98-83-09. 📱 06-18-97-66-51. ● cassis@labastidaine.com ● labastidaine.com ● À 2 km du centre. Sur résa 15 nov-15 fév. Doubles 89-113 € ; familiales 109-142 €. Parking gratuit. 🖥 🛜 Cette maison d'hôtes, la première à avoir posé ses valises à Cassis, propose 4 jolies chambres indépendantes, situées au rez-de-chaussée d'une ancienne bastide, au pied d'une grande pinède, dans les vignobles. Parfaitement au calme, ça compte par ici ! Excellentes confitures maison au petit déj, servi, aux beaux jours, sous les platanes. Piscine. Départ de randonnées pédestres et à VTT de la propriété. Accueil particulièrement sympathique.

🏠 **Le Jardin d'Émile** (hors plan par A1, **18**) : 23, av. de l'Amiral-Gauteaune.

☎ 04-42-01-80-55. ● info@lejardin
demile.fr ● lejardindemile.fr ● Congés :
de mi-nov à mi-déc. Doubles 84-159 €.
Parking gratuit. ☞ Calée dans une
échancrure de garrigue, face à un joli
jardin, cette petite adresse toute rouge,
presque rescapée d'un autre temps,
se révèle plus proche de la chambre
d'hôtes que de l'hôtellerie traditionnelle. 7 chambres mignonnes et
confortables, éclatantes de couleurs.
Le tout à 50 m de la plage du Bestouan... ce qui accroît l'envie de n'en
pas repartir.

🛏 *Les Jardins de Cassis* (hors plan
par B1, *19*) : rue Auguste-Favier.
☎ 04-42-01-84-85. ● contact@lesjar
dinsdecassis.com ● hotel-lesjardinsde-
cassis.com ● Ouv mars-nov. Sur les
hauteurs de Cassis, à 15 mn à pied du
port (ça grimpe !). Doubles 73-183 €,
suites 115-200 € selon saison. Petit déj
14 €. Parking privé gratuit. 🖵 ☞ Dans
une grosse bâtisse encerclée de pins,
de vastes chambres climatisées, lumineuses et tout confort, dotées d'un
balcon pour les plus chères et réparties
autour d'un patio. Annexe, un cran en
dessous, et côté route... Petit déjeuner
à base de bons produits, servi au bord
de la piscine. Jacuzzi.

Beaucoup plus chic

🛏 *Hôtel de la Plage « Le Maho-
gany »* (hors plan par A1, *21*) : 19, av.
de l'Amiral-Ganteaume. ☎ 04-42-01-
05-70. ● info@hotelmahogany.com ●
hotelmahogany.com ● Doubles 110-
195 €, suites 185-290 €. Petit déj 13 €.
Parking payant 10-20 €/nuit. ☞ Une
façade balnéaire, joliment dressée au-
dessus de la plage. Belles chambres
d'une élégante sobriété, top confort,
contemporaines pour celles avec vue
sur mer, plus colorées côté jardin.

Où manger ?

De bon marché
à prix moyens

🍴 *Le Bonaparte* (plan B1, *31*) : 14,
rue Général-Bonaparte. ☎ 04-42-01-
80-84. Tlj sf lun, plus dim soir hors
saison. Formule déj 13,50 € en sem,

Les moins dispendieuses (façon de
parler...) sont un peu étroites mais
s'ouvrent sur un grand balcon de
bois, face au cap Canaille. Snack pour
les petites faims, et plage privée en
contrebas.

🛏 *La Rade* (hors plan par A1, *22*) : 1,
av. des Dardanelles, route des Calanques. ☎ 04-42-01-02-97. ● larade@
hotel-cassis.com ● bestwestern-cassis.
com ● Tte l'année. Doubles 99-199 €
selon taille et saison. Parking gratuit ou
box privé 12-15 €/nuit. ☞ Un 3-étoiles
caréné comme un yacht : bastingages,
teck et hublots. Autour de la piscine,
superbe terrasse d'où la vue court jusqu'au cap Canaille. S'il fait frisquet, la
véranda jouera tout aussi bien les
vigies. Chambres d'humeur marine,
évidemment très confortables et climatisées. Les moins chères donnent toutefois côté rue. La plage du Bestouan
est à 200 m.

🛏 *La Demeure insoupçonnée*
(hors plan par B1, *20*) : 21, montée
de la Chapelle. ☎ 04-42-82-35-78.
📱 06-31-10-73-12. ● lademeurein
soupconnee@gmail.com ● la-demeure-
insoupconnee-cassis.com ● Depuis
le rond-point du Casino, remonter
l'av. Leriche puis celle des Provence ;
prendre la D 559 à gauche (direction
Marseille) ; 500 m plus loin, prendre à
droite la rue de Sainte-Croix (direction
Super Cassis) et 200 m plus loin à gauche la rue de la Chapelle. Ouf ! Ouv tte
l'année. Doubles 130-200 €. Une vue
imprenable sur le cap Canaille, la mer,
l'agitation au loin, et là, le calme, la fraîcheur d'une oasis, avec des chambres
ayant toutes leur grain de folie, invitant
au bien-être, au lâcher-prise. Julie et
Jean-Claude sont des hôtes comme on
les aime, présents mais pas trop. Mieux
vaut s'offrir un court séjour ici qu'un
long chez les autres, c'est leur devise.

puis menus 18-24 €. Digestif offert
sur présentation de ce guide. Resto
populaire fréquenté par des habitués,
qui se moquent des aléas du service,
souvent dans le jus. Petite salle sim-
plette et terrasse sur la rue (piétonne).
Cuisine familiale à prix doux, orientée
mer.

LA CÔTE BLEUE ET LE PARC NATIONAL DES CALANQUES

LA CÔTE BLEUE ET LE PARC NATIONAL DES CALANQUES

|●| Saveurs latines (plan B1, **33**) :
3, rue du Docteur-Séverin-Icard.
☎ 04-42-72-21-24. ● philippeattali@
hotmail.com ● Tlj sf mer (et mar hors
saison). Formule déj 16 €, menus 18-33 €. Formule
déj 16 €, menus 18-33 €. Digestif corse offert sur présentation de
ce guide. Ces saveurs-là ne dansent
pas la salsa. Il s'agit, pour changer,
d'un resto corse, qui propose, dans la
décontraction et en version copieuse,
toutes les spécialités de l'île et les
vins qui vont avec. Terrasse sur la
rue piétonne et agréable petite salle
contemporaine.

|●| L'Escalier (plan A1, **34**) : 4, rue
Frédéric-Mistral. ☎ 04-42-32-33-80.
● restolescalier@orange.fr ● Tlj slt le
soir (fermé mer hors saison). Congés :
de déc à mi-janv. Menus 22-32 €.
Digestif offert sur présentation de
ce guide. En terrasse, en salle ou
– mieux encore – dans l'atmosphère
intime d'un ancien appartement qui a
conservé sa pile (comprendre évier !)
en pierre de Cassis. Gentille cuisine
au gré du marché... aux poissons.
Accueil charmant.

|●| L'Atelier Traiteur (plan B1, **36**) :
20, rue Thiers. ☎ 04-96-18-58-02.
🖥 06-83-56-16-64. ● franck.jamont@
free.fr ● Tlj le midi, sf jeu hors saison (boutique ouv 8h-16h, 16h30-
20h30). Congés : de mi-janv à fin fév.
Plat du jour 14 €. Café ou digestif
maison offert sur présentation de
ce guide. On y entre un peu par
hasard, côté épicerie. Que des bons
produits à emporter ou à déguster
sur place. Il y a des pieds-paquets
annoncés au tableau noir, et de la
joue de porc au chorizo, mais le chef
ne peut pas garantir qu'il y en aura
encore si on arrive trop tard. Parfois,
aussi, personne en cuisine : Franck
est parti mitonner ses plats ailleurs...
Alors, on revient fissa et là, c'est que
du bonheur, du simple, du bon, du
vrai. On va les plaindre, à Cassis,
après ça !

De prix moyens à plus chic

|●| Angelina (plan B1-2, **37**) : 7, av. Victor-
Hugo. ☎ 04-42-01-89-27. ● restaurant-
angelina@orange.fr ● Tlj midi et soir
Pâques-oct. Fermé lun hors saison.
Menu-carte 37 €. On n'y croyait plus
guère après un tour sur le port, mais voilà
un restaurant qui fleure bon la vraie gastronomie. On aime s'y installer, en terrasse
ou dans une longue salle aux couleurs
vives, habitée par un olivier séculaire. Le
chef créatif a fait ses gammes au piano de
grandes tables. Visiblement pas dernier
de la classe, il défend comme un lion sa
partition salée avec force recettes inventives, présentées con brio et généreuses
ce qu'il faut. La dent sucrée est loin d'être
négligée. Quant au service, il se déroule
avec douceur et décontraction, jusqu'à la
note finale... pas si salée.

|●| Fleur de thym (plan B1, **38**) : 5, rue
Lamartine. ☎ 04-42-01-23-03. ● fleur
dethym3@wanadoo.fr ● ♿ Tlj sf lun midi.
Congés : déc. Résa conseillée. Menu
28 € ; carte 50-55 €. CB refusées. La déco
fait dans le raffiné, clin d'œil à la maison
de poupée, et la cuisine est remarquable
de goût, de précision. Une vraie dînette de
charme avec de mémorables plats provençaux qui changent au fil des saisons
et des humeurs du duo qui vous accueille
dans cette jolie bonbonnière. Changement d'atmosphère mais pas de cuisine
aux beaux jours, avec la confortable terrasse installée dans la petite ruelle.

|●| Nino (plan A1, **39**) : 1, quai Barthélemy. ☎ 04-42-01-74-32. Sur le port.
Tlj sf lun (et dim soir sept-avr). Congés :
de mi-nov à mi-fév. Menu 36 € ; carte
45-60 €. Installé dans la Prud'homie, où
les pêcheurs règlent prudemment leurs
problèmes. Accueil sympathique et décor
marin (jusqu'à la tenue des serveurs).
Belle (et assez courue) salle largement
vitrée où goûter une traditionnelle cuisine
de la mer... face au port et au château de
Cassis. Attention au poisson vendu au
poids (ça peut alourdir... l'addition).

Où boire un verre ? Où grignoter ?

☂ |●| Divino (plan B2, **41**) : 3, rue
Rossat. ☎ 04-42-98-83-68. Tlj | 15 juin-31 oct 10h-14h, 17h-2h (nonstop juil-sept). Fermé dim-lun hors

saison. *Carte 12-15 €.* Pour élargir votre palais aux vins du Grand Sud, faites confiance à Philippe Bellec, sommelier qui a quitté le monde des grandes maisons pour ouvrir cette cave-bar à vins où l'on se sent bien. Quelques tables en terrasse, bienvenues à l'heure de l'apéro. Un blanc de cassis, forcément. À accompagner d'une assiette de charcuterie ou de fromage, ou plus si affinités (tartines au lard de Colonnata).

♈ *La Marine (plan A-B2, 42)* : 5, quai des Baux. ☎ 04-42-01-76-09. *Tlj (sf mar hors été). Fermé janv-fév.* Pourquoi cette terrasse-là et pas celle du voisin ? Parce que, derrière cette terrasse-là, il y avait Yette. Un personnage, Yette, l'ancienne patronne de ce bistrot, dont le franc-parler avait séduit nombre d'artistes, de Bécaud à Bardot, qui venaient ici pour un pastis ou un petit vin de Cassis. Aujourd'hui, quelques anciens tentent de perpétuer la tradition, mais sans grande conviction.

♈ ✸ *Le Chai Cassidain (plan B1, 43)* : 6, rue du Docteur-Séverin-Icard. ☎ 04-42-01-99-80. *Tlj sf mar midi (lun et mar en basse saison), jusqu'à 22h au plus tôt. Fermé en janv.* Une cave

à vins aux airs de club anglais, où l'on retrouve à la vente tous les domaines de blanc de Cassis, et surtout un bar pour les déguster. Quelques tonneaux-tables dans la ruelle, pour siroter en plein air.

♈ ❙● *Le Naïo (hors plan par A1, 44)* : 6, quai Carnot. ☎ 04-42-01-94-78. ● cassis@lenaio.fr ● *Ouv Pâques-Toussaint tlj (sf mer juil-août).* Loin du tumulte des adresses au coude à coude, petite terrasse paisible jouissant d'une vue stratégique sur l'entrée du port (histoire de voir passer les bateaux), l'œil perdu vers le cap Canaille. On y boit un coup, on y déguste une glace (parfums inventifs), on y grignote quelques petits plats qui privilégient le bio. Accueil affable.

♈ *Pastis et Compagnie (plan A1, 45)* : 9, rue Brémond, à 100 m du port. ☎ 06-12-23-45-38. *Tlj 11h-22h30. Fermé de mi-nov à mi-fév.* Ici, on sert l'apéro (pastis Janot, vin du coin...), accompagné de tapas, au comptoir d'un tout petit bar. À côté, la boutique *(ouv tte l'année),* pour ramener à la maison la bouteille et ses accompagnements (tapenade, anchoïade...).

Où acheter de bons produits ?

✸ *Sucr'é Délices (plan B2, 50)* : 4, rue Alexandre-Gervais. ☎ 04-42-03-59-79. *Tlj sf lun 7h-13h45, 16h-19h30. Congés : fév.* Après une poignée d'années passées chez un grand de la gastronomie locale, ce pâtissier a ouvert boutique au cœur de Cassis. Et les douceurs proposées ici donnent vraiment envie de garder une place pour le dessert !

✸ *Les vins de Cassis :* un vignoble précieux, 230 ha pour plus de 900 000 bouteilles par an. 12 domaines, avec une *Maison des vins (clos des Oliviers, départementale 559, à l'entrée de la ville, sur la route de Marseille ;* ☎ 04-42-01-15-61 *; tlj sf dim ap-m nov-mars),* qui vend ce

beau monde au prix des domaines. Et possibilité de vente directe, comme chez Laurent Jayne, qui accumule les médailles sans se prendre la tête, au *Domaine Saint-Louis (chemin de la Dona ;* ☎ 04-42-01-30-31 *; prendre rdv).* Sinon, vous trouverez certainement votre bonheur au *Divino* (voir « Où boire un verre ? Où grignoter ? »).

✸ *L'Eau de Cassis (plan A1 et B2, 51)* : 8, rue Saint-Clair et boutique sur la pl. Baragnon. ☎ 04-42-04-25-58. *Tlj 10h-13h, 14h30-19h (non-stop juil-août).* Malin ! Fabrice Cicot a remis au goût du jour une recette d'eau de Cologne créée par son arrière-grand-père. La boutique est superbe, un petit musée du parfum... et du savon de Marseille.

À voir. À faire

– Pour les *calanques,* pas de panique, on ne les a pas zappées. Voir les pages précédentes « Le parc des Calanques » : rando, kayak, plongée, découverte en bateau, tout y est, ou presque.

🏛 *Le musée municipal méditerranéen d'Arts et Traditions populaires* (plan B1-2) : pl. Baragnon. ☎ 04-42-01-88-66. ● *cassis.fr* ● Mer-sam 10h-12h30, 14h-18h (14h30-17h30 en hiver). GRATUIT. Visite guidée 3,30 €. Installé dans un ancien presbytère du XVIIIᵉ s, ce musée est destiné à ceux qui ont un peu de temps devant eux pour le remonter. Propose des vestiges archéologiques (monnaie massaliote, cippe du Iᵉʳ s), des documents sur la ville et des œuvres de peintres régionaux. Cassis fut un des lieux emblématiques de la peinture provençale. Modeste mais intéressant. Expos temporaires.

🏛 *Le four banal* (plan A-B1) : 4, rue Thérèse-Rastit. ☎ 04-42-01-39-94. Lun-ven 9h-12h30, 13h30-17h, sf mer ap-m. GRATUIT. Ce four, datant probablement du Moyen Âge, était un passage obligatoire pour les cassidens, que le seigneur d'alors imposait au passage : un pain prélevé pour vingt cuits (taxe nommée « la vingtaine »). Il accueille une exposition d'objets anciens : dentelles, vieux vêtements, reconstitution d'une cuisine provençale de jadis...

🏛 *Le château* (plan B2) : le site défensif du village dès le VIIIᵉ s a connu différentes périodes de construction sous les comtes des Baux du XIIIᵉ au XIVᵉ s. Les fréquentes incursions des Barbares sur la côte poussèrent les habitants de Cassis à s'y réfugier, créant une véritable petite cité fortifiée sur le rocher, (jusqu'à 250 résidents !). Le château, privé, ne se visite qu'exceptionnellement. À moins que vous n'ayez les moyens de vous offrir ses chambres d'hôtes très belles, mais très chères.

🏛 *Clos Sainte-Magdeleine* (hors plan par B2) : av. du Revestel. ☎ 04-42-01-70-28. ● *clossaintemagdeleine.fr* ● Tte l'année, lun-sam 10h-12h30, 14h-19h (18h sam). Visites lun-sam 11h, 16h avr-sept (résa conseillée) : 10 € ; réduc. Durée env 40 mn. Si les Phocéens ont caboté sur cette côte cassidaine il y a 2 600 ans, s'ils ont introduit en Provence leurs traditions viticoles, c'est depuis 1920 que s'est enracinée ici la famille Zafiropulo, d'origine grecque également. Depuis quatre générations elle fait bonifier ce vin blanc de Cassis dont les ceps dominent de façon somptueuse la grande bleue et grimpent en restanques à l'assaut du cap Canaille. La visite aborde toutes les phases d'entretien de la vigne, du déchaussage au *dessagatage* (attention aux interros surprises !)... Mais aussi le processus de vinification, suivi d'une agréable dégustation dans le caveau.

🏖 *Les plages :* la plus grande, à deux pas du port, est celle de la *Grande-Mer,* plage de sable et de petits galets classique. En allant vers les calanques, on trouve de petites plages (crique ou anse) plus typiques du coin comme celle du *Bestouan* (eau très claire mais plage de galets, surveillée en saison) ou les *Roches Plates,* vestiges d'anciennes carrières au pied du cap de Port-Miou. Vers le cap Canaille, la discrète mais pas déserte (il y a un grand parking juste à côté) plage de galets du *Corton* et la sauvage (et très caillouteuse...) plage de l'*Arène.* Ah ! un truc : les édiles cassidens ont choisi de chasser Adam et Ève de leur paradis. Plus de naturisme dans ces eaux-là !

Fêtes et manifestations

– *Printemps du livre :* dernier w-e d'avr et 1ᵉʳ w-e de mai. Conférences-débats, signatures, dans l'amphithéâtre d'une ancienne villa du bord de mer. Concerts de jazz.
– *Cassis fête son vin :* un dim mat, mi-mai. Messe, danses de la souche et... dégustations. En 2016, Cassis fête les 80 ans de l'appellation.
– *Fête de la Saint-Pierre et de la Mer :* dernier w-e de juin et en juil. La statue de saint Pierre quitte sa niche grillagée du tribunal de pêche pour être menée en procession jusqu'à l'église. Bénédiction des barques de pêche en mer. Anchoïade et sardinade sur le port. Joutes. Course de barques à rames.

– *Les Vendanges étoilées : fin sept.* Beaucoup d'animation, 2 jours durant. Dégustation. Samedi et dimanche : démonstrations culinaires par les chefs en devenir mais aussi *show cooking* par des chefs étoilés, ateliers gourmands, dîner *garden party* (payant)...
– *Marché de Noël : 1ʳᵉ quinzaine de déc, pl. Baragnon.* Cassis prend pendant 9 jours des allures de crèche provençale. Animations, expositions.

VERS LA CIOTAT : LE CAP CANAILLE ET LA ROUTE DES CRÊTES

Une route à ne pas manquer : du haut de sa crête, la D 141 surplombe la mer en d'impressionnantes falaises entre Cassis et La Ciotat. Superbes panoramas au gré de nombreux belvédères jusqu'au cap Canaille (363 m et une vue somptueuse sur les îles de Marseille et le massif des calanques), puis du sommet des falaises Soubeyranes, les plus hautes de France (394 m à la Grande Tête). Personnes sujettes au vertige, s'abstenir ! Bien que sécurisées par des rambardes, les falaises tombent vraiment à pic dans la mer, attention aux enfants ! Après 13 km, une petite route sur la droite gagne le sémaphore du Bec de l'Aigle, qui offre une vision splendide sur toute la côte (table d'orientation sur place).
– *Attention :* cette route des Crêtes est fermée au public en cas de risque d'incendie (renseignements possibles dans les offices de tourisme). D'autre part, ne laissez rien d'apparent dans la voiture (même pour des arrêts brefs), les monte-en-l'air sont véloces paraît-il !
➤ À pied (topoguide et cartes IGN en vente à l'office de tourisme de Cassis), depuis Cassis, suivre la route sur 100 m après le carrefour du Pas-de-la-Bécasse et de la Saoupe. Le sentier (balisage jaune) part à droite et conduit au sommet des falaises Soubeyranes. Si vous continuez sur ce sentier, vous arriverez au Sémaphore. De là, à gauche, descendez au fond du vallon, et, au-delà de la chapelle Notre-Dame-de-la-Garde, vous êtes (avec un peu de courage mais tellement de plaisir) à La Ciotat. La randonnée dure environ 4h. Prévoir de l'eau, des chaussures adaptées et un chapeau.

LA CIOTAT

(13600)   34 500 hab.   *Carte Bouches-du-Rhône, D4*

La Ciotat, « ville Lumière » ? C'est ici que les frères Louis et Auguste Lumière tournèrent en 1895 l'un des premiers films de l'histoire du cinéma : *L'Arrivée d'un train en gare de La Ciotat,* le 21 septembre (on vous passe l'heure...). Mais pourquoi choisirent-ils La Ciotat ? Tout simplement parce qu'ils possédaient une somptueuse propriété, et parce qu'ils découvrirent ici un ciel d'une luminosité sans pareille.
Depuis, la gare a changé, la ville aussi, même si son histoire reste intimement liée à la mer : petit port de

LA FACE CACHÉE DES FRÈRES LUMIÈRE

Opposés à l'hégémonie américaine dans le cinéma, ils sombrèrent dans la collaboration. En 1995, alors que la Banque de France allait utiliser leur effigie pour illustrer les billets de 200 francs, ce passé trouble fut mis en lumière. Au dernier moment, on leur préféra Gustave Eiffel. Sale tour, mais nul n'échappe à son passé !

pêche, La Ciotat s'est depuis dotée d'un pôle de haute plaisance. Aujourd'hui, les yachts côtoient les pointus marseillais et les bateaux de promenade dans les eaux du port sur lesquelles se penchent toujours les grues métalliques, témoins de son passé industrieux de chantier naval. En toile de fond, le bec de l'Aigle signe très joliment l'horizon maritime. Perdez-vous dans les ruelles, à la rencontre de petites places secrètes avant d'aller taper le carreau en souvenir de Jules Le Noir qui donna ici naissance à la pétanque, cet art du loisir partagé (bon, d'accord, c'est un sport presque olympique !).

Adresses et infos utiles

⊞ Office de tourisme (plan B2) : bd Anatole-France, face à la mer. ☎ 04-42-08-61-32. ● laciotat. info ● Juin-sept, lun-sam 9h-20h et dim 10h-13h ; à partir d'oct, lun-sam 9h-12h, 14h-18h. Bonne doc. Visites guidées : de la ville (« La ronde du patrimoine »), mercredi à 9h30 (compter 1h30 et 3,50 €) ; de l'Eden Théâtre, avec projection, mercredi et vendredi à 11h (compter 3 €).
🚌 Arrêt de bus (plan B2) : devant l'office de tourisme. Bus locaux sur ● ciotatbus.fr ● Bus départementaux avec **Cartreize,** rens au ☎ 0810-001-326 (prix d'un appel local) et sur ● cartreize.com ● Liaisons pour Aix, Aubagne et Marseille.
🚆 Gare SNCF (hors plan par A1) : ☎ 36-35 (0,34 €/mn). La Ciotat est à 35 mn de la gare Saint-Charles ou de Toulon.
– Marchés : marché traditionnel mar mat, pl. Évariste-Gras, et dim sam, sur le vieux port. Juil-août, grand marché nocturne tlj (20h-minuit) sur le vieux port.

Où dormir ?

De prix moyens à chic

🛏 Rose Thé (hors plan par B1, **10**) : 4, bd Beaurivage. ☎ 04-42-83-09-23. ● info@hotel-rosethe.com ● hotel-rosethe.com ● Doubles 70-120 € selon vue et saison. Parking clos payant. 📶 Voilà bien longtemps que ce salon de thé balnéaire a fait sa mutation vers l'hôtellerie. La plage n'a pas bougé. Pour en profiter, il suffit de traverser la rue ou de regarder par la fenêtre de la plupart des chambres, de belle taille, bien équipées, avec balcon pour les plus chères et clim pour toutes. Agréables salles de bains et déco alliant pierre, tons tabac et capitonnage. Le petit déj se savoure en prenant un premier bain de mer... avec les yeux du moins.
🛏 La Croix de Malte (plan B1, **11**) : 4, bd Jean-Jaurès. ☎ 04-42-08-63-38. ● croix.de.malte@wanadoo.fr ● croix-de-malte.com ● Doubles 54-92 € selon confort et saison. 📶 Établissement un poil en retrait du centre aux chambres simples et de taille honorable.

Certaines disposent d'une terrasse privative (sans supplément) et les plus chères sont climatisées. L'ensemble est très calme, notamment la terrasse sous les mûriers où se prennent les petits déjeuners. Accueil « couleur locale » sans tambour ni trompette. Un bon rapport qualité-prix.
🛏 ⏺ La Calanque de Figuerolles (hors plan par A1, **12**) : dans la calanque du même nom. ☎ 04-42-08-41-71. ● contact@figuerolles.com ● figue rolles.com ● Calanque fléchée depuis le centre-ville. Tte l'année. Doubles 37-135 € selon confort et saison. Menu 39 €. Carte 45-55 €. Figuerolles s'est autoproclamée République indépendante en 1956, avec sa monnaie (la figue) et son décalage horaire. Un coin certes décalé, et calé au bord de l'eau entre pins et falaises rougeoyantes. Mais un lieu aussi à l'ambiance désinvolte et aux prix qui se sont embourgeoisés... Bungalows et petits appartements avec kitchenette planqués dans la végétation et des chambres avec un goût de voyage lointain. Les

LA CÔTE BLEUE ET LE PARC NATIONAL DES CALANQUES

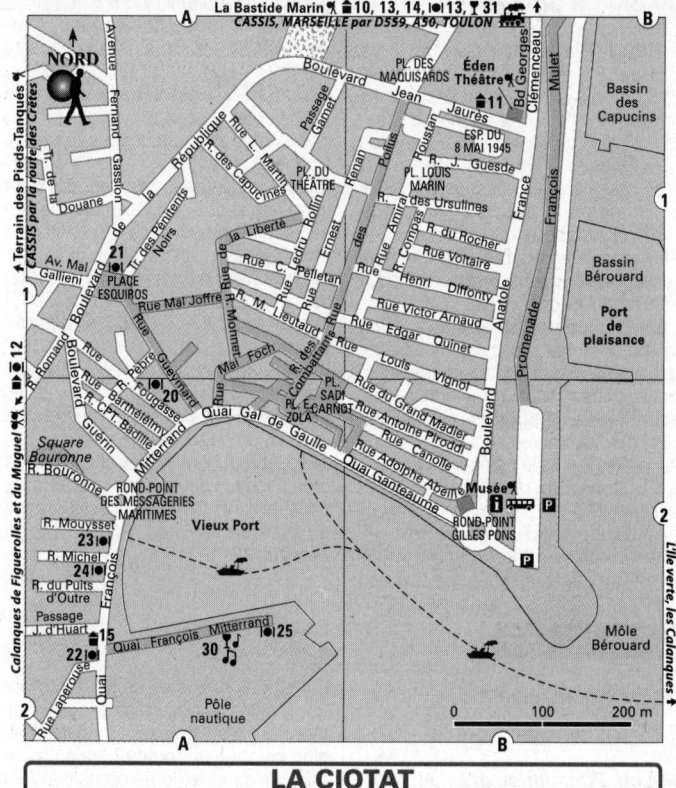

La Ciotat

■	**Adresse utile**	
	🅑 Office de tourisme	
🛏	**Où dormir ?**	
	10 Rose Thé	
	11 La Croix de Malte	
	12 La Calanque de Figuerolles	
	13 Hôtel Plage Saint-Jean	
	14 La Corniche du Liouquet	
	15 Best Western Vieux Port	
¦●¦	**Où manger ?**	
	13 Le Saint-Jean-Plage	

20 Lou Pitchounet
21 Kitch and Cook
22 Crêperie Sous les Lampions
23 L'Escalet
24 Vin 7
25 Au Chantier

🍷 ♪ 🎵 **Où boire un verre ?**
Où sortir ?

30 Sur les Quais
31 Les Deux Pétou

moins chères sont sous le resto (donc bruyantes) et se partagent des w-c sur la... terrasse. La plus chère pose sa baignoire en terrasse, face à la calanque. Côté resto, grande terrasse-paillote agréable, surtout le soir quand la calanque s'illumine. La courte carte propose une cuisine provençale raffinée, complétée par des poissons sauvages du jour pêchés à la ligne, qu'on vous présente avant de les envoyer griller.

De chic à plus chic

≜ **Hôtel Plage Saint-Jean** (hors plan par B1, **13**) : 30, av. Saint-Jean. ☎ 04-42-70-77-07. ● contact@hotel plagestjean.com ● hotelplagestjean. com ● Dans La Ciotat, suivre direction « Les Plages » jusqu'au rond-point avec une barque. Doubles 94-135 € selon confort et saison. Parking gratuit. 🛜 Petit hôtel plein de charme bien rénové et adapté à la clientèle de l'époque, qu'elle vienne ici pour affaires ou pour le plaisir. Chambres vraiment confortables, avec une cabine de bateau en guise de salle de bains, à 50 m d'une plage de galets et roches plates. Piscine couverte, sauna, jacuzzi, salle de sport en accès libre. Base nautique et restaurant de charme sur le site (voir « Où manger ? »).

≜ **La Corniche du Liouquet** (hors plan par B1, **14**) : corniche du Liouquet. ☎ 04-42-83-28-82. ● contact@ hotel-corniche-ciotat.com ● hotel-corniche-ciotat.com ● Depuis la D 559 (direction Toulon), 1,5 km après le panneau de sortie de La Ciotat, tourner à droite. Fermé janv-fév. Doubles 65-150 € selon vue et saison. Parking gratuit. 🖥 🛜 Petit hôtel de caractère avec vue et avec vie (il y a des pins et des cigales tout autour de la terrasse). Calme et agréable. Chambres confortables, spacieuses, avec terrasse pour certaines et une déco bien dans le siècle. Accueil pro et sincère, un bon petit établissement comme on les aime.

≜ **Best Western Vieux Port** (plan A2, **15**) : 252, quai François-Mitterrand. Sur le port. ☎ 04-42-04-00-00. ● contact@ bestwestern-laciotat.com ● best western-laciotat.com ● Tte l'année. Doubles 99-180 € selon vue et taille. Petit déj 15 €. Parking payant. 🛜 Sur le port, un grand hôtel stylé et épuré, tout beau, et tout confort. Les chambres les plus chères s'ouvrent sur une terrasse en surplomb du quai. Resto lounge au rez-de-chaussée. Accueil pro et avenant.

Où manger ?

De bon marché à prix moyens

|●| **Lou Pitchounet** (plan A2, **20**) : 8-10, rue Fougasse. ☎ 04-42-08-28-99. Tlj sf mer midi en hte saison, fermé mar soir et mer hors saison. Congés : 10 j. en fév ou mars, 10 j. en oct et 1 sem à Noël. Plat du jour 11 € ; menus 15-19 €. CB refusées. Café offert sur présentation de ce guide. Niché dans une ancienne cave de pêcheurs à deux pas du port, un resto populaire un peu kitsch, pas touristique pour un sou. Depuis près d'une quarantaine d'années, retraités du quartier, ouvriers de la réparation navale, marins et skippers y nouent leur serviette pour manger une cuisine familiale, simple et bonne, volontiers provençale.

|●| **Kitch and Cook** (plan A1, **21**) : 4, pl. Esquiros. ☎ 04-42-03-91-36. En plein centre-ville. Tlj sf sam midi et dim (ouv dim midi en saison). Formules déj 13-17 € ; menu 29 €. Digestif maison offert sur présentation de ce guide. Entre deux chapelles de pénitents, sur une mignonne place piétonne, un petit resto qui a su trouver son style. Cuisine créative et contemporaine, pour changer du terroir d'hier sans trahir les saveurs provençales, avec des plats à l'ardoise dans l'air du temps. Petite salle ornée d'une drôle de fresque en hommage à la sieste, et belle terrasse sur la placette.

|●| **Crêperie Sous les Lampions** (plan A2, **22**) : 38, quai François-Mitterrand. ☎ 04-42-71-55-06. Tlj sf sam midi et dim. Congés : 22 déc-10 janv. Plat du jour et formules 8-15 €. Carte 30-40 € Apéritif maison ou café offert sur présentation de ce guide. Hervé est un homme du Grand Ouest (Bretagne) qui a voyagé en Afrique et en Asie. Avec sa femme, Isabelle, ils tiennent ce restaurant-crêperie devant la forêt de mâts des bateaux du vieux port et proposent une carte de crêpes (sucrées) et de galettes (salées) faites selon la tradition. La deuxième carte propose une cuisine française classique ainsi que des plats mêlant les parfums et goûts

de la Méditerranée aux souvenirs et senteurs d'Afrique ou d'Asie.

|●| **L'Escalet** *(plan A2, 23)* : 21, quai François-Mitterrand. ☎ 04-42-08-29-52. *Tlj sf dim en hiver. Pizzas 10-13 €, menu 25 €.* Face aux barques de pêche et aux yachts, un petit resto qui tourne autour d'une cuisine au feu de bois avant tout orientée vers de bonnes pizzas. Service qui se débat comme il peut pour rester à flot.

|●| **Vin 7** *(plan A2, 24)* : 27, quai François-Mitterrand. ☎ 04-42-03-46-19. ● vin7laciotat@gmail.com ● *Tlj dim 17h-22h. Congés : nov. Pêle-mêle apéro 30 €, burger corse 20 €.* Un resto-bar à vins où l'on affiche sa corsitude en même temps qu'une série de plats du moment gourmands à l'ardoise, dont des burgers corses. Pas donné, mais original, et le lieu est agréable. La patronne a du tempérament, la cuisine aussi. Prenez des raviolis au bruccio et un vin corse de Sartène, et vous serez prêt à traverser ensuite toute la ville sourire aux lèvres.

Chic

|●| **Le Saint-Jean-Plage** *(hors plan par B1, 13)* : 30, av. de Saint-Jean.

☎ 04-42-73-29-66. *Tlj juil-août. Fermé dim soir et lun soir hors saison. Formule déj 16 €, menus 32-40 €.* Une ancienne paillote au bord de la mer, face au golfe d'Amour cher à Lamartine. Ce resto de plage trompe son monde, avec ses allures de guinguette. Prix modiques le midi, mais cuisine déjà pleine de goûts, d'idées, de fraîcheur. On se fait vraiment plaisir avec un bon poisson grillé, ou un risotto de saint-jacques et gambas. Grande salle vitrée face à la mer, ou terrasse, selon l'humeur du temps.

|●| **Au Chantier** *(plan A2, 25)* : 46, quai François-Mitterrand. ☎ 04-42-84-44-39. ● flobordone@gmail.com ● *Tlj sf mar et sam (plus dim hors saison). Formule le midi en sem 16 €, menu 36 €.* Un resto aménagé sur les quais, au-dessus de la capitainerie, dans l'énorme bâtisse des chantiers navals qui vous accueillent au travers de photos anciennes de leur grande époque... On s'extasie plus volontiers sur la vue (panoramique) que sur la cuisine (bistronomique) mais on reste enchanté de ce « chantier » possédant pareille terrasse dominant tout le petit monde portuaire de La Ciotat !

Où boire un verre ? Où sortir ?

🍸 🎵 🎵 **Sur les Quais** *(plan A2, 30)* : 46, quai François-Mitterrand. ☎ 04-42-98-80-80. ● sassurlesquais@free.fr ● surlesquaislaciotat.com ● *Tlj sf lun 16h-3h. Entrée (concerts) : 12 € ven-sam. Tapas 4-6 €.* Le vaste espace de cet ancien hangar accueille soirées latino, rock, jazz, café-théâtre, dans un décor qui a le pied marin... Clientèle d'autochtones et de marins (à forte dominante anglo-saxonne) en escale. Petite restauration. Service un rien

machinal.

🍸 **Les Deux Pétou** *(hors plan par B1, 31)* : 10, av. Bellon. ☎ 04-42-83-08-09. *Dans la partie « balnéaire » ; à quelques dizaines de mètres du petit port de Saint-Jean. Tlj 6h-22h (voire plus si les derniers ne veulent pas quitter le navire).* Un bar-PMU qui reste une des adresses les plus authentiques de la ville. L'été, tout le monde se retrouve sous les guirlandes lumineuses accrochées aux branches des platanes.

À voir. À faire

Pour découvrir la ville des origines du septième art, on commencera le parcours Cinéma à la **gare**, immortalisée à jamais par les frères Lumière. La balade prend ensuite la direction du **Palais Lumière**, résidence d'été des inventeurs du cinématographe, qui y tournèrent leurs premiers films. On aboutit à la fameuse salle de **L'Eden**.

↟ Le musée du Vieux La Ciotat *(plan B2)* : 1, quai Ganteaume. ☎ 04-42-71-40-99. ● museeciotaden.org ● *Tlj sf mar 16h-19h en juil-août ; 15h-18h hors saison. Entrée : 3,50 € ; gratuit jusqu'à 12 ans.* Installé dans l'ancien hôtel de ville de style Renaissance mais construit en... 1864, au beffroi immanquable avec son superbe travail de ferronnerie. Pas mal de documents relatifs à la vie maritime de la ville et aux pêcheurs (maquettes de bateaux, pièce de marines). Salle sur le cinéma et les célèbres frères Lumière. Faune, flore et scènes de la vie en Provence. Expos temporaires.

↟ L'Eden Théâtre *(plan B1)* : 25, bd Clemenceau (à l'angle du bd Jean-Jaurès ; face au port de plaisance). Attention, lieu mythique ! C'est dans cette salle de spectacle que les frères Lumière ont projeté *L'Entrée du train en gare de La Ciotat* pour la première fois. Si *L'Eden* n'a pas abrité la toute première projection, il demeure néanmoins l'un des plus vieux cinémas du monde encore sur pied. Classé Monument historique depuis 1990, ce cinéma a été récemment rénové. Pour en découvrir un peu plus sur son histoire et celle de la famille Lumière, l'office de tourisme organise une visite-projection *(mer et ven à 11h ; 3 €).*
– Juste à côté, la **chapelle des Pénitents-Bleus** présente régulièrement des expositions.

↟ Le terrain des Pieds-Tanqués *(hors plan par A1)* : traverse des Pieds-Tanqués. *À deux pas du centre, vers le cimetière Sainte-Croix. Tlj à partir de 14h (pour la fermeture, ça dépend de la durée des parties !).* Autre lieu mythique, puisque c'est sur ce boulodrome que Jules Hugues, dit « le Noir », a inventé la pétanque. Un jour de juin 1910, ce commerçant retraité de La Ciotat, perclus de rhumatismes, eut l'idée de jouer assis, les pieds posés (tanqués, en provençal) au sol. Finalement, le jeu à la « longue » est désormais moins pratiqué que la pétanque. À l'ombre des platanes centenaires, vous pouvez aller jouer avec des « pétanqueurs » plus vrais que nature sur ce terrain devenu le « berceau de la pétanque ».

↟↟ Les calanques de Figuerolles et du Mugel *(hors plan par A2)* : à quelques centaines de mètres des anciens chantiers navals. L'ocre de leurs rochers surprend quand on s'est habitué au calcaire blanc des calanques de Marseille. Le vent et la mer ont donné à ces roches rouges (ou poudingues) des formes étonnantes. Si on s'avoue un petit faible (comme Braque ou Hemingway, en toute modestie !) pour la calanque de Figuerolles, celle du Mugel offre la possibilité d'une sympathique balade dans le **parc du Mugel** *(accès libre, 8h-20h avr-sept ; 9h-18h le reste de l'année),* créé au XIX° s. Des sentiers traversent sur 12 ha des jardins thématiques (exotique, de plantes aromatiques...), une palmeraie, des restanques, une bambouseraie... Un belvédère à 82 m à pic au-dessus de la mer vous laisse apercevoir l'immensité de la Méditerranée.

↟ Les plages : ♿ Celles de sable fin sont familiales, elles jalonnent les longues avenues Wilson, Roosevelt et le boulevard Beaurivage, front de mer classique avec villas, restos, bars et promenade piétonne pour relier tout ça. La plage Lumière labellisée « Tourisme et Handicap » permet une baignade aux personnes à mobilité réduite grâce à des fauteuils spécifiques ; c'est également un lieu non-fumeurs, une première en France (tant qu'on n'interdit pas les baigneurs !).

↟ La Bastide Marin *(hors plan par A1)* : 1943, av. Guillaume-Dulac. Tte l'année sur rdv. ▤ 06-65-27-84-39. ● bastide-marin.org ● Centre régional du patrimoine méditerranéen, cette propriété de 10 ha, classée Monument historique, est un éco-lieu à deux pas des lotissements de la ville. Quatre siècles d'histoire pour cette maison austère des Hospitaliers de l'ordre de Malte, retapée peu à peu, et un environnement protégé, où des groupes de bénévoles entretient plusieurs beaux jardins : jardin magique, où sont cultivées les plantes d'antan qui soignaient le corps et l'âme, jardin de la fraternité, jardin des saveurs, rucher, oliveraie, petite ferme avec poules, ânes, cabris de Provence... Ici, c'est l'idée qui compte, plus encore que la réalité du moment. Soirées, conférences et manifestations à l'ombre des arbres centenaires.

🏊 *L'île Verte :* *à 10 mn de la côte en bateau. Départs du vieux port ttes les heures 9h-18h45 en juil-août, 10h-17h avr-juin et sept. Se renseigner à l'embarcadère. A/R 12 € (8 € pour les moins de 10 ans).* Très boisée, comme son nom l'indique. Sympa pour un pique-nique ou une baignade dans l'une des deux calanques miniatures. C'est également un spot de pêche et de plongée. Petit resto en saison.

– *Visite des calanques (Figuerolles, Cassis et Marseille) :* *sur le port.* 📱 *06-09-35-25-68. Tlj en juil-août, sinon téléphoner avt. Ouv avr-oct. 2-9 excursions/j. selon saison. Compter 45 mn (Figueroles slt ; 18 €/pers)-2h30 (jusqu'à Sormiou ; 30 €/ pers).* Certaines excursions se font à bord d'un bateau à vision sous-marine.

Manifestations

– *Les Nauticales :* *2 sem mi-mars.* Expo, conférences et animations : l'occasion pour fêter la mer et ses beaux bateaux.
– *Acampado des vieux gréements :* *soit pdt le w-e de l'Ascension, soit en oct. Rens au* ☎ *04-42-08-57-87 (association Carenes).* Régates de vieux voiliers.
– *Festival du Premier Film francophone :* *1 w-e fin mai-début juin.* Autour de jeunes réalisateurs dont les longs métrages sont en sortie nationale.
– *Festival Musique en vacances :* *mi-juil.* Des grands noms de la musique, du chant, du ballet.
– *Festival Jazz :* *2ᵉ sem d'août.* Spectacles dans divers lieux de la ville.
– *Il était une fois 1720, La Ciotat :* *plusieurs représentations en oct.* Grande reconstitution historique qui relate la grande épidémie de peste en Provence. Un spectacle son et lumière attachant. Batailles de corsaires, défilés costumés.

LE PAYS D'AUBAGNE ET DE L'ÉTOILE

AUBAGNE

(13400)   46 600 hab.   *Carte Bouches-du-Rhône, D4*

Avant d'être la patrie de Marcel Pagnol, Aubagne est la capitale de l'argile. En se glissant dans les vieilles ruelles de la cité, on y découvrira des artisans potiers, céramistes et santonniers. Même si beaucoup exercent désormais à la périphérie de la ville. Une périphérie qui accueille aussi l'état-major des képis blancs et leur intéressant musée. Découvertes facilitées par la gratuité, ici, des transports en commun !

ACTION !

Marcel Pagnol fut l'un des rares réalisateurs français (avec J.-P. Melville et Méliès) à créer ses propres studios de cinéma. En 1933, il acheta 24 ha de garrigue entre Aubagne et le village de La Treille. Les tournages étaient ponctués de parties de pétanque et de sieste. Il revendra ses studios pendant la guerre pour ne pas devoir tourner des films de propagande nazie.

Pour le reste, Aubagne est une tranquille ville moyenne, populaire, que la conurbation de la basse vallée de l'Huveaune fait apparaître à une banlieue de Marseille. Ce qui n'exclut pas de partir à l'assaut de coins très nature dans les environs immédiats : la ronde colline du Garlaban chère à Pagnol à l'ouest ou le massif de la Sainte-Beaume à l'est (mais là, on déborde déjà sur le Var et le *Routard Côte d'Azur...*).

Adresses et infos utiles

🛈 *Office de tourisme :* 8, cours Barthélemy. ☎ 04-42-03-49-98. ● accueil@tourisme-paysdaubagne. fr ● tourisme-paysdaubagne.fr ● *Ouv avr-oct, tlj sf dim et j. fériés 9h-12h30, 14h-18h30 (ouv dim mat juil-août) ; nov-mars, tlj sf sam ap-m et dim 9h-12h30, 14h-17h30.* Une équipe compétente et accueillante. Passage indispensable si vous envisagez une excursion sur les pas de Pagnol, dans les collines. L'été, l'office organise une visite guidée du centre ancien *(juin-sept, mer à 18h ; oct-mai, le 1er sam du mois à 15h ; durée 2h ; 3 €).* Le reste de l'année, visite guidée un samedi par mois.

🚌 *Bus et trams de l'Agglo :* sq. Marcel-Soulat. ☎ 04-42-03-24-25. ● bus-agglo.fr ● GRATUIT. Bon maillage couvrant l'ensemble du pays d'Aubagne.

🚌 *Cartreize :* bus départementaux au ☎ 0810-001-326 (prix d'un appel local) et sur ● cartreize.com ● Liaisons pour Aix, Cassis, La Ciotat et Marseille.

🅿 Pour se garer, grand *parking* gratuit près du cimetière, dans le haut de la vieille ville.

– *Marché provençal :* mar, jeu et w-e. Cours Voltaire. Le marché principal est celui du mardi. Avec les nombreux maraîchers des plaines alentour, c'est l'un des marchés les plus intéressants et typiques de ce coin de département.

– *Brocante :* dernier dim du mois à l'Espace des libertés, av. Antide-Boyer.

Où dormir ?

Camping

⛺ *Camping du Garlaban :* 1915, chemin de la Thuilière. ☎ 04-42-82-19-95. 📱 06-46-33-44-12. ● contact@camping-garlaban. com ● camping-garlaban.com ● *Suivre le fléchage du musée de la Légion, puis poursuivre la D 44A sur 1,5 km. Ouv avr-sept. Empl. tente 20-22 €. Loc 280-570 €/sem selon saison.* 📶 *(à la réception).* Au calme, dans une vaste pinède posée sur une colline, à l'écart de la ville et tout près du Garlaban. Emplacements plutôt vastes. Lave-linge, aire de jeux, boulodrome. Loue également des tipis et des tentes équipées pour 6 personnes max.

Chic

🏠 *Chambres d'hôtes La Bonne Heure :* 815, chemin du Charrel. ☎ 04-42-03-61-23. 📱 06-49-28-60-45. ● autouard.laurette@orange. fr ● la-bonne-heure.fr ● *À l'écart du centre, suivre sur 2 km la direction La Penne-sur-Huveaune ; prendre à gauche direction Cité du Charrel, puis la 2e rue à gauche. Ouv mars-oct. Doubles 85-100 €.* 📺 📶 Laurette et Jean-Luc ont aménagé dans la petite dépendance de leur maison des années 1930 une chambrette pimpante éclairée en azur et blanc. L'autre chambre, au rez-de-chaussée, peut accueillir une petite famille. Beau petit déj, servi sous les micocouliers de leur terrasse ouverte sur les collines.

🏠 *Hôtel Souléia :* 4, cours Voltaire. ☎ 04-42-18-64-40. ● contact@ hotel-souleia.com ● hotel-souleia. com ● ♿ *Dans le centre-ville, sur la pl. du Marché. Tte l'année. Doubles 84-126 € selon saison et confort.* 📺 📶 Un hôtel confortable, pratique, alignant de vastes chambres pleines de couleurs, toutes différentes les unes des autres, dont certaines possèdent une petite terrasse avec vue sur la vieille ville. Sur le toit, terrasse panoramique.

Où manger ? Où faire salon... de thé ?

De bon marché à prix moyens

|●| 🍴 L'Argilla – L'Atelier Culinaire : 59, rue de la République. ☎ 04-42-36-26-63. Sur la rue principale en direction de Gémenos. Tlj sf dim midi. Formules déj 11-16,90 €. Carte 30-35 €. Dans un incroyable patchwork de créations d'artistes céramistes locaux, on attend un peu au tournant cet atelier culinaire qui n'aurait pu être qu'un banal snack. Que nenni ! Du service enjoué aux portions proposées, il n'y a ici que du généreux. De la belle vaisselle de style aux plats artistement présenté, il n'y a ici que du beau. Du porc caramélisé à la soupe de fraises au crumble de spéculos, il n'y a ici que du frais et du bon. Un lieu également parfait pour une simple pause façon salon de thé. Finalement, les plus frustrés sont les santons de la galerie qui, depuis leur étagère, vous voient avec envie faire un festin de roi mage.

|●| 🍴 Grains de Siècle : 14, bd Jean-Jaurès. ☎ 04-42-71-00-31. ● thierry. grainsdesiecle.muller@gmail.com ● Sur la rue principale de la vieille ville. Tlj sf dim, plus lun hors saison. Carte 30-35 €. Petite salle assez cosy, ou terrasse en surplomb de la petite place, sans doute la plus agréable de la ville et... idéale lorsque la température monte. Salades composées, plats dans la tradition provençale et tout plein de desserts. On peut aussi y prendre son petit déjeuner le matin, un thé l'après-midi et un verre de vin le soir. Accueil sympathique.

Où dormir ?
Où manger dans les environs, à Gémenos ?

Le village de Gémenos se situe à 5 km à l'est d'Aubagne, par la D 2, juste au pied de la Sainte-Baume.

De bon marché à chic

🏠 Hôtel Le Provence : 200, av. du 2e-Cuirassier, 13420 **Géme-nos.** ☎ 04-42-32-20-55. ● hotel-leprovence-gemenos@wanadoo. fr ● hotel-le-provence.fr ● Fléché sur 1,5 km depuis le centre du village, en direction d'Aix-en-Provence. Congés : 2 sem Noël-Jour de l'an. Doubles 38 € (w-c sur le palier)-59 € selon confort et saison. Parking gratuit. 🛜 Apéritif maison offert sur présentation de ce guide. Des chambres toute simples mais régulièrement rafraîchies et un patron accueillant, de bon conseil pour découvrir la région. Pour les familles, grandes chambres au rez-de-chaussée, face au jardin.

🏠 Hostellerie de la Source : 13400 **Saint-Pierre-lès-Aubagne.** ☎ 04-42-04-09-19. ● hostelleriedelasource@ orange.fr ● hostelleriedelasource.com ● ♿ Entre Pont-de-l'Étoile et Gémenos, à 3 km env d'Aubagne. Tte l'année. Doubles 105-120 €. Petit déj 13 €. Parking gratuit. 🛜 Un petit déj par chambre et par nuit offert sur présentation de ce guide. Belle bastide du XVIIe s, à l'histoire riche en anecdotes. Ce fut une villa romaine puis vraisemblablement une abbaye. La chambre n° 16 a même accueilli une chapelle orthodoxe dans les années 1920 ! Une source aux vertus minérales alimente toute la bastide. Chambres à l'ancienne mais dotées de tout le confort moderne (certaines avec jacuzzi). Terrasse privative pour certaines chambres, donnant sur un parc verdoyant avec terrain de tennis, de boules et un bassin où barbotent des cygnes. Piscine sous une verrière.

Achats

L'argile a façonné l'histoire de ce coin de terre. Carreaux et tuiles ne sortent plus des usines, mais les artisans ont repris le flambeau. Plus de 40 ateliers de céramistes, potiers ou santonniers, à découvrir lors des grandes manifestations ou, mieux encore, avec le guide distribué gratuitement par l'office de tourisme.

☻ **Barbotine :** *rue Paul-Ruer.* ☎ *04-42-70-03-00.* ● *barbotine.fr* ● *En direction de Gémenos, fléché. Lun-sam 9h-19h, plus dim en déc. Parking dans la cour.* Un lieu accueillant et coloré. Philippe Beltrando, le maître potier, perpétue la grande tradition de la poterie aux engobes vernissés. Intarissable sur l'origine des poteries et leur utilisation, il façonne de très belles pièces : daubières, tians... avec les recettes qui vont avec !

☻ **Poterie Ravel :** *8, av. des Goums.* ☎ *04-42-82-42-00.* ● *poterie-ravel.com* ● *À 500 m de l'office de tourisme (fléché). Ouv lun-sam 9h30-12h30, 14h-19h (18h30 en hiver). Visite gratuite des ateliers jeu à 10h30.* Depuis 1837, Ravel fabrique vases, jarres, pichets et services de table en terre cuite. Une visite très intéressante de cette affaire familiale (classée au titre du Patrimoine vivant, c'est dire) qui n'a pas cédé aux sirènes de la délocalisation : de la collecte de la terre à l'émaillage final, tout est fait ici.

☻ **Distillerie Janot :** *304, rue du Dirigeable, Z.I. Les Paluds.* ☎ *04-42-82-29-57.* ● *janot-distillerie.com* ● *Lun-ven 8h-12h30, 14h-17h30.* Maison mère de l'une des dernières entreprises familiales dans ce domaine (depuis 1928) : le fameux pastis Janot qu'on trouve ici même en vrac (amenez votre fiole). Un pastaga obtenu par macération et non par distillation. La boutique aligne les autres productions : le Gambetta, sirop sans alcool provenant d'une macération de plantes, le Cap Corse, le marc de Garlaban, l'absinthe, qui ne rend plus fada et même de la vodka de vigne ou du whisky bio. Accueil doux comme un pastis sans eau !

À voir

🏃🏃 **La chapelle des Pénitents-Noirs :** *les aires Saint-Michel.* ☎ *04-42-18-17-26. Mar-dim 10h-12h, 14h-18h en période d'expo. Rens à l'office de tourisme.* Sur les hauteurs de la vieille ville, la chapelle abrite le Centre d'art d'Aubagne.

🏃🏃 **Le Petit Monde de Marcel Pagnol :** *esplanade de-Gaulle.* ☎ *04-42-03-49-98. Tlj sf j. fériés (et dim oct-mars) 10h-12h30, 14h-18h. GRATUIT.* Reconstitution des sites et personnages fétiches de l'enfant du pays par les santonniers aubagnais. On y retrouve la partie de carte de *Marius, La Fille du puisatier,* Raimu, Charpin, Fernandel... À Noël, crèche provençale dans le même esprit.

🏃 **Le centre ancien :** *le cœur de cette ville millénaire tient dans un mouchoir de poche.* Prenez donc un peu de temps pour flâner le long de ses ruelles sinueuses où, derrière les vitrines de leurs ateliers, on surprend quelque santonnier au travail, tel Fabien Colomies *(Santons Magali,* 8, rue Martinot ; ☎ *04-42-03-97-76 ; ouv mar, mer et sam 9h-19h).* On grimpera ensuite jusqu'à la place de l'Église, face au Garlaban, la colline où Pagnol alla puiser les sources de son inspiration. Joli panorama.

🏃 **La cité de l'Art santonnier Thérèse-Neveu :** *4, cours de Clastre.* ☎ *04-42-03-43-10. Dans le centre ancien. Mar-dim 10h-12h, 14h-18h en période d'expo. GRATUIT.* Anciens ateliers de la plus célèbre des santonnières d'Aubagne, sœur de Louis Sicard, créateur de la fameuse cigale en céramique ! Le musée présente le patrimoine santonnier du pays, son histoire, ses savoir-faire, ses ateliers et les artisans qui ont marqué le monde de l'argile. Objet modeste, le santon devient ici véritable chef-d'œuvre ! Expositions temporaires autour du santon et de la crèche.

🏃🏃 **La maison natale de Marcel Pagnol :** *16, cours Barthélemy (à côté de l'office de tourisme).* ☎ *04-42-03-49-98.* ♿ *Tlj sf j. fériés (et dim oct-mars) 10h-12h30, 14h-18h. Entrée : 3 € ; réduc. Visite libre (30-45 mn), mais si le préposé à *l'accueil vous propose de vous accompagner, acceptez sans hésiter : anecdotes garanties !* L'appartement de fonction de son père, Joseph Pagnol, à l'époque instituteur à l'école Lakanal, a été reconstitué au rez-de-chaussée. Aucun des meubles exposés dans ces trois pièces en enfilade (chambre, salle à manger et cuisine) n'a jamais appartenu à la famille Pagnol, et l'appartement se situait en réalité au 3e étage de la maison. Mais les inconditionnels de Pagnol pourront y jouer au petit jeu des correspondances avec l'œuvre biographique... Une autre pièce évoque la vie adulte de Pagnol à travers photos de famille ou de tournage, livres illustrés, etc. Un film évoque l'œuvre cinématographique et son ancrage en Provence, notamment dans les collines du Garlaban.

🎬🎭 ⚙ *Le musée des Santons Di Landro :* 582, av. des Paluds. ☎ 04-42-70-95-65. ● santons-dilandro.fr ● À 3,5 km du centre. Fléché dans la zone industrielle. *Lun-ven 9h30-17h. Musée : 2,50 € ; réduc. Visite guidée des ateliers à 10h, 14h, 16h : 3,50 € en sus.* Un musée résumant l'univers de la famille Di Landro au travers de 400 pièces uniques dans une (belle) crèche dominée par le Garlaban, mais également d'une illustration de la vie de Jésus, de sa naissance (pardi !) à sa mise en croix. D'autres reconstitutions comme un intéressant *Bagne de Toulon* et une sortie d'église lors d'un mariage. La visite de l'atelier permet de bien cerner les différentes phases de fabrication, de la création du moule à l'habillage. La boutique se permet quelques libertés amusantes en mettant au coude à coude une joyeuse troupe de légionnaires, skieurs, antillais... et même une vierge enceinte... C'est passionnant, d'ailleurs Didier Coulomb est passionné !

🎭🎬 *Le musée de la Légion étrangère :* chemin de la Thuilière. ☎ 04-42-18-12-41. À la sortie de la ville par la D 2 direction Marseille, puis à droite la D 44. *Tlj sf lun-mar 10h-12h, 14h-18h. GRATUIT.* Si vous ne venez pas ici pour en prendre pour 20 ans, visitez au moins le musée, là où l'état-major de ce corps d'armée mythique a planté cravate verte et képi blanc depuis l'indépendance de l'Algérie en 1962. Le musée raconte l'histoire des étrangers au service de la France, de sa fondation en 1831 par le roi Louis-Philippe

TIENS, VOILA DU BOUDIN !

Le fameux hymne de la Légion étrangère (cadencé à 88 pas par minute, svp !) tire son origine du paquetage roulé sur lui-même (le boudin) que portaient les tout premiers légionnaires. En 1870, le roi des Belges, pour cause de neutralité, demande à la France que ses ressortissants ne soient pas engagés au feu contre les Allemands. Les Belges doivent donc sortir du rang... d'où la chute désobligeante du refrain : « Pour les Belges, y'en a plus, ce sont des tireurs au cul ».

à ses missions plus récentes, en passant par les guerres coloniales. Une exposition très bien faite, avec des documents d'époque, des dioramas qui permettent de revisiter l'histoire des uniformes et des armes du XIXe s à aujourd'hui. On finit par la crypte avec son incroyable litanie de nom des légionnaires tombés pour la France. Chaque légionnaire y accède deux ou trois fois dans sa vie : juste après ses classes, avant de quitter l'institution et... s'il tombe pour la France !

🎭 🎬 *Le domaine de la Font-de-Mai :* chemin de la Font-de-Mai. ☎ 04-42-01-66-30. *Dans les collines à env 3-4 km (suivre la route d'Éoures, D 44). Bus n° 10 direction La Treille à prendre au pôle d'échanges, arrêt Font-de-Mai (tlj sf dim). Avr-oct, tlj 9h-12h, 14h-17h30 (fermé l'ap-m en juil-août) ; nov-mars, mer et w-e slt. Fermé en cas de risques d'incendie. GRATUIT.* Sur une centaine d'hectares, une ferme provençale au pied du Garlaban, telle qu'on en trouvait quand le XIXe s passait la main au XXe. Un petit monde qui vivait en autarcie avec son four à pain, son pressoir à huile, sa cave à vins et ses gigantesques cuves (20 000 l !), ses restanques (terrasses de culture modelant la colline), une étonnante aire de battage du blé, une parcelle de vigne, des oliviers, une ancienne carrière... Le tout revit aujourd'hui avec un potager bio, des ruches, des moutons... prétextes à autant d'activités centrées sur le développement durable : sentiers découverte, ateliers pédagogiques, sentier d'interprétation *(compter 1 km env et 30-40 mn de balade)*. La Font-de-Mai est également le point de départ des randonnées dans le Garlaban.

À faire

𝕏𝕏𝕏 𝕏 ⋏ **Les circuits Pagnol :** l'office de tourisme a mis en place plusieurs itinéraires pour découvrir, entre Aubagne, le Garlaban et La Treille, tous les lieux qui ont alimenté l'œuvre de Pagnol et ceux dont il a fait ses décors de tournage : le puits de Raimu, le mas de Massacan, la ferme d'Angèle, le *bar-tabac du Schpountz*, La Treille...

➤ *À pied et en liberté :* topoguide *(2 €)* rassemblant 10 circuits dans le **Garlaban,** de tous niveaux, de 9,3 km à 17,6 km. En été, se renseigner de l'accès au massif (☎ 0811-201-313, *prix d'un appel local).*

➤ *Randonnées accompagnées :* l'été, circuit pédestre mar et ven 7h30. Résa obligatoire à l'office de tourisme. Compter 11 € ; durée 5h. Balade dans les collines, avec un guide versé dans l'œuvre de Pagnol mais aussi dans la flore et la faune locales.

➤ *En voiture :* descriptif gratuit disponible à l'office de tourisme. Circuit automobile d'Aubagne à La Treille en passant par le château de La Buzine.

➤ *En bus :* juil-août et jusqu'à mi-sept, ts les mer 14h30-19h. Tarif : 11 € ; réduc. Circuit commenté, avec arrêt à la maison natale, au Petit Monde de ce bon vieux Marcel et à La Treille.

Fêtes et manifestations

– **Camerone :** *30 avr-1er mai.* ☎ 04-42-18-12-54. La Légion fête le plus célèbre fait d'armes de son histoire : la résistance héroïque de 64 légionnaires face à 2 000 Mexicains à Camerone (Mexique) le 30 avril 1863. Récit de la bataille par un jeune officier, défilé suivi par une foule incroyable venue du monde entier, et enfin, kermesse.

– **Festival de la randonnée d'Aubagne :** *2-4 j. autour du 8 mai.* ● tourisme-paysdaubagne.fr ● Une trentaine de randonnées de difficulté et de durée variées, accessibles à tous pour découvrir les sites évoqués par Pagnol, le GR 13, ainsi que les patrimoines écologique et historique...

– **Joutes de Roquevaire :** *1 sem mi-juin.* Sur l'Huveaune, tournois de joutes aquatiques qui agitent Roquevaire (commune située à 8 km d'Aubagne).

– **Marché des créateurs-céramistes et santonniers :** *de mi-juil à fin août et fin nov-fin déc, avec crèche panoramique sur le cours Foch.* La plupart des santonniers et céramistes aubagnais présentent leur travail et leurs dernières créations. Expo à la cité de l'Art santonnier Thérèse-Neveu (voir plus haut), animations...

– **Argilla :** *3e w-e d'août, les années impaires.* Un salon qui fait d'Aubagne le plus grand marché potier de France avec 150 artisans et quelque 70 000 visiteurs sur les 2 jours.

– **Grains de sel, Journées Livre Jeunesse :** *4 j. mi-nov.* Spectacles, rencontres avec les auteurs et les illustrateurs. Avec 30 000 visiteurs, le deuxième événement du genre en France.

DANS LES ENVIRONS D'AUBAGNE

𝕏 **La Maison de celle qui peint :** *à 5 km au nord, sur la D 96 direction Aix, à gauche à l'entrée de* **Pont-de-l'Étoile,** *immanquable quand on arrive d'Aubagne.* Une maison d'artiste, éclatante de couleurs. Art brut ? Art singulier, préfère Danielle Jacqui, qui fait quelquefois visiter l'intérieur de sa maison aux curieux. Un festival d'art singulier est d'ailleurs organisé à Roquevaire, en août, les années paires.

🎯🚶🧗 **OK Corral :** 13780 **Cuges-les-Pins.** ☎ 04-42-73-80-05. ● okcorral.fr ● *Sur la D 8N, à l'est d'Aubagne, entre Cuges-les-Pins et Le Camp. Ouv 10h (attractions à partir de 10h30)-17h ou 18h30 (selon affluence) : tlj juil-août et pdt les vac de Pâques (zone B) et de la Toussaint ; le w-e avr-juin et sept-oct. Entrée adulte : 23 € ; enfant de moins de 1,40 m : 21 € ; gratuit pour les enfants de moins de 1 m.* Un parc dont les manèges, les spectacles et autres attractions évoquent le monde du western. Quelques temps forts : les *montagnes du Grand Canyon* (un vertigineux Grand 8), la *Montagne sacrée* (un toboggan qui dévale plus de 80 m) ou *Splash Mountain,* une secouante balade en canoë qui s'achève (dans un grand splash, bien sûr) au milieu d'un lac. Un endroit devant lequel on ne peut pas passer avec des gamins... sans une halte !

🎯🚶 **La vallée de Saint-Pons :** *accès par la D 2 jusqu'à Gémenos ; fléché ensuite (le parking est à 3 km sur la gauche ; de là, 5 mn à pied pour gagner la vallée).* Une jolie forêt méditerranéenne où s'offrir une gentille et fraîche balade jusqu'aux surprenants vestiges d'une abbaye cistercienne de femmes du XIIᵉ s.

🎯🚶🧗 **La Sainte-Baume :** *accès par la D 2 via Gémenos, puis le col de l'Espigoulier. Topoguide de randonnée dispo à l'office de tourisme.* À l'est d'Aubagne s'étend ce massif qui mérite le détour. L'accès au superbe col de l'Espigoulier offre de belles vues sur les paysages de garrigue... sur l'autre versant, le vert Var et sa *Provence Verte* dont on parle (sans vouloir vous pousser à l'achat...) dans le *Routard Côte d'Azur.*

LE PAYS D'AIX

AIX-EN-PROVENCE

(13100)   147 800 hab.   *Carte Bouches-du-Rhône, C3*

❯ Pour le plan d'Aix-en-Provence, se reporter au cahier couleur.

Pierres calcaires de couleur miel, toitures en tuiles romaines patinées par les âges, nobles façades... Grâce à sa rare unité architecturale, la ville de Paul Cézanne a conservé au fil des siècles une élégance nourrie d'influences baroques italiennes. Un charme venu de la péninsule bien avant que ce ne soit à la mode. Aix fut la première fondation romaine en Gaule  (122 av. J.-C.). Caius Sextius Calvinus y établit une garnison et lui donna un nom qui associe les qualités thermales du site et son propre nom (pas fous ces Romains !) : *Aquae Sextiae.* Le cours Sextius nous rappelle cette conquérante époque, tout comme le gentilé officiel des Aquisextains qui fait sourire les... Aixois.
Ces sources n'ont cessé depuis, grâce aux fontaines (on en compte une centaine !), de faire d'Aix une des villes de France où l'on vit le mieux, entre ombre et soleil. Une ville jeune et cosmopolite, irriguée par une forte population étudiante. Une ville gourmande, aussi, avec ses inimitables calissons et un bel assortiment de chocolatiers qu'elle a su mettre dans ses tablettes. Une

ville bourgeoise, enfin, jusqu'au bout de ses trottoirs policés, de ses façades léchées, de ses boutiques qu'on ne trouve pas ailleurs, de ses terrasses où l'on se montre un peu, beaucoup... Bourgeoise, oui, mais qui a su casser son image de belle endormie au pied de la montagne Sainte-Victoire.

Les visiteurs y affluent de loin, et même de Marseille, magnétisés par les couleurs de Cézanne comme les papillons le sont par la lumière. Ils y découvrent, à pied, un centre historique « Aix-ceptionnel » comme le Sud en compte bien peu (on va faire des jaloux !). Il faut s'y perdre, happé par un dédale de ruelles truffé d'adresses insolites, de brocantes, de bouquinistes et de marchés où l'on peut faire provision de couleurs, de parfums, d'accent ensoleillé... Mais Aix n'est pas qu'une vieille dame du XVIIIe s. On y fait également de belles rencontres campées dans le XXIe s : les « Allées », enfermant en leur sein des bâtiments conçus par de grands noms de l'architecture. Même le musée Granet s'y est mis en annexant une chapelle, tout émoustillée d'accueillir les débordements artistiques peu conventionnels de Picasso et de ses potes.

Adresses et infos utiles

🏛 **Office de tourisme** (plan couleur A2) : 300, av. Giuseppe-Verdi. ☎ 04-42-16-11-61. Central de résas : ☎ 04-42-16-11-84 ou 85. • aixenprovencetourism.com • Ouv lun-sam 8h30-20h (19h oct-mai) ; dim et j. fériés 10h-13h, 14h-18h ; horaires élargis juin-sept. Fermé 1er janv, 1er mai et 25 déc. Nombreuses visites guidées 2h, env 9 € ; réduc. 🛜 Brochures pratiques, qui détaillent manifestations, circuits thématiques, expos... Beau choix de visites guidées toute l'année. Propose le pass Aixpérience donnant accès à une quinzaine de sites pour 24h (25 €), 48h (34 €) ou 72h (43 €) ; réducs en ligne. Une équipe très pro.

✈ **Aéroport Marseille-Provence :** à 25 km d'Aix. Voir « Adresses et infos utiles » à Marseille.

🚆 **Gares ferroviaires :** gare TGV sur la D 9, technopole de l'Arbois sur la ligne Paris-Lyon-Marseille. Navette de bus régulière pour Aix (15 km), voir ci-après. En ville, gare SNCF (hors plan couleur par A2) : résas au ☎ 36-35 (0,34 €/mn) assurant slt la desserte de Marseille.

➤ **Navette depuis/vers l'aéroport via la gare TGV :** ☎ 0810-001-326 (prix d'un appel local depuis un poste fixe). • navettemarseilleaeroport.com • Ttes les 30 mn. De l'aéroport à Aix-en-Provence, 5h35-0h25. Vers l'aéroport, départ de la gare routière, 4h50-23h25. Tarif : 8,20 € (4,10 € pour la gare TGV). Compter 25-40 mn de trajet (la gare TGV est à mi-trajet environ).

🚌 **Gare routière** (plan couleur A2) : av. de l'Europe. ☎ 0821-202-203 (prix d'un appel local depuis un poste fixe). Bus locaux avec **Aix en Bus,** rens au ☎ 09-70-80-90-13 et sur • aixenbus. fr • Bus départementaux avec **Cartreize,** rens au ☎ 0810-001-326 (prix d'un appel local) et sur • cartreize. com • Liaisons pour Arles, Aubagne, Cassis, La Ciotat, Marseille, Salon.

🚗 **Location de voitures : Hertz,** à la gare TGV. ☎ 04-42-27-91-32. Ouv lun-sam 8h-12h, 14h-19h (18h sam).

🅿 **Stationnement :** les parkings du centre-ville sont plutôt chers et les horodateurs (pas donnés non plus) se gourmandent de vos piécettes dans un large périmètre autour du centre. Un bon plan : les **parking-relais** (2,20 €/j. incluant un ticket journalier de bus pour chaque passager du véhicule ; navettes pour rejoindre le centre) Krypton (av. de l'Arc-de-Meyran, depuis l'A 8, sortie Pont de l'Arc, fléché), Malacrida (av. Malacrida, sur la D 7N, à proximité de la sortie Val-Saint-André de l'A 8), des Hauts de Brunet (av. Fernand-Benoît, depuis l'A 51, sortie Puyricard) et Route des Alpes (route de Sisteron, depuis l'A 51 sortie Les Platanes).

Marchés

Les marchés d'Aix sont une institution hors du temps (dans tous les sens du terme, car il y en a en toutes saisons) à ne pas bouder.

– *Marché aux fruits et légumes :* pl. Richelme (plan couleur A1), tlj le mat.

– *Autres marchés d'alimentation :* pl. des Prêcheurs (plan couleur B1), mar, jeu et sam.

– *Marché aux fleurs :* pl. de l'Hôtel-de-Ville (plan couleur A1), mar, jeu et sam ; et pl. des Prêcheurs lun, mer, ven et dim.

– *Marché à la brocante :* pl. de Verdun – Palais de justice (plan couleur B1), mar, jeu et sam.

– *Marché textile, mode et accessoires :* cours Mirabeau (plan couleur A-B2), mar et jeu ; pl. de Verdun – Palais de justice sam.

– *Marché des livres anciens :* pl. de l'Hôtel-de-Ville, le 1er dim du mois 9h-18h.

– *Marché des artisans « Les Calades » :* cours Mirabeau, juil-août tlj 18h (17h sam, 8h dim)-minuit.

Où dormir à Aix et dans les proches environs ?

Camping

⋔ *Camping Chantecler* (hors plan couleur par B2, **10**) : 41, av. du Val-Saint-André. ☎ 04-42-26-12-98. ● info@campingchantecler.com ● cam pingchantecler.com ● À 2 km du centre en direction de Nice-Toulon (D 7n) ; fléché à gauche après le grand rond-point (quartier Val-Saint-André). Bus n° 3 direction Val-Saint-André (terminus). Ouv tte l'année. Resto juin-sept. Empl. tente 23,90 €. Chalets et mobile homes 434-807 €/sem selon saison et capacité. 240 empl. 🛜 (payant). Dans un quartier résidentiel, ce grand camping profite d'un cadre encore nature. Ses emplacements, hésitant entre herbe et cailloux, sont disposés en terrasses (ça grimpe !) dans l'ancien parc d'une bastide. Belle piscine, boulodrome, snack, salle TV, lave-linge... Tout le confort, quoi.

Bon marché

🏠 *Auberge de jeunesse – CIRS* (Centre international de rencontres et de séjours ; hors plan couleur par A1, **11**) : 3, av. Marcel-Pagnol, quartier Jas-de-Bouffan, 13090. ☎ 04-42-20-15-99. ● ajaixresa@wanadoo.fr ● auberge-jeunesse-aix.fr ● ♿ À 2,5 km du centre-ville, près de la Fondation Vasarely. Bus n° 2 Bouffan, arrêt Vasarely. Accueil 7h-14h, 16h30-minuit ; inscription avt 22h. Fermé de midéc à début janv. Avec la carte FUAJ (indispensable et vendue sur place), nuit 18,80-22,55 €, petit déj compris.

Repas 13 €. 🛜 Café offert sur présentation de ce guide. Près de l'autoroute, un ensemble de bâtiments modernes entourés d'un jardin. Auberge confortable (dortoirs de 4 lits) et fonctionnelle. Salle de détente, snack, aire de jeux, lave-linge. Terrasse.

De prix moyens à chic

🏠 *Hôtel Cardinal* (plan couleur B2, **12**) : 24, rue Cardinale. ☎ 04-42-38-32-30. ● info@hotel-cardinal-aix.com ● hotel-cardinal-aix.com ● Tte l'année. Double 78 € ; suite 118 €. 🛜 Réduc de 10 % sur le prix de la chambre (nov-mars) sur présentation de ce guide. Dans un immeuble du XVIIIe s, un hôtel d'atmosphère d'une trentaine de chambres, pour ceux qui ont toujours l'esprit routard mais aiment aussi le calme et le confort. Tentures aux fenêtres, meubles de style dans les parties communes comme dans les chambres, soubassements peints, il ne manque au lieu que le froissement d'une robe de cardinal. Les habitués, eux, ne jurent que par les suites, dans l'annexe, au pied de l'église Saint-Jean-de-Malte. Ne le répétez pas, mais celle du rez-de-chaussée bénéficie d'une superbe courette ombragée. Accueil naturellement sympathique.

🏠 *Hôtel Paul* (plan couleur A1, **13**) : 10, av. Pasteur. ☎ 04-42-23-23-89. ● hotel.paul@wanadoo.fr ● hotelpaul. jimdo.com ● Pas d'arrivée possible à l'hôtel dim et j. fériés 12h-18h (téléphoner avt). Doubles 59-69 €. Parking vélos et motos. 🖥 🛜 Bien situé, à deux pas de la cathédrale et du parking Pasteur, ce gentil hôtel à l'ancienne mode aligne des chambres aussi simples que propres, louées à petits prix. Accueil vraiment chaleureux. Quelques chambres (les n°s 14 à 19) donnent sur le jardin, où l'on peut prendre le petit déj. Un bon plan, rare à Aix.

🏠 *Hôtel Mozart (hors plan couleur par B2, 16)* : 49, cours Gambetta. ☎ 04-42-21-62-86. ● hotelmozart@wanadoo.fr ● hotelmozart.fr ● À 500 m du centre. Doubles 81-94 €. Parking gratuit. 🛜 Dans un bâtiment labyrinthique, sans grand charme de prime abord, en retrait de l'avenue, une cinquantaine de chambres de petite taille mais de bon confort. Avec même des balconnets individuels, la clim et des salles de bains fonctionnelles. L'adresse est courue par les VRP, pensez à réserver. Accueil avenant et pro.

🏠 *Hôtel Le Prieuré (hors plan couleur par B1, 15)* : 458, route de Sisteron. ☎ 04-42-21-05-23. ● hotelleprieure. aix@laposte.net ● hotel.leprieure. free.fr ● À 2 km au nord du centre-ville (fléché depuis le nord-est du bd circulaire). Bon plan, la navette (7h-20h30) pour le centre-ville passe à 100 m. Tte l'année. Doubles 64-85 €. Parking gratuit. 🛜 Installé dans un prieuré du XVIIe s, cet hôtel d'une vingtaine de chambres, au calme, s'habille depuis 35 ans d'une déco un rien surprenante, à l'image de sa souriante propriétaire. Toutes les chambres, très cosy, donnent sur le parc du Pavillon Lenfant, dessiné par Le Nôtre. Pas d'accès, mais la vue est déjà reposante en elle-même... Terrasse fleurie devant l'hôtel pour prendre le petit déj ou l'air du temps.

🏠 *Hôtel du Globe (plan couleur A1, 21)* : 74, cours Sextius. ☎ 04-42-26-03-58. ● contact@hotelduglobe.com ● hotelduglobe.com ● Fermé de mi-déc à mi-janv. Doubles 88-93 € selon saison. Garage payant. 🛜 Un hôtel pour globe-trotters des temps modernes. Une quarantaine de chambres récentes, toutes identiques, confortables, climatisées et bien insonorisées côté circulation. Terrasse. Accueil enjoué.

🏠 |●| *Appart'hôtel Odalys L'Atrium (plan couleur B2, 18)* : 15, cours Gambetta, 13100. ☎ 04-42-99-16-00. ● atrium@odalys-vacances.com ● Situé à 5 mn à pied du cours Mirabeau. À partir de 85 €/nuit par appartement. 🛜 Studios et appartements offrant tout le confort souhaité, kitchenette, TV écran plat dans la chambre et le salon, cafetière électrique à disposition... Au restaurant italien *Alto Gusto*, l'énergique chef piémontaise vous fera découvrir les spécialités du pays (huile d'olive, parmesan, ricotta, bresaola...) directement importées d'Italie !

🏠 *Hôtel Le Concorde (plan couleur B2, 14)* : 66-68, bd du Roi-René. ☎ 04-42-26-03-95. ● contact@hotel-leconcorde.fr ● hotel-aixenprovence-concorde.com ● Fermé en janv. Doubles 69-99 € selon vue, taille et saison. Grand garage payant. 🛜 Un hôtel familial qui dissimule des chambres basiques mais tranquilles (évitez si possible le côté boulevard...), encadrant une petite cour bétonnée, avec un jardinet. Les chambres côté cour s'ouvrent sur un balcon et profitent, dans les étages, d'une belle vue sur la région. La plupart sont refaites dans un sobre style contemporain (les plus chères).

De chic à plus chic

🏠 *Chambres d'hôtes Le Jardin de Marie (plan couleur B2, 22)* : 47, rue Roux-Alpheran. 📱 06-15-93-65-39. ● jardindemarie@gmail.com ● jardin demarie.net ● Doubles 115-135 € selon chambre. 🛜 Il est beau ce jardin. Frais, vert, planté d'un figuier qui nourrit les confitures. Un petit éden en pleine ville, dissimulé à l'arrière d'un hôtel particulier du XVIIe s. Chambres contemporaines, confortables, conçues sur le même moule : petit espace salon et salle d'eau en bas, le lit au-dessus, en mezzanine. Vaisselle, frigo, bouilloire et micro-ondes à disposition, ici on pense à tout. Le jardin, on y retournera le lendemain matin et, autour d'un bon petit déj maison, on se laissera conseiller car les hôtes sont tous deux guides touristiques.

🏠 *Chambres d'hôtes La Campagne (hors plan couleur par A2, 25)* : 34, av. du Pigonnet. ☎ 04-42-61-76-40.

☎ *06-81-54-19-74.* • *marion@la-campagne-aix.fr* • *la-campagne-aix.fr* • *À 1,5 km au sud de la Rotonde. Doubles 90-140 € selon saison. Piscine. Parking gratuit.* 🛜 *À deux calissons du quartier historique. Cette superbe bastide familiale du XVIIIᵉ s, avec son parc de 4 500 m², son puits, sa fontaine et ses platanes, est un véritable havre de tranquillité, rescapé des appétits des promoteurs qui ont œuvré alentour. 4 chambres joliment décorées répondent aux doux noms de célèbres gourmandises :* « Calisson », « Praline », « Nougat », « Orangette ». *Intérieur chaleureux et moderne. Jardin et terrasse ombragée. Excellent accueil.*

🏠 *Hôtel des Augustins (plan couleur A2, 20) : 3, rue de la Masse.* ☎ *04-42-27-28-59.* • *hotel.augustins@wanadoo.fr* • *hotel-augustins.com* • *Doubles 99-249 € selon taille et saison.* 🛜 *L'hôtel a été aménagé dans la chapelle (XVᵉ s) de l'ancien couvent des Grands-Augustins, édifié au XIIᵉ s. Que le cadre, avec ogives, vitraux et pierres apparentes, ne vous leurre pas : les chambres sont tout à fait modernes et confortables (certaines avec jacuzzi), climatisées. La nº 208, parmi les plus chères, jouit d'une somptueuse terrasse. Bref, ce n'est pas donné, mais c'est à Aix, et à deux pas du cours Mirabeau.*

🏠 ▮◉▮ *Hôtel Saint-Christophe (plan couleur A2, 17) : 2, av. Victor-Hugo.* ☎ *04-42-26-01-24.* • *saintchristophe@*

francemarket.com • *hotel-saintchristophe.com* • ♿ *Tte l'année. Doubles 85-198 € selon taille et saison. Formule 22 €, menus 28-35 €. Parking payant.* 🛜 *Un café gourmand offert (juin-sept) sur présentation de ce guide. Une référence aixoise avec ses chambres à la déco contemporaine qui font un clin d'œil aux années 1930 ou à la Provence, climatisées et parfaitement équipées. Certaines ont même une petite terrasse, et les plus chères hammam ou douches avec balnéo intégrée. Au rez-de-chaussée, la brasserie* Léopold *est une institution au cadre Art déco avec ses tables resserrées et ses garçons en tablier. Bonne cuisine. Terrasse sur l'avenue.*

🏠 *Chambres d'hôtes L'Épicerie (plan couleur A1, 23) : 12, rue du Cancel.* ☎ *06-74-40-89-73.* • *chambreenville@yahoo.fr* • *unechambreenville.eu* • *Doubles 100-110 € selon saison.* 🛜 *Allez, on vous le dit tout de suite : la délicieuse épicerie à l'ancienne du rez-de-chaussée, qu'on découvre en entrant, n'a jamais existé. C'est un joli décor, signé du maître des lieux, autrefois homme de théâtre. Les chambres, sobres, sont d'un bon confort, et pour 30 € de plus on s'offre une suite. Confitures maison pour le petit déjeuner servi, quand cela est possible, dans la cour-jardin. Un calme inouï à quatre pas de la place des Cardeurs.*

Où manger ?

De bon marché à prix moyens

▮◉▮ *Angelina (plan couleur A1, 31) : 7, rue Mérindol.* ☎ *04-42-59-66-62. Ouv au déj slt mar-sam, plus ven soir. Résa conseillée. Congés : 1ʳᵉ quinzaine de sept. Salades et bruschette 10,50 €, plat 12 €. Un nid d'habitués qui a tôt fait de remplir la (toute) petite salle, moderne. Heureusement, il y a une sympathique terrasse sur la charmante place des Fontêtes. Gentille cuisine familiale, d'inspiration italo-provençale (salades, pâtes, bruschette...). Service*

aussi souriant que décontracté.

▮◉▮ *Chez Charlotte (plan couleur A2, 38) : 32, rue des Bernardines.* ☎ *04-42-26-77-56.* • *billylaurent@gmail.com* • *Tlj sf dim-lun (ouv lun soir en saison). Congés : 1-2 sem en fév. Résa conseillée. Formule 16,50 €, menu 20 €. Une adresse comme à la maison, côté déco, où l'on mange justement comme à la maison. Ma foi, plutôt bien, une cuisine sympa et abordable (terrines, tartes salées...), mitonnée sous l'œil des clients. Avec le soleil, on fait comme les habitués, on file dans la cour, à l'arrière.*

▮◉▮ *Drôle d'Endroit (plan couleur A2,*

30) : 14, rue Annonerie-Vieille. ☎ 04-42-38-95-54. ● droledendroit@droledesite.fr ● Tlj sf dim-lun et mer midi. Carte 30-35 €. Une salle élégante aux fauteuils bas garnis de coussins, avec même une longue tablée pour manger au coude à coude, et quelques places sur la ruelle. À l'ardoise, des grosses salades, et une petite cuisine fraîche, bio et colorée, très village global, où quinoa et saveurs thaïes partagent l'affiche avec le tiramisù maison. Soirées musicales, théâtrales, expos... et salon de thé le samedi après-midi.

|●| *Fanny's (plan couleur B1, 42)* : 11, rue Chastel. 📱 06-08-60-33-95. ● fanys.saveurdeprovence@orange.fr ● Tlj sf dim et j. fériés 11h30-15h30. Plats du jour 14-15 €, pan-bagnat 8 €. Un bistrot provençal avec des banquettes, côté salle, et une poignée de tables sur le trottoir. Ici, tout est fait maison, ça se voit (Fanny travaille devant vous), ça se sent, au point qu'on réserve le crumble ou la tarte salée que le nez a repéré, d'entrée. Fanny se fournit chez les producteurs locaux. Le pain vient de chez *Le Farinoman fou*, tout à côté. Son truc, surtout, ce fut de relancer l'authentique pan-bagnat. Une adresse pleine de fraîcheur.

|●| *Le Bistro latin (plan couleur A1-2, 33)* : 18, rue de la Couronne. ☎ 04-42-38-22-88. ● bistrolatin@gmail.com ● Tlj. Formule 15 €, menus 17-28 €. À première vue, ni l'emplacement, ni la salle, ni le service sans ronds de jambe ne distinguent ce resto. Mais le porte-monnaie sourit largement à la lecture des prix et les papilles à celle des plats. Inutile de taper dans les menus les plus chers, le plaisir est au rendez-vous dès la première formule, très démocratique. Le palais en sort plutôt convaincu, même si le salé l'emporte sur le sucré.

|●| *Thé Mandarine (plan couleur A1, 40)* : 24, rue Vauvenargues, pl. de l'Hôtel-de-Ville. ☎ 04-42-28-72-68. ● themandarine@sfr.fr ● Tlj sf dim et j. fériés, 10h-18h30. Formule 17,50 €. On entre par la boutique *Le Chat rêveur*, et on monte se percher, au frais, à l'étage (la clim !), le temps d'un déjeuner de soleil face au marché. Les produits sont frais, la cuisine est familiale et l'accueil chaleureux.

|●| *La Fromagerie du Passage (plan*

couleur B2, 32)* : 55, cours Mirabeau, passage Agard. ☎ 04-42-22-90-00. Tlj (tte l'année) 10h-23h. Plat 16 € ; carte 32 €. Brunch dim 25 €. Une fromagerie quand il fait chaud, c'est de la folie ! Tss, tss. On ne fait que traverser cette jolie boutique pour grimper jusqu'à une salle qu'on laisse (trop bruyante) pour rejoindre la terrasse. De là, on profite tout à la fois de la vue sur les toits, d'un plat du jour plein de saveurs, et d'un service qui ne chôme pas. Un lieu couru, d'où une résa parfois bienvenue !

De prix moyens à chic

|●| ♟ *Le Verdun (plan couleur B1-2, 34)* : 20, pl. de Verdun. ☎ 04-42-27-03-24. ● cafeleverdun@orange.fr ● Tlj 7h (12h pour les repas)-minuit. Formule déj 19,90 €, menu 27,90 €. *Café offert sur présentation de ce guide.* Une brasserie posée face au palais de justice, qui ne désemplit pas les jours de marché. Un lieu cher aux Aixois, où l'on mange bien, en terrasse, sous les platanes. Carte qui oscille entre classiques de brasserie (pot-au-feu, andouillette) et de Provence (pieds et paquets à la marseillaise).

|●| *Le Poivre d'Âne (plan couleur A1, 41)* : 40, pl. forum des Cardeurs. ☎ 04-42-21-32-66. ● lepoivredane@club-internet.fr ● Tlj sf mer hors saison, le soir slt. Congés : 1 sem à Noël et 3 sem en janv. Menus 37-45 €. Certes, ce resto s'est installé sur une place définitivement trop touristique. Pourtant, on est conquis : salle qui se croit encore dans les années 1970 et terrasse qui profite de la douceur aixoise. Service charmant. Cuisine personnelle et emballante. Mieux vaut réserver.

|●| *Les Deux Frères (hors plan couleur par A2, 35)* : 4, av. Reine-Astrid. ☎ 04-42-27-90-32. ● les-deuxfreres@wanadoo.fr ● ✺ Descendre l'av. des Belges, puis prendre sur la gauche le bd d'Ollone, puis l'av. Reine-Astrid. En voiture, au bas de l'av. des Belges, prendre l'av. Brossolette, puis à gauche l'av. Reine-Astrid. Tte l'année tlj. Formule déj en sem 21 € ; menu 31 €. Parking (stationnement difficile dans le quartier). Une cuisine maligne qui fusionne et qui

fonctionne, sans faire d'éclats inutiles. Il y a des écrans plats dans la salle pour suivre les préparations, des platanes en terrasse et des voiles blanches pour protéger de la chaleur. Branché mais plaisant.

De chic à plus chic

I●I *Le Petit Verdot* (plan couleur A1, **37**) : 7, rue d'Entrecasteaux. ☎ 04-42-27-30-12. ● info.lepetitverdot@gmail.com ● Tlj sf dim, le soir slt. Résa conseillée. Carte 35-40 €. Digestif offert sur présentation de ce guide. Laissez-vous guider, dans cette salle longiligne tout en bois, jusqu'à l'une des tables alignées le long du comptoir. Du cadre à l'accueil, de l'assiette au verre, le bistrot dans ce qu'il a de plus généreux. Des plats de toujours, à peine revisités, préparés et servis avec conviction.

Pour accompagner, des vins chantants mûris au soleil du Sud. Là aussi, laissez-vous guider, vous ne le regretterez pas.

I●I *Le Formal* (plan couleur A2, **36**) : 32, rue Espariat. ☎ 04-42-27-08-31. Tlj sf sam soir, dim-lun. Résa conseillée. Menus 32 € le midi en sem, puis 42-79 €. Jean-Luc Formal fait partie des chefs les plus sérieux, les plus inventifs du pays d'Aix. On ne vient pas chez lui pour rigoler (il y a suffisamment de comiques dans la profession, surtout par ici) mais pour se laisser surprendre par des textures nouvelles, des goûts originaux, des plats où tous les sens sont à la fête, même si tout le monde est plutôt grave, voire recueilli, autour de vous. Une cuisine personnelle où chaque ingrédient a sa place, à découvrir, au frais, dans ces caves où l'on se sent fort bien, très vite.

Où boire un verre ?
Où grignoter un morceau ? Où sortir ?

Des terrasses partout, de celles, quasi mythiques, du cours Mirabeau à d'autres, plus secrètes, sur les placettes du vieil Aix, où toute la ville ou presque se pose à la moindre journée ensoleillée (comme il y en a au moins 300 par an...). Mais une vie nocturne qui se finit sagement à l'heure où Cendrillon voit son carrosse redevenir citrouille.

♟ *Au P'tit Quart d'Heure* (plan couleur A1, **52**) : 21, pl. des Cardeurs. ☎ 09-82-41-83-69. ● contact@auptitquartdheure.fr ● Tlj sf dim 17h-21h (minuit jeu-sam). Bières, vins, sodas 2,50 €. Lieu chébran qui fait sortir la jeunesse des bois pour une petite grignote et des boissons à prix très, très démocratiques. On passe un bon quart d'heure, et plus si affinités, sur cette place populeuse, ou entassés comme des sardines dans la petite salle voûtée avec ses tonneaux dressés.

♟ *Le Brigand* (plan couleur A1, **51**) : 17, pl. Richelme. ☎ 04-42-12-46-81. Tlj 11h30 (18h dim)-2h. 🛜 Peut-être bien le plus grand choix de bières de la ville. Du rock (et affiliés) en fond sonore, des étudiants qui transitent, chopes en main, vers la terrasse quand ça bout dedans. Des concerts, parfois.

♟ *O'Shannon* (plan couleur A1, **54**) : 30, rue de la Verrerie. ☎ 04-42-23-31-63. ● oshannon929@orange.fr ● Tlj 16h-2h. Happy hours 18h-20h. Pub irlandais qui draine une importante clientèle étudiante, surtout anglophone, plutôt prête à faire la fête jusque sur le trottoir, au grand dam du voisinage. Concert pop, rock ou blues de temps en temps.

♟ *Book In Bar* (plan couleur A2, **55**) : 4, rue Cabassol. ☎ 04-42-26-60-07. Tlj sf dim 9h-19h. Autour de thés, cappuccinos, scones et muffins, cette librairie so British aligne des étagères entières d'ouvrages pour répondre à l'épineuse question : « Where is Brian ? ». Ambiance sereine sur des tables de bistrot ou fauteuils club. Au final, « Brian isn't in the kitchen ! »

♟ *Les Deux Garçons* (plan couleur B2, **50**) : 53, cours Mirabeau. ☎ 04-42-26-00-51. Tlj, tte l'année, 7h-23h. Les 2 G, pour les intimes. Construit dans un décor consulaire fin XVIIIe s, ivoire et or, il doit son nom aux deux garçons de café qui rachetèrent l'établissement au XIXᵉ s. Cézanne, Zola, puis Mauriac, Cocteau, Mistinguett, Louis Jouvet fréquentèrent l'endroit. Terrasse stratégique et brasserie chic, mais service pas toujours à la hauteur.

♈ ▥ La Rotonde *(plan couleur A2, 53)* : 2 A, pl. Jeanne-d'Arc. ☎ 04-42-91-61-70. ● fontaine.mirabeau@orange.fr ● À côté de... la Rotonde. Tlj

8h30-2h. Formule déj lun-sam 19 €. Menu 34 €. Restaurant-café-*lounge*, avec tous les attributs du genre. Belle décoration intérieure, DJs, clientèle très hype et service sans sourire... Bel endroit néanmoins, pour boire un verre, en terrasse sous les platanes, à l'apéro tardif, tapas inclus. On peut aussi y dîner (plutôt chic et assez cher) autour d'une carte *fusion food*.

Où acheter calissons et autres gourmandises ?

Aix la gourmande est si fière de ses produits qu'elle rêve d'une AOC pour les protéger tous.

❀ **Les calissons :** cette subtile, moelleuse et coûteuse confiserie en forme d'œil de chat, à la robe de glace royale, au cœur d'amande et de melon confit, révèle les parfums et les saveurs de tout le pays d'Aix. Pour se faire absoudre de vous pousser à la gourmandise, elle est assise sur un fond... d'hostie. Quelques grandes maisons : L'historique **Béchard** *(plan couleur A2, 71* ; 12, cours Mirabeau ; ☎ 04-42-26-06-78 ; fermé dim-lun).* **Confiserie Brémond** *(plan couleur B2, 72* ; 16 ter, rue d'Italie ; ☎ 04-42-38-01-70 ; fermé dim),* depuis 1830, avec sa curiosité, un calisson emmailloté de chocolat (d'octobre à avril, sinon il fait trop chaud). La **confiserie du Roy René** *(plan couleur A1, 74* ; 11, rue Gaston-Saporta ; ☎ 04-42-26-67-86 ; tlj).* Pour vous passionner encore plus, visite possible de la fabrique de calissons du Roy René (lire plus loin la rubrique « À voir un peu plus loin du centre »).

❀ **Les chocolats de Puyricard** *(plan couleur B1, 73)* : 7, rue Rifle-Rafle. ☎ 04-42-21-13-26. Lun-sam 9h-19h (pause déj 13h-15h30, juil-août). Le magasin est un élégant repaire de ces gourmandises créées dans la campagne aixoise, à Puyricard, en 1967.

♈ **Glaces Philippe Faur** *(plan couleur B2, 75)* : 57, cours Mirabeau. Tlj 10h-19h (minuit, mai-sept). Des parfums et des goûts ahurissants (réglisse, calisson, marron glacé) et des classiques (fraise, mangue ou melon) juste renversants !

❀ **Liquoristerie de Provence :** 36, av. de la Grande-Bégude, 13770 **Venelles.** ☎ 04-42-54-94-67. ● liquoristerie-provence.fr ● Prendre l'A 51 direction Sisteron ; sortir à Venelle-centre ; prendre à gauche au rond-point après le pont d'autoroute (D 96 direction Aix), c'est 700 m plus loin à gauche. Tlj sf dim-lun et j. fériés 9h-12h30, 14h30-18h30. Si vous êtes nostalgique des apéritifs et liqueurs d'autrefois, vous allez vous régaler en visitant ces lieux où l'absinthe a été ressuscitée, en 1999, après plus de 85 ans d'interdiction.

À voir

Le vieil Aix

🕱🕱 La cathédrale Saint-Sauveur *(plan couleur A1)* : accès tlj 8h-12h, 14h-18h. Édifiée selon la légende sur un temple d'Apollon, la cathédrale a évolué entre le Vᵉ et le XVIIIᵉ s et ça se remarque sur sa façade, où la diversité des styles (du XIIᵉ au XVIᵉ s) fait rêver. Le portail gothique est joliment surmonté d'une statue de saint Michel terrassant le dragon. Les **portes** sont superbement ornées de motifs sculptés du XVIᵉ s *(dévoilées à tour de rôle, tlj à 11h15).* Grande diversité de styles à l'intérieur où se succèdent trois nefs, romane, gothique et baroque. Superbe **baptistère préroman** du Vᵉ ou VIᵉ s, de forme octogonale, entouré d'une galerie que marquent d'imposantes colonnes romaines. Il est quasi unique en France, et vous n'en verrez d'équivalent qu'à Fréjus ou Riez. La coupole qui le surplombe date du XVIᵉ s. Des vestiges d'un pavement romain sont visibles à côté du baptistère et dans la nef principale (les restes supposés du forum). Pièce maîtresse de la cathédrale, le célèbre **triptyque du Buisson ardent** *(visible slt Pâques-Pentecôte, puis de la Saint-Jean aux Journées du patrimoine et 1ᵉʳ déc-2ᵈ w-e de janv)*, dans le haut de la nef, peint par Nicolas Froment pour le roi René, vers 1476, et superbement restauré. À voir aussi : la série de tapisseries du XVIᵉ s qui orne le chœur, l'original buffet d'orgues qui n'est pas un vrai mais fait la symétrie avec l'autre (le vrai).

🎭🎭 **Le cloître :** *accès depuis le chœur de la cathédrale. Visite accompagnée, tlj 10h-11h30, 14h30-17h30 (16h30 nov-mars). Ttes les 30 mn env. Libre participation.* Intime et d'une grande élégance, prenez la peine d'y détailler l'abondante décoration des fines colonnes géminées et des chapiteaux. Les décors étaient destinés à l'enseignement des chanoines. À l'ouest, l'Ancien Testament, au nord le Nouveau, à l'est la période de reconnaissance de la chrétienté et au sud la période contemporaine... enfin, contemporaine de la construction du cloître (XIIᵉ s). Les angles sont gardés par les évangélistes, et si vous avez visité Arles, vous reconnaîtrez à Saint-Pierre un air de parenté avec celui de Saint-Trophime : bingo, ce sont les mêmes compagnons qui ont travaillé dans les deux lieux. Jardin planté d'essences provençales.

🎭 **Le musée des Tapisseries** *(plan couleur A1) : pl. des Martyrs-de-la-Résistance.* ☎ 04-42-23-09-91. *De mi-avr à mi-oct, tlj sf mar 10h-12h30 et 13h30-18h (13h30-17h le reste de l'année). Fermé 1ᵉʳ mai et 25 déc. Entrée : 3,50 € ; gratuit moins de 25 ans et ts le 1ᵉʳ dim du mois.* L'ancien (et superbe) archevêché construit au XIIᵉ s, puis remanié en 1650 et 1730. C'est ici que logèrent tous les souverains de passage dans la ville, de François Iᵉʳ à Napoléon III. La visite permet de découvrir la salle à manger avec ses gypseries et son marbre en trompe l'œil, le grand salon d'apparat, les corniches à la feuille d'or du salon doré. Sans oublier, bien sûr, l'admirable collection de tapisseries tissées à Beauvais aux XVIIᵉ et XVIIIᵉ s : entre autres, série dite « des Grotesques », décor théâtral tissé vers 1689, et neuf pièces (uniques au monde ; le propriétaire, pour être sûr de leur exclusivité, les avait payées trois fois le prix) qui racontent l'histoire de don Quichotte. Expos temporaires dans la galerie.

🎭🎭 **La rue Gaston-de-Saporta** *(plan couleur A1) :* aujourd'hui semi-piétonne et très (très !) touristique, elle traversait déjà la ville romaine. Bordée par quelques beaux hôtels particuliers. Face à la cathédrale, notez la belle façade du XVIIIᵉ s de la première faculté de droit d'Aix-en-Provence, chapeautée d'un tympan classique qui revendique son attachement au... Droit. Au n° 23, l'*hôtel Maynier-d'Oppède* (XVIIIᵉ s) étale sa façade baroque. Au n° 21, sobre mais élégante façade de l'*hôtel Boyer-de-Fonscolombe* (du XVIIᵉ s, celui-là, mais la façade a été remaniée au XVIIIᵉ s). Au n° 19, l'*hôtel de Châteaurenard* abrite un escalier aux murs ornés d'un superbe trompe-l'œil. Au n° 17 se trouve l'un des plus beaux hôtels particuliers de la rue, sinon de la ville, l'*hôtel d'Estienne de Saint-Jean*. On peut passer sa porte finement sculptée, puisqu'il abrite le musée du Vieil Aix.

🎭🎭 **Le musée du Vieil Aix** *(plan couleur A1) : 17, rue Gaston-de-Saporta. Ouv 15 avr-15 oct tlj sf mar, 10h-12h30, 13h30-18h (13h30-17h le reste de l'année).* GRATUIT. Un musée hébergé dans le magnifique hôtel Estienne-de-Saint-Jean des XVIIᵉ-XVIIIᵉ s : escalier monumental, jolis plafonds peints... Prenez le temps de le visiter à votre rythme, à commencer par l'exceptionnel paravent de la Fête-Dieu : 10 panneaux de toile peintes évoquant cette fête qui remonte au Moyen Âge. L'artiste, un anonyme du XVIIIᵉ s, s'est attaché à rendre la fête dans ses moindres détails. On peut tout à loisir étudier les vêtements et les armes des ecclésiastiques et des soldats de la procession représentée sur l'une des faces ; les attitudes (un peu plus relâchées...) des participants aux jeux et à la foire sur l'autre. Autre passage obligé du musée : la pièce consacrée aux marionnettes de l'ancienne crèche parlante installée de 1830 à 1911 dans un théâtre, passage Agard. Faïences de Moustiers, chefs-d'œuvre de compagnons, donnent également au musée l'ambiance d'un cabinet de curiosités.

🪓 *La tour de l'Horloge* (plan couleur A1) : *pl. de l'Hôtel-de-Ville.* Ancien beffroi de la ville, elle marque le passage dans la cité comtale. Horloge astronomique de 1661, dont les statues de bois symbolisant les saisons défilent à tour de rôle.

🪓🪓 *L'hôtel de ville* (plan couleur A1) : installé au pied de la tour c'est un incontournable de la vie politique locale, depuis le XIVe s. Façade baroquisante où, curieusement, au traditionnel « Liberté, Égalité, Fraternité » ont été ajoutées « Générosité » et « Probité ». Ça ne coûte rien de l'écrire. Imposante grille de fer forgé qui s'ouvre sur une belle cour intérieure caladée. Un escalier d'honneur à double révolution (le premier à avoir été construit en France, paraît-il, en 1655) permet d'accéder à la somptueuse salle des États de Provence. Galerie de portraits et blasons.

🪓 *La Halle aux grains* (plan couleur A1) : cet imposant bâtiment du XVIIIe s abrite aujourd'hui la poste. Les sculptures de la façade rappellent sa première destination. Au fronton, place de l'Hôtel-de-Ville, une allégorie représentant le Rhône et la Durance. De l'autre côté (place Richelme), frise de fruits, légumes et céréales, en adéquation avec le marché qui s'y tient.

🪓🪓🪓 *La place et l'hôtel d'Albertas* (plan couleur A2) : une petite place bourrée de charme. Elle fut aménagée en 1742 pour une grande famille d'Aix qui, se sentant un peu à l'étroit dans son hôtel particulier, a fait démolir les maisons voisines. Au centre de cette place inspirée par la mode des places royales parisiennes, une fontaine avec une vasque en fonte datant de 1912.

🪓 *Le palais de justice* (plan couleur B1) : du XIXe s dans un style néoclassique qui rassure, façon temple antique, les plans étant signés d'un des maîtres du genre, le célèbre Claude-Nicolas Ledoux. On peut aller perdre ses pas dans la salle du même nom, aux colonnades éclairées par une impressionnante verrière.

Le cours Mirabeau

🪓🪓🪓 Figure emblématique des cartes postales d'Aix : le cours Mirabeau aligne depuis le milieu du XVIIe s le charme de ses platanes, ses cafés (bien au sud... bien au soleil) et les nobles façades d'hôtels particuliers.

🪓🪓 *Les fontaines* (plan couleur A-B2) : quatre fontaines rythment le cours, lui apportant fraîcheur et raison d'être. Celle de la Rotonde (XIXe s), massive et volubile. Les trois statues (Justice, Agriculture et Beaux-Arts) semblent indifférentes à l'intense circulation de la place. Celle des Neuf-Canons (XVIIe) s'est laissé pousser les cheveux pour faire concurrence à sa voisine, la fontaine dite « moussue » (vous comprendrez pourquoi) où coule l'eau chaude en provenance de la source des Bagniers. Sur celle du Roi-René, en haut du cours, le souverain tient une grappe de ce muscat qu'il introduisit en Provence. Et, vous l'aurez remarqué, nulle trace de Mirabeau sur le cours... Mirabeau. Sa statue a été reléguée dans l'enceinte du palais de justice.

🪓🪓 *Les hôtels particuliers* (plan couleur A-B2) : au no 4, immanquable entrée de l'*hôtel de Villars* (quatre colonnes qui supportent un balcon ouvragé). L'*hôtel Isoard-de-Vauvenargues* occupe de sa façade sévère (et un peu poussiéreuse) le no 10. Poussez plutôt (en jetant un coup d'œil, au no 20, au vaste hôtel de Forbin) jusqu'à l'*hôtel Maurel-de-Pontevès* (au no 38). Sûrement le plus beau du cours : lourde porte de bois délicatement sculptée, tout petit balcon supporté par d'impressionnants atlantes (pas très, hum, pudiques...) et façade à l'italienne, dont la décoration reprend les trois ordres classiques (dorique, ionique et corinthien).

Le quartier Mazarin

Bâti au XVIIe s pour la noblesse et les parlementaires de l'époque, ce quartier, qui a conservé le nom de son créateur, frère du fameux cardinal, doit son charme particulier à ses grandes rues rectilignes.

🎥🎥 *L'Hôtel de Caumont* (plan couleur B2) : *3, rue Joseph-Cabassol.* ☎ *04-42-20-70-01.* ● *hoteldecaumont.com* ● *Tlj tte l'année 10h-19h (18h oct-avr) ; nocturne mar jusqu'à 21h30 si expo temporaire. Entrée : 6 € ; réduc et 11 € avec l'expo temporaire ; réduc. Audioguide 3 €.* Ce splendide hôtel particulier, construit entre 1714 et 1748, accueille d'ambitieuses expositions temporaires mettant les beaux-arts à l'honneur. Au-dessus de l'accueil, un film présente la vie de Cézanne au pays d'Aix. On plonge ensuite dans le XVIIIe s en gravissant les marches du magistral escalier, orné de ferronneries d'un raffinement rare. À suivre, un superbe salon de musique lambrissé jusqu'aux voussures, rehaussées de médaillons et de *puttis*. On en oublierait presque le joli clavecin de style Louis XV et la harpe recouverte d'un décor peint. On entre ensuite dans la chambre de Pauline Caumont avec des décors muraux très printaniers qui veillent sur un lit à la polonaise et une *radassière* (méridienne à la mode méridionale). Depuis les fenêtres, on a un bel aperçu sur le jardin à la française où il faudra absolument faire un tour en fin de visite. Retour dans les murs : on continue la visite sur deux étages dédiés aux expositions temporaires très bien faites.

🎥🎥 *La place des Quatre-Dauphins* (plan couleur B2) : les quatre dauphins sont bien là, toutes nageoires dressées autour de la fontaine. La place est sertie d'hôtels particuliers, dont celui de Boisgelin (milieu du XVIIe s). Très belle cour à carrosses (aujourd'hui à berlines étrangères !), façade décorée de frises.

🎥🎥 *L'église Saint-Jean-de-Malte* (plan couleur B2) : *tlj sf dim mat 10h-12h, 15h-19h (18h dim).* Solide église fortifiée du XIIIe s, premier édifice gothique de Provence. À l'intérieur, nef d'une élégante simplicité. À droite juste avant le chœur, un **Christ en croix de Delacroix** (bien nommé en l'espèce). À gauche du transept, visible de loin seulement, reproduction (l'original a été détruit en 1793) du **tombeau des comtes de Provence.**

🎥🎥🎥 *Le musée Granet* (plan couleur B2) : *pl. Saint-Jean-de-Malte.* ☎ *04-42-52-88-32.* ● *museegranet-aixenprovence.fr* ● *Tlj sf lun : de mi-juil à mi-oct, 10h-19h ; de mi-oct à mi-juil, 12h-18h. Entrée : 5 € (8-12 € pour les expos temporaires) ; réduc ; gratuit moins de 18 ans et étudiants européens de moins de 26 ans. Tarifs et horaires spéciaux pour les expos estivales. Audioguide 3 €.*
Le musée présente ses collections permanentes dans deux lieux : le *palais de Malte* (1676) et la *chapelle des Pénitents-Blancs.* Des collections permanentes régulièrement chassées (pour la bonne cause) par des expositions provisoires de très belle tenue. Camoin et Matisse posent leurs palettes ici en 2016 : avis aux amateurs.
– *Niveau -1 :* rare collection découverte sur le site d'Entremont (oppidum situé à 4 km au nord d'Aix). Des têtes sculptées, décapitées. Les malheureux modèles étaient les chefs des tribus vaincues par les Salyens au Ier s av. J.-C. Suivent les tableaux des écoles française, nordique et italienne du XIVe au XVIIIe s. Un parcours de l'histoire de l'art en Europe présentant des œuvres du maître de Flémalle, des frères Le Nain, de Rubens, Rigaud, Van Loo ou encore de Rembrandt (son dernier autoportrait, exécuté en 1659).
– *Niveau 1 :* peinture moderne et contemporaine. À voir, Constantin, chef de file de l'école provençale, et son élève, Granet, avec ses ruines romaines. Le fameux *Jupiter et Thétis* d'Ingres domine la salle néoclassique. Plus loin, Granet croqué

par ce même Ingres. Et encore, un Géricault ainsi qu'une ébauche du *Serment des Horaces* de David. On finit par la cerise sur le gâteau avec Cézanne qui ripoline des *baigneuses,* l'austère madame Cézanne (qui ne semble guère approuver tant de nudité !) et Zola. Superbe *marine* d'Eugène Boudin. Fernand Léger, Picasso, Marquet tiennent un conciliabule à part, tandis que Giacometti étire ses statues longilignes et, plus rare, ses peintures, dont de mélancoliques natures mortes. Mortes et sombres, au propre comme au figuré.

🟥🟥🟥 *Granet XXᵉ s – Chapelle des Pénitents-Blancs* (plan couleur B2) : pl. Jean-Boyer. *Mêmes horaires et billet commun avec le musée Granet.* Dans cette chapelle joliment restaurée, la collection Planque, proposée à la Suisse qui n'en a pas voulu, est venue poser ses toiles à Aix pour 15 ans... On commence par un grand bouquet de fleurs de Van Gogh, suivi par une collection copieuse de Picasso, grand ami de Planque. Allez, on a un petit faible pour sa *marine* et sa *Femme au miroir.* Le reste de l'exposition sonne comme une immense communion. Celle de Monnet, Sonia Delaunay, Rouault, Cézanne, Bonnard, Degas (qui croque une marine, pour une fois... les danseuses étaient en grève ?), Nicolas de Staël et Tàpies. On notera les sautes d'humeur de Dubuffet, qui passe des nuances de gris aux couleurs les plus éclatantes. Et, pour finir, une vision pleine de relief(s) de *La Femme du Sud* (suivez la carte IGN !) ainsi qu'une étonnante sculpture-portrait de Jean Planque par Kosta Alex. Sur la tribune, quelques œuvres de Planque et expositions temporaires.

🟥 *Le quartier Villeneuve* (plan couleur B2) : « nouveau » quartier créé entre 1590 et la fin du XVIIᵉ s. Quelques rues riches en hôtels particuliers. Rue de l'Opéra, par exemple, avec au n° 18 la belle cour de l'*hôtel de Lestang-Parade* qui accueillit, entre autres hôtes prestigieux, la girafe offerte par le pacha d'Égypte à Charles X en 1827, ou au n° 26 la façade à pilastres corinthiens de l'*hôtel de Grimaldi-Régusse,* dû à Pierre Puget. Saint-John Perse y a séjourné en 1960. C'est au n° 28 qu'est né, le 19 janvier 1839, un certain Paul Cézanne, sur les pas duquel nous allons bientôt partir, rassurez-vous, pour la visite incontournable d'une ville qui ne peut décidément pas se passer de lui !

Aix sur les traces de Cézanne

🟥🟥 *Sur les pas de Paul Cézanne :* un circuit estampillé de clous de bronze jalonne la vie de Cézanne à Aix (le dépliant « pocket Cézanne » est disponible à l'office de tourisme).

Tout débute au n° 55 du *cours Mirabeau,* où l'enseigne « chapellerie Cézanne, gros et détail » est à moitié effacée (la boutique de papa avant qu'il ne se fasse banquier). Emporté par la foule, vous saluerez au passage sa mémoire,

POM-POM-POM-POM

C'est dans la cour du collège d'Aix que Cézanne (plutôt costaud) vola au secours de Zola (plutôt chétif) chahuté par des garnements. Reconnaissant, Zola vola le lendemain cinq pommes pour les offrir à Cézanne qui en fut touché jusqu'à déclarer un jour : « J'étonnerai Paris avec une pomme ». Pari réussi.

devant la terrasse du café des *Deux Garçons,* où le peintre aimait s'arrêter. On suit les pas de cet homme peu communicatif ayant fait ses études au collège Bourbon (actuellement lycée Mignet), rue Cardinale, avant d'étudier le droit pour faire plaisir à son père. Avec quelques étapes fortes comme sa maison natale, le *cimetière Saint-Pierre,* où le peintre est enterré, sur la route du Tholonet et de la Sainte-Victoire, la *rue Boulegon* (il est mort au n° 23, le 23 octobre 1906, à l'âge de 67 ans) et la cathédrale Saint-Sauveur, où se déroulèrent ses obsèques. Il se chuchote encore que Cézanne, sans le sou, offrait généreusement ses œuvres à ses amis. Le malheureux qui n'avait pu décliner l'offre s'en retournait avec un

tableau sous le bras qu'il se hâtait d'oublier dans le grenier. Et depuis, plusieurs générations d'Aixois se sont empressées de fouiller les greniers de leurs ancêtres. On ne sait jamais !
– *Pour les « cézannophiles »* : le *passeport Cézanne (tarif : 12 €)* de l'office de tourisme inclut la visite des *carrières de Bibémus* (voir circuit Sainte-Victoire), l'*atelier de Paul Cézanne* et la bastide du *Jas-de-Bouffan.*

🎎🎎🎎 *L'atelier de Paul Cézanne* (hors plan couleur par A1) : 9, av. Paul-Cézanne. ☎ 04-42-21-06-53. ● cezanne-en-provence.com ● Au nord de la ville en empruntant l'av. Pasteur. Bus n° 5 de la Rotonde. Oct-mars, tlj 10h-12h30, 14h-17h (18h avr-juin et sept) ; juil-août, tlj 10h-18h. Fermé 1er mai, 25 déc et 1er-3 janv ainsi que dim déc-fév. Résa conseillée. Entrée : 6 € ; réduc ; gratuit moins

> ## DES CÉZANNE PAR PAQUETS DE 10
>
> *Cézanne et son fils naturel n'ont jamais été très proches. Quand le peintre meurt, son héritier trouve dans l'atelier des centaines d'œuvres amoncelées. Pour faire simple, il les vend par paquets de 10, pas trop cher, pour se faire un peu d'argent de poche...*

de 13 ans ; tarif spécial 4,50 € sur présentation de ce guide. Durée de la visite : 30 mn. On piaffe dans le petit jardin, au côté d'autres passionnés, pour avoir le privilège d'accéder, par petits groupes, à ces 53 m² où flotte encore le souvenir – mieux, la présence – du grand homme.
Cézanne fit construire cet atelier sur la colline des Lauves du sommet de laquelle, au prix de 20 mn de marche, il pouvait contempler la montagne Sainte-Victoire exactement sous le même angle que depuis les carrières de Bibémus. L'atelier fut conçu comme un extérieur, baigné de lumière et entouré de verdure. Les trois dernières années de sa vie, le peintre un peu esseulé y reçut moins de 16 visiteurs... Seul son plancher a été rénové, pour accueillir les quelque 70 000 à 100 000 visiteurs par an qui retrouvent désormais là, non sans émotion, les crânes des natures mortes, la pipe d'écume des *Joueurs de cartes,* les objets dont il a usé, l'échelle monumentale, les pots, les bouteilles, les céramiques... sans oublier les fameuses pommes. À ce propos, on rapporte que l'artiste était si lent qu'il y peignait, en nature morte, jamais de fleurs, trop périssables. Les environs ont aujourd'hui changé, les arbres et les habitations cachent la vue, mais l'atelier a su préserver l'empreinte du maître.

🎥 En redescendant à pied de l'atelier Cézanne, jetez un œil, près du 6, av. Pasteur *(hors plan couleur par A1),* au curieux **monument Joseph-Sec,** jacobin et maçonnique dédié « À la municipalité observatrice de la loi ». Un des rares édifices révolutionnaires (il est daté du 26 février 1792) encore debout. L'œuvre de ce marchand de bois et son commentaire, en vers, pas piqué des vers...

Le nouveau quartier Sextius-Mirabeau

Faisons un saut dans le temps. Passons de l'époque Cézanne et Zola à celle de Ricciotti et Preljocaj. Le cours Sextius relie le cœur de la ville haute à un nouveau quartier où commerce et culture font bon ménage, comme toujours à Aix. Un quartier très minéral, qui évite à la petite cité aixoise de se reposer sur les lauriers de son passé romain, pour la projeter directement dans l'ultramoderne XXIe s.

🎥 **Les thermes Sextius** (plan couleur A1) **:** 55, cours Sextius. ☎ 04-42-23-81-82. ● thermes-sextius.com ● Résa obligatoire. Le bâtiment actuel s'élève à l'emplacement même des anciens thermes romains de Sextius, qu'on peut encore apercevoir dans le hall. À l'arrière, côté boulevard Jean-Jaurès, les vestiges d'une tour. Une eau de source naturellement chaude à 34 °C alimente les thermes actuels :

moult traitements et massages pour se requinquer. Le porte-monnaie en sort lessivé...

🏃 *Le pavillon de Vendôme* *(plan couleur A1)* : 32, rue Celony ou 13, rue de la Molle. ☎ 04-42-91-88-75. Tlj sf mar 10h-12h30, 13h30-18h (17h de mi-oct à mi-avr). Fermé 1er mai et 25 déc. Accès libre au jardin (mais pas aux pelouses...). Entrée du pavillon : 3,50 € ; gratuit moins de 25 ans et le 1er dim du mois. De l'autre côté du cours Sextius, un chemin piéton (fléché) permet de rejoindre ce beau pavillon

construit pour le duc de Vendôme. Il y cacha, paraît-il, quelques liaisons tapageuses qui amenèrent le roi à l'obliger à devenir cardinal... Les deux magnifiques atlantes (signés Rambot, ça ne s'invente pas !) qui ornent la façade classique du bâtiment surplombent un vaste jardin à la française remarquablement reconstitué. Le pavillon-musée renferme de beaux meubles et tableaux des XVIIe et XVIIIe s. Il accueille des expos temporaires.

🏃 *Les Allées provençales* *(plan couleur A2)* : ici, on dit « les Allées », tout simplement, pour qualifier cette nouvelle artère commerçante qui relie la Rotonde au Grand Théâtre de Provence. Ce qui fut longtemps un terrain vague a vu pousser des immeubles classiques dans le fond et modernes dans la forme, parés de couleurs blondes pour rappeler la pierre de Rogne du centre ancien. Boutiques à gogo et jolies places publiques font leur « festival off », opposant les grandes marques internationales (un peu bateau) à la profusion d'échoppes très exclusives du vieux centre. Si vous passez place François-Villon, vous pourrez vous initier aux charmes de l'alphabet arménien (monument à la mémoire des victimes du génocide arménien).

🏃 ∞ *Le Grand Théâtre de Provence* *(hors plan couleur par A2)* : 380, av. Max-Juvénal. Programmation et résas : ☎ 08-2013-2013 (0,12 €/mn depuis un poste fixe ; numéro commun aux 3 théâtres) ou ● lestheatres.net ● Victorio Gregotti et Paolo Calao ont érigé cet immense vaisseau. À l'extérieur, les couleurs mélangées et l'inclinaison des pierres de parement sont censés faire référence à la Sainte-Victoire (l'imagination ne coûte rien). À l'intérieur, une salle de toute beauté a été inaugurée par une représentation de la Walkyrie de Wagner. À découvrir uniquement dans le cadre des représentations.

🏃 ∞ *Le Pavillon noir* *(hors plan couleur par A2)* : 530, av. Mozart. ☎ 04-42-93-48-14. ● preljocaj.org ● Attenant au Grand Théâtre, cette résille de béton largement vitrée abrite les entrechats du CCN (Centre chorégraphique national). Un écrin à la hauteur du talent du chorégraphe Angelin Preljocaj, à sa vision de la danse, à sa création, aux répétitions de la troupe et aux représentations (allez donc voir un spectacle si vous le pouvez !). Un écrin dont l'architecte, Rudy Ricciotti (qui a sévi depuis au MuCEM de Marseille), disait : « C'est un bâtiment pour les initiés et pour Pythagore sous l'emprise de l'absinthe. » Tout un programme, qu'on vous laisse apprécier.

🏃 ∞ *Le Conservatoire de musique, de danse et d'art dramatique Darius Milhaud* *(hors plan couleur par A2)* : 380, av. Mozart. ☎ 04-88-71-84-20. Concerts 15-20 € en moyenne (surveillez le programme, certains sont gratuits). Ce bâtiment d'une surface de plus de 7 000 m², signé par l'architecte Kengo est à son voisin le Pavillon noir ce que l'Empire est à la Fédération dans La Guerre des Étoiles !

À la noire résille aérée de la danse répond un immense bloc blanc, monolithique, presque sans ouverture. Et cette carapace abrite en son sein un superbe auditorium de 500 places qui sonne parfaitement pour la musique classique et peut aussi accueillir des spectacles de danse.

🎭 *La cité du Livre (hors plan couleur par A2) :* 8-10, rue des Allumettes. ☎ 04-42-91-98-88. ● *citedulivre-aix.com* ● *Bibliothèque ouv mar-sam 10h-19h.* Installée dans une ancienne manufacture d'allumettes, cette cité du Livre abrite l'impressionnant fonds de la bibliothèque Méjanes *(tlj sf dim 8h-19h ; 18h lun ; consultation slt contre une pièce d'identité),* contenant entre autres quelques centaines d'incunables et la Fondation Saint-John-Perse *(tlj sf dim et lun 14h-18h)* pour les fans du poète antillais et de la poésie contemporaine (expos temporaires)...

À voir un peu plus loin du centre

🎭🎭 *Les santons Fouque (hors plan couleur par B2) :* 65, cours Gambetta (parking privé sur place). ☎ 04-42-26-33-38. ● *santons-fouque.com* ● *Tlj sf dim et j. fériés 9h-12h, 14h-18h. GRATUIT.* Maison fondée en 1934. Une crèche d'anthologie voit s'affairer des santons de toutes tailles (pour augmenter le sentiment de perspective) parmi les quelque 1 800 modèles de santons en argile. Figure emblématique créée par l'aïeul de la maison, « Le coup de Mistral ». Ce berger dont le pantalon est reprisé au genou par un tissu provençal du même motif que la robe de sa maîtresse, La Renaude (sans commentaire). L'atelier se visite, avec explication sur le façonnage, le séchage, la cuisson, la mise en peinture des santons.

🎭🎭 *La Fondation Vasarely (hors plan couleur par A2) :* 1, av. Marcel-Pagnol, 13090. ☎ 04-42-20-01-09. ● *fondationvasarely.org* ● *Bus n° 2.* Depuis le centre, direction Jas-de-Bouffan, sinon sortie autoroute Aix-Ouest (fléché). *Tlj sf lun 10h-18h. Tarif : 9 € ; réduc. Audioguide gratuit.* La Fondation Victor-Vasarely est installée dans un bâtiment carac-

VASARELY EMBALLE

Le berlingot DOP, minishampooing de toutes les couleurs, est à l'origine de la prospérité de L'Oréal, qui en vend des millions de par le monde. Peu savent que ce produit formidable par sa simplicité fut dessiné par Vasarely.

téristique des années 1970, classé en 2013 Monument historique. Tout rappelle la forme hexagonale, à commencer par l'édifice lui-même. À l'intérieur, rétrospective de plusieurs années de recherche du plasticien, qui avait mis son talent au service de la décoration et de la pub, et s'était résolument orienté vers l'abstrait géométrique donc. Le bâtiment entier a été, dès le départ, pensé et conçu dans l'optique de recevoir ses œuvres. Des œuvres monumentales, la plupart de 8 m de hauteur, que l'on qualifiera de lumino-cinétique, jouent avec la lumière naturelle et se modifient en fonction des heures et des angles de vue.

🎭 *La fabrique de calissons du Roy René :* à 9 km au nord du centre-ville par la D 7N. ☎ 04-42-39-29-82. *Tlj sf dim 9h30-12h, 13h30-18h30. Gratuit ; visite guidée 5 €.* Implanté dans la fabrique même de calisson, et d'une conception très moderne, ce musée démystifie, sans en donner toutes les recettes, cette petite merveille du palais qu'est le calisson : l'amande, le miel, l'histoire, les processus de fabrication... avec en prime quelques vieux outils employés jadis pour le façonner, et qui coulent une douce retraite en regardant par une large baie vitrée la jeune génération d'impressionnants robots qui alimentent la chaîne située en contrebas.

Le GR 2013

Un GR créé tout spécialement pour Marseille-Provence 2013. Il arrondit ses formes de 8 allongé d'Aix à Marseille, de Martigues à Aubagne. On consomme à petites gorgées ou à pleines jambes 250 km de vert et de gris, de nature et de béton, de campagne et de ville.

➤ *De la gare d'Aix-TGV à Marseille :* parcours de 20 km ; env 5h par le plateau de l'Arbois et Plan-de-Campagne pour finir à Saint-Antoine. Retour possible au centre d'Aix en TER (ttes les 20 mn jusqu'à 23h).

➤ *D'Aix-centre à la gare d'Aix-TGV :* parcours de 20 km ; 5h de marche environ par la campagne aixoise, les bords de l'Arc et le plateau de l'Arbois. Retour possible à Aix-centre en bus (navette ttes les 30 mn jusqu'à minuit).

Fêtes et manifestations

– *Festes d'Orphée :* tte l'année. ● orphee.org ● Rens : ☎ 04-42-99-37-11. Découverte de la musique baroque.

– *Rencontres du 9e art, festival de la Bande dessinée et autres arts associés :* mars, avr et mai. Rens : ☎ 04-42-16-11-61. ● bd-aix.com ● Des auteurs de B.D. se voient confrontés à des artistes contemporains d'autres disciplines (ciné, littérature, théâtre...) sur des projets prédéterminés.

– *Festival de Pâques :* de fin mars à mi-avr. ● festivalpaques.com ● Grandes formations symphoniques, talentueux solistes, masterclass réunis par le violoniste Renaud Capuçon et Dominique Bluzet, directeur du Grand Théâtre de Provence.

– *Festival d'Art lyrique et de Musique :* 3 sem début juil. ☎ 0820-922-923 (0,12 €/mn). ● festival-aix.com ● *Représentations au théâtre de l'Archevêché et au Grand Théâtre de Provence.* Prestigieux ! Créé en 1948, ce fut longtemps, avec celui de Salzbourg, le plus mozartien des festivals. Depuis, il s'est largement ouvert au bel canto, à la création contemporaine, à la musique baroque...

– *Les Nuits pianistiques :* 2 premières sem d'août. Rens : 🖥 06-23-91-00-29. ● lesnuitspianistiques.com ● Récitals de piano.

– *Grande fête du Calisson :* 1er dim de sept. ☎ 04-42-26-23-41. Bénédiction et distribution (oui, oui !) des célèbres calissons. Une tradition qui date de 1630 !

– *Festival Tous Courts :* fin nov-début déc. Rens : ☎ 04-42-27-08-64. ● festival touscourts.com ● Une semaine autour du court métrage. Un festival qui s'affirme, au fil des ans, comme un tremplin pour les jeunes réalisateurs. Projections publiques.

– Également de nombreuses fêtes dans la tradition provençale. Renseignements à l'office de tourisme.

DANS LES ENVIRONS D'AIX-EN-PROVENCE

Une large région de collines et de plaines court, au sud d'Aix, du piémont du massif de l'Étoile au plateau de l'Arbois en passant par les zones minières autour de Gardanne...

Où dormir ? Où manger ?

De prix moyens à chic

🏠 |●| *Le Grand Puech :* 8, rue Saint-Sébastien, 13105 **Mimet**. ☎ 04-42-58-91-06. ● contact@legrandpuech. fr ● legrandpuech.fr ● À 23 km au sud-est par l'A 51 (sortie Luynes) ; D 7 jusqu'à Aubagne, puis D 58 et D 8 vers Mimet. Congés : vac scol de fév (zone B) et 1re sem de nov. Resto fermé *dim soir-lun, plus mer soir. Doubles 60-65 €. Formule et menu déj 16-20 € (sf dim) ; formule le soir 26 € et menus 34-49 €.* 📶 *Apéritif offert sur présentation de ce guide.* Au centre de ce paisible village perché au pied du massif de l'Étoile (c'est d'ailleurs, à 512 m, le plus haut du département), ce resto cache une belle cuisine, belle carte des vins, belle vaisselle en céramique, et belle vue sur les collines depuis la véranda. Une poignée de chambres (dont 2 avec terrasse côté collines, toujours).

À voir

🏌 *Les jardins d'Albertas : à 9 km d'Aix ; sur la D 8N, au pied de Bouc-Bel-Air.* ☎ 04-42-22-94-71. ● *jardinsalbertas.com* ● *Juin-août, tlj 15h-19h ; mai, sept et oct, slt w-e et j. fériés 14h-18h. Fermé nov-avr. Entrée : 4 € ; gratuit moins de 16 ans.* Au milieu du XVIIIe s, plutôt somptueux, ces jardins devaient ajouter à la magnificence d'un château qui n'est jamais sorti de terre, le propriétaire ayant été assassiné. Ils sont aujourd'hui classés Monument historique. Sur plus de 8 ha, joyeux mélange d'influence italienne (copies de statues antiques) et de tradition française (les parterres), avec de belles fontaines et des platanes pour ceux qui auraient oublié qu'ils sont en Provence.

🏌 👟 *L'écomusée de la Forêt méditerranéenne : D 7, chemin de Roman, 13120 Gardanne.* ☎ 04-42-65-42-10. ● *ecomusee-foret.org* ● ♿ *(espace muséographique). À une dizaine de km au sud d'Aix. Bus nº 181 (gare routière d'Aix-en-Provence). Tlj sf sam 9h-12h, 13h-18h (fermeture possible en cas de risque d'incendie). Fermé 15-31 août. Entrée : 6,50 € ; réduc. Compter 3h de visite.* Un espace pédago-ludique doublé d'un agréable sentier d'interprétation en sous-bois de 1,5 km. Des jeux et des expériences qui font appel aux cinq sens, des dioramas sur la faune et la flore, un petit théâtre de la forêt en images de synthèse... et une démarche de sensibilisation à la protection du patrimoine naturel (la reconstitution d'un petit morceau de forêt calciné ne laissera personne insensible). On termine la visite en sachant (au moins) faire la différence entre les pins (noir, à crochet, sylvestre, pignon ou d'Alep).

🏌 *Le puits Hely d'Oissel (pôle historique minier) : 13850 Gréasque.* ☎ 04-42-69-77-00. ♿ *À une vingtaine de km au sud-est d'Aix. Mer, ven, sam (et dim avr-sept) 9h-12h, 14h-18h30 (17h hors saison). Visites guidées (1h30) à 10h, 14h30 et 16h30 (cette dernière slt en hte saison). Fermé 1er mai, 11 nov et 20 déc-15 janv. Entrée : 5 € ; réduc ; gratuit moins de 6 ans.* Un indispensable témoignage d'une page d'histoire industrielle qui s'est définitivement tournée en 2003 avec la fermeture à Gardanne du puits Morandat (le plus profond d'Europe avec 1 109 m). Juste pour rappeler que la Provence de la sieste, de la pétanque, des cigales et des paysages immortalisés par Cézanne ou Van Gogh a aussi été la Provence des mines de charbon et de la culture ouvrière. Comme en Lorraine et dans le Nord-Pas-de-Calais. Le bassin de Provence autour de Gardanne se plaçait d'ailleurs au troisième rang de la production nationale. Et quelque 6 500 mineurs travaillaient dans le secteur au lendemain de la Seconde Guerre mondiale. Les chevalements, la salle du treuil, celle de télévigile où l'on tentait de prévenir les coups de grisou et les inondations, la galerie longue de près de 15 km qui conduit jusqu'à la mer : tout est resté en l'état dans cette mine de charbon qui a fonctionné de 1919 à 1960. Une muséographie moderne (son et lumière, écrans interactifs, diaporama...) permet d'évoquer tous les aspects de l'extraction du charbon dans la région.

🏌🏌🏌 *Le site-mémorial du Camp des Milles : 40, chemin de la Badesse, 13290 Les Milles.* ☎ 04-42-39-17-11. ● *campdesmilles.org* ● *Bus nº 4 depuis la Rotonde à Aix-en-Provence. Tlj 10h-18h. Entrée : 9,50 € ; réduc. Audioguide disponible. Visite guidée : 5 €. Expos temporaires en sus. Librairie et cafétéria.*

Le Camp des Milles est le seul grand camp français encore intact, ouvert au public et l'un des rares lieux en Europe témoignant de l'histoire tragique des internements et des déportations durant la Seconde Guerre mondiale. Un camp qui n'a jamais connu les uniformes allemands : l'armée puis la police française se sont chargées, ici, du sale boulot. Lieu d'angoisses, de souffrances mais aussi de résistances. Un incontournable moment de découverte du passé, d'émotion, d'hommage et de réflexion.

UNE RUMEUR PEUT TUER !

En 1940, le chef du camp des Milles décide « d'évader » de son camp 2 010 internés, majoritairement des intellectuels antinazis. Le 22 juin, un train spécial part pour Bayonne, d'où les prisonniers doivent quitter la France pour l'Amérique. Une rumeur arrive au chef de gare de Bayonne qu'il s'agirait de militaires allemands. Il décide alors de détourner le train qui revient sur ses pas... et sera arrêté en gare de Nîmes par les troupes vichystes. Les passagers sont renvoyés au camp des Milles. Une tragique méprise !

Un peu d'histoire

Cette tuilerie a initialement été réquisitionnée en septembre 1939 pour servir de camp d'internement aux « sujets ennemis » : des ressortissants du Reich pourtant venus chercher asile en France. Elle accueillera jusqu'à 3 500 internés à la fois, sous commandement militaire français. Sous Vichy (juillet 1940-juillet 1942), il passe sous l'autorité civile et devient un camp pour « indésirables ». On y transfère des antifascistes, des internés des camps du Sud-Ouest, des ex-engagés dans les brigades internationales, des juifs ayant fui l'Europe centrale. D'août à septembre 1942, le camp devient un camp de déportation. Hommes, femmes et enfants juifs y sont conduits avant de partir vers Drancy et Auschwitz. En 2 mois, et avant même l'occupation allemande de la zone sud, plus de 2 000 juifs (dont une centaine d'enfants) sont envoyés dans les camps et exterminés. L'administration de Vichy fit même du zèle, puisque les Allemands ne voulaient pas, à l'origine, de déportation de femmes ou d'enfants : ce que Vichy s'empressa de faire avec zèle ! Une particularité de ce camp est la forte proportion d'intellectuels et d'artistes allemands ou autrichiens tels Max Ernst, Hans Bellmer, Golo Mann (le fils de Thomas Mann) ou Thadeus Reichstein (inventeur de la cortisone). Certains auront la chance de pouvoir quitter la France. En tout, 10 000 personnes de 38 nationalités passèrent par ici. Quelques hommes et femmes courageux choisirent de les aider. Certains sont reconnus par Yad Vashem « Justes parmi les Nations ».

La question qui est posée ici aux visiteurs est simple : « Comment des gens ordinaires, dans un lieu ordinaire, peuvent-ils contribuer à l'émergence d'un crime génocidaire ? »

Pour tenter d'y répondre, la muséographie, résolument tournée vers l'enseignement du respect de l'autre, donne des repères pluridisciplinaires et des clés pour permettre de comprendre et aider à être vigilant et à réagir à temps face au racisme, à la xénophobie et aux extrémismes.

La visite

Elle se fait en trois volets majeurs : l'Histoire, la mémoire, la réflexion. On débute par une présentation de l'histoire du camp et de son contexte, et par le récit de témoins de cette époque.

– **Les lieux d'internement :** dans cette tuilerie laissée en l'état, on visite les zones de séchage des tuiles où étaient parqués les internés dans la pénombre et la poussière suffocante, la *salle des presses* qui servait de lieu de culte, la seule à être correctement éclairée. Sur les murs, plusieurs centaines de dessins, signatures ou lettres écrites par les prisonniers. Un immense « four à tuiles », baptisé *Die Katakombe* par les internés (du nom d'un cabaret berlinois), fut transformé en lieu de création artistique, une autre partie de ce four ayant été « réquisitionnée » par les anciens légionnaires d'origine allemande ou autrichienne (que l'état-major jugeait

être des taupes potentielles !). À l'extérieur, au bout du chemin qu'empruntaient les déportés, sur le quai même du départ pour la déportation, un *wagon-souvenir* rappelle les convois qui partirent d'ici pour un aller simple vers la mort. En marge, la *salle des peintures*, ancien atelier alors transformé en réfectoire pour les gardiens, est conservée en l'état : les murs y sont ornés de fresques, entre art naïf, surréalisme et constructivisme russe, peintes par des internés eux-mêmes. Toutes ne parlent que de banquets, de vendanges et de victuailles !
– *La section consacrée à la réflexion :* une section intelligemment conçue pour mieux comprendre les mécanismes (préjugés, passivité, soumission aveugle à l'autorité...) qui conduisent au pire.
– Le site accueille l'exposition *1942-1944 : 11 000 enfants juifs déportés de France à Auschwitz* réalisée par Serge Klarsfeld et l'Association des fils et filles des déportés juifs de France. Une collection exceptionnelle de documents rares.

🚶 *L'aqueduc de Roquefavour :* *à une dizaine de km à l'ouest d'Aix par la D 64.* Cet aqueduc du XIXᵉ s, inspiré du très romain pont du Gard enjambe, lui, la vallée de l'Arc. Il charrie aujourd'hui encore l'eau de la Durance jusqu'à la ville de Marseille. Long de 375 m, avec trois arcades qui culminent à 84 m, il est, mine de rien, le plus grand aqueduc en pierre du monde ! Poursuivez la balade dans les charmantes gorges de l'Arc.

🚶 *Ventabren* (13122), village typique perché en nid d'aigle. Ruelles en escaliers, vieilles maisons, moulins... et panorama sur la plaine. Idéal pour les photos de mariage à la provençale !

LA MONTAGNE SAINTE-VICTOIRE

Carte Bouches-du-Rhône, D3

Difficile d'évoquer le pays d'Aix sans partir sur les pas de Cézanne, autour de cette montagne qu'il a immortalisée au gré de 44 toiles et 43 aquarelles, témoignant de son attachement à cette « montagne hardie qu'il ne cessait de peindre à l'eau et à l'huile, et qui le remplissait d'admiration », selon Émile Bernard. Une montagne qui éblouit aujourd'hui dans les plus grands musées du monde. Cette pièce principale du jeu cézannien est un incroyable massif calcaire, qui s'étire sur 18 km, pointe à 1 011 m d'altitude avant de s'effondrer presque subitement... C'est côté sud que la montagne Sainte-Victoire se montre le plus spectaculaire, purement minérale. Changement de décor, côté nord avec une verdoyante vallée. Le circuit complet autour de la montagne, long d'une soixantaine de kilomètres, est tout simplement magnifique. Et, rien n'interdit d'y grimper par l'un des nombreux et somptueux sentiers. Pentus, certes : si un plaisantin vous dit qu'il faut charger de pierres votre sac pour rénover la chapelle au sommet, n'allez pas le croire... fada.

Adresses et infos utiles

🏠 *La Maison de la Sainte-Victoire :* sur la D 17, 13100 *Saint-Antonin-du-Bayon.* ☎ 04-13-31-94-70. ● *msv@cg13.fr* ● ♿ *Tte l'année, tlj 9h30 (ou 10h)-18h (19h certains j.).* Un espace d'information où vous trouverez les cartes et topos rando (payants), des expositions temporaires de sensibilisation à l'environnement. Film de 10 mn sur le GR 2013 et animation de 5 mn sur la création de la Terre (très bien pour les enfants). Organise également des randonnées à thème (hors période estivale ; résa ouverte... et prise d'assaut 10 jours avant ; gratuit). L'été, on vous remettra un dépliant sur la réglementation et les accès dans les espaces sensibles.

– Attention : en été, le massif est parfois fermé pour cause de risque d'incendie. Se renseigner avant de partir randonner : ☎ 0811-201-313 (serveur vocal ; prix d'un appel local).

■ *Les Écuries du Maistre :* chemin de la Plaine, 13100 **Beaurecueil**. ☎ 04-42-54-77-76. • *ecuriesdumaistre.com* • Balade (2h) : 53 €. Centre équestre dont Didier Faure tient les rênes, au pied de la montagne. Un cadre idéal pour des cours ou des balades.

Où dormir ? Où manger autour de la montagne Sainte-Victoire ?

Campings

Ⅹ *Camping Sainte-Victoire :* quartier Le Paradou, 13100 **Beaurecueil**. ☎ 04-42-66-91-31. • campingstevictoire@orange.fr • campingsaintevictoire.com • À 8 km à l'est d'Aix, fléché sur 500 m depuis le centre du village. Ouv de début fév à mi-nov. Empl. tente 15-16,90 €. Mobile homes et tentes toilées 248-457 €/sem pour 2 pers selon saison. 🖳 (payant). 🛜 (accueil slt). Au pied de la montagne Sainte-Victoire, un camping au calme en pleine campagne, qui embaume le lilas au printemps. Grands emplacements bien ombragés par des pins. Randonnées pédestres, équestres à 2 km, VTT, escalade, terrain de jeux, trampoline, solarium, boulodrome... Bref, de quoi s'occuper ! Les enfants pourront patauger dans le ruisseau voisin. Location de vélos, lave-linge et petite épicerie sur place.

Ⅹ *Camping Le Cézanne :* chemin Philippe-Noclercq, 13114 **Puyloubier**. ☎ 04-42-66-36-33. 📱 06-80-32-11-10. • camping@le-cezanne.com • le-cezanne.com • À 300 m du village (bien fléché). Ouv avr-oct. Empl. tente 16,50-18,50 € pour 2. Loc de caravanes, gîtes et mobile homes 300-480 €/sem selon saison. Un minuscule camping (35 emplacements caillouteux), calé sous les pins sur les flancs de la Sainte-Victoire, point de chute idéal pour des randos sur le massif à la mi-saison. Pour compléter ces vacances sportives, terrains de foot et de tennis juste à côté. Et pour se requinquer, pizzeria les soirs mercredi, vendredi et samedi. Barbecue à dispo.

De prix moyens à plus chic

🛏 *Chambres d'Hôtes Les Mimosas :* 875, D 10, 13100 **Saint-Marc-Jaumegarde**. ☎ 04-42-67-24-89. 📱 06-16-67-67-70. • 875alamaison@orange.fr • lesmimosas13.com • À 3,5 km du centre d'Aix, à gauche de la route de Vauvenargues. Tte l'année. Doubles et suites 90-170 € selon type et saison. Christel, l'artiste de la maison, et Christophe ont aménagé cette belle bastide installée dans un magnifique parc paysagé avec piscine sous les pins. 4 chambres à l'atmosphère un peu « délire » : « La 70's » avec anciennes pochettes de disques de Cloclo... « La Scandinave » avec fauteuils en peau de vache, luminaires en cornes... « L'Atelier » à la déco tendance industriel-garage... « La 875 », une suite parentale plutôt zen sur le thème du cinéma. Le petit déj est servi dans un immense salon avec cheminée au mobilier décalé (fauteuil de coiffeur...). Pour se détendre, un incroyable salon de cinéma avec de véritables fauteuils de cinoche, grand écran et DVD. Une atmosphère chaleureuse, un accueil très sympa.

🍽 *Terre de Mistral :* route de Peynier, 13790 **Rousset**. ☎ 04-42-29-14-84. • tourisme@terre-de-mistral.com • Tlj le midi, plus le soir jeu-sam. Congés : 1 sem début sept. Formules et menu 16,50-28 € le midi en sem, 28-34,50 € les soirs et w-e. Un déjeuner ou un dîner dans le vignoble, ça vous dirait ? Vous ne serez pas seul dans cette « ferme-auberge » des temps modernes aménagée sur un domaine couteau suisse à tout faire (épicerie, vente de vin, banquets...). La cuisine utilise les produits de la ferme (cochons, pintades, poulets, faisans), du potager, en les mariant avec l'huile d'olive et le vin maison, évidemment.

|●| La Table de Beaurecueil : *la Ferme, 66, route de Meyreuil, 13100* **Beaurecueil.** ☎ *04-42-66-94-98.* ● *jubergfait@free.fr* ● ♿ *Fermé dim soir, lun et mer. Formules et menus 25-35 € en sem, 35-68 € le w-e. Apéritif maison offert sur présentation de ce guide.* 4 générations de restaurateurs hauts en couleur ont marqué la vie gastronomico-touristique du petit village de Beaurecueil. Dans cette bergerie rénovée, la saga des Jugy-Bergès continue, portée par la relève, le duo Natacha Bergès-Ronan Duffait. En salle comme dans le délicieux patio, ils ont remis les classiques

maison au goût du jour, avec un faible pour les volailles : assez passe-partout pour les plats les moins onéreux, plus originaux en augmentant la mise.

|●| Le Garde : *342, D 10, 13126* **Vauvenargues.** ☎ *04-42-65-19-53. À 1 km du village (en direction d'Aix). Tlj sf lun-mar. Carte 25-30 €.* Petite auberge de bord de route avec une vue imprenable sur le versant nord de la Sainte-Victoire. Gentil accueil familial autour d'une cuisine simple, sincère et bonne qui vous requinquera après vos balades en campagne. Et si les plats copieux vous dissuadent de repartir à l'assaut de la montagne... trouvez un chêne pour la sieste et remettez à demain.

Où acheter de bons vins ?

Élaborés au cœur du terroir côtes-de-provence, les vins de ce pays bénéficient de leur propre appellation, l'AOC côtes-de-provence Sainte-Victoire, qui rassemble des vins réputés depuis le Moyen Âge. Des rouges, blancs ou rosés qui ont les couleurs et les humeurs de la montagne qui les a vus naître...

⊛ **Domaine Sainte-Lucie :** *route de Saint-Antonin, 13114* **Puyloubier.**

🖷 *06-81-43-94-62.* ● *mjp-provence. com* ● *Ouv mer-sam 10h-12h, 14h-17h30.* Est-ce la Sainte-Victoire qui donne un tel allant à ces vins qui obtiennent les hourras de la profession ? Un bonheur n'allant jamais seul, les enfants Fabre tracent leur propre sillon au **Domaine des Diables** voisin, petit chouchou du concours général agricole (5 prix consécutifs !).

À voir. À faire autour de la montagne Sainte-Victoire

🎋 **Le pont des Trois-Sautets :** *sur les bords de l'Arc, à la sortie d'Aix-en-Provence (c'est fléché) par la D 7N.* Un petit pont presque mythique, où, durant l'été 1906, Cézanne vint chercher fraîcheur et inspiration. Le coin n'a pas énormément changé, même s'il n'y a plus de baigneuses se séchant sur les rives... mais un peu plus de circulation à l'entour !

QUAND CÉZANNE TRACE LA ROUTE

C'est du pont des Trois-Sautets que démarre la D 17, dite « route Cézanne », dont les premiers kilomètres sont classés ! Seules quelques zones pavées du Paris-Roubaix ont eu droit au même statut. Mais ici on rencontre moins de coureurs que de Japonais marchant sur les pas du maître et autres peintres en quête d'inspiration.

🎋🎋 **La route du Tholonet et le Château noir :** au détour d'un virage surgit la masse compacte de la montagne Sainte-Victoire. On longe le **Château noir** (propriété privée) où Cézanne loua deux pièces, à partir de 1887, à défaut d'avoir pu acheter cette imposante bâtisse du XIXe s. Au Tholonet, on peut se poser sur la terrasse du **Relais Cézanne,** bar-resto délicieusement hors du temps où le peintre avait ses habitudes. Après avoir traversé Le Tholonet, à la sortie du village, jetez un œil sur le **moulin,** un site, là encore, cher à Cézanne. La petite route qui vous mènera du Tholonet au pied de la montagne Sainte-Victoire a certes bien changé depuis l'époque où il partait de bon matin peindre son « modèle préféré ». À coup sûr vous tomberez ébahi, à un détour de la route, devant un paysage qui ressemble – en moins « vrai » – aux tableaux du peintre... Entre l'entrée de Beaurecueil et Saint-Antonin, le paysage devient grandiose. Prenez le temps de vivre, sur deux ou quatre roues, sur cette petite route encore peu fréquentée... hors saison.

🏃 **Puyloubier** (13114) : petit village posé, à 350 m d'altitude, sous les falaises de la montagne Sainte-Victoire. Volées d'escaliers, placettes et étroites ruelles pour se sentir vraiment en Provence. Il n'y a plus de loups (le nom du village vient du latin *podium luperium*) dans les environs, seulement des légionnaires à la retraite, chérissant leurs vignes qui donneront la cuvée Esprit de Corps. Le vignoble de Puyloubier est d'ailleurs le plus grand du département, tout comme le parc photovoltaïque local, qui produit plus d'électricité que n'en consomme le village. Dans le bourg, on pourra faire étape au *Café Sainte-Victoire* (tlj sf lun-mar ; plats 10,50-14 €), agréable petit bar-resto de village flanqué d'une grande terrasse sous les platanes.

🏃 **Trets** (13530) : entre Sainte-Victoire et Sainte-Baume, aux confins du département, donc oublié des touristes. Un très joli bourg provençal pourtant, dont on peut tranquillement apprécier le centre ancien, au hasard des ruelles et passages couverts : remparts médiévaux percés de deux solides portes, murs portant encore beaux d'un château, clocher fortifié d'une église dont les origines remontent au IVe s, vieilles boutiques aux devantures de bois, synagogue du XIIe s...

🏃🏃 **Les carrières de Bibémus :** sur la route entre Aix et Vauvenargues. ☎ 04-42-16-11-61 (office de tourisme). ● cezanne-en-provence.com ● Bus n° 6 depuis la Rotonde (arrêt « 3 Bons-Dieux »). Nov-mars, mer et sam à 15h ; avr-mai et oct, lun, mer, ven et dim à 10h30 et 15h30 ; juin-sept, tlj 9h45. Fermé 1er janv, 1er mai et 25 déc. Visite guidée obligatoire incluant la navette depuis le parking gratuit des 3 Bons-Dieux : 7,10 € ; réduc. Billet possible à l'entrée, mais résa fortement conseillée. Prévoir de bonnes chaussures de marche. Carrières de molasse (ça ne s'invente pas !) exploitées dès la période romaine et fermées depuis 1885. La pierre extraite ici a servi à la construction de nombreux monuments aixois. Cézanne y loua un pavillon à partir de fin 1895 pour y peindre sur le motif. On y découvre les « rochers orange » aux formes géométriques que Cézanne a peints entre 1895 et 1904. Des reproductions sur des plaques émaillées permettent de replacer ces œuvres sur le lieu de leur création. Autre curiosité, les ébauches de construction (colonnades, fenêtres ouvrant sur le vide) laissées ici par le tailleur de pierre canadien David Campbell qui vit toujours sur place. Une visite commentée champêtre et très bien fagotée, qui permet d'approcher l'univers de Cézanne dans le seul musée qui vaille : celui qui a vu la naissance de son immense œuvre !

🏃 **Vauvenargues** (13126) : côté nord. Village situé le long de la rivière et dominé par un immanquable château. Ancienne propriété des comtes de Provence, reconstruit à partir du XVe s. Le château est parfois ouvert à la visite l'été (se renseigner directement au ☎ 04-42-38-11-91). En redescendant vers Aix, on croisera deux barrages dont celui érigé par le père d'Émile Zola.

UNE SAINTE-VICTOIRE PARTAGÉE

Picasso, pourtant réputé orgueilleux, voua une énorme admiration à Cézanne. Le maître aixois avait pris possession de la face sud de la Sainte-Victoire au travers des 87 peintures qu'il croqua. Avec modestie, Picasso n'osa jamais représenter cette montagne que depuis le nord. En 1958, il s'offrit le château de Vauvenargues, dans le jardin duquel il repose à jamais, à l'ombre de l'œuvre de son mentor.

Randonnées

– Carte IGN n° 3244 et/ou carte de randos à l'office de tourisme d'Aix-en-Provence.

– ATTENTION : l'accès au massif est réglementé de juin à septembre. Le niveau danger « feu de forêt » est défini au jour le jour. *Infos au* ☎ *0811-201-313 (prix d'un appel local) ou* ● *paca.gouv.fr/files/massif* ● *Zone concernée : « Concors-Sainte-Victoire ».* Vous saurez si vous pouvez vous balader toute la journée (niveau orange), seulement de 6h à 11h (niveau rouge), ou si l'accès est interdit (niveau noir). Indispensable.

➤ Du parking du *plan d'En-Chois* (sur la D 17, à environ 10 km d'Aix), un sentier (balisage rouge, 4h aller-retour) mène au *Pas-de-L'Escalette* via la croix de Provence et le refuge Cézanne. Pour la petite histoire, c'est au nord-ouest, dans les Roques-Hautes, qu'ont été trouvés des œufs fossilisés de dinosaures. On peut faire la balade depuis Vauvenargues (lire ci-après).

➤ Du *Relais de Saint-Ser* (sur la D 17 entre Saint-Antonin et Puyloubier) partent deux autres sentiers ; l'un grimpe (balisage rouge ; compter 2h de montée, 2h de descente) vers le col de Saint-Ser via la mignonne chapelle du même nom (du XIᵉ s mais remaniée et souvent fermée). Quelques passages difficiles au-dessus de la chapelle. Du col, on peut gagner le pic des Mouches (table d'orientation et envol de parapentes) en suivant le balisage rouge et blanc du GR 9. On peut également grimper vers le pic des Mouches depuis *Puyloubier.* Compter 4h aller-retour (balisage rouge et blanc du GR). Ou alors partir du col des Portes à l'est de la vallée de Vauvenargues (2h aller-retour).

➤ Côté nord, 2 km à l'ouest de Vauvenargues, aux *Cabassols,* démarre une balade facile le long du sentier des Venturiers qui grimpe vers la croix de Provence via un vieux prieuré du XIIᵉ s (2h30 aller ; balisage rouge et blanc du GR). Du pied de cette croix haute de 28 m, superbe panorama sur la Sainte-Baume, le Luberon et les Alpilles. Les plus courageux pourront continuer en suivant la crête (balisage rouge et blanc toujours) jusqu'au col de Subéroque et redescendre sur Vauvenargues par le sentier des Plaideurs (balisage vert).

➤ Enfin, les très bons marcheurs suivront le GR 9 sur toute la ligne de crêtes des Cabassols à Puyloubier ou l'inverse. Attention, ce n'est pas une boucle, prévoir un véhicule pour le retour.

➤ 𝗏 *VTT :* quatre circuits au pied de la Sainte-Victoire, au départ du lieu-dit « Puits-d'Auzon-La Stèle », vers le col des Portes (sur la D 10, entre Vauvenargues et Rians). Trois parcours sur la commune de Saint-Marc-Jaumegarde, au départ du parking du barrage de Bimont. Et un circuit non balisé, chemin forestier comprenant deux boucles de 2h, une en direction du refuge Cézanne à l'est, l'autre qui contourne la réserve géologique, à l'ouest du parc.

D'AIX À SALON PAR LA RIVE GAUCHE DE LA DURANCE

ROGNES (13840)

Un village qui a longtemps vécu de ses carrières de pierre (on peut en voir sur la route de Lambesc) avant de se lancer dans la culture de la truffe (grand marché le dimanche avant Noël). Quelques habitations troglodytiques dans la colline. Dans l'église, au cœur du village, un remarquable ensemble de 10 retables des XVIIᵉ et XVIIIᵉ s... oui mais voilà, ils sont visibles seulement lors de la messe. À voir, également, la pittoresque chapelle Saint-Denis, édifiée lorsque le village fut épargné par l'épidémie de peste.

Adresses utiles

Office de tourisme : 5, cours Saint-Étienne. ☎ 04-42-50-13-36. ● office.tourisme@rognes.fr ● ville-rognes.fr ● Tlj sf dim et lun (ouv dim ap-m, juil-août) 9h30-12h30, 15h30-18h30 ; 10h-12h, 15h30-18h hors saison.

Chez Robert Georjon : 5, route d'Aix. ☎ 04-42-50-21-75. À gauche de la D 543, en venant d'Aix. Tlj sf lun 6h-13h et 15h30-20h. Bonne biscuiterie artisanale spécialisée dans les croquants et navettes.

Ferme du Brégalon : chemin du Gour. ☎ 04-42-50-14-32. ● fermedubregalon.com ● Par la D 543, fléché à gauche à 3 km du village. Fév-nov, tlj sf dim, lun et j. fériés 15h-19h. Du fromage de chèvre, du bio, du beau, du bon.

Où dormir ?

Chambres d'hôtes Le Moulin du Rossignol : chemin du Rossignol. ☎ 04-42-50-16-29. ● lerossignol@free.fr ● moulindurossignol.com ● En sortant du village (direction Aix), tourner à gauche au niveau de la chapelle, puis 2e rue à gauche à suivre jusqu'au bout. Tte l'année. Doubles 80-95 €. Ce vieux moulin a une histoire mouvementée depuis sa construction à la fin de la Révolution. Béatrice et Jean-Marc vous la raconteront volontiers en vous guidant vers celle des 3 chambres que vous avez choisie (l'escalier d'accès est un peu raide). Sinon, il faudra attendre le petit déj servi dans une agréable pièce de vie agrémentée d'une cheminée à laquelle se réchauffent les poutres colorées du plafond, ou sur la terrasse. La nature environnante, la piscine sereine... si on restait encore un peu ?

LA ROQUE-D'ANTHÉRON (13640)

À deux pas de l'abbaye de Silvacane, charmant petit bourg autrefois vaudois (pour l'histoire des vaudois, voir à Mérindol dans le chapitre « Le Luberon »). Jetez un coup d'œil au grand château de Florans, bâti à la Renaissance (notez les anses de panier au-dessus de la porte). Ce château, qui abrite aujourd'hui une clinique, ne se visite malheureusement pas, mais son vaste parc accueille chaque été les concerts du prestigieux festival de Piano. La mignonne église romano-gothique et la chapelle romane Sainte-Anne-de-Gorion méritent, elles aussi, un coup d'œil.

Adresse utile

Office de tourisme : cours Foch. ☎ 04-42-50-70-74. ● omt@ville-laroquedantheron.fr ● Juil-août, tlj 10h-12h30, 15h-19h. Sept-juin, tlj sf lun et mar ap-m 9h-12h, 14h30-18h.

Où manger ?

Le Grain de Sel : av. de l'Europe-Unie. ☎ 04-42-50-77-27. Tlj au déj, plus le soir jeu-sam ; tlj midi et soir juil-août. Formules 12,50-15 € (déj en sem) et 19,50 €. Menus 23-45 €. Au rez-de-chaussée d'une salle des fêtes dont on ne félicite pas vraiment le concepteur. Mais la salle est plutôt agréable, tout comme la terrasse et la cuisine, d'une belle jeunesse, d'une inventivité qui respecte les produits, et à des prix plutôt inhabituels entre Aix et le Luberon.

À voir

🎯 ᴛ *L'abbaye de Silvacane :* en contrebas de la D 563, juste à la sortie de La Roque-d'Anthéron. ☎ 04-42-50-41-69. ● abbaye-silvacane.com ● Juin-sept, tlj 10h-18h ; oct-mai, tlj sf lun 10h-13h, 14h-17h (17h30 avr-mai). Fermé 1ᵉʳ janv, 1ᵉʳ mai et 25 déc. Entrée : 7,50 € ; réduc ; gratuit moins de 12 ans. Visites guidées régulières (téléphoner avt). Audioguide : 2 €. Jeu de piste pour les enfants. Cette benjamine des « sœurs cisterciennes de Provence » a été fondée en 1144, après Le Thoronet et Sénanque, sur un terrain maré-cageux (*silva cannae* : « forêt de roseaux »). Les bâtiments actuels ont été bâtis entre 1175 et 1230, à l'exception de trois galeries du cloître (1250-1300). Comment ne pas être sensible au charme du cyprès dans le jardin du cloître, à la sobre beauté des travées d'ogives de la salle capitulaire et du chauffoir, à la douce lumière qui, au travers des vitraux de l'artiste conceptuel Sar-kis, baigne les chapiteaux délicatement sculptés du réfectoire, et de l'église abbatiale ? On en sort tout étourdi pour visiter le jardin des moines au chevet de l'église.

Fêtes et manifestations

– **Marché aux cerises :** dernier w-e de mai. Rens à l'office de tourisme.
– **Les Voix de Silvacane :** 2 j. en juin, en l'abbaye. Résas : ☎ 04-42-50-41-69 (abbaye) ou 0820-922-923 (festival d'Aix ; 0,12 €/mn depuis un poste fixe). En parallèle du festival d'Aix, série de concerts utilisant la très belle acoustique de l'abbaye pour porter la voix vers des sommets.
– **Festival international de Piano :** de mi-juil à août, dans le parc du château. Rens : ☎ 04-42-50-51-15. ● festival-piano.com ● Depuis 1980, le festival inter-national de Piano de La Roque-d'Anthéron s'est imposé comme un point d'orgue exceptionnel du paysage pianistique mondial, que font vibrer les jeunes talents comme les plus grands interprètes internationaux.

LAMBESC (13410)

On repère de loin l'imposant dôme de l'église du Petit Versailles provençal. Et on se dit qu'il a dû se passer quelque chose pour que ce bourg res-semble à un Aix-en-Provence miniature, avec moult hôtels particuliers et fontaines des XVIIᵉ et XVIIIᵉ s. Gagné ! Lambesc, érigé en principauté par Louis XIV, a été la capitale politique de la Provence, siège des assemblées générales des communautés de 1639 à 1787. Bercé par l'eau chuintante de son grand lavoir, ce petit patrimoine s'est endormi dans un charme patiné par le temps...

Où grignoter un petit quelque chose ?

🍽 ☕ *Salon de Thé Bergamote :* 4, pl. Jean-Jaurès. ☎ 04-42-64-36-06. Au centre du village. Tlj sf w-e 9h-18h30. Quelques plats très simples à grignoter sur une petite terrasse gagnée sur la place, platanes et tour de l'Horloge en perspective. Et, of course, de bons desserts puisque Katy a reconverti sa pâtisserie en « Kâtisserie ». Calcul réussi.

LE PAYS DE SALON, L'ÉTANG DE BERRE ET LA PLAINE DE LA CRAU

Oubliées du tourisme de masse, Salon et la campagne alentour offrent un point de respiration entre la foule d'Aix et celle des Alpilles. Des vallonnements, à l'est, à l'ambiance lacustre de l'étang de Berre, au sud, et jusqu'aux steppes de la Crau, à l'ouest, voilà une microrégion qui réserve bien des surprises, à quelques minutes des sorties d'autoroute...

LE MASSIF DES COSTES   *Carte Bouches-du-Rhône, C2*

Ce « massif », sorti de quelque tête rêveuse sans doute, englobe un petit ensemble de collines et de jolis villages provençaux qu'évitent soigneusement les « grandes routes ». Ce serait dommage de bouder ces terres abritant des souvenirs vivaces d'une belle Histoire. Laissez-nous vous la conter.

Adresse utile

🖪 *Office de tourisme du massif des Costes :* parc Roux-de-Brignoles, 13330 **Pélissanne.** ☎ 04-90-55-15-55. ● ot-massifdescostes.com ● De mi-juin à mi-sept, tlj sf sam ap-m, dim et lun 10h-12h30, 15h-18h (ouv dim mat juil-août) ; sinon, mêmes jours 10h-12h, 14h-17h.

LA BARBEN (13330)

Noyé dans la verdure, un discret petit village, traversé par la Touloubre. C'est pourtant le plus touristique du secteur, avec son zoo et son château.

Où goûter à la vie de château ?

🏠 |●| *Chambres d'hôtes au château de La Barben :* route de Saint-Cannat. ☎ 04-90-55-25-41. ● info@chateau-de-la-barben.fr ● chateaudelabarben. fr ● Doubles 150-190 €. Table d'hôtes (sf dim) 55 €. Visite du château incluse dans le prix. À condition d'avoir la bourse aussi remplie que celle du roi René, voilà de quoi se faire châtelain l'espace d'une nuit (et plus si affinités). Les chambres sont pleines de charme, parfaitement équipées, avec ce qu'il faut de meubles de style côté alcôve. Salles de bains parfaitement modernes et chics. Évidemment, on tombe en pâmoison devant la « suite des Amours », la plus chère, nichées dans la tour, avec une terrasse privative ouverte sur la campagne...

À voir

🎭 👫 *Le château de La Barben :* route de Saint-Cannat. ☎ 04-90-55-25-41. ● info@chateau-de-la-barben.fr ● chateaudelabarben.fr ● Tlj avr-sept et pdt vac scol, ouv slt w-e hors saison. Congés : de mi-nov à fév. Visites incluses ttes les heures 11h-17h (sf 13h). Visites guidées en costume (1h) avec jeu d'énigmes pour les enfants. *Entrée : 9 € ; réduc. Animation médiévale avec des chevaliers dans les souterrains pdt les vac scol et w-e de pont, tlj 14h-17h : 9 € ; réduc (billet combiné des 2 visites : 16 € ; réduc).* Ses majestueuses tours blanches émergent d'un bouquet d'arbres au-dessus de la bucolique petite vallée de la Touloubre. Superbe site. Le château, dont on trouve trace dès le XIe s, a appartenu à l'abbaye marseillaise de Saint-Victor, puis au roi René, avant de devenir propriété de la

> ## LE COMTE EST BON !
>
> *Palamède Forbin, dit le Grand, usa de toute son influence pour convaincre le roi René, en bout de vie, de céder la Provence à la couronne de France après sa mort. Reconnaissant, Louis XI, promu comte de Provence, donna à Palamède tous pouvoirs sur la région. La devise des Forbin devint alors « J'ai fait le roi comte, le comte m'a fait roi »... Une énigme de plus pour le* Da Vinci Code *?*

puissante famille des Forbin. La rampe d'accès qui surplombe de jolis jardins à la française débouche aujourd'hui sur un élégant château de plaisance du XVIIe s. Gracieuses cours donnant sur une jolie campagne. Intérieur d'époque : beaux plafonds aux poutres décorées, gypseries, remarquables cuirs de Cordoue dans la grande salle (rapatriés du château de Vauvenargues, propriété de la famille Picasso), incroyable lit à baldaquin qui appartint au tsar de Russie, surmonté comme il se doit de quatre aigles sculptés. Superbe cuisine, avec une cheminée magistrale, ustensiles et équipements de jadis... notez la magnifique gabelle où était entreposé le sel. Autrefois, lorsque le gabelou, ancêtre de notre feuille d'impôt, passait vérifier la quantité de sel à taxer, on faisait asseoir sur la gabelle la plus vieille et vénérable femme de la maison : le percepteur n'osant la déranger devait s'en remettre à ce qui lui était verbalement déclaré...

🚶 🧗 *Le zoo de La Barben :* juste avt le château. ☎ 04-90-55-19-12. ● zoola barben.com ● ♿ Tlj 10h-18h (9h30-19h juil-août). Entrée : 16 € ; 10 € pour les 3-12 ans ; réduc. Compter 2-4h de visite. Au total, 600 animaux (girafes, éléphants, fauves, watusis, autruches, émeus...) sur 33 ha de rochers et de pinèdes. Dans le vivarium : pythons, boas, iguanes et alligators. Oisellerie.

PÉLISSANNE (13330)

Gros village aux allures de petite ville. Typique, avec son boulevard circulaire qui enserre le centre ancien marqué par un vieux beffroi. Une église, dont le clocher du XVIIe s peut se vanter d'avoir été le premier au monde à être photographié (par Daguerre, en août 1837). Courses de taureaux dans les arènes.

À voir

🚶 ⊛ *Le moulin à huile des Costes :* 445, chemin de Saint-Pierre. ☎ 04-90-55-30-00. ● info@moulindescostes.com ● Au nord du village, fléché. Ouv mar-sam 9h-12h et 15h-19h ; 14h-18h, nov-mars. Au sein des écuries d'un ancien moulin à huile et à farine du XVIIIe s classé, on élabore ici des huiles à partir d'olives de la région. Visite sur demande. Dégustation.

AURONS (13121)

Perché tout au bout des gorges de la Goule, ce très joli village a su garder son caractère provençal, avec l'église et son presbytère, l'ancienne prison aménagée en bureau de poste, le lavoir, l'ancien ermitage qui servit de maison de force au Xe s... sans oublier le platane planté en 1820, les vieilles ruelles et la Vierge d'Aurons qui, du haut du rocher du Castellas, veille sur les Auronais tout en profitant de la vue.

Plus loin, par la D 16 direction Alleins, on gagne le plateau du Sonnailler, au cœur du massif des Costes, avec ses moutons et sa chapelle Saint-Martin (XIᵉ s).

Où dormir à Aurons et dans les environs ?

🏠 **Chambres d'hôtes Château du Petit-Sonnailler :** 1, route du Sonnailler, à Aurons. ☎ 04-90-59-34-47. • jc. brulat@club-internet.fr • petit-sonnail ler.com • ♿ À env 4 km au nord du village par la D 68, puis la D 16 et une petite route sur la gauche (c'est fléché). Tte l'année. Doubles 84-89 €. Dégustation des vins du château offerte sur présentation de ce guide. Pour mener la vie de château au milieu des vignes, une belle propriété, avec vue sur les chaînes du Luberon et des Alpilles. 2 chambres ont été aménagées dans la vénérable demeure, en haut des escaliers de pierre usés par des siècles de bottes. L'une s'ouvre sur le vignoble, l'autre, immense, flanquée d'un âtre monumental, regarde vers la cour. La troisième, destinée aux familles, est au rez-de-chaussée.

🏠 **Chambres d'hôtes Le Castelas :** vallon de l'Éoure, à Aurons. ☎ 04-90-55-60-12. 📱 06-83-25-86-76. • leca stelas@aol.com • le-castelas.fr • Tte l'année. Doubles 90-120 €. 🛜 Un cadeau offert sur présentation de ce guide. Au cœur de ce village attachant, une maison entourée de pins, tenue par deux amoureux des traditions et de l'histoire de la Provence (Mme Brauge était brocanteur). Tout

incite ici à la douceur de vivre, les adorables chambres aux noms de plantes tinctoriales, l'atmosphère sereine, sans oublier le petit déjeuner servi dans une immense véranda surplombant le pays salonais, avec nappe blanche et porcelaine. Un lieu rare, raffiné. Bassin pour se rafraîchir.

🏠 **Chambres d'hôtes Commanderie des Taillades :** route de Charleval, 13116 **Cazan.** ☎ 04-90-59-76-75. 📱 06-12-28-63-08. • regis. lebre@wanadoo.fr • lacommanderie. info • ♿ (1 chambre). À 9 km à l'est d'aurons ; rejoindre Vernègues, puis direction Mallemort jusqu'à la D 7N ; prendre à droite direction Aix, puis à 600 m à gauche direction Charleval ; c'est fléché à droite à 1,2 km. Tte l'année. Double 75 €. 🛜 Une adresse pleine nature, noyée dans un domaine de 250 ha de chênes. On parcourt d'ailleurs un chemin de 1,5 km avant d'accéder à cette belle maison surveillée par une tour de guet templière du XIVᵉ s. Accueil simple et sympathique d'Évelyne et Régis, qui ont cessé d'exploiter les terres de leur domaine pour vous y accueillir dans leurs 5 chambres gentiment décorées, bien au calme.

À voir dans les environs

🥾 **Vernègues :** à 5 km au nord-est d'Aurons. Émouvantes ruines d'un vieux village détruit par le tremblement de terre du 11 juin 1909. On peut grimper sur le plateau qui prolonge le village, pour découvrir la vue panoramique sur les environs (tour avec table d'orientation, d'ailleurs). Pause sympa à la crêperie-glacier **Le Repaire** (☎ 04-90-59-31-64 ; tlj sf mar, et lun en hiver ; fermé en janv), tout là-haut, à côté des ruines. Le village « moderne », reconstruit en 1914, s'étend en bas.

🥾 **Le temple romain de Château-Bas :** D 22, 13116 **Vernègues.** ☎ 04-90-59-13-16. À 7 km à l'est d'Aurons ; rejoindre Vernègues, puis direction La Barben ; à 2 km à gauche direction Cazan ; c'est fléché à droite à 2 km. Tlj avr-déc 9h (10h dim)-12h30, 13h30 (14h30 dim)-18h. Accès libre, de préférence aux heures d'ouverture du domaine. Pique-nique interdit. Joli castelet presque au pied d'un viaduc de la ligne TGV qui n'a pas hésité à écraser quelques vestiges d'une grande cité gallo-romaine. Bien préservé dans une clairière bucolique derrière le domaine, le vestige le plus marquant est un temple du Ier s av. J.-C. dont subsistent deux fières colonnes. Ne demandez pas à qui l'ouvrage était dédié. Par Odin, les archéologues ne savent plus à quel dieu se vouer : Diane ? Apollon ? En revanche, la mignonne chapelle romane venue se blottir tout contre son ancêtre romain, au XIe s, est dédiée à saint Cézaire.

SALON-DE-PROVENCE

(13330)　　　43 800 hab.　　*Carte Bouches-du-Rhône, C2*

Surtout connue aujourd'hui pour sa Patrouille de France (qui amuse le ciel presque tous les jours de la semaine de janvier à avril, vers 12h), la ville, située à proximité d'Arles, d'Avignon, de Marseille, était au XIXe s un carrefour commercial important. On y produisait de l'huile d'olive, du savon de Marseille et du foin de la Crau (AOC depuis 1997) ; la ville s'était bâti une solide réputation dont témoigne un riche patrimoine. Deux savonneries traditionnelles font d'ailleurs partie des lieux à visiter au cours de votre séjour. La cité fut aussi la patrie de Nostradamus, qui passa ici les 20 dernières années de sa vie à pratiquer l'astrologie et à tirer des plans sur la comète au travers des fameuses (ou fumeuses, c'est selon) prophéties. Enfin, et surtout, Salon est une charmante ville à échelle humaine, dotée d'un petit centre historique fort joliment rénové. De fontaines en hôtels particuliers, de délicieuses ruelles en allées arborées, on se plaît à déambuler le nez en l'air avant d'aller prendre un verre autour de l'étonnante fontaine moussue de la place Crousillat.

Adresses et infos utiles

🛈 **Office de tourisme :** 56, cours Gimon. ☎ 04-90-56-27-60. ● accueil@ visitsalondeprovence.com ● visitsalon deprovence.com ● *Tlj sf dim ap-m 9h (9h30 oct-mai)-13h, 14h-19h (18h mars-mai et oct, 17h nov-fév).* Bonne documentation sur les activités en pays salonais (randos, baptême de l'air, etc.). Organise également des « Flâneries » *(vac scol de Pâques et d'été ttes zones, gratuit, sur résa)* autour des fontaines, des artisans, des exploitations agricoles du pays, des festivals... Application gratuite pour smartphone « Salon de Provence Tour ».
🚆 **Gare SNCF :** ☎ 36-35 (0,34 €/mn).

TER réguliers pour Marseille, Avignon et Arles.

🚌 **Lignes Cartreize :** ☎ 0810-00-13-26 *(prix d'un appel local).* ● lepilote.com ● Liaisons régulières pour Aix-en-Provence, Arles, Grans, Lambesc, Miramas, La Roque-d'Anthéron, Saint-Chamas. Navettes pour la gare TGV d'Aix-en-Provence et l'aéroport Marseille-Provence.
– **Marchés :** *mer mat, sur les cours du centre-ville. Sam mat, pl. Morgan (marché paysan) et marché bio pl. Saint-Michel ; dim mat, pl. du Général-de-Gaulle.* D'authentiques marchés provençaux où toute la ville se retrouve.

Où dormir ?

Camping

⛺ **Nostradamus :** route d'Eyguières (D 17). ☎ 04-90-56-08-36. ● camping.

nostradamus@gmail.com ● camping-nostradamus.com ● ⚓ *À 5 km au nord de Salon par la D 17 (fléché à gauche 2,5 km après être passé sous l'autoroute). Bus n° 10 entre Eyguières et Salon (arrêt à 200 m). Ouv mars-oct. Empl. tente 18,40-23,70 €. Mobile homes 312-962 €/sem. 83 empl.* 🛜 *Café offert sur présentation de ce guide.* Agréable camping familial ouvert depuis les années 1960. En pleine campagne, sous les ombrages d'un bois, le long d'un canal. Terrain plat d'une grande capacité d'accueil. Petit resto et bar avec animations sur la terrasse. Stade de foot, piscine. Le GR 6 passe à proximité.

Prix moyens

🏠 **Grand Hôtel de la Poste :** *1, rue des Frères-Kennedy.* ☎ *04-90-56-01-94.* ● *info@ghpsalon.com* ● *ghpsalon.com* ● *En plein centre. Fermé 1 sem en fév. Doubles 58-73 € selon type et saison. Familiales 78-90 €.* 🖥 🛜 *Un petit déj par pers et par séjour offert sur présentation de ce guide.* Un hôtel presque aussi mythique que la célèbre fontaine moussue qui rafraîchit la place, en face de son entrée principale. Une bonne étape en centre-ville : chambres confortables (clim et brasseur d'air), proprettes dans leurs habits roses, pétantes même pour les plus chères. Accueil très pro.

🏠 **Hôtel Select :** *35, rue Suffren.* ☎ *04-90-56-07-17.* ● *contact@hotel-select-provence.fr* ● *hotel-select-provence.fr* ● *Doubles 60-62 € sans ou avec clim. Familiales 77-92 €.* 🛜 Agréable hôtel qui joue la carte des prix doux et de l'accueil itou. Les chambres, simples, sont mignonnes et bien tenues, avec quelques envolées provençales (boutis, couleurs et peintures aux murs). Nos préférées donnent sur le patio-jardin où se prend le petit déjeuner. Enfin, on profite là du calme d'un immeuble du XVIIe s, posté à seulement 200 m du centre-ville. Fait bonne figure dans notre sélection.

🏠 **Hôtel Vendôme :** *34, rue du Maréchal-Joffre.* ☎ *04-90-56-01-96.* ● *vendome.hotel13@gmail.com* ● *hotel vendome.com* ● *Dans le centre. Tte l'année. Doubles 55-68 €. Familiales 83-87 €. Parking payant.* 🛜 *Réduc de 10 % sur présentation de ce guide.* Derrière une façade à l'ancienne, des chambres aux couleurs de la Provence,

dont certaines donnent sur un patio frais et charmant. On vous conseille celles-là, évidemment ! Excellente literie et immenses salles de bains un tantinet rétros.

🏠 **Hôtel d'Angleterre :** *98, cours Carnot.* ☎ *04-90-56-01-10.* ● *hotel dangleterre@wanadoo.fr* ● *hotel-dangleterre.biz* ● *Dans le centre. Tte l'année. Doubles 63-75 €. Garage payant.* 🛜 L'hôtel *old-fashioned* (vu l'enseigne) qui semble avoir toujours été là, mais qui a évolué avec son époque. Déco avec fresques provençales et chambres sans histoires, d'un honorable confort (clim pour toutes). Préférer celles qui donnent sur la cour, moins bruyantes.

🏠 **Chambres d'hôtes Le Mas des Vergers :** *chemin de Chaillol.* ☎ *04-90-59-64-81.* 📱 *06-73-26-39-56.* ● *lemasdesvergers@aol.com* ● *lemasdesvergers.free.fr* ● *À 3 km au nord de Salon. Sur la route d'Avignon, tourner à gauche (chemin) 300 m après le mémorial à Jean-Moulin, puis chemin des Bastidettes à droite ; fléché ensuite. Fermé de mi-oct à mi-avr. Double 85 €.* 🛜 Sympathiques chambres d'hôtes à la clim naturelle, aménagées dans une ancienne bergerie du XIXe s entourée de vergers. Terrasse avec salon de jardin, piscine en été. Accueil décontracté. Beaux petits déjeuners gourmands de Sophie et accueil sympa de Veith.

Chic

🏠 **Chambres d'hôtes Le Mas de Lure :** *route d'Aurons/Val-de-Cuech.* ☎ *04-90-56-41-24.* 📱 *06-13-06-27-59.* ● *roger.ouillastre@wanadoo.fr* ● *masdelure.com* ● *Tte l'année. Doubles 100-140 €.* 🛜 Au cœur du vallon, loin du monde et du bruit, une bâtisse solide, ancien tennis-club devenu lieu de séjour idyllique pour citadins stressés. Du beige, du blanc, du bois, des poutres apparentes, des chambres spacieuses où la lumière joue naturellement. Déco très magazine de luxe, compensée par une rare convivialité côté accueil. Potager fabuleux. Piscine et court de tennis. Et autour, du vert, du vert, du vert.

Où manger ?

Bon marché

|●| ☛ **En Aparthé(s) :** *13, pl. Eugène-Pelletan. ☎ 04-42-86-35-01. Depuis l'hôtel de ville, descendre les cours Victor-Hugo et Carnot jusqu'au bout. Mar-sam 9h-18h30. Carte 20-25 €.* Dans une atmosphère aux tons bruns et chaises dépareillées, digne d'un magazine tendance, on vient apprécier ici une cuisine féminine et fraîche, composée de tourtes, tartines et tatins. Également de bons desserts que l'on apprécie dans la journée lorsque le lieu redevient boutique et salon de thé. Et puis, comment résister à la fraîche arrière-cour ? L'adresse se refile entre copines, pensez à réserver.

De prix moyens à chic

|●| **Café des Arts :** *20, pl. Crousillat (pl. de la fontaine moussue). ☎ 04-90-56-00-07. ● f.lepenven@orange.fr ● Tlj (sf dim et lun hors saison). Congés : vac de fév et de la Toussaint. Formules bistrot midi et soir 14,90-25,90 €, carte 20-35 €.* Un lieu que fréquentaient naguère Mistral et Trenet (pas à la même époque !), et surtout, une belle terrasse sur la place, sous les platanes centenaires. Une salle aux airs de bistrot de toujours, qui accueille régulièrement des expos de photos. Entrées copieuses et bonne viande grillée au feu de bois. Bref, une bonne brasserie, tenue par un patron en or, amoureux du jazz.

|●| **La Salle à manger :** *6, rue du Maréchal-Joffre. ☎ 04-90-56-28-01. ⚕ Tlj sf dim-lun. Résa conseillée. Formules 17 € (déj en sem)-32 € (soir) ; carte 35-45 €.* Depuis plus de 20 ans, la famille Miège (3 générations qui se croisent, en salle comme en cuisine) reçoit chaleureusement ses convives dans le décor bourgeois de cette maison de savonnier du XIXᵉ s. Et le spectacle se prolonge côté jardin l'été. Un écrin flamboyant, où l'on savoure en paix une cuisine riche en goûts, pleine de surprises, en perpétuelle évolution, volontiers voyageuse. Les prix restent raisonnables, peu sujets à l'inflation. Bonne sélection de vins du pays.

|●| **La Table du roy :** *35, rue Moulin-d'Isnard. ☎ 04-42-11-55-40. ● mag1359@hotmail.fr ● Tlj sf lun en saison ; fermé mer soir et dim soir hors saison. Formule déj 17,90 €, menus 29,90-49,90 €.* Derrière un superbe pan de façade, dernier vestige de l'ancien hôtel particulier du comte de Lamanon, trois univers en un. Trois salles allant du plus zen au plus baroque, sur fond de vieilles pierres et de couleurs du temps, saluent l'arrivée de Mathias Pérès, formé chez les grands du pays, aux Baux et à Marseille, comme chef mais aussi comme sommelier. Sa cuisine se veut accessible à tous avec des produits de qualité. Dommage toutefois que la formule du midi, bien peu audacieuse, ne révèle pas son talent !

Où boire un verre ? Où écouter de la musique ?

⚱ |●| **La Case à Palabres :** *44, rue Pontis. ☎ 04-90-56-43-21. ● laca seapalabres@free.fr ● ⚕ Fermé w-e et j. fériés. Congés : dernière sem de juil à mi-août. Formules déj 13-16 €. Apéritif maison offert sur présentation de ce guide.* Une étonnante cave aux couleurs d'hacienda, tout à la fois bar-salon de thé, lieu d'expo et épicerie, où l'on peut même grignoter sur le pouce, le midi, des tartes zé tartines et des plats végétariens. Produits locaux et issus du commerce équitable.

Quelques tables sur la rue. Soirées à thème.

⚱ |●| **L'Esquirou :** *13, rue du Grand-Four. ☎ 09-50-28-95-32. Dans une ruelle partant de la fontaine moussue. Mar-dim 18h-minuit.* Bar à bières (essentiellement en bouteilles) et vins d'ici ou d'ailleurs à des prix raisonnables. On peut agrémenter le tout de tapas ou de copieuses *bruschette* (gentiment prononcées ici « brouchetta »). Aux bons soins des jeunes et sympathiques Cyril et Charlotte.

♪ **Café-musiques du Portail-Coucou :** pl. Porte-Coucou. ☎ 04-90-56-27-99. ● portail-coucou.com ● Théâtre et musiques actuelles (chanson, reggae, électro...) dans une salle sympa avec, au coin du bar, un bon vieux juke-box garni de 45 tours rock'n roll. Belle programmation.

♪ **Salon de musique :** 95, av. Raoul-Francou. ☎ 04-90-53-12-52. ● imfp.

fr ● Ouv lun, mar et mer soir oct-juin. Fermé pdt les vac scol. Entrée : 10 € (étudiants 6 €) avec la carte d'adhérent (obligatoire) vendue sur place (12 €) et valable 1 an ; réduc. Ce club de jazz de l'IMFP, un institut de formation musicale, est une véritable institution. Concerts les mardis (payants) et jam sessions (entrée gratuite) les lundi et mercredi. Petite restauration sur place.

À voir dans le centre ancien

🎭🎭 **Le château-musée de l'Empéri :** ☎ 04-90-44-72-80. ● accueil.museeeperi@salon-de-provence.org ● D'oct à mi-avr, tlj sf lun 13h30-18h ; de mi-avr à sept, tlj 9h30-12h, 14h-18h ; derniers tickets vendus 45 mn avt ; fermé 1er janv, 1er mai, 1er et 11 nov, et 24, 25 et 31 déc. Dominant la ville du haut du rocher du Puech, voici la plus ancienne et l'une des plus importantes forteresses médiévales de Provence. Les archevêques d'Arles, qui dirigeaient Salon sous l'œil du Saint Empire romain germanique, ont habité ici du IXe au XVIIIe s.

– **Le château :** accès gratuit aux cours et salle Théodore-Jourdan. Il n'a aujourd'hui plus grand-chose de médiéval. Réaménagé par les archevêques au XIIIe s, il a été plusieurs fois remanié pour rester à la mode. Pas toujours de son plein gré, d'ailleurs : en 1909, une des tours fut mise à bas par un tremblement de terre. Si vous ne voulez pas visiter le musée, jetez au moins un coup d'œil à la jolie galerie Renaissance de la cour d'honneur et au jardin des simples aménagé dans la cour nord du château selon les préceptes de Nostradamus. Accessible depuis cette même cour, une salle est consacrée aux scènes pastorales du peintre provençal du XIXe s Théodore Jourdan.

– **Le musée d'Art et d'Histoire militaires français :** entrée : 5,10 € ; billet combiné avec le musée Nostradamus (valable 2 j.) 7,60 € ; réduc ; gratuit moins de 25 ans et pour le 1er dim du mois. C'est sans doute le plus important musée d'Histoire militaire de France après le musée de l'Armée aux Invalides, à Paris. Le tout exposé au fil de salles qui laissent parfois apparaître de très beaux détails architecturaux : ancienne prison avec ses voûtes en ogives (pas nucléaires), cheminée Renaissance... La très riche collection illustre l'histoire des armées françaises et de ses uniformes, du règne de Louis XIV à la fin de la Première Guerre mondiale, avec un accessit pour les sections consacrées au XIXe s. Des détails anecdotiques (les nattes que se tressaient les hussards pour se protéger le visage des coups de sabre). Et de belles salles consacrées aux Premier et Second Empires : uniformes, armes, accessoires, tout y est superbe, rutilant comme une armée prête à aller en découdre... et puis les gants portés par Bonaparte pendant la campagne d'Égypte, son lit de cuivre de Sainte-Hélène... Beau tableau consacré aux ordres de la légion d'honneur (notez les effigies qui l'illustrent selon les périodes de l'histoire). En fin de visite, émouvante évocation de la Première Guerre mondiale, avec des objets rapportés du front par l'un des deux frères marseillais qui ont constitué cette collection. On y voit entre autres le képi de Lyautey... et celui de Pétain lorsqu'il servait encore la France.

🎭🎭 **La maison de Nostradamus :** rue Nostradamus. ☎ 04-90-56-64-31. Tlj sf sam mat, dim mat, et certains j. fériés, 9h-12h, 14h-18h. Entrée : 5,10 € ; billet combiné avec le musée de l'Empéri 7,60 € ; réduc ; gratuit moins de 25 ans et le 1er dim du mois. Audioguide. Michel de Nostredame – dit Nostradamus – se fixe à Salon en 1547. Il y pratique l'astrologie médicale avec un prestige sans cesse grandissant, renforcé par la visite de Catherine de Médicis qui vient se faire lire l'horoscope de son bambin Charles IX, roi de France (il aurait pu lui dire que le massacre de la Saint-Barthélemy, c'était pas joli, joli !). C'est à Salon qu'il écrira ses célèbres *Centuries,* que l'on tente depuis 500 ans de déchiffrer. Le musée, situé dans la maison où il vécut près de 20 ans, retrace la vie de cet érudit original, au travers de dioramas commentés (voix *off*) et animés (assez bluffant). Boutique-librairie bien fournie. Sans boule de cristal, on vous prédit que... vous apprécierez cette visite.

🏃 *L'église Saint-Michel :* *au pied du château. Tlj sf w-e 10h-12h, 14h-17h.* Érigée au XIIIe s, elle présente un portail de tradition romane. Sur le tympan, *Saint Michel écrasant les forces du mal* (un serpent en l'occurrence). À l'intérieur, grand autel doré du XVIIe s.

🏃 *L'hôtel de ville :* *sur le bd circulaire.* Du XVIIe s, il évoque quelque palais italien : balustrades, gargouilles, tourelles d'angle, statue de façade, balcon sculpté que met encore plus en valeur la jolie pierre jaune dont il est bâti... Beaucoup de charme.

🏃 *La fontaine Adam de Craponne :* *face à l'hôtel de ville.* Ce célèbre ingénieur hydraulicien de la Renaissance réalisa un système d'irrigation à travers tout le pays salonais en détournant les eaux de la Durance, et transforma ainsi une vaste région désertique en une plaine maraîchère. Les canaux existent toujours et sont un élément essentiel de la vie du pays. La fontaine date du XVIIIe s et la statue a été ajoutée ultérieurement, au XIXe s, avec le concours des villes que les canaux ont désaltérées.

🏃 *La tour du Bourg-Neuf :* *à 20 m de l'hôtel de ville, sur le boulevard.* Un passage voûté se glisse sous un des derniers vestiges des remparts du XIIe s. On y voit des traces des chaînes du carcan des condamnés. Dans la niche, la Vierge noire du XIIIe s était vénérée par les futures mères.

🏃 *La porte de l'Horloge :* de 1630 et coiffée d'un campanile en fer forgé. Horloge astronomique au 2e étage. Presque en face, sur le boulevard, très belle *fontaine moussue.*

🏃🏃 *La collégiale Saint-Laurent :* *lun-ven 14h-18h (ouverture aléatoire).* « Voilà la plus belle chapelle de mon royaume ! », s'était, paraît-il, exclamé Louis XIV. Construite entre 1344 et 1480, c'est de fait un très bel exemple de gothique méridional. Large et haute nef unique, peu éclairée, les fenêtres ayant été sciemment oubliées pour lutter contre le mistral et la chaleur de l'été. Plutôt que de vous échiner à essayer de deviner l'inscription latine qui orne le

LA VENGEANCE DU PROPHÈTE

En 1792, en pleine agitation postré-volutionnaire, des gardes nationaux de passage à Salon profanent le reli-quaire de Nostradamus et dispersent sa dépouille. La légende raconte que, quelques jours plus tard, le soldat qui avait le premier violé le tombeau fut fusillé, pour avoir volé de l'argenterie. Pour les mystiques, la cause est enten-due, derrière le peloton d'exécution, c'est Nostradamus qui se vengeait...

reliquaire de Nostradamus (une simple plaque sur le mur dans la chapelle de la Vierge), admirez la *Descente de Croix,* du XVIe s. Tout le talent du sculpteur est visible dans le drapé des vêtements de Marie-Madeleine.

LE CIRCUIT DES SAVONNERIES

Au XIXe s se développe à Salon l'important marché d'huile d'olive et de savon de Marseille (la première entrant dans la composition du second). De cette grande époque, Salon a conservé les (beaux) restes de villas aux faux airs de châteaux baroques construites par les riches savonniers, que l'on rejoint aisément à pied.

Ces deux petites merveilles de savonneries, heureusement sauvées de l'oubli, en valent le coup.

🏃🏃 *La savonnerie Marius-Fabre et le musée du Savon de Marseille :* 148, av. Paul-Bourret. ☎ 04-90-53-24-77. ● marius-fabre.fr ● Visite (env 30 mn) : mar et jeu à 10h30, mer à 14h30 ; tlj à 10h30 et 14h30 en juil-août ; arriver 15 mn avt la visite. GRATUIT. Boutique ouv lun-sam 9h30-12h30, 14h-19h (18h oct-mars). Le musée ferme 30 mn avt la boutique.

Une fabrique à l'atmosphère typique, créée en 1900 par un jeune homme entreprenant : Marius Fabre. Succès aidant, la savonnerie s'installera dans des locaux plus importants, à deux pas de la voie ferrée, un avantage précieux. On découvre ici les procédés de fabrication quasiment inchangés depuis l'édit de Louis XIV qui fixa les règles strictes de fabrication du savon de Marseille en 1688.

Le musée, installé dans une ancienne salle de séchage, expose une foule d'objets joliment présentés : tampons en buis gravés, premières mouleuses à savon, pochoirs pour caisses d'expédition, vieux emballages, papiers à en-tête... Il a été inauguré pour le centenaire de cette savonnerie familiale depuis quatre générations. Belle boutique.

🏃 *La savonnerie Rampal-Latour :* 71, rue Félix-Pyat. ☎ 04-90-56-07-28. ● rampal-latour.fr ● ♿ Une partie de la fabrication est visible dans le hall d'entrée de la savonnerie (jusqu'à 17h). Usine ouv lun-ven 9h-12h, 14h-18h. Visite guidée (20 pers max) de la fabrique à 10h, lun-ven pdt les vac scol d'été, mar et ven des autres vac scol ; fermé 25 déc-1er janv. Cette savonnerie artisanale est l'une des quatre dernières que compte le département. Un lieu resté dans son jus. La visite permet de mieux comprendre l'histoire de cette maison fondée en 1907. Entre cette date et 1950 – qui vit l'arrivée funeste de la machine à laver –, la fabrique vécut près d'un demi-siècle d'âge d'or, que l'on peut imaginer en traversant ces ateliers où le passé est intelligemment mis en scène. Autre boutique dans le centre-ville (76, cours Gimon ; mar-sam 10h-12h30 et 14h30-19h).

Fêtes et manifestations

Bon, on ne va pas toutes vous les citer, car cette petite ville a un sacré tempérament à faire la fête. Consultez la brochure de l'office de tourisme !

– *Rencontres cinématographiques :* fin mars-début avr. ☎ 04-90-17-44-97. ● rencontres-cinesalon.org ● Nombreux films d'art et d'essai.

– *Festival de théâtre Côté Cour :* mi-juil. Soirées dans les cours du château de l'Empéri.

– *Festival lyrique :* à la mi-août, dans la cour du château !

– *Musique à l'Empéri :* fin juil-début août. Dans les cours du château. Festival international de musique de chambre.

BALADE AUTOUR DE L'ÉTANG DE BERRE, ENTRE SALON ET MARTIGUES

Les rives de ce vaste étang (15 500 ha) et de ses petits voisins se sont révélées, dès la fin de la Première Guerre mondiale, le lieu idéal où débarquer le pétrole du Moyen-Orient. Depuis les années 1960, la zone s'est considérablement urbanisée : extension du port pétrolier, installation d'industries pétrochimiques, aménagement de l'aéroport de Marseille entre Vitrolles et Marignane. Avec d'inévitables conséquences sur l'environnement (les pêcheurs se font désormais rares sur l'étang...). Pas vraiment l'endroit où passer ses vacances, donc... Quelques villages ont pourtant, par on ne sait quel miracle, échappé à cette impressionnante mutation. Même Istres et Martigues, après quelques saccages urbanistiques en périphérie, multiplient les efforts pour sauver leurs très mignons petits centres qui méritent largement la balade.

GRANS *(13450)*

À 5 km au sud-ouest de Salon, la Touloubre traverse en prenant son temps ce village estampillé provençal : centre ancien cerné par un boulevard qui forme un cercle parfait, église du XIIIe s coiffée d'un campanile, fontaines...

Où dormir ?

🏠 *Chambres d'hôtes Mon Moulin en Provence :* 12, rue des Moulins. ☎ 04-90-55-86-46. ● monmoulin@ aol.com ● mon-moulin-en-provence. net ● À la poste du village, prendre l'av. Charles-de-Gaulle qui la longe sur le côté ; au bout, tourner à gauche et tt de suite à droite. Ouv mai-sept. Double 75 €. Parking gratuit. 📶 Chambres agréables, dans un ancien moulin à huile qui vous réserve d'heureuses surprises, comme la fabuleuse pièce de vie des proprios et cette curieuse petite piscine installée à l'étage sur une terrasse. Pas de table d'hôtes, mais restos au village. Accueil sincère et chaleureux.

🏠 *Chambres d'hôtes Domaine du Bois Vert :* 474, chemin de la Transhumance. ☎ 04-90-55-82-98. 📱 06-81-99-06-14. ● leboisvert@hotmail.com ● domaineduboisvert.com ● Depuis la D 19 (direction Lançon), fléché à gauche sur 800 m. Ouv Pâques-Toussaint. Doubles 83-90 €. 📶 Véronique et Jean-Pierre ont fait bâtir cette maison dans les années 1980 en lui donnant un cachet rustico-régional réussi. 3 chambres se partagent le rez-de-chaussée avec accès séparé et porte-fenêtre ouvrant sur le parc pour 2 d'entre elles. Grande piscine pour écouter les cigales au frais et accueil chaleureux.

CORNILLON-CONFOUX *(13250)*

Un petit village à 5 km au sud de Grans par la D 70, indolemment posé sur un éperon rocheux, avec une jolie petite église surmontée d'un clocher à peigne (pratique pour les jours de mistral). L'ancien tracé de ses remparts offre une vue superbe sur les collines et, au loin, l'étang de Berre. Petit marché animé le mardi matin.

Adresse utile

🏢 *Office de tourisme et de la culture :* pl. des Aires. ☎ 04-90-50-43-17. ● otcornillonconfoux@free.fr ● cornillonconfoux.fr ● Tlj sf dim, lun et mar mat 9h30-12h, 14h-18h. Dans un ancien presbytère du XVe s, 2 beaux gîtes communaux, bien équipés et confortables, profitent d'une vue imprenable *(pour 4 pers, compter 290-450 €/sem selon saison).*

Où dormir ?

🏠 *Hôtel Le Devem de Mirapier :* D 19. ☎ 04-90-55-99-22. ● contact@mira pier.com ● mirapier.com ● ♿ (2 chambres). Tte l'année. Doubles 104-129 €. Petit déj 10 €. 📶 Un bel hôtel de charme, serein, lumineux, dont le nom cache une réalité qui fera le bonheur de tous ceux qui privilégient les démarches environnementales. 15 chambres climatisées, zen, colorées, très personnalisées au gré d'une décoration de bon goût et moderne. Belle piscine et nombreuses échappées côté garrigue ou côté bois. Accueil très avenant.

SAINT-CHAMAS (13250)

Les pieds dans les eaux de l'étang de Berre, Saint-Chamas mérite d'être cité pour son **pont Flavien** d'époque romaine, qui enjambe la Touloubre avant qu'elle ne fricote avec l'étang. Incroyablement bien préservé du haut de ses 2 000 ans, c'est un exemple rare d'ouvrage de ce type. Les quatre lions surplombant les deux arches monumentales vous aideront volontiers à traduire les inscriptions latines du fronton. À voir également, au cœur du village, cet étonnant **aqueduc** (1868) jouissant d'un beau point de vue et au milieu duquel le **campanile** du village est venu se planter en 1902 pour être visible de tous les habitants du village.

MIRAMAS-LE-VIEUX (13148)

Le vieux Miramas domine la D 10 du haut de son éperon. Il se situe à 5 km de la gare SNCF, celle-là même qui a présidé au développement (pas joli, joli...) de la ville nouvelle à la fin du XIXᵉ s. La mairie y a été alors déplacée en catimini, une nuit de novembre 1893. Bref, Miramas-le-Vieux vit désormais une retraite pépère et c'est indéniablement le plus admirable village du coin. La pierre des maisons s'y confond avec le rocher dans le vif duquel ont été taillés de superbes escaliers. Un **pin d'Alep** pluriséculaire et classé « arbre remarquable » a pris ses aises à l'entrée du village. Du **château** du XIᵉ s, il reste de pauvres vestiges bien romantiques de remparts et de salles voûtées ouvertes à tous les vents. Les bâtisses du village ont de grands yeux en ogive ou à meneaux, soulignés de larmiers. Les portes cintrées sont chapeautées de clés de voûte ouvragées... Au sortir de la semi-pénombre de ces ruelles, on cligne des yeux pour saisir la beauté du panorama sur l'étang de Berre (table d'orientation au pied du campanile). À l'horizon, Martigues, le massif de la Nerthe...

➤ En redescendant de Miramas-le-Vieux, prendre la D 10 vers Miramas-centre puis la jolie route touristique D 16 qui rejoint Istres en suivant les rives de l'étang.

Où manger ? Où boire un coup ?

|●| **La Toupine :** rue Mireille. ☎ 04-90-58-21-94. ● latoupine@hotmail.com ● Tlj sf mar-mer. Formule déj 16,50 €, menus (avec apéro) 25-30 €. - Vous avez tâté la mémoire des pierres du village ? Vous tâterez ici une cuisine bien du présent. Une brochette de plats et desserts bien troussés, très créatifs, savoureux et présentés avec goût. La belle vue dégagée sur un bout d'étang, la salle gentiment décorée, l'agréable terrasse à l'ombre des mûriers, le service amical et les prix pondérés (y compris le vin) font de cette Toupine un lieu généreux en tout.

♈ **Le Misto :** rue Coupo Santo (au bout du village). ☎ 04-90-50-33-64. En saison, tlj 14h-23h (12h-21h dim). Glaces et crêpes 6,50-9,50 €. Enchâssées dans le rempart, ces 2 terrasses permettent de jouir du même panorama que depuis la table d'orientation voisine. Oui, mais depuis ici on a plus de gourmandises à se mettre sous la dent sucrée !

ISTRES (13800)

Difficile à croire, vu la périphérie, mais le centre a des airs de vieux village provençal. Au nord-ouest du centre, l'admirable **portail d'Arles** laisse deviner ce que furent ces remparts avant de devenir un large boulevard semi-piéton ombragé de vieux platanes. Il faut ensuite grimper à l'assaut du **vieux centre,** brutalement plus calme (on y entend la patte de velours des chats), lacis de ruelles, placettes, pontis... jusqu'au sommet où trône la belle **église Notre-Dame-de-Beauvoir** flanquée de tours défensives. En léger contrehaut, une table d'orientation permet d'admirer l'étang et cet étonnant *jet d'eau,* haut de 50 m, qui veut se donner des airs genevois.

Adresse utile

🛈 *Office de tourisme :* 30, allées Jean-Jaurès. ☎ 04-42-81-76-00. ● ot. istres@visitprovence.com ● istres-tourisme.com ● Lun-sam 9h-12h, 14h-18h ; ouv dim et j. fériés 10h-13h de mi-juin à août. Plein d'idées pour visiter la ville.

Où dormir ?
Où manger à Istres et dans les environs ?

🏠 *Hôtel le Castellan :* 15, bd Léon-Blum. ☎ 04-42-55-13-09. ● sylvie@ hotel-lecastellan.com ● hotel-lecastel lan.com ● En centre-ville, à proximité de l'étang de l'Olivier. Doubles 65-67 €. Parking gratuit. 🛜 Réduc de 10 % sur présentation de ce guide. Un 2-étoiles aux tarifs plutôt sages compte tenu des prestations, avec de bien jolies chambres claires et soignées, dont certaines donnent sur le parc Sainte-Catherine. Bon confort (baignoire, clim et piscine).

🍴 *La Table de Sébastien :* 7, av. Hélène-Boucher. ☎ 04-42-55-16-01. ● contact@latabledesebastien. fr ● ♿ En plein centre. Tlj sf dim soir, lun et mar midi. Congés : 3 sem en janv et 1 sem en août. Menus 29-58 €. Sébastien Richard vous met à sa Table. Entrée très théâtrale donnant sur une cour fermée où il fait bon venir, à la fraîche, savourer cette cuisine forte en goût et en caractère, qui surfe sur l'air du temps. Un grand moment de plaisir à partager.

🍴 *New Way :* ZAC des Étangs, 13920 *Saint-Mitre-les-Remparts.* ☎ 04-42-06-32-16. ♿ À 3 km au sud de Saint-Mitre par la D 5 (face à Conforama). Le midi lun-sam, le soir mer-sam. Formule déj 13 €, menu 22,50 €. Votre sourcil gauche s'est hérissé en entrant dans cette zone d'activité, le nôtre aussi. Et pourtant, une fois passée la terrasse avec vue sur *Confo,* on profite tout à la fois d'une belle salle moderne et d'une cuisine fraîche, un brin sophistiquée même avec ses filets de loup à la mousse de gingembre par exemple. Les desserts, eux, sont un peu en retrait. Service preste et prévenant.

À voir à Istres et dans les environs

🚶 🧗 *Le site archéologique de Saint-Blaise :* route d'Istres. Fléché depuis la D 5 entre Istres et Saint-Mitre. Mar-dim 8h30-18h (17h30 en hiver). GRATUIT. Visite guidée gratuite dim à 14h30 (rens à l'office de tourisme de Martigues). Dans un coin très nature (eh oui, il y en a encore !) dominant l'étang de Citis. Oppidum celto-ligure à l'origine, puis comptoir étrusque au VIIᵉ s av. J.-C. On distingue encore le solide rempart antique (qui n'a pas empêché saint Blaise d'être détruit par les Sarrasins) et des vestiges des occupations successives du village, définitivement abandonné au profit de Saint-Mitre au XIVᵉ s : maisons, nécropole, églises...

🚶 *Saint-Mitre-les-Remparts :* à env 6 km au nord-ouest de Martigues par la D 5. Un peu planqué au-dessus de la départementale, un village médiéval resté dans son jus : des remparts du XVᵉ s encore percés de deux portes qui cachent un lacis de ruelles. Laissez vos chevaux-vapeur dehors pour en profiter *ad pedibus.* On pourra aller se balader dans la *forêt domaniale de Castillon,* 240 ha de forêt sur

LE PAYS DE SALON, L'ÉTANG DE BERRE ET LA PLAINE DE LA CRAU

un plateau, flanqués de quatre étangs, entre Saint-Mitre-les-Remparts et Port-de-Bouc. Sentiers de randonnée dont un labellisé « Tourisme et Handicap ».

Fêtes et manifestations

– **Les Élancées :** *courant fév.* Ce festival est devenu une manifestation phare en région PACA, autour de l'art du geste (tant dans la danse que pour le cirque). Pour les petits comme les grands.
– **Feria :** *mi-juin.* Dans les arènes et en centre-ville, corridas, défilés et concerts animent les journées, les bodegas animent les soirées au rythme du flamenco.

MARTIGUES

(13500)   47 300 hab.   *Carte Bouches-du-Rhône, C3*

Après Bruges, Venise des Flandres, Annecy, Venise des Alpes (et bien d'autres...), voilà la Venise provençale, chantée par Vincent Scotto ! Il ne reste pourtant que trois canaux de l'important réseau qui quadrillait autrefois Martigues. Trois canaux qui jouaient les arbitres entre les bourgs médiévaux longtemps rivaux : Ferrières, l'Île et Jonquières. On oubliera le gâchis alentour de la civilisation industrielle, pour se concentrer sur cette petite ville

LE CAVIAR DE MARTIGUES

Une vraie spécialité locale que cette poutargue forte en goût ! Installés sur le canal Galliffet, les derniers pêcheurs tendent un immense filet traditionnel, le calen, entre les deux rives, pour capturer les mulets qui naviguent entre la mer et l'étang. Les œufs, rincés, salés et pressés entre de lourdes pierres, sont ensuite séchés au grand air. Une production encore très artisanale, ce qui explique son prix très salé...

provençale « posée sur l'eau », au charme pittoresque, avec ses bâtisses colorées et ses barques de pêche qui ont vaillamment résisté à l'urbanisation. Quelques bonnes adresses peuvent donner envie d'y passer une nuit, d'attendre au cœur de l'île le passage d'un bateau pour voir se dresser le pont levant, puis de revenir par les canaux, en jetant un regard amusé vers le viaduc de l'autoroute que l'on finit vite par oublier. On pourra ensuite finir le tour de l'étang ou filer vers la Côte Bleue, pleine de recoins pour planter la serviette de bain.

Adresses utiles

🏛 **Office de tourisme et des Congrès :** rond-point de l'Hôtel-de-Ville. ☎ 04-42-42-31-10. ● martigues-tourisme.com ● Tte l'année, oct-mai lun-sam 9h-12h, 14h-17h30 ; juin-sept lun-ven 9h-18h30, sam 9h-12h30, 14h30-17h45, plus mat dim et j. fériés (avr-oct slt). Un office dynamique, plein d'infos sur les activités à Martigues et dans les environs. Visite guidée de la cité (juil-août, jeu à 9h30 ; 4 €). Visite insolite en tuk-tuk (juin-juil, mar à 9h et 13h ; 13 €) ou en bateau (début juil-début sept, mar et mer à 9h45 et 18h30 ; 7 €).
🚌 **Arrêt de bus :** face à l'office de tourisme et des congrès. Avec **Cartreize,** ☎ 0810-001-326 (prix d'un appel local), ● lepilote.com ● Liaisons pour Aix-en-Provence, Marseille (gare Saint-Charles), Marignane (aéroport).

Où dormir ? Où manger ?

De prix moyens à chic

🏠 *Clair Hôtel :* 57, bd Marcel-Cachin. ☎ 04-42-13-52-52. ● contact@clair-hotel.fr ● clair-hotel.fr ● Sur les hauteurs du quartier de Jonquières, fléché depuis le rond-point au pied du viaduc. Tte l'année. Doubles 70-85 € selon confort. Parking clos gratuit. 🛜 Ravissant, vraiment, de la salle de petit déj à l'humeur joliment campagnarde aux profonds fauteuils club du salon de lecture. Côté hébergement, chambres pleine de rebondissements décoratifs, charmantes, d'un remarquable confort, certaines s'ouvrant sur un balcon. Accueil décontracté et souriant. Avouez que la façade ne vous avait pas préparé à ça... Une jolie surprise !

|●| *Bertrand Roy :* 4, av. Louis-Pasteur. ☎ 04-42-45-44-32. Tlj sf mer midi, sam midi et dim. Formule déj en sem 14 €, menus 25-34 €. Cette cuisine-là, c'est un peu comme la vie de Marius : les pieds ancrés en Provence et la tête qui rêve d'horizons lointains. Filet de loup en sauce pistache, daurade à la mangue... vous en voulez plus ? Gourmands ! Nougat glacé au gingembre. Et le piano de monsieur est à la fois parfaitement accordé aux gammes occidentales et orientales, au salé et au sucré. Vous pourrez pousser la mouillette pour ne pas perdre une goutte de sauce, sous le regard complice de l'adorable service.

|●| *Le Garage :* 20, av. Frédéric-Mistral. ☎ 04-42-44-09-51. ● contact@restaurantmartigues.com ● 🛜 Tlj sf dim-lun. Congés : 2 sem en janv et 3 sem début août. Menu déj en sem 26,50 €, puis 40-49 €. Après avoir travaillé à Londres et à Sydney, ce jeune chef, entre-temps passé chez Chibois, à Grasse, et à L'Épuisette, à Marseille, a fait le pari d'ouvrir en famille un petit lieu au design contemporain, avec des plats bien enlevés pour le lunch et des menus plus soignés pour le soir. Jouant sur les textures et les épices tout en respectant le goût des produits de région, il propose une restauration plaisir, bien dans l'air du temps.

|●| *Le Bouchon à la Mer :* 13, quai Toulmond. ☎ 04-42-49-41-41. ● lebouchonalamer@wanadoo.fr ● Ouv mar soir-dim midi. Menus 25 € (en sem slt)-32 €. Avec sa jolie terrasse posée le nez dans les haubans, au bord du canal et sous les canisses, ce petit resto élégant propose des poissons préparés avec finesse, au gré de la pêche du jour, vendus au poids (au risque d'alourdir l'addition). Quelques viandes également, pour satisfaire ceux qui ont le mal de mer, et des desserts raffinés pour les gourmands. Une cuisine légère, qui colle bien à l'été. Service stylé mais pas guindé.

Où boire un verre ?

Point de ralliement à l'heure de l'apéro, une poignée de bars bien sympathiques alignent leurs terrasses sur le cours du 4-Septembre, dans le quartier de Jonquières... On vous laisse choisir. Sinon, sur l'Île, quelques terrasses se sont idéalement posées au bord du canal.

À voir. À faire à Martigues et dans les environs

🏛 *Le musée Ziem :* bd du 14-Juillet. ☎ 04-42-41-39-60. Sept-juin, mer-dim 14h-18h ; tlj sf mar 10h-12h et 14h-18h juil-août. GRATUIT. Visites commentées gratuites ven et dim à 15h. Nombreux tableaux de Félix Ziem (1821-1911), peintre orientaliste et pinceau officiel de la Marine nationale : vues du Caire, de Venise, de Marseille aussi. Également des œuvres de l'école provençale, d'art contemporain, et une petite section d'archéologie locale. Amusante collection d'ex-voto, presque une galerie de faits divers : noyades, tempêtes, accidents de cheval...

🕯 *L'Île :* au cœur de la ville, une vraie île, reliée par trois ponts et traversée par un canal où s'entrechoquent les barques de pêcheurs. Au bout, le « miroir aux oiseaux », un plan d'eau bordé de maisons colorées qui ravit les peintres du dimanche, modestes successeurs de Ziem, Corot... C'est sur ce bout de carte postale que fut tournée la fameuse *Cuisine au beurre* confrontant Fernandel à Bourvil. Petite mais très mignonne « cathédrale » *Sainte-Madeleine* avec façade à chapiteaux corinthiens, plafonds peints et un orgue réalisé par le facteur montpelliérain Moitessier (1851).

🕯 *La chapelle de l'Annonciade :* rue du Dr-Sérieux. Intérieur baroque d'une richesse exceptionnelle de cet édifice construit au XVIIᵉ s. Peintures murales en trompe l'œil, ornements et retables dorés, lambris sculptés. La chapelle est d'ailleurs classée Monument historique.

🕯 *La cinémathèque Gnidzaz :* 4, rue Colonel-Denfert. ☎ 04-42-10-91-30. *Ouv mar, mer et w-e 10h-12h, 14h30-18h30. GRATUIT.* Prosper Gnidzaz, une figure locale passionnée de cinoche, a légué à la Ville son impressionnante collection de bobines et de projecteurs, 79 machines datées de 1880 à 1980. 27 sont présentées dans ce minimusée retraçant l'évolution technique du cinéma. On peut aussi voir ou revoir des films tournés à Martigues. Du plus célèbre d'entre eux, *La Cuisine au beurre* (1963), à l'incontournable Robert Guédiguian (*Dieu vomit les tièdes,* 1989) ou le plus iconoclaste *Marche ou Rêve ! Les Homards de l'utopie* de Paul Carpita (2001).

🕯 *La galerie de l'Histoire de Martigues :* rond-point de l'Hôtel-de-Ville. ☎ 04-42-44-34-02. *Sept-juin, mer-ven 9h-12h, 13h30-18h30 ; w-e 14h30-18h30. Juil-août, tlj 10h-12h30, 15h-19h. GRATUIT.* Deux galeries en réalité, qui racontent Martigues au travers de photos, textes, vidéos, maquettes... La première se penche sur le passé, de la préhistoire au XIXᵉ s. La seconde s'intéresse au XXᵉ s et aux projets et aux enjeux de demain. Un bel espace, un peu dense tout de même pour le visiteur de passage.

➤ *Le sentier du littoral :* descriptif (succinct) disponible à l'office de tourisme. Une balade de 15 km (balisage rouge et blanc du GR), jalonnée d'une quarantaine de panneaux qui donnent des infos sur l'histoire, la faune, la flore, etc.

Fêtes et manifestations

– *Fête de la Mer et des Pêcheurs :* fin juin. Bénédiction des bateaux, messe en provençal et joutes nautiques.
– *Nuit vénitienne :* 1ᵉʳ sam de juil. Elle existe depuis 1928. Si le défilé de chars nautiques sur le canal n'existe plus pour des raisons de sécurité, le grand spectacle pyromélodique attire chaque année quelque 10 000 spectateurs.
– *Sardinades :* juil-août, ts les soirs à partir de 18h. On fait la fête, au bord des canaux, autour de sardines grillées ou à l'escabèche.
– *Festival de Martigues, danses, musiques et voix du monde :* 8 j. fin juil. Rens : ● festivaldemartigues.fr ● Une programmation rigoureuse autour de 600 artistes et d'une centaine de rendez-vous (concerts, spectacles de danse, stages...) pour une fête qui sait rester populaire.
– *Flânerie au Miroir :* 1ʳᵉ quinzaine de sept. Défilé de masques vénitiens dans les rues de la ville. Spectacle nocturne, exposition photos, concert d'harmonie, marché italien...

DANS LES ENVIRONS DE MARTIGUES

🎭🎭 *Le fort de Bouc :* *depuis Martigues, direction Lavéra sur 5 km ; tourner à droite 700 m après le passage à niveau ; puis à droite, rue Laplace sur 1 km (300 derniers mètres sur une piste qui zigzague entre raffineries, pipelines et terminaux maritimes).* Dans un univers industriel surréaliste, le canal de Caronte est gardé par un superbe fortin du XIIe s largement fortifié par l'incontournable Vauban au XVIIe s, avec force échauguettes, demi-lune remaniée, parapets rehaussés... Signe des temps, la vigie actuelle du canal est une tour de contrôle en béton sur l'autre rive du canal.

🎭🎭🎭 *La Côte Bleue :* ne pas rater cette côte qui reste l'enfant chéri des Marseillais (et la nôtre aussi un peu, beaucoup...). Voir plus haut le chapitre « La Côte Bleue ».

🎭🎭 *Le musée Raimu :* 27, cours Mirabeau, 13700 **Marignane.** ☎ 04-42-41-52-10. ● museeraimu.com ● 🎭 À 20 km à l'est de Martigues par l'A 55. Tlj 10h-12h30, 14h30-18h (15h30-19h30 juil-août). Fermé dim mat et mar hors vac scol. Entrée : 5 € ; réduc. Théâtre, cinéma, vie privée... vous saurez tout sur Jules Muraire, dit Raimu. Une visite passionnante au travers d'une muséographie très moderne mettant en valeur des objets et documents souvent issus de la collection personnelle de la famille. Des extraits de films parviendront encore à vous tirer une larme ou à vous faire franchement rire. Lettres de Pagnol ou Sacha Guitry, affiches originales de films, costumes de tournage, les visiteurs plongent véritablement dans l'univers de l'acteur. Le tout sous la houlette de la petite-fille de la vedette. Bravo l'artiste !

🎭 *Le rocher de Vitrolles :* tt en haut du vieux Vitrolles. À 30 km à l'est de Martigues par l'A 55 puis l'A 7. Superbe pinacle rocheux rouge, surmonté des ruines d'un château et d'une chapelle. Le tout s'enflamme littéralement au soleil déclinant. Du sommet, vue d'aigle sur tout l'étang de Berre et les avions qui décollent de Marignane. Dans ce très bel environnement, un petit cimetière en contrebas accueille des bienheureux que bien des grands du Panthéon doivent envier.

LA PLAINE DE LA CRAU

Entre Arles et Salon-de-Provence (d'ailleurs longtemps nommée Salon-de-Crau) s'étend la plaine de la Crau. Ce milieu naturel unique en son genre est parcouru l'hiver par des troupeaux de moutons qui transhument en été. C'est ce quasi-désert que traverse d'ailleurs Mireille, l'héroïne de Frédéric Mistral, qui va mourir d'épuisement aux Saintes-Maries.
Au XVIe s, les travaux d'irrigation entrepris par Adam de Craponne ont modifié le paysage : une Crau verte et irriguée, striée de cultures maraîchères et fruitières, s'est développée au nord, entre Arles et Saint-Martin-de-Crau et dans les environs de Salon.

SAINT-MARTIN-DE-CRAU (13310)

L'âme de la Grande Crau erre autour du bucolique étang des Aulnes. Cette plaine à perte de vue, couverte d'une végétation rase (le *coussouls*), plantée çà et là de jas (bergeries) est le dernier vestige de ce milieu naturel steppique, où plusieurs espèces d'oiseaux ont trouvé un ultime refuge.

ARLES

Adresse utile

🛈 *Office de tourisme :* av. de la République. ☎ 04-90-47-98-40. • saintmartindecrau.fr • Tlj sf mer ap-m et w-e 9h-12h, 14h-17h30.

Où dormir ? Où manger ?

🏠 *Chambres d'Hôtes Mas L'Oustal :* rue Charrière, 13280 *Raphèle.* ☎ 04-90-98-04-71. 📱 06-17-40-61-41. • contact@masloustal.com • mas loustal.com • Depuis le village, prendre la D 33 vers Fontvieille, la maison est à 2 km à droite. Double 78 €. 📶 Joli mas traditionnel planté dans un grand parc avec piscine. 4 chambres à l'atmosphère champêtre, notre préférée étant au rez-de-chaussée, les autres à l'étage. Thierry, par ailleurs comédien, s'occupe de sa gentille troupe d'hôtes. Accueil chaleureux dans cet excellent point de chute pour partir à la découverte d'Arles et des Alpilles.

🍴 *Saint'M :* 6, av. de la République. ☎ 04-90-47-32-45. Fermé sam midi et dim. Congés : 2 sem fin août-début sept, 1 sem Toussaint et 1 sem à Noël. Résa conseillée. Formule déj 20 € ; carte 35 €. Ce resto sert une cuisine du jour, fraîche, comme à la maison, et qui se conclut par de jolis desserts. Au choix, salle de bistrot modernisée, tapissée de portraits aquarelles de jazzmen, ou terrasse sous un platane, au bord de l'avenue.

À voir

🥾 *La maison de la Crau :* bd de Provence. ☎ 04-90-47-02-01. Dans une ancienne bergerie, à 50 m de l'église. Tlj sf lun (et dim juil-août) 9h-17h. Fermé à Noël. Entrée : 4,50 € ; visite du sentier de Peau-de-Meau : 3 € ; billet combiné : 6 €. Pour tout savoir sur la plaine la Crau, la faune, la flore, le climat, le pastoralisme... Un espace « *rétromusée* » reconstitue un village d'antan, avec les échoppes des différents artisans (très bien fait), école de jadis, etc. C'est aussi ici que l'on s'acquitte du droit d'entrée pour l'observatoire ornithologique de la réserve de *Peau-de-Meau* (réserve naturelle Coussouls), où l'on peut suivre un sentier d'interprétation de 5 km environ.

LA CAMARGUE

ARLES

(13200)   53 500 hab.   Carte Bouches-du-Rhône, B2

▶ Pour le plan d'Arles, se reporter au cahier couleur.

Bordée par le Rhône, battue par le mistral et patinée par le soleil, Arles résiste à tout car elle a su garder un cœur de pierre. Et celui qui a la passion des vieilles pierres va se régaler à les contempler. Des arènes au beffroi de l'hôtel de ville, des demeures du XVIIe s au cloître Saint-Trophime, elles évoquent Rome, ses toits de tuiles, ses couleurs douces. Arles, qui comptait déjà 50 000 habitants sous l'Empire romain (presque autant qu'aujourd'hui !), est pourtant loin d'être une ville-musée. Si, dans ses murs, se croisent les chemins de l'histoire, la tauromachie et la photographie donnent à son esprit du mouvement et de l'allant. Elle déborde par ailleurs de vie

GUIDE DES RECORDS

Avec 759 km², Arles est la plus grande commune de métropole. Et de loin, puisque Paris est sept fois plus petite. À noter que la deuxième ville de France en taille n'est pas bien loin. Il s'agit des Saintes-Maries-de-la-Mer.

ARLES

culturelle grâce notamment à la maison d'édition Actes Sud, et au fameux label musical Harmonia Mundi, au Centre international de la traduction littéraire, au théâtre d'Arles, au Cargo de Nuit et à ses nombreux festivals. Enfin la mode et pique également son aiguille, puisque Christian Lacroix a fait revivre ses racines arlésiennes et leurs camaïeux de couleurs.

À Arles, il faut flâner au hasard des ruelles étroites, le long des placettes et des nobles façades colorées. S'arrêter aux terrasses des bistrots, surtout lorsque, de Pâques à septembre, corridas et ferias se succèdent, emplissant la ville de clameurs... et de visiteurs. Un coin d'esprit résonnant du chant d'Escamillo dans *Carmen*, l'autre se remémorant l'exceptionnel tableau de Van Gogh peint ici, *Café de nuit...*

UN PEU D'HISTOIRE

Les fouilles ont révélé une ville celte sur le site d'Arles, colonisée par les Grecs venus de Massilia. Une petite ville servant de passage sur le Rhône juste avant qu'il ne s'élargisse en un delta infranchissable. Cette position stratégique entre la Provence et la Narbonnaise incita Marius, général romain, à s'y intéresser : la guerre entre les Massiliotes et

GLADIATEUR, ROCK STAR !

Bien des femmes adulaient les gladiateurs malgré leurs balafres et leur faible espérance de vie. Parfois, elles en arrivaient à quitter leur mari. Ces combats très virils les émoustillaient au plus haut point. Un seul hic : elles assistaient aux spectacles depuis les derniers rangs !

l'armée de César mit fin à la colonie grecque. César, reconnaissant à Arelate (Arles pour qui n'a pas étudié le latin) de son soutien, lui offrit un large territoire piqué au voisin marseillais, dont une précieuse ouverture sur la mer : d'où l'étendue actuelle de cette commune. Très vite, la ville, avec son port fluvial et son port maritime, Fos, devint l'une des principales cités romaines. De grands empereurs, comme Auguste et Constantin, aidèrent à son développement.

Aujourd'hui encore, la taille de l'amphithéâtre (les arènes) et l'importance du forum témoignent de la prospérité de la ville, au point que le roi wisigoth Euric en fit sa capitale. Stratégiquement, Arles commandait l'accès à la vallée du Rhône et servait de verrou entre la Provence et le Languedoc.

Très tôt évangélisée par saint Trophime, un copain de saint Paul, la ville connaît l'installation d'un premier évêque dès 254. Témoin de la richesse religieuse d'Arles, une cathédrale, la première église de la ville, construite autour du IVe s, a été découverte dans le quartier de l'Hauture. C'est sans doute l'une des toutes premières cathédrales de l'histoire des Gaules. Cet évêché fut d'ailleurs le siège du primat des Gaules et a vu se dérouler plusieurs conciles. Un terreau religieux sur lequel poussa une belle floraison d'églises. À la fin du XIIIe s, Arles est incorporée à la Provence par Charles d'Anjou. La ville devient alors une métropole commerciale qui contrôle les échanges est-ouest. Toutefois, la pauvreté de son arrière-pays et la concurrence de villes comme Avignon vont, peu à peu, la faire tomber dans une douce torpeur. Il faudra attendre la fin du XIXe s, Mistral et Daudet, pour lui

ARLES

redonner un certain lustre. Son importance stratégique sera redécouverte à la fin de la Seconde Guerre mondiale quand, pour détruire ses ponts, l'aviation alliée rasera le quartier de Trinquetaille et ses belles maisons patriciennes.

Adresses et infos utiles

El Office de tourisme (plan couleur B3) : esplanade Charles-de-Gaulle, bd des Lices. ☎ 04-90-18-41-20. • arlestourisme.com • Avr-sept, tlj 9h-18h45 ; oct-mars, tlj 9h-16h45 (17h45 oct ; dim 10h-13h) ; fermé 1er janv et 25 déc. Un office précieux à visiter avant toute balade en Camargue comme en ville. De juillet à septembre, passionnantes visites guidées sur différents thèmes. Certaines avec une guide conférencière, tous les jours en été à 11h30 et 20h : 10 € (entrées dans les monuments non comprises).

Gare SNCF (plan couleur C1) : ☎ 36-35 (0,34 €/mn). Navettes gratuites (voir plus loin) pour le centre, départ de l'av. Paulin-Talabot, devant la gare.

Bus Cartreize (plan couleur A3) : bd Clemenceau. ☎ 0810-001-326 (prix d'un appel local). • cartreize.com • Dessert Aix-en-Provence, Port-Saint-Louis, Saint-Rémy, Salon.

Lignes locales : nombreuses dessertes avec le réseau **Envia** (☎ 0810-000-818 ; prix d'un appel local), dont des bus pour Saintes-Maries-de-la-Mer, Saint-Martin-de-Crau, Tarascon, Salin-de-Giraud. Les navettes gratuites **Navia** relient ttes les 30 mn la gare SNCF au musée de l'Arles Antique en desservant au passage le centre-ville (qu'elles contournent dans sa totalité).

Location de voitures : Hertz, 10, bd Émile-Combes. ☎ 04-90-96-75-23. Également Europcar, ☎ 04-90-93-23-24.

Taco and Co : ☎ 04-82-75-73-45. • tacoandco.fr • Compter 25 € les 30 mn et 45 €/h pour 2 pers. Il s'agit de tricycles à assistance électrique, de véritables vélos-tacos pouvant accueillir 3 personnes. Écolo et pratique.

– **Marchés :** mer sur le bd Émile-Combes et, plus important, sam sur le bd des Lices et le bd Clemenceau. 3 km de long, 600 forains. Le 1er marché régional.

– **Foire à la brocante :** bd des Lices, le 1er mer du mois.

Où dormir ?

Camping

Camping City (hors plan couleur par C3, **10**) : 67, route de Crau. ☎ 04-90-93-08-86. ☐ 06-13-46-28-22. • chantal.karkouz@sfr.fr • camping-city.com • ☐ À 1 km en direction de Pont-de-Crau (depuis le bd des Lices). Bus n° 2 depuis le centre, direction Arcades (arrêt Hermite). Ouv avr-sept. Empl. tente 20 €. Mobile homes 450-500 €/sem. CB et chèques refusés. 90 empl. Proche du centre-ville, mais le coin n'est pas franchement emballant. Le camping est cependant assez ombragé, herbeux et bien équipé (grande piscine, salle de jeux, épicerie, bar et resto). Location de vélos et animations l'été. Atmosphère familiale.

Bon marché

Auberge de jeunesse (hors plan couleur par B3, **11**) : 20, av. Foch. ☎ 04-90-96-18-25. • arles@hifrance.org • hifrance.org • À 10 mn à pied du centre. Du rond-point de la gare, bus n° 2 direction Hôpital (arrêt Fournier). Accueil 7h-10h, 17h-23h (minuit de mi-juin à mi-sept). Fermé nov-fév. Carte FUAJ obligatoire (vendue sur place 7 € aux moins de 26 ans ; 11 € pour les autres). Dortoirs (8 pers max) 20,30 €/pers, petit déj compris. ☐ ☎ Dans le tranquille quartier du stade. Une centaine de places en dortoirs. Le bâtiment n'est pas de prime jeunesse, mais il est bien entretenu et s'ouvre sur un jardin. Casiers à bagages.

ARLES

≙ |●| *Hôtel-restaurant Le Voltaire* *(plan couleur C2, 21)* : 1, pl. Voltaire. ☎ 04-90-96-49-18. ● levoltaire13@ orange.fr ● *Doubles 35-42 €, sans ou avec douche et w-c. Formule déj 13 €, menu 20 €.* Pour les budgets serrés, un établissement familial modeste mais bien tenu, idéalement situé à 150 m des arènes. Toutes les chambres donnent sur un balcon en surplomb de la place. Au rez-de-chaussée, un café-resto et sa grande terrasse.

Prix moyens

≙ *Hôtel du Musée* *(plan couleur B2, 17)* : 11, rue du Grand-Prieuré. ☎ 04-90-93-88-88. ● contact@ hoteldumusee.com ● hoteldumusee. com ● *Congés : de mi-nov à mi-mars. Doubles 70-90 € selon confort et saison. Familiales 100-130 €. Parking payant.* 🖳 ☞ Une excellente adresse installée dans une belle demeure du XVIIᵉ s, au sein d'un quartier tranquille, face au musée Réattu et à deux pas du Rhône. Chambres toutes différentes, confortables, parquetées, fraîches et vastes, avec clim et belles salles de bains. 2 jolis patios fleuris pour le petit déj. Très bon accueil.

≙ *Chambres d'hôtes L'Atelier du Midi* *(plan couleur B2, 27)* : 1, rue du Sauvage. ☎ 04-90-49-89-40. ● lau rence.didier13@orange.fr ● atelierdu midi.com ● *Double 67 €.* ☞ Dans cette maison occupant un angle de rue se retrouvent le foyer familial, la galerie d'art et 3 chambres d'hôtes migno-nettes. Elles sont colorées, bien équi-pées (double vitrage, ventilateur, salle de bains et réfrigérateur) et jamais immenses. L'une occupe le rez-de-chaussée, les 2 autres sont au-dessus et, en continuant à grimper, on arrive sur la terrasse où se prennent les petits déjeuners. Accueil souriant de Lau-rence et de toute la famille.

≙ *Hôtel Acacias* *(plan couleur C1, 15)* : 2, rue de la Cavalerie. ☎ 04-90-96-37-88. ● contact@hotel-acacias. com ● hotel-acacias.com ● ♿ *Fermé de mi-oct à fin mars. Doubles 60-90 € selon saison.* ☞ Un hôtel pratique à côté de la place Lamartine, derrière les portes de la vieille ville. Chambres aux

tons chauds qui ne manquent pas d'air, climatisé du moins.

≙ *Hôtel Constantin* *(plan couleur A3, 13)* : 59, bd de Craponne (contre-allée du bd Clemenceau). ☎ 04-90-96-04-05. ● hotelconstantin@wanadoo. fr ● arles-hotel-constantin.com ● *Congés : de mi-janv à mi-fév et de mi-nov à mi-déc. Doubles 58-65 €. Familiales 82-85 €. Parking privé payant.* ☞ *Réduc de 10 % (oct-mars hors feria) sur présentation de ce guide.* Ce vieil hôtel a été transformé au fil des ans en un lieu plutôt agréable à vivre (et climatisé). Si le style gréco-romain d'une ou deux chambres vous déplaît, les autres sont plus classi-quement rustico-provençales. Accueil d'une souriante énergie.

≙ *Hôtel Porte de Camargue* *(plan couleur A2, 23)* : 15, rue Noguier. ☎ 04-90-96-17-32. ● contact@ portecamargue.com ● porteca margue.com ● ♿ *Congés : nov-avr. Doubles 72-83 € selon confort et saison.* 🖳 ☞ Charmant petit hôtel, juste de l'autre côté du pont, quar-tier de Trinquetaille. Pas loin donc du centre-ville (et on s'y gare plus faci-lement). Cadre provençal fort plaisant, chambres simples et confortables (clim notamment). Terrasse avec vue sur les toits d'Arles et un billard pour tuer le temps. Le tout au calme, qu'espérer de mieux ?

≙ *Hôtel de la Muette* *(plan couleur B2, 14)* : 15, rue des Suisses. ☎ 04-90-96-15-39. ● hotel.muette@wanadoo. fr ● hotel-muette.com ● *Congés : de mi-nov à début mars. Doubles 65-85 € selon confort et saison. Par-king payant.* ☞ Posée sur une petite place, une ancienne demeure des XIIᵉ et XVᵉ s, dont les accueillants propriétaires s'emploient constamment à améliorer le confort (clim, minibar, coffre-fort, sèche-cheveux dans toutes les chambres). Du bois, de la pierre et d'agréables cham-bres dans le genre rustico-provençal. Ambiance familiale d'une auberge de campagne. Petite terrasse sur la place.

De chic à plus chic

≙ *Chambres d'hôtes Mia Casa* *(hors plan couleur par A3, 18)* : 10,

ARLES

rue Croix-Rouge. 🖥 *06-88-03-04-86.* ● *info@miacasa-arles.com* ● *miacasa-arles.com* ● *Tte l'année. Doubles 55-85 € selon taille et saison, triples 75-105 €.* 📶 *Dernière nuit offerte pour les séjours supérieurs à 7 nuits, sur présentation de ce guide.* Simple et pourtant plein de cachet. Dans cette mignonne rue piétonne, Delphine a aménagé 2 vastes chambres et une suite-appartement avec kitchenette, garnies d'objets chinés ici et là, de banquettes et commodes d'un autre temps, de souvenirs de voyages. Le parquet craque, les meubles sont parfois un peu branlants, mais qu'importe, c'est un lieu d'atmosphère. La maîtresse de maison y accueille touristes et artistes, et la salle de petit déj joue les salles d'expo informelles.

🏠 *Hôtel de l'Amphithéâtre (plan couleur B2, 12) : 5-7, rue Diderot.* ☎ *04-90-96-10-30.* ● *contact@hote lamphitheatre.fr* ● *hotelamphitheatre. fr* ● *Tte l'année. Doubles 69-109 € selon confort et saison. Parking payant à 5 mn à pied.* 📶 Lové dans un bel hôtel particulier en pierre de taille, cet établissement abrite plusieurs types de chambres, toutes élégantes et confortables (clim, belles salles d'eau...). De l'autre côté de la ruelle, l'annexe dévoile de superbes chambres, sobres et contemporaines, où tons neutres et bois patiné mettent en valeur les pierres apparentes. 2 chambres et une suite profitent d'une belle vue sur la ville. Petit déj sucré ou salé, au choix. Accueil d'une grande gentillesse.

🏠 *Hôtel SPA Le Calendal (plan couleur B2, 16) : 5, rue Porte-de-Laure.* ☎ *04-90-96-11-89.* ● *contact@leca lendal.com* ● *lecalendal.com* ● *Tte l'année. Doubles 99-179 € selon confort et saison.* 🖥 📶 Incroyable tout ce qu'on peut trouver dans ce petit hôtel ! Des chambres provençales, mignonnes comme tout, climatisées, dont certaines donnent sur les arènes, le théâtre ou les toits de la ville (avec terrasse pour les plus chères). Un petit jardin ombragé de micocouliers centenaires où goûter des plats malins aux accents du pays. Un espace bien-être avec hammam, salon de massage et bains à remous (avec vue sur les arènes !). Accueil pro et chaleureux.

🏠 *Le Belvédère (plan couleur C2, 26) : 5, pl. Voltaire.* ☎ *04-90-91-45-94.* ● *info@hotellebelvedere-arles.com* ● *hotellebelvedere-arles.net* ● *Tte l'année. Doubles 55-95 € selon confort et saison.* 📶 Un hôtel à la mode d'aujourd'hui derrière une spartiate façade des années 1950. Salon branché au rez-de-chaussée. Dans les étages, chambres d'une grande sobriété, résolument design, pas immenses mais d'un irréprochable confort. Les plus chères, plus vastes aussi, s'ouvrent sur un balcon côté place.

🏠 *Chambres d'hôtes La Pousada (hors plan couleur par A3, 18) : 9, rue Croix-Rouge.* 🖥 *06-74-44-39-77.* ● *contact@lapousada.net* ● *lapousada. net* ● *Fermé de mi-nov à mi-mars. Doubles 96-116 € selon saison.* 📶 Typique du quartier de la Roquette, une petite maison qui abrite quand même 3 chambres de belle taille. Élégant mélange de styles, très léché : murs enduits à la chaux, carreaux de ciment à l'ancienne au sol, mobilier ethnique et salles de bains design. Suivent un salon tout aussi soigné et une cour aussi minuscule qu'adorable pour le petit déj (bio). Cuisine à dispo.

🏠 *Hôtel du Forum (plan couleur B2, 19) : 10, pl. du Forum.* ☎ *04-90-93-48-95.* ● *info@hotelduforum.com* ● *hotel duforum.com* ● *Congés : de mi-oct à début mars. Doubles 70-150 € selon catégorie. Petit déj 12 €. Garage payant sur résa.* 🖥 📶 Très centrale mais pourtant calme, une institution locale, tenue par la même famille depuis 1921. Un hôtel ancien donc, avec un certain charme. Vastes chambres rafraîchies mais restées dans leur jus, très vieille France (ou vieille Provence ?), avec clim. Les plus chères s'ouvrent sur la place. Picasso fut longtemps un adepte de la chambre n° 2. Agréable piscine abritée et un billard, pour rester dans l'ambiance.

🏠 *Chambres d'hôtes Le Patio d'Arles (plan couleur A2, 22) : 12, rue André-Benoît.* 🖥 *06-07-86-61-29.* ● *lepatiodarles@orange.fr* ● *lepatio darles.fr* ● *Tte l'année. Doubles 110-120 €, petit déj inclus.* Cette ancienne maison d'armateur du XVIIIe s, typiquement arlésienne, tout en hauteur, propose des chambres aménagées par Nathalie... qui est metteur en scène dans la vie comme dans sa maison d'hôtes ! Elles portent le nom de personnages de Molière : Elvire, Dorine et Toinette. La noble, la romantique et la « sous-pente »... Vincent, quant à lui, propose des balades en Camargue, dans les Alpilles, « à pied, à cheval ou en voiture »...

🏠 *Le Cloître* (plan couleur B3, **25**) : 18, rue du Cloître. ☎ 04-88-09-10-00. ● contact@hotel-cloitre.com ● hotel-cloitre.com ● Tte l'année. Doubles 90-165 € selon confort et saison. Petit déj 13 €. 🛜 Un cloître comme on les aime, à la fois calme et baignant dans l'art, la folie douce. Tout à côté de Saint-Trophime, un lieu idéal pour se poser, à deux, seul ou en famille, car la designer India Mahdavi a pensé à chacun, même si tout le monde ne pourra pas s'offrir le luxe de voir son œuvre. Simple et élégant jusqu'au petit déjeuner (superbe, bio et locavore).

🏠 *Chambres d'hôtes Galerie Huit* (plan couleur B2, **20**) : 8, rue de la Calade. ☎ 04-90-97-77-93. ● contact@galeriehuit.com ● galerie huit.com ● Doubles et suite 90-240 € selon taille et saison. 🖥 🛜 Au rez-de-chaussée, une chic galerie d'art, plongée dans l'atmosphère d'un appartement Belle Époque. Au-dessus, 5 chambres, dans le même esprit mais pas dans le même style, vastes, confortables, extrêmement travaillées. La suite « Marco Polo » s'habille en vénitienne, la chambre « Joséphine Baker » se la joue Art déco. « Mademoiselle » est plus intimiste, et « Barbentane » forcément provençale... Une question de goût, toujours bon.

🏠 *Chambres d'hôtes Mas du Petit Fourchon* (hors plan couleur par A3, **24**) : 1070, chemin de Nadal. ☎ 04-90-96-16-35. ● info@petitfourchon.com ● petitfourchon.com ● ♿ À 10 mn du centre. Prendre la direction de l'hôpital J.-Imbert ; c'est fléché 30 m après (panneau sur la droite) sur env 800 m. Congés : janv-fév. Doubles 115-135 € selon saison. Gîte 450-700 €/sem. 🛜 Réduc de 10 % sur le prix des chambres sur présentation de ce guide. On quitte le centre d'Arles en prenant les chemins de traverse. Un grand portail, et c'est le choc. Un domaine de 40 ha, où l'on compte plus de chevaux que d'hommes, une piscine chauffée, une immense pelouse plantée de platanes centenaires assurant la fraîcheur l'été, de belles et vastes chambres, dotées de vieux meubles et de salles de bains en marbre, dans un mas du XVIIIᵉ s. Du calme, du confort. Pour l'animation, vous repasserez... par Arles, évidemment ! Bel accueil.

Où manger ?

Bon marché

🍴 🍲 *Comptoir du Sud* (plan couleur B3, **35**) : 2, rue Jean-Jaurès. ☎ 04-90-96-22-17. ● thomascajt.mon tiel@gmail.com ● Tlj sf dim, plus lun et sam hors saison. Congés : 2 sem en fév et 2 sem en nov. Plat du jour 7 €. Une coquette épicerie fine, où acheter de bons produits (moutardes aromatisées, huile, biscuits...) et savourer sur place, perché sur un tabouret, tartines Poilâne et plat du jour. À emporter aussi, de bons sandwichs chauds, des gourmandises et autres grignoteries, qu'on mange avec les doigts dans les petites rues du quartier. Produits frais.

🍴 *Cuisine de Comptoir* (plan couleur B2, **41**) : 10, rue de la Liberté. ☎ 04-90-96-86-28. ● contact@cui sinedecomptoir.com ● Tlj sf dim et j. fériés. Congés : Toussaint et Pâques. Formules déj 11-14,50 € ; carte 20 €. Cadre gentiment branché, bien pour les petites faims. Déco au design contemporain, soupe du jour et salades-tartines qui feront votre bonheur, qu'elles soient, selon l'humeur, de la mer, de la ferme, du jardin...

🍴 *La Mule blanche* (plan couleur B3, **36**) : 9, rue du Président-Wilson. ☎ 04-90-93-98-54. Fermé dim, plus le soir lun-mer hors saison. Formule 17 €, plat du jour 12 €, carte 30-35 €. Dans cette ancienne maréchalerie où stationnaient les charrettes pour ferrer les chevaux, on vient reprendre des forces, en laissant sa voiture au parking, cette fois. L'endroit est animé et connu pour

ARLES

ses succulentes salades. Très agréable en été avec sa terrasse, face à l'espace Van-Gogh.

IOI *Tonton Sam (plan couleur B2, 30)* : 10, rue de l'Hôtel-de-Ville. ☎ 04-90-47-88-28. *Tlj sf dim. Formule déj 13 € ; burgers 9-12 €.* Ce *Tonton Sam* va indéniablement faire pâlir l'oncle Ronie. Une concurrence quasi déloyale avec des burgers à base d'un (bon) pain bio, de vraies bonnes viandes (*angus*, agneau, taureau 100 % provençaux), garnis d'aubergines, de fromage au lait cru. Et accompagnés de frites maison. Comme quoi, burger ne rime pas forcément avec « beurk-food ».

Prix moyens

IOI *Les Filles du 16 (plan couleur B2, 42)* : 16, rue du Docteur-Fanton. ☎ 04-90-93-77-36. *Tlj sf w-e. Fermé 15 j. en nov. Formule déj 16 €. Menus 22-28 €.* Une courte carte, joliment complétée de suggestions à l'ardoise, concoctées au gré du marché. Une cuisine de bistrot, simple et pourtant savoureuse. Un bon gueuleton à déguster sans façons, dans une petite salle aux pierres apparentes prolongée d'une mignonne terrasse abritée sous une tonnelle feuillue. Une adresse très familiale, au service tout en douceur.

IOI *L'Ingénu (plan couleur C2, 38)* : 13, pl. Voltaire. ☎ 04-86-63-50-03. ● restaurantingenuarles@gmail.com ● *Plat du midi 9,50 €. Carte 25-40 €.* Agréable restaurant de quartier, loin de l'agitation, qui vous met l'eau à la bouche avec ses crèmes de tapenade et combinaisons citron-thym pour faire chanter poulet, loup et taureau. Les desserts jouent aussi la carte locale de l'amande et de la lavande. Terrasse sur la place couleur locale ou salle discrète. Le lieu est baptisé *L'Ingénu*, mais l'aimable patron ne s'appelle pas Zadig.

IOI ♟ *Le Gibolin (plan couleur A2-3, 31)* : 13, rue des Porcelet. ☎ 04-88-65-43-14. ● legibolin@hotmail.fr ● *Tlj sf dim-lun et mar hors saison. Congés : fév. Formule 27 € ; menu 34 €.* Un bistrot à vins qui ne se la raconte pas, tenu par un couple qui a de la bouteille dans ce créneau. Épatante est la carte des

vins. Épatants sont les petits plats de ménage, de région ou de bistrot. Sympathiques, enfin, sont la petite salle et sa terrasse, sur la rue piétonne.

IOI *Chez Félix (plan couleur C2, 32)* : 32 bis, rond-point des Arènes. ☎ 09-50-79-63-57. ● eric.guizard@gmail.com ● *Tlj sf mar-mer juil-sept, téléphoner hors saison pour connaître les j. d'ouverture. Congés : de janv à mi-mars. Formules 13-20 €. CB refusées.* Une petite adresse pour les aficionados... du bio, qui respecte les produits et les clients, tout en proposant une cuisine du monde qui ne vous fera pas voir rouge (on est à deux pas des arènes, si vous voulez vous défouler !). Éric Guizard est un adhérent de la *slow food*, mouvement rassurant en ces temps d'incertitude. Accueil pas *slow* du tout et qu'on aime bio-coup.

IOI *La Fée gourmande (plan couleur A3, 45)* : 3, rue Dulau. ☎ 04-90-18-26-57. *Tlj sf mar-mer, et lun midi hors saison. Congés : 2 sem en avr, 2 sem en sept et fêtes de fin d'année. Formule déj en sem 15 €, menu 18 €. Carte env 40 €.* Cette bonne fée-là se penchera sur votre assiette comme sur le berceau de la Belle au bois dormant. Mais rien ne tient de la magie. Seulement du savoir-faire, celui de la tradition locale (bons produits et bonnes recettes). On y trouve des idées parfois dignes des grands. Jolie cuisine, jolie vaisselle, prix aussi gentils que l'accueil. Et quelques places supplémentaires l'été, en terrasse sur la rue piétonne.

IOI *Le Plaza – La Paillotte (plan couleur B2, 39)* : 28, rue du Docteur-Fanton. ☎ 04-90-96-33-15. ● bognier@free.fr ● *Tlj sf lun midi et mar midi en saison ; fermé mer-jeu hors saison. Congés : 15 j. fin janv, 10 j. fin oct et 15 j. début déc. Formules 21-24 €. Menus 28-34 €.* Une institution locale tenue par un chef qui nous régale avec ses entrées fraîches et goûteuses, et ses plats de tradition française comme provençale, joliment revisités. Terrasse agréable et ombragée. Service aimable et pro. Prix tenus y compris les week-ends. Tout pour plaire.

IOI *Le Bistrot des artistes (plan couleur A3, 46)* : 32, bd Georges-Clemenceau. ☎ 04-90-96-73-90. ● *bistrotdes*

ARLES

artistes@hotmail.fr • Tlj, sf le soir lun-jeu hors saison. Congés : fêtes de fin d'année. Plats 14-25 €. Apéritif maison offert sur présentation de ce guide. Idéal pour une faim (et une fin aussi) de marché, pour prendre l'ambiance en salle comme en terrasse. Vieux plancher, tables de bistrot, des touristes (peu nombreux), des habitués. Bons produits du marché, belles viandes grillées.

I●I *La Bodeguita* (plan couleur B2, **48**) : 49, rue des Arènes. ☎ 04-90-96-68-59. • bodeguita.arles@gmail.com • En été, tlj sf dim midi et lun midi ; sinon, fermé dim et le midi lun-mer. Congés : 10 j. juin et nov. Tapas 3,30-4,30 €. Plats 14-27 €. Carte 25-30 €. Digestif offert sur présentation de ce guide. Hors feria, la tauromachique Arles n'avait, étonnamment, pas de bodega. Oubli réparé avec cette bodega modèle réduit, devenue un point de passage obligé de la ville. Jusqu'à laisser largement déborder ses clients sur le trottoir. Au menu, tapas et cuisine du soleil.

I●I *L'Autruche* (plan couleur A3, **33**) : 5, rue Dulau. ☎ 04-90-49-73-63. ✸ Tlj sf dim-lun. Congés : janv. Menu-carte 34 €. Petit resto caché dans une rue piétonne avec terrasse sur rue aux beaux jours. Un de ceux, nombreux, qui tentent le pari d'une cuisine fraîcheur, jouant la carte des bons produits. Salle sobre pas immense (pensez à réserver) où sévit monsieur alors que madame, elle, tient les fourneaux.

I●I *La Comédie* (plan couleur A3, **43**) : 10, bd Georges-Clemenceau. ☎ 04-90-93-74-97. ✸ Tlj sf dim-lun. Formule déj 15,50 € ; menu 21 €. Sympathique petite adresse où l'on vient se régaler de spaghettis aux coques et autres pâtes fraîches faites maison. Simple mais bonne cuisine méditerranéenne, traditionnelle et familiale, servie dans la décontraction et dans une salle mignonnette. Terrasse sur le boulevard.

I●I *Le Jardin de Manon* (plan couleur C3, **40**) : 14, av. des Alyscamps. ☎ 04-90-93-38-68. Tlj sf mar soir et mer. Formules (sf dim) 22,50-30 € ; menus 26-35 €. Apéritif offert sur présentation de ce guide. Sympathique petite salle, dans l'esprit du Sud, mais surtout du temps, dans des tons chocolat craquants. Et comme son enseigne l'indique, un petit patio verdoyant où s'installer l'été. Courte carte d'une cuisine au goût du marché, du terroir et du jour. Vaste choix de vins et un agréable rapport qualité-prix.

I●I *L'Ouvre-Boîte* (plan couleur B3, **34**) : 22, rue du Cloître. ☎ 04-88-09-10-10. • louvreboite@chassagnette.fr • Tlj en juil-août, mer-dim hors saison, slt w-e déc-janv. Fermé fév, nov et fêtes de fin d'année. Tapas 7-12 €. L'Ouvre-Boîte, concept d'épicerie-guinguette, est la petite adresse d'Armand Arnal *(La Chassagnette),* tenue par Alexandre, son jeune frère. Il propose de délicieuses assiettes de tapas d'inspiration hispano-nippone, et quelques créations gourmandes d'Armand. Les légumes, gage de fraîcheur, viennent du jardin. Ne traînez pas l'été car la terrasse est petite.

Chic

I●I *À Côté* (plan couleur B3, **37**) : 19, rue des Carmes. ☎ 04-90-47-61-13. • contact@rabanel.com • Tte l'année, tlj. Menus 31-37 €. Carte 45-60 €. Les fourneaux de Jean-Luc Rabanel ont définitivement pris possession de la rue. Le resto gastro, plébiscité par la critique, et ce bistrot... à côté, donc. Tables de bar, écrans plats et, au fond, un comptoir, qui cache à peine la cuisine où le chef virevolte entre poêles et casseroles. Des plats qu'on ne peut s'empêcher de saucer, et aussi quelques inventions plus « zarbis », moins convaincantes. Terrasse dans la ruelle. Service qui peut être rapidement horripilant.

Où boire un verre ou un café ? Où écouter de la musique ?

Pour buller en terrasse, essayez celles des grands cafés du boulevard des Lices *(plan couleur B-C3),* ou alors celles de la *place du Forum (plan couleur B2)* où Van Gogh immortalisa son *Café de nuit.*

ARLES

▲ |●| Picador *(plan couleur C1-2, 53)* : 3, rue de la Cavalerie. ☎ 04-90-54-83-43. *Ouv ts les soirs. Vins au verre à partir de 4 €, bière 3,50 €, tapas 5-12 €.* Dès l'entrée, on a les narines tout émoustillées par les effluves de saucisson d'Arles... On hésite un peu face à une farandole de tapas concoctées avec des produits locaux... On tangue entre le rosé, le blanc ou le rouge des vins du cru... entre la blanche, l'ambrée ou la brune de près de 100 références de bières artisanales de Nîmes, de Beaucaire et d'ailleurs... Finalement on ne partirait plus d'ici, tant sont agréables l'ambiance et le service de ce néo-bistrot. Pour finir la soirée autour d'un rhum arrangé et d'un concert live, le même patron a ouvert **Les Sales Gosses** au n° 7 de la même rue (☎ 09-82-46-17-31 ; *tlj sf dim*).

☕ Coffee Me *(plan couleur B3, 55)* : 24, bd des Lices. ☎ 09-51-43-01-77. *Lun-sam 7h45-18h, dim 10h30-19h.* On consomme en moyenne 1 500 tasses de café par minute en France... alors voilà l'occasion de contribuer à la statistique autour d'excellents crus venus, comme la patronne, de Colombie. À accompagner de petites gourmandises sucrées faites maison.

▲ |●| ⊛ L'Entrevue – Espace Le Méjan *(plan couleur A2, 54)* : pl. Nina-Berberova. ☎ 04-90-93-37-28. ● *restau.lentrevue@orange.fr* ● *Tlj, tte l'année. Couscous et tajines 14-20 €,* carte env 25 €. ☎ Le resto-bistrot d'une des oasis culturelles d'Arles. La grande bâtisse de caractère abrite les bureaux de la maison d'édition Actes Sud, un cinéma d'art et d'essai, une galerie d'art, une librairie et... un hammam. Côté bistrot, ambiance également orientalo-provençale, avec une bonne cuisine du Maghreb et une très sympathique terrasse sur la placette.

▲ ♪ Paddy Mullins *(plan couleur A3, 52)* : 5, bd Georges-Clemenceau. ☎ 04-90-49-67-25. ● *paddymullins@hotmail.fr* ● *Tlj 10h (17h dim)-0h30 (2h sam).* 🖥 ☎ Belle reconstitution de pub irlandais. Sympa, même s'il est toujours bizarre de se faire servir une pinte *avé l'assent*. M'enfin, une chope à la main, on y est aussi braillard que sous la brume gaélique. Vers 21h30, concerts du jeudi au samedi, scène ouverte le mardi. Grande terrasse sur le boulevard. Propose aussi une restauration... de pub.

▲ ♪ Cargo de Nuit *(plan couleur A3, 51)* : 7-9, av. Sadi-Carnot. ☎ 04-90-49-55-99. ● *info@cargodenuit.com* ● *cargodenuit.com* ● *Ouv 20h30-minuit les j. de concert. Fermé août. Entrée : 10-20 €.* Café-musique sur fond de déco de cale de bateau, cocktails et bières à prix doux à boire au comptoir ou dans l'espace *lounge*. Grande salle (300 places) pour les concerts du week-end (blues, salsa, *world music*... ; programme disponible sur leur site).

Où acheter de bons produits ?

⊛ Charcuterie La Farandole *(plan couleur A2, 60)* : 11, rue des Porcelet. ☎ 04-90-96-01-12. *Mar-sam 7h-12h30, 15h30-19h30. Fermé 3 sem en fév et 3 sem en oct.* Dans une rue au nom prédestiné, un haut lieu à visiter avec un cabas, pour faire provision de saucisson d'Arles, entre autres spécialités de la maison Genin.

▲ Soleileïs *(plan couleur B2, 61)* : 9, rue du Docteur-Fanton. ☎ 04-90-93-30-76. *Ouv début avr-vac de la Toussaint, tlj 14h-18h30.* Des glaces et sorbets délicieux, préparés par un glacier artisanal. Sans équivalent !

⊛ L'Épicier moderne *(plan couleur A3, 62)* : 24, pl. Paul-Doumer. ☎ 04-90-91-28-83. *Avr-sept slt, mar-sam.* Un joli lieu, et de bons produits qui vont vous faire tomber en enfance, ou en pâmoison, selon l'âge.

À voir

Plusieurs *pass* sont proposés (achat à l'office de tourisme ou dans le premier site visité) :

– le *pass Avantage* (valable 6 mois, 15 € ; réduc, gratuit moins de 18 ans) permet l'entrée dans les monuments et les trois musées de la ville (une seule entrée par site) ;

– le *pass Liberté* (valable 1 mois, 11 € ; réduc, gratuit moins de 18 ans) donne accès à cinq sites maximum (un musée + quatre monuments ; une seule entrée par site).

– *Attention :* en juillet-août, les tarifs des *pass* ci-avant, ainsi que des sites et musées (y compris billets combinés) indiqués plus bas, sont tous majorés de 1 €.

Le centre ancien

Le vieil Arles se visite à pied en 1 ou 2 journées selon son appétit de visite(s). Car, outre les musées, la cité compte une centaine de bâtiments classés, dont sept inscrits au Patrimoine mondial de l'Unesco ! Cinq circuits piétons sont balisés *(Arles Antique, Médiévale, Renaissance, Classique, Van Gogh)*. Brochures disponibles à l'office de tourisme (1 €).

◎ ❧❧ *La place de la République* (plan couleur B3) : marquée par un obélisque de granit provenant de l'ancien cirque romain, c'est la plus grande place de la vieille ville. Bel hôtel de ville du XVIIe s, avec plusieurs contributions d'architectes (dont Mansart lui-même), surmonté d'un clocheton qui reprend la forme du mausolée de Glanum.

UNE PIERRE D'ACHOPPEMENT

La voûte du hall de l'hôtel de ville fut bâtie selon les plans (très) audacieux de Jacques Peytret. Un chef-d'œuvre puisque, les pierres étaient ajustées sans aucun ciment (!) Or, lors de la construction, lorsqu'on retira le dernier étai, tout le monde se défila de peur que tout l'édifice ne s'écroulât. Un type avec un grand chapeau s'avança alors et ôta le dernier échafaudage. C'était l'architecte lui-même... Chapeau !

❧ *Les Cryptoportiques* (plan couleur B2) : entrée par le hall de l'hôtel de ville. Tlj 9h-19h (18h avr et oct, 17h nov-mars). Visites guidées dim à 16h30 en juil-août. Entrée : 3,50 € ; réduc. Cette galerie souterraine à colonnades, formant un U de 90 m de long par 60 m de large, n'est que la fondation de ce qui fut le premier forum d'Arelate. L'eau suinte, les pas résonnent contre les parois humides... Brrr ! La construction date des années 30 (av. J.-C. !). Rien à voir donc avec un bar clandestin des Années folles. Plus tard, elles furent utilisées comme des caves et réserves. Une galerie parallèle fut même bâtie au Ve s pour accueillir des boutiques, où l'on discerne les conduites d'eau et les égouts. Idéal pour prendre le frais quand ça cogne trop dehors l'été.

◎ ❧❧ *L'église Saint-Trophime et son portail* (plan couleur B2-3) : ouv lun-ven 8h-12h, 13h45-18h45, horaires restreints le w-e. Ancienne cathédrale, cette église romane est la plus haute et l'une des plus intéressantes de Provence. Portail d'une exceptionnelle richesse, dont les saints gardèrent la tête sur les épaules face aux révolutionnaires. Des piédroits au tympan en passant par les ébrasements et le trumeau, l'ensemble est un superbe cours de catéchisme. Tout cela contraste bigrement avec le dépouillement de l'intérieur. Nef impressionnante de hauteur, jalonnée de chapelles, dont seule celle des Rois reçoit la lumière grâce à ses larges vitraux. Du mobilier d'origine, envolé pendant la Révolution, ne subsistent que des tapisseries d'Aubusson sur les murs, qui racontent la vie de la Vierge. Un sarcophage paléochrétien en marbre (du IVe ou Ve s) sert de fonts baptismaux, d'autres ont été convertis en autels. Quelques belles peintures également des XIVe-XVe s.

◎ ❧❧❧ *Le cloître Saint-Trophime* (plan couleur B3) : en sortant de l'église, accès par la cour de l'Archevêché. Tlj 9h-19h (18h avr et oct, 17h nov-mars). Entrée : 4,50 € ; réduc. Billet jumelé avec les Alyscamps : 8 €. Visites guidées mer

ARLES

(sam hors saison) à 16h. Particulièrement élégant avec ses minces colonnes géminées coiffées de chapiteaux finement ciselés. Il fut construit entre les XIIᵉ et XIVᵉ s, victimes de quelques péripéties de l'histoire, ce qui explique que deux de ses galeries soient romanes (notez les culs-de-lampe très expressifs) et les deux autres gothiques avec de belles voûtes en croisée d'ogive. Chaque détail mérite qu'on s'y attarde, qu'on en parle, qu'on interprète... à condition d'avoir

UN CHANTIER HORS DÉLAI

Le cloître Saint-Trophime fut bâti en deux fois. À la fin du XIIᵉ s, les travaux stoppent net. Les raisons : Saint Louis fait ériger Aigues-Mortes pour embarquer en croisade (manque d'argent), et les comtes de Provence délaissent Arles pour Aix (manque de motivation politique). Il faudra attendre deux siècles pour que les papes voisins ordonnent finalement l'achèvement de ce petit bijou.

bien révisé son Nouveau Testament avant. À l'angle nord-ouest, belle trinité de saints : Pierre, Jean et Trophime. Juste à côté, la résurrection de Lazare, avec un détail aussi infime que magnifique : une colombe soufflant l'esprit saint sur la tête des apôtres. À l'angle sud-est, la margelle du puits est très profondément crevassée par l'usure répétée des cordes utilisées pour tirer l'eau de la citerne. Dans les salles capitulaires, des tapisseries d'Aubusson retracent l'histoire de la première croisade. Les belles salles voûtées où les moines entreposaient les produits de leurs terres servent aujourd'hui à des expositions temporaires. Bonne vue d'ensemble en montant sur la galerie supérieure (beau dortoir des moines au passage).

🏃 Prenez le temps d'arpenter les vieilles rues du centre, situées entre la place de l'Hôtel-de-Ville et les arènes, puis entre le théâtre antique et les remparts. Une foultitude de maisons offrent des détails architecturaux à foison à qui sait observer...

◉🏃🏃 *Le théâtre antique (plan couleur B2-3) :* tlj 9h-19h (18h avr et oct, 17h nov-mars). Entrée : 8 € (billet couplé avec l'amphithéâtre) ; réduc. Visite guidée mar et jeu à 10h. Vidéo explicative à l'entrée. Il remonte aux premières années du règne d'Auguste, lorsque Arles était au summum de sa prospérité romaine. Il semble qu'il pouvait recevoir près de

VÉNUS VENUE ET REPARTIE

En 1683, Louis XIV demanda que la Vénus d'Arles lui fût offerte, pour tenir compagnie à sa cour de statues du château de Versailles. Or, la bougresse ayant perdu ses bras, il lui en fit tout simplement greffer pour qu'elle ne déparât pas... La greffe a pris !

12 000 spectateurs. Les gradins ont été en partie restaurés, mais le pavage de l'orchestre est d'origine. De la scène, il ne reste plus que deux majestueuses colonnes corinthiennes, qui ont particulièrement fière allure. La *Vénus d'Arles*, conservée au Louvre, fut d'ailleurs trouvée parmi les vestiges de la scène. Le théâtre a retrouvé sa vocation en accueillant les grandes manifestations estivales.

◉🏃🏃🏃 *L'amphithéâtre (arènes ; plan couleur B-C2) :* mêmes tarifs et horaires que le théâtre antique hors saison, tlj 9h-20h juil-août. Fermé à la visite lors des fêtes taurines. Visites guidées mer, ven et dim (plus sam hors saison) à 14h en juil-août. Bien conservées grâce à leur transformation en forteresse lors des invasions sarrasines (elles abritaient tout un village, avec 200 maisons et deux chapelles !), les arènes d'Arles comptent parmi les vingt plus grandes du monde romain. Elles pouvaient contenir plus de 20 000 spectateurs (il suffit de faire le tour des murs extérieurs pour être impressionné). Pour le bien-être du public, une immense voile (le velum) était tendue au sommet de l'édifice. Aujourd'hui, elles accueillent encore corridas et courses camarguaises.

◈ ♜ **Les thermes de Constantin** *(plan couleur B2)* : *rue du Grand-Prieuré. Tlj 9h-19h (18h avr et oct, 17h nov-mars). Visites guidées mer (ven hors saison) à 16h. Entrée : 3 € ; réduc.* Importants vestiges de thermes du IVe s, dont seule la partie chaude – caldarium et tepidarium – a été dégagée. Hypocauste (système de chaufferie) bien conservé. Piscine pavée de marbre, belle voûte en cul-de-four. Les ruines furent envahies au cours des siècles par des habitations, jusqu'à faire oublier l'existence même de ces thermes. Au XVIe s, des érudits locaux croient identifier ici les vestiges d'un palais de Constantin, qu'ils nomment « Palais de la Trouille », sobriquet parfois encore utilisé de nos jours. Rien à voir avec une légende de manoir hanté, le nom « trouille » vient du latin *trulus*, désignant un édifice circulaire voûté.

♜♜ **Le musée Réattu, musée des Beaux-Arts** *(plan couleur B2)* : *10, rue du Grand-Prieuré.* ☎ *04-90-49-35-23.* ● *museereattu.arles.fr* ● *Tlj sf lun 10h-17h (18h avr-oct). Entrée : 8 € ; réduc ; gratuit moins de 18 ans et pour ts le 1er dim du mois. Billet combiné avec la Fondation Van-Gogh : 12 €.* Cette ancien et superbe prieuré des chevaliers de l'ordre de Malte (une salle leur est consacrée au rez-de-chaussée) est devenu, après la Révolution, la demeure et l'atelier du peintre arlésien Jacques Réattu (1760-1833). Des espaces consacrés à la photographie (Man Ray, Brassaï...), d'autres aux œuvres contemporaines (toiles, sculptures, installations, photos, dessins). Des artistes aussi divers que Prassinos, Germaine Richier avec son étrange *Griffu*, Zadkine avec son *Projet de monument pour les frères Van Gogh*... se mêlent à des tableaux anciens, dont pas mal de Jacques Réattu. Superbe portrait de Simon Vouet également. À noter aussi, quelques jolis coups de pinceau de Christian Lacroix. Le clou du musée enfin, 57 dessins réalisés en janvier 1971 par Picasso, qui en fit don à la Ville. Très beaux portraits de la mère de l'artiste, offerts par Jacqueline Picasso, et de Lee Miller en Arlésienne. Amusante galerie de portraits photo du peintre, dont *Picasso et les petits pains* de Doisneau. C'est d'ailleurs l'un des seuls musées des Beaux-Arts en France à donner une telle importance à l'art de la photographie. Et que tout cela ne vous interdise pas d'ouvrir l'œil sur les superbes décors du bâtiment : cour intérieure avec gargouilles, escalier en pierre, plafonds à la française...

♜♜ **Le Museon Arlaten** *(plan couleur B2-3)* : *29-31, rue de la République, dans l'hôtel de Laval-Castellane.* ☎ *04-90-93-58-11. Réouverture prévue en 2018.* Le « panthéon de la culture provençale », créé en 1896 par Frédéric Mistral lui-même, se refait une beauté.

Sur les pas de Van Gogh

Visite guidée « Sur les traces de Vincent Van Gogh » par l'office de tourisme pour découvrir les lieux qu'il a peints et où il a vécu. Lun, mer et ven à 18h30 juil-août. Tarif : 6 €. Également un circuit piéton autonome (brochure à l'office de tourisme). Van Gogh séjourna à Arles en 1888, au 2, place Lamartine, où il habita une maison de quatre pièces. Le musée d'Orsay, à Paris, possède une version du célèbre tableau intitulé *La Chambre*, celle que l'artiste décida de peindre un jour où le mistral était si fort qu'il lui était impossible de travailler à l'extérieur. Cette ville fut pour lui la révélation de la lumière du Midi. Y compris de nuit... vous ne manquerez pas le *Café de nuit* toujours debout et dont la façade a été repeinte en jaune (mais non, le jaune du tableau c'était l'éclairage venant du bar... les murs étaient blancs, eux !). Vincent réalisa plus de 200 peintures et 200 dessins rien qu'à Arles. Malheureusement, on ne trouve plus guère ici d'œuvres de Van Gogh. Chacun peut suivre, à son rythme, l'itinéraire balisé en centre-ville. On peut même pousser jusqu'au pont de bois de Langlois (dit pont Van-Gogh).

♜♜ **La Fondation Van-Gogh-Arles** *(plan couleur B2)* : *35 ter, rue du Docteur-Fanton.* ☎ *04-90-93-08-08.* ● *fondation-vincentvangogh-arles.org* ● *Tlj*

11h-19h (dernières admissions 45 mn avt fermeture). Fermé 1er janv et 25 déc. Entrée : 9 € ; réduc ; gratuit moins de 12 ans. Billet combiné avec le musée Réattu : 12 €. Visites guidées sur résa. Installée dans un bâtiment historique du XVe s (dont on ne voit plus grand-chose), l'hôtel Léautaud de Donines, la Fondation accueille des œuvres d'art contemporain, mais aussi une toile de Van Gogh (dans une belle salle lambrissée) et deux salles dédiées à ses dessins. Il n'avait visiblement pas encore eu la révélation de la lumière ni de la couleur... Ah, si ! la toute dernière œuvre qui finit bien (ou mal) l'exposition sur une touche colorée : la porte de l'asile.

⚘ L'espace Van-Gogh (plan couleur A-B3) : pl. Félix-Rey. ☎ 04-90-49-39-39. Accès tlj jusqu'à 19h. Installé dans l'ancien hôtel-Dieu (remarquablement restauré) où séjourna Van Gogh, après sa dispute avec Gauguin. Le cloître, où glougloute une fontaine, est fleuri comme à son époque. L'ancien hôpital a été transformé en annexe de la faculté et abrite une bibliothèque-médiathèque ainsi que des salles d'exposition.

> **GAUGUIN, PEINTRE GÉNIAL, HOMME SORDIDE**
>
> *D'abord agent de change, Gauguin décida de se consacrer entièrement à la peinture. Il partit à Copenhague avec son épouse danoise et ses cinq enfants. La misère venant, il abandonna sa famille pour s'installer avec ses copains, à Pont-Aven puis Arles. Enfin, départ pour la Martinique et escale finale aux Marquises. Là, il offrit la syphilis à toutes les très jeunes filles de rencontre...*

⚘ Le pont Van Gogh : à env 15 mn à pied du bd Clemenceau (hors plan couleur par A3). Suivre la direction Port-Saint-Louis, puis tourner à gauche après le pont. Pour s'échapper un peu de la ville, une gentille balade, à faire à pied comme à vélo. Les paisibles berges du canal, où mouillent une poignée de péniches, mènent jusqu'au vrai-faux pont Van-Gogh. Car l'original ayant été détruit, celui qu'on voit désormais a été démonté à Port-de-Bouc et remonté ici.

Autour du centre ancien

⚘ Le quartier de la Roquette (plan couleur A2-3) : un quartier populaire un brin bohème des bords du Rhône, où l'on se plaît à flâner. Il a conservé son aspect du XVIIe s, quand Arles était un grand port fluvial et qu'y vivaient marins, pêcheurs et débardeurs. Peu d'hôtels particuliers, à la différence des autres quartiers, mais de beaux ensembles de petites maisons de un à deux étages, aux mille et un détails architecturaux.

⚘⚘⚘ 🚶 Le musée départemental de l'Arles antique (hors plan couleur par A3) : av. de la 1re Division-de-la-France-Libre. ☎ 04-13-31-51-13. ● arles-antique.cg13.fr ● ♿ Navettes gratuites Envia depuis le centre-ville. Tlj sf mar 10h-18h. Fermé 1er janv, 1er mai, 1er nov et 25 déc. Entrée : 8 € ; réduc ; gratuit moins de 18 ans et le 1er dim du mois. Visite guidée dim : thématique à 11h, classique à 15h (2 € en sus du prix d'entrée). Parking gratuit.
Dans un parcours thématique et chronologique ponctué de magnifiques maquettes, l'histoire de la ville, de ses monuments et de ses habitants se déroule, richement illustrée d'œuvres prestigieuses : statue monumentale de l'empereur Auguste, statue en bronze d'un captif, superbe d'expressivité, aériennes danseuses de marbre ou mosaïques aux couleurs fraîches qu'on admire depuis une passerelle. La statue censée représenter César, retrouvée dans les eaux du Rhône, trône en majesté (il devait passer ses journées au gymnasium club !)
Chaland gallo-romain superbement conservé, daté des années 50-60 apr. J.-C., découvert dans le fleuve et présenté dans le musée comme s'il était à quai. Cette

ARLES

étonnante péniche de 30 m de long est complète avec son gouvernail, son mât, son chargement de pierres. Tout autour, plus de 400 objets évoquent le rôle du Rhône dans l'Antiquité, le port et ses activités, ainsi que le commerce maritime. De superbes poids de balance en forme de bustes, des ancres et amphores de toutes dimensions. Plus loin, les objets les plus massifs (chapiteaux, fragments de bas-reliefs...) voisinent les plus petits, d'une incroyable finesse (aiguilles, osselets, pions de jeu, hochet d'enfant...).

Les environs d'Arles, les Alpilles, la Camargue et la Crau n'ont pas été oubliés par les archéologues. Stèles, linteaux, meules... décorés de scènes agricoles tradui-sent l'appartenance d'Arles au monde méditerranéen du blé, de l'huile et du vin.

Une visite qui est le pendant indispensable à la découverte des monuments arlésiens, et qu'on peut compléter par celle du *jardin Hortus* *(mêmes horaires que le musée ; GRATUIT)*, reconstitution unique en son genre d'un jardin-hippodrome d'après une description de Pline le Jeune. Un espace à la fois bucolique et pédagogique ; des jeux éducatifs pour les enfants ponctuent les divers espaces thématiques. C'est, en partie, dans ce jardin que se tiennent la dernière semaine d'août les manifestations d'Arelate, un Festival de la roma-nité, où l'on peut apprendre à se vêtir comme un Romain, à combattre comme un gladiateur ou à piloter un char de course et où se tiennent bien d'autres manifestations.

⌖ 🎥 **Les Alyscamps** *(hors plan couleur par C3) :* tlj 9h-19h (18h avr et oct, 17h nov-mars). Entrée : 4,50 € ; billet couplé avec le cloître Saint-Trophime : 8 € ; réduc ; gratuit moins de 18 ans accompagnés. Visite guidée ven slt en juil-août, à 16h. Le mot vient d'*Elysii Campi* (Champs-Élysées). L'allée est bordée de tom-beaux à l'ombre des cyprès, et mène à une église romane (XIIᵉ s) coiffée d'une tour lanterne octogonale. C'est le reste d'une nécropole aussi immense que célèbre (Dante l'évoque dans son *Enfer*) où, pendant 15 siècles, de nombreux chrétiens choisirent d'avoir leur sépulture. Pour expliquer le nombre de tombes – des milliers sur près de 2 km de long –, une légende tenace prétendait que Charlemagne avait livré ici bataille aux Sarrasins. L'allée actuelle, plus modeste, a été aménagée par les Minimes (ordre religieux) au XVIIIᵉ s.

Fêtes et manifestations

Ouf ! Les raisons de sortir sont multiples à Arles : culture, traditions, tauromachie, tout y passe. Voici une sélection de ce qu'offre l'agenda des manifestations. Pour le reste, renseignez-vous auprès de l'office de tourisme.

– *Feria de Pâques :* 4 j. autour du w-e de Pâques. Corridas à pied ou à cheval, *abrivados,* bodegas, expositions...

– *Fête des Gardians :* 1ᵉʳ mai. Date anniversaire de la fondation de l'antique confrérie des *gardians de Saint-Georges* en 1512. Les gardians vont saluer la sta-tue de Frédéric Mistral sur la place du Forum, et toute la journée est consacrée aux cérémonies (ne pas louper la messe des gardians sur le parvis de Notre-Dame-la-Major) et aux spectacles taurins et équestres des arènes. Tous les 3 ans, on élit la reine d'Arles (prochaine élection en 2017).

– *Festival de la Photo de nu :* 12 j. début mai. ☎ 04-90-96-82-93. ● fepn-arles. com ● Arles artistement mis à nu.

– *Fête de la Saint-Jean :* fin juin. Elle donne lieu, sur l'esplanade Charles-de-Gaulle, à de nombreuses danses arlésiennes autour du feu et à une distribution de pain bénit au son du fifre et du tambourin.

– *Pegoulado :* dernier ven de juin ou 1ᵉʳ juil. Grand défilé folklorique. Arlésiennes en grande tenue avec leur fichu de dentelle blanche et leur coiffe. Un costume datant du début du XXᵉ s nécessitant des heures de préparation.

– *Fête du Costume et Cocarde d'or :* 1ᵉʳ dim de juil. Les plus beaux costumes et les plus beaux rubans sont sortis des malles. Chatoyant défilé qui se termine par une fête au théâtre antique. Intronisation de la reine d'Arles. Le lundi suivant se déroule une ancienne (elle a été créée en 1930) et prestigieuse course à la cocarde.

– *Rencontres d'Arles (ex-Rencontres internationales de la photographie) : les rencontres ont lieu la 1re sem de juil., mais les expos durent en général jusqu'à mi-sept. Rens :* ☎ 04-90-96-76-06. ● *rencontres-arles.com* ● Créées en 1970, notamment par le photographe arlésien Lucien Clergue et l'écrivain Michel Tournier, elles sont devenues un rendez-vous mondial où se côtoient tous les genres photographiques.

– *Les Suds à Arles : mi-juil.* ● *suds-arles.com* ● Chaque été, le temps d'une semaine, toute la musique du monde s'invite pour une grande fête populaire à l'accent de tous les Suds. L'événement a fêté sa 20e édition en 2015.

– *Les Escales du Cargo : 4 j. fin juil.* ● *escales-cargo.com* ● Le *Cargo de Nuit* (voir « Où sortir ? ») sort de sa boîte pour enflammer les arènes avec de grosses pointures (Simple Minds, Bryan Ferry, les Chedid, Julien Doré...).

– *Feria du Riz : 2e w-e de sept.* Festival du Cheval et Camargue gourmande, corridas, bandas et bodegas. La petite sœur de la feria de Pâques.

– *Salon des santonniers : les 2 mois précédant Noël.* De quoi agrémenter sa crèche de nouveaux petits personnages hauts en couleur.

Spécial feria

La feria de Pâques à Arles marque traditionnellement le début de la saison taurine (la *temporada*) en France. C'est dire son importance. Des milliers d'aficionados privés de *toros* par l'hiver viennent ici célébrer le retour du culte païen. La vieille ville se fait intégralement piétonne, les hôtels sont pleins, les restaurants adoptent des menus spéciaux, les bandas (fanfares) envahissent les rues, tout comme les camelots et autres marchands de *churros*... Si vous n'avez rien réservé au moins 2 mois à l'avance, allez tenter votre chance à l'office de tourisme, qui dispose d'un central de réservations des hébergements, et profitez-en pour demander la liste des événements, expositions, lieux incontournables du moment.

Voiture et stationnement

Circulation interdite dans tout le centre-ville. Le parking des Lices est accessible par la rue Émile-Fassin. L'office de tourisme donne un plan des autres parkings et des navettes gratuites qui rejoignent le centre (dont certaines venant des villes alentour). Une bonne idée consiste à se garer dans le quartier de Trinquetaille et à traverser le pont à pied. Doit-on préciser qu'il ne faut rien laisser dans les voitures ?

Les bodegas, les restos

Ouvertes par les associations taurines, les bodegas essaiment les rues. C'est là qu'on fait de joyeuses rencontres et qu'on s'amuse le plus : il y a les classiques (*L'École Taurine, La Muleta*...), les branchées (*Los Ayudantes*...), les andalouses... Elles servent à boire jusqu'à 3h et ferment impérativement à 4h, mais après minuit, le vin tourne parfois au vinaigre. Pour les repas, tous les restaurants proposent un menu spécial, à vous de choisir.

Les arènes

– *Location de places par courrier :* arènes d'Arles, BP 42, 13633 Arles Cedex. ☎ 0891-700-370 (0,225 €/mn). ● *contact@arenes-arles.com* ● *arenes-arles.com* ● Une superbe ellipse de 14 000 places. Le coup d'œil est magnifique, mais il vaut mieux investir dans des places appelées « Tribunes » (environ 100 €) ou « Premières » et « Toril bas » (65 à 80 €). Au-delà, on commence à être un peu haut pour saisir les nuances du jeu, ou alors apporter des jumelles. En revanche, tout en haut, sur les gradins (de 19 à 53 €, tout de même), on a une très belle vision panoramique.

L'arène étant ouverte à tous les vents, pensez à emporter un pull (très important quand le vent se lève), un K-way et un chapeau si le soleil tape.

Itinéraires de feria

Le cœur de la feria reste la **place du Forum** (plan couleur B2) et les rues adjacentes. Les alentours des arènes et le boulevard des Lices sont un peu trop livrés aux marchands de merguez pour être agréables. Plus populaires, plus jeunes, les alentours de la place Voltaire et de la rue de la Cavalerie ont leurs fidèles. C'est là qu'ont généralement lieu les *encierros* (lâchers de taureaux). En fait, il existe des dizaines d'itinéraires de feria. Suivez votre inspiration et vos amis du moment.

LE PARC NATUREL RÉGIONAL
DE CAMARGUE

Bienvenue en Camargue, terre lointaine, isolée, séparée du reste de la France par les deux bras du Rhône à son embouchure. Cette terre venue d'ailleurs, formée par les alluvions déposées au fil des siècles, avant que, à la fin du XIXe s, l'endiguement ne donne enfin un lit à ce fleuve. Le delta, longtemps hostile, a alors été apprivoisé, domestiqué par l'homme et ses roubines, ces canaux qui le sillonnent en tous sens.

La Camargue, c'est une « île », parfaitement délimitée au nord par Arles, au sud par la mer Méditerranée et qui s'étend aussi sur le département du Gard (voir le *Routard Languedoc-Roussillon*). Et elle ne manque ni de ponts ni de bacs pour l'aborder.

Ce plat pays paraît monotone à première lecture à qui ne se laisse pas aller à apprécier les jeux du soleil sur le vert des rizières ou le rose des salins, à quitter les grands axes pour les chemins de traverse, à abandonner sa voiture pour un vélo ou un cheval, à s'enfoncer dans les marais à pied et chaussé de bottes.

La Camargue est une terre de traditions bien vivantes. Vous n'aurez pas à aller loin pour voir apparaître un gardian à cheval, chapeau de feutre noir vissé sur la tête... Des hommes forgés par un territoire difficile à apprivoiser. La Camargue préfère ses moustiques aux touristes qui ne la respecteraient pas. Car ces 75 000 ha de sable, de marécages, d'étangs,

STAGES COMMANDO

Première ébauche de stages commando, les templiers venaient s'exercer ici, dans les marais hostiles. Aujourd'hui, en Camargue, on ne joue plus à la guerre. Les seuls canons que l'on entend tonner sont des effarou-cheurs, destinés à faire fuir les flamants roses qui picorent les rizières.

de rizières, de roselières et de bois craignent autant les flux touristiques que la montée des eaux.

Le véritable roi de la Camargue n'est ni le cheval blanc et ses nobles cavalcades, ni le flamant rose dont l'envol est un ravissement, mais le noir taureau. Un *toro* venu d'Espagne et destiné à la corrida mais que l'on consacre ici à la course camarguaise, bien moins cruelle. Il règne ainsi sur toutes les fêtes populaires (voir la rubrique « Tauromachie » du chapitre « Hommes, culture, environnement »).

Toutes les activités économiques de la Camargue sont réparties selon la salinité des terres, les plus basses – autour de l'étang du Vaccarès – étant consacrées à la riziculture et à l'élevage. Quant à la pêche, elle se pratique dans les étangs et les grands canaux, sur des barques à fond plat que les pêcheurs poussent avec leur « partègue » (sorte de perche). Si l'on trouve anguilles et mulets sur toutes les tables, la spécialité saintoise reste la telline, petit coquillage cuisiné avec une persillade ou accompagné d'un aïoli. Un régal...

Quelques conseils (toujours) utiles

Déclarée parc naturel régional en 1967, la Camargue est un espace que chaque visiteur doit être soucieux de préserver.

Pour observer les animaux, patte de velours et discrétion sont de mise. Évidemment, vous ne verrez rien de bien exceptionnel depuis votre voiture lancée à 80 km/h sur la départementale, alors levez le pied ! Prenez le

DES LÉZARDS DE HAUT VOL

Les oiseaux descendent des reptiles marins. En sortant de la mer, voici des millions d'années, certains ont, peu à peu, transformé leurs écailles en plumes, bien plus légères, pour prendre la voie des airs.

temps et privilégiez les petits chemins (certains sont carrossables par temps sec), la marche à pied ou le vélo. Pensez à vous munir de bonnes jumelles et d'un appareil photo adapté. 350 espèces séjournent en Camargue à différentes périodes de l'année, mais vous n'en verrez en abondance que d'août à mars, le printemps n'étant propice qu'à quelques oiseaux nicheurs. Les flamants roses restent, eux, toute l'année.

Puisqu'on parle de bestioles qui fâchent, celles que vous êtes sûr de rencontrer sont les... moustiques, particulièrement en forme de mai à juin et de septembre à novembre : prenez vos précautions. Les eaux de certaines plages abritent également des vives, sympathiques poissons planqués dans le sable, dont l'arête dorsale provoque de très... vives piqûres si l'on marche dessus. Sandales conseillées.

LE VACCARÈS   *Carte Bouches-du-Rhône, A-B3*

Arles, on l'oublie souvent, est la commune la plus étendue de l'Hexagone. Son territoire, qui se prolonge jusqu'à la mer (soit à 45 km du centre-ville), englobe une grande partie de la Camargue, dont le plus grand de ses étangs, le Vaccarès. Ce sont les Romains qui l'ont d'ailleurs baptisé ainsi (*Vaccarum Regio*, le « pays des Vaches »). Mais c'est surtout un lieu de prédilection pour les bêtes à plumes, car cet étang vaste (600 ha environ) et peu profond (2 m au maximum), isolé de la Méditerranée par la digue à la mer, abrite des volatiles en pagaille : des plus faciles à repérer (canards, foulques et les inévitables flamants roses) aux plus discrets, comme le rollier d'Europe.

➤ Quitter Arles par la D 570, prendre la D 36 (direction Salin-de-Giraud) puis, 4 km plus loin, s'engager à droite sur la D 36B, direction Gageron. Après 9 km, la route suit au plus près la rive est de l'étang. Si vous ne deviez suivre qu'une route en Camargue, que ce soit celle-là !

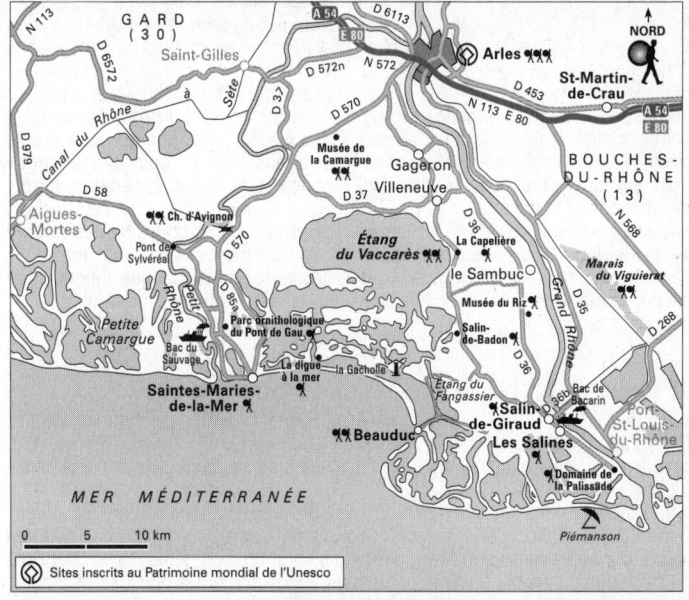

LA CAMARGUE

LA CAMARGUE

Où dormir ? Où manger autour du Vaccarès ?

De prix moyens à chic

🏠 I●I *Hôtel Longo Mai :* 10, route de l'Abrivado, 13200 *Le Sambuc.* ☎ 04-90-97-21-91. ● jray13200@ aol.com ● longomai.com ● Sur la D 36, au centre du Sambuc. Resto le soir slt. Congés : 1er nov-20 mars. Doubles 68-84 € selon confort et saison. ½ pens possible. Menus 19-30 €. 📶 Des chambres un peu à l'ancienne mais proprettes et agréables, surtout celles avec une petite terrasse donnant sur la Camargue. Quelques-unes dans des bungalows également. Salle rustico-cossue, un peu à l'ancienne elle aussi, pour une très classique cuisine de pays. Le patron, ancien danseur, pourra vous raconter le *Moulin-Rouge*, Line Renaud et les *Folies-Bergère.* En pleine Camargue, ça ne manque pas de sel !

🏠 *Mas du Petit Romieu : Villeneuve-Camargue.* ☎ 04-90-97-00-27. ● sntm@wanadoo.fr ● petitromieu. camargue.fr ● Depuis la D 36 (Arles/ Salin-de-Giraud), prendre la D 37 direction Albaron, puis la D 36B à gauche direction La Capelière ; emprunter enfin la piste sur la gauche (fléché) sur env 1,5 km. Fermé les w-e à partir de fin août. Doubles 62-82 € selon confort et saison. 📶 Paumé en pleine nature, entre roubines et jardin, ce petit mas, qui ne paie pas de mine de prime abord, abrite au rez-de-chaussée une grande salle à manger à l'ancienne flanquée d'une jolie cheminée en pierre. À l'étage, belles et vastes chambres lovées sous la pente du toit, avec pierre apparente. Cuisine à disposition. Accueil chaleureux.

I●I *L'Estrambord :* D 36, *Le Sambuc.* ☎ 04-90-97-20-10. ● restaurant. estrambord@wanadoo.fr ● Au centre

LA CAMARGUE

du hameau. Tlj sf dim. Ouv le midi slt. Menus 15,50-23 € en sem ; 25-28 € le w-e. Auberge de bord de route à l'ancienne où convergent les gens du cru, bien informés que derrière la terrasse sans ambages et la salle rustique campagnarde se cache une excellente table. Rien de chichiteux côté service, mais un bon parti côté fourneaux. On débute par la spécialité locale, une brassée de tellines ou de bulots, suivis d'une daube, ou de taureau, suivis d'une crème brûlée à la lavande. Une bonne étape entre deux vols de flamants roses.

|●| La Telline : *route de Gageron, Villeneuve-Gageron.* ☎ 04-90-97-01-75. *À 1 km au nord du croisement entre la D 36B et de la D 37. Tlj sf mar-mer et jeu midi. Plat du jour 25 €, carte env 45 €. CB refusées.* Malgré des tarifs un poil élevés, voilà une adresse simple et bonne dont ce coin de Camargue conserve le secret. Une vieille ferme, son paisible jardin, du poisson frais simplement grillé et des tellines pour ne pas faire mentir l'enseigne. Très bons desserts. Un lieu rustique, intime, charmant, à l'image des propriétaires.

À voir. À faire autour du Vaccarès

🐾 👣 **La Capelière :** *à 20 km d'Arles et de Salin-de-Giraud. Le long de la D 36B, au bord du Vaccarès.* ☎ 04-90-97-00-97. ● reserve-camargue.org ● ♿ *(pour 3 postes d'observation). Avr-sept, tlj 9h-13h, 14h-18h ; oct-mars, tlj sf mar 9h-13h, 14h-17h ; fermé 1er janv et 25 déc. Entrée : 3 € ; réduc ; gratuit moins de 12 ans.* Centre d'information de la réserve nationale de Camargue (13 200 ha), avec un centre d'interprétation comptant des aquariums, coupes géologiques... et doté de quelques panneaux très instructifs pour mieux cerner les réalités historiques, économiques et écologiques de la Camargue. On s'y procure un plan des balades à faire dans la réserve : sentier de découverte (1,5 km, soit 45 mn de balade) à travers des paysages typiques de la Camargue, jalonnés de panneaux explicatifs et de quatre observatoires pour apercevoir les oiseaux (discrets quand il y a foule...).

🐾 **Salin-de-Badon :** *sur la rive du Vaccarès, 6,5 km au sud de La Capelière. Accès (3 € ; réduc ; billet combiné avec La Capelière 4,80 €) sur résa auprès du centre de La Capelière. Ouv du lever au coucher du soleil.* Au cœur de la réserve nationale, dans un site très protégé dont l'accès est réglementé (jauge de visiteurs quotidiens). On croise donc beaucoup moins de monde qu'ailleurs le long des 4,5 km de sentiers aménagés à travers une ancienne saline royale. Des conditions bien favorables à l'observation de la faune locale. Panneaux explicatifs le long du parcours.

🐾 **La digue à la mer :** construite entre 1857 et 1858, cette digue a fait perdre au Vaccarès son fonctionnement naturel, empêchant la mer de remonter dans l'étang. Accès automobile (par une piste pas mal défoncée) possible jusqu'au parking de la Gacholle. Ensuite, possibilité de suivre la digue à pied (ou à VTT) jusqu'aux Saintes-Maries-de-la-Mer. Compter 5h aller (topoguide dans les offices de tourisme) ; attention, ni eau ni ravitaillement en nourriture le long du parcours. Balade un peu éprouvante les jours de mistral. Prenez le temps d'observer les multiples animaux entre les étangs et la plage, comme le lézard des sables, le héron pourpré ou cendré, le ragondin (non, ce n'est pas un castor !)... Pour une balade plus courte, on peut emprunter, 2 km après le phare de la Gacholle, le chemin des Douanes, qui rejoint la plage à travers les dunes. Au phare, petit centre d'informations sur la réserve, avec expo sur le littoral *(ouv w-e, j. fériés et pdt les vac scol, 11h-17h).*

➢ D'autres circuits de randonnée sont détaillés dans un topoguide disponible auprès des offices de tourisme d'Arles et de Salin. Attention, il n'existe pas de sentiers balisés en Camargue, et entre rizières, marais et étangs, la région se révèle vite labyrinthique. Carte IGN au 1/50 000 indispensable, donc.

SALIN-DE-GIRAUD

(13129)　　　　2 100 hab.　　*Carte Bouches-du-Rhône, B3*

L'arrivée dans le bourg provoque un petit choc : n'étaient les platanes, on se croirait dans le Nord, au milieu des corons ! Maisons de brique toutes identiques, allées tirées au cordeau... Une cité ouvrière construite à la fin du XIXᵉ s par les entreprises salinières et chimiques pour loger dans ce coin paumé une main-d'œuvre venue du pourtour méditerranéen et même d'Arménie, ce qui explique la petite église orthodoxe toute blanche du bout du bourg. Les salines sont les plus étendues d'Europe.

Adresse et info utiles

🛈 Office de tourisme : *dans la mairie annexe.* ☎ 04-42-86-89-77. *Ouverture variable, téléphoner avt.*
➢ Le bac de Barcarin : ● *smtdr. camargue.fr* ● *Fléché depuis Salin.* *Renseignez-vous pour les horaires ; traversée : 5 €.* Il permet de relier les deux rives du canal, entre Salin et Port-Saint-Louis (pratique pour ceux qui rallient Martigues).

Où dormir ? Où manger ?

🏠 ⦿ Les Saladelles : *4, rue des Arènes.* ☎ 04-42-86-83-87. ● *lessaladelles@hotmail.fr* ● *Resto fermé lun nov-mars. Congés : vac de Noël. Doubles 32-50 € (sanitaires extérieurs), 55-66 € (tt confort). Menu pensionnaires 15 € ; autres menus 23-29 €.* 📶 *Digestif offert sur présentation de ce guide.* Un genre d'auberge de campagne en ville, si l'on peut dire. Grande salle à l'ancienne ou terrasse, pour une généreuse cuisine traditionnelle additionnée des inévitables spécialités locales (gardiane, pavé de taureau, tellines...). Chambres modestes mais spacieuses, fraîches, et profitant même d'un petit charme rétro. Bon accueil.

Où acheter du vin ?

⚜ Caves du Domaine de l'Isle Saint-Pierre : *sur l'autre rive du canal. Fléchage depuis la D 35 entre Mas-Thibert et Port-Saint-Louis.* ☎ 04-90-98-70-30. *Tte l'année, tlj sf sam ap-m, dim et j. fériés 9h-12h, 14h-18h.* Des vins remarquables d'équilibre, produits par les 3ᵉ et 4ᵉ générations d'une famille de viticulteurs : Patrick, Marie-Cécile Henry et leurs enfants.

DANS LES ENVIRONS DE SALIN-DE-GIRAUD

🦩 Les salines : *2 km au-delà de Salin sur la D 26 en direction de la mer.* Un point de vue aménagé permet d'avoir une... vue d'ensemble du site. Comment cela fonctionne-t-il ? Entre mars et septembre, l'eau pompée dans la mer circule dans les bassins de décantation, parcourant plus de 50 km de canaux. Lorsque la concentration de 260 g par litre est atteinte, le sel commence à se déposer sous l'effet de l'évaporation. Selon le niveau de décantation, les bassins couvrent toute une gamme de tons : bleus, blancs, violacés... À la fin du cycle, le sel est récolté et mis en pyramides, que l'on appelle les « camelles ». Ces minimontagnes de sel sont les seuls reliefs du delta du Rhône !

🎋 🏃 *Le parc national de Camargue – Domaine de la Palissade :* *route de la Mer.* ☎ 04-42-86-81-28. ● *palissade.fr* ● *À 10 km de Salin-de-Giraud par la D 36. En principe tlj 9h-17h (18h de mi-juin à mi-sept). Fermé 1er janv, 1er mai, 11 nov et 25 déc. Entrée : 3 € ; gratuit moins de 12 ans. Balades pédagogiques à cheval, tlj avr-oct sur résa. Compter 18-45 € 1-3h. Loc de jumelles.* C'est l'une des premières acquisitions du Conservatoire du littoral en Camargue. Un des derniers espaces à n'avoir été que peu exploités par l'homme. Plus de 700 ha de paysages emblématiques à parcourir à travers plusieurs sentiers de découverte (de 30 mn à 3h ; dépliant explicatif).

⌂ *La plage de Piémanson :* *accès par la D 36 depuis Salin-de-Giraud.* Longue (25 km) plage de sable typique de cette côte. Après avoir observé les bêtes à plumes du Vaccarès, on est ici dans le domaine des humains... à poil. Attention, la baignade peut être dangereuse.

🎋🎋 *La pointe de Beauduc :* à 17 km de Salin, ni très bien indiquée ni vraiment facile d'accès. Attention, chemin chaotique ! Au départ d'Arles prendre la D 36 en direction de Salin-de-Giraud. À 2 km au nord de Salin (D 36), bifurquer à gauche direction Vaccarès (D 36B) ; à 2 km à gauche vers « La Bélugue » ; 2 km plus loin, au carrefour en T à droite, puis continuer tt droit jusqu'au début d'une piste de 10 km env. Au passage, allez jeter un coup d'œil à l'*étang du Fangassier,*

> ## UNE CRÈCHE POUR BÉBÉS FLAMANTS
>
> *Les flamants pondent un œuf unique, placé au sommet d'un monticule en forme de cône que mâle et femelle couvent à tour de rôle pendant 1 mois. Les naissances ayant lieu quasiment en même temps, la colonie installe un système de « crèche », où seules quelques dizaines de parents assurent la surveillance de plusieurs milliers de jeunes qui cancanent allègrement !*

un havre de douceur et de beauté où, d'avril à mi-juillet, 10 000 couples de flamants roses évoluent avec grâce et volupté. C'est la période de la nidification. N'hésitez pas à questionner les gardes, qui sont une mine d'informations sur la Camargue et ses échassiers mystérieux. La *plage de Beauduc* pointe l'extrême sud de la Camargue. Par sécurité, mieux vaut stationner à l'entrée de la plage, non loin de la station de pompage. Les anciens surnommaient Beauduc « la fin du monde », à cause de ses cabanons rapiécés de tôle et de planches rongées par le sel et le temps, noyés parmi les carcasses de camions et de bus rouillées. Bref, les autorités sont allées mettre (leur) bon ordre dans ces logements en rasant tout. Désormais, il reste quelques cabanons historiquement bâtis sur les terrains (privés) des salins. Quant au camping : autorisé puis toléré en été, autant vous renseigner avant car ses jours semblent comptés.

🎋🎋 🏃 *Les marais du Vigueirat :* ☎ 04-90-98-70-91. *Par le bac de Barcarin (voir plus haut « Adresse et info utiles ») ; prendre ensuite la D 35 vers Arles ; à 17 km (Mas-Thibert), début du fléchage à droite qu'on suit sur 1,5 km. Fermé de mi-déc à mi-janv.* Près de 1 200 ha, propriété du Conservatoire du littoral qui bénéficie d'un classement en réserve naturelle nationale. D'avril à septembre, buvette et petite restauration bio. Location de jumelles.

➤ *Les sentiers des cabanes et de la Palunette :* 🐾 *Accès tlj du lever au coucher du soleil. Accès libre (petit guide facultatif 3 €).*
À travers d'anciens canaux de rizières, sentiers sur pilotis jalonnés de petites cabanes où découvrir la sensation de marcher dans les roseaux, reconnaître les animaux grâce à leurs excréments (avec un crottomètre !)... Livret-jeux plein de devinettes. Mine de rien, on y a appris qu'il n'y a que madame moustique qui pique et que seul monsieur cigale chante... Pédagogique !

Visites guidées

➤ **Sentier de la Palunette :** *tlj sf sam avr-sept à 10h30, 11h30, 14h30, 15h30 et 16h30. Tarif : 5 € ; réduc.* Une courte visite (1h) pour apprendre à observer et se familiariser avec la Camargue.

➤ **Randonnées nature :** *dim et j. fériés à 10h en fév-mars et oct-nov ; mer et dim à 9h30 avr-juin et sept. Résa obligatoire. Tarif : 17 € ; ½ tarif pour les 6-17 ans. Durée : 6h. Prévoir de bonnes chaussures et un pique-nique.* Balade de 5 km dans le marais, accompagnée d'un naturaliste. Tours et observatoires permettent de voir sans être vu de nombreux oiseaux : les 280 espèces (et plus) dénombrées sur le site représentent la moitié environ du nombre total d'espèces recensées en France. Veinards !

➤ **Visite guidée nature :** *avr-sept, tlj à 14h30, plus 10h30 tlj en juil-août (mer et dim slt avr-mai et sept). Résa obligatoire. Tarif : 13 € ; ½ tarif pour les 6-17 ans.* Même programme que la randonnée mais en plus court (2h).

➤ **Balade en calèche :** *avr-sept, tlj (sf lun avr-juin et sept) à 10h et 15h ; oct, mer et dim et j. fériés à 14h30. Sur résa. Tarifs : 15 € ; ½ tarif pour les 6-17 ans ; gratuit moins de 6 ans.* Balade de 2h à travers des espaces naturels protégés, au rythme des chevaux.

🎣 **Le musée du Riz :** *rizerie du Petit-Manusclat,* **Le Sambuc.** ☎ 06-38-16-56-90. ● *museeduriz. fr* ● ﹠ *(sf 1er étage).* Au bord de la D 36, à 4 km au sud du Sambuc. *Mars-nov, mar (plus jeu juil-août) 9h-12h30, 14h-18h. Sur rdv le reste du temps. Entrée : 6 €.* Tout sur l'histoire du riz et de sa culture... Ce n'est pas le delta du Mékong mais presque ! Petit musée rassemblant outils, machines et documents, imaginé par Robert Bon, riziculteur amène et amoureux de la vie. Boutique de produits du terroir.

RIZ AMER

Le riz est cultivé dans le sud de la France depuis le XIIIe s. Mais si Henri IV développe la riziculture en Camargue, les rizières ne s'y sont vraiment étendues qu'au cours de la Seconde Guerre mondiale. Dès le début du conflit, l'État français avait recruté de force des paysans indochinois pour remplacer, notamment dans les poudreries, les Français mobilisés. Le gouvernement de Vichy profita ensuite, pour faire face à la pénurie alimentaire, du savoir-faire de cette main-d'œuvre dans les rizières de Camargue. Une main-d'œuvre très, très bon marché (pas vraiment payée, en fait...) et souvent maltraitée.

LA ROUTE D'ARLES AUX SAINTES-MARIES-DE-LA-MER

🎣 🚶 **Le musée de la Camargue :** *mas du* **Pont-de-Rousty.** ☎ 04-90-97-10-82. ● *parc-camargue.fr* ● Sur la D 570, à 12 km d'Arles et 27 km des Saintes. *Avr-sept, tlj sf mar 9h-12h30, 13h-18h ; oct-mars, tlj sf mar 10h-12h30, 13h-17h ; fermé 1er janv, 1er mai et 25 déc. Entrée : 5 € ; réduc ; gratuit moins de 10 ans et le 1er dim du mois.* Récemment rénovée dans une logique de développement durable, la bergerie, sous sa charpente d'origine, propose une immersion dans la Camargue d'hier et d'aujourd'hui avec l'exposition permanente *Le fil de l'eau, le fil du temps.* Pièces historiques, installations interactives, ludiques, sonores, vidéos et œuvres d'art contemporain invitent petits et grands à surfer entre passé, présent et futur, loin des clichés véhiculés.

➤ **Sentier de découverte** *(3,5 km ; durée env 1h30) : accès libre.* Horizons, œuvres de Tadashi Kawamata. Le belvédère, près du musée, marque le départ du chemin qui conduit jusqu'à l'observatoire des oiseaux dans le marais. On suit alors le canal d'irrigation des rizières. À faire à pied ou à vélo. Aire de pique-nique ombragée.

LA CAMARGUE

🕴🕴 *Le château d'Avignon :* sur la D 570. ☎ 04-13-31-94-54. Avr-sept, tlj sf lun-mar et 1er mai, 9h45-18h ; nov-mars, groupes slt. Visite libre (audioguide) possible. Entrée : 4 € ; réduc ; gratuit moins de 18 ans. Accès gratuit au parc. Très bel ensemble classique du XVIIIe s, réaménagé en 1893 en pavillon de chasse par Louis Noilly-Prat, riche négociant en vin marseillais. Superbement conservé, le mobilier, les équipements, les décors permettent d'apprécier l'opulence de ce riche – pour certains du moins – XIXe s. Marqueterie de marbre(s) au sol de la salle à manger ; murs lambrissés du superbe grand salon, tapisseries des Gobelins et de Beauvais... Les pièces plus remarquables – rarement visibles dans ce type de maison – sont finalement l'office avec son coffre-fort pour l'argenterie et la vaisselle fine, la cuisine à la pointe de la technologie d'alors, la laverie avec son immense évier en pierre et son plus petit en zinc pour la vaisselle fragile, les salles de bains avec des baignoires dans les parois desquelles circulait de l'eau chaude pour maintenir le bain à température plus longtemps. On ne vous dit pas tous les détails pour vous laisser apprécier la qualité du commentaire des audioguides... Immense et beau parc (pique-nique interdit).

🕴🚶 *Le parc ornithologique du Pont-de-Gau :* 4 km avt les Saintes, sur la D 570 venant d'Arles. ☎ 04-90-97-82-62. ● parcornithologique.com ● 🅿 🦽 Tte l'année, 9h (10h oct-mars)-coucher du soleil ; fermé 25 déc. Entrée : 7,50 € ; réduc ; gratuit moins de 4 ans. Billets valables tte la journée. Sur 60 ha, 7 km de sentiers ponctués de panneaux thématiques (circuits de 1, 3 et 7 km) s'enfoncent dans les roselières, marais... où batifolent en liberté des centaines d'oiseaux (flamants roses, canards, aigrettes, hérons...). Au gré des saisons, on peut y découvrir toutes les espèces présentes en Camargue. Un site tourné vers la conservation et la sensibilisation à la protection de la nature.

SAINTES-MARIES-DE-LA-MER

(13460)   2 500 hab.   *Carte Bouches-du-Rhône, A3*

Célèbres pour leur pèlerinage gitan, les Saintes-Maries montrent peut-être bien l'été le plus mauvais profil de la Camargue, celui des restos et boutiques attrape-touristes. Pourtant, même si les Saintes sont proches de la saturation en pleine saison, on est encore loin des excès urbanistiques de nombre de ses voisins du littoral languedocien... D'ailleurs, après avoir visité la très mignonne église, quelques pas sur la digue à la mer suffiront à vous immerger dans une Camargue préservée.

VAN GOGH PREND DES COULEURS

En juin 1888, Van Gogh quitte Arles une semaine, pour aller voir la mer aux Saintes-Maries. Il y découvre des couleurs, une luminosité qui l'épatent, et réalise une série impressionnante de dessins du village, de marines, de barques sur la plage, de roulottes de bohémiens... De retour à Arles, il tirera de ces croquis des peintures aux couleurs extrêmement vives. Van Gogh s'était mis à faire du... Van Gogh !

UN PEU D'HISTOIRE ET (BEAUCOUP) DE LÉGENDES

Chassées de Judée, « les » Marie (Jacobé, sœur de la Vierge, et Salomé, mère des apôtres Jacques le Majeur et Jean), accompagnées de Sara, leur servante originaire d'Égypte, Lazare (le ressuscité !), Marthe, Marie-Madeleine et Maximin, débarquent vers 40 apr. J.-C. sur ce rivage. Marthe part régler son compte à la Tarasque, Marie-Madeleine file faire pénitence dans la Sainte-Baume, Maximin se met au boulot à Aix et Lazare à Marseille. Les deux Marie, plus âgées, s'installent avec leur servante en Camargue.

Comment y aller ?

Prenez le temps de vivre en suivant de petites routes offrant de jolies vues et de beaux paysages.

➤ *Un détour par le Vaccarès :* depuis la *D 570*, prendre la *D 36* (direction Salin-de-Giraud) puis la *D 36B*. Prendre ensuite la *D 37* pour rejoindre, en longeant le Vaccarès, la route Arles/Saintes-Maries-de-la-Mer.

➤ *Route de Cacharel* (le cacharel est un oiseau et non une marque de vêtements) : sur la *D 570*, 3 km après le croisement pour Aigues-Mortes, prendre la *D 85A* jusqu'aux Saintes-Maries. L'idéal, hors saison, pour arriver dans la ville.

➤ *Autre « rallongis » par le bac du Sauvage :* ● smtdr.camargue.fr ● *Bac ttes les 30 mn, 6h-12h, 13h30-20h (18h oct-mars). GRATUIT.* Sur la *D 570*, prendre à droite direction Aigues-Mortes, puis à gauche. Le « bac du Sauvage » (fléché) franchit le Petit Rhône. Pittoresque, même les chevaux l'empruntent. Sur l'autre rive, on rejoint les Saintes par la *D 38*.

🚌 *Réseau Envia :* ☎ 0810-000-818 *(prix d'un appel local).* Liaisons pour Arles.

Adresse et info utiles

🛈 *Office de tourisme :* 5, av. Van-Gogh. ☎ 04-90-97-82-55. ● *saintes maries.com* ● *Tlj 9h-19h (20h juil-août) ; 10h-17h en plein hiver.* Bonnes adresses, bons plans, infos sur les randos et balades à cheval. Propose notamment des packs sur mesure activité et hébergement hors saison.

– *Marché :* sur la pl. des Gitans lun et ven.

Où dormir ? Où manger ?

Il est impératif de réserver lors des vacances scolaires. Évitez juillet-août et leurs prix vraiment délirants. Quant à la restauration, impossible de mourir de faim au centre du bourg, littéralement colonisé par une flopée d'établissements plus nombreux que les moustiques, et qui font assaut de cartes plus colorées et illustrées les unes que les autres. Une gardianne n'y trouverait pas son taureau !

Campings

Ӿ *La Brise :* rue Marcel-Carrière. ☎ 04-90-97-84-67. ● *info@camping-labrise.fr* ● *camping-labrise.fr* ● ♿. Sur la route des étangs à l'écart du centre. Bus Cartreize, arrêt La-Brise. *Fermé 3 sem en janv et de mi-nov à mi-déc. Empl. tente 13-23,60 € selon saison. Mobile homes et toiles* de tentes aménagées 198-830 €/sem. *1 190 empl.* 🖥 📶 *(payant).* Plus d'un millier d'emplacements, ça fait du monde en saison... sans compter les moustiques ! Terrain pas forcément très ombragé. Bien équipé, en revanche : supérette, snack, coffres à la réception... Tennis à proximité. 2 piscines, dont une avec toboggan. La plage est tout près.

Ӿ *Le Clos du Rhône :* route d'Aigues-Mortes. ☎ 04-90-97-85-99. ● *info@camping-leclos.fr* ● *camping-leclos.fr* ● ♿. *À 2 km par la D 38, route d'Aigues-Mortes. Ouv avr-oct. Empl. tente 14-26,50 € selon saison. Bungalows et mobile homes 273-1 220 €/sem. 450 empl.* 📶 *(payant).* Entre le Petit Rhône et la mer, avec accès direct à la plage. Ambiance familiale et tranquille. Confortable, mais ça manque d'ombre. Piscine chauffée, avec jets hydromassants, spa (payant) et terrain multisport. Snack-bar, épicerie, laverie.

De prix moyens à chic

🏠 *Hôtel Le Galoubet :* 26, route de Cacharel. ☎ 04-90-97-82-17. ● info@ hotelgaloubet.com ● hotelgaloubet. com ● À 500 m du centre, sur la route des étangs. Congés : de mi-nov à mi-fév. Doubles 65-95 € selon confort et saison, petit déj inclus. Parking gratuit. 🖥 📶 Apéritif maison offert sur présentation de ce guide. Petit hôtel agréable à l'écart du centre et à 500 m des plages. Planté face aux étangs, il propose des chambres sans histoire, bien aménagées, assez vastes, avec clim pour toutes et balcon plus bains pour les plus chères. Les petits déjeuners se prennent en terrasse ou à quelques mètres de la grande piscine. Une adresse sérieuse qui fait la différence en incluant gentiment le prix du petit déj dans celui de la nuitée. Accueil agréable.

🏠 *Hôtel Méditerranée :* 4, rue Frédéric-Mistral. ☎ 04-90-97-82-09. ● hotelmediterranee@wanadoo.fr ● mediterraneehotel.fr ● Dans la zone piétonne. Fermé de mi-nov à fin déc. Doubles avec douche 50-70 € selon confort (clim ou pas) et saison. Familiales 75-90 €. Garage payant. 📶 Réduc de 10 % (oct-mars) sur présentation de ce guide. Un tout petit hôtel, propre, bien tenu, avec des fleurs, des plantes partout. Petit patio (sur lequel donnent 4 des chambres) et salle de petit déj aux faux airs de cottage anglais. Chambres coquettes, avec parquet et plafond lambrissé. Clim dans certaines.

🏠 |●| *Gîtes Le Mas des Colverts :* route d'Arles. ☎ 04-90-97-83-73. ● masdescolverts@gmail.com ● mas descolverts.com ● À 2 km au nord des Saintes, par la D 570. Studios pour 2 avec kitchenette 56-65 € selon saison ; doubles 46-50 €. Également un appart pour 4 pers 80-95 €/nuit. Petit déj 6,50 €. Table d'hôtes 30 €. 🖥 📶 Un mas camarguais entouré d'étangs, tout simple, tout bon. Le matin, on déjeune dans le jardin, les pieds dans l'eau au milieu de canards, poules d'eau, foulques et hérons. Chambres et studios

tout équipés, tous avec terrasse. Roger Merlin est un magicien qui mène depuis des années sa croisade pour la défense de la vraie cuisine camarguaise. Il propose d'ailleurs des stages.

🏠 *Hôtel Le Mirage :* 14, rue Camille-Pelletan. ☎ 04-90-97-80-43. ● lemi rage@camargue.fr ● hotellemirage.fr ● À 200 m du centre. Fermé fin oct-début avr. Doubles 60-85 € selon catégorie et saison. Parking payant. 📶 Dans une grande maison blanche des années 1950. C'était d'ailleurs un cinéma de 1953 à 1963 (quelques affiches le rappellent dans l'escalier). Chambres simples, avec brasseur d'air, douche ou bains selon le prix. Préférer celles à l'étage, côté cour. Gentil jardin.

🏠 *Hôtel des Rièges :* route de Cacharel. ☎ 04-90-97-85-07. ● hoteldes rieges@wanadoo.fr ● hoteldesrieges. com ● À 1,5 km du centre en direction des étangs (fléché après le pont). Fermé début janv-début fév et de mi-nov à mi-déc. Doubles 60-85 € selon confort. Familiales 96-113 €. Parking gratuit. 📶 Un petit déj par chambre et par nuit offert, en basse saison, sur présentation de ce guide. Au bout d'une digue, dans les étangs. Hôtel aménagé dans un mas typique, joliment décoré, du salon aux petites chambres. Leur terrasse donne sur un jardin, lui aussi mignon et bien aménagé. Piscine, centre de remise en forme... Calme garanti.

De plus chic à beaucoup plus chic

🏠 |●| *Hôtel Mangio Fango :* route d'Arles (D 570). ☎ 04-90-97-80-56. ● mangio.fango@wanadoo.fr ● hotelmangiofango.com ● À 800 m du centre-ville, sur la D 570. Resto tlj (sf mer en saison). Réservé aux résidents le midi. Doubles 125-225 € selon saison. Petit déj 20 € ! Menu 60 €, plats 30-38 €. Parking gratuit. 🖥 📶 Réduc de 10 % sur le prix de la chambre sur présentation de ce guide. Un mas accueillant dont les chambres, claires et spacieuses, donnent sur les étangs et les marais pour les plus chères, sur la piscine chauffée ou le jardin pour les autres. Chacune a une terrasse privée, un lit douillet et un minibar. Jacuzzi.

Cuisine terre-mer remarquable, respectueuse des produits et des saveurs, à déguster dans la salle chaleureuse ou sous les palmiers de la terrasse.

Où manger ? Où boire un thé ?

|●| **Casa Româna :** *6, rue Joseph-Roumanille.* ☎ *04-90-97-83-33.* ● *christian.etienne07@sfr.fr* ● *Tlj sf lun-mar midi. Congés : 6 janv-6 fév. Formule déj 13,50 €, menus 19,50-24,50 €. Café offert sur présentation de ce guide.* On a le droit de manifester une certaine réticence devant cette terrasse dans une de ces rues définitivement trop touristiques. Pourtant, ce petit resto propose une sincère cuisine traditionnelle. Et le cuisinier, fort de nombreuses années de métier, trousse gentiment quelques plats du pays à prix d'amis, agrémenté d'un service sympa.

🍵 **La Cabane des Thés :** *26, av. Frédéric-Mistral.* ☎ *04-88-09-07-30.* 📶 *En début de rue piétonne. Ouv tlj, fermé mer hors juil-août.* Jolie boutique égayée de théières colorées qui propose un bon choix de thés, cafés glacés ou chauds. À siroter avec quelques biscuits secs sur une agréable terrasse dans un canapé.

Où dormir ? Où manger dans les environs ?

Prix moyens

🛏 **Chambres d'hôtes Le Mas de Pioch :** *route d'Arles, 13460 Pioch-Badet.* ☎ *04-90-95-50-06.* ● *contact@manadecavallini.com* ● *masdepioch.com* ● *À env 10 km au nord des Saintes-Maries, fléché à gauche. Congés : de mi-nov à mi-fév. Résa conseillée. Doubles 47-59 €, familiales 70-94 €.* 📶 *Réduc de 10 % (hors w-e fériés et séjours de 2 nuits min) sur présentation de ce guide.* Au cœur d'une pinède-jardin dans un joli cadre propice à la détente, cette bâtisse abrite de vastes chambres. Le matin, les oiseaux se chargent du réveil, puis le petit déj se prend au bord des massifs fleuris plantés dans de vieilles barques. Puisqu'on est dans une manade, la balade à cheval s'impose, avant d'aller plonger dans la grande piscine légèrement ombragée. Bref, un excellent rapport qualité-prix, toutefois perturbé par la proximité de la route.

🛏 **Chambres d'hôtes Le Mazet du Maréchal-Ferrant :** *petite route du Bac.* ☎ *04-90-97-84-60.* ● *babethandre@aol.com* ● *chambresdamis.fr* ● *À 4 km du centre par la D 570 puis la D 85 à gauche. Double 80 €.* Dans ce Mazet sympa comme tout, envahi par les plantes et les objets chinés, on est reçu à la bonne franquette. Les chambres, plus ou moins grandes, pleines de gaieté et de clarté, s'ouvrent sur une petite terrasse privée et sont équipées d'un frigo et d'un micro-ondes. On peut aussi vous prêter de quoi faire votre tambouille.

De chic à plus chic

🛏 |●| **Hôtel de Cacharel :** *route de Cacharel.* ☎ *04-90-97-95-44.* ● *mail@hotel-cacharel.com* ● *hotel-cacharel.com* ● ♿ *À env 5 km du centre par la D 85A. Tte l'année. Résa conseillée. Double 144 €, petit déj 12,50 €. Assiettes campagnardes 23 €. Parking clos gratuit.* 📶 *Apéritif offert sur présentation de ce guide.* Un chemin de terre mène à cette adresse à histoire(s), ouverte depuis 1955. Une ancienne manade, d'un calme évident, restée dans son jus. Plutôt qu'un hôtel de luxe, un lieu d'atmosphère. Plusieurs chambres, de bon confort, aménagées à l'ancienne (ventilo), offrent une vue assez sompteuse sur les étangs, lieu de tournage de *Crin-Blanc*. Sur des nappes à vieux carreaux, dans une salle à l'imposante cheminée, on s'attable pour un vrai casse-croûte (jambon cru, saucisson, fromage de chèvre...). Superbe panorama depuis la tour attenante. Piscine. Chevaux.

|●| **Manade des Baumelles :** *les cabanes de Cambon.* ☎ *04-90-97-84-14.* ● *contact@manadedesbaumelles.*

LA CAMARGUE

fr ● À 7,5 km au nord des Saintes par la route d'Aigues-Mortes (D 38). Tlj sf lun, slt le midi. Formule 23 €, menu 37 €. Apéritif offert sur présentation de ce guide. Du vrai de vrai, et convivial. Pour se mettre en appétit, on peut, avec du temps devant soi, visiter la manade dans un chariot (25 € la balade, quand même...). Apéro avec les gardians devant les anciennes écuries restaurées avant de se retrouver pour déjeuner autour d'une grande table. Petites entrées camarguaises, côtes au feu de bois, daube de taureau, une carte qui varie peu, depuis 20 ans, quelle que soit la formule que vous choisissez. Généreux, mais vous ne serez pas seuls, la maison reçoit les groupes.

À voir

L'église Notre-Dame-de-la-Mer : *tlj 8h-19h, sf dim pdt les offices. Accès au toit tlj (w-e slt hors saison) 10h-20h : 2,50 € ; gratuit moins de 6 ans.* Extérieur typique de l'église d'un village dont les parages ne furent pas toujours pacifiques, d'où la nécessité de fortifications. Bel et sombre intérieur roman en pierres de couleurs variées. La crypte contient une statue de Sara couverte de bijoux. La chapelle haute (l'ancien corps de garde), où se trouvent les châsses des Saintes, est fermée au public. Depuis le toit de l'église vaste panorama sur la vieille ville, le port, la mer, la Camargue.

À faire

Les plages : belles et longues plages de sable de part et d'autre du village. Plage naturiste à 4 km vers l'est (en suivant le chemin de la digue à la mer).

➤ **Randonnées :** la balade le long de la digue à la mer (voir plus haut le chapitre « Le Vaccarès ») peut se faire au départ des Saintes-Maries. Une autre belle balade pousse jusqu'à Méjanes (30 km, soit 8h aller-retour) : départ de la route de Cacharel, à droite juste avant le mas de Cacharel ; 4 km de route, puis une piste qui suit la draille des Cinq-Gorges le long de l'étang du Vaccarès.

➤ **VTT :** plusieurs circuits autour du village. Descriptifs gratuits disponibles à l'office de tourisme ou chez les loueurs. *Le Vélociste : 8, pl. Mireille.* ☎ *04-90-97-83-26. Le Vélo Saintois : 19, av. de la République.* ☎ *04-90-97-74-56. Tarif : 15 €/j.*

– **Équitation :** *liste des centres à l'office de tourisme.* Ce ne sont pas les propositions qui manquent (du « lever de soleil avec petit déj » au « coucher de soleil avec apéro sur la plage »).

➤ **Promenades en bateau :** *compter 12 €. Rens à l'office de tourisme.* De mi-mars jusqu'à fin octobre, trois bateaux, dont un à aubes, remontent le Petit Rhône jusqu'au bac du Sauvage. Départs soit de port Gardian (centre-ville), soit d'une route longeant la mer, vers l'ouest, à 2 km des Saintes, directement à l'embouchure du Petit Rhône.

Fêtes et manifestations

– **Pèlerinages :** chacune des (désormais saintes) Marie a droit à son pèlerinage. Marie Jacobé le 25 mai et Marie Salomé le dimanche le plus proche du 22 octobre. Rite immuable depuis 1448 : l'après-midi du 1er jour, les châsses sont descendues de la chapelle haute dans le chœur. Le lendemain, les statues des deux saintes sont menées en grande procession jusqu'au rivage, accompagnées des gardians à cheval et d'un groupe d'Arlésiennes.

– **Pèlerinage gitan :** 24 mai. Les gitans ont fait de Sara, la servante des deux Marie, leur sainte patronne (jamais reconnue par l'Église...). Si l'on retrouve les traces de leur pèlerinage sur des cartes du XIIᵉ s, c'est Folco de Baroncelli qui, en 1935, obtint de l'évêque d'Aix que les gitans ne soient plus obligés de célébrer leur sainte en catimini. Désormais, la statue de Sara est, comme celles des deux saintes, conduite à la mer en procession, accompagnée de milliers de gens du voyage venus de toute l'Europe. Grande fiesta gitane après la procession. Une fête à ne pas manquer.

LE CARNET ANTHROPOMÉTRIQUE

L'État s'est toujours méfié des nomades et des gitans sans domicile fixe. Dès 1912, chacun d'eux devait détenir ce carnet aux questions bien inquisitrices : taille du pied gauche et de l'oreille droite, surnoms, photos de face et de profil (comme les malfrats). On le supprima en 1969.

– **Journée à la mémoire du marquis de Baroncelli :** 26 mai. En souvenir du défenseur des gardians et des gitans (1869-1943), qui abandonna son palais d'Avignon pour une manade en Camargue. *Abrivado* et *bandido* dans les rues du village, jeux de gardians et courses de taureaux dans les arènes.

– **Fête votive :** mi-juin. *Abrivado,* courses camarguaises, bal.

– **Feria du Cheval :** mi-juil. Pendant 3 jours, le cheval est roi, sur fond de flamenco : son et lumière, championnat de France de horse-ball, *abrivado,* concours de *Doma Vaquera,* démonstrations de cavaliers, corrida et *pégoulado.*

– **Festo Vierginenco :** dernier dim de juil. On doit à Mistral cette fête du costume qui honore les jeunes filles de 15 ans prenant pour la première fois le costume et le ruban d'Arlésienne. Après la messe en provençal, *abrivado* suivi de la bénédiction des taureaux et des chevaux dans l'arène. Grand défilé en fin d'après-midi. Spectacle dans les arènes.

– **Camargue pluriell :** mi-août. Pendant 3 jours se mêlent tradition camarguaise et tauromachie espagnole : marché de producteurs et artisans locaux, corrida portugaise, course camarguaise et animations musicales de jazz manouche.

– **Festival d'Abrivado :** 11 nov. Journée de clôture de la saison estivale, avec enchaînement de 11 *abrivados* sur un parcours qui va de la plage aux arènes.

LES ALPILLES

Prolongement (géo)logique du Luberon, étirée entre Salon-de-Provence et Tarascon, la chaîne des Alpilles doit son nom à un relief tourmenté. Entre pics et oliviers, ce paysage superbe concentre ses villages les plus célèbres autour des Baux-de-Provence et de Saint-Rémy.

La Mireille de Mistral (et de Gounod) quitte ses Baux pour aller rejoindre son beau en Camargue, connaissant au passage l'enfer de la soif dans la plaine de la Crau. Tout ça pour finalement mourir d'épuisement devant l'église des Saintes-Maries-de-la-Mer. Et si Dante a situé l'entrée des enfers, au pied du village des Baux... c'est peut-être une vision prémonitoire quand on voit l'enfer de la circulation ici et à Saint-Rémy, littéralement envahis par la foule en saison !

Alors, il ne vous reste que deux solutions pour profiter sereinement de la région : nous suivre sur les petites routes environnantes, ou revenir hors saison, pour profiter de la lumière et d'un climat assez exceptionnels.

➢ **Parc naturel des Alpilles :** siège au 10-12, av. Notre-Dame-du-Château, 13103 **Saint-Étienne-du-Grès.** ☎ 04-90-54-24-10. ● parc-alpilles.fr ● Tlj sf w-e

9h-12h30, 13h30-17h. Courant 2016, une Maison du parc doit prendre ses quartiers à Saint-Rémy, à la bastide de la Cloutière (2, bd Marceau).

➤ Attention, de juin à septembre, l'accès au massif des Alpilles est réglementé à cause des risques d'incendies. Se renseigner la veille : ☎ 0811-201-313 *(prix d'un appel local).*

➤ Bus départementaux avec **Cartreize,** rens au ☎ 0810-001-326 *(prix d'un appel local)* et sur ● cartreize.com ● Liaisons depuis Arles, Avignon, desservant Fontvieille, Maussane, Le Paradou, Saint-Rémy.

LA VALLÉE DES BAUX

Carte Bouches-du-Rhône, B2

Sur près de 6 300 ha, entre la chaîne des Alpilles au nord et la Crau au sud, la vallée des Baux offre la plus grande densité d'oliviers du sud de la France (580 000 arbres !). « Nous sommes les premiers producteurs français d'huile d'olive », vous dira-t-on par ici, non sans fierté.

MOURIÈS (13520)

Bourg provençal classique avec son cours ombragé de platanes et son marché typique. Mouriès doit sa réputation à l'huile d'olive protégée par une AOP depuis 2012, tout comme quatre variétés d'olives locales. L'*aglandau,* donnant à l'huile une couleur verte caractéristique, la *salonenque,* cassée et aromatisée, récoltée de septembre à novembre, qui fait la fierté de la vallée des Baux, la noire *grossane,* cueillie et piquée au sel en décembre et la *verdale,* aussi utilisée en confiserie. Que du bon.

Adresse utile

🄸 **Maison du tourisme :** 2, rue du Temple. ☎ 04-90-47-56-58. ● tourisme.mouries.fr ● Tte l'année : lun-ven (mat slt nov-mars) 9h-12h30, 15h-19h ; fermé ven ap-m, mais ouv dim mat juil-août. 🖥

Où dormir ? Où manger ?

Camping

⊠ **Camping à la ferme Les Amandaies :** chemin de Saint-Paul. ☎ 04-90-47-50-59. 🖪 06-18-45-88-23. ● bou.malek@orange.fr ● lesamandaies.fr ● À env 3,5 km du village, en direction d'Aureille par la D 17. Prendre à droite le chemin du Cossoul (fléché), juste après l'embranchement pour Aureille. Ouv tte l'année. Empl. tente 13 €. CB refusées. 6 empl. Isolé des grands axes, ce petit terrain disperse sa demi-douzaine d'emplacements dans l'herbe et sous les arbres, entre le corps de ferme en pierre sèche et les champs. Frigo, lave-linge. Sanitaires simples.

Chic

🍽 **Le Vieux Four :** 73, av. Pasteur. ☎ 04-90-47-64-94. ● contact@le-vieux-four.com ● ♿ Au centre du village. Fermé lun tte l'année, mar midi en été, mar soir et dim soir hors saison. Congés : janv. Menu déj 28,50 € ; le soir, formule 34 €, menu 44 €. Les longues voûtes de cet ancien moulin à huile s'habillent d'une déco stylisée, et s'ouvrent sur une belle terrasse installée dans la cour. Une présentation soignée donc, presque trop, à l'image des plats qui, tout à leurs beaux atours, en oublient parfois de faire chanter leur terroir. Service souriant, mais atmosphère un peu guindée.

Où dormir dans les environs ?

≜ Chambres d'hôtes Le Mas de l'Étoile : *6, av. Saint-Roch, 13930 Aureille.* ☎ *04-90-59-92-85.* ● *contact@masdeletoile.com* ● *mas deletoile.com* ● *À 8 km à l'est de Mouriès par la D 17. Tte l'année. Doubles 38-46 € selon confort.* 🛜 *Une adresse de derrière les platanes, un peu hors* norme, atypique. Une maison sans âge, mangée par les plantes, emplie des œuvres du maître des lieux, artiste contemporain plus qu'hôtelier. 5 chambres d'hôtes très modestes, mais à ce prix-là dans les Alpilles... Petit ruisseau et vue sur les champs d'oliviers sur l'arrière.

MAUSSANE-LES-ALPILLES (13520)

Fontaine, lavoirs, platanes centenaires... Maussane cultive ses allures de tranquille bourg provençal. Dans les bistrots de la rue principale, on sait encore ne pas faire la différence entre une star de ciné et un gars du pays ! Jolie petite route pour rejoindre Maussane depuis Mouriès : suivre la D 24 sur 4,5 km et prendre à gauche, direction Maussane (D 78). La mer d'oliviers cède la place au massif rocheux des Baux. Un petit col offre une jolie vue sur la plaine.

Adresse utile

🛈 Maison du tourisme : *route de Saint-Rémy, à l'entrée du camping.* ☎ *04-90-54-33-60.* ● *maussane.com* ● *Tlj 8h-21h en été ; horaires restreints en basse saison.* Plan du village, infos sur les activités et balades alentour.

Où dormir ? Où manger ?

Camping

⛺ Camping municipal Les Romarins : *route de Saint-Rémy (D 5).* ☎ *04-90-54-33-60.* ● *camping-municipal-maussane@wanadoo.fr* ● *maussane.com* ● ♿ *Sur la D 5, fléché depuis le centre. Ouv 15 mars-30 nov. Empl. tente 10-22 € selon saison. 143 empl.* 🛏 À deux pas du centre, ce camping confortable installe ses vastes emplacements sur de l'herbe touffue, à l'ombre de mûriers platanes. Boulodrome, lave-linge, petite bibliothèque, tennis. Piscine municipale accessible en haute saison.

De bon marché à prix moyens

≜ ❙●❙ Les Magnanarelles : *104, av. de la Vallée-des-Baux.* ☎ *04-90-54-30-25.* ● *hotel.magnanarelles@wanadoo. fr* ● *hotel-magnanarelles.com* ● *Sur la* D 17, à 200 m de la place. Resto tlj sf dim soir, lun et mar midi. Congés : nov-mars. Doubles 69-85 €. Menu déj 18 €, puis 25-35 €. Parking payant. 🛏 Au cœur du village, cette maison provençale toute pimpante abrite une entreprise familiale qui tourne rond. Jolies chambres, contemporaines. Terrasse agréable à côté de la piscine pour une cure de soleil, et chef sympathique, à l'image de sa cuisine.

❙●❙ Vanille Café : *53, av. de la Vallée-des-Baux.* 📱 *06-20-63-70-14. Sur la D 17, à 100 m de la place. Tlj sf lun-mar. Tapas et desserts 5,50-9,50 €. CB refusées.* Laissez filer les malchanceux à qui personne n'a soufflé d'entrer dans cette minuscule adresse. Ambiance jazzy, mange-debout et loupiottes pour un petit moment de bonheur autour de tapas à la française. Madame excelle dans le salé et monsieur dans le sucré. Et c'est superbement créatif avec des saveurs, des textures, des cuissons qui feront frétiller vos papilles. Tout ça accompagné d'une belle sélection de vins... ce qui ne gâche rien. Service plein de bonnes intentions qui se démène comme un diable !

|●| Fleur de Thym : 15, av. de la Vallée-des-Baux. ☎ 04-90-54-54-00. Sur la D 17, à 500 m de la place, direction Le Paradou. Tlj sf sam midi, dim soir et lun. Menus 16 € (déj en sem)-22 €. À la petite terrasse au bord de la route, on préfère – question de goût – les 2 salles voûtées de ce resto pomponné à la mode d'aujourd'hui. Ça bourdonne comme une ruche, quand le rosé monte aux joues des clients venus butiner comme vous cette *Fleur de Thym*. Mais pas de quoi gâcher la dégustation de plats dont les titres, classiques, masquent en réalité un tas de belles envolées dans les saveurs et la présentation. Jusqu'au dessert, on se régale, avec un service tout sourire qui complète ce tableau fleuri.

De chic à plus chic

â Chambres d'hôtes Le Mas des Marguerites : chemin de la Pinède. ☎ 04-90-54-20-48. ● contact@mas-des-marguerites.com ● mas-des-marguerites.com ● ᕦ (1 chambre). Fléché sur 800 m depuis le centre. Doubles 95-130 € selon taille et saison. 🛜 Dans un quartier résidentiel, une grande villa flanquée d'un agréable jardin taillé bien comme il faut et avec piscine. Les vastes chambres climatisées, plaisantes et indépendantes, ont chacune une terrasse pour récupérer des fatigues vacancières de la journée. Une petite cuisine d'été permet même d'en profiter autour de son propre petit frichti. Très bon accueil des proprios, dynamiques et souriants, qui sauront vous rencarder sur les bonnes adresses du coin.

â |●| L'Oustaloun : pl. de l'Église. ☎ 04-90-54-32-19. ● info@loustaloun.com ● loustaloun.com ● ᕦ (au resto). Resto ouv tte l'année tlj sf mer-jeu. Hôtel ouv de mi-mars à mi-nov. Doubles 82-107 € selon confort et saison. ½ pens possible. Formules et menus 16-21 € au déj, 30-36 € le soir. Parking gratuit selon dispo. 🛜 La façade du XVIIIe s de cette petite auberge provençale typique est en parfaite harmonie avec la place du village. Vous dormirez sous d'authentiques poutres du XVIe s dans une petite dizaine de chambres qui mêlent charme de l'ancien et couleurs d'aujourd'hui. Et à table, sous de solides voûtes de pierre ou sur la place, vous pourrez faire une cure d'huile d'olive du pays en goûtant aux spécialités locales. Accueil sympathique.

Où acheter de bons produits ?

Moulin Jean-Marie Cornille : rue Charloun-Rieu. ☎ 04-90-54-32-37. Fléché depuis la D 17, à 300 m du centre, direction Le Paradou. Tlj sf dim mat 10h-12h30, 14h30-18h30. Visite et dégustation mai-sept mar et jeu à 11h. Cette coopérative oléicole recueille et presse les olives de toute la vallée des Baux avec de vieilles meules de pierre, comme jadis. Résultat, une « huile d'olive vierge obtenue par première pression à froid », appelée aussi « fruitée noire ». En vente sur place, avec savons, confitures, miel...

Confiserie et boutique Jean Martin : 10, rue Charloun-Rieu. ☎ 04-90-54-34-63. À 300 m du centre, à droite de la D 17, direction Le Paradou (fléché). Tlj sf dim env 9h30-12h30, 14h30-19h (18h en hiver). Ce confiseur de père en fils travaille l'olive depuis 1920 pour en faire d'excellents produits. Mais les Martin ont plus d'une recette dans leur sac, et vous allez craquer pour les soupes, les ristes d'aubergines, ratatouilles, anchoïades, etc.

LE PARADOU (13520)

Bienvenue au Paradou ! Un petit village qui coule des jours tranquilles à 2 km de Maussane et à 4 km des Baux (très jolie route pour y accéder, notre préférée d'ailleurs). Il doit son nom aux moulins utilisés par les nombreux tisserands installés le long de la rivière de l'Arcoule. Un village où on se l'Arcoule douce, en somme.

Où dormir ?

Prix moyens

🏠 **Chambres d'hôtes Le Mazet des Alpilles :** route de Brunelly. ☎ 04-90-54-45-89. ● lemazet@wanadoo.fr ● lemazetdesalpilles.com ● Fléché à 2 km à l'ouest depuis Le Paradou. Ouv de mi-mars à mi-nov. Doubles 62-68 €. 📶 Sur une jolie petite route, la D 78E, que nous vous conseillons d'emprunter pour rejoindre Fontvieille, un agréable mazet, toujours fleuri, avec des chambres, mignonnettes et climatisées. Le grand jardin, idéal pour se reposer, est à disposition des hôtes pour y pique-niquer. Bel accueil.

À voir

🎭 👫 **La Petite Provence du Paradou :** 75, av. de la Vallée-des-Baux (D 17). ☎ 04-90-54-35-75. ● lapetiteprovenceduparadou.com ● 🛒 À la sortie de Maussane, direction Fontvieille. Tlj : mai-sept et déc 10h-18h30 (19h juin-sept) ; coupure déj 12h30-14h Toussaint-Pâques. Entrée : 8,50 € ; réduc ; gratuit moins de 6 ans. Une curiosité « de taille » qui reconstitue la vie traditionnelle au début du XXe s à travers plus de 500 santons formant, au milieu d'oliviers centenaires, l'une des plus grandes crèches de la planète. Tout ce petit monde est reproduit comme si le temps s'était arrêté sur le boulanger cuisant son pain, les lavandières se racontant des histoires... Prenez le temps d'admirer les finitions (8 000 h de travail tout de même... les soirées d'hiver sont longues en Provence). Sur le côté, une série de crèches met en valeur des santons du plus petit (2 cm) au plus grand (1 m !). Animation spéciale de Noël pour découvrir les crèches et les 13 desserts. Jeu découverte pour les enfants.

FONTVIEILLE (13990)

Bourg provençal tout en longueur où les touristes s'arrêtent surtout pour se balader sur le sentier des moulins d'Alphonse Daudet ainsi que la toute proche abbaye de Montmajour. Oubliant, malheureusement, de se glisser dans le cœur du village, où certaines maisons ont nidifié dans les excavations d'une ancienne carrière de pierre. Pour la petite histoire, c'est à Fontvieille que Van Gogh a vendu, de son vivant, sa seule et unique toile, à la sœur du peintre belge Eugène Boch.

Adresse utile

🏢 **Office de tourisme :** av. des Moulins. ☎ 04-90-54-67-49. ● fontvieille-provence.com ● Juil-août, lun-dim mat et j. fériés 9h30-12h30, 14h-18h30. Le reste de l'année, tlj sf dim 9h30-12h30, 14h-18h (à partir de 9h, et jusqu'à 17h30 nov-mars). 📶 Propose 3 circuits de découverte ludique du patrimoine fontvieillois (village, château et moulins), pour les familles.

Où dormir ? Où manger ?

Camping

⛺ **Les Pins :** rue Michelet. ☎ 04-90-54-78-69. ● campingmunicipal. lespins@wanadoo.fr ● 🛒 Fléché sur 1,5 km depuis le village. Ouv avr-août. Empl. tente 15,10-16,55 € selon saison. 163 empl. 📶 Bien ombragé puisque situé, comme on peut le deviner, dans une pinède. Coin aussi plaisant que tranquille. Vastes emplacements, herbeux pour la plupart. Laverie, ping-pong, boulodrome, minigolf. La piscine municipale *(ouv juil-août)* est à deux pas. On peut rejoindre le centre par un chemin coupant entre les pins.

De prix moyens à chic

🏠 ⏺ *Hostellerie de la Tour :* 3, rue des Plumelets. ☎ 04-90-54-72-21. ● bounoir@wanadoo.fr ● hotel-delatour.com ● *Légèrement à l'écart du centre en direction d'Arles. Fermé de nov à mi-mars. Doubles 75-90 € selon taille et saison. Petit déj 11,50 €. Parking gratuit.* 🛜 12 chambres de plain-pied, joliettes et confortables, se sont installées à l'arrière de cette belle maison en pierres sèches, autour du mignon jardin et de sa piscine haricot. Les moins chères sont un peu étroites, toutes s'allongent d'une petite terrasse privée. Au resto, cuisine traditionnelle pour les résidents. Accueil simple et sympa.

⏺ *Le Patio :* 117, route du Nord. ☎ 04-90-54-73-10. *Dans le centre. Tlj sf mar-mer. Congés : pdt vac de fév (zone B) et de la Toussaint. Formule déj 21 € ; menus 31-48 €. Café offert sur présentation de ce guide.* Dans une ancienne bergerie du XVIIIe s aux murs actualisés de quelques toiles contemporaines. Une grosse cheminée, un agréable patio ombragé, et une belle cuisine d'aujourd'hui, qui suit les saisons et travaille les produits du pays. Une spécialité, le menu dégustation autour de l'huile d'olive AOC.

À voir

🔫 🚶 *Le moulin Saint-Pierre :* à 500 m de l'office de tourisme (fléché). Cet ancien moulin Ribet, connu sous le nom de moulin Saint-Pierre, fut bâti en 1814 et tourna jusqu'en 1915. Alphonse Daudet n'y a jamais vécu ici, contrairement à la légende, écrit ses célèbres *Lettres de mon moulin,* puisqu'il vécut au château de Montauban. Il aurait en revanche prétendu l'avoir acquis dans un acte de vente imaginaire et, surtout, ce photogénique moulin à vent planté au bout d'une longue allée de pins qui, d'ailleurs, ressemble bigrement à celui qu'il décrit dans *Le Secret de Maître Cornille.*

➤ Au départ du moulin, un *sentier* fléché parcourt la garrigue vers les autres moulins à vent, chers à l'auteur. Au passage, le cabanon Coudière et le Trou du Renard ont inspiré *La Chèvre de monsieur Seguin.* Une jolie balade jusqu'au château de Montauban.

🔫 🚶 *Le château de Montauban et le musée Alphonse-Daudet :* ☎ 04-90-54-67-49 (office de tourisme). *Juil-août, tlj 10h-12h30, 15h-18h30 ; à mi-saison, horaires à préciser auprès de l'office de tourisme ; fermé oct-mars. Entrée : 3,50 € ; réduc.* C'est au château de Montauban, grosse maison bourgeoise fin XVIIIe-début XIXe s, que séjournait Daudet quand il quittait Paris pour Fontvieille. La première salle lui rend hommage, au travers de ses fameuses *Lettres de mon moulin.* Les autres présentent Fontvieille, Léo Lelée (peintre provençal ami de Mistral) et les Arlésiennes, les santons et la course camarguaise.

🔫 *Le moulin du Mas Saint-Jean :* route de Saint-Jean. ☎ 04-90-54-72-64. ● moulin-saintjean.com ● *À l'écart de la D 33, direction Tarascon. Lun-ven (dim juil-août) 9h-12h, 14h-18h. Visites guidées du domaine oléicole et du moulin à huile (en saison, sur résa auprès de l'office de tourisme).*

À voir dans les environs

🔫 *L'aqueduc et le moulin de Barbegal :* à 2 km au sud-est de Fontvieille par la D 33, puis à gauche (fléchage « Aqueduc ») ; se garer et prendre le sentier à droite *au niveau de l'aqueduc.* Entouré d'oliveraies, on suit les ruines de l'aqueduc qui alimentait en eau un impressionnant moulin à eau vertical du IVe s, équipé de 16 meules en pierre de lave (maquette permettant d'en comprendre le fonctionnement au musée de l'Arles antique). Elles pouvaient moudre leurs 20 kg de blé à l'heure. C'est le seul moulin du genre connu dans le monde romain. Superbe point de vue sur la plaine.

🐾🐾🐾 *L'abbaye de Montmajour :* à 4,5 km de Fontvieille en direction d'Arles (arrêt de bus Cartreize). ☎ 04-90-54-64-17. Tlj sf j. fériés (et fermé lun oct-mars) 10h-18h (17h oct-mai) ; dernière admission 45 mn avt fermeture. Entrée : 7,50 € ; réduc ; gratuit moins de 25 ans.

Un lieu exceptionnel, où la nature s'harmonise parfaitement avec l'architecture. Fondée au Xe s, ce qu'on en voit aujourd'hui date du XIIe s. Au final, l'abbaye ne fut jamais réellement achevée. Au XVIIIe s, une partie des bâtiments s'effondre, mais on les reconstruit encore plus somptueux pour son (dernier) abbé, le cardinal de Rohan. L'implication de ce dernier dans l'affaire du collier de la reine poussera Louis XIII à faire fermer l'abbaye. Elle est vendue à la Révolution à une chiffonnière qui, n'ayant pas de quoi acquitter la somme, va la dépouiller entièrement de ses trésors. Un marchand de biens la rachète à son tour et la loue en parcelles à des métayers. Le peintre Réattu et des habitants d'Arles la sauvent et la restaurent, avant qu'elle ne devienne propriété de l'État.

On découvre d'abord l'ensemble roman, très riche : l'église basse avec ses airs de fondations, puis l'église haute jamais achevée, deux travées seulement ayant été réalisées sur les cinq prévues. Le cloître est probablement l'un des plus émouvants de Provence, orné de chapiteaux mêlant motifs floraux, personnages réels ou fantasmagoriques. En faisant le tour (regardez les beaux culs-de-lampe naïfs qui soutiennent les voûtes), on visite au passage la salle capitulaire et le réfectoire. Puis on pénètre dans le bâtiment Saint-Maur, dont Pierre Mignard, neveu du peintre, a achevé la construction en 1713. Intéressant point de vue sur le bâtiment depuis le chevet de l'église, où le rocher laisse apparaître les impressionnantes tombes creusées à même le roc (la nécropole courait anciennement jusqu'à la chapelle qu'on voit 100 m plus loin en contrebas). Le tout est dominé par la masse imposante du donjon rectangulaire (les courageux peuvent y grimper pour découvrir un panorama exceptionnel). S'il n'est pas en restauration, ne ratez surtout pas le magnifique ermitage Saint-Pierre XIe s, flanqué à même le rocher, hors les murs. Van Gogh, séduit par la grandeur et la beauté de cette abbaye, alla souvent en faire des dessins.

Fêtes et manifestations

– **Foire aux chevaux :** 2e dim de mars.
– **Fête des Moulins :** 2e w-e d'avr. Marché du terroir, groupes folkloriques, concours de taille d'olivier...
– **Fête de la Saint-Jean :** le w-e le plus proche de la Saint-Jean. Cérémonies en costumes à la chapelle et spectacle traditionnel dans les arènes.
– **Fête votive de la Saint-Pierre :** 5 j. autour du 1er w-e d'août. Fête traditionnelle du village avec bals et concert, paella, courses camarguaises et spectacle taurin. Pendant 5 jours.
– **Fête Daudet :** 2e dim d'août. Messe en provençal, défilé en costumes traditionnels. Danses sous les halles.
– **Fête du club taurin :** fin août. Course camarguaise, encierro, abrivado, bodega et penas.
– **Foire aux santons :** mi-nov. Marché de Noël également.

LA ROUTE DES VINS DE LA VALLÉE DES BAUX

Courant *de Fontvieille à Saint-Rémy*, l'AOC Baux-de-Provence révèle depuis longtemps des rouges de garde et rosés de fourchette élaborés sur sept villages et 250 ha de vignes. Depuis 2011, les blancs sont entrés à leur tour dans l'AOC. Des vins tanniques, bien typiques, produits pour certains à l'aide de technologies sophistiquées, mais en respectant un savoir-faire traditionnel. D'ailleurs, 90 % des domaines ont choisi une méthode de culture biologique, favorisée par le mistral et un écosystème préservé. Est-ce ce même mistral qui fait autant grimper le prix ?

Profitez de votre passage aux Baux pour découvrir, à la sortie du village, le *mas Sainte-Berthe* (☎ 04-90-54-39-01), avec sa vue imprenable sur la citadelle, ou encore le *mas de la Dame* (☎ 04-90-54-32-24), domaine du XVII⁰ s dont la façade immortalisée par une peinture de Van Gogh en 1889 a aujourd'hui disparu... mais demeure sur l'étiquette !

En approchant Saint-Rémy, difficile à priori de trouver un point commun entre le tout petit domaine Hauvette (☎ 04-90-92-03-90 ; slt sur rdv), où Dominique Hauvette fait tout elle-même, et le *château Romanin* (☎ 04-90-92-45-87), cathédrale de pierre et de béton que certains iraient presque visiter un pendule à la main, tant le lieu semble inspiré. Enfin, plus au calme, Mouriès vous réservera un cru de son tonneau au *Mas de Gourgonnier* (☎ 04-90-47-50-45). Plus d'infos sur le site ● *lesvinsdesbaux.com* ●

LES BAUX-DE-PROVENCE

(13520)   465 hab.   *Carte Bouches-du-Rhône, B2*

Un site unique, classé parmi les « Plus Beaux Villages de France ». Une forteresse jaillie de la garrigue, dont on ne sait plus différencier les rochers du bâti. Des murailles qui s'illuminent, s'embrasent même lorsque le soleil se couche. Du château, tel un nid d'aigle, un panorama qui embrasse la plaine de la Crau et court jusqu'à la mer ; la montagne Sainte-Victoire se dessine au loin. Un vrai choc esthétique !

Choc aussi lorsque l'on découvre la foule qui, du printemps à l'automne, envahit les ruelles tout autant que les étals des boutiques de souvenirs... Les débuts de matinée et fins d'après-midi permettent de mieux apprécier l'instant présent. Certes, le village tente d'améliorer son image en accueillant événements culturels et résidences d'artistes, mais Les Baux sont décidément victimes de leur succès.

UN PEU D'HISTOIRE

Cette cité trouve ses origines dans le lointain. La légende voudrait que Balthazar, l'un des Rois mages, ait rencontré ici la bergère de ses rêves. Toujours est-il que cette véritable citadelle minérale eut tôt fait d'attirer les stratèges, et ce sont les Ligures qui s'en emparent les premiers cinq siècles avant notre ère. Dans leur langue celtique, *bau* signifie « rocher escarpé », et la cité leur doit donc son nom. Bien dressée sur cet éperon dénudé dominant des oliveraies et des vignes, elle abrita cette « race d'aiglons, jamais vassale » chantée par Frédéric Mistral.

Réunie à la couronne de France, la baronnie va se révolter contre Louis XI qui fera carrément démanteler la forteresse. Il faudra attendre les travaux de restauration entrepris par le connétable Anne de Montmorency, à la Renaissance, pour que soient édifiés nombre d'hôtels particuliers à l'architecture élégante et raffinée, que l'on peut toujours admirer et parfois même visiter.

Devenu fief protestant, rebelote, le château sera démantelé en partie, cette fois par Richelieu. Pour finir, Les Baux deviendront marquisat... pour les Grimaldi. Le prince Albert de Monaco est ainsi l'actuel marquis des Baux.

Au XIXe s, le site avait déjà tapé dans l'œil de Pierre Berthier et de Prosper Mérimée. Géologue, le premier y identifie en 1821 un minerai qu'il nommera... bauxite. Le second fut à l'origine des premiers travaux de restauration du village, continués bien plus tard, après la Seconde Guerre mondiale par André Malraux et Raymond Thuiller, ancien maire et fondateur de l'*Oustau de Baumanière* (l'hôtel très chic et à prix choc des Baux). Ils se poursuivent aujourd'hui avec l'embellissement du plan du château.

Adresse et infos utiles

⊞ *Office de tourisme* : *maison du Roy.* ☎ 04-90-54-34-39. ● lesbauxdepro vence.com ● ♿ *À l'entrée du village. Avr-sept, lun-ven 9h-18h (9h30-17h oct-mars), w-e et j. fériés 10h-17h30 ; fermé 1er janv et 25 déc. Audioguide ou iPad prêtés aux personnes handicapées (visuelles et auditives) ; appli également téléchargeable sur Applestore. Visite insolite des Baux, mar à* 11h juin-sept (5 €/pers). ⚏ Compétent, accueillant et disponible malgré la foule. Carte des randonnées pédestres de la région à disposition.

⊞ *Stationnement* : la visite du village des Baux s'effectue à pied. Parking payant 8h-20h (impossible d'y échapper). Tarif : 5 €, qu'on reste 5 mn ou la journée...

Où dormir ? Où manger ?

De bon marché à prix moyens

🏠 *Chambres d'hôtes Le Mas de l'Esparou* : *route de Saint-Rémy.* ☎ 04-90-54-41-32. ● lesparou- lesbaux.com ● *À 4 km du village. Prendre la D 17 puis la D 5 vers Maussane ; 1er chemin à gauche après le rond-point de la gendarmerie. Congés : fin nov- début mars. Double 80 €.* Dans cette maison isolée au milieu des pins et des oliviers, Jacqueline vous donnera vite l'impression que vous arrivez dans la famille. Chacun fait ce qu'il veut. Il y a la piscine, la vue exceptionnelle sur la chaîne des Alpilles et des chambres vastes, simples et fraîches, ouvrant toutes sur une terrasse. Accueil adorable.

🏠 |●| *Hostellerie de la Reine Jeanne* : *Grand-Rue.* ☎ 04-90-54-32- 06. ● marc.braglia@wanadoo.fr ● la- reinejeanne.com ● ♿ *Dans le village, à droite après l'office de tourisme. Fermé* de début janv à mi-fév. Resto fermé le soir et mar tte la journée en hiver. Doubles 56-70 € selon saison et vue ; familiale 80-100 €. Au resto, plat du jour 14 €, menu 32 €. Parking municipal gratuit pour les clients de l'hôtel. ⚏ Café offert sur présentation de ce guide. Quel bonheur, une fois les touristes disparus, de se retrouver dans cette vieille maison rénovée avec malice, dans des chambres agréables et personnalisées, dont certaines offrent une vue paradisiaque sur le val d'Enfer... Les plus chères ont une terrasse. Bar- restaurant bien pratique et surtout bien placé, avec une carte régionale variée. Accueil sympa.

|●| ⚏ *Le Café des Baux* : *rue du Tren- cat.* ☎ 04-90-54-52-69. ● cafedes baux@live.fr ● *Sur le haut du village, à 50 m avt l'entrée du château, sur la gauche. Juil-août, tlj (sf 1 j., variable selon activité) ; avr-juin et sept-nov, ts les midis (sf 1 j., variable selon activité). Formule 19,90 €. Menu 36,90 €.* Un vrai bon restaurant, qui propose une cuisine traditionnelle adaptée au climat et à la situation haut perchée. Belle terrasse dans la cour (brumisateurs au déjeuner). Pour terminer sur une note sucrée, faites confiance au chef, il est champion de France du dessert.

De chic à beaucoup plus chic

🏠 *Chambres d'hôtes Le Prince Noir :* rue de Lorme. ☎ 04-90-54-39-57. 📱 06-20-07-82-67. ● contactez-nous@ leprince-noir.com ● leprincenoir.fr ● Sur le haut du village, fléché sur la gauche avt l'entrée du château. Congés : janv. Double 105 € ; suites et apparts 152 et 184 € pour 2. 📶 Du troglodyte très tendance pour qui désire passer dans une autre dimension, colorée, fantaisiste et chaleureuse. Un calme absolu sous la roche et pourtant dans la plus haute bâtisse de la cité. Et quelle vue ! La caverne de Cro-Magnon se fait nid d'aigle ! De toutes

les terrasses, privées ou commune, le panorama est à couper le souffle : les toits des Baux et, au-delà, le massif et le ciel.

🏠 |O| *La Benvengudo :* vallon de l'Arcoule (D 787). ☎ 04-90-54-32-54. ● reservations@benvengudo. com ● benvengudo.com ● À 1 km du village sur la D 78 (fléché, sur la droite). Doubles 165-365 € selon confort et saison. Petit déj 18 €. Menus 59-75 €. 📶 Dans un cadre nature, une ancienne bastide avec une oliveraie, des pins, un grand jardin paisible agrandi d'un verger, où le cuisinier vient piocher ses produits. Au choix, des chambres typées « Provence d'antan » côté jardin, ou plus contemporaines et (encore) plus chères côté bastide. Toutes sont très confortables et s'ouvrent sur une terrasse ou un balcon. Au resto, cuisine de saison proposant des plats du jour autour de la piscine le midi et un vrai menu le soir. Accueil très pro. Tennis, VTT à disposition et boulo-drome pour la touche locale.

À voir. À faire

....

– *Pass Balade :* comprend l'accès au château, au musée Brayer et au val d'Enfer. Tarif : 19 €.

➤ *Petit tour du propriétaire :* une fois franchie la *porte Mage,* on tombe sur la belle *maison du Roy* abrite l'office de tourisme. Esquivez la foule de la Grand-Rue en tournant tout de suite à droite, dans la rue Porte-Mage, vers la place Louis-Jou. Arrêt possible dans l'ancien hôtel de ville, transformé en petit *musée des Santons* (entrée libre ; quelques jolies pièces, dont les figurines napolitaines). En contrebas se dresse la *porte Eyguières.* Belle vue sur le vallon de la Fontaine. D'ici, on peut descendre jusqu'au charmant *pavillon* Renaissance *de la reine Jeanne.* Retour en arrière pour rejoindre et remonter la rue de la Calade. À gauche, superbe *maison de la porte d'Eyguières.* En continuant, on débouche sur la place Saint-Vincent, bordée par l'*Hôtel de Porcelet* – belle demeure de la fin du XVIᵉ s devenue *musée Yves-Brayer* –, la *chapelle des Pénitents-Blancs* (XVIIᵉ s) et l'*église Saint-Vincent* (lire ci-après). Par la rue de l'Église, puis la rue Neuve, on rejoint la Grand-Rue. Petit crochet à gauche : les vestiges d'un ancien *temple protestant* dont seule émerge une étrange fenêtre portant la prometteuse inscription calviniste « *Post tenebras lux* ». En face, l'*Hôtel de Manville* (et de ville...), de style Renaissance des voûtes à croisée d'ogive de la cour aux fenêtres à meneaux, il accueille des expos temporaires. En remontant la Grand-Rue on aboutit au *château.* En le descendant, on croise la maison du XVᵉ s qui abrite la *Fondation Louis-Jou.*

🗝🗝 *L'église Saint-Vincent :* passé l'intéressant portail roman, on accède à un intérieur aux proportions très étonnantes dues à la topologie du rocher : une église aussi large que longue. À droite, les trois chapelles romanes originelles sont creu-sées dans le roc. À gauche, trois autres chapelles élégantes et gothiques. La sobre nef sert de décor à la célèbre messe des bergers de la messe de minuit, avec cérémonie du pastrage et crèche vivante sur fond de chants provençaux. Les vitraux modernes de Max Ingrand sont un cadeau du prince Rainier de Monaco.

🏃 *Le musée Yves-Brayer :* pl. Saint-Vincent. ☎ 04-90-54-36-99. ● yvesbrayer. com ● *Tlj (sf mar nov-mars) 10h-12h30, 14h-18h30 (ouvre à 11h et ferme à 17h30 nov-mars). Dernières admissions 30 mn avt fermeture. Congés : janv-fév. Entrée : 5 € ; réduc ; gratuit moins de 18 ans.* Consacré tout entier à ce peintre figuratif (1907-1990) amoureux des Baux. Huiles, aquarelles, dessins, gravures, lithographies. Si vous voulez vous faire une idée de son style, les fresques de l'église voisine sont de sa main. Expos temporaires également.

🏃🏃🏃 🚶 *Le château :* à l'extrémité de la rue du Trencat, taillée à même la roche par les Romains. ☎ 04-90-54-55-56. ● chateau-baux-provence.com ● *Ouv juil-août, 9h (10h nov-fév)-20h15 (19h15 avr-juin et sept ; 18h30 mars et oct ; 17h nov-fév). Entrée : avr-sept 10 € (8 € hors saison) ; réduc ; gratuit moins de 7 ans. Audio-guide (inclus). Livret-jeux enfants 7-12 €.* Dans l'hôtel de la Tour de Brau du XVIe s (aujourd'hui la billetterie), deux maquettes permettent de mieux saisir comment se présentait la forteresse aux XIIIe et XVIe s. La chapelle Saint-Blaise (XIIe s) accueille un spectacle audiovisuel intitulé « La Provence vue du ciel », qui vous transportera vers les plus beaux monuments et paysages de Provence. Juste à côté, exposition de machines de siège médiévales grandeur nature : baliste, trébuchet, bélier, etc. Ensuite, il suffit d'errer sans but sur ce vaste balcon naturel (7 ha quand même), surplombant la vallée et s'ouvrant sur un panorama exceptionnel avec la mer, par-delà les Alpilles.

En dehors du village

🏃🏃 🚶 *Les carrières de Lumières :* route de Maillane. ☎ 04-90-54-47-37. ● carrieres-lumieres.com ● *À 400 m du village (fléché). Tlj mars-sept 9h30-19h, mars et oct-début janv 10h-18h. Fermé début janv-début mars. Entrée : 10,50 € ; réduc ; gratuit moins de 7 ans.* Les murs, sols et plafonds des immenses salles souterraines (anciennes carrières de calcaire qui ont servi de décor au film my(s) thique de Cocteau, *Le Testament d'Orphée*) servent d'écran géant à des projections d'œuvres d'art qui prennent ici une dimension souvent épique.

🏃 *Le val d'Enfer :* au pied des Baux. Monde minéral et chaotique, ce paysage tourmenté a donné lieu à bien des légendes. Dante y situa l'entrée de l'enfer et Mistral, dans *Mireille*, l'antre de la sorcière Taven. Un site assez impressionnant. Maisons troglodytiques et quelques hôtels-restaurants fameux...

🏃 Poursuivre sur la D 27 (petite route de Maillane) avant de redescendre de l'autre côté du col, bifurquer sur une petite route sur la droite qui mène à la table d'orientation. Vue à 360° sur le Luberon, le mont Ventoux et la Camargue.

🏃 *Le moulin de Castelas :* ☎ 04-90-54-50-86. ● castelas.com ● *Sur la D 27A, direction Maussane. Tlj.* Dégustation d'huiles d'olive et visite de ce moulin devenu incontournable dans la vallée des Baux.

Fêtes et manifestations

– *Festival d'Art contemporain :* juil-août, dans différentes communes des Alpilles.
– *Septembre de la céramique et du verre :* en septembre, vous l'auriez deviné, mais en octobre aussi.
– *Salon des créateurs et des santonniers :* oct.
– *Noël aux Baux :* déc. Expos, animations, concerts...

LES ALPILLES

SAINT-RÉMY-DE-PROVENCE

(13210)   10 400 hab.   *Carte Bouches-du-Rhône, B2*

Presque la ville provençale type, avec ses vestiges romains et son boulevard circulaire ombragé de platanes, enserrant les zigzagantes ruelles du centre ancien rendues aux piétons l'après-midi. Une cité attachante, la plus connue des Alpilles, et qui le fait parfois payer au prix fort !
Serait-ce parce que Nostradamus (1503-1566) y est né ? Parce que Van Gogh passa ici la dernière année de sa vie (sauf les 2 derniers mois) ? Qu'il y a peint 150 de ses toiles parmi les plus fulgurantes ? Ou parce qu'on peut espérer croiser aux terrasses des bistrots quelques people mêlés aux artistes et aux figures locales ? Ce qui est certain en tout cas, c'est que Saint-Rémy est devenu au fil du temps un gentil clone provençal de Saint-Germain-des-Prés, revendiquant la plus grande concentration d'ateliers d'artistes et de galeries d'art du sud de la France. Une ville douce à vivre hors saison mais qui change de visage dès les premiers beaux jours...

Adresses et info utiles

Office de tourisme (plan A2) : pl. Jean-Jaurès. ☎ 04-90-92-05-22. ● saintremy-de-provence.com ● Tte l'année, lun-sam 9h15-12h30, 14h-17h30 (18h30 avr-juin et sept-oct, 18h45 juil-août) ; également mat dim et j. fériés Pâques-oct, plus dim en juil-août 14h30-17h. Organise d'intéressantes visites guidées du centre-ville, mais aussi « Les paysages de Vincent » ou les encore plus originales « À la découverte des hiboux grands ducs ». Édite un dépliant d'itinéraires cyclotouristes (gratuit) et 7 circuits pédestres autour de Saint-Rémy (tarif : 2 €).

■ **Location de vélos et VTT** : Télécycles, loc slt par tél (☎ 04-90-92-83-15) avec livraison à domicile tlj ; ou **Vélo Passion,** Z.A. de la gare (☎ 04-90-92-49-43). Vélos électriques pour ceux qui commenceraient à fatiguer : Sun-E-Bike, 16, bd Marceau (☎ 04-32-62-08-39).
– **Marché** : mer mat, pl. de la République et rues adjacentes. Un marché très orienté sur l'art de vivre provençal (nappes, jolis paniers et quelques bons produits), qui sent bon le fenouil, l'olive et la Provence en général.

Où dormir ?

Campings

▲ **Pégomas** (plan B2, 10) : chemin de Pégomas. 3, av. Jean-Moulin. ☎ 04-90-92-01-21. ● contact@ campingpegomas.com ● camping pegomas.com ● ☒ À 700 m du centre. Ouv de mi-mars à mi-oct. Empl. tente 16-27,60 € selon saison. Mobile homes 4 pers 280-790 €/sem. 105 empl. ☐ ☎ Une petite bouteille de 50 cl de rosé pays offerte sur présentation de ce guide. Le plus proche du centre. Accueil sympa, de l'ombre, de la verdure, et quelques touffes d'herbe pour planter sa tente. Sanitaires chauffés. Piscine, snack, lave-linge, boulodrome. Fitness sur place. Location de vélos.

▲ **Mas de Nicolas** (plan B1, 11) : av. Plaisance-du-Touch. ☎ 04-90-92-27-05. ● contact@camping-masdenicolas. com ● camping-masdenicolas.com ● ☒ À 800 m du centre. Ouv de mi-mars à fin oct. Empl. tente 16,40-30,30 € selon saison. Mobile homes (4-5 pers) et chalets 360-790 €/sem selon taille et saison. 140 empl. ☎ (gratuit à l'accueil, payant sur les

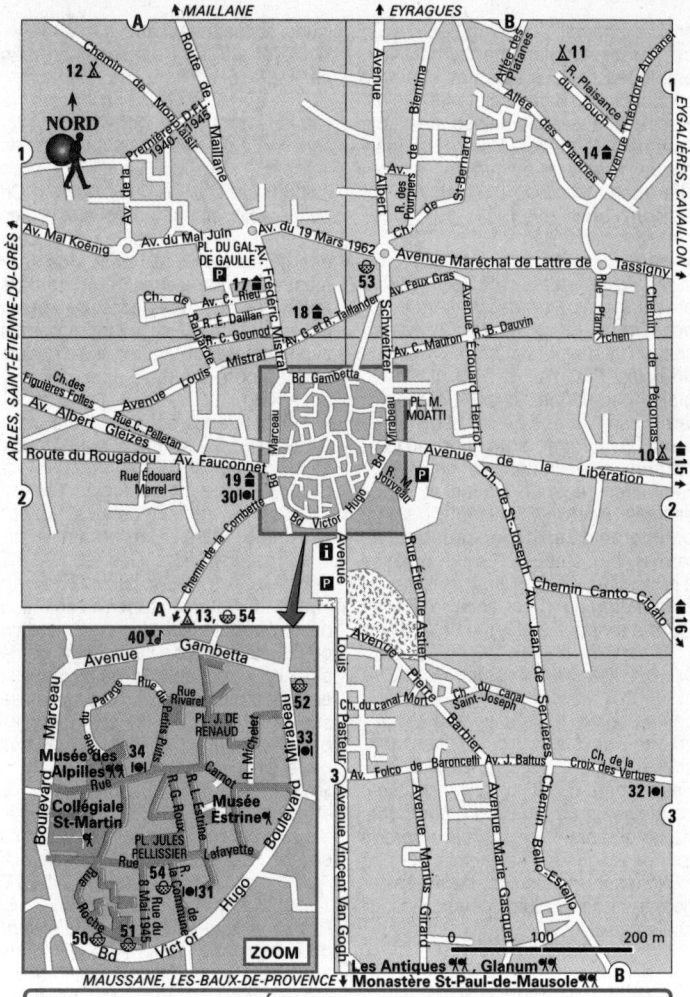

SAINT-RÉMY-DE-PROVENCE

■	Adresse utile
🅑	Office de tourisme
⚔ 🏠	**Où dormir ?**
	10 Pégomas
	11 Mas de Nicolas
	12 Monplaisir
	13 Camping du Vieux Chemin d'Arles
	14 Hôtel L'Amandière
	15 Hôtel de la Caume
	16 Hôtel Canto Cigalo
	17 Le Chalet fleuri
	18 Hôtel Sous les Figuiers
	19 Hôtel Gounod

◖◗	**Où manger ?**
	30 Café de la Place
	31 L'Aile ou la Cuisse
	32 Ô Caprices de Mathias
	33 Chez Xa
	34 La Maison jaune
🍸 ♪	**Où boire un verre ?**
	Où écouter de la musique ?
	40 Le Divin
⚜	**Où acheter de bons produits ?**
	50 Chocolats Joël Durand
	51 Le Petit Duc
	52 Florame
	53 Confiserie Lilamand
	54 Moulin du Calanquet

emplacements). Camping fleuri, avec de vastes emplacements herbeux, ombragés par des albizzias et autres micocouliers. Blocs sanitaires nickel. Piscine et ensemble balnéo avec spa, hammam (gratuits). Baby-foot, barbecue, laverie et épicerie en saison. Une bonne adresse.

⚷ *Monplaisir (plan A1, 12)* : chemin Monplaisir. ☎ 04-90-92-22-70. ● reception@camping-monplaisir.fr ● camping-monplaisir.fr ● ♿ À 800 m du centre. Ouv de début mars à mi-oct. Empl. tente 18-30,50 € selon saison. Chalets et mobile homes 350-750 €/sem. 130 empl. 📶 En pleine campagne, un petit camping-jardin familial soigneusement entretenu. Emplacements herbeux et ombragés, délimités par des haies. Sanitaires récents. Calme et repos assurés. Resto (juillet-août), piscine, boulodrome, épicerie (produits du terroir), bibliothèque. Le GR 6 passe à proximité.

⚷ *Camping du Vieux Chemin d'Arles (hors plan par A2, 13)* : vieux chemin d'Arles. ☎ 04-90-92-27-22. ● tg. perrot@orange.fr ● campingsaintre mydeprovence.fr ● À env 2 km du centre, fléché « Camping à la ferme » au sud-ouest du bd circulaire, par le chemin de la Combette. Ouv avr-oct. Empl. tente 12,50 €. 12 empl. Isolé en pleine nature au bord d'une petite départementale, ce terrain ombragé tout en longueur s'est installé sur une exploitation maraîchère. Petite épicerie garnie de produits locaux. Accueil chaleureux.

De prix moyens à chic

🛏 *Hôtel L'Amandière (plan B1, 14)* : av. Théodore-Aubanel. ☎ 04-90-92-41-00. ● hotel-amandiere@wanadoo. fr ● hotel-amandiere.com ● ♿ À 700 m du centre-ville. Doubles 80-103 € selon taille et clim. Parking gratuit. 📶 Grosse maison aux couleurs et parfums du Midi, longée par un sympathique jardin avec, au bout, une piscine. Chambres spacieuses, sobres, calmes et confortables, dotées de belles salles de bains et d'une terrasse ou d'un balcon. Copieux petit déj. Atmosphère plutôt jeune, accueil charmant.

🛏 *Hôtel de la Caume (hors plan par B2, 15)* : route de Cavaillon. ☎ 04-90-92-43-59. ● hoteldela caume@orange.fr ● hoteldelacaume. com ● À 2 km du centre. Congés : de janv à mi-mars. Doubles 55-82 € selon confort et saison. Parking gratuit. 📶 Ce petit établissement familial aux allures de motel provençal est le moins cher des hôtels de Saint-Rémy. Pas vraiment au centre, certes, et en bord de route. Les chambres sont proprettes, situées au calme côté jardin (parfois avec terrasse) ou équipées de double vitrage côté route. Petite piscine, ping-pong.

🛏 *Hôtel Canto Cigalo (hors plan par B2, 16)* : 8 A, chemin Canto-Cigalo. ☎ 04-90-92-14-28. ● hotel.cantoci galo@wanadoo.fr ● cantocigalo.com ● À 800 m du centre. Congés : début janv-début mars et de mi-nov à mi-déc. Résa conseillée. Doubles 72-98 € selon confort, vue et saison. Parking gratuit. 📶 Pour échapper à l'agitation du centre, cet hôtel situé au cœur d'un grand jardin propose une vingtaine de chambres coquettes et de belle taille, équipées d'un minibar. Piscine et vue sur les Alpilles pour les chambres les plus chères, et climatisées. Accueil très professionnel.

🛏 *Le Chalet fleuri (plan A1, 17)* : 15, av. Frédéric-Mistral. ☎ 04-90-92-03-62. ● contact@lechaletfleuri. com ● hotel-lechaletfleuri.com ● À 300 m du centre. Doubles 74-96 € selon confort et saison. Petit déj 11 €. Repas possible le soir (sf dim-lun) pour les résidents, formule et menus 20-25 €. Parking gratuit. 📶 Hôtel de charme installé dans une très balnéaire villa du début du XXᵉ s. Déco moderno-provençale. Les chambres donnent sur un jardin un peu hors du temps. Calme garanti... Lits *king size,* clim et piscine chauffée.

De plus chic
à beaucoup plus chic

🛏 *Hôtel Sous les Figuiers (plan A1, 18)* : 3, av. Taillandier. ☎ 04-32-60-15-40. ● hotel.souslesfiguiers@wanadoo. fr ● hotel-charme-provence.com ●

Congés : de mi-janv à début mars. Doubles 88-216 € selon taille et saison. Petit déj 14,50 €. Parking gratuit. 🛜 Un amour de petit hôtel, qu'on pourrait vite confondre avec une maison d'amis. 14 chambres, presque toutes cachées au fond du jardin, et donnant pour les plus chères sur une terrasse-jardinet rien qu'à soi ! Les figuiers ont bien un siècle, les meubles de la patine et les bibelots une histoire... Piscine.

🏠 *Hôtel Gounod (plan A2, 19) :* 18, pl. de la République. ☎ 04-90-92-06-14. ● contact@hotel-gounod.com ● hotel-gounod.com ● *Fermé janv-fév. Doubles 110-210 € selon confort. Petit déj* 15 €. 🛜 Charles Gounod se retira dans cet ancien relais de poste en 1863 pour composer une des œuvres de son répertoire : *Mireille*. Inspirée par cet hôte, la déco, aussi baroque que lyrique, vous laissera parfois sans voix ! Chambres à peine plus sobres, toutes différentes et volontiers exubérantes, bourrées de charme en tout cas. Si les moins chères sont parfois un peu sombres et étroites, d'autres, plus chères, donnent sur le joli jardin et sa piscine où lézardent des transats. Beau petit déj provençal. Accueil impeccable.

Où manger ?

Prix moyens

|●| *Café de la Place (plan A2, 30) :* 17, pl. de la République. ☎ 04-90-92-02-13. ● lecafedelaplace13@orange.fr ● *Tlj 7h-minuit. Congés : 1er janv, 20-30 sept et 25 déc. Plat du jour 14 € ; carte 30-35 €.* Une adresse façon petit resto d'habitués, où l'on se serre les jours de marché. Cuisine comme à la maison, qui fait dans le rassurant plus que dans l'exotique, andouillette de la Crau grillée, pommes de terre sautées ayant plus de succès que la salade thaïe. Grande terrasse sur la place qui en fait tout le charme. Ambiance sympa.

|●| *L'Aile ou la Cuisse (plan zoom A2, 31) :* 5, rue de la Commune. ☎ 04-32-62-00-25. *Tlj (sf dim soir-lun de mi-nov à fin mars). Formules déj 19,90-26,90 € et menus 29,90-37 €.* Un vrai-faux bistrot ou un faux-vrai bistrot gourmand ? Essayez de deviner, en prenant place dans cet ancien couvent qui a fait du chemin et accueille désormais des religieuses à la carte des desserts uniquement. Le must, c'est de retenir une table côté patio, pour profiter du calme. Les saveurs ne trichent ni avec la quantité ni avec le goût. Le midi, terrine du moment, plat du jour provençal, bons petits légumes. Le soir, carte courte mais alléchante, sur fond de recettes de famille et plats dans l'air du temps.

De prix moyens à plus chic

|●| *Ô Caprices de Mathias (plan B3, 32) :* chemin de la Croix-des-Vertus, domaine Métifiot. ☎ 04-32-62-00-00. ● mathiashenkeme@yahoo.fr ● *À 1 km du centre. Tlj sf mer-jeu. Congés : 1 mois janv-fév et 1 sem à la Toussaint. Formule déj en sem 17 €. Menus 32-49 €. Café offert sur présentation de ce guide.* Une cuisine très personnelle, en harmonie avec le pays et les saisons. Mathias fait partie de ces jeunes chefs qui soignent la forme sans négliger le fond, ses créations puisant dans un fonds régional inépuisable (agneau, taureau, olive...). Terrasse avec vue panoramique sur les Alpilles.

|●| *Chez Xa (plan zoom B2, 33) :* 24, bd Mirabeau. ☎ 04-90-92-41-23. *Tlj sf mer. Fermé fin oct-fin mars. Formule 24 € ; menus 29-31 €.* On vous reçoit ici comme dans un appartement d'un autre temps. Terrasse sur la rue, pour qui préfère l'ambiance de la ville d'aujourd'hui. On y déguste de bons produits d'ici, épicés parfois d'une petite dose d'exotisme. Depuis 30 ans, alors que tout autour, les restos, « Xa va, Xa vient »...

|●| *La Maison jaune (plan zoom A2, 34) :* 15, rue Carnot. ☎ 04-90-92-54-14. ● lamaisonjaune@wanadoo.fr ● *En plein centre ancien. Tlj sf dim et lun midi (plus lun soir et mar midi*

hors saison). Fermé de mi-oct à mi-avr. Menus déj 32 €, puis 44-74 €. Salle d'une sobre élégance. Aux beaux jours, tentez une table sur la terrasse donnant sur la jolie place Favier. Belle maison, belle cuisine terre-mer dans l'esprit de la région, qui a su évoluer avec le temps, depuis 20 ans. D'une grande stabilité.

Où dormir ? Où manger dans les environs ?

2 adresses à **Eyragues** (13630), à 7 km au nord de Saint-Rémy par la D 571.

🏠 **Hôtel Les Mazets de Marie de Jules :** 450, av. du 8-Mai. ☎ 04-90-94-25-63. ● hotel-mariedejules@ wanadoo.fr ● hotel-mariedejules. com ● ♿ Fléché sur 1 km depuis le village. Congés : nov-fév. Doubles 78-118 € selon catégorie et saison. Parking gratuit. 📶 Au calme, une dizaine de petites maisons (les fameux mazets !) qui forment un cercle autour d'un jardin où trône une superbe piscine. Chambres spacieuses, à la sobre déco *old school* d'inspiration provençale. Toutes ouvrent sur une terrasse sous les frondaisons. Accueil très, très chaleureux.

I●I **Le Pré gourmand :** av. Marx-Dormoy. ☎ 04-90-94-52-63. ● lepre gourmand@orange.fr ● ♿ À la sortie d'Eyragues, en direction de Châteaurenard, sur la gauche. Tlj sf soir (plus sam midi, dim soir et lun midi hors saison). Formule 25 € le midi en sem. Menus 28-72 €. Une grande et lumineuse salle résolument contemporaine, ouverte sur une vaste terrasse à l'ombre des canisses, face à un pré. Ici, on s'évade sans sortir de table, le chef nous offrant une « balade » gustative au rythme des saisons. Créative et remplie d'émotions, sa cuisine a le don de mettre la Provence en valeur. Le service, tout en gentillesse, sait proposer le bon accord mets-vins (belle sélection à la carte).

Où boire un verre ? Où écouter de la musique ?

🍸 🎵 **Le Divin** (plan zoom A2, **40**) : 12, bd Gambetta. 📱 06-60-08-18-41. ● laurent.murzilli@orange.fr ● Tlj 17h30-1h. Live jeu, DJ ven. Vins au verre à partir de 4,50 €. Cocktails 8-10 €. Dans une salle psycho-baroque voire baroco-psycho-bizarre avec la scène tout au fond ou en terrasse sur le boulevard... on noie dans un verre de vin ou un cocktail le blues touristique de la journée, autour de quelques tapas et notes de musique.

Où acheter de bons produits ?

🍫 **Chocolats Joël Durand** (plan zoom A2, **50**) : 3, bd Victor-Hugo. ☎ 04-90-92-38-25. ● chocolat-durand.com ● Tlj 9h30-12h30 (10h-13h dim et j. fériés), 14h30-19h30. Des saveurs provençales uniques qui marient chocolat et thym, romarin, lavande, réglisse ou olives noires. On peut assister à la fabrication et goûter. Pour rafraîchir la visite, chocolat glacé.
🍫 **Le Petit Duc** (plan zoom A2, **51**) : 7, bd Victor-Hugo. ☎ 04-90-92-08-31. ● petit-duc.com ● Tlj en saison 10h-19h (fermé au déj hors saison). Des douceurs aux noms évocateurs : lunes, cœurs du petit Albert, calissons, biscuits secs et nougats multiples, tous produits bien élevés qui ne fondent pas et restent bien sagement dans leurs boîtes de métal, si vous désirez faire la route ensemble...
🍫 **Florame** (plan zoom B2, **52**) : 34, cours Mirabeau. ☎ 04-32-60-05-18. ♿ Tlj sf dim hors saison 10h-12h30, 14h30-19h. Lieu original qui, d'alambics en pièces rares, vous amène tout naturellement à une boutique d'où vous sortez délesté de quelques billets en échange de baumes mystérieux et autres huiles essentielles.
🍫 **Confiserie Lilamand** (plan B1, **53**) : 5, av. Albert-Schweitzer.

☎ 04-90-92-12-77. ● lilamand.com ●
Tlj sf dim-lun 10h-12h30, 14h-19h.
Depuis plus de 100 ans, une véritable
caverne d'Ali Baba pour les amateurs
de fruits confits colorés et luisants.
Bons calissons maison également.

⚜ **Moulin du Calanquet** (hors plan
par A2, **54**) : vieux chemin d'Arles.
☎ 04-32-60-09-50. ● moulindu
calanquet.fr ● À 4,5 km de Saint-
Rémy. Prendre la direction Tarascon
(D 99), puis à gauche direction
Les Baux (D 27) ; tourner à gauche
au 2ᵉ carrefour. Tlj (sf dim Toussaint-
Pâques) 9h-12h30, 14h-19h (18h en
hiver). Petite entreprise familiale qui a
redonné à la ville sa place dans l'oléi-
culture, qu'elle avait perdue avec la disparition des derniers moulins en 1956.
Visite instructive du moulin et dégustation. Accueil sympathique. Très bon
choix de produits (huiles, tapenades...).
Petite boutique en ville également (plan
zoom A2, **54** ; 8, rue de la Commune ;
☎ 04-32-60-09-50 ; dégustation jeu à
18h30, juin-sept).

À voir

- *Pass* (gratuit) valable pour le site de Glanum, le monastère Saint-Paul-de-Mausole, le musée Estrine et le musée des Alpilles. Il est remis au premier site visité
(qu'on paie à plein tarif) et permet des réductions sur les autres sites.

La vieille ville

Quittez les boulevards noyés sous les terrasses (et la circulation automobile) pour
vous glisser dans les ruelles de la vieille ville, au caractère médiéval encore marqué. Anciens hôtels particuliers, fontaines, tourelles... Ouvrez l'œil !

🍴 **La collégiale Saint-Martin** (plan zoom A2) : un clocher du XIVᵉ s sur un édifice
du XIXᵉ s. Un peu mastoc. À l'intérieur, exceptionnel buffet d'orgues polychrome
qui sert pour les concerts du festival Organa de juillet à septembre.

🍴🍴 **Le musée des Alpilles** (plan zoom A2) : 1, pl. Favier. ☎ 04-90-92-68-24.
♿ Mai-sept, mar-dim 10h-18h ; oct-avr, mar-sam 13h-17h30 ; fermé 1ᵉʳ janv,
1ᵉʳ mai et 25 déc. Entrée : 4,50 € ; réduc ; gratuit moins de 18 ans. Installé dans
l'hôtel Mistral-de-Montdragon, un bel édifice Renaissance dont on peut admirer
l'élégante cour intérieure, et l'escalier à vis, avant de se laisser prendre au plaisir
d'une muséographie contemporaine mettant en valeur aussi bien les lieux que les
objets. L'exposition permanente permet, à l'aide de peintures, ex-voto, outils et
photos, de comprendre les paysages actuels de la région et les hommes qui les
habitent. Expositions temporaires.

🍴 **Le musée Estrine** (plan zoom A2) : 8, rue Estrine. ☎ 04-90-92-34-72. Dans
le centre. Ouv mar-dim 10h-18h (21h mar juil-août) ; coupure déj 12h-14h d'avr à
mi-juin et de mi-sept à oct ; mars et nov, 14h-18h slt. Fermé déc-fév. Entrée : 7 €
(9 € en visite guidée) ; réduc ; gratuit moins de 12 ans. Musée de peinture moderne
et contemporaine installé dans un bel hôtel particulier du XVIIIᵉ s, qui abrite aussi
le centre d'interprétation Van-Gogh (diaporama, lettres...). Trois expositions de
peinture contemporaine par an.

Le plateau des Antiques (hors plan par A-B3)

À 1 km au sud de Saint-Rémy. ♿ Un itinéraire de visite restreint permet aux per-
sonnes handicapées d'accéder au site. Parking payant.
Ce site archéologique important fait face au merveilleux paysage naturel des
Alpilles. Les fouilles ont mis au jour d'importants vestiges d'une ville créée au
IVᵉ s av. J.-C. autour d'une source vénérée par une peuplade celto-ligure, les

Glaniques. La petite cité de Glanon ne tarda pas à faire du business avec les négociants de Massalia, donc à subir l'influence grecque. La conquête romaine transforma Glanon en Glanum, ville qui connut son apogée sous le règne d'Auguste. Mais, snobée par les voisines plus puissantes comme Arles, la ville dépérit dès le Ier s apr. J.-C., avant que les invasions barbares ne la raient définitivement de la carte à la fin du IIIe s.

🐾🐾 *Les Antiques :* route des Baux. GRATUIT. Cette appellation regroupe l'*arc de triomphe* et le *mausolée des Jules* qui trônaient à l'entrée de la ville romaine de Glanum. L'arc de triomphe, élevé vers 20 av. J.-C., marquait, semble-t-il, le passage d'une voie romaine. S'il a subi des ans l'irréparable outrage, ses frises particulièrement délicates restent bien conservées. Le mausolée élevé à la mémoire d'une grande famille de l'époque est, globalement, en excellent état. Ne pas manquer les quatre reliefs allégoriques du socle, avec des scènes de chasse et des combats d'amazones.

🐾🐾 🚶 *Glanum :* route des Baux. ☎ 04-90-92-23-79. ● glanum.monuments-nationaux.fr ● Avr-sept, tlj (sf lun en sept) 9h30-18h30 ; oct-mars 10h-17h sf lun. Fermé 1er janv, 1er mai, 1er et 11 nov, et 25 déc. Entrée : 7,50 € ; réduc ; gratuit moins de 26 ans. Visites guidées gratuites tlj juil-août à 11h et 15h ; se renseigner le mat pour le j. même. Toutes les époques de la ville antique réapparaissent lors de la visite : sanctuaire gaulois autour de la source (le bassin est bien visible), deux maisons grecques analogues à celles de Délos... mais l'ensemble reste romain. Les vestiges des thermes, du forum, des maisons et des temples donnent une idée de ce qu'était une petite ville de l'époque. Le site manque d'ombre en été : y aller dès l'ouverture donc, ou en fin d'après-midi pour profiter de la plus belle lumière.

🐾🐾 *Le monastère Saint-Paul-de-Mausole :* av. Edgard-Leroy. ☎ 04-90-92-77-00. ♿ (sf étage). Avr-sept, tlj 9h30-18h45 ; d'oct à mi-fév, 10h15-17h15. Fermé de janv à mi-fév. Entrée : 4,70 € ; réduc ; gratuit moins de 12 ans. Visites guidées (rens à l'office de tourisme).
Un ancien prieuré où les moines accueillaient les aliénés. La Révolution l'a transformé en maison de santé à vocation psychiatrique, ce que le lieu est toujours. Après la crise de démence d'Arles (la fameuse oreille coupée offerte à une prostituée), Van Gogh avait décidé de suivre un traitement à Saint-Paul. Il y restera 1 an, de mai 1889 à mai 1890. Au début de l'internement, les sorties lui étant interdites, il planta son chevalet dans le jardin. En l'espace de 1 an, il réalisa plus de 150 peintures et de nombreux dessins. C'est à Saint-Rémy qu'il conçut, entre autres, ses *Champs d'oliviers* tourmentés et sa fameuse *Nuit étoilée*. Il quitta Saint-Paul afin de retrouver son frère qui voulait le rapprocher de lui et espérait mieux le faire soigner à Auvers-sur-Oise : il partit donc vers le nord, où il mit fin à ses jours, 2 mois après son arrivée.
La visite permet de découvrir un agréable cloître roman des XIe-XIIe s (jolis chapiteaux historiés). Chapelle tout aussi sobrement romane. Boutique dans la salle capitulaire. Dans l'escalier roman, intéressante exposition des œuvres réalisées par les patients de la maison de santé, où l'art-thérapie est utilisé comme méthode de soin. À l'étage, on peut voir la reconstitution de la chambre de Van Gogh et une toute petite expo sur la psychiatrie au XIXe s. Un film raconte l'histoire du monastère et dévoile les lieux de prédilection du peintre.

🐾 *Promenade dans l'univers de Vincent Van Gogh :* appli téléchargeable à l'office de tourisme (gratuit). Un itinéraire piéton en liberté (1,5 km) relie le centre-ville au monastère Saint-Paul-de-Mausole. Une vingtaine de panneaux en lave émaillée reproduisent ses œuvres à proximité des paysages et des sujets qui l'ont inspiré. Évidemment, Saint-Rémy a, ici ou là, pas mal changé depuis.

Fêtes et manifestations

– **Fête de la Transhumance et de la Brocante :** *le mat du lun de Pentecôte.* Une fête restée dans son jus, où les moutons défilent devant les hommes politiques (une fois n'est pas coutume) et qui se termine par un grand repas sur le plateau.

– **Fêtes de la Route des artistes :** *1 dim/mois en mai, juin, août, sept et oct.* Une centaine d'artistes (peintres, sculpteurs...) exposent et vendent leurs œuvres dans le centre ancien.

– **Marché nocturne des créateurs :** *ts les mar 1er juil-15 sept, 19h-23h30, sur la pl. de la Mairie.* Réunit une quarantaine d'artisans, de la mode à la gastronomie.

– **Festival Organa :** *juil-sept. Sam à 18h30. Rens au ☎ 06-26-53-70-17.* Concerts d'orgues à la collégiale Saint-Martin, donnés par les meilleurs organistes mondiaux.

– **Fête traditionnelle de la Caretto Ramado :** *le mat du 15 août.* Tirée par 50 chevaux harnachés et pomponnés, une charrette fleurie, décorée de fruits et de légumes, traverse la ville...

– **Feria provençale :** *w-e du 15 août.* Pas de mise à mort, seulement des *abrivados, bandidos, encierros,* courses camarguaises, courses à la cocarde...

– **Festival de Jazz :** *3 j. en sept.* ● *jazzsaintremy.free.fr* ● Concerts gratuits en journée, payants le soir.

– **Petit marché du Gros Souper :** *dernier w-e avt les fêtes de Noël.* Ce petit marché de Noël tire son nom du repas traditionnel du 24 décembre.

DANS LES ENVIRONS DE SAINT-RÉMY-DE-PROVENCE

EYGALIÈRES (13810)

À l'orée du massif des Alpilles, dominé par un rocher planté de pins et d'une Vierge (joli point de vue sur le massif), Eygalières est un petit village coquet et paisible, où vieilles pierres et feuillages s'entremêlent. Il tire son nom de la VIe légion romaine qui quitta Arles pour ce petit havre de paix entre amandiers, oliviers et vignes : on les comprend. Au Moyen Âge, des roitelets construisirent successivement leurs châteaux au cœur de la cité, avant qu'elle ne passe entre les mains des comtes de Provence. Mais, endetté, l'un d'entre eux vendra la ville... à ses habitants. Et pour fêter l'heureux événement, ils élevèrent un beffroi et son horloge, dont les restes sont encore visibles à l'entrée du village.

Où dormir ? Où manger ?

Camping

⚕ 🏠 **Camping Les Oliviers :** 114, av. Jean-Jaurès. ☎ 04-90-95-91-86. 📱 06-12-73-50-22. ● campingleso liviers13@gmail.com ● camping-les-oliviers.com ● *Ouv avr-début oct. Empl. tente 16 €. Loc de caravanes et studios (2-4 pers) 170-210 €/sem. 30 empl. Réduc de 5 % sur l'empl. 2 pers sur présentation de ce guide.* En plein cœur du village – donc à deux pas des commerces –, ce mignon petit camping égrène ses emplacements le long d'une allée bordée d'oliviers. Boulodrome, location de vélos, aire de jeux pour les enfants. Calme garanti.

De prix moyens à chic

🏠 **Chambres d'hôtes du Contras :** chemin du Contras. ☎ 04-90-95-04-89. 📱 06-19-01-28-77. ● pernix.

maurice@orange.fr ● chambre-hote-eygalieres.fr ● À env 5 km au nord-est d'Eygalières par la D 24B puis à gauche la D 74A sur 3,5 km. Ouv avr-sept. Doubles 60-65 €. 🛜 Au-delà de 4 nuits, un produit du terroir et une balade en calèche avec Pépette (la jument) offerts sur présentation de ce guide. En pleine campagne, une ferme avec des chambres claires et simples, et un petit déj servi aux beaux jours à l'ombre d'un vieux mûrier de Chine. Pas de table d'hôtes, mais il est possible de pique-niquer (frigo et micro-ondes à dispo). Accueil chaleureux et authentique.

|●| Sous les Micocouliers : traverse Montfort. ☎ 04-90-95-94-53. ● souslesmicocouliers@laposte.net ● 🍴 Dans le village. Tlj Pâques-Toussaint, fermé dim soir et lun hors saison. Congés : janv. Plat du jour 18 € ; menus 31-55 €. Petite table décontractée chic. L'idéal est, bien sûr, de s'installer à l'ombre des fameux arbres sur la grande terrasse-jardin. Passé par quelques (très) grandes maisons avant de revenir en Provence, le chef vous propose tout à la fois des plats de saison aux saveurs du monde et du moment, et des classiques provençaux revisités. Service efficace.

🛏 |●| La Bastide d'Eygalières : chemin de Pestelade. ☎ 04-90-95-90-06. ● contact@hotellabastide.com ● hotellabastide.com ● 🍴 À 1,5 km par la D 24B (route d'Orgon) ; bien fléché sur la droite. Hôtel ouv tte l'année, resto avr-oct slt. Doubles 90-130 € selon confort et saison. Formule déj en sem 17 € ; menus le soir 28-38 €. 🖥 🛜 Apéritif maison offert sur présentation de ce guide. Perdue au milieu des pins et des oliviers, au cœur d'un jardin qui ressemble à un petit bout de garrigue, une bastide (pardi !) rénovée sans y perdre son cachet (poutres apparentes, murs blanchis à la chaux...). Jolies chambres dans l'esprit du pays, garnies d'un beau mobilier en bois noble. À table, salades en terrasse l'été, et bonne cuisine traditionnelle provençale, volontiers bio. Piscine, évidemment.

À voir

🎬🎬 Le vieux village : moins foisonnant de touristes que certains de ses voisins, il a un charme certain. Grimper jusqu'aux ruines du château par la rue de la République et la rue de l'Église, bordées de maisons anciennes rénovées et mangées par la végétation. Du sommet, vue sympathique sur les Alpilles et la vallée de la Durance. Superbe au coucher du soleil.

🎬 Le jardin de l'Alchimiste : mas de la Brune. ☎ 04-90-90-67-67. Tlj en mai 10h-18h, slt le w-e juin-oct 10h-18h et sur rdv. Fermé le reste de l'année. Entrée : 8 € ; réduc. Au pays de Nostradamus, il manquait un lieu magique, à la hauteur des rêves que les alchimistes ont de tout temps inspirés aux hommes. Suivez le guide ou laissez-vous porter par les symboles, les formes, les couleurs, assez facilement identifiables, et tentez de trouver par vous-même l'issue du labyrinthe (on vous souhaite de réussir...). Vous ne sortirez pas forcément plus sage de ce merveilleux jardin (classé « Jardin remarquable ») mais plus apaisé. C'est du moins l'intention des propriétaires du mas de la Brune, château du XVIe s devenu hôtel au charme intemporel, où vous pourrez séjourner si vous avez trouvé le moyen de transformer le plomb en or.

🎬🎬 La chapelle Saint-Sixte : à 2 km par la D 24B direction Orgon. LA carte postale provençale par excellence ; elle a été bâtie au XIIe s sur une petite colline où l'on se réunissait pour des rites païens. On y célèbre tous les mardis de Pâques une messe en provençal et on y perpétue le rite de l'eau. Le jour des fiançailles, le futur marié boit de l'eau de source des mains de sa fiancée : s'il ne l'épouse pas dans l'année, il meurt. Mieux vaut réfléchir !

SAINT-ÉTIENNE-DU-GRÈS (13103)

Petit bourg entre Saint-Rémy et Tarascon, sans autre intérêt que celui de proposer quelques adresses agréables.

Où dormir ? Où manger ?

De prix moyens à chic

🏠 **Chambres d'hôtes Le Moulin de la Croix :** 28, av. Notre-Dame-du-Château. ☎ 04-90-49-05-78. 📱 06-61-30-03-92. ● moulindelacroix@orange.fr ● moulindelacroix.com ● Depuis la mairie du bourg (sur la D 99), prendre l'av. Notre-Dame-du-Château sur 700 m. Double 68 € ; familiale 78 €. Réduc de 10 % sur la chambre sur présentation de ce guide. 🛜 Un vieux mas noyé dans un jardin un peu fouillis où est plantée une drôle de cabane. 4 chambres mignonnettes, épurées et bien confortables. Petit déj (bio) servi dans une grande salle aux couleurs ocre, qui met du soleil au cœur, les jours où l'on ne peut pas profiter du jardin. Accueil très, très sympa.

🏠 **Hôtel Mas Vidau :** impasse André-Vidau. ☎ 04-90-47-63-71. ● anraffy@wanadoo.fr ● masvidau.free.fr ● Depuis la mairie (sur la D 99), prendre l'av. Notre-Dame-du-Château, c'est à 50 m à droite, dans une impasse. Doubles 55-100 € selon orientation et saison. 🛜 Au pied des Alpilles, ce charmant mas provençal de 1870, avec piscine cachée et jardin aromatique, a été entièrement retapé par un des descendants de cette famille liée au village depuis toujours. Les chambres donnant sur le jardin sont plus agréables, plus calmes et plus... chères.

🏠 **Chambres d'hôtes Le Presbytère en Provence :** rue des Capellans. 📱 06-14-77-21-92. ● le-presbytere@wanadoo.fr ● À la sortie du bourg, direction Tarascon (D 99), à gauche entre les 2 ronds-points. Fermé nov-mars. Doubles 70-85 € selon saison. 🛜 Les Templiers avaient fondé ici une commanderie. Le château a disparu, restent une chapelle (convertie en chambre) et une partie des bâtiments conventuels. Les belles chambres d'hôtes ont été aménagées dans l'ancienne ferme. Des objets chinés un peu partout ont donné une nouvelle vie à cette demeure déjà peu banale.

🍴 **La Marmite provençale :** 3, route de Saint-Rémy (D 99). ☎ 04-90-49-01-27. À 200 m de la mairie, direction Saint-Rémy à droite. Mer-dim. midi. Formule déj en sem 15 €, menu 26 €. Pas de carte. Dans une salle simple ou sous les mûriers de la terrasse, cette marmite vous concocte des plats à base de produits frais (le marché est juste en face !) et bien tournés. Provençaux, certes, tout comme les arômes des sauces, olives, basilic, amandes... Également de bons desserts. Service discret et agréable, à l'image des saveurs composées ici.

🍴 **Le Garde-Manger :** 31, av. de la République. ☎ 04-90-49-08-37. ● restaurant@legarde-manger.fr ● ♿ Au centre du bourg. Tlj sf mer soir, sam midi et dim. Formule et menu déj 21-26 €, menus 35-45 €. Une table où tout, du pain au dessert, sort du garde-manger (tout est fait maison, autrement dit) et où la carte, très sucrée-salée, suit le soleil et les saisons. Une cuisine saine et savoureuse tout à la fois. Salles colorées et terrasse abritée. Bon petit vin de pays au pichet.

Achats

🏪 **Magasin d'usine Les Olivades :** 5, av. du Docteur-Barberin (fléché depuis la D 99). ☎ 04-90-49-18-04. Tlj sf dim 9h30-18h30 (avr-oct) ; 10h-12h30, 13h30-18h (nov-mars). Pour les amateurs de tissus provençaux, petit magasin avec pas mal de choix : vêtements, tissus au mètre, foulards, nappes et objets décoratifs. Un peu moins cher qu'en magasin. La dernière usine de la région à imprimer ses tissus.

TARASCON

(13150)   13 600 hab.   *Carte Bouches-du-Rhône, B2*

Petite ville au riche passé historique, universellement connue pour son Tartarin et sa Tarasque, l'effroyable bête légendaire, sorte de dragon à pattes d'ours qui hantait les marécages alentour il y a plus de 2 000 ans. Les fêtes de la Tarasque, fin juin, sont inscrites au Patrimoine mondial oral et immatériel de l'Unesco. On pourra visiter son château, avant que de s'enfoncer dans les vieilles rues de son centre historique... dans un environnement malheureusement pas très glamour.

Adresse et infos utiles

🛈 *Office de tourisme :* Le Panoramique, av. de la République. ☎ 04-90-91-03-52. ● tarascon.org ● Lun-sam 9h-12h30, 14h-18h (17h30 oct-mai ; non-stop 9h-18h30 et ouv dim mat, juil-août). Propose notamment une application pour smartphone, une signalétique patrimoniale du centre historique en 10 étapes, des visites commentées en période estivale le mardi à 15h30 et vendredi à 10h (tarif 5 €), des ateliers pour petits et grands (fabrication d'un santon, confection de pompe et fougasse), des sorties nature et des soirées astronomie au pied de l'abbaye de Saint-Michel-de-Frigolet.
– *Marchés :* mar mat, cours Aristide-Briand, av. de la République et rue des Halles. Un vrai marché provençal.

Où dormir ? Où manger ?

Campings

⛺ *Saint-Gabriel :* mas Ginoux, route de Fontvieille, quartier Saint-Gabriel. ☎ 04-90-91-19-83. ● contact@campingsaintgabriel.com ● campingsaintgabriel.com ● ♿ À 5 km par la N 570, puis à droite direction Fontvieille. Ouv mars-nov. Empl. tente 16-22 € selon saison. Mobile homes 290-660 €/sem selon taille et saison. 75 empl. 📶 À la campagne, dans un joli cadre verdoyant autour d'un ancien relais de poste. Bien équipé et ombragé. Resto de juin à mi-septembre, soirées à thème. Piscine. Étape sur le chemin de Saint-Jacques-de-Compostelle. Accueil amical.
⛺ *Tartarin :* route de Vallabrègues. ☎ 04-90-91-01-46. ● campingtartarin@wanadoo.fr ● campingtartarin.fr ● ♿ À 300 m du centre-ville, à côté du château. Ouv avr-oct. Empl. tente 17,50-21,60 € selon saison. Mobile homes 4 pers 420-630 €/sem selon saison. 65 empl. 📶 Au pied du château et au bord du Rhône, un camping ombragé et bien équipé. Fait aussi snack-bar-pizzeria. Animations (soirées dansantes, karaoké...). Piscine.

De prix moyens à chic

🏠 *Hôtel du Viaduc :* 9, rue du Viaduc. ☎ 04-90-91-16-67. ● hotelduviaduc13@gmail.com ● hotelduviaduc.com ● Au sud de la ville, fléché depuis le bd circulaire. Doubles 39-58 € selon confort et saison ; familiales 89-115 € (jusqu'à 5 pers). Parking privé gratuit. À proximité de la gare, un petit hôtel avec des chambres simples mais mignonnes et régulièrement rénovées. Familial, propre, sympa. On peut même prendre son petit déj sur la terrasse ou dans le jardin.
🏠 ❙●❙ *Hôtel des Échevins :* 26, bd Itam. ☎ 04-90-91-01-70. ● contact@hotel-echevins.com ● hotel-echevins.com ● ♿ Congés : nov-mars. Doubles

70-98 € ; familiales 96-106 €. Petit déj 12 €. Au resto, formule 16 €, menus 18,50-27,50 €. Parking privé payant. ☎ Dans une imposante maison du XVIIᵉ s : vieille pierre, escalier monumental, de l'allure plus que du charme. Chambres sobres et nettes. Au restaurant, agréable cuisine pas dispendieuse.

🏠 **Chambres d'hôtes Rue du Château :** 24, rue du Château. ☎ 04-90-91-09-99. ● ylaraison@gmail.com ● chambres-hotes.com ● Fermé nov-mars. Doubles 88-98 € ; 2 nuits min en été. ☎ Derrière la lourde porte en bois, une cour intérieure fraîche et verdoyante invite à poser ses bagages et à boire un verre, avant de monter découvrir les chambres, aménagées avec intelligence et sensibilité. Des chambres aux couleurs pastel, avec des objets qui invitent à la rêverie, au voyage... La mansardée est un petit bijou. Celle côté patio est agréable et climatisée.

🏠 **Hôtel de Provence :** 7, bd Victor-Hugo. ☎ 04-90-91-06-43. ● contact@ hoteldeprovencetarascon.fr ● hotel-provence-tarascon.com ● Tte l'année. Doubles 75-97 € selon confort et saison. ☎ Apéritif maison offert sur présentation de ce guide. Une demeure du XVIIIᵉ s dont les chambres, spacieuses et climatisées, aux couleurs chaudes, ont des allures de cocon. Certaines donnent sur une grande terrasse ou sur l'arrière (plus calme). Les moins chères ouvrent sur le boulevard. Accueil souriant.

Où acheter, où grignoter de bons produits ?

🍴 🍷 **La Tarasque :** 56, rue des Halles. ☎ 04-90-91-01-17. Tlj sf lun 6h30-13h, 15h-19h30. Quelques bons chocolats comme les « Bésuquettes de Tartarin ». Coin salon de thé pour grignoter salé-sucré. Goûtez les spécialités pâtissières maison... la tarasque, le délice de tartarin ou la couronne du roi René.

À voir

🎭 🚶 **Le château de Tarascon – Centre d'art René-d'Anjou :** ☎ 04-90-91-01-93. ● chateau. tarascon.fr ● Tlj 9h30-18h30 (17h30 fév-mai et oct, 17h nov-janv). Entrée : 7,50 € ; réduc ; gratuit moins de 10 ans. Visite guidée à 11h et 16h (10h30 et 15h30 hors saison).

L'ASPECT DE LA BASTILLE

Le château de Tarascon date de la même époque que la Bastille (XVᵉ s). Lui aussi avait la double fonction de résidence et de prison. Voilà pourquoi son architecture offre de grandes similitudes avec la très célèbre forteresse parisienne.

Posée sur un rocher baigné par le Rhône, cette forteresse imposante du XVᵉ s était la porte du royaume de France face au Languedoc. Elle abrite un très bel édifice entre styles gothique et Renaissance, l'une des plus grandes forteresses gothiques d'Europe. La visite débute par la basse-cour. Jardin médiéval avec plantes aromatiques, simples... On accède au *logis seigneurial* aux façades percées de fenêtres à meneaux par la cour d'honneur ornée des bustes de René Iᵉʳ et Jeanne de Laval. Au fond, la chapelle des chantres, traversée par une clôture flamboyante. À droite, un superbe escalier à vis grimpe vers les appartements qui s'étendent sur deux étages face au Rhône. Magnifiques plafonds à caissons d'époque. Dans la *chambre du roi,* étonnantes latrines qui surplombent le fleuve. Depuis la terrasse, superbe point de vue sur le mont Ventoux, les abbayes de Saint-Michel-de-Frigolet et de Montmajour.

Sous la tour de l'Horloge, la *salle des Galères* présente une des plus importantes collections... de graffitis navals : eh oui, pour une fois, les graffitis sont à l'honneur avec les dessins de galères exécutés par les prisonniers... Il y a même le graffiti d'un évêque.

En période estivale, expositions, visites, ateliers pour découvrir ce lieu d'exception entre patrimoine, histoire et création contemporaine. Belle programmation pour tous les publics.

Pour bien voir le château, passer à Beaucaire, la sœur siamoise et gardoise, par le pont sur le Rhône.

🗡 *La collégiale royale Sainte-Marthe :* face au château. Gothique, mais quelques parties romanes subsistent, dont l'ample portail sud (sur lequel les révolutionnaires de 1789 se sont un peu passé les nerfs...). À l'intérieur, intéressante collection de tableaux religieux des XVIIᵉ et XVIIIᵉ s (Carle Van Loo, Mignard). Dans la crypte, un tombeau paléochrétien abrite les reliques de sainte Marthe.

🗡 *La vieille ville :* signalétique patrimoniale en une quinzaine d'étapes, du château au quartier Kilmaine (anciennes casernes du XVIIIᵉ s). Toujours gardée par deux grosses tours, la **porte Condamine** (au nord) et la **porte Saint-Jean** (au sud), elle présente un caractère médiéval encore marqué. Rues tortueuses et pittoresques, abritant de vieux immeubles décatis, qui ont eu leur heure de noblesse. La rue du Château (face au château, pardi) traverse l'ancien quartier juif et croise quelques hôtels particuliers. À son débouché sur la place du Marché, l'**ostal del commun,** hôtel de ville du XVIIᵉ s, à la façade débordante de décorations. On peut, aux heures de bureau, grimper l'escalier jusqu'à la salle des Consuls (plafond à la française, vieux bancs de bois...). Tournez ensuite à droite dans la pittoresque rue des Halles, bordée de vieilles maisons à arcades édifiées du XVᵉ au XVIIIᵉ s. Place Frédéric-Mistral, le **couvent des Cordeliers – Galerie d'art et d'histoire** accueille des expos temporaires (tlj sf dim et sam sept-juin – 9h30-12h, 13h30-18h). La rue Blanqui guidera ensuite vos pas vers le **théâtre** équipé d'une façade baroque de très jolie facture.

🗡🗡 *Le musée du Tissu provençal Souleiado :* 39, rue Charles-Demery. ☎ 04-90-91-08-80. ● souleiado.com ● Tlj sf dim et j. fériés 10h-18h30. Entrée : 7 € ; réduc. Visite guidée : 10 €. Salon de thé ouv l'été 10h-19h. Musée consacré aux célèbres tissus provençaux, sur les lieux mêmes de l'entreprise familiale. Un véritable patrimoine de l'étoffe provençale, constitué notamment de plus de 40 000 planches à imprimer. La

LA FOLIE DES « INDIENNES »

Ces cotons imprimés, fabriqués en Inde, arrivèrent en France au XVIIᵉ s. Fort abordables et aux couleurs vives, ils eurent un tel succès qu'ils affaiblirent les manufactures royales, les soyeux lyonnais et firent disparaître le lin breton. Colbert dut les interdire en 1686. En porter symbolisait son opposition au pouvoir royal. Les tissus provençaux en sont, aujourd'hui, les dignes héritiers.

visite effleure les secrets de fabrication des célèbres indiennes (voir le chapitre « Hommes, culture, environnement » en début de guide) et l'utilisation de ces étoffes dans les traditions populaires provençales. Belle collection de piqués et surprenant ensemble d'objets religieux et populaires. Une salle est exclusivement consacrée aux *santibelli*, des statuettes en terre cuite hautes d'une quarantaine de centimètres, représentant des figures religieuses ou païennes. Très populaires au XIXᵉ s, elles trouvent leur source en Italie et préfigurent la tradition des santons.

❀ Belle boutique à l'entrée, pour renouveler votre garde-robe et votre cadre de vie.

Fêtes et manifestations

– **Marché aux fleurs :** w-e de Pentecôte. Un grand rendez-vous depuis plus de 30 ans.

– **Fêtes de la Tarasque** : *dernier w-e de juin.* C'est le roi René qui institua, en 1474, les jeux de la Tarasque pour célébrer la victoire de sainte Marthe (d'un simple signe de croix !) sur le terrible dragon qui dévorait tous ceux qui osaient s'aventurer sur les rives du fleuve. Tartarin et la Tarasque défilent de concert. Spectacles équestres et taurins, bodegas, feux d'artifice.
– **Festival des Musiques du monde** : *chaque sam d'août.* Pour s'envoler sur les traces de Tartarin à la découverte du vaste monde.
– **Marché aux santons et marché de Noël** : *dernier w-e de nov et 1er w-e de déc.* Dans les rues du centre-ville, plus de 60 santonniers exposent leurs sujets et tout ce qu'il faut pour préparer une belle crèche provençale. Défilé des bergers et nombreuses animations pour les enfants.

ENTRE RHÔNE ET DURANCE, PAR LES CHEMINS DE LA MONTAGNETTE

Petite balade entre Tarascon et Avignon, à travers les plaines, riches en alluvions du Rhône. C'est la vraie campagne provençale, avec ses haies de cyprès, ses cultures maraîchères et ses villages tranquilles, dont on a un bel aperçu depuis le sommet de la Montagnette, plus rude, plus sauvage, avec ses collines calcaires aux crêtes claires et aux falaises grises. On y parcourt des chemins chers à Mistral, qui sentent toujours aussi bon le thym

SACRÉ PINARD

À la chapelle Saint-Marcellin de Boulbon, on célèbre le 1er juin une drôle de cérémonie, la procession des bouteilles. Tous les hommes du bourg (l'office est interdit aux femmes) se rendent à la chapelle, une bouteille de vin à la main. Après la messe, les bouteilles sont bénies, et tout le monde y va de son petit verre. Ce « vin bénit » est censé avoir des vertus médicinales... Bon voyons.

et le romarin. Un Frédéric Mistral d'ailleurs omniprésent dans le secteur : de l'abbaye Saint-Michel-de-Frigolet où il fit ses études, jusqu'à Maillane où il repose dans un étonnant tombeau. Arrêtez-vous au passage à *Boulbon,* village au caractère médiéval encore très marqué, serré au pied des murailles d'un imposant château.

L'ABBAYE SAINT-MICHEL-DE-FRIGOLET

Perdue dans une forêt de pins de la Montagnette, cette abbaye a la modestie du château de la Belle au bois dormant, avec ses hautes tours coiffées de flèches, créneaux, mâchicoulis et son abbatiale néogothique. Une œuvre de 1866, due à une communauté de Prémontrés. L'abbaye existant, elle, depuis le XIIe s.
Son nom vient de *farigouleto* (« thym » en provençal). On y prie Notre-Dame-du-Bon-Remède, car les moines de l'abbaye de Montmajour qui asséchaient les marais locaux, vers l'an 1000, étaient atteints de paludisme et venaient s'y refaire une santé tout en priant. Anne d'Autriche y fit une halte en 1632 pour demander un fils, accompagnée de Mazarin. C'est comme cela que nous avons hérité de Louis XIV en 1638...
🛏 🍽 Aujourd'hui, pèlerins, touristes et randonneurs se croisent à **L'Hostellerie de Frigolet** et au restaurant **La Treille,** où il fait bon faire escale pour se ressourcer dans ces lieux hors du temps. ● *hotel-abbaye-frigolet.com* ● ou ☎ 04-32-60-68-70.

LES ALPILLES

À voir. À faire

L'ensemble de l'abbaye et les églises sont librement accessibles (hors jours de clôture). Rens sur ● frigolet.com ● ou au ☎ 04-90-95-70-07.

🗡 *Le cloître et les bâtiments monastiques : visite guidée slt, dim sf j. fériés à 16h. Tarif : 4 € ; réduc ; gratuit pour les moins de 11 ans.* Le cloître est de style roman (XIIᵉ s). Sa construction est massive et peu lumineuse, car il supporte une terrasse. Visite guidée passionnante qui donne des points de comparaison avec les 12 autres cloîtres romans de la région. Vous ne regretterez pas votre obole. Admirez la crèche en bois d'olivier : il a fallu gratter et poncer 2 t de bois pour fabriquer les 15 personnages.

🗡 *La chapelle Saint-Michel : tlj 8h-12h, 14h-18h.* Du XIIᵉ s, romane du pavage aux voûtes, elle est évidente de simplicité.

🗡 *La basilique abbatiale : tlj 8h-10h45, 14h-18h.* Bâtie au XIXᵉ s, elle présente un style néogothique plutôt flamboyant. Intérieur totalement peint, comme l'étaient toutes les églises à cette époque.

⊛ *Boutique de l'abbaye :* produits fabriqués par les moines depuis leur installation ici au XIXᵉ s. Des sirops (une grosse vingtaine de parfums, dont certains étonnants comme celui de châtaigne) et des liqueurs dont celle des Prémontrés. Quant à la liqueur de Frigolet, inventée par le révérend père Gaucher et popularisée par Daudet, elle est distillée à Châteaurenard. Même si le film illustrant cette « lettre de mon moulin » a bien été tourné à Saint-Michel-de-Frigolet.

➤ *Balade dans la Montagnette : accès réglementé (1ᵉʳ juin-30 sept et les j. de grand vent), rens au* ☎ *0811-201-313 (prix d'un appel local).* Deux circuits VTT de 8 et 45 km et une boucle pédestre balisée (3h10 via Boulbon et le San Salvador) pour découvrir la Montagnette. Paysages de garrigue, échappées vers les Alpilles, le Luberon et le Ventoux.

Fête et manifestation

– *Grande fête traditionnelle : lun de Pâques.* Messe en provençal, suivie d'une fête avec danses en costumes folkloriques et jeux gardians.
– *Messe de minuit :* pour Noël évidemment. Très belle. Cérémonie du « pastrage » (offrande de l'agneau nouveau-né).

MAILLANE (13910)

Un petit village provençal charmant et tranquille, qui ne ressemble pourtant à aucun autre aux yeux des admirateurs du « grand » Frédéric Mistral, « restaurateur de la langue et de la culture provençales », fondateur du félibrige (voir la rubrique « Langue régionale » dans « Provence utile » en début de guide). C'est ici, dans son village natal, qu'il vécut et composa toute son œuvre, couronnée en 1904 par le prix Nobel de littérature.

Adresse utile

🛈 *Office de tourisme :* av. Lamartine. ☎ 04-32-61-93-86. ● maillane.fr ● Ouv | tte l'année mar-ven 8h-12h et 14h-18h. Fermé w-e, lun et j. fériés.

Où dormir ?

â **Chambres d'hôtes Le Mas de la Christine :** *chemin du Mas-des-Gantes.* ☎ 09-88-99-38-48. ● *info@masdelachristine.com* ● *masdela christine.com* ● *À 2,5 km du village, suivre la D 32 direction Saint-Étienne-du-Grès (c'est fléché). Ouv de mi-fév à* mi-nov. Double 75 €. 📶 *Dans un mas de famille, tranquille, à la campagne. 5 chambres à la déco qui raconte le pays ; certaines de plain-pied, d'autres sous une belle charpente, toutes indépendantes et climatisées. Piscine et petite cuisine d'été.*

À voir

🦎 **Le musée Frédéric-Mistral :** *mêmes coordonnées que l'office de tourisme. Ouv de mi-mars à mi-oct slt, 9h30-12h, 13h-18h. Entrée : 4 € ; réduc ; gratuit moins de 12 ans.* Mistral a vécu de 1855 à 1876 dans la maison dite « du Lézard » (juste en face), où il a écrit quelques-unes de ses œuvres les plus célèbres, dont *Mirèio* et *Calendal.* Ce musée est installé dans la maison que le poète fit construire et habita de 1876 jusqu'à sa mort, en 1914. La veuve de l'écrivain y est restée jusqu'en 1943. La maison a été restaurée tout en conservant la décoration d'origine. Les souvenirs personnels, mobilier et livres conservent ainsi l'atmosphère modeste et typique de cet intérieur du XIXe s. Dans le jardin, des panneaux présentant les différentes espèces végétales sont illustrés par des textes de l'écrivain. Mistral repose au cimetière de Maillane. Son étonnant tombeau est tel qu'il l'avait voulu, une reproduction du pavillon de la reine Jeanne aux Baux.

GRAVESON (13690)

Promenez-vous à l'ombre des platanes du Cours, traversé par une roubine (petit canal), admirez la porte fortifiée de l'église romane. Bref, prenez le temps de vivre...

Adresse et infos utiles

🛈 **Office de tourisme :** *cours National.* ☎ 04-90-95-88-44. ● *graveson-provence.fr* ● *Tlj 10h-12h, 13h30-18h30 (ap-m slt le w-e oct-mai).*
🧺 **Marché paysan :** *pl. du Marché, mai-oct ven 16h-19h30.* Visite obligatoire, cabas en main. Vous trouverez rarement réunis autant de bons producteurs locaux pour concocter un superbe pique-nique : des salades, saucissons d'Arles, fromages de chèvre, vins bio, fruits de saison, confitures savoureuses du « fada de la figue » et autres douceurs.

Où dormir ?

Où manger à Graveson et dans les environs ?

Camping

🏕 **Les Micocouliers :** *445, route de Cassoulen.* ☎ 04-90-95-81-49. ● *micocou@orange.fr* ● *lesmicocou liers.fr* ● ♿ *À 1 km au sud de Graveson par la D 5 (fléché depuis le village). Ouv 15 mars-15 oct. Empl. tente 16-26 € selon saison. Mobile homes 420-660 €/ sem selon saison. 65 empl.* 📶 *(payant). Réduc de 10 % sur présentation de ce* guide. Vastes emplacements (plus ou moins ombragés). Piscine et accueil superbe. Lac à 3 km. Animaux admis en laisse. Jolies balades à faire dans les Alpilles et sur la Montagnette.

De prix moyens à chic

â **Chambres d'hôtes Le Mas Ferrand :** *7, av. Auguste-Chabaud.* ☎ 04-90-95-85-29. 📱 06-12-93-41-21.

● jeanpaul@le-mas-ferrand.com ● le-mas-ferrand.fr ● *Dans le village. Tte l'année. Doubles 90-95 €, lofts (2-4 pers) 95-140 €.* 🛜 Des chambres à l'ancienne, dans une vieille maison de famille, avec les photos du grand-père qui vous surveille, et de grands et vieux lits provençaux pour bercer vos rêves. Et ceux qui veulent du moderne seront servis par des lofts superbement aménagés à la façon d'ateliers d'artistes, avec mezzanine et haute baie vitrée largement ouverte sur le parc. L'accueil est extra, le petit déj mémorable. Joli petit parc, avec sa fontaine du XVIIIe s où s'ébrouer au plus fort de l'été.

🏠 *Hôtel Le Cadran solaire :* 5, rue du Cabaret-Neuf. ☎ 04-90-95-71-79. ● cadransolaire@wanadoo.fr ● hotel-en-provence.com ● ♿ *Dans le village (fléché). Tte l'année (sur résa de mi-nov à mi-mars). Doubles 78-100 € selon taille. Parking gratuit.* 🛜 Coup de cœur pour cet ancien relais de poste du XVIe s, devenu un amour de petit hôtel, calé au calme, derrière un jardin ombragé. Chambres pleines de charme, climatisées, alliant pierre et tissus élégants.

🏠 |◉| *Chambres d'hôtes Domaine de Fontbelle :* 4134, ancien chemin d'Arles (D 80). ☎ 04-90-90-53-67. 📱 06-21-30-10-02. ● fontbelle@ wanadoo.fr ● fontbelle.com ● *De Graveson, suivre le fléchage du musée des Arômes ; la maison est un peu plus loin, sur la droite. Doubles et suites 85-150 € selon saison. Table d'hôtes 25-35 €.* 🛜 En pleine campagne, dans un mas du XVe s. Un souci du détail jusqu'à la déco de la petite piscine, autour de laquelle il fait bon lézarder l'été avec un bon bouquin pioché dans la bibliothèque de la maison. Une foule de petites attentions (disques à disposition) et une ambiance familiale et cool.

🏠 *Hôtel Castel-Mouisson :* chemin sous les Roches, quartier Castel-Mouisson, 13570 **Barbentane.** ☎ 04-90-95-51-17. ● castel.mouis son@wanadoo.fr ● hotel-castelmouis son.com ● *À 1,5 km de Barbentane, fléché à droite depuis la D 77, direction Rognonas. Congés : de mi-oct à mi-mars. Doubles 74-84 € selon confort. Parking gratuit.* 🛜 Dans une maison néoprovençale flanquée d'une tourelle, qui dispose de sa chambre, et jouissant d'une vraie tranquillité, derrière son vaste jardin planté d'arbres. Chambres toute simples mais confortables. Celles du rez-de-chaussée, plus chères, ont une terrasse. Accueil discret mais chaleureux et ambiance d'une maison de famille. Piscine.

Où acheter de bons produits ?

🌸 *Les Figuières du mas de Luquet :* 713, chemin du Mas-de-la-Musique. ☎ 04-90-95-72-03. ● lesfiguieres. com ● *Fléché depuis le village. Tlj (téléphoner avt le dim) 8h30-12h, 15h-18h30.* Depuis plus de 30 ans, Jacqueline et Francis Honoré sont les rois de la figue. Ils règnent sur une figueraie de 12 ha qui produit plus de 150 variétés de ces succulentes infrutescences (... malgré le nom, ça se mange !). Intarissable, Francis vous fera visiter le verger (cueillette de fin juin à octobre) et vous fera déguster leurs succulentes productions, sucrées ou salées.

À voir à Graveson et dans les environs

🎨 *Le musée Auguste-Chabaud :* *mêmes coordonnées et horaires que l'office de tourisme. Entrée : 5 € (expos temporaires).* Ce peintre et sculpteur nîmois (1882-1955), longtemps installé dans un mas au pied de la Montagnette (son principal sujet d'inspiration), ne s'est jamais revendiqué d'une des grandes écoles de l'art contemporain. Ce qui lui vaut d'être aujourd'hui nettement moins connu que les Derain, Matisse ou Vlaminck, aux côtés desquels il exposait à New York en 1913. Une soixante de ses œuvres à découvrir ici, depuis ses toiles de jeunesse, postimpressionnistes, peintes alors qu'il effectuait son service dans l'infanterie coloniale, à ses dernières œuvres proches de l'expressionnisme. Ateliers plastiques et cycles de conférences, ainsi que des visites guidées nocturnes. Un circuit permet également de retrouver, au hasard des rues du village, quelques reproductions des tableaux du peintre.

🦌 *Le musée des Arômes et du Parfum :* *petite route du Grès.* ☎ *04-90-95-81-72.* ● *museedesaromes.com* ● ♿ *(pour la moitié des collections). À la sortie du village, au sud par la D 80 (c'est fléché). Tlj 10h-12h, 14h-18h ; juil-août 10h-19h. Distillation lun et ven en juil-août à 17h ; à 15h les 2 dim avt Noël. Entrée : 5,50 € (incluant 10 mn de détente dans la « chi-machine », ou une 2e visite gratuite) ; réduc ; gratuit moins de 12 ans.* Les anciennes caves de l'abbaye de Saint-Michel-de-Frigolet présentent une très belle collection d'objets liés à l'histoire du parfum. Offrez-vous une balade au cœur du « Carré des simples », jardin de plantes aromatiques en culture biologique, avant de découvrir la boutique des arômes.
🛍 Vente d'huiles essentielles bio, eaux florales, parfums...

🦌 *Barbentane :* *à 10 km au nord-ouest de Graveson.* Ah, la tante Clarisse de Barbentane ! Ce nom éclaire le regard de tout Provençal qui se souvient de la fameuse opérette de Scotto *Un de la Canebière.* Barbentane, donc ? Un croquignolet village gardant de très beaux vestiges de son passé. Garez-vous sur le bas du village, passez la très belle *porte Calendale* pour grimper par un lacis de jolies petites rues médiévales jusqu'à l'*église Notre-Dame* (érigée au XIIe s et remaniée aux XVe-XVIe s). Juste en face, très bel ensemble constitué de la *maison de ville* (toute première mairie) et la *maison des Chevaliers* avec sa loggia, bâtie en 1133. Suite de la balade par la rue du Séquier (quelques belles façades) en passant la *porte du Séquier* vers le sommet de la colline où s'est plantée la *tour Anglica,* au XIVe s. Vous n'aviez pas raté son profil crénelé et ses 28 m de haut depuis la plaine qu'elle surplombe. On voit au loin le palais des Papes d'Avignon. Anglic de Grimoard, frérot d'Urbain V, la fit d'ailleurs ériger pour renforcer la protection de la cité papale. Au pied du village, le *château de Barbentane* (XVIIe s), surnommé le Petit Trianon provençal (et pour cause), ne se visite pas.

LES ALPILLES

LE VAUCLUSE

ABC DU VAUCLUSE

▶ *Superficie :* 3 566 km², soit le plus petit département de la région Provence-Alpes-Côte d'Azur.
▶ *Préfecture :* Avignon.
▶ *Sous-préfectures :* Apt, Carpentras.
▶ *Population :* 551 000 hab.
▶ *Densité :* 146 hab./km².
▶ *Plus Beaux Villages de France :* 7.
▶ *Communes les moins peuplées :* Saint-Léger-du-Ventoux, Lagarde-d'Apt et Sivergues (entre 25 et 30 hab.).

 Le soleil chauffe à blanc les pierres des petits villages qui se réveillent chaque matin face au mont Ventoux. Les odeurs de genêt ou de lavande, le gargouillis d'une fontaine ou le craquètement des cigales saluent votre arrivée en Vaucluse, par une belle journée d'été. Si vous craignez les grandes chaleurs et les migrations estivales, choisissez un autre moment pour découvrir ce joli petit pays. Le Vaucluse, en effet, est un des rares départements qui fassent rêver en toutes saisons, les chemins de l'olivier croisant ceux de la truffe en hiver, le printemps et l'automne étant propices aux week-ends prolongés dans des chambres d'hôtes qui se sont multipliées en 10 ans...

Le Vaucluse tient son nom de l'un de ses plus beaux villages, Fontaine-de-Vaucluse, dont les habitations s'étendent dans une vallée profonde et close *(Vallis Clausa),* riche de nombreux vallons et autres grottes. L'un des nombreux « Plus Beaux Villages de France » rassemblés ici sur quelques dizaines de kilomètres... à vol d'oiseau : Gordes, Lourmarin, Venasque, Ménerbes, Ansouis, Roussillon et Séguret.

Marqué par la diversité et la grande beauté de ses paysages, la richesse de son patrimoine culturel et historique, le visiteur qui a la chance de découvrir le Vaucluse hors saison est d'ores et déjà conquis par cette terre propice aux activités de pleine nature qui devient, l'été venu, « Terre de Festivals », attirant du monde entier et depuis des années, d'Orange à Avignon et de Vaison-la-Romaine à Lacoste, les amateurs de théâtre comme ceux de musique lyrique...

On ne compte plus les sites ayant acquis une notoriété nationale, voire internationale, ni d'ailleurs les produits qui font la richesse de ce terroir exceptionnel et le succès des marchés locaux : les primeurs, la truffe, l'olive et bien sûr les vins, que les Romains comme les papes, passés par là, ont tour à tour acclamés ou bénis.

L'érosion de l'ocre a transformé les environs de Roussillon et de Rustrel en un véritable Colorado provençal, aux enchanteresses formes et couleurs. Érosion due à l'action humaine, puisqu'il s'agit d'anciennes carrières, mais aussi érosion naturelle due au vent et à la pluie. Difficile d'ailleurs d'ignorer l'action de l'eau, dans ce département beaucoup moins aride qu'on ne l'imagine : une des particularités du Vaucluse est en effet son étonnant réseau hydraulique, notamment grâce aux Sorgues (nom donné aux bras de la Sorgue).

Paradis des peintres et des botanistes, les Dentelles de Montmirail surprennent par leur découpage tailladé et leurs pentes abruptes. Le mont Ventoux, non content de défier les meilleurs cyclistes, héberge aussi une faune et une flore rares et diversifiées, qui raviront les randonneurs. Sans parler du parc naturel du Luberon... Bref, ce n'est pas pour rien que Frédéric Mistral, Jean Giono, Henri Bosco ou encore René Char ont aiguisé leur plume sur ce territoire hors du commun.

> ## L'ANTÉPÉNULTIÈME CONDAMNÉ À MORT
>
> *Christian Ranucci fut effectivement l'avant-avant-dernier condamné à mort en 1976. Non gracié par Giscard, un doute plane sur sa culpabilité. Enterré au cimetière de Saint-Véran, à l'est d'Avignon, sa tombe est anonyme comme celle de tous les condamnés à mort.*

Quant à Avignon, que vous goûtiez ou non la fièvre festivalière de juillet, c'est la ville idéale pour commencer une balade à la fois culturelle, insolite et gourmande dans l'un des plus petits mais aussi des plus beaux départements de France.

Adresses utiles

¡ *Agence départementale de développement touristique – Vaucluse Tourisme* (plan couleur Avignon, B2) : 12, rue Collège-de-la-Croix, BP 50147, 84008 **Avignon** Cedex 01. ☎ 04-90-80-47-00. ● provenceguide.com ● Ouv lun-ven 9h-12h30, 14h-16h45. Pour tout renseignement sur le département.
■ *Gîtes de France du Vaucluse :* pl. Campana, BP 164, 84008 **Avignon** Cedex 01. ☎ 04-90-85-45-00. ● gites-de-france-vaucluse.com ● Central de résas lun-sam 9h-13h, 14h-17h.

LA CITÉ DES PAPES

AVIGNON

(84000)   95 000 hab.   *Carte Vaucluse, A-B3*

> ▶ Pour le plan d'Avignon, se reporter au cahier couleur.

Au pied du rocher des Doms, baigné par le Rhône et protégé du mistral par ses vieux remparts, Avignon est une étape obligatoire de tout voyage en Provence. Et nous ne sommes apparemment pas les seuls à le penser, puisque la préfecture du Vaucluse est littéralement envahie de touristes dès

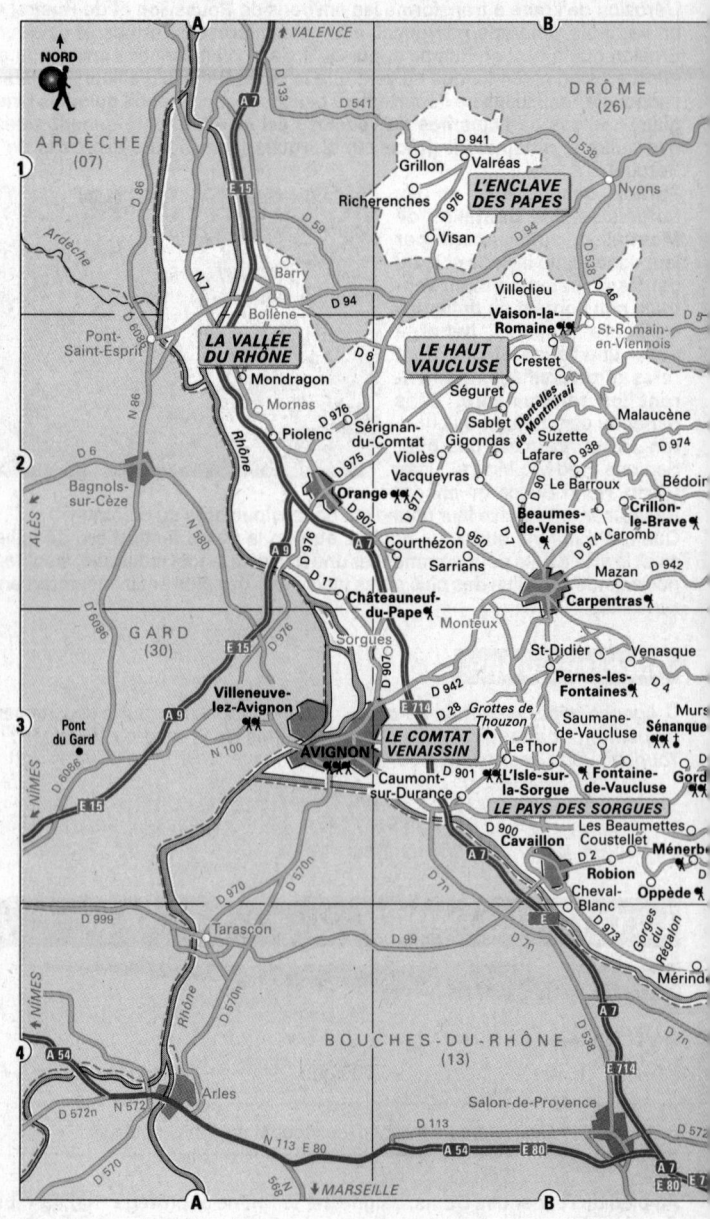

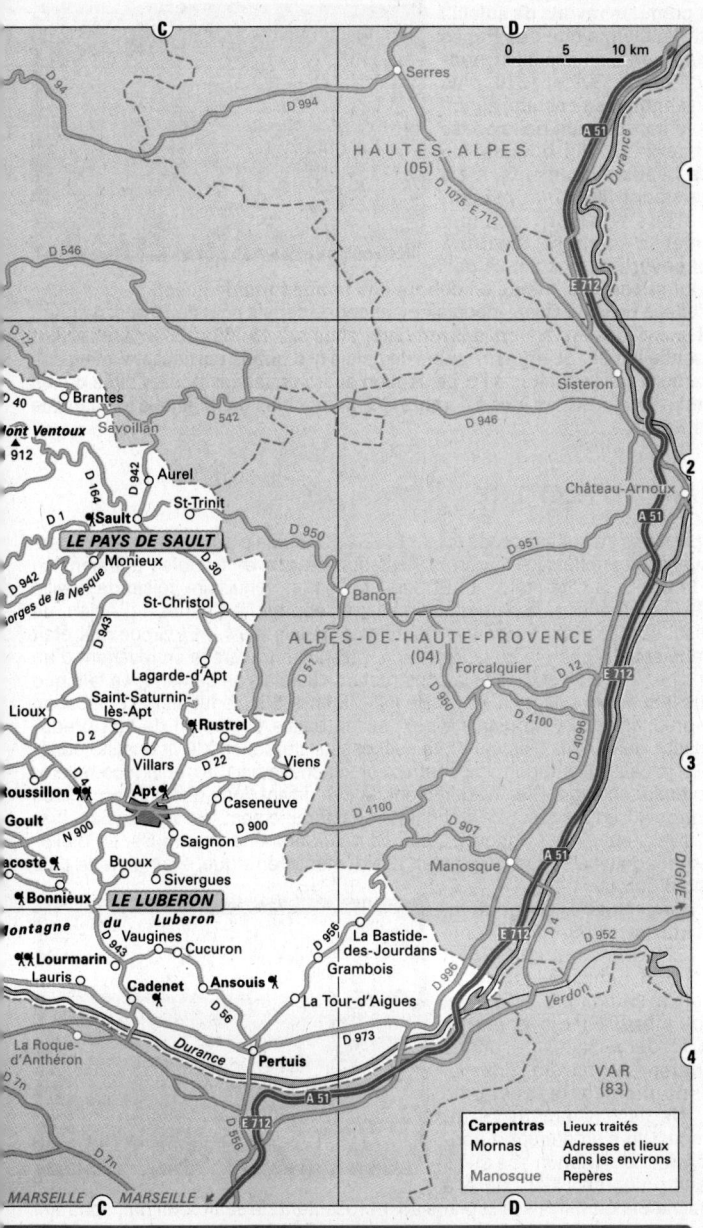

LE VAUCLUSE

les premiers rayons de soleil... Car l'ancienne cité des Papes (sept pontifes s'y sont succédé entre 1309 et 1376, plus deux antipapes ensuite) a, non seulement, de son riche passé conservé un joli bouquet de très beaux monuments, mais également réussi au présent sa reconversion en une immense scène de théâtre à ciel ouvert, où chacun se doit

UNE INQUISITION ANTIPAPALE

Les tribunaux de l'Inquisition furent créés par le Vatican. Et pourtant, Philippe le Bel, qui n'avait peur de rien, condamna le pape Boniface VIII pour satanisme, prévarication, apostat, crime et sodomie. Heureusement, quand la sentence tomba, le pape était mort... depuis 7 ans.

de jouer son rôle, même en dehors des temps forts de juillet.

À l'image de son festival mondialement connu depuis près de 70 ans, Avignon est une ville *in* et *off*. Hors des remparts et de ses 13 000 habitants qui vivent essentiellement du tourisme, plus de palais ni d'hôtels particuliers, mais des quartiers pavillonnaires à l'urbanisation anarchique, des petites cités où les gamins qui jouent au foot à l'ombre des immeubles n'ont jamais vu le palais des Papes...

UN PEU D'HISTOIRE

Sept papes se sont succédé ici de 1309 à 1376. Mais pourquoi quitter Rome et venir s'installer à Avignon ? C'est que de graves troubles agitaient en ce temps-là la Cité éternelle. Et puis, le Comtat Venaissin, voisin de la ville d'Avignon (qui appartenait, quant à elle, à l'époque, à Charles II d'Anjou, un vassal du pape) était propriété pontificale depuis 1274... Et Grégoire X était tombé sous le charme de la Provence, qu'il avait traversée en revenant d'un concile... Toujours est-il que la construction du palais ne démarra, en fait, que sous le troisième pape, à savoir Benoît XII, en 1335. Ce fut alors l'édification du premier palais, ou palais Vieux, sur le palais épiscopal de son prédécesseur, Jean XXII. Clément VI, le successeur de Benoît XII, fit ensuite construire le palais Neuf, dont la construction s'acheva en 1351 et vint compléter le premier ouvrage. Bien évidemment, la cité devint l'une des plus prospères d'Europe. Son architecture s'enrichit considérablement, se développant jusqu'à Villeneuve-lez-Avignon, où Innocent VI fonda une chartreuse. La bibliothèque pontificale, que fréquentait assidûment Pétrarque, était alors la plus riche d'Europe.

Le dernier pape, Grégoire XI, décida de retourner à Rome en 1376. Il mourut en 1378 et le Grand Schisme qui divisa l'Église catholique éclata en septembre, 6 mois après sa mort : deux papes reconnus uniquement par la France, l'Espagne et le royaume de Naples (Clément VII et Benoît XIII) s'entêtèrent à vouloir rester en Avignon ; ce qu'ils firent jusqu'en 1403, date à

LES RÉGNICOLES

Ce sont les gens qui vivaient sur les terres du pape (Comtat Venaissin) mais qui restaient français. Ils n'avaient pas à obéir aux lois du royaume et pouvaient exercer des métiers souvent réservés au monopole royal : commerce du sel, du tabac et du coton. Les fortunes étaient rapides dans ces premiers paradis fiscaux.

laquelle Benoît XIII laissa la place au représentant de Jean XXIII qui, contraint par deux sièges successifs, abandonna définitivement le palais en 1411. À partir de ce moment-là, l'édifice ne fut plus occupé que par des légats (et vice-légats) du pape, jusqu'en 1791, année de réunion du Comtat à la France.

Adresses et infos utiles

Office de tourisme (plan couleur B3) : 41, cours Jean-Jaurès. ☎ 04-32-74-32-74. ● avignon-tourisme.com ● Avr-oct, lun-sam 9h-18h (tlj jusqu'à 19h pdt le Festival), sam 9h-17h, dim et j. fériés 10h-17h (et 10h-12h hors saison). Nov-mars, lun-ven 9h-18h, sam 10h-17h et dim 10h-12h infos et vente en ligne. Demander le guide touristique d'Avignon, bien fait, ainsi que le «Avignon Passion» détaillant 4 itinéraires en ville, les horaires des musées, des visites, etc., sans oublier la carte pass (gratuite) qui donne droit à des réductions dans tous les musées et les sites touristiques. Tableau avec disponibilités du jour dans les hôtels. L'office organise aussi de passionnantes visites thématiques « Découverte de la ville », d'avril à juin. Demander également le dépliant mensuel « Rendez-vous d'Avignon » détaillant les nombreuses animations, visites et la programmation culturelle de la ville. Billetterie pour excursions, monuments et musées. Réservations sur le site internet également.

– *Point d'informations touristiques :* également en gare TGV en saison.

Poste (plan couleur B3) : cours Président-Kennedy. ☎ 36-31 (gratuit depuis un poste fixe). Lun-ven 8h30-18h (20h mar) et sam 9h-16h.

Gare Avignon TGV (hors plan couleur par A3) : quartier de Courtine, à 4 km au sud du centre. Infos et résas : ☎ 36-35 (0,34 €/mn). ● voyages-sncf.com ● TGV directs pour Marseille, Toulouse, Lyon, Genève, Paris (et Roissy-Charles-de-Gaulle ainsi que Marne-la-Vallée), Nantes, Rennes, Rouen, Montpellier, Strasbourg, Metz, Lille et Bruxelles. Un train (la « Virgule ») assure la navette avec la gare centrale (1,60 € l'aller). Rapide (5 mn) mais avec des fréquences variables (prévoir un peu de marge si vous avez une correspondance). Autre possibilité : le bus (n° 10) à prendre au pied de la gare, un peu moins cher (1,20 €) mais moins rapide (compter 30 mn env).

Gare SNCF Avignon Centre (plan couleur B3) : bd Saint-Roch. ☎ 36-35 (0,34 €/mn). ● voyages-sncf.com ●

Trains régionaux et également Intercités, ainsi que quelques TGV pour Paris et même un Eurostar direct pour Londres le samedi en été.

Gare routière (plan couleur B3) : 5, av. Monclar. ☎ 04-90-82-07-35. Rens lun-sam 8h-19h30. Dessert des communes avoisinantes et nombreuses villes de la région. Départs vers l'international également.

Aéroport (hors plan couleur par D3) : Avignon-Caumont, à 8 km au sud-est de la ville. ☎ 04-90-81-51-51. ● avignon.aeroport.fr ● Accessible par le bus n° 3 (sf dim et j. fériés). Eu égard au succès du TGV, il n'y a plus (pour le moment) de vols entre Paris et Avignon. Mais renseignez-vous, ça pourrait changer... En revanche, nombreux vols pour... l'Angleterre, et pour Ajaccio et Limoges !

Parkings : la circulation est difficile et les places de stationnement rarissimes intra-muros, à l'exception des parkings souterrains payants du palais des Papes, des Halles, Jean-Jaurès et du parking de l'Oratoire, porte de l'Oulle (compter env 12 €/24h). Heureusement, il existe 2 parkings surveillés non payants : le parking des Italiens (porte Saint-Lazare) et le parking de l'île Piot, tous deux reliés au centre par une navette de bus gratuite. Plan des parkings à l'office de tourisme.

Baladine : à part le classique réseau de bus (☎ 04-32-74-18-32 ; ● tcra.fr ● ; lun-ven 8h-12h30 et 13h30-18h, sam 9h-12h ; 1,30 €/ticket ; 4,50 € pour la journée y compris le soir avec Bustival), pour circuler en centre-ville, réputé pour ses rues étroites, Avignon a mis en place un système de transport en commun plutôt original : la Baladine, économique et écologique car tout électrique. La mininavette suit un itinéraire en boucle et s'arrête où et quand vous voulez. Rens sur ● tcra.fr ● Lun-sam 10h-13h, 14h-18h. Compter 0,50 €/trajet (ou 4 € le carnet de 10 tickets).

Taxi Radio Avignonnais : station face à la gare. ☎ 04-90-82-20-20. 24h/24.

Vélo Pop : infos : ☎ 0810-456-456

(prix d'un appel local). ● velopop. fr ● Forfaits 1 j. (1 € accès et 0,50 € les 30 mn) ou 1 sem (5 € et 0,50 € les 30 mn). Un système de vélos en libre-service 24h/24 avec une vingtaine de stations.

■ **Vélo-Cité :** 📱 06-37-36-48-89. Le cyclopousse avignonnais coûte 2 € le km/pers (plus 2 € de frais de résa intra-muros et 3 € extra-muros). Moins cher avec abonnement. Forfait touristique à 16 € pour 2 pers pour découvrir la ville en 30 mn. Fonctionne tlj jusqu'à minuit pdt le Festival.

■ *Location de vélos, scooters et*

motos : **Provence Bike,** 7, av. Saint-Ruf. ☎ 04-90-27-92-61. ● provence-bike.com ● À 400 m de la gare routière. Avr-oct, 9h-18h30.

■ **Location de voitures : Hertz,** à la gare TGV pl. de l'Europe. ☎ 04-32-74-62-80. Également **Europcar** à l'aéroport ☎ 04-90-84-05-74.

– **Marché des Halles :** tlj sf lun, pl. Pie. Marché couvert abritant une quarantaine de producteurs régionaux. Le samedi matin, à 11h, sauf en août, « la petite cuisine des Halles » : démonstrations de recettes de chefs avec dégustation à la clé.

AVIGNON ET SES ENVIRONS

Où dormir ?

Attention, en juillet, les tarifs sont plus élevés qu'indiqué ici et les réservations bien anticipées indispensables, Festival oblige ! Hors saison, en revanche, le coût des chambres a tendance à baisser. Consulter les offres promotionnelles sur le site de l'office de tourisme ● avignon-tourisme.com ●

Campings

La plupart sont sur l'île de la Barthelasse, au nord-ouest du centre (plan couleur A1). Les 2 premiers bénéficient d'une jolie vue sur le pont d'Avignon et le palais des Papes (très beau au soleil couchant).

⚠ 🏠 *Camping – Auberge de jeunesse Le Bagatelle :* 25, allée Antoine-Pinay, île de la Barthelasse. ☎ 04-90-86-30-39. ● camping.bagatelle@wanadoo. fr ● campingbagatelle.com ● ♿ Ouv tte l'année. Compter 24 € en hte saison pour 2 pers avec tente et voiture. À l'auberge, compter 16 €/pers la nuitée. Également des chambres doubles en formule hôtelière 55 €. Possibilité de ½ pens. 230 empl. 🖥 📶 Au pied du pont Daladier, un camping sans charme, squatté par les camping-caristes et caravanes de passage. Emplacements bien ombragés. Auberge de jeunesse correcte avec 140 lits, répartis en chambres de 4 à 7 lits superposés. Au Pavillon bleu, 10 chambres de 2-4 lits, avec sanitaires privatifs, sont proposées en formule

hôtelière. Belle vue sur Avignon. Petite épicerie, resto sympa et pas cher. Juste à côté, grande piscine de La Palmeraie avec bar-resto et glacier.

⚠ *Camping du Pont d'Avignon :* 10, chemin de la Barthelasse, île de la Barthelasse. ☎ 04-90-80-63-50. ● camping.lepontdavignon@orange. fr ● aquadis-loisirs.com ● Ouv mars-nov. Compter env 30 € en hte saison. Loc d'hébergements 730 €/sem en hte saison. 372 empl. 📶 Emplacements plutôt bien ombragés en bordure du Rhône, face au pont d'Avignon. Piscine, tennis, jeux pour enfants, animations et concerts en saison. Bar-resto, épicerie, laverie.

⚠ *Parc des Libertés :* 4682, route de l'Islon, île de la Barthelasse. ☎ 04-90-85-17-73. ● parcdeslibertes@wanadoo. fr ● parcdeslibertes.fr ● ♿ À 5 km du centre d'Avignon. Ouv de mi-avr à mi-sept. Forfait empl. pour 2 avec tente et voiture 16 € en hte saison (+ 5 €/ pers d'adhésion annuelle). Loc de chalets 6 pers 420 €/sem en hte saison. 190 empl. 📶 Camping de 5 ha assez ombragé mais modestement équipé (snack-bar, terrain de jeux mais pas de laverie). Accès direct aux rives du lac et à ses activités nautiques. C'est le moins cher du secteur.

⚠ *Le Grand Bois :* 1340, chemin du Grand-Bois, lieu-dit La Tapy, 84130 *Le Pontet.* ☎ 04-90-31-37-44. ● campinglegrandbois@orange. fr ● campinglegrandbois.webea sysite.fr ● ♿ À 8 km au nord-est d'Avignon-centre en direction de Vedène. Ouv de mi-mai à mi-sept. Empl. pour 2 avec tente et voiture 22 €. 🌐 Pour nos lecteurs motorisés, plutôt moins de monde pendant le Festival que dans les autres campings. Une grosse centaine d'emplacements herbeux et bien ombragés, séparés par des haies. Pas mal de petits services : machines à laver, supérette, dépôt de gaz, jeux pour les enfants et prêt de vélos. Côté loisirs : piscine, ping-pong, volley et pétanque. Accueil sympa.

🏕 *Camping Flory* : 385, route d'Entraigues, 84270 **Vedène.** ☎ 04-90-31-00-51. • infos@campingflory.com • campingflory.com • ♿ À 9 km d'Avignon. Ouv 30 mars-30 sept. Compter 23,50 € pour 2 pers en hte saison. Loc de mobile homes et bungalows toilés pour 2-6 pers 310-705 €/sem selon saison. 🌐 Ombragé, car au cœur d'une pinède, bien équipé et propre. Snack et animations en juillet-août. Piscine. Bon entretien général et bon accueil, pour lequel les sympathiques propriétaires ont même reçu plusieurs trophées, c'est dire !

Bon marché

Voir aussi le *Camping – Auberge de jeunesse Le Bagatelle,* plus haut, qui possède beaucoup de lits !

🏠 *Pop' Hostel* (plan couleur B2, **4**) : 17, rue de la République. ☎ 04-32-40-50-60. • contact@pophostel.fr • pophostel.fr • ♿ Nuitée (draps compris) 17-21 €/pers en chambres de 4-8 lits. Doubles 57-96 €. 🛏 🌐 Apéritif maison offert sur présentation de ce guide. Dans les étages d'un solide immeuble du XIXe s, en plein centre, une de ces nouvelles AJ privées comme on en trouve dans toutes les capitales européennes et donc, aujourd'hui, à Avignon. Un accueil à la cool, une ambiance jeune et internationale, plein de couleurs sur les murs (à commencer par le graph de l'entrée), du design et, pour le prix, un certain confort (il y a même la clim). Bar à vins et tapas.

🏠 *Hôtel Boquier* (plan couleur B3, **1**) : 6, rue du Portail-Boquier. ☎ 04-90-82-34-43. • contact@ hotel-boquier.com • hotel-boquier. com • Congés : de mi-déc à début janv. Doubles 65-77 € selon confort et saison. 🛏 🌐 Réduc de 10 % (nov-fév) sur présentation de ce guide. Un petit hôtel bien entretenu, dans une ancienne maison du XVIIIe s, à deux pas du centre, des remparts, de la gare. Les proprios, adorables, ont entièrement rénové leurs chambres en leur offrant une déco personnalisée soignée, certaines sur le thème du voyage (chambres africaine, indienne, marocaine...), d'autres sur un thème plus régional. La n° 9 possède une petite terrasse privative. Un excellent rapport qualité-prix.

🏠 *Hôtel Saint Roch* (plan couleur A3, **14**) : 9, rue Paul-Mérindol. ☎ 04-90-16-50-00. • contact@hotelstroch-avignon.com • hotelstroch-avignon. com • Doubles 65-76 € (mêmes tarifs en juil !). 🌐 Réduc de 10 % (oct-mars) sur présentation de ce guide. Situé au calme, à quelques encablures du centre historique, dans un quartier moderne, cet ancien hôtel particulier, transformé en hôtel de tourisme, propose une petite trentaine de chambres. La plupart donnent sur le beau jardin, véritable raison de séjourner ici, où il fait bon prendre le petit déjeuner ou bouquiner dans un transat. Chambres récemment rénovées (clim), avec un mélange de décoration contemporaine, de pierre apparente et de mobilier ancien. Ambiance familiale, proche de la chambre d'hôtes.

🏠 *Hôtel Mignon* (plan couleur B2, **5**) : 12, rue Joseph-Vernet. ☎ 04-90-82-17-30. • contact@hotel-mignon. com • hotel-mignon.com • Fermé janv. Doubles 54-65 € selon saison. 🛏 🌐 Remise de 10 % sur le prix de la chambre (sept-déc) sur présentation de ce guide. Un petit 1-étoile qu'on aime bien pour ses chambres, certes petites (surtout les salles de bains), mais assez... mignonnes, bien tenues et plutôt confortables dans l'ensemble (TV, double vitrage et clim). Moquette un peu usée et matelas peu épais mais plusieurs chambres, notamment celles donnant sur l'arrière, ont été rénovées et sont particulièrement sympas. Tout comme l'accueil, d'ailleurs.

Prix moyens

🛏 **Hôtel Le Splendid** (plan couleur B3, **3**) : 17, rue Agricol-Perdiguier. ☎ 04-90-86-14-46. ● splendidavignon@gmail.com ● avignon-splendid-hotel.com ● Fermé 2-20 janv. Doubles 70-90 € selon saison et confort. Empl. à vélo. 🛜 Petit hôtel familial récemment repris et rénové. Chambres agréables, avec une déco tendance, plutôt bien équipées pour le prix : salles de bains neuves, TV et clim dans toutes les chambres. Comme souvent à Avignon, escalier un peu raide pour accéder aux derniers étages, mais on est dans un bâtiment classé ! Possibilité de prendre le petit déj dans le patio.

🛏 **Hôtel Le Colbert** (plan couleur B3, **6**) : 7, rue Agricol-Perdiguier. ☎ 04-90-86-20-20. ● contact@avignon-hotel-colbert.com ● avignon-hotel-colbert.com ● Fermé nov-fin mars. Doubles 68-98 € selon confort et saison. 🛜 Un petit hôtel aux chambres décorées dans les tons chauds avec du mobilier ancien, récemment rénovées pour la plupart. Toutes avec clim et écran plat. Pour se détendre, agréable petite terrasse intérieure aux couleurs joyeuses et superbe salle de petit déj agrémentée d'objets de brocante pour bien commencer la journée.

🛏 **Hôtel de Blauvac** (plan couleur B2, **8**) : 11, rue de la Bancasse. ☎ 04-90-86-34-11. ● blauvac@aol.com ● hotel-blauvac.com ● Doubles 82-97 € selon taille et saison (ajouter 10 € pdt le Festival). 🖥 🛜 Dans une rue étroite du centre historique (attention, on ne peut y accéder en voiture que le matin), l'ancien hôtel particulier du marquis de Blauvac a conservé quelques traces de son passé : élégante rampe de fer forgé dans l'escalier, arcades de pierre... Chambres (la plupart en duplex) dont la déco, ici ou là, commence un peu à dater mais d'un honorable confort : salles de bains rénovées, clim et double vitrage. Accueil parfois distant.

Chic

🛏 **Hôtel de Garlande** (plan couleur B2, **9**) : 20, rue Galante. ☎ 04-90-80-08-85. ● hotel-de-garlande@wanadoo.fr ● hoteldegarlande.com ● Accès en voiture par la porte de la République face à la gare SNCF ; ouverture de la borne par simple appel. Congés : 1er fév-8 mars. Doubles 69-138 €. 🛜 Un petit déj par chambre et par nuit offert sur présentation de ce guide. Dans une vieille maison du centre, à l'ombre du clocher de l'église Saint-Didier. Réparties sur 2 bâtiments et accessibles par un petit escalier en colimaçon, des chambres climatisées et bien tenues avec une jolie déco personnalisée mais de tailles et d'allures très variables. Les plus grandes, et donc les plus chères, ont un petit coin salon. Toutes les salles de bains ont été refaites. Bon rapport qualité-prix et accueil dévoué de la charmante propriétaire.

🛏 **Hôtel Bristol** (plan couleur B3, **7**) : 44, cours Jean-Jaurès. ☎ 04-90-16-48-48. ● contact@bristol-avignon.com ● bristol-hotel-avignon.com ● 🦽 À 100 m de la gare SNCF et presque en face de l'office de tourisme. Doubles 89,50-131 € selon confort et saison (pas de hausse pdt le Festival !). Garage payant avec service de voiturier. 🖥 🛜 Réduc de 10 % hors juil-août (et périodes de promotion) pour tte résa faite auprès de l'hôtel sur présentation de ce guide. Un bon gros hôtel de ville, moderne et plutôt chic, aux chambres rénovées et de bon confort. Nos préférées sont au 3e étage, de style contemporain agréable, et au même prix que les autres. Toutes climatisées et équipées de literie neuve, double vitrage, minibar, TV. Hall cosy avec salon-bar et gros fauteuils en cuir. Bon accueil, très pro.

🛏 **Chambres d'hôtes L'Anastasy** (hors plan couleur par A1, **11**) : 817, chemin des Poiriers, île de la Barthelasse. ☎ 04-90-85-55-94. 🦽 Depuis le pont, prendre à droite ; au grand rond-point, suivre la direction de l'église, continuer sur 3 km et tourner à gauche, c'est à 200 m à gauche. Compter 109-140 € pour 2. Ceux qui ont suivi un jour, émus, les cours de cuisine d'Olga Manguin ont pris l'habitude de venir se refaire une santé, de temps à autre, quand l'une des 3 chambres se libère dans ce très joli mas, repaire d'artistes et de gourmets. Chambres sobres et fraîches avec une décoration très artistique. Piscine (à l'ancienne) et jardin en bonus.

🏠 **Chambres d'hôtes Maison Boussingault** (plan couleur B3, 18) : 39, rue du Boussingault. 📱 06-64-46-96-61. ● contact@maisonboussingault.com ● maisonboussingault.com ● Compter 110-130 € pour 2 selon saison. 📶 Maison bien située, dans une ruelle calme. 3 chambres sobres toutes nouvelles, toutes blanches, sans déco particulière mais de bon confort (douche à l'italienne ou bains, lit neuf et TV à écran plat), avec accès indépendant par une courette. Les petits déj sont servis à l'étage sur une terrasse ensoleillée. Proprios jeunes et accueillants.

Plus chic

🏠 **Résidence La Madeleine** (hors plan couleur par B3, 12) : 4, impasse des Abeilles. 📞 04-90-85-20-63. ● curtat.j@gmail.com ● madeleine-avignon. com ● À 200 m de la gare SNCF, à hauteur du n° 25 de l'av. Monclar. Ouvtte l'année. Studios 2-3 pers 70-110 € selon saison et surface (900-1 100 €/ sem pdt le Festival). CB refusées. Parking privé payant. 📶 Pour le calme plus que pour le charme du quartier. Formule de résidence intéressante. Une dizaine de studios fonctionnels mais bien équipés (avec TV, clim, kitchenette). La déco est sobre, et la maison reçoit pas mal de soleil. Accueil très sympa. Piscine privée. Si c'est complet, la fille de la charmante propriétaire, partageant la même cour intérieure, propose 8 appartements à tarif similaire.

🏠 **Résidence Autour du Petit Paradis** (plan couleur C2, 17) : 5, rue Noël-Biret. 📞 04-90-81-00-42. ● contact@autourdupetitparadis.com ● autourdupetitparadis.com ● ♿ Fermé dim soir. Studios 100-115 €/nuit (130-180 € pdt le Festival). Appartements 550-1 050 €/sem pour 2-4 pers selon confort et saison. Loc principalement à la sem en juil et 2 nuits min en août. 📶 Au cœur de la vieille ville, cette petite résidence, installée dans une maison du XVIIᵉ s avec patio, loue 7 studios pour 2 personnes,

1 duplex et 3 deux-pièces pour 2 adultes et 2 enfants. L'ensemble a été rénové récemment et s'avère assez fonctionnel à défaut d'être toujours spacieux. Tous les hébergements ont douche, w-c, clim réversible, kitchenette, écran plat (TNT) et prise Internet. Bon accueil.

🏠 **Chambres d'hôtes La Banasterie** (plan couleur C1, 15) : 11, rue Banasterie. 📞 04-32-76-30-78. 📱 06-87-72-96-36. ● labanasterie@gmail. com ● labanasterie.com ● Compter 100-175 € pour 2 selon confort et saison. 💻 📶 Réduc de 10 % sur le prix de la chambre sur présentation de ce guide. 2 chambres et 3 suites dans une superbe demeure avignonnaise du XVIᵉ s. Déco de charme où le raffinement est poussé à l'extrême... Atmosphère intemporelle et intimiste : murs ocre, vieilles pierres, marbre, enduits chaulés, bougies, guirlandes... autant de petits détails qui participent à la mise en scène et à la mise en joie. Pensez à réserver longtemps à l'avance car ce petit paradis à deux pas du palais des Papes est fortement convoité, l'on s'en doute !

🏠 **Chambres d'hôtes Villa de Margot** (plan couleur C1, 13) : 24, rue des Trois-Colombes. 📞 04-90-82-62-34. ● reservations@demargot.fr ● demargot.fr ● Compter 120-180 € selon saison et confort, plus une suite plus chère. 📶 Située à côté de la chapelle des Pénitents-Noirs et au pied du jardin des Doms. On pénètre d'abord dans une cour-jardin puis dans une belle demeure en pierre de taille cachée dans la ruelle. Celle-ci abrite 5 chambres propres et cosy (si l'on excepte les moquettes un peu cheap, seul bémol à nos yeux), dont une avec terrasse privée et vue sur un bout du palais des Papes. Copieux petit déj maison. Accueil souriant.

Très chic

🏠 **Hôtel Cloître Saint-Louis** (plan couleur B3, 16) : 20, rue du Portail-Boquier. 📞 04-90-27-55-55. ● hotel@cloitre-saint-louis.com ● cloitre-saint-louis.com ● ♿ Doubles 99-330 € selon confort et saison (mais *promos fréquentes sur le site) ; petit déj 16 €. Parking payant.* 💻 🛜 Dans un sublime bâtiment du XVIIe s, l'ancien noviciat des jésuites pour être plus précis, ont été aménagées 80 chambres de haut standing (c'est un 4-étoiles !). Une partie d'entre elles ont été imaginées par l'architecte Jean Nouvel. Certains pourront trouver la confrontation des époques et des couleurs un peu trop audacieuse, les autres adoreront... L'ensemble, de toute façon, respecte l'austérité et la sobriété des lieux, tout en adoptant une allure résolument contemporaine. Restaurant, salle de sport, piscine et solarium sur le toit... Idéal pour un coup de folie ! Et, pratique : le bureau du Festival se trouve là...

Où manger ?

Pendant le Festival, la plupart des restaurants sont ouverts tous les jours (mais malheureusement pas à toute heure !). Pendant cette période, certains proposent même des menus spéciaux. Pour un grignotage léger, signalons *Planétalis (5, rue Galante ; tlj sf dim 11h30-17h)* qui propose des salades, sandwichs, pâtes et diverses formules, en partie à base de produits bio.

Très bon marché

I●I *L'ami voyage... en compagnie (plan couleur B2, 21)* : 5, rue Prévot. ☎ 04-90-82-41-51. *Fermé dim, lun, j. fériés et ts les soirs hors saison. Carte env 18 €.* On peut simplement passer y boire un verre et s'intéresser à ce qui fait le succès de la maison (les livres anciens). Sinon, bonne pioche le midi (et le soir en été) autour d'une carte courte et appétissante.

I●I *La Princière (plan couleur B3, 33)* : 23, pl. des Corps-Saints. ☎ 09-80-37-58-06. ● mfares@aliceadsl.fr ● *Tlj sf lun (et mar basse saison). Galettes 12h-15h, 19h30-21h. Carte 15 €. Apéritif maison offert sur présentation de ce guide.* Sur cette place où se bousculent bars et restos, on pourrait presque rater l'entrée de cette toute petite crêperie-saladerie-glacier qui, sur ses tables de bois, ne sert que d'excellents produits locaux. Les glaces, à elles seules, méritent franchement une pause. Jouez d'ailleurs au jeu de la glace mystère ! Et, si elle a le temps, demandez à l'accueillante patronne de vous expliquer le pourquoi de l'enseigne (une vraie page d'histoire !).

I●I *Chez Ginette & Marcel (plan couleur B3, 36)* : 25-27, pl. des Corps-Saints. ☎ 04-90-85-58-70. ● ginette-marcel@orange.fr ● 🚲 *Tlj 11h-minuit en été (jusqu'à 22h30 hors saison). Congés : 24 déc-2 janv. Tartine du jour + dessert 6,90 €, formule avec salade le midi en sem 6,70 €. Apéritif maison offert sur présentation de ce guide.* Le temps semble s'être arrêté ici depuis 1900. Dans un pseudo-décor d'épicerie d'antan avec étagères chargées de bric-à-brac, ou en terrasse sous un joli platane, on vient déguster pour trois francs six sous de copieuses tartines plutôt originales, éventuellement agrémentées d'une salade dont vous aurez choisi la vinaigrette. Rien de rare, mais le cadre est idéal en été... en revanche, vous ne serez pas seul(s) !

I●I *Le Pili (plan couleur B3, 23)* : 34, pl. des Corps-Saints. ☎ 04-90-27-39-53. ● soleiljack@gmail.com ● *Fermé sam midi et dim hors saison. Formule 10,40 € le midi en sem ; menu 17,60 €. Digestif offert sur présentation de ce guide.* Petite salle à la déco colorée avec une terrasse sur la jolie place et une autre à l'arrière, côté jardin, pour prolonger l'été. Four à pizza bien en vue, histoire de réchauffer l'atmosphère les jours gris. Bonnes pizzas et, pour ses formules du déjeuner, un des (sinon le) resto le moins cher de la ville !

De bon marché à prix moyens

I●I *Le Caveau du Théâtre (plan couleur B3, 32)* : 16, rue des Trois-Faucons. ☎ 04-90-82-60-91. ● lecaveau. dutheatre@wanadoo.fr ● *Tlj sf sam midi et dim (tlj en juil). Congés : 15 j. en août. Formules déj 11,50-14 € ; menus*

23-26 €. *Apéritif maison offert sur présentation de ce guide.* 2 salles intimistes et très coquettes, dont l'une sous verrière avec un grand rideau rouge de théâtre. Terrasse en saison. Une cuisine inventive, à partir de bons produits régionaux, du style selle d'agneau en croûte ou risotto d'épeautre au canard. Du vin, et de l'excellent (c'est une cave à vins) ! Un accueil et un service gentils comme tout.

lol *Le Petit Comptoir* (plan couleur B2, **38**) : 5, rue de Trémoulet. ☎ 04-90-88-35-10. ● lepetitcomptoir@ foodarts.fr ● *Tlj 10h-1h. Formule déj 13,90 € (en sem). Carte 25 €.* La bande de copains qui a tout récemment ouvert ce minuscule endroit (avec une plutôt grande terrasse quand même, bien tranquille dans sa ruelle piétonne) annonçait un « snack gourmet anti malbouffe ». Il y a de ça effectivement... Avec de bons produits achetés à deux pas pour des classiques (burger, tartare, salade Caesar...) revisités avec juste ce qu'il faut de bonnes idées par un chef, un vrai. Et des additions qui, pour la ville, savent rester sages.

lol *AOC* (plan couleur C2, **22**) : 5, pl. de Jérusalem. ☎ 04-90-25-21-04. ● aoc-avignon@orange.fr ● *Tlj 12h-14h, 18h-minuit. Formule déj 12 € ; carte 25 €. Café offert sur présentation de ce guide.* Une cave-bar à vins qui a tout de suite trouvé sa clientèle. Un cadre qui colle au produit (comptoir sympa, tables en formica, gentille terrasse sur une placette) et des petites assiettes pour accompagner la dégustation des découvertes vineuses du mois... ou vice versa. Tartare coupée au couteau, planches de charcuterie-fromage, foie gras... Et devant le succès rencontré, la maison a ouvert une succursale à Villeneuve-lez-Avignon (2, rue Victor-Basch).

lol *Chez Lulu* (plan couleur B2, **26**) : 6, pl. des Châtaignes. ☎ 04-90-85-69-44. ● contact@chezlulu-avignon. com ● *Tlj sf mar-mer (slt mer ven juil-août). Congés : janv-fév. Le midi en sem (hors juil-août), formules 14-16,50 € ; le soir, carte env 35 €. Apéritif maison offert sur présentation de ce guide.* Petit resto convivial décoré de plaques émaillées publicitaires, proposant une cuisine bistrotière de saison. L'ardoise varie en fonction du marché d'à côté. Accueil sympa d'une équipe féminine. Agréable terrasse face à l'église.

lol *Vin sur Vin* (plan couleur C2, **37**) : 4, rue Grivolas (face aux halles). ☎ 04-90-82-98-93. ● contact@ vinsurvin-avignon.fr ● *Tlj le midi sf dim-lun, le soir jeu-sam (mar-sam en saison). Formule 14,50 € et menu 18,50 € le midi en sem. Carte env 23 €.* Un resto à vin qui annonce la couleur avec cette tirade rabelaisienne « L'appétit vient en mangeant, la soif disparaît en buvant ». Pour l'appétit, l'ardoise peut suggérer un copieux camembert au four accompagné de jambon Serrano, un tartare au couteau ou un succulent os à moelle gratiné ; pour la soif, bon choix de vins au verre (ou à emporter) à puiser dans une cave riche et variée. Une bonne petite adresse.

lol *Naka* (plan couleur B2, **29**) : 4, pl. de la Principale. ☎ 04-90-82-15-70. *Tlj sf dim et lun. Congés : 2 sem fév et 2 sem août. Formules 12,90-22 € le midi en sem ; carte 25 €. Apéritif maison offert sur présentation de ce guide.* Certes, on ne franchit pas nécessairement les remparts d'Avignon pour manger japonais. Mais quand ce japonais-là offre, dans un plaisant décor contemporain et sur une ample terrasse face à la jolie chapelle des Pénitents-Blancs, une cuisine très habilement travaillée (le chef a appris dans quelques très grandes maisons françaises), on dit oui. D'autant que formules et menus offrent un réjouissant rapport qualité-prix.

De prix moyens à plus chic

lol *L'Épicerie* (plan couleur B2, **25**) : 10, pl. Saint-Pierre. ☎ 04-90-82-74-22. *Entre le palais des Papes et le quartier piéton. Tlj sf mar-mer hors saison. Congés : janv-fév. Résa conseillée, surtout l'été. Formule déj en sem 15,90 € ; carte env 35 €. Apéritif maison offert sur présentation de ce guide.* Ici, on déjeune ou on dîne, en toute tranquillité et en terrasse, sur le parvis de l'église Saint-Pierre, un lieu préservé et hors du temps. Très beau cadre où l'on vous servira une bonne cuisine du Sud, colorée et parfumée. Assiettes généreuses et ensoleillées du style croquant de petits légumes au chèvre frais ou dos de cabillaud en croûte d'herbes.

I●I Le 46 *(plan couleur B1, 30)* : *46, rue de la Balance.* ☎ *04-90-85-24-83.* ● *contact@le46avignon.com* ● ✦ *Tlj sf dim. Formule déj en sem 15 € et carte 26-30 €. Terrasse.* Avant ou après la visite du palais des Papes, on vient dans cette ruelle pour se restaurer (à toute heure ou presque) d'une salade d'été ou d'un plat de pâtes. Le soir, on aura le choix entre le nouvel espace salon du bar à vins ou le côté salle pour un poisson du jour d'une belle fraîcheur ou une viande au goût franc et massif.

I●I La Fourchette *(plan couleur B2, 27)* : *17, rue Racine.* ☎ *04-90-85-20-93.* ● *contact@la-fourchette.net* ● *Fermé w-e et j. fériés. Congés : 1re sem de fév et 3e sem d'août. Résa indispensable. Menu 36 € (soir slt). Carte env 36 €.* Des prix serrés pour un cadre élégant avec une foule d'objets de collection, et une table bien installée depuis 6 générations. Cuisine travaillée avec soin et signée Philippe Hiély : caillette de pieds de veau, brandade de morue, souris d'agneau braisée, et meringue au pralin en dessert, entre autres classiques plébiscités par les Avignonnais de tous âges. Vins à prix raisonnables.

I●I Le Numéro 75 *(plan couleur D3, 31)* : *75, rue Guillaume-Puy.* ☎ *04-90-27-16-00.* ● *numero75.brunel@wanadoo.fr* ● ✦ *Tlj sf dim (hors Festival). Fermé pdt les fêtes de fin d'année. Formule déj 32 €. Menus 30 € le midi, 36,50-47 € le soir.* Robert Brunel a investi avec sa brigade cette ancienne maison Pernod dont la cour intérieure attire les amoureux de l'été. Très beau cadre, sous les arbres, côté jardin,

même si on le paie un peu, pour une cuisine méditerranéenne qui ramène la fraîcheur à travers un menu-carte malin évoluant avec les saisons. Quand le soleil pâlit, on se réfugie entre les vieux murs, où qui une bonne fée a redonné vie et couleurs sur fond de musique jazzy.

I●I L'Essentiel *(plan couleur B2, 28)* : *2, rue Petite-Fusterie.* ☎ *04-90-85-87-12.* ● *restaurantlessentiel84@live.fr* ● *Tlj sf dim-lun. Congés : vac scol de fév. Menus 32-45 €. Café offert sur présentation de ce guide.* Une salle épurée qui peut paraître un peu froide, une jolie cour intérieure et une carte gourmande et savoureuse, bien dans l'air du temps. Tandis que sa femme, en salle, accueille avec simplicité et sourire, Laurent Chouviat, en cuisine, applique sa technique, rodée dans les grandes brigades, pour atteindre lui aussi une belle simplicité. On y apprécie les cuissons précises, le respect du produit, la présentation soignée, les recettes équilibrées... Équation quasi parfaite ! Et c'est bien l'essentiel...

I●I Le Moutardier du Pape *(plan couleur B1, 34)* : *15, pl. du Palais-des-Papes.* ☎ *04-90-85-34-76.* ● *info@restaurant-moutardier.fr* ● ✦ *Formule déj env 25 € et menus 35-49 €.* Emplacement en or, en face du palais des Papes. À l'intérieur, une longue fresque évoque d'ailleurs la carrière de ce moutardier du pape. Une des tables les plus courues de la haute ville, travaillant les produits du terroir avec le soin des grandes maisons mais dans un esprit plus contemporain (en proposant par exemple les accords mets-vins). Terrasse assez magique sur la place aux beaux jours.

Où boire un verre et grignoter sur le pouce ?

Y Les Célestins *(plan couleur B3, 46)* : *38, pl. des Corps-Saints.* ☎ *04-90-81-06-57. Tlj sf dim.* Sur l'une de nos places préférées (où l'une des 2 terrasses s'étend autour de la fontaine), ce bistrot de quartier au décor hors d'âge est le bar fétiche d'après cours des étudiants et d'après (ou d'avant !) boulot des habitants du quartier. Un

lieu de rendez-vous bien connu pour traînasser, à l'heure du café comme à celle de l'apéro.

Y I●I La Cave des pas sages *(plan couleur C3, 40)* : *41, rue des Teinturiers.* ☎ *04-32-74-25-86.* ● *contact@cavedespassages.com* ● *Tlj sf dim jusqu'à 22h (1h le w-e).* Ce bar à vins festif, si bien nommé, est un de nos troquets favoris à Avignon. On y rencontre toujours des gens sympas de tous horizons. Excellente musique, prix d'amis, terrasse agréable en bordure de la Sorgue, on se retrouve vite à l'heure de la fermeture sans avoir vu passer le temps. Bons petits plats du jour pas chers ou planches-apéro de charcutaille-fromage pour éponger. Concert tous les samedis soir.

🍷 |●| Bistrot Utopia (plan couleur C1, **41**) : la Manutention, 4, rue des Escaliers-Sainte-Anne. ☎ 04-90-82-65-36. Tlj 12h (14h w-e)-minuit. Congés : 1er janv et Noël. À l'entrée du cinéma d'art et d'essai Utopia. Dans un décor tendance, sous une verrière en structure métallique de type Eiffel, quelques tables au coude à coude le long d'un vieux comptoir. Et derrière, une salle propice aux discussions d'après film, avec ses banquettes de velours rouge et son sombre plancher en bois. Clientèle inévitablement un peu intello, mais accueil très cool. Tartines grillées, sandwichs pour les petites faims. Belle terrasse bordée d'oliviers.

🍷 Pub Z (plan couleur C2, **47**) : 58, rue Bonnetterie. ☎ 04-90-85-42-84. Tlj sf dim-lun 19h-1h (à partir de 15h sam ; jusqu'à 3h pdt le Festival). Congés : août-sept. Drôle de zèbre que ce bar, tenu de père en fils depuis 1987. Peut-être bien le seul à l'esprit rock'n roll d'Avignon, même si les DJs régulièrement invités y mixent un peu de tout. Superbe accueil, bonnes bières, murs offerts aux artistes, et la clientèle bien mélangée qui fait les bons endroits.

🍷 |●| Mon Bar (plan couleur C1-2, **42**) : 17, rue Portail-Mathéron. ☎ 04-90-89-48-51. ♿ Tlj 8h-20h (13h w-e). Plats (du classique provençal !) autour de 10 €. Digestif maison offert sur présentation de ce guide. Bien sûr, il ne s'agit pas du poisson, mais d'un bar de quartier pur jus (depuis 1933 !), où l'enseigne, la déco, le patron et les habitués qui philosophent au comptoir semblent avoir été figés pour l'éternité quelque part au tournant des années 1940-1950... Vieux zinc, vieilles photos et affiches. Terrasse en saison.

Où danser ?

♪ Le Red Zone (plan couleur C2, **43**) : 25, rue Carnot. ☎ 04-90-27-02-44. ● manager@redzonebar.com ● redzonedjbar.com ● Tlj sf dim-lun en basse saison, 21h (22h en hte saison, dim, lun et j. fériés)-3h. Un des bars-clubs les plus courus de l'ancienne cité des Papes. Chaque soir, un thème différent : R & B, salsa, soirée bœuf, étudiante et DJ (house, dance, hip-hop...). De quoi, en principe, contenter les plus exigeants. Clientèle plutôt jeune.

♪ L'Esclave bar (plan couleur B1, **44**) : 12, rue du Limas. ☎ 04-90-85-14-91. ● esclave@wanadoo.fr ● Tlj sf dim 23h30-7h. Petite boîte homo, mais hétéros bienvenus. Juste un bout de piste en fait, avec quelques petits escaliers menant à des recoins coquins au 2e étage (vous voilà prévenu !). Tendance techno, house et trance la plupart du temps.

♪ Les Ambassadeurs (plan couleur B2, **45**) : 27, rue Bancasse. ☎ 04-90-86-31-55. Jeu-sam 23h30-5h. Une boîte branchée qui propose un peu de tout sur le plan musical. Clientèle de trentenaires, quadras et au-delà...

À voir

La découverte du vieil Avignon, secteur sauvegardé le plus vaste de France (14 ha !), peut demander du temps : des ruelles tortueuses qui cachent des églises méconnues, des placettes à l'italienne, une foule d'hôtels particuliers... Mais une (grosse) journée peut suffire pour voir l'essentiel. Plutôt que de classer les monuments selon une quelconque échelle de valeurs, forcément subjective, nous vous avons concocté une petite balade urbaine, en boucle, au départ des remparts. À ce sujet, on vous conseille de vous inscrire auprès de l'office de tourisme à l'une des visites guidées thématiques proposées. Passionnant, que l'on se contente de survoler les cinq siècles d'histoire de la ville ou que l'on souhaite approfondir un sujet.

Si vous voulez vous attaquer aux musées, procurez-vous la carte pass *(gratuite, valable 15 j. et pour les membres d'une même famille jusqu'à 5 pers)*, sorte de passeport culturel qui, pour le prix d'entrée d'un premier musée au tarif normal, donne droit à des réductions de 10 à 50 % dans tous les autres monuments et musées d'Avignon (et même de Villeneuve-lez-Avignon !), y compris pour les visites guidées. Un conseil : commencez par la visite du Musée lapidaire, c'est le moins cher !

De la gare à la place de l'Horloge

🐾 **Les remparts :** c'est la première image qu'offre Avignon à ses visiteurs. Longs de presque 5 km, ils étaient jalonnés de 39 tours et percés de sept portes principales. Même si Viollet-le-Duc lui a donné, ici ou là, un aspect un peu artificiel, la vieille muraille du XIVe s impressionne toujours même si personne ne vous oblige à en faire le tour complet, le long des anciens fossés, où les parkings cèdent doucement la place à des jardins publics.

🐾 **Le Musée lapidaire** *(plan couleur B3)* : 27, rue de la République. ☎ 04-90-85-75-38. • musee-calvet-avignon.com • Tlj sf lun, 1er mai, Noël et Jour de l'an, 10h-13h, 14h-18h. Entrée : 2 € ; réduc. Installé dans une ancienne chapelle du collège des jésuites. Beau décor pour présenter une partie des collections archéologiques du musée Calvet, constituée de pièces grecques, étrusques et romaines, souvent remarquables, et de nombreux objets de la vie quotidienne. Les objets sont exposés dans cinq chapelles différentes. Pas bien grand mais vaut le coup d'œil.

🐾 **La rue Joseph-Vernet** *(plan couleur B2-3)* : la rue la plus chic de la ville (même si les boutiques de luxe y voisinent parfois avec des bistrots de quartier). Avec une belle régularité s'y succèdent les façades d'hôtels particuliers des XVIIe et XVIIIe s. Au no 35, par exemple, avec l'hôtel de Barbier-Rochefort et de Raousset-Bourbon, ou, juste en face, l'hôtel de Suarez-d'Aula (« collège moderne de jeunes filles », annonce une vieille inscription !). Accolée, la jolie chapelle de l'Oratoire, qui date de la première moitié du XVIIIe s. La rue Joseph-Vernet et la rue des Lices doivent leur tracé original au fait qu'elles suivent celui des anciens remparts médiévaux qui correspond peu ou prou à la ville romaine (on sait que le forum se situait place de l'Horloge, tandis que du côté de la Manufacture, on trouvait les thermes et l'amphithéâtre).

🐾 **Le musée Requien** *(plan couleur B2)* : 67, rue Joseph-Vernet. ☎ 04-90-82-43-51. • museum-avignon.org • Tlj sf dim-lun 10h-13h, 14h-18h. Fermé 1er janv, 1er mai et 25 déc. GRATUIT. Tout petit musée d'histoire naturelle qui, en quelques vitrines, évoque toute l'histoire du Vaucluse... et même du monde ! Belle collection de fossiles, troncs silicifiés de palmiers trouvés à Rustrel, cristaux géants de gypse, ours fossiles du Ventoux, loups naturalisés, etc. Intéressantes explications sur la naissance de l'ocre et sur le phénomène de Fontaine-de-Vaucluse, entre autres.

🐾🐾 **Le musée Calvet** *(plan couleur B2)* : 65, rue Joseph-Vernet. ☎ 04-90-86-33-84. • musee-calvet-avignon.com • Tlj sf mar 10h-13h, 14h-18h. Fermé 1er janv, 1er mai et 25 déc. Entrée : 6 €, audioguide inclus ; réduc. On pénètre par une très belle cour restaurée dans ce superbe bâtiment du milieu du XVIIIe s, abritant le legs d'Esprit Calvet (1810), ainsi que les donations de l'antiquaire Marcel Puech. Au rez-de-chaussée, la *salle des maîtres du Nord* expose des peintures flamandes, hollandaises et allemandes des XVe-XVIIIe s avec, entre autres, Bruegel l'Ancien *(Cortège d'une noce paysanne)* et Bruegel le Jeune

(Kermesse villageoise, Parabole des aveugles). Trois salles du rez-de-chaussée sont entièrement consacrées à la peinture avignonnaise, avec deux peintres passés à la postérité : Simon de Châlon, pour la Renaissance, et Nicolas Mignard, pour la période baroque. Les trois salons de la galerie Puech, restaurés (stucs et or fin), sont consacrés à l'Égypte ancienne. Grâce à une muséographie bien pensée, on découvre une belle collection de stèles, sarcophages, papyrus, statuettes de divinités, vases et tissus coptes, ainsi que des *ouchebtis* et une impressionnante momie d'enfant.

Quant à la *salle d'art moderne (Victor-Martin),* elle présente une passionnante collection : signalons, entre autres, le *buste de Paul Claudel en jeune Romain* réalisé par sa sœur Camille, le *Portrait de Rignault* signé Valadon, *Sur le zinc* de Vlaminck, *Jour d'hiver* de Bonnard, de nombreux Soutine et de très beaux Laure Garcin. On y trouve aussi des peintres liés à la Provence, moins connus mais très intéressants, comme Chabaud *(Nu bleu),* Gleizes, Bourdil ou encore Ambrogiani... Jetez un œil à la *salle de la Méridienne* qui abrite quatre médaillons représentant les saisons et une collection d'orfèvrerie du XVIIIe s juste à côté.

La belle *galerie Vernet,* à l'étage, expose une série de bustes en plâtre et des toiles des Parrocel, célèbre famille d'artistes qui a essaimé du Var en Avignon et même en Autriche et en Italie. Belle série de Vernet illustrant des atmosphères terrestres et maritimes. Voir aussi son *Mazeppa aux loups.* Également la sensuelle *Baigneuse endormie* de Chassériau, le *Site d'Italie* de Corot, la terrifiante *Question de Laugée,* la *Mort de Joseph Bara* de David, une *Nature morte* de Manet, un *Portrait de jeune fille* de Géricault ou encore l'*Église de Moret* de Sisley. Pour le clin d'œil, en partant, ne manquez pas d'en jeter un au tout petit portrait de Nostradamus (né à Saint-Rémy-de-Provence), réalisé par son fils.

🎨🎨🎨 **La collection Lambert-en-Avignon, musée d'Art contemporain** *(plan couleur B3)* : 5, rue Violette (hôtel de Caumont). ☎ 04-90-16-56-20. ● collection lambert.com ● ♿ (rdc). Tlj sf lun 11h-18h ; juil-août, tlj 11h-19h. Fermé certains j. fériés. Entrée : 10 € ; réduc. Librairie. Resto. Le bien bel hôtel de Caumont a été acquis et aménagé pour accueillir la collection personnelle d'art contemporain du galeriste parisien Yvon Lambert ; une toute récente extension dans l'hôtel mitoyen de Montfaucon abrite aujourd'hui la collection permanente. Peinture, sculpture, vidéos, installations et photos : les grands noms de l'art contemporain des années 1960 à 2000 sont au rendez-vous ! Expos temporaires régulières. Et performances, forums et rencontres avec le public en font un lieu permanent de créativité.

🎨🎨 **Le musée Louis-Vouland** *(plan couleur A2)* : 17, rue Victor-Hugo. ☎ 04-90-86-03-79. ● vouland.com ● Tlj sf lun 14h-18h ; 12h-18h pdt les expositions estivales. Fermé 1er janv, en fév, 1er mai et 25 déc. Entrée : 6 € ; réduc. Ce bel hôtel particulier, construit à la fin du XIXe s, abrite une prestigieuse collection d'arts décoratifs rassemblée par son propriétaire, Louis Vouland, un Avignonnais qui avait fait fortune dans la charcuterie et le commerce colonial. Du salon à la salle à manger, tout ou presque est resté en l'état. Les pièces, réaménagées et éclairées comme au fil des heures qui passent, nous laissent imaginer l'esprit de ce collectionneur étonnant. Le sieur Vouland avait un goût prononcé pour les XVIIe et XVIIIe s : faïences de Moustiers et de Marseille comme de Delft (joli porte-montre), délicates statuettes en porcelaine de Saxe, fauteuils d'époque 1720 et 1730 garnis de tapisseries de Beauvais qui évoquent les fables de La Fontaine, superbe bahut Renaissance à deux corps, en noyer, du XVIe s, grandes tapisseries d'Aubusson et des Gobelins... On a un petit faible pour le salon chinois, avec ses vases et ses potiches époque Ming. À voir également, la collection d'œuvres de peintres avignonnais et provençaux du XIXe s.

🎨 **La place de l'Horloge** *(plan couleur B2)* : avec ses cafés aux vastes terrasses, c'est le centre névralgique d'Avignon, surtout pendant le Festival. Sur la façade du théâtre, la statue de Molière observe tout ça d'un air dubitatif. À l'angle de la place et de la rue de la République, glissez-vous dans l'élégante cour du palais du Roure, construit en 1469, qui fut le foyer du félibrige, et abrite un amusant petit musée :

– **le palais du Roure,** *musée d'Arts et Traditions populaires :* 3, rue du Collège-du-Roure. ☎ 04-90-80-80-88. *Visite guidée tlj sf dim-lun à 11h, libre (10h-13h, 14h-18h) ou sur rdv (sf w-e et août). Tarif : 4,60 € ; réduc.*

– Dans la rue de Mons, joli hôtel de Crochans (XIVᵉ s) qui abrite la *Maison Jean-Vilar* (voir plus loin « Le Festival d'Avignon. Tout savoir sur le Festival »).

Autour du palais des Papes

⊚ ✱✱✱ **Le palais des Papes** (plan couleur B1-2) **:** rens et résas, ☎ 04-32-74-32-74 (office de tourisme). ● palais-des-papes.com ● *Tlj 9h-19h avr-oct (20h en juil ; 20h30 en août) ; tlj 9h30-17h45 nov-fév et 9h-18h30 mars. Entrée : 11 € pour le palais seul ; 13,50 € pour le palais et le pont Saint-Bénezet ; réduc. Audioguide (en 11 langues) 2 € (gratuit au pont). Photos interdites dans les chambres peintes.* Pour la partie historique des lieux et donc de la cité des Papes, reportez-vous à la rubrique « Un peu d'histoire » en tête de ce chapitre. Haut lieu de l'histoire européenne médiévale, cet édifice détient un triple record : c'est le plus grand palais gothique d'Europe (15 000 m² de surface !), le seul qui ait jamais été construit pour un pape en dehors de Rome, et le chantier le plus rapide de son époque (moins de 20 ans). C'est aussi l'un des plus magnifiques exemples d'architecture gothique du XIVᵉ s. Derrière une apparente unité, on peut en fait distinguer deux grandes parties : le palais Vieux et le palais Neuf. Prenez d'abord le temps d'admirer la *cour d'honneur* (même si, en saison, les gradins gâchent un peu le plaisir !). Sur ces 1 800 m² se déroule depuis 1947, en juillet, le célébrissime Festival de théâtre. Jean Vilar n'y croyait pas au départ et disait de la cour : « C'est un lieu théâtral impossible. » Et pourtant...

Un parcours interactif novateur permet de revivre les fastes de la cour pontificale comme au XIVᵉ s grâce à des dispositifs multimédias et scénographiques. L'audioguide est synchronisé à sept films diffusés dans différentes salles et présente de façon dynamique et ludique l'évolution de la reconstruction de l'édifice, ainsi que la restitution du décor

MACHICOULIS

Ces galeries en haut des fortifications étaient percées d'ouvertures. Le mot vient de « mâcher » qui signifie broyer, écraser et de « cou ». Le but de ces trous était d'y verser de l'huile bouillante ou des pierres afin de broyer le cou des ennemis.

originel des salles (fresques, mobilier...). Ajoutées aux commentaires et aux extraits musicaux, des enluminures sur la vie des papes sont diffusées sur l'écran de l'audioguide.

La visite commence par la *salle du Trésor Bas,* où était caché le trésor du Saint-Siège ; sous Innocent VI, le caveau recelait 196 kg d'or, d'argent et de vaisselle. Dans la *salle de Jésus* et la *salle du Consistoire,* plusieurs maquettes présentent les différentes étapes de construction du palais. Arrêtez-vous dans la *chapelle Saint-Jean,* attenante à la chambre du camérier, qui abrite un superbe décor de fresques signé Mateo Giovannetti (école de Sienne du XIVᵉ s), et notamment les représentations de saint Jean-Baptiste et saint Jean l'Évangéliste. Un coup d'œil au cloître Benoît XII, et on passe dans l'immense *salle du Grand-Tinel* (48 m de long sur 10 m de large), où les papes donnaient de fastueux banquets. Parfois, des pierres précieuses ou des perles étaient glissées dans les saucières, comme autant de cadeaux reçus pour celui qui avait la chance d'être servi au bon moment ! Le pape mangeait seul sur une estrade pour marquer sa nature quasi divine, et si un roi était présent parmi les convives, on surélevait encore l'estrade... Autre curiosité, la reproduction d'une proba, pièce d'orfèvrerie en

AVIGNON ET SES ENVIRONS

corail d'où pendaient des fossiles, qui vient nous rappeler que les papes eux aussi avaient leur grigris ! Les probas, agitées au-dessus des plats, étaient censées déceler la présence éventuelle de poison. Que d'intrigues peut-on imaginer dans ce palais où sont aujourd'hui jouées nombre pièces de théâtre !

Au 3e étage de la *tour des Papes* (que l'on appelle aussi parfois *tour des Anges*), on traverse d'abord la *chambre de Parement*, antichambre du pape – on y donnait les audiences particulières – avant d'arriver à la chambre à coucher du souverain pontife, avec son sol en petits carreaux vernissés et ses riches décors profanes. Non loin de là, dans la *tour de la Garde-Robe* (palais Neuf), élevée par Clément VI, on découvre la petite mais assez réjouissante *chambre du Cerf* – le cabinet de travail du pape –, ornée de scènes de chasse et de cueillette ; on y découvre aussi un étonnant vivier en perspective

UNE CUISINE VRAIMENT HOTTE

Ne manquez pas, au fond de la salle du Grand-Tinel du palais des Papes, la « cuisine haute » construite par Clément VI en 1342, dont l'originalité est cette immense « hotte » pyramidale de 18 m, vraiment impressionnante. On pensa même qu'il n'y a aucune scène de torture. Dans un sens, oui, mais surtout pour la gent animale, puisque, pour fêter l'élection de Clément VI, on y prépara 118 bœufs, 1 023 moutons, 60 porcs, 1 195 oies, 1 500 chapons, 7 428 poulets... et 50 000 tartes.

inversée et en aplat (afin de montrer les poissons !) qui représente sans doute le *piscarium* pontifical d'Avignon, où l'on sait que de nombreux brochets et carpes furent déposés entre septembre 1333 et avril 1334. Remarquez qu'il n'y a aucune scène religieuse (sans doute Clément VI aspirait-il à un peu de fantaisie...). Plafond en mélèze à la française. On continue la visite en passant par la *sacristie nord* (copies en plâtre de statues et de gisants : inutile de chercher, il n'y a aucun tombeau de pape) et la *grande chapelle* (52 m de long), qui accueille régulièrement des expositions en saison. Plus loin, la *chambre du Camérier*, le plus proche collaborateur du pape en matière de finances mais qui tomba en disgrâce à partir de 1348, et la *chambre des Notaires* avec une frise du XVIIIe s et des portraits des souverains pontifes. Montez jusqu'à la terrasse des Grands Dignitaires (tour de la Gâche), pour profiter du panorama ; café-terrasse sur place. Puis, pour conclure la visite, on découvre la belle *loggia* et la *fenêtre d'Indulgence* (de laquelle le pape donnait sa triple bénédiction à la foule réunie), offrant un très beau point de vue sur la cour d'honneur.

– *Pour en savoir plus :* « Palais secret » *(sam à 12h30 et dim à 10h30 sept-mai ; avec brunch !),* visite privilégiée des salles du palais habituellement fermées. Également une visite de la ville et du palais, « Avignon au temps des papes », axée sur la vie quotidienne au Moyen Âge *(mar et dim 10h30 avr-juin et août-oct ; départ de l'office de tourisme)* et « Sur le pont d'Avignon, on y danse », ville et pont *(sam à 14h30 mai-juin et août-sept).* Pour les familles, « Le palais des Papes raconté aux petits et aux grands », offre une visite truffée d'anecdotes sur la vie des papes *(tlj en août et w-e fériés).* Sur résa : ☎ 04-32-74-32-74. Enfin, un spectacle nocturne monumental en 3D dans la cour d'honneur *(15 août-fin sept).*

☙ La ***Bouteillerie du palais des Papes*** met en vente une bonne cinquantaine de côtes-du-rhône AOC, sélectionnés et à prix départ-cave. *En accès libre (tlj, tte l'année).*

🎭🎭 ***Le musée du Petit-Palais*** *(plan couleur B1) :* ☎ 04-90-86-44-58. ● petit-palais.org ● *Tlj sf mar 10h-13h, 14h-18h. Fermé 1er janv, 1er mai et 25 déc. Entrée :* 6 € *; réduc.* Installé dans le palais des archevêques, un bel édifice du XIVe s qui contient aujourd'hui une magnifique collection de peintres primitifs italiens provenant de la collection Campana. Après une salle exposant une collection de chapiteaux sculptés et de colonnettes géminées, on découvre quelques merveilles des écoles vénitienne, florentine, siennoise, de l'école des Marches, soit plus de 300 œuvres en tout qui permettent, aux côtés de Carpaccio, Giovanni Di Paolo, Botticelli (une Vierge d'humilité offrant son sein), de retracer le parcours artistique du Moyen Âge à la Renaissance... De plus, le musée propose, selon un calendrier précis, toute une série de visites guidées (sauf en été), autour d'une œuvre, d'un thème... Sublime et passionnant ! Également des expositions temporaires.

◈ 🎎 *La cathédrale Notre-Dame-des-Doms* (plan couleur B1) : ☎ 04-90-82-12-21. ● *cathedrale-avignon.fr* ● *Horaires d'ouverture irréguliers, env 8h-18h (19h été). Entrée laissée à votre (immense) générosité.* Le plus vieil édifice religieux de la ville, reconstruit au milieu du XIIe s. Immanquable avec la statue étincelante de la Vierge, que le XIXe s a cru bon de percher au sommet du clocher. Ample nef, romane à l'origine, à laquelle une galerie a été ajoutée au XVIe s. Dans le chœur, siège en marbre blanc du XIIe s qui a reçu le séant des papes d'Avignon. Une chapelle voisine de la sacristie abrite le tombeau de Jean XXII (1345). Trésor.

🎎 *Le jardin du rocher des Doms* (plan couleur B1) : site préhistorique puis oppidum celto-ligure, c'est le lieu de naissance d'Avignon. Aujourd'hui, c'est un jardin public agrémenté d'un grand bassin où il fait bon se poser. Agréable promenade et belle vue sur le Rhône, la Barthelasse (plus grande île fluviale de France avec 700 ha), la... prison Sainte-Anne (vide depuis 2003) et, par beau temps, le Ventoux. Allez lire l'heure au cadran solaire analemmatique (c'est votre ombre qui marque l'heure).

Du « pont d'Avignon » aux ponts sur la Sorgue

◈ 🎎 *Le pont Saint-Bénezet* (plan couleur B1) : ☎ 04-90-27-51-16. ● *palais-des-papes.com* ● ⚓ *Horaires identiques à ceux du palais des Papes (voir plus haut). Visite avec audioguide de 45 mn : 5 € ; 13,50 € avec le palais des Papes ; réduc.* Plus connu sous le nom que lui donne la chanson « Sur le pont d'Avignon, on y danse, on y danse... ». À noter qu'on ne dansait pas « dessus » (c'était réservé à la circulation) mais « dessous ». Édifié au XIIe s, le pont d'Avignon est l'ouvrage le plus ancien construit sur le Rhône entre Lyon et la Méditerranée. Partiellement détruit en 1226, il est reconstruit et compte alors 22 arches. Mais les caprices du Rhône causeront encore plusieurs fois sa ruine, jusqu'au XVIIe s, où il est définitivement abandonné. La visite des vestiges du pont, et en particulier de ses deux chapelles, dont une donne joliment sur l'eau, permet de découvrir une page essentielle de l'histoire d'Avignon mais aussi la légende du fondateur de l'édifice, saint Bénezet, et l'origine de sa chanson qui a fait le tour du monde. Comme au palais des Papes, un nouveau dispositif multimédia offre des illustrations visuelles et sonores intégrées dans l'audioguide (ne pas manquer d'écouter les versions reggae et country de la chanson !). Un espace muséographique agrémenté de vidéos présente l'aventure technologique des quatre laboratoires du CNRS pour reconstituer en 3D le pont et son paysage au XIVe s. Intéressant film documentaire de 20 mn également.
Et depuis peu, et malgré son âge vénérable, le pont a pu être aménagé pour devenir accessible aux personnes à mobilité réduite.
➤ En sortant, à droite, possibilité de suivre les remparts jusqu'au rocher des Doms, à moins que vous n'ayez envie de faire une balade en bateau (voir plus loin « À faire »).

🎎 *La rue Banasterie* (plan couleur B2-C1) : depuis le rocher des Doms, une volée d'escalier conduit à la rue principale d'un quartier paisible qui fut celui des Banastiers (artisans vanniers) avant de devenir, aux XVIIe et XVIIIe s, celui de la haute bourgeoisie. Au pied de l'escalier, petite *chapelle des Pénitents-Noirs* (ouv sam 14h-17h tte l'année et ven avr-sept ; rens : 📱 06-08-06-36-73). La rue Banasterie cache quelques beaux hôtels particuliers comme, au n° 17, la *maison*

Gracié-de-Vinay du XVIIe s, ou l'*hôtel Madon-de-Château-Blanc* au n° 13. Tout au bout, sur une adorable placette, l'*église Saint-Pierre (tlj 8h30-18h30, jusqu'à minuit en juil-août ; rens auprès du presbytère 9h30-11h30 : ☎ 04-90-82-10-56)* dont on pourra détailler la superbe façade gothique (XVIe s), la non moins superbe porte de bois ouvragée et le très élancé clocher du XIVe s.

🕯 *La chapellerie Mouret (plan couleur B2) :* 20, rue des Marchands. ☎ 04-90-85-39-38. *Mar-sam (ouv aussi lun en été).* Dans la zone piétonne. Première et unique chapellerie de France à être classée par les Monuments historiques. Cette boutique a su intégralement conserver son décor d'origine datant de 1860 (style Louis XVI). Chapeau bas !

🕯 *L'église Saint-Didier (plan couleur B2) :* accès tlj 8h-18h. Rens auprès du presbytère : ☎ 04-90-82-10-56. Édifiée au XIVe s, c'est un joli exemple d'église gothique méridionale (peu d'ouvertures, pour cause de mistral toujours gagnant !). Façade d'une belle simplicité. Nef unique terminée par une abside pentagonale. Dans la première chapelle à gauche, somptueuses fresques datant du XIVe s, tout en émotion et couleur, représentant une *Descente de Croix* et une bouleversante *Pâmoison.* Dans la chapelle de droite (n'oubliez pas d'appuyer sur l'interrupteur), bas-relief en marbre représentant le *Portement de Croix,* du XVe s, commandé par le roi René et d'un joli manichéisme : si la Vierge respire la bonté, les centurions (surtout celui placé à l'extrême gauche) ont franchement des mines patibulaires. Pour finir, dans le chœur, autel avec tombeau en enfeu et de belles fresques du XVIIe s. Sur la place, une inscription sur une façade XVIIIe s rappelle que se tenait là le « marché au bois et cocons ».

🕯 À deux pas de l'église (dans la rue du Laboureur), jetez un coup d'œil à la façade de l'*ancienne livrée Ceccano,* désormais médiathèque municipale. À l'intérieur, dans l'ancienne salle d'apparat, on trouve de somptueuses fresques datant du XIVe s. Anibal Ceccano était originaire d'Italie, ce qui explique la présence de trompe-l'œil, de faux marbres et l'usage de la perspective... On a là un bel exemple de gothique tardif, revu dans le goût italien.

🕯🕯 *Le musée Anglandon (plan couleur B3) :* 5, rue Laboureur. ☎ 04-90-82-29-03. ● angladon.com • 🐾. Tte l'année sf lun (et mar nov-mars) 13h-18h. Entrée : 6,50 € ; réduc. Un des plus jolis musées qui soient ! Installé dans un hôtel particulier du vieil Avignon, il nous convie à une double et passionnante visite. Les plus grands artistes des XIXe et XXe s y sont représentés : Van Gogh, Cézanne, Degas, Daumier, Sisley, Picasso, Foujita, Modigliani... Ces chefs-d'œuvre ont appartenu au couturier parisien Jacques Doucet (1853-1929), célèbre collectionneur et grand mécène dont les héritiers, Jean et Paulette Anglandon-Dubrujeaud, ont habité cette demeure ouverte au public en 1996. Quelle chance de pouvoir admirer ce qui fut la passion d'une vie ou du moins ce qu'il en reste ! Car un des traits de caractère « amusant » de Doucet, et que l'on découvre ici avec intérêt, c'est de vouloir systématiquement posséder ce qu'il y avait de plus beau... Ainsi, au cours de sa vie, il se passionna tour à tour pour la porcelaine chinoise, l'art médiéval, la peinture du XVIIIe s, etc. Il eut à chaque fois LA plus belle collection... qu'il revendait une fois qu'il avait atteint son but, avant d'en commencer une autre. La dernière grande passion de sa vie fut l'art moderne. Et beaucoup des grands artistes cités plus haut connurent la gloire grâce à ce mécène génial qui ne se fiait qu'à son goût. Dans les photos de son intérieur typiquement Art déco, on reconnaîtra, accrochées au mur, les célébrissimes *Demoiselles d'Avignon,* c'est tout dire ! Après la visite de la collection moderne exposée au rez-de-chaussée, on découvre à l'étage un authentique intérieur d'amateurs d'art contenant des œuvres du Moyen Âge au XVIIe s et une suite de salons du XVIIIe s.
Organise une fois par an une très belle expo temporaire.

🕯 *La rue du Roi-René (plan couleur B-C2) :* étroite et cernée par de sombres et hautes façades d'hôtels particuliers du XVIIe s. Remplacez la chaussée et les trottoirs étroits par un canal, et vous êtes à Venise. À la fin du XVIIe s, on oubliera l'Italie pour se tourner vers Paris. Fin du côté théâtral, la vie se déroulera à l'abri des regards, derrière un porche et, plus tard encore, entre cour et jardin.

🦌 *La rue des Teinturiers* (plan couleur C-D3) : petite rue pavée adorable, tranquille hors saison, qui change complètement de physionomie pendant le Festival. Un lieu très festif où l'on pourra trouver de nombreux bars-restos bien sympas. Notre quartier préféré pour boire un verre. Bourrée de charme avec sa rivière qui part de Fontaine-de-Vaucluse pour arriver jusqu'ici, ses roues à aubes, les passerelles sur la Sorgue pour gagner l'entrée des maisons. Son nom vient des fabricants d'indiennes installés dans le quartier au XVIIIe s.

> ## ÉSOTÉRISME
>
> *Au cœur de la rue des Teinturiers, la chapelle des Pénitents-Gris abrite la dernière confrérie parmi les sept qui existaient à Avignon. Pour les amateurs d'ésotérisme, une anecdote : « sept » est, paraît-il, un chiffre magique, Avignon a donc de la chance, son nom comprend sept lettres, on y entre par sept portes, la ville est divisée en sept paroisses et a connu sept papes !*

Le Festival d'Avignon

Une ville complètement métamorphosée : des milliers d'affiches qui grimpent à l'assaut des lampadaires, la place de l'Horloge envahie d'une foule si dense qu'il est difficile de s'y frayer un chemin, la place du Palais qui renoue avec son passé médiéval entre saltimbanques, jongleurs, gratouilleurs de guitare et bateleurs, le tout dans une ambiance bohème, un brin intello mais surtout très bon enfant. Le Festival assure à Avignon un *mois de juillet d'anthologie !* Plus de 1 200 spectacles, plus de 1 000 compagnies, 128 000 spectateurs pour le Festival lui-même et 750 000 pour le Festival *Off* réparti dans 125 lieux. Il n'y en avait que 4 818 (dont 1 828 invités) en 1947, quand tout a commencé !

In ou *Off,* tous sur le pont

– Tout d'abord, il faut savoir que les fidèles sont nombreux à Avignon et qu'ils ont leurs habitudes. Beaucoup viennent chaque année la même semaine et descendent dans le même hôtel. Beaucoup d'hébergements sont donc réservés d'une année sur l'autre. Ce qui fait qu'en mars-avril, il est déjà TRÈS difficile de trouver une chambre en ville. Mais on vous conseille d'insister, car loger au cœur du Festival est la seule manière d'en profiter à plein...
– Car ici, on va au théâtre du matin tôt au soir tard. Les spectacles s'enchaînent sans temps mort, dans un rythme effréné. Il y en a pour tous les goûts, dans tous les styles... Du comique one-man-show au théâtre classique ou expérimental, en passant par le cabaret et le mime... Rien qu'éplucher le programme prend des heures (palpitant mais stressant !). Mais à Avignon, le spectacle est aussi (et peut-être surtout) dans la rue. Les troupes sont si nombreuses qu'elles doivent en faire des tonnes pour émerger et attirer le spectateur. Résultat, chaque distribution de tracts est déjà un spectacle en soi, auquel le badaud assiste ébahi et heureux.
– Si vous restez plusieurs jours et surtout si vous avez l'intention d'assister à plusieurs représentations, sachez qu'il existe une carte d'abonnement pour le *Off.* Elle coûte 16 € et est nominative. Elle donne droit à 30 % de réduction à tous les spectacles du *Off* (et même dans certains théâtres privés tout au long de l'année, à travers toute la France), autant dire qu'elle est vite amortie.

Tout savoir sur le Festival

■ **Bureau du Festival d'Avignon** (plan couleur B3) **:** 20, rue du Portail-Boquier. ☎ 04-90-27-66-50 (administration) ou 04-90-14-14-14 (infos et billetterie en saison). ● festival-avignon.com ● Programme du in disponible dès le mois de mai et ouverture des locations mi-juin.

■ **Avignon Festival et Cies – Le Off :** 64, rue Thiers, bât. A. ☎ 04-90-85-13-08. ● contact@avignonleoff.com ● avignonleoff.com ● **Le Village du Off :** 1, rue des Écoles ; ouv 4-26 juil, 10h-2h. **Le Point Off** : 95, rue Bonneterie ; ouv 1er-26 juil, 10h-21h. Programme et carte d'abonnement du Off disponibles sur le site internet ou sur commande.

■ **Maison Jean-Vilar** (plan couleur B2) **:** 8, rue de Mons, montée Paul-Puaux. ☎ 04-90-86-59-64. ● maisonjeanvilar.org ● Tlj pdt le Festival (sf 14 juil), 10h30-13h, 14h-18h30. Sinon, mer-jeu 9h-12h, 13h30-17h, mar et ven ap-m slt, sam 10h-17h. Fermé en août. Bibliothèque ouv l'ap-m et sam, accès libre. Pour certaines expos temporaires, un droit d'entrée est demandé. Pour tout savoir du Festival et de son fondateur : pièces filmées, interviews de metteurs en scène... Également 25 000 livres, textes de pièces et revues en consultation libre. Exposition permanente Présences de Jean Vilar, dont on a fêté le centenaire de la naissance en 2012, avec costumes de scène, manuscrits, documents photographiques, vidéos et enregistrements sonores.

Un peu d'histoire

Septembre 1947 : **Jean Vilar,** directeur du Théâtre national populaire (TNP) de Chaillot, a cédé à l'insistance de ses amis, le poète René Char et Christian Servoz, éditeur des Cahiers d'arts : il joue, dans la cour d'honneur du palais des Papes, trois pièces en complément de la prestigieuse expo d'art contemporain qu'ils ont organisée dans la grande chapelle. La Semaine des arts, qui prendra le nom de Festival l'année suivante, est née.

Vilar, homme de gauche, partisan d'un théâtre civique, semble avoir trouvé l'endroit idéal où amener « au plus grand nombre, et aux moins bien pourvus d'abord, le pain et le sel de la connaissance ».

De 1951 à 1962, le TNP de Vilar a le monopole de la programmation théâtrale du Festival, revisitant des classiques populaires avec une mise en scène plus dépouillée, dans des décors réduits à leur plus simple expression : plusieurs Shakespeare, un Cid dont **Gérard Philipe** donne la première en 1951, assis, une jambe plâtrée à la suite d'une mauvaise chute.

Autour de Vilar, toute une nouvelle génération de comédiens (**Alain Cuny, Maria Casarès, Michel Bouquet, Germaine Montero...** et une toute jeune femme, **Jeanne Moreau**), qui dorment chez l'habitant, font la fête sur l'île de la Barthelasse... Des instants figés pour l'éternité par les photos d'**Agnès Varda...** baby-sitter des enfants Vilar.

À partir des années 1960, le Festival s'ouvre à d'autres troupes, dont celle de **Planchon**, à d'autres formes d'expression : la danse avec **Maurice Béjart** et son Ballet du XXe s, le cinéma avec la première mondiale de La Chinoise de **Godard** en 1967.

Un festival, des festivals

Au début des années 1970, c'est l'explosion du Festival Off – le festival « parallèle » – d'où sortiront **Zingaro** ou le **Royal de Luxe.**

Les années 1980 écriront également quelques belles pages de l'histoire du théâtre : le Mahâbhârata de **Peter Brook** dans l'exceptionnel décor de la carrière de Boulbon, l'aube qui se lève au terme des 12h du Soulier de satin monté par **Antoine Vitez, Ariane Mnouchkine** et sa trilogie shakespearienne sous influence japonaise, la magique Tempête d'**Alfredo Arias...**

La fin du XXᵉ s a vu l'animation se partager entre le Festival *in* (ou Festival proprement dit), proposant environ 40 spectacles dans une vingtaine de lieux, et le Festival *Off*, complémentaire du premier, avec des spectacles montés par plus de 1 000 compagnies dans plus d'une centaine d'endroits.

Si le Festival *in* reste, en ce début du XXIᵉ s, naturellement le plus en vue et le plus prestigieux, avec un invité d'honneur chaque année, désormais, il forme toujours un tout avec l'autre, plus amateur mais nécessaire à la révélation de nouveaux talents. Notons que l'actuel directeur est le scénographe Olivier Py et que *La FabricA*, nouvel espace scénique de 600 places, complété d'une résidence d'artistes, a ouvert ses portes à Champfleury.

À faire

➤ *Avignon sur Rhône :* plusieurs bateaux pour des croisières d'une demi-journée, ou plus si affinités.

– *Avignon en bateau :* une expérience intéressante, d'avril à septembre, comprenant la visite du pont Saint-Bénezet avec audioguide et une balade en bateau sur le Rhône, le long des rives d'Avignon et de Villeneuve (45 mn). *Départ tlj chaque heure 14h-18h juil-août ; à 15h (avr), 15h et 16h slt mai-juin et sept. Compter 10 € (promenade slt), 2 € moins de 12 ans. Rens :* ☎ 04-90-85-62-25. ● *mireio.net* ●

– Quant à la navette fluviale (écologique et gratuite), au pied du pont, elle vous emmènera à la promenade aménagée sur les berges du Rhône (les allées Pinay) sur l'île de la Barthelasse. Départ du quai de la Ligne. *Fonctionne de mi-fév à déc : de mi-fév à mars et oct-déc mer 14h-17h15, w-e 10h-11h45, 14h-17h15 ; avr-juin (sf 1er mai) et sept tlj 10h-12h15, 14h-18h15 ; juil-août, tlj 11h-20h45.* Les vélos sont autorisés à bord.

➤ *Balade en canoë et kayak et stand-up paddle :* chemin des Berges, île de la Barthelasse. ▯ *06-11-52-16-73 (ou 06-51-60-13-59).* ● *canoe-avignon. fr* ● *canoe-vaucluse.fr* ● *Début juil-fin août, tlj 14h-18h30. À partir de 6 €/ pers ; gratuit pour les moins de 9 ans. Propose également des descentes du Rhône en nocturne.* Sous le pont d'Avignon, on y rame, on y rame... tous en rond.

➤ ☞ *Avignon à vélo :* l'office de tourisme tient à votre disposition plusieurs circuits et balades à effectuer à vélo de ville ou à VTT, notamment sur l'île Piot et l'île de la Barthelasse.

DANS LES ENVIRONS D'AVIGNON

🦌 🚶 *Epicurium (hors plan couleur par D3) :* Cité de l'Alimentation, rue Pierre-Bayle. ☎ 04-32-40-37-71. ● *epicurium.fr* ● *À 8 km du centre-ville.* Prendre la route de Marseille (N 7), après la zone commerciale Mistral 7, à gauche direction Montfavet, puis fléché. *Ouv avr-Toussaint ; lun-ven 10h-13h, 14h-18h30 ; w-e et j. fériés 14h-18h30. Entrée : 7,50 € ; réduc ; gratuit moins de 6 ans.* Sur 8 000 m², un nouvel espace de découverte du monde des fruits et des légumes. Pour les enfants, parcours sensoriel ludique et interactif sur leur diversité, leurs modes de culture, de transformation et leurs qualités nutritionnelles. Riche jardin botanique (verger, serre et potager). Animations, rencontres, sculptures sur légumes et cours de jardinage au fil des saisons... Idéal pour inciter vos têtes blondes à finir leur soupe ! Pour les adultes, ateliers de cuisine avec de grands chefs (sur réservation).

VILLENEUVE-LEZ-AVIGNON

(30400)   12 098 hab.   *Carte Vaucluse, A3*

Ville la plus orientale de la région Languedoc-Roussillon, et déjà on y respire l'ambiance de la Provence. Assise au bord du Rhône, appuyée à des collines, Villeneuve-lez-Avignon a trop longtemps vécu à l'ombre d'Avignon. Mais aujourd'hui, grâce à la métamorphose de la chartreuse en centre de création ouvert aux artistes, la rive droite a retrouvé une sorte d'autonomie culturelle. Son patrimoine historique est exceptionnel.

UN PEU D'HISTOIRE

Entre Villeneuve et Avignon, il y a le Rhône, frontière naturelle et historique. À Villeneuve, on était en royaume de France. En Avignon, c'était le domaine des papes et des cardinaux. À l'origine de Villeneuve, la tombe de Casarie, une sainte femme, fille d'un roi wisigoth, morte en 586 apr. J.-C. C'est sur sa tombe que fut érigée l'abbaye Saint-André, que l'on aperçoit aujourd'hui juchée sur son rocher, et qui donne une allure de forteresse andalouse à ce nid d'aigle du mont Andaon.

ON VOUS MET TOUT DE SUITE À LEZ !

On se demande tous un jour pourquoi les noms de certaines villes contiennent un « lez » ou plus rarement « lès » ? Simple raccourci du bas latin latus *qui signifie « à côté de ». Tortueuse langue française ! Quant à savoir pourquoi on va « en » Avignon, c'est une autre histoire...*

Conscient de l'intérêt stratégique de la ville, terre française face à Avignon, Philippe le Bel fit édifier un donjon au bout du pont Saint-Bénezet, et fortifia l'abbaye Saint-André. Au XIVe s, après l'installation des papes dans la ville d'en face, Jean le Bon et Philippe VI de Valois en firent le symbole de la puissance royale face au palais des Papes. L'âge d'or de Villeneuve coïncide avec celui de la cité des Papes. De riches cardinaux s'installèrent dans de somptueux palais, les « livrées cardinalices », dont le musée Pierre-de-Luxembourg est un superbe exemple. La chartreuse date du XIVe s. Elle est construite autour d'une « livrée cardinalice » ayant appartenu à Étienne Aubert, plus connu sous le nom d'Innocent VI, le pape amoureux de Villeneuve.

Mais la Révolution marquera la fin de cette splendeur liée à la puissance de l'Église et le retour de la cité à une vie plus modeste dans l'ombre d'Avignon... Le temps a passé, aujourd'hui Villeneuve revit et savoure même plus que jamais cette vie préservée, fière de ses beaux quartiers, sur les hauteurs.

Adresses et infos utiles

🛈 **Office de tourisme :** *pl. Charles-David.* ☎ *04-90-25-61-33.* ● *tourisme-villeneuvelezavignon.fr* ● *Le long de l'av. Charles-de-Gaulle. Ouv tte l'année lun-sam 9h-12h30, 14h-18h (17h en hiver). Juil, tlj 10h-19h (w-e 10h-13h, 14h30-19h) ; le reste de l'année, fermé* dim et j. fériés. En juillet-août, l'office organise des visites guidées de la cité médiévale les mardi et vendredi, ainsi que des balades nocturnes. D'autres visites à thème sont proposées tout au long de l'année ; programme sur demande.

AVIGNON ET SES ENVIRONS

≫ *Les Taxis Villeneuvois :* pl. Jean-Jaurès. ☎ 04-90-25-88-88. Face à la mairie.

– *Marché provençal :* pl. Charles-David, jeu mat (brocante sam mat).

Où dormir ? Où manger ?

Camping

⚕ *Camping municipal de la Laune :* chemin Saint-Honoré. ☎ 04-90-25-76-06. • campingdelalaune@wanadoo.fr • camping-villeneuvelezavignon.com • ♿ Au pied du flanc nord du fort Saint-André ; prendre la direction de Sauveterre ; c'est à env 1 km (fléché). Le bus n° 5 pour Avignon s'arrête au début du chemin Saint-Honoré. Fermé de mi-oct à mars. Nuit pour 2 avec tente et voiture env 21 € en saison. Calme et bien ombragé, avec beaucoup d'espace entre les emplacements. Terrain plat, herbeux, recouvert par endroits de gravier. Sanitaires impeccables. Petit snack. Soirées à thème. Piscine.

Très bon marché

🏠 *Centre d'hébergement UCJG-YMCA :* 7 bis, chemin de la Justice. ☎ 04-90-25-46-20. • ymca-avignon@wanadoo.fr • ymca-avignon.com • ♿ À gauche de la route qui monte vers Les Angles (bonne signalétique). Congés : 20-27 déc. Compter 36-53 € pour 2 (selon confort). Menus 18-27 €. ▯ 🛜 Perché sur une colline, un centre international de séjour qui mérite son qualificatif. La piscine, le bar et la vue fabuleuse sur la cité des Papes en font un lieu fort sympathique, surtout quand toute une jeunesse l'anime. Folle ambiance pendant le Festival... d'Avignon.

De prix moyens à chic

🏠 *O'Cub Hôtel :* impasse du Rhône. ☎ 04-90-25-52-29. • contact@ocubhotel.fr • ocubhotel.fr • Sur les rives du Rhône, à côté du pont du Royaume. Doubles 62-120 €. 🛜 Transformer un édifice de béton en une

adresse ayant du charme, il fallait oser. Eh bien, c'est carrément réussi ! La prévenance de l'accueil adoucit les arêtes de ce cube aux surprenantes couleurs flashy. Des carrés se cachent partout. Les chambres, en face avant, donnent sur le Rhône, le palais des Papes, avec une déco des années 1970, clim, minibar, TV, balcon. Petit déj servi sur la terrasse panoramique.

🏠 ▮◑▮ *Les Jardins de la Livrée :* 4 bis, rue du Camp-de-Bataille. ☎ 04-90-26-05-05. • la-livree@numericable.fr • la-livree.fr • Au cœur de la ville, dans une rue calme. Resto fermé lun ; hors saison, fermé lun-mar. Congés : vac de la Toussaint pour le resto ; 1er fév-15 mars, 25 oct-10 déc pour l'hôtel. Doubles 88-116 €. Formule déj en sem 18 € ; carte 30-40 €. 🛜 Maison d'hôtes où il fait toujours aussi bon séjourner. Accueil remarquable de gentillesse et d'attention de la famille Grangeon. Chambres joliment décorées, climatisées et confortables, donnant sur la cour intérieure ou sur la piscine entourée de fleurs et d'arbustes. Le restaurant est tenu par le frère de M. Grangeon qui mijote de savoureux petits plats. Une cuisine sincère, rassurante.

🏠 *Chambres d'hôtes La Pouzaraque :* chez Mme Eyrier, 15, rue de la Foire. ☎ 04-32-70-17-10. • christiane.cabeza@wanadoo.fr • pouzaraque.com • En plein centre. Tte l'année. Compter 85 € pour 2, pas de petit déj. Parking privé gratuit. 🛜 Dans cette ancienne magnanerie, un escalier avec une rampe en fer forgé dessert les chambres. 2 ont un lit à baldaquin, une cheminée en bois sculpté et un plafond à la française ; la 3e est mansardée et vraiment grande. On vit ici entouré des souvenirs et des ancêtres de la famille Eyrier, dont les tableaux ornent les murs de la cage d'escalier. Possibilité de faire son petit déj soi-même (boulangerie à deux pas).

▮◑▮ 🍸 *Les Jardins d'été de la*

chartreuse : dans le cloître Saint-Jean. ☎ 04-90-15-24-23. ● lesjardinsdete@ gmail.com ● Dans la chartreuse (accès libre). Ouv juin-août tlj 11h-14h ; 19h-22h. Plat du jour 11 €. Menus 17-29 €. Carte 30 €. 🛜 Jardins monastiques du XIVe s, belle terrasse ombragée, un autre panoramique. Bucolique le jour, romantique le soir, en tout cas charmant au possible, ce resto associatif fait bien des heureux. Idéal pour boire un verre ou pour une agréable dînette simple en amoureux.

⦿ Basta Cosi : 7, impasse du Pont. ☎ 04-90-80-00-80. ● basta-cosi@ orange.fr ● Au pied du pont Daladier, à droite. Tlj jusqu'à 23h. Formules déj en sem 13,90-17,90 € ; carte env 25 €. Installé dans un ancien bâtiment d'une station de pompage d'eau, bon resto italien à la déco contemporaine avec véranda et patio. On y déguste une savoureuse cuisine faite à base de produits importés et transformés par deux chefs transalpins. Grand choix de mozzarelle, pâtes fraîches, raviolis maison et pizzas à prix doux. Accueil impeccable d'un jeune patron avignonnais passionné par l'Italie.

⦿ La Guinguette du vieux moulin : 5, rue du Vieux-Moulin. ☎ 04-90-94-50-72. ● contact@guinguettevieuxmoulin. com ● Petite ruelle vers la rive depuis l'av. Gabriel-Péri. Tlj en été (fermé le soir, lun-mer hors saison). Formules déj en sem 15,50-18,50 € ; menu 30 €. Sur les berges du Rhône, sous la tour Philippe-le-Bel, une guinguette maligne qui donne la pêche. Déco rétro, serveurs en maillot rayé et canotier, musique genre gramophone, et p'tit vin blanc qu'on boit sous la tonnelle.

⦿ 🍷 Le Bistrot du moulin à huile de la chartreuse : 74, rue de la République. ☎ 04-90-25-45-59. ● contact@ bistrotdumoulin.com ● Tlj. Formules déj 19-21 €. Sinon, carte 35-40 €. À côté de la chartreuse, un espace aménagé avec malice dans l'ancienne grange du moulin, où l'on peut déjeuner et surtout dîner en terrasse, près des oliviers, comme en salle, près de la cheminée, d'une cuisine dans l'air du temps. Très agréable pour une pause l'après-midi également.

De chic à plus chic

🏨 Hôtel de l'Atelier : 5, rue de la Foire. ☎ 04-90-25-01-84. ● contact@ hoteldelatelier.com ● hoteldelatelier. com ● Résa conseillée en été. Doubles 87-169 € (les prix augmentent durant le Festival). 🖥 🛜 Nichée au cœur du vieux Villeneuve, cette bâtisse du XVIe s, ancien atelier de soie, a su préserver une douceur de vivre toute provinciale ; 20 chambres meublées à l'ancienne, toutes différentes. Calme et confortable. Il y a un patio fleuri pour le petit déj, une terrasse sur les toits (un peu fourre-tout, pour plaire à la clientèle anglo-saxonne !) et un coin salon de thé.

🏨 Les Saisons : 7, pl. de l'Oratoire. ☎ 04-90-87-65-59. ● contact@lessai sonsavignon.com ● lessaisonsavignon. com ● Doubles 100-150 € selon confort et saison. 🛜 Dans un hôtel particulier du XVIIe s. Chambres de caractère et de charme qui ouvrent leurs fenêtres sur une placette paisible ou sur un agréable jardin dont les hôtes peuvent profiter. Un endroit pour amoureux du théâtre sous toutes ses formes, le propriétaire ayant réalisé lui-même le décor d'une maison très courue par les festivaliers qui en apprécient les recoins, les charmes secrets. Amateurs de design, s'abstenir, amateurs de baroque, vous voilà chez vous.

Où faire une pause salée-sucrée ?

🍵 🌸 Natureabsolu : 10, pl. Saint-Marc. ☎ 09-50-76-05-97. Tlj sf dim midi 11h-15h, 18h-22h. Plat du jour 14 €. Café offert sur présentation de ce guide. La spécialité maison, c'est le bio, l'équilibré. Petite épicerie-salon de thé où l'on boit et achète du vin issu de la biodynamie. Bon cocktails de jus de fruits, surtout.

🍵 🌸 Pâtisserie Marcellin : 18, rue de la République. ☎ 04-90-88-13-57. Tlj 7h-19h30 (à partir de 6h30 l'été). Fermé lun nov-mars. La petite terrasse, devant, c'est pour un petit déjeuner de soleil, ou pour s'offrir une tarte salée au déjeuner, une glace l'après-midi.

LA pâtisserie de la ville, que les Américains adorent.

À voir

Tous les monuments de la ville sont gratuits pour les mineurs. Un *pass* culturel propose des réductions dans tous les monuments et musées de Villeneuve et d'Avignon, à partir du deuxième lieu visité.

¤¤¤ *La chartreuse du Val-de-Bénédiction :* situéе au pied du versant ouest du mont Andaon. Entrée principale : 58, rue de la République. ☎ 04-90-15-24-24. ● chartreuse.org ● & Excellent parcours « non-voyants ». 1ᵉʳ avr-30 sept : 9h30-18h30. 1ᵉʳ oct-31 mars : 10h-17h. Fermé 5-18 janv. Dernière entrée 30 mn avt fermeture. Entrée : 8 € ; réduc ; gratuit pour ts le 1ᵉʳ dim du mois oct-mai. Billet jumelé chartreuse + fort : 9 € ; 7 € sur présentation de ce guide ; 6,50 € avec le pass Avignon. Espaces numériques : restitution des décors de l'église, du pont d'Avignon, détails de la chapelle des fresques.

D'Innocent VI, pape d'Avignon, qui le fonda au XIVᵉ s, à Pierre Boulez et Patrice Chéreau, qui y donnèrent des spectacles pendant le Festival d'Avignon, sans parler de leurs successeurs actuels, ce haut lieu est consacré à l'esprit et à la création. Il captive ceux qui viennent s'y ressourcer.

À l'origine, ce fut le plus riche et le plus vaste monastère de chartreux de France : 2,5 ha d'un seul tenant sur la rive droite du Rhône. À la Révolution, les moines durent l'abandonner. Les bâtiments, pour la plupart, furent vendus, les autres tombèrent en ruine. Redécouvert en 1835 par Mérimée, classé par l'État en 1905, le monument abrite dans ses murs depuis 1991 le CNES (Centre national des écritures du spectacle), qui y organise les *Rencontres d'été* (spectacles, concerts, expos, conférences...), reçoit des salons et des associations. Petit à petit, on va restaurer la chartreuse tout en l'ouvrant à la création contemporaine et aux visiteurs.

À l'aide de bourses de séjour, des écrivains et des compagnies de théâtre y peuvent mener à terme leur travail. Ils sont logés dans les anciennes cellules des moines.

Visiteurs et artistes, amoureux des vieilles pierres et des jardins se croisent sur les terrasses ombragées des « jardins d'été » ou sous les jasmins des « jardins d'hiver ». Il vous faudra suivre couloirs et cours avant d'arriver dans le cloître Saint-Jean du XIVᵉ s. À découvrir également : le tombeau du pape Innocent VI, le petit cloître, les cellules des moines où la vie contemplative des chartreux est bien représentée, les jardins de simples ainsi que la *bugade* (la « buanderie » en français moderne), ou encore la chapelle des fresques peintes par Matteo Giovanneti.

¤¤ *Le fort Saint-André :* en haut du mont Andaon. ☎ 04-90-25-45-35. Tlj 10h-13h, 14h-17h (10h-18h, juin-sept). Fermé certains j. fériés. Dernière entrée 45 mn avt fermeture. Entrée des tours jumelles : env 5,50 € ; réduc. Entrée gratuite le 1ᵉʳ dim du mois (nov-mai). Billet jumelé chartreuse + fort 9 €. Perché sur sa colline et entouré d'une extraordinaire ceinture de murailles, il est construit sur ordre du roi de France Jean le Bon, entre 1362 et 1368, pour protéger le petit bourg Saint-André, mais aussi et surtout pour affirmer la puissance du roi face aux terres de la papauté et de l'Empire (romain germanique), de l'autre côté du Rhône. Vue admirable sur Avignon.

¤¤ Dans l'enceinte du fort, on peut visiter les somptueux *jardins* à l'italienne *de l'ancienne abbaye de Saint-André,* désormais propriété privée. ☎ 04-90-25-55-95. Tlj sf lun : mai-sept, 10h-18h, sinon 10h-13h, 14h-17h (18h avr). Entrée : compter 6 €. Visite guidée de l'intérieur de l'abbaye sur résa pour les groupes (10 pers min). Entrée : 10 € (combinée avec les jardins). On ne saurait que trop conseiller de pousser cette porte qui donne accès à un lieu hors du temps, où les jardins suspendus se peuplent d'essences diverses et de recoins apaisants jouissant d'une vue imprenable.

🎭🎭 **Le musée Pierre-de-Luxembourg :** *3, rue de la République.* ☎ *04-90-27-49-66.* ♿ *À 50 m de la collégiale Notre-Dame. Mai-oct, tlj sf lun 10h-12h30, 14h-18h. Nov-avr, tlj sf lun 14h-17h, mer 10h-12h et 14h-17h. Fermé janv et certains j. fériés. Entrée : 3,60 € ; réduc.* Un bel hôtel particulier aménagé dans l'ancienne livrée du cardinal de Ceccano. Outre des tableaux provençaux des XVIIᵉ et XVIIIᵉ s, le musée abrite plusieurs chefs-d'œuvre : au rez-de-chaussée, *La Vierge en ivoire* (XIVᵉ s) taillée dans une défense d'éléphant ; et surtout, au 1ᵉʳ étage, *Le Couronnement de la Vierge* (XVᵉ s), superbe retable d'Enguerrand Quarton.

🎭 **La tour Philippe-le-Bel :** *av. Gabriel-Péri, sur la route d'Avignon. Mêmes horaires que le musée Pierre-de-Luxembourg. Congés : nov-janv. Entrée : 2,50 € ; réduc.* Achevée en 1307, elle servait à surveiller l'entrée du fameux pont Saint-Bénézet. « Sur le pont d'Avignon, on y danse, on y danse... » Très belle vue de la terrasse du dernier étage, accessible par un remarquable escalier à vis. Exposition permanente « D'une rive à l'autre » autour de la reconstitution en 3D du pont.

🎭 **L'église collégiale Notre-Dame et son cloître :** *mêmes horaires de visite que le musée Pierre-de-Luxembourg.* ♿ *GRATUIT.* Construite en 1320 par le cardinal Arnaud de Via, neveu du pape Jean XXII. On y voit la copie de la *Pietà de Villeneuve-lez-Avignon,* dont l'original siège au Louvre. Superbe autel de marbre avec un gisant du Christ de 1745. Le cloître est adossé au flanc nord de la collégiale.

🎭🚶 **Le parc du Cosmos :** *av. Charles-de-Gaulle, 30133 Les Angles.* ☎ *04-90-25-66-82.* ● *parcducosmos.eu* ● ♿ *Ouv juil-août et pdt vac scol tlj sf lun, l'ap-m ; slt mer et w-e hors saison. Mai-sept, visite guidée à 15h, planétarium à 16h45 ; oct-avr, visite à 14h30, planétarium à 16h15. Fermé fin déc. Visite guidée ou planétarium : 7,50 € ; enfant 6 €. Visite et planétarium : 13 € ; enfant 10 €.* Garrigue de 3 ha aménagée présentant notre système solaire et le cosmos en général. Nouveau jardin botanique regroupant des espèces typiquement méridionales *(accès libre sur demande).* Aire de pique-nique. Fin juillet ou début août, *Grande Nuit des étoiles* (date sur le site) !

Manifestations

– **Fête de la Saint-Marc :** *3ᵉ ou 4ᵉ w-e d'avr.* Depuis le XIIᵉ s, fête traditionnelle de la Vigne et du Vin.
– **Villeneuve en Scène :** *3 sem en juil.* ● *villeneuve-en-scene.fr* ● Pour ne pas rester les bras croisés, Villeneuve a greffé son propre festival au Festival *Off* d'Avignon. Il ouvre ses portes à une vingtaine de compagnies itinérantes sous chapiteau ou en plein air (plaine de l'Abbaye...).
– **Festival du Polar :** *1ᵉʳ w-e d'oct.* ● *polar-villeneuvelezavignon.fr* ● Rencontres d'auteurs de polars, interviews, débats dans des cafés, dédicaces, projections dans la chartreuse... à vos *Cluedo* !

LE LUBERON

On prévoit d'y passer quelques jours ou une semaine, puis un mois ou deux... certains choisissent même de s'y installer pour le reste de leur vie, accrochés à ce massif qui s'étire sur 80 km d'ouest en est, de Cavaillon à Manosque. Une barrière presque infranchissable, sauf par la combe de Lourmarin.

LE LUBERON

Au sud, des pentes douces qui s'alanguissent dans la vallée de la Durance. Au sommet, une étroite et rectiligne suite de crêtes qui culmine à 1 125 m avec le Mourre-Nègre. Plus au nord, la montagne dégringole vers une vallée où serpente le Calavon descendu d'Apt : pentes abruptes, vallées presque secrètes et superbes villages perchés qui semblent se narguer, de promontoire en promontoire. Pour être géographiquement correct, voilà le Luberon ! Toutefois, le tourisme en a fait une microrégion qui déborde largement du massif, englobant des villages des monts du Vaucluse comme Gordes et Roussillon, devenus pour certains l'emblème même du Luberon. Et le territoire du parc naturel régional créé en 1977 couvre même une partie de la Haute-Provence...

Au passage, petite précision toujours utile si vous voulez être dans le coup (vous verrez...) : on prononce « Lubeuron » et non « Lubairon », même si la polémique agite encore de temps à autre presse locale et comptoirs de bistrots.

Ajoutons à cela le classement du territoire par l'Unesco « Réserve de biosphère », l'air ayant eu longtemps la réputation d'être ici un des plus purs d'Europe, ce qui n'exclut pas certains pics de pollution en plaine, en plein cœur de l'été.

LE LUBERON À PIED ET À VÉLO

➤ **À pied :** le Luberon ne se livre vraiment qu'aux marcheurs. Attention aux grosses chaleurs de l'été et au manque d'eau (prévoir toujours un chapeau et une gourde). Beau réseau de sentiers avec, entre autres, 3 GR (les n°s 4, 6 et 9), dont les variantes – les GR 92 et 97 – permettent de faire la traversée et le tour du Luberon. Pour se repérer, il y a les cartes IGN série verte n° 67 (au 1/100 000) et série « Top 25 » n°s 3142, 3242, 3243, 3342 (au 1/25 000). ATTENTION : en été, l'accès au massif est limité et variable selon les jours en fonction des risques d'incendie. Avant toute randonnée, il faut absolument téléphoner à la préfecture : ☎ 0811-201-313 (0,04 €/mn). Amende jusqu'à 750 € en dehors des j. autorisés ! Accès autorisé en général entre 5h et 12h, sauf si vous êtes en compagnie d'un guide agréé.

Demander dans les offices de

LA GRANDE MUETTE FAIT UN BOUCAN D'ENFER

Des dizaines d'avions militaires, tous les jours, parfois 10h par jour, s'entraînent désormais au-dessus du parc régional naturel du Luberon. Non seulement ils survolent un espace protégé (par l'État !), mais la nuisance est flagrante vis-à-vis des habitants et des touristes. La vie devient scandaleusement intenable. Malgré les nombreuses pétitions, rien n'y fait ! Ces bases aériennes sont anciennes. On peut se demander où ces pilotes s'entraînaient naguère, puisque ce survol du Luberon n'existait pas auparavant. Comment quelques gradés peuvent-ils se permettre d'ignorer, avec tant d'arrogance, ces zones « silence et nature » ? Pour en savoir plus, renseignez-vous auprès de l'Association de défense contre les nuisances aériennes Sud-Luberon : mairie de Villevaure, av. Jean-Moulin, 84530 Villevaure. 09-72-30-50-91.

tourisme le livret « Rendez-vous nature », riche programme d'activités accompagnées par des guides qualifiés (randos, balades équestres, à VTT, sorties spéléologiques, escalade, parapente, montgolfière...). Plus de 1 000 dates programmées d'avril à octobre.

Plusieurs structures organisent des randos accompagnées, notamment :

■ **Cèdres :** ☎ 07-87-65-36-83. ● cedres-luberon.com ● Une équipe d'accompagnateurs en montagne munis du brevet d'État et réunis autour d'une sensibilité naturaliste. Tous les « classiques » du Luberon (Colorado provençal, forêt des Cèdres, vallon de l'Aiguebrun...), mais aussi des sorties à thème (géologie, vigne et vin, pierre sèche) et des randos plus longues. Certains circuits sont ouverts aux enfants et d'autres peuvent être en partie adaptés aux personnes handicapées.

➢ ⚙️ **À vélo :** les petites routes du Luberon sont propices aux balades à vélo. Mais attention, ça grimpe ! Pour les plus sportifs, un circuit « Autour du Luberon » (Cavaillon-Apt-Forcalquier-Manosque, avec retour par Beaumont-de-Pertuis et Lourmarin) a été balisé par le parc. Long de 238 km (un cycliste moyen peut le faire en 1 semaine-10 jours), il évite soigneusement les grands axes et emprunte des petites routes agrémentées de panneaux d'information. Un groupement de professionnels (hébergements variés, accompagnateurs, loueurs de vélos, taxis...) proposent des prestations sur la base d'une charte de qualité : sur demande, votre itinéraire est concocté, vos bagages vous suivent, des étapes et des sites vous sont proposés. Pour tout renseignement :

■ **Vélo Loisir Provence :** *203, rue Oscar-Roulet, 84400* **Robion.** ☎ 04-90-76-48-05. ● *veloloisirpro vence.com* ● Association de développement pour le vélo en Luberon et Verdon. Itinéraires gratuits, brochures téléchargeables sur le site, etc.
■ **Luberon Biking :** *ttes infos,* ☎ 04-90-90-14-62. 📱 06-43-57-58-89. ● *luberon-biking.fr* ● *Luberon Biking* propose des locations de vélos (type VTC, VTT, tandems, vélos de route et vélos enfants) avec différents points relais pour récupérer son vélo (Velleron, Roussillon) ou la possibilité

de se le faire livrer, ainsi que des sorties accompagnées.
■ **Sun-e-Bike :** ☎ 04-90-74-09-96. ● *location-velo-provence.com* ● Location de vélos à assistance électrique d'une autonomie de 70 km. 3 points de location (Bonnieux, Saint-Rémy-de-Provence et Aix-en-Provence) et 3 points relais pour un échange de batterie. Pour accéder aux villages perchés sans peiner dans les côtes ! Une douzaine de parcours est proposée avec carte détaillée des pistes et chemins à l'écart des grands axes.

ENTRE DURANCE ET LUBERON

CAVAILLON

(84300)　　　25 058 hab.　　　*Carte Vaucluse, B3*

Cette petite ville, porte d'entrée du Luberon à la sortie de l'autoroute, mérite mieux que l'image un peu « courge » (le melon étant, comme chacun sait, le roi des cucurbitacées) qu'on s'en fait généralement. Ville de tradition maraîchère, Cavaillon est posée au cœur d'une plaine entre la Durance et le Coulon, au pied de la colline Saint-Jacques, petit morceau oublié par le massif du Luberon. C'est une ville tranquille, très provençale avec ses places ombragées, où s'étalent les terrasses de cafés et défilent les corsos, aux premiers beaux jours.

LE MELON DE CAVAILLON

Venu d'Inde, le melon a su trouver autour de Cavaillon, dès le XVe s, un terroir propice à son développement, avec un climat chaud et ensoleillé. Sa réputation n'est plus à faire aujourd'hui, même si les puristes préfèrent le *galia*. C'est bien simple, le *cavaillon* est le roi des melons. Il n'y a qu'à voir les prix

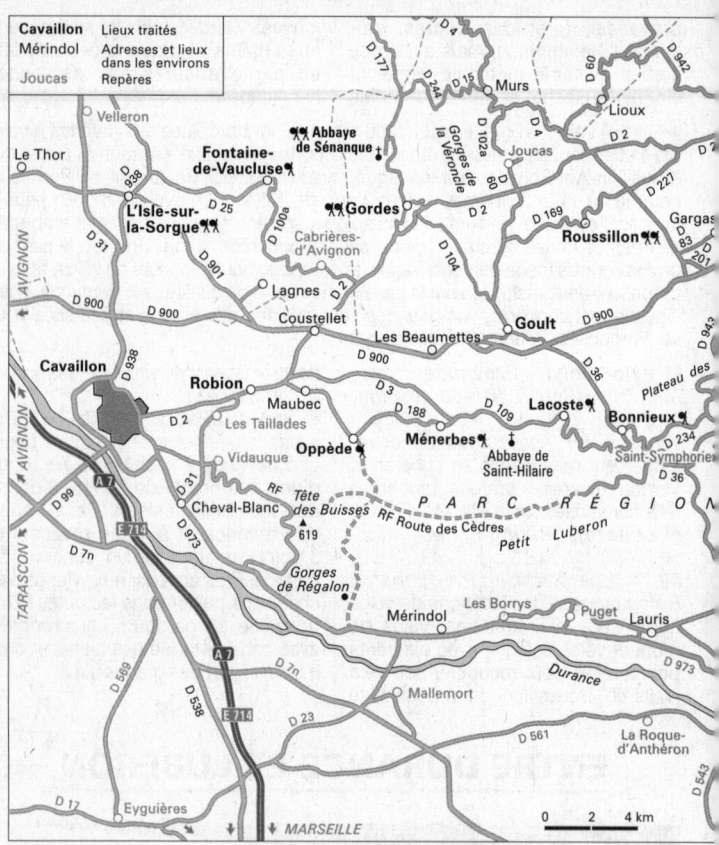

qu'il atteint sur certains marchés parisiens ! Aucun autre fruit ne suscite un tel engouement. Il était déjà apprécié par Mazarin, le duc de Guise et par les papes avignonnais (ce sont eux qui ont favorisé sa culture). Sans parler d'Alexandre Dumas, qui offrit l'ensemble de son œuvre à la bibliothèque de Cavaillon en échange d'une rente de 12 melons par an ! Cantalou, charentais (le plus connu), verdau, canari... on les retrouve partout. C'est qu'un melon, c'est tout de suite le goût des vacances et du soleil. Pauvre en sucre – contrairement aux idées reçues – et richement vitaminé, le melon peut s'ingurgiter en quantité considérable. On raconte même qu'un pape en mourut d'indigestion ! En saison, si vous voulez faire le plein de melons et d'autres douceurs sur fond d'ambiance encore authentique, ne manquez pas le marché des producteurs du jeudi soir, ou, si vous n'êtes pas dans le coin ce jour-là, celui du lundi, éclaté sur plusieurs places et dans différentes rues, pour respecter d'antiques traditions. Un bon conseil : garez-vous hors du centre !

Pour bien le choisir, sachez qu'un melon doit être lourd, que le pécou (la petite queue) doit être sur le point de se décoller, et que son parfum – toujours au niveau du pécou – doit être perceptible et engageant. À vous de jouer maintenant !

LE PARC NATUREL RÉGIONAL DU LUBERON

Adresses et infos utiles

🛈 Office intercommunal de tourisme Luberon Monts de Vaucluse (plan A2) **:** pl. François-Tourel. ☎ 04-90-71-32-01. ● luberonmesvacances.com ● Tte l'année, lunsam (sf sam ap-m en hiver) et dim avr-oct ; ouv également le mat dim et j. fériés pdt les grands w-e. Organise des balades d'observation nature (gratuites pour les enfants) pour découvrir par exemple le canal Saint-Julien qui alimente le système d'irrigation de la plaine, plus des circuits agricoles à Cavaillon, Cheval-Blanc et Mérindol (la culture du melon, les 20 espèces de figuiers, les abricotiers, etc.). Demander le livret des circuits pédestres et cyclistes dans la région.

■ Location de vélos et d'équipements pour la via ferrata (plan B1) **: Cyclix,** 166, cours Gambetta. ☎ 04-90-78-07-06. ● velocyclixluberon.com ● Lun-sam 9h-12h15, 14h-19h (18h sam). **JP Cycles,** 196, pl. François-Tourel. ☎ 04-90-74-3-12. ● jpcycles.fr ● Mar-dim 8h30-12h ; 14h-19h (18h30 dim). Fermé lun *(sf 6 avr et 25 mai).*

– Marchés hebdomadaires : *le plus intéressant a lieu jeu soir d'avr à mi-oct, 17h-19h, pl. du Clos.* C'est un marché de producteurs, à ne pas manquer car très authentique et à prix abordables. *Sinon, le marché habituel a lieu lun mat, dans tt le centre.*

– Plateau Ratatouille : *3, quartier* Les Girardes. ☎ 06-20-84-43-55. *Sur la route de L'Isle-sur-la-Sorgue, à droite. Tlj sf dim (et ap-m hors saison).* En direct du producteur, des melons bien sûr, mais aussi de quoi se faire une bonne rata avec les produits locaux sans se faire envoyer dans les choux ni passer pour une courge. Livraison possible.

Où dormir ?

Camping

⛺ **Camping la Durance** *(hors plan par A-B2, 10) : 495, av. Boscodomini.* ☎ 04-90-71-11-78. ● *contact@ camping-durance.com* ● *camping-durance.com* ● ♿ *De l'A 7, sortie Cavaillon, tourner à droite après le pont, c'est avt le Mercure-Ibis en longeant la Durance. Ouv avr-sept. Compter 15,60 € pour 2 pers en hte saison. Chalets, mobile homes et bungalows toilés 385-610 €/sem. 100 empl.* 📶 Un camping géré par Johana, d'origine hollandaise, très accueillante. Emplacements assez ombragés, séparés par des haies. Son seul défaut est d'être situé à proximité d'une zone artisanale avec un relatif bruit de fond dû à la route. Accès gratuit à la piscine intercommunale et aux tennis voisins en été. Aire de stationnement et de vidange pour les camping-cars. Passage d'un snack ambulant, plus supermarché à proximité.

De bon marché à prix moyens

🏠 **Hôtel Toppin** *(plan B1, 12) : 70, cours Gambetta.* ☎ 04-90-71-30-42. ● *resa@hotel-toppin. com* ● *hotel-toppin.com* ● *Congés : 20 déc-5 janv. Doubles 55-80 € selon saison et confort. Parking privé payant.* 💻 📶 *Garage offert sur présentation de ce guide (valeur : 6 €/ nuit).* « Les Toppin », d'abord, comme on dit par ici, l'hôtel portant toujours le nom d'une lignée de cuisiniers réputés dans la région. Tenu par un couple accueillant, le plus ancien hôtel de Cavaillon cache, derrière une façade un peu rude, une déco sympa et une grande terrasse avec solarium, hamacs et balancelle pour la détente ou l'apéritif. Chambres toutes différentes, insonorisées côté rue, chacune avec un tableau contemporain et un lustre design ; on aime bien celles sous les toits (même s'il y fait un peu chaud l'été). Buffet du petit déj copieux et de bonne qualité. Bar au rez-de-chaussée.

🏠 **Chambres d'hôtes Le Mas des amandiers** *(hors plan par B1, 13) : 1539, chemin des Puits-Neufs.* ☎ 04-90-06-29-60. ● *bb@mas-des-amandiers.com* ● *mas-des-amandiers.com* ● *À env 4 km au nord-est, suivre la route de Lagnes (D 24). Congés : de nov à mi-mars. Compter 92-99 € pour 2.* 📶 *Jus de fruits bio offert sur présentation de ce guide.* Jolies petites routes menant à ce mas du XVIIIe s plein de charme où se retrouvent les amoureux du calme et de la peinture (des stages sont organisés). L'Alsacien Jean-Claude Lorber a installé son atelier au rez-de-chaussée, et vous pourrez suivre ses cours, si vous le désirez. Piscine protégée, jardin agréable, salon très confortable. Table d'hôtes à base de produits souvent bio et de vieux légumes oubliés.

🏠 **Hôtel du Parc** *(plan A2, 11) : 183, pl. François-Tourel.* ☎ 04-90-71-57-78. ● *reception@hotelduparcca vaillon.com* ● *hotelduparccavaillon. com* ● ♿ *Doubles 57-115 € selon confort et saison. Parking public payant sur la place.* 📶 *Réduc de 10 % sur le prix de la chambre sur présentation de ce guide.* Belle

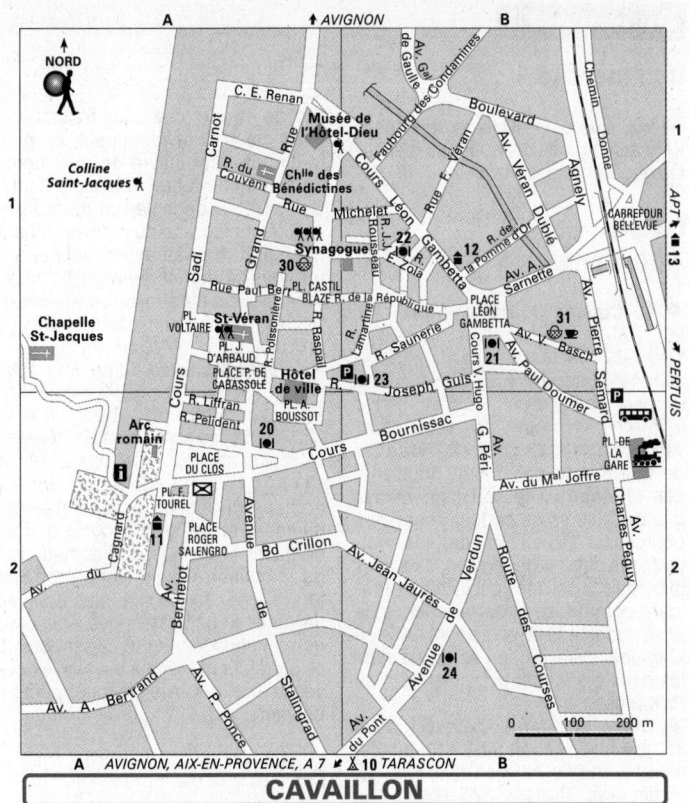

NORD

↑ AVIGNON

Colline
Saint-Jacques

Chapelle
St-Jacques

Musée de
l'Hôtel-Dieu

Ch¹¹ᵉ des
Bénédictines

Synagogue
30

St-Véran

Arc
romain

Hôtel
de ville

PLACE
DU CLOS

PL. F.
TOUREL

PLACE
ROGER
SALENGRO

22

12

31

21

23

20

24

CARREFOUR
BELLEVUE

APT ↗ 13
PERTUS →

LE LUBERON

0   100   200 m

A   AVIGNON, AIX-EN-PROVENCE, A 7 ↕ ⚓ 10 TARASCON   B

CAVAILLON

■   **Adresse utile**

🛈   Office intercommunal de
tourisme Luberon Monts de
Vaucluse

⚓ 🏠   **Où dormir ?**

10   Camping de la Durance
11   Hôtel du Parc
12   Hôtel Toppin
13   Chambres d'hôtes
Le Mas des amandiers

|◉| **Où manger ?**

20   La Cuisine du marché
21   David & Louisa
22   Carte sur table
23   Côté jardin
24   Restaurant Prévôt

⚛ 🍈   **Où acheter des douceurs
au melon ? Où grignoter
sur le pouce ?**

30   L'Étoile du délice
31   Maison Jarry

---

grosse maison bourgeoise du XIXᵉ s,
située juste en face de l'arc romain,
jouxtant un petit parc (d'où le
nom). Ambiance familiale et accueil
plus que sympathique. Agréables
espaces communs, notamment le
patio fleuri où se prennent petit déj

comme apéro, ou le salon, décoré
comme chez mamie. Chambres
rénovées (et avec du charme) pour
certaines, un peu plus à l'ancienne
pour d'autres (mais agréables et
presque surprenantes avec ces
poèmes écrits sur les murs).

Où manger ?

Bon marché

|●| Voir plus loin la **Maison Jarry** dans « Où acheter des douceurs au melon ? Où grignoter sur le pouce ? ».

De prix moyens
à plus chic

|●| *La Cuisine du marché* (plan A2, **20**) : 27, cours Bournissac. ☎ 04-90-71-56-00. ● restaurantlacuisinedu marche@orange.fr ● ૐ *Tlj sf dim et soir jeu. Formule déj* 14,90 € ; *menus* 21,50-27,90 €. *Apéritif maison offert sur présentation de ce guide.* Aux murs de la salle un peu façon brasserie, des photos qui se souviennent des grandes heures de cette ville naguère bourgeoise. Dans l'assiette, une sympathique cuisine de marché, il va sans dire, mais aussi des spécialités de toujours comme les encornets farcis, le pavé de taureau et, en saison, l'aïoli ou la daube... Bref, ici, on est sûr d'avoir les deux pieds (paquets, bien sûr) en Provence.

|●| *Carte sur table* (plan B1, **22**) : 35, rue Flaubert. ☎ 04-90-78-15-27. ● cartesurtable_84@yahoo.fr ● ૐ *Tlj sf dim-lun. Congés : 23 déc-7 janv. Formule déj* 16 € *en sem, et menu* 29 €. *Carte env* 40 €. En plein cœur de la ville, une table blottie à l'angle de ruelles étroites et calmes : en été, une vigne vierge donne de la fraîcheur à la terrasse, et le reste de l'année, la salle lumineuse et élégante est là pour vous accueillir. Tenu par un jeune couple passionné, ce restaurant propose une carte qui évolue au fil des saisons. Seul en cuisine, le chef propose des plats qui vont à l'essentiel côté goût, mais qui portent la marque des grandes maisons où il est passé : cuissons précises, travail sur les textures, les saveurs. Excellent accueil, très souriant, et belle carte des vins.

|●| *Côté jardin* (plan B1, **23**) : 49, rue Lamartine. ☎ 04-90-71-33-58. ● cotejardincavaillon@gmail. com ● *Fermé dim et lun soir, plus mar soir hors saison. Congés : vac fév. Formules* 17 € *le midi,* 20 € *le soir ; menus* 28-35 €. ☎ Derrière la façade étroite, une salle fraîche aux murs clairs et, évidemment, un petit jardin intérieur, havre de paix bercé au son d'une fontaine glouglouttante. Sympa pour déguster en toute tranquillité une cuisine du moment, changeante et réalisée avec bonheur par un chef qui affectionne particulièrement les saveurs méditerranéennes. Accueil gentil comme tout et service prévenant.

|●| *David & Louisa* (plan B1, **21**) : 92, pl. Gambetta. ☎ 04-90-78-21-17. ● louisaetdavid@wanadoo.fr ● *Tlj sf dim hors saison. Formule déj sem* 16,90 € *et menu* 23 € ; *le soir,* 2 *menus* 26 *et* 36 €. Salle contemporaine de couleur chocolat, agrémentée de bambous et de fleurs exotiques, pour déguster la cuisine de l'ancien chef de la maison Gouin. Bons produits, tarifés à prix fort le soir, plus doux au déjeuner. Et belle carte des vins, avec un bon choix au verre. La terrasse, à ce carrefour qui tend à devenir le nouveau cœur de Cavaillon, peut paraître bruyante.

De plus chic
à beaucoup plus chic

|●| *Restaurant Prévôt* (plan B2, **24**) : 353, av. de Verdun. ☎ 04-90-71-32-43. ● contact@restaurant-prevot. com ● *Tlj sf dim-lun non fériés. Déj sem,* formule 29 € *et menu* 39 € ; *puis menus* 52-66 €. Il aura fallu des années pour qu'on ose mettre un pied dans cet antre du melon cuisiné de toutes les façons. Trop impressionnant, trop cher, trop... Mais voilà qu'à l'heure où d'autres s'endormiraient sur leurs cagettes, J.-J. Prévôt, l'homme au chapeau, qui travaille du melon comme d'autres des herbes ou des épices, joue au jeune chef, se remet en question, fait de sa salle-musée un bistrot rigolo le midi, et ouvre une terrasse, bienvenue, à l'écart de la rue. Sa cuisine, toujours créative, s'assagit, ou du moins se simplifie ;

on apprécie plus les saveurs et on s'amuse tout autant. Une de ses dernières trouvailles, le *Mac Prévôt*, un hamburger naturellement !

Où acheter des douceurs au melon ?

Où grignoter sur le pouce ?

🍧 *L'Étoile du délice (plan A1, 30) :* 57, pl. Castil-Blaze. ☎ 04-90-78-07-51. *Tlj sf dim ap-m et mer.* On y vend de délicieuses *melonettes* (ganaches au melon), mais aussi des pâtes de fruits, des tartelettes au melon et de la brioche au melon. Au cas où vous auriez oublié que vous étiez à Cavaillon...

🍧 🍽 *Maison Jarry (plan B1, 31) :* 39, av. Victor-Basch. ☎ 04-90-71-35-85. ● cepadugato@hotmail.fr ● *Tlj sf dim ap-m et lun. Brunch mar-ven.* Une pâtisserie-salon de thé proposant, entre autres produits dérivés du melon, meringues, berlingots, gâteau Saint-Jacques et « cigale » (melon confit macéré à l'anis dans une pâte d'amandes). Jolie déco dans l'air du temps qui mêle agréablement bibelots et mobilier anciens. On peut y prendre un bon petit déj et surtout se régaler au déjeuner d'une salade gourmande originale, de quiches vraiment bonnes. Terrasse sur la placette pour savourer une glace, sinon. Service tonique et patronne exubérante !

À voir

🔖 *L'arc romain (plan A2) :* sur la pl. du Clos, près de l'office de tourisme. Il a été déplacé ici au XIXᵉ s. Les Romains l'avaient construit au Iᵉʳ s, au cœur de la ville antique.

🔖🔖 *La cathédrale Saint-Véran (plan A1) :* avr-sept : lun-ven, 14h-18h (17h sam) ; oct-mars : lun-ven, 14h-17h et sam ap-m. Fermé sam janv-mars, dim et j. fériés. Consacrée au XIIIᵉ s par le pape Innocent IV, elle garde son caractère roman. Nef à six travées et voûtes en berceau brisé. Remarquer, à droite de l'entrée, le squelette grimaçant qui orne le cénotaphe de J.-B. de Sade. Dans la chapelle Saint-Véran, une toile de Mignard (1657) représente ce saint patron de la ville enchaînant la Couloubre, monstre qui, dit-on, terrorisait la région... Un peu plus loin, l'autel Saint-Éloi, où l'artiste a représenté les fruits et légumes produits sur le territoire de Cavaillon, avec, en bonne place, le divin melon ! Dans la chapelle César-de-Bus, bel ensemble en bois doré du XVIIᵉ s. Accolé à la cathédrale, cloître plein de charme et de fraîcheur.

🔖🔖🔖 *La synagogue (plan A-B1) :* rue Hébraïque. ☎ 04-90-71-73-81. Mai-sept, tlj sf mar, 9h30-12h30, 14h-18h ; hors saison, tlj sf mar et dim, 10h-12h, 14h-17h (en oct ouv dim). Visite guidée ttes les heures. Entrée : 3 €, billet jumelé avec le musée de l'Hôtel-Dieu ; réduc ; gratuit moins de 12 ans, étudiants, et pour ts le 1ᵉʳ dim du mois. Considérée comme l'un des joyaux de l'art judaïque français, la synagogue de Cavaillon traduit bien la double culture juive et provençale propre aux juifs du pape. Elle est inscrite dans la *carrière* qui était le lieu de résidence, désigné par les papes, des communautés juives du Comtat Venaissin. Alors que les communautés sont chassées, au XVᵉ s, du royaume de France, les papes les accueillent sur leurs terres et les protègent. Toutefois, ils les obligent à vivre, dès 1453, dans des rues fermées la nuit, leur interdisent tous les métiers sauf ceux de la brocante, de la fripe et de l'usure, et leur imposent un signe distinctif... Reconstruite à partir de 1772, la synagogue arbore un décor inspiré de la Provence d'alors, élégant et riche, qui a été remarquablement restauré en 1986. Les lustres proviennent de la première synagogue, dont il ne subsiste que l'ancienne tourelle d'escalier et les portes du tabernacle.

L'organisation de la synagogue, à la fois lieu de prières, de réunions publiques et école des garçons, est spécifique au Comtat Venaissin : les femmes se réunissent au rez-de-chaussée, dans la boulangerie rituelle, les hommes à l'étage. Sur la tribune s'installent le rabbin et les hommes les plus influents de la communauté, notamment pour la lecture de la Torah. Une place importante est accordée au prophète Élie ; en témoigne la présence du fauteuil sur un ensemble de nuages.
Le Musée judéo-comtadin retrace l'histoire de la communauté hébraïque de Cavaillon : Torah du XVIIe s, amulettes, livres de prières...
La communauté, qui comptait quelque 200 personnes au XVIIe s, fonctionnait comme une république autonome avec ses règles, ses chefs et l'interdiction de se mélanger avec les chrétiens. Ses membres, devenant citoyens français à la Révolution, se sont dispersés. La communauté a réduit au XIXe s, jusqu'à disparaître au XXe s. La synagogue a été inscrite Monument historique en 1924.

🍴 *Le musée archéologique de l'Hôtel-Dieu (plan A1) : porte d'Avignon.* ☎ 04-90-71-73-81. *Fléché depuis le centre-ville. Ouv 2 mai-30 sept 14h-18h, sf mar et dim, mêmes tarifs que la synagogue ; les billets sont jumelés pour ces 2 sites.* Installé dans la chapelle (1775) de l'ancien hôtel-Dieu. On y trouve donc des objets de l'ancienne pharmacie de l'hôpital : mortiers, pots à onguents en faïence et en verre. Également une intéressante collection archéologique : vases, bijoux et armes du Néolithique trouvés dans les grottes du Luberon, stèles funéraires gallo-grecques et gallo-romaines, bel ensemble de céramiques sigillées, statuaire (dont une belle tête d'Agrippine du Ier s apr. J.-C.), monnaies gallo-romaines et autel médiéval de la cathédrale. Expos temporaires en relation avec les collections des musées et le patrimoine de la ville.

À faire

🍴 *La colline Saint-Jacques (plan A1) :* partant de la place du Clos, un sentier vous mène jusqu'en haut de cette colline typiquement provençale par un escalier du XVe s. Au sommet, la romane *chapelle Saint-Jacques,* construite au XIIe s. Beau panorama. Sentiers de découverte aménagés. Une via ferrata composée de deux boucles de 2h (une accessible à tous à partir de 1,30 m et une plus sportive) est ouverte toute l'année. *Stationner devant l'office de tourisme, puis emprunter les escaliers pour rejoindre le départ de la via ferrata (15-20 mn de marche).*

Fêtes et manifestations

– *Corso :* jeu ap-m de l'Ascension et sam soir suivant. Défilé de chars (confectionnés selon la technique du « bouillonnage »), etc.
– *Feria du Melon :* début juil, pdt 2 j. Dégustation dans la rue, repas tout melon dans les restos. Défilé de charrettes anciennes avec personnes costumées, animations taurines, 100 chevaux camarguais dans les rues... 2 jours pour fêter le roi des cucurbitacées.
– *Rencontres cinématographiques :* fin août, pdt 4 j. Autour d'un thème ou d'un réalisateur. Projections, rencontres, expositions.

DANS LES ENVIRONS DE CAVAILLON

CAUMONT-SUR-DURANCE (84510)

À 9 km de Cavaillon et à 10 km d'Avignon, un village quelque peu oublié des circuits touristiques, qui a choisi de résister au béton envahisseur. Alors qu'un projet immobilier devait se réaliser sur un terrain en contrebas des vestiges d'une riche villa romaine du Ier s de notre ère, des fouilles ont mis au jour des aménagements exceptionnels.

Où dormir ? Où manger ?

🛏 *Chambres d'hôtes La Bastide des Amouriers :* 117, chemin de Saint-Estève. ☎ 04-90-03-39-31. ● labastide@lesamouriers.com ● lesamouriers.com ● De Caumont, direction Velleron (D 1) puis à droite. Compter 70-80 € pour 2 selon saison, familiale 120 €. Gîte 4 pers 400-730 €. 🛜 Cette belle bâtisse XIXe s abrite 4 chambres de charme avec lit à baldaquin pour certaines, mezzanine pour la familiale et ample douche à l'italienne pour toutes. Accès indépendant par une élégante salle commune où sont exposées des statues balinaises que les charmants proprios importent par containers entiers. L'autre atout de cette bastide, c'est le grand parc de 2 ha avec son étang et sa piscine, et le prix vraiment raisonnable pour la région. Également un gîte à louer, à la déco tout aussi soignée.

🛏 *Chambres d'hôtes Le Posterlon :* 3, rue du Posterlon. ☎ 04-90-22-21-20. 📱 06-60-83-93-71. ● grosjean.pascal@wanadoo.fr ● posterlon-provence.com ● Vers l'église. Compter 110-130 € pour 2 selon confort, familiale 180 € pour 4. Une solide maison de maître du XVIIe s en pierre de taille, qui fut un temps la maison du curé. Tout y est patiné jusqu'à la moelle : l'escalier dont les marches dessinent des vagues et des courbes à faire tanguer un moussaillon, jusqu'à cette cave qui tient lieu de... boutique, quasi surréaliste (pour ne pas dire la cave d'Ali Bobo !). La déco très travaillée donne un côté magazine de mode aux 5 chambres (3 suites et 2 doubles). Petit jardin avec piscine au pied du rempart. Petite cuisine d'été à disposition. Le charme intégral ou l'invention du glamour rustique !

À voir

🧗 🚶 *Le Jardin romain :* impasse de la Chapelle (à la sortie du village). ☎ 04-90-22-00-22. ● jardin-romain.fr ● Juin-sept, tlj 8h-19 ; hors saison, tlj sf mar 14h-18h. Congés : déc-janv. GRATUIT. Fleuron de ce jardin romain reconstitué de 12 000 m², un bassin d'agrément unique en Gaule, long de 65 m, dont le fond est composé d'un assemblage de plus de 50 000 briquettes d'argile cuite, allant du brun foncé au jaune pâle. Rien de comparable n'a été trouvé depuis Pompéi. Tout autour, huit jardins thématiques ont été recréés, auxquels il faudra un peu de temps pour donner vraiment l'illusion d'un jardin béni des dieux.

CHEVAL-BLANC (84460)

La plus longue commune du Luberon (10 km de long) est pourtant un village que l'on traverse souvent trop vite, à seulement 5 km de Cavaillon. L'office de tourisme de Cavaillon y organise des circuits autour de l'agriculture et de l'irrigation, où l'on apprend que le canal Saint-Julien (soit le plus vieux canal d'irrigation de Provence) et ses « filioles » fonctionnent en circuit fermé, ce qui permet de réalimenter les nappes phréatiques, particulièrement au cœur de l'été... On y a également ouvert un *espace Tourisme, création et terroir* qui permet de découvrir le talent de jeunes créateurs installés dans la région et de déguster et acheter de nombreux produits de terroir. ☎ 04-90-04-52-94. Tte l'année, mar-ven 9h-12h30. Autres points d'accueil sur les communes voisines des Taillades et Mérindol.
ATTENTION : l'accès aux *gorges de Régalon* est réglementé, et susceptible d'être totalement ou partiellement interdit selon les saisons, pour raisons de

sécurité. Renseignez-vous à l'office de tourisme de Cavaillon ou de Cheval-Blanc. Le secteur est classé « Réserve naturelle » car c'est un haut lieu de la paléontologie. Amende garantie en cas de non-respect des règles.

Où manger ?

I●I L'Auberge de Cheval Blanc : 481, av. de la Canebière. ☎ 04-32-50-18-55. ● contact@auberge-de-cheval blanc.com ● ♿ Dans la rue principale, presque à la sortie du village, direction Pertuis. Tlj sf lun, sam midi et dim soir ; de mi-juin à août, tlj sf lun midi. Congés : 1 sem fin oct. Formule déj en sem 20 € ; menus 28-69 €. Un lieu où l'on prend son temps, notamment aux beaux jours, à la fraîche, côté patio ou côté jardin près de la petite fontaine. Sinon, belle salle climatisée, avec juste quelques touches de couleur sur fond de décor blanc et gris plutôt neutre. Les vraies touches de folie créatrice se glissent dans les plats savoureux préparés par le chef, rencontres parfois étonnantes de saveurs, de parfums et de terroirs.

MÉRINDOL (84360)

Dominé par un émouvant village abandonné, ce gros bourg de la vallée de la Durance, où le parc a mis en place l'observatoire ornithologique du Luberon, reste dans les mémoires pour avoir été la capitale des vaudois (on y trouve d'ailleurs un mémorial et un centre d'études vaudois). Signalons également le *moulin à huile Boudoire,* logé dans un ancien temple, qui vend son huile d'olive (☎ 04-90-72-86-76).

Les vaudois en Luberon

Rien à voir avec des citoyens suisses du canton de Vaud à la recherche de résidences secondaires. L'histoire est plus tragique. À la fin du XIIᵉ s, un marchand lyonnais du nom de Pierre Valdo, qui prêchait le retour aux sources de la foi chrétienne et le rejet d'une bonne partie des rites catholiques, fit école. Excommuniés, ses disciples appelés « vaudois » émigrèrent dans toute l'Europe, dans le Piémont notamment. De nobles piémontais ayant acheté des terres dans le Luberon, certains descendants de vaudois vinrent s'y fixer.
Ralliés à la Réforme en 1532, après la rupture de Luther avec Rome, les vaudois subirent alors les pires persécutions. La plus sanglante fut menée par Jean Meynier, baron d'Oppède, en avril 1545. Au nom de Dieu et... d'intérêts plus personnels (il souhaitait agrandir son domaine), le baron et ses hommes rayèrent de la carte de nombreux bourgs et villages, exterminant 2 000 personnes et envoyant 600 vaudois aux galères. Les rares survivants réussirent à gagner à nouveau le Piémont, où ils firent souche dans les « vallées vaudoises ».
Un circuit mis en place par l'office de tourisme de Cavaillon permet de combiner, chaque jeudi matin de juin à septembre, la visite du *site vaudois* et celle du *moulin à huile* voisin du XVIᵉ s *(sur résa, compter 5 €).*

Où dormir ? Où manger ?

Camping

⛺ 🏠 **Camping et gîte d'étape des Argiles :** ☎ 04-90-72-81-02. ● alain. gariston@wanadoo.fr ● sejour-en-luberon.fr ● ♿ En venant de Cavaillon, 3 km avt Mérindol, sur la D 973, suivre les flèches. Au départ du sentier pour les gorges de Régalon, à cheval entre les 2 communes. Ouv avr-sept. Forfait env 15 € (+ taxes) pour 2 avec tente ; 18 €/pers en dortoir ; 70 € pour 2 en chambre d'hôtes. CB refusées. 25 empl. 🖥 📶 Apéritif *maison offert sur présentation de ce guide.* 25 emplacements pour camper (sous les cerisiers !) dans un bel environnement bien entretenu. Également 2 chambres d'hôtes et un petit gîte d'étape de 11 lits avec douche, bacs à vaisselle et coin cuisine. Belle piscine aussi, donnant sur la colline. Location de vélos.

De très bon marché
à prix moyens

❙●❙ *La Cave à Aimé :* *12, rue de la Fontaine.* ☎ *04-90-72-38-01.* ● *laca veaaime@gmail.com* ● *Tlj juil-août. Hors saison, ouv lun-dim mat, fermé mer. Bar à vins : jeu, ven et sam soir. Assiettes 10-12,50 €.* Sympathique bar à vins tenu par un jeune caviste passionné. Accoudé au tonneau sur la microterrasse de la ruelle ou dans la cave, on accompagne sa dégustation d'une bonne assiette de charcuterie et de fromage bio. Difficile de ne pas repartir avec une bouteille tant le choix, principalement bio, est large. Fréquentes soirées à thème en saison, entre concerts et rencontres avec des vignerons.

❙●❙ *L'Âne sur le toit :* *16, rue des Cigales.* ☎ *04-90-72-24-10.* ● *emmy michaud@orange.fr* ● *En haut du village. Tlj sf le midi lun-mar en saison ; mar soir et mer sept-juin. Congés : 15 j. en fév. Formule 28 € et menu 35 €.* Un restaurant au nom évocateur, qui propose une cuisine d'aujourd'hui, raffinée, pleine de saveurs : une pointe d'épices du monde sur fond de bons produits du terroir. Service dans le jardin ombragé ou dans la jolie salle voûtée. La carte des vins met à l'honneur les domaines voisins, et les menus suivent le fil des saisons, sans tricher. Accueil chaleureux.

LE SUD-LUBERON

LAURIS (84360)

On aperçoit de loin le vieux village, perché sur un éperon rocheux au pied duquel coule la Durance. Quelques belles maisons, fontaines anciennes et oratoires, ainsi qu'une tour du XIIIe s témoignent de la prospérité médiévale du bourg, mais on viendra surtout pour les jardins en terrasses du château, superbement réhabilités. – Marché traditionnel le lundi et artisanal en nocturne le jeudi en saison (et, toute l'année, cour des créateurs avec une dizaine de boutiques sur la place du Château).

Adresse utile

❚ *Office de tourisme :* *rue de la Mairie.* ☎ *04-90-08-39-30.* ● *laurisen luberon.com* ● *Ouv lun-ven 9h-18h et sam 10h-17h.* Infos sur les concerts, illuminations, soirées son et lumière et projections de films sur les terrasses du château dont *Les Nocturnes de Lauris* et *Les Terrasses Music'Art* en juillet.

Où dormir ? Où manger ?

Bon marché

🛏 ❙●❙ *Gîte d'étape et chambres d'hôtes Le Mas de Recaute :* *1134, chemin de Recaute.* ☎ *04-90-08-29-58.* ● *contact@masderecaute.fr* ● *masderecaute.com* ● *À 3 km de Lauris, sur la route de Roquefraîche (accès fléché). Ouv tte l'année. Nuitée en dortoir 15 €/pers ; compter 60 € pour 2 en chambre. Dîner en table d'hôtes 20 €.* 🛜 Relais pouvant accueillir 15 randonneurs équestres et pédestres dans une propriété en pleine nature. Dortoirs et chambres convenables, simples mais bien tenus. Organise des randonnées à cheval ou à pied de 1 à 7 jours dans le Luberon.

|●| *Ma tasse de thé :* 9, av. Joseph-Garnier. ☎ 04-90-08-40-40. ● *latable demargot@gmail.com* ● *Tlj juil-août, sinon fermé le soir en basse saison (sf sam). Plat du jour 11 €. Carte 15-20 €.*

Une ancienne mercerie de village devenue café-salon de thé avec une belle bibliothèque accessible à tous et une gentille terrasse. Petite restauration toute simple, toute fraîche avec un bon plat du jour changeant quotidiennement (aïoli le vendredi), au rapport qualité-prix-tranquillité exceptionnel. Un lieu comme figé dans le temps, où l'on pourrait rester des heures.

Où dormir ? Où manger dans les environs ?

🏠 |●| *Chambres d'hôtes La Tuilière :* chemin de la Tuilière, 84160 **Cadenet**. ☎ 04-90-68-24-45. ● *clo@latuiliere. com* ● *latuiliere.com* ● *À la sortie du village (fléché à partir de l'église), en direction d'Ansouis (par la D 45). Compter 82-98 € pour 2 selon confort. 3e nuit offerte nov-mars. Dîner sur résa 25 €.* 📶 Grosse bastide du XVIIIe s classée « Gîte Panda », posée au milieu de 12 ha de vignes et d'arbres fruitiers. Si la maison est ancienne, les 5 chambres sont plutôt modernes (une avec baignoire, une autre avec kitchenette), agréables et bien décorées, dans des tons harmonieux. Grande propriété tout autour, avec petit chemin et piscine remplie d'une eau de forage de

100 ans d'âge... Cuisine de saison, familiale et provençale, autour des produits du potager, du verger, des vignes...

|●| *Les Aromates :* pl. du Tambour-d'Arcole, 84160 **Cadenet**. ☎ 04-90-68-35-35. *En plein centre. Tlj sf lun et jeu soir. Menus 15 € déj et 23 € soir, dim et j. fériés.* Derrière la petite terrasse un peu perchée, une salle pas bien grande non plus, habillée de rouge et de blanc. Accueil souriant, service aux petits soins et surtout, surtout, de beaux produits et une cuisine qui cache un joli tour de main (pour un très jeune chef) derrière son apparente simplicité. Et à des prix qui, dans le coin, font se presque se frotter les yeux pour y croire...

À voir

🎋 🕺 *Le jardin conservatoire des plantes tinctoriales :* sur les terrasses du château. ☎ 04-90-08-40-48. ● *couleur-garance. com* ● *Ouv 8 mai-31 oct, tlj sf lun 10h-12h, 14h-19h. Entrée : 5 € ; réduc. Visites guidées mar et sam à 17h : 8 €. Boutique ouv tte l'année.* Un jardin de plantes ayant toutes en commun un extraordinaire pouvoir colorant : la garance, bien sûr, dont le Vau-

ROUGE SANG

Au début de la Première Guerre mondiale, les fantassins de l'armée française portent encore un uniforme dont les pantalons sont teints avec de la garance, ce colorant longtemps spécialité du Vaucluse. Des pantalons rouges qui en font des cibles idéales pour les soldats allemands...

cluse était le premier producteur au XIXe s, mais aussi 250 autres plantes tinctoriales, moins connues (pastel, indigotier, cosmos...), qui permettent d'évoquer les domaines de l'alimentation, de la cosmétique, de la teinturerie. L'association qui gère les lieux organise également des stages de peinture, teinture, des sorties botaniques et des ateliers pour enfants.

VAUGINES (84160)

Tout petit et très joli village niché au pied du Luberon, avec son lot de maisons médiévales (la commanderie, la capitainerie) et une superbe église où Claude Berri a tourné la scène du mariage de *Manon des sources*.

Où dormir ? Où manger ?

🛏 ◉❙ *L'Hostellerie du Luberon :*
cours Saint-Louis. ☎ 04-90-77-27-
19. ● valant0@orange.fr ● hostellerie
duluberon.com ● *Resto fermé dim-mar
midi. Doubles 69-99 € selon saison.
Menus env 22-35 €.* 🖵 🛜 *Un hôtel
moderne et tranquille, au style contemporain, avec une grande véranda
donnant sur une piscine où il fait bon*
se laisser aller au farniente. L'accueil
donne envie d'y rester d'autant que
les chambres, dans des tons clairs,
sont simplement confortables et que
l'ensemble est plutôt coquet. Intéressante cuisine au restaurant. Jardin, pétanque, billard, flipper, jeux
d'enfants.

CUCURON (84160)

Au pied du Mourre-Nègre, point culminant (1 125 m) du Luberon. Joli village d'une
belle homogénéité architecturale (Rappeneau y a tourné pas mal de scènes du
Hussard sur le toit), où il fait bon flâner le nez en l'air.

Adresse utile

🛈 *Office de tourisme :* 12, cours Saint
Victor. ☎ 04-90-77-28-37. ● cucuron-
luberon.com ● *Juil-août, tlj sf dim
ap-m ; fermé dim et lun les autres
mois.* 🖵 🛜 *Vous y trouverez tout*
renseignement sur Cucuron mais aussi
sur Vaugines. Organise des visites
guidées et des balades à thème avec
dégustation de vin et d'huile d'olive en
saison.

LE LUBERON

Où dormir ? Où manger ?

Campings

⛺ *Le Moulin à Vent :* chemin de Gas-
toule. ☎ 04-90-77-25-77. ● contact@
le-moulin-a-vent.com ● le-moulin-
a-vent.com ● ♿ *Du centre du village, suivre la route de Villelaure sur
1,5 km ; ensuite, c'est fléché. Ouv
avr-début oct. Résa vivement conseillée. Empl. pour 2 avec tente et voiture 16 €. Loc de chalets et cottages
(315-565 €/sem selon taille et saison).
81 empl.* 🛜 *Réduc de 5 % sur les tarifs
camping ou loc sur présentation de ce
guide.* Un petit camping accueillant,
reposant et agréable. Bons emplacements ombragés en paliers. Sanitaires
neufs. Petite épicerie et dépôt de pain.
À proximité des GR 7 et 97.
⛺ *Lou Badareu :* route de l'Étang-
de-la-Bonde, à 1 km du village vers
La Tour-d'Aigues. ☎ 04-90-77-21-
46. ● loubadareu@orange.fr ● louba
dareu.com ● ♿ Ouv avr-oct. Empl.
pour 2 avec tente et voiture 12,80 € en
hte saison. Loc d'une caravane, d'un
bungalow toilé et de 2 mobile homes
(250-350 €/sem). 34 empl. Camping au
pied du Grand Luberon. 34 emplacements, plutôt vastes, calmes et ombragés. Machine à laver, ping-pong, petite
épicerie de produits bio de la ferme et
même une cave à vins. Étang du GR 9
à proximité et bassin d'agrément où
l'on peut se baigner. Pour un séjour
d'agritourisme sympathique et familial.

De bon marché
à prix moyens

🛏 ◉❙ *L'Arbre de Mai :* rue de l'Église.
☎ 04-90-77-25-10. ● arbredemai@
gmail.com ● larbredemai.com ●
*Doubles 70-120 €. Resto ouv tlj. Carte
30-35 €.* 🖵 🛜 Tenu par un jeune couple décidé à prendre le temps de vivre.
Ce vieil hôtel de village se réveille donc
tout doucement comme ses chambres,
rénovées petit à petit. Gentille cuisine
familiale au resto. Accueil très, très
cool...

Les Temps Modernes : *montée du Vieux-Château.* ☎ 04-90-77-27-79. ● xavierpupilland@aol.com ● *Le soir slt (sf dim-lun hors juil-août). Menu 19 €, carte env 28 €. Apéritif offert sur présentation de ce guide.* Gentille petite salle à la déco contemporaine et agréable terrasse dans la ruelle pour un repas économique de pâtes fraîches maison ou un petit plat simple servi avec le sourire.

De chic à beaucoup plus chic

Hôtel de l'Étang : *pl. de l'Étang.* ☎ 04-90-77-21-25. ● hoteldeletang@wanadoo.fr ● hoteldeletang.com ● *Doubles et suites 88-127 € selon saison et confort. Parking privé gratuit.* 🖥 📶 Face au grand bassin rectangulaire bordé d'arbres creusé au Moyen Âge. Les 6 chambres n'ont pas de charme particulier, mais elles sont calmes, de bon confort (TV, AC et mini-bar) et absolument impeccables. Les 2 chambres de type suite se trouvent dans une annexe mitoyenne avec balcon donnant sur l'étang ou sur le jardin à l'arrière. Accueil dynamique.

La Petite Maison de Cucuron : *pl. de l'Étang.* ☎ 04-90-68-21-99. ● info@lapetitemaisondecucuron.com ● *Tlj sf lun-mar. Menus 50 € (déj)-144 €.* Plus qu'une petite maison, on est ici à une grande table ! Le chef, Éric Sapet, modeste, qualifie sa cuisine de classique et ludique. On la trouve, nous, superbe et décomplexée. Se joue des harmonies entre terre et mer, se sent aussi à l'aise avec les plumes qu'avec les écailles. Ses plats se révèlent flatteurs aux narines, explosifs pour les papilles, laissant derrière eux une longue sensation de plaisir, à chaque bouchée renouvelée. La carte est délibérément courte mais renouvelée toutes les semaines. Terrasse ombragée à deux pas de l'étang.

À voir. À faire

Quelques opulentes demeures du XVIIIe s, une église du XIIIe s, un bel étang et un intéressant petit musée sont les principaux attraits de Cucuron. À voir encore, un moulin à huile, situé dans l'arrière-boutique d'une galerie de tableaux et d'artisanat.

Le musée Marc-Deydier : *rue de l'Église.* ☎ 04-90-77-25-02. *Ouv mar-sam 9h30-12h30, 15h-18h et dim 15h-18h (juil-août). Fermé lun et j. fériés (en principe, car le propriétaire qui vit là ouvre sa porte à tte heure). GRATUIT.* On y découvrira, outre une collection archéologique (mausolée du Ier s, masques en pierre...), d'étonnantes plaques daguerréotypes de la fin du XIXe s et divers objets du vieux Cucuron que l'attachant propriétaire des lieux expose fièrement.

➤ **Sentier des vignerons et balade vers l'Hermitage :** *rens auprès de l'office de tourisme.*

ANSOUIS (84240)

Splendide village (figurant parmi les « Plus Beaux Villages de France ») perché sur une colline, au pied de son château. Celui-ci fut, des siècles durant, propriété d'une des grandes familles de Provence, les Sabran, dont l'Église a béatifié deux membres, Elzéar IV de Sabran et son épouse Delphine de Signes. Après une longue querelle opposant les héritiers du château, celui-ci a été vendu à un couple d'Aixois passionnés de vieilles pierres. Quant au vicomte de Sabran-Pontevès, il est toujours aujourd'hui... maire d'Ansouis !

Adresse et info utiles

Point info : *pl. du Marché (à côté du lavoir).* ☎ 04-90-09-86-98. ● luberoncotesud.com ● *Tlj sf dim et lun Pâques-sept 9h30-12h30 et*

14h-18h. Ouv dim mat juil-août. Pensez à y récupérer le plan-circuit du village.

– **Marché :** *dim mat.*

Où dormir ? Où manger ?

🏠 ⏺ **Maison d'hôtes Un Patio en Luberon :** *rue du Grand-Four.* ☎ 04-90-09-94-25. 📱 06-25-55-83-41. ● *info@unpatioenluberon.com* ● *unpatioenluberon.com* ● *Au cœur du village. Ouv fin mars-11 nov. Compter 80-115 € selon confort. Table d'hôtes 31 €.* 📶 Dans une maison de charme du XVIᵉ s, 5 chambres raffinées, à la déco pensée dans les moindres détails, aux styles romantique, authentique, châtelain ou cosy. Ces petits nids s'organisent dans un labyrinthe de couloirs et d'escaliers comme dans une ruche. Au centre, salon cathédrale, salles voûtées et un frais patio pour se reposer. Michel à l'accueil, Stéphane au fourneau pour une cuisine d'inspiration méditerranéenne, tous deux partagent le souci du bien-être de leurs hôtes avec beaucoup de disponibilité.

⏺ **La Closerie :** *bd des Platanes.* ☎ 04-90-09-90-54. ♿ Dans la montée du village, à côté de la poste. Tlj sf mer-jeu et dim soir. Congés : de mi-janv à mi-fév. Menu déj (en sem) 29 € ; autres menus 44-68 €. Un petit resto tenu par un jeune couple qui travaille seul, comme souvent aujourd'hui, elle en salle, d'une grande efficacité, lui en cuisine, d'une belle précision. Jolie vaisselle, fleurs fraîches, linge de table de qualité. Cuisine de saison, subtile dans ses goûts comme sa préparation. La spécialité du chef est le carré d'agneau rôti en cocotte avec les légumes du moment. Bel accueil.

⏺ **Les Moissines :** *Grand-Rue, au cœur du village.* ☎ 04-90-09-85-90. ● *jean-jacques.kleiman@orange.fr* ● *Tlj sf lun-mar : juil-août, 11h-14h30, 18h30-21h30 ; avr-mai et sept-oct, 11h-18h. Congés : Toussaint-Pâques. Carte 16-22 €.* Installé dans l'ancien presbytère, un snack-salon de thé idéal pour apaiser une petite faim à la belle saison. Salades, tartes salées et omelettes à base de produits locaux. Agréable terrasse au pied du château donnant sur la vallée.

Où manger une glace ?

🍦 **L'Art glacier :** *Les Hautes-Terres.* ☎ 04-90-77-75-72. ● *mail@artglacier.com* ● *À 5 km du village, sur la route de La Tour-d'Aigues (fléché). Juil-août, tlj 14h-23h30 ; avr-juin et sept-oct, mer-dim 14h-19h (jusqu'à 23h sam en juin et 1ʳᵉ quinzaine de sept). Fermé nov-mars sf fêtes de fin d'année.* Perché sur une colline, un glacier avec vue dégagée et terrasse ombragée, où gourmands et gourmandes viennent de loin pour goûter aux glaces à la violette, à la lavande, au miel de Provence ou encore aux calissons du Vaucluse. Quand la glace devient un art.

À voir

🔫 🚶 **Le château :** ☎ 04-90-77-23-36. 📱 06-84-62-64-34. ● *chateauansouis.fr* ● *Ouv avr-Toussaint. Visite guidée, tlj sf mar et mer (tlj juil-août) à 15h (et 16h30 en juil-août). Entrée : 10 € ; réduc.* Forteresse purement défensive à l'origine (Xᵉ s), le château, principale locomotive touristique du village, a connu de nombreuses transformations aux XIIᵉ et XIIIᵉ s. L'élégant corps de logis principal date du XVIIᵉ s. On y découvre un escalier monumental surmonté d'une voûte à caissons et des appartements aux charmantes gypseries (XVIIIᵉ s), dont les fenêtres s'ouvrent sur les jolis jardins suspendus. L'occasion de parler boudoir, libertinage et vie de château en toute liberté lors d'une visite non dénuée d'humour assurée par les propriétaires eux-mêmes.

🏃 🏃 *Le musée extraordinaire de Georges Mazoyer :* en contrebas du village (fléché). ☎ 04-90-09-82-64. Pâques-Toussaint, tlj 14h-19h (18h le reste de l'année). Entrée : 3,50 € ; réduc. Ce petit musée privé présente une collection de coquillages, d'animaux marins naturalisés et de fragments préhistoriques amassés durant 47 ans de plongées sous-marines aux quatre coins du monde par Georges Mazoyer, grand voyageur aujourd'hui décédé, originaire d'Ansouis. Intéressante œuvre picturale et passage dans une grotte bleue de coraux qui plaît bien aux enfants.

🏃 *Le musée des Arts et des Métiers du vin :* route de Pertuis. ☎ 04-90-09-83-33. ● chateau-turcan.com ● Juil-août, tlj 9h30-13h, 15h-19h ; sept-juin, tlj sf dim et lun mat 9h-12h30 et 14h30-18h. Congés : 1er-11 janv. Entrée : 5 € ; gratuit moins de 16 ans. Répartis sur cinq espaces d'exposition, 3 000 objets sont déployés pour suivre le processus de la fabrication du vin jusqu'à sa consommation, en passant par la tonnellerie et la verrerie. Vieux pressoirs, outils divers, instruments de laboratoire... de belles pièces datant du Moyen Âge à nos jours, dont certaines très rares. Dégustation du vin du domaine en fin de visite.

PERTUIS (84120)

Entre Durance et Luberon, Luberon et Sainte-Victoire, Vaucluse et Bouches-du-Rhône, Pertuis est passée en 30 ans de 5 000 à 20 000 habitants. Anciens et nouveaux Pertuisiens se retrouvent en grande partie sur le marché, qui investit tout le centre-ville, haut lieu de convivialité le vendredi matin. Le reste du temps, Pertuis se révèle commerçante et riche en boutiques. Idéal pour faire quelques emplettes.

Adresse utile

🛈 *Office de tourisme :* pl. Mirabeau, Le Donjon. ☎ 04-90-79-15-56. ● tourismepertuis.fr ● Tlj sf dim ; nov-mars, mar-sam. Édite le vendredi matin un dépliant « Carnet de rendez-vous du week-end ».

Où dormir ? Où manger ?

Camping

⚊ *Le Domaine des Pinèdes du Luberon :* av. Pierre-Augier. ☎ 04-90-79-10-98. ● pinedes-luberon@franceloc.fr ● franceloc.fr ● ♿ À la sortie de Pertuis, sur les hauteurs (fléché). Ouv de mi-mars à mi-oct. Compter 27 € pour 2 en hte saison. Loc de mobile homes et de tentes aménagées 133-1 400 €/sem selon saison pour 2-8 pers. 185 empl. 📶 Les emplacements pour tentes se situent sous une sympathique pinède (on s'en serait douté) qui procure un bon ombrage. Familial et bien équipé, 2 piscines, toboggans aquatiques, château à escalader, trampolines, ping-pong, tennis. Snack, buvette, dépôt de pain et plats en saison. Également un club enfants et des animations estivales. Le GR 5 passe dans le coin.

De très bon marché à prix moyens

🍴 *Le Goût du Jour :* 100, pl. Jean-Jaurès. ☎ 04-90-79-40-72. ● goutdujour@aliceadsl.fr ● Tlj sf dim-lun. Formule déj 14,50 €. Menu 18 €. Gentille adresse à prix plutôt doux, idéale pour se poser après le marché. Dans 2 jolies petites salles (dont une installée dans une cave voûtée), ou à l'étroit en terrasse (faut dire que le trottoir n'est pas bien large !), on découvre une cuisine provençale légère et ludique, ainsi que des moules en saison.

|●| Le Boulevard : 50, bd Baptiste-Pécout. ☎ 04-90-09-69-31. Tlj sf mer et dim soir (slt mer en saison). Formule déj en sem 19 €, menus 28-42 €. Bouillabaisse (sur commande) env 40 €/pers. Café offert sur présentation de ce guide. Dans un cadre rustique avec une belle cheminée, à l'étage d'une maison de ville, Pierre Bontoux, disciple d'Escoffier, a l'art d'exciter les papilles de ses hôtes avec des produits d'une grande fraîcheur. De nombreux Aixois font le déplacement pour déguster son tian d'agneau à l'épeautre, ses pieds et paquets et, surtout, son excellente bouillabaisse (à commander 48h à l'avance). Accueil chaleureux et en toute simplicité. Le chef donne des cours de cuisine également.

Où manger dans les environs ?

|●| ⚛ L'Auberge du Grand Réal : Galance, 84120 **La Bastidonne.** ☎ 04-90-07-55-44. ● real@labour guette.org ● bourguette-autisme. org ● À 1,5 km du village (fléché). Tlj sf lun, mar et dim soir, ainsi que mer-jeu soir hors saison. Résa conseillée. Formules déj 14-19 €, vin inclus. Menus soir et w-e 23 €, et 29 € pour les soirées musicales le sam (chaque mois). Apéritif offert sur présentation de ce guide. Ferme-auberge un peu particulière puisqu'il s'agit d'un ESAT (ex-CAT), autrement dit un établissement de service d'aide par le travail qui favorise l'insertion des personnes handicapées. Comme dans toute ferme-auberge, on y sert les produits de l'exploitation et une cuisine typiquement provençale : crespeou, pieds et paquets, cabri, légumes bio, fromages, etc. Une boutique où l'on peut se procurer ces mêmes produits complète l'ensemble. Une adresse fortement prisée des locaux, d'autant plus que le cadre est très agréable. Idéal en famille.

À voir à Pertuis et dans les environs

🌡 **Le centre ancien :** sur le fronton de l'église Saint-Nicolas, un des plus beaux exemples de style gothique flamboyant et Renaissance en pays d'Aigues, vous découvrirez l'inscription un peu usée « Liberté, Égalité, Fraternité »... Grand vent révolutionnaire dans une ville dont les armoiries sont une fleur de lys, privilège rare, que Pertuis a obtenu en raison de « la bonne et ancienne fidélité que les habitants dudit lieu ont toujours tenue et gardée envers les comtes de Provence ». Pertuis n'en est pas à une originalité près. Vous remarquerez que les cloches ne sont pas sur l'église, mais sur le donjon de l'ancien château, qui abrite l'office de tourisme.

🌡 **Le château Val-Joanis :** route de Cavaillon. ☎ 04-90-79-20-77. ● val-joanis.com ● À 6 km du centre par la D 973 direction Cavaillon puis fléchage. Tlj : avr-oct, 10h-13h, 14h-19h (en continu juil-août) ; nov-avr 10h-12h, 14h-17h (sf w-e). Visite des jardins : 3 € (avr-oct). Une célèbre propriété familiale viticole chère également aux amoureux des jardins. Outre les chais, on visite donc des jardins, classés « Jardins remarquables » et élus « Plus Beaux Jardins » en 2008. Les amateurs de beaux potagers seront particulièrement comblés. Ici, la nature est guidée, tuteurée, palissée et, pourtant, elle s'éclate dans une débauche de couleurs et d'odeurs. Un vrai bonheur ! Dégustation et vente de vins et d'huiles d'olive.

LA TOUR-D'AIGUES (84420)

Adresse utile

🛈 *Office de tourisme inter-communal Luberon-Durance :* Le Château. ☎ 04-90-07-50-29.

● *sourireduluberon.com* ● *Ouv lun-sam, plus dim ap-m juil-août.*

Où dormir ? Où manger dans le coin ?

🛏 |●| *Le Petit Mas de Marie :* bd Saint-Roch, Le Revol. ☎ 04-90-07-48-22. ● contact@lepetitmasdemarie. com ● *lepetitmasdemarie.com* ● *À env 1 km du village, sur la route de Pertuis. Resto ouv le midi lun-ven, sinon réservé aux clients de l'hôtel en ½ pens. Congés : de fin oct à mi-mars. Doubles 82-105 € selon saison. ½ pens 73-97,50 €.* 🛜 *Digestif offert sur présentation de ce guide.* Hôtel situé à l'entrée de la ville, au bord d'un rond-point, mais qu'une déco chaleureuse et une végétation luxuriante ont su rendre agréable. Résultat, on a là un établissement tranquille proposant un hébergement de qualité avec des chambres de style provençal équipées de superbes salles de bains en pierre italienne. Au resto, cuisine traditionnelle soignée. Belle piscine.

À faire

🥾 *Les promenades du château La Dorgonne :* ☎ 04-90-07-50-18. ● *chateau ladorgonne.com* ● *Du village, prendre direction Pertuis, puis à gauche Mirabeau (D 135). Faire 2,5 km, et c'est indiqué sur la gauche. Tlj 9h-19h, sans résa (compter 1h15 de balade ; bonnes chaussures conseillées). GRATUIT.* Ce domaine viticole qui travaille en biodynamie propose aux touristes de passage d'arpenter le vignoble, accompagnés par un petit livret explicatif qui raconte pédagogiquement les différentes phases du travail de la vigne. On se balade seul, à son rythme, la promenade prenant toute sa plénitude tôt le matin ou en fin d'après-midi. Après ce vagabondage vinicole, dégustation gratuite au caveau !

GRAMBOIS (84240)

Ancienne propriété des comtes de Forcalquier, un joli village perché. Belle petite place centrale agrémentée de quelques vieilles maisons et d'une mignonne église romane surmontée d'un élégant campanile et renfermant un beau polyptyque de 1519, œuvre rare de la peinture religieuse provençale du XVIe s.

Où dormir ? Où manger dans les environs ?

🛏 *Chambres d'hôtes Le Jas de Monsieur :* route de Beaumont-de-Pertuis, 84240 Grambois. ☎ 04-90-07-55-17 ou 04-90-77-92-08. ● lejasdemon sieur@wanadoo.fr ● *lejasdemonsieur. com* ● *À 2,5 km de Grambois par la D 122, direction Beaumont-de-Pertuis (accès fléché). Compter 89-109 € pour 2.* 🛜 *Un verre de vin du coin offert sur présentation de ce guide.* Grande et élégante bastide du XVIIIe s, perdue en pleine nature, sur un plateau encore sauvage. À l'étage, les 3 chambres (pour info, la « Picasso » et la petite suite sont orientées plein sud...) ont ce style très distinctif des maisons de famille : draps brodés, bibelots, vieux meubles... Accueil d'une extrême gentillesse. Vastes salons pour prendre le frais ou potasser la documentation que Monique et Paul Mazel proposent sur le Luberon. Grande terrasse, piscine, parc. Et une volonté affirmée d'offrir tout ça à des prix encore raisonnables.

🛏 🍴 *L'Auberge du Cheval Blanc :* route de Vitrolles, 84240 *La Bastide-des-Jourdans.* ☎ 04-90-77-81-08. • serge.moullet@orange.fr • *auberge-chevalblanc-labastide.fr* • *À 6 km au nord-est de Grambois. Doubles* 80-90 € *selon saison. Formule déj* 19 €, *menu* 31 €. 📶 Charmant petit hôtel-resto de village, un ancien relais de chevaux, avec quelques chambres spacieuses au papier peint fleuri et une agréable piscine. Jolie terrasse pour un bon et copieux repas, à base de produits frais de saison, concocté par Serge, le chaleureux patron. Mention spéciale pour le tartare de tomate aux avocats ! Pour une paisible escale gourmande.

LA COMBE DE LOURMARIN
ET LE PETIT LUBERON

La combe de Lourmarin sépare non seulement le Petit et le Grand Luberon, mais surtout deux mondes qui se boudent depuis la nuit des temps : le Sud (Vaugines, Ansouis, Cucuron) et le Nord (Goult, Lacoste, Roussillon). Au sud, s'il faut en croire ses habitants, c'est là que vous trouverez le vrai beau temps, les prix encore décents, la vraie gentillesse ; au nord, en revanche, les villages perchés les plus chic et les prix choc. Bon, à vous de faire la part des choses.

LE LUBERON

LOURMARIN (84160)

Au débouché du seul passage à travers le Luberon, sur l'axe Marseille-Apt – soit à un emplacement stratégique –, Lourmarin pointe ses trois clochers (église, temple et beffroi) sur une petite colline face à son château, perché sur une autre butte. Abandonné au XIVᵉ s, puis repeuplé par les vaudois, le village est aujourd'hui mignon tout plein et touristique en diable.

DÉRAPAGE INCONTRÔLÉ

Le 4 janvier 1960, Michel Gallimard propose à Albert Camus de le ramener de Lourmarin à Paris à bord de sa puissante Facel-Vega. À Villeblin, au nord-ouest de Sens, c'est l'embardée. Ils meurent tous les deux. On retrouva, dans la poche de Camus, un billet de train pour Paris.

Laissez votre voiture se reposer sur un des parkings aménagés (tous gratuits) à proximité, et prenez le temps de flâner d'une vitrine à l'autre, le long d'une rue principale qui concentre galeries et boutiques d'artisanat, de boire un verre en terrasse chez *Gaby,* un café bien croquignolet, au *Café de l'Ormeau* ou au *Café de la Fontaine,* tout en grignotant un « croquant de Lourmarin », avant d'aller vous perdre dans des ruelles peu passantes – il y en a, même en pleine saison.

Pour les littéraires, l'office de tourisme a mis en place des circuits littéraires sur les pas d'Henri Bosco et Albert Camus (qui possédait une maison dans le village). Promenades accompagnées sur rendez-vous.

Adresses et info utiles

ℹ️ *Office de tourisme :* pl. Henri-Barthélemy. ☎ 04-90-68-10-77. | • *lourmarin.com* • *Ouv lun-sam. Promenades guidées en juil-août sur rdv*

à partir de 3 pers : « Sur les pas de Camus », « Sur les pas de Bosco » et visite du village : 4 €. Demander le dépliant du circuit des Fontaines.
■ *La cave coopérative de Lourmarin :* pl. Henri-Barthélemy (face à l'office

de tourisme). ☎ 04-90-68-02-18. Tlj 10h (9h ven)-12h30, 14h30-19h.
■ *Marché des producteurs bio et d'agriculture raisonnée :* mai-oct, mar 17h30-20h30.

Où dormir ?

⏃ *Camping Les Hautes Prairies :* route de Vaugines. ☎ 04-90-68-23-83. ● leshautesprairies@wanadoo.fr ● campinghautesprairies.com ● À env 500 m du village. Ouv d'avr à mi-oct. Forfait pour 2 : 37 € en hte saison. Mobiles homes et chalets pour 4 pers 195-690 €/sem. ☎ Un camping familial bien tenu, aux emplacements (qui manquent un peu d'herbe...) délimités par des haies ou par un alignement de pins. Bien à l'écart, chalets colorés mais un brin vieillissants. En revanche, sanitaires rénovés. Grandes piscines avec transats, jeux d'enfants, trampolines et animations en saison. Resto et épicerie. Excellent accueil des gérants, belges d'origine.

🏠 |●| *Hostellerie du Paradou – Restaurant Le Bamboo thaï :* 21, route d'Apt. ☎ 04-90-68-04-05. ● info@ hotelparadou.com ● paradouhotel. com ● À la sortie de Lourmarin.

Congés : 12 nov-15 mars. Doubles 80-160 € selon confort et saison. Menu 29 €. Carte env 30 €. ☎ Apéritif offert et un petit déj par chambre et par nuit sur présentation de ce guide. Dans un cadre de verdure très agréable, 8 chambres relookées dans un esprit thaï : coloris soutenus, ambiance zen, douches à l'italienne et lits à baldaquin... Certaines ont vue sur une petite rivière et son croquignolet ponton au centre d'une piscine naturelle, d'autres disposent d'une petite terrasse privative. Le restaurant *Le Bamboo thaï*, dirigé côté cuisine par Meena et Niwat, fait partie de ces petits bonheurs qu'on découvre, sourire aux lèvres. À côté des grands classiques, des plats originaux comme le *pad prik keng pramuk* (calamars à la pâte de piment douce et aux aubergines). Espace massage sous paillote et belle pergola pour attendre la nuit.

Où manger ?

Beaucoup de restos à Lourmarin, hélas souvent très chers pour ce qu'ils proposent.

De prix moyens à plus chic

|●| *La Récréation :* 15, rue Philippe-de-Girard. ☎ 04-90-68-23-73. ● info@ la-recre-lourmarin.com ● Tlj sf mer hors saison. Congés : 12 nov-18 déc. Résa fortement conseillée pour la terrasse.

Formule déj 22,50 €. Menus 28-36 €. *Apéritif offert sur présentation de ce guide.* Une jolie terrasse surélevée devant une maison bourgeoise qui propose de bons petits plats à base de bons produits (bio pour le menu le plus cher) et de viandes du terroir, depuis plus de 30 ans. Après un petit caviar d'aubergine, goûtez donc à la gardiane de taureau ou au confit d'agneau.
|●| Voir plus haut le restaurant de l'*Hostellerie du Paradou* : *Le Bamboo thaï.*

À voir

🐾🐾 ⏃ *Le château :* ☎ 04-90-68-15-23. ● chateau-de-lourmarin.com ● Tlj : 10h-18h30 juin-août ; le reste de l'année 10h30-12h30, 14h30-18h (17h mars-avr et oct ; 16h30 fév, nov-déc) ; ouv le w-e slt 14h30-16h en janv. Derniers tickets 30 mn *avt fermeture. Entrée : 6,50 € ; réduc ; gratuit moins de 10 ans. Visites ludiques pour enfants. Plusieurs expos temporaires dans l'année et nombreuses animations dont une grande fête de la Renaissance, le dernier w-e d'avr.*

Dominant l'entrée de la combe de Lourmarin, la splendide forteresse construite par les Agoult au XVᵉ s et remaniée au XVIᵉ s par ses héritiers dans un style Renaissance étonne par sa construction comme par la richesse et la diversité de son mobilier.

Abandonné après la Révolution, le château a été sauvé de la destruction totale, en 1920, par Robert Laurent-Vibert, un érudit lyonnais héritier de Pétrol-Hahn, qui y a créé une fondation pour artistes, une villa Médicis provençale. Le château, maintenant propriété de l'Académie des sciences, arts et belles-lettres d'Aix-en-Provence, accueille chaque été de jeunes pensionnaires (musiciens, artistes), et de nombreux concerts (jazz et classique) sont donnés en soirée.

L'édifice se divise en deux parties : le château vieux du XVᵉ s, avec sa tour en bossage, et le château neuf, construit au XVIᵉ s et franchement Renaissance. Deux parties reliées par une haute tour abritant un prodigieux escalier à vis : ses 93 marches sont faites d'une seule pièce, depuis le cylindre permettant sa superposition centrale jusqu'à son extrémité constituant la pierre de façade. Dans les appartements, les belles pièces ne manquent pas : armoire Louis XIV provençale, table espagnole du XVIIᵉ s, faïences d'Apt ou de Moustiers. Les amateurs remarqueront les gravures de Piranèse, au style romantique, voire baroque. Dans le salon de musique, des instruments provenant des palais impériaux chinois. Enfin, bizarre, bizarre, dans la salle d'apparat, la cheminée monumentale supportée par de grandes statues de style aztèque.

🍴 **La ferme de Gerbaud :** *campagne Gerbaud.* ☎ 04-90-68-11-83. • *plantes-aromatiques-provence.com* • *Avr-oct, visites guidées à 17h mar, jeu et sam ; nov-mars, slt dim à 15h. Tarif : 5 € ; gratuit moins de 12 ans.* Quelque 6 ha de plantes aromatiques et médicinales. La visite vous apprend tout ou presque sur leur usage (en cuisine comme en pharmacie) et leurs propriétés. Agricultrice passionnée et soucieuse du respect de l'environnement, Paula propose également dans sa boutique huiles essentielles, herbes de Provence, miel, préparations aromatisées...

Festival

– **Yeah !** : *début juin, sur 3 j.* Un sympathique festival de musiques actuelles (pop, rock, électro...). Concerts dans le château et fête dans tout le village. • *festivalyeah.fr* •

BONNIEUX (84480)

Village perché parmi les plus cotés, ne serait-ce que sur le marché de l'immobilier. Encore entourées par les remparts des XIIIᵉ et XIVᵉ s, les vieilles et belles maisons semblent grimper à l'assaut du clocher de l'église du XIIIᵉ s. Petites balades sympathiques au hasard des ruelles en pente. De nombreuses personnalités y ont élu domicile, mais n'espérez pas trop les rencontrer dans le village au cœur de l'été.

Adresses et infos utiles

ℹ️ **Office de tourisme :** 7, pl. Carnot. ☎ 04-90-75-91-90. • *tourisme-en-luberon.com* • *Tte l'année lun-sam.* Donne de nombreuses infos sur Bonnieux, bien sûr, mais aussi sur Buoux et Ménerbes.

■ **Sun-e-Bike :** 1, av. Clovis-Hugues. ☎ 04-90-74-09-96. • *location-velo-provence.com* • Location de vélos à assistance électrique. Pour plus d'infos, voir « Le Luberon à pied et à vélo » en tête de ce chapitre.

LE LUBERON

■ *Rent-Bike Luberon :* 1, rue Marceau. 🖪 07-78-68-34-94. ● rentbikes cooterluberon.com ● Location de VTT, VTC et de remorques pour enfants.

– *Marché hebdomadaire :* ven mat.
– *Marché des potiers :* dim et lun de Pâques. Le rendez-vous d'une cinquantaine de potiers.

Où dormir ?

Camping

⚊ *Camping Le Vallon :* route de Ménerbes. ☎ 04-90-75-86-14. 🖪 06-48-08-46-79 ● info@campingle vallon.com ● campinglevallon.com ● ♿ À env 500 m du village. Ouv de mi-mars à mi-oct. Forfait pour 2,20 € en hte saison. Yourtes 4-12 pers et bungalows toilés 4-5 pers 330-390 €/sem selon taille et saison. 80 empl. Remise de 10 % sur les tarifs locatifs à la sem sur présentation de ce guide. Un petit camping familial au creux d'une colline. Plus ou moins ombragé mais très calme, et l'accueil est vraiment hyper sympa. Originalité du lieu : on peut y louer des yourtes collectives. Le locatif est proposé à la nuitée même en juillet et août, chose suffisamment rare pour être soulignée. Parfait pour les randonneurs. D'ailleurs, le GR 92 passe dans le coin. Location de vélos.

De prix moyens à chic

⚊ |●| *Hôtel César :* pl. de la Liberté. ☎ 04-90-75-96-35. ● info@hotel-cesar.com ● hotel-cesar.com ● Resto tlj sf mer. Congés : de mi-nov à mi-mars. Doubles 60-90 € selon saison et confort. Formule déj 18,50 € ; menus 27-44 €. 🛜 En surplomb du village, bon hôtel familial avec chambres de bon confort offrant, pour une poignée d'entre elles, une vue panoramique exceptionnelle de leur terrasse privative. Celles dans l'annexe de l'autre côté de la rue sont sans charme (et sans vue) mais à tarif très démocratique. Accueil affable et bon resto.

⚊ *Le Clos du Buis :* rue Victor-Hugo. ☎ 04-90-75-88-48. ● contact@ leclosdubuis.com ● leclosdubuis. com ● ♿ Congés : 20 nov-15 mars. Doubles 100-165 € selon saison, petit déj compris. Parking privé fermé. 🖥 🛜 Café offert sur présentation de ce guide. Grande maison de pierre à l'entrée du village. 8 chambres confortables (clim), harmonieuses et personnalisées. Le grand plus de ce petit hôtel de charme, ce sont ses espaces communs, notamment la véranda pour le petit déj, qui offre une vue magnifique sur la vallée. Fort agréable salon aussi, avec cheminée et piano. Petite cuisine équipée à disposition des clients. Dans le jardin, piscine près des figuiers, qui bénéficie aussi de la vue. Excellent accueil.

⚊ *Chambres d'hôtes Les Trois Sources :* chemin de la Chaîne. ☎ 04-90-75-95-58. ● les-trois-sources@wanadoo.fr ● lestrois sources.com ● Tte l'année. Prendre la D 194 direction Goult puis, au bout de 2 km, le petit chemin de terre à droite, juste après le domaine viticole de Château Luc. Compter 84-144 € pour 2 selon confort et saison. CB acceptées. 🛜 Grande ferme fortifiée, solitaire au milieu des vignes et des cerisiers. Très belles et vastes chambres de style rustique. Sol dallé, poutres massives et gros murs de pierre. Accueil simple et sympa. Petit salon avec livres, billard, piano et piscine privée à l'écart, au milieu des cultures.

⚊ *Chambres d'hôtes Le Mas des deux puits :* ancien chemin de Lourmarin (D 232). ☎ 04-90-74-32-80. ● md2p@wanadoo.fr ● masdes deuxpuits.com ● Tte l'année. Compter 90-105 € (voire 130 € pour la suite) pour 2. 🖥 🛜 Pour qui voudrait s'isoler, au milieu des champs de lavande, entre arbres fruitiers et chênes truffiers, face au Ventoux. Accueil chaleureux. 5 chambres confortables et bien aménagées, grande piscine et cuisine d'été à disposition. Cool... Également 2 gîtes à louer.

Où dormir dans les environs ?

🛏 **Chambres d'hôtes La Baume d'Estellan :** *84480 Bonnieux.* ☎ *04-90-75-60-42.* 📱 *06-60-17-13-26.* ● *verges.marie@orange.fr* ● *De Bonnieux, suivre la direction Lourmarin. À la sortie du village, prendre la 1re à gauche (direction Buoux). Faire 1,5 km, puis à droite après l'étoile en fer. Ouv avr-oct. Compter 85-90 € pour 2 selon confort et saison. Gîte 110-120 €.* 🛏 📶 *La maison de Marie et Jacques est originale en diable, éclectique, étonnante. Ajoutons différente, architecturée,* pleine d'amour et de fantaisie. C'est une ancienne bergerie, en partie troglodytique, où se mélangent avec bonheur la roche, le métal, les espaces vitrés, pas mal de trompe-l'œil. Des volumes originaux, mis en valeur par quelques jolies toiles de Marie. 2 chambres, charmantes, et une authentique roulotte (ne se loue pas). À deux pas, un sympathique bassin pour une trempette de fin d'après-midi, avec quelques transats pour sécher au soleil en regardant la vallée.

Où manger ?

De prix moyens à chic

🍴 **L'Heure bleue by Yoha :** *pl. Gambetta.* ☎ *04-90-75-60-83.* ● *contact@ lheurebleuebyyoha* ● *Tlj sf jeu (mer hors saison). Plat du jour 14,50 € ; menu du jour 25 €. Brunchs sur résa, le midi le 2e dim du mois 25 € et de luxe 49 €.* Yoha a sillonné le monde durant de longues années comme cuisinière particulière de grandes familles avant de poser ses couteaux dans sa région natale. Hyper créative, elle propose une cuisine-plaisir atypique, à base de produits d'une grande fraîcheur issus de culture bio ou raisonnée. Sa clientèle, très éclectique, passe à toute heure, pour un apéro-tapas, un thé en journée ou pour le fameux brunch du dimanche matin, dont l'un (sur commande) avec huître, saumon et caviar ! Une adresse pour tous budgets et notre cantine dans ce coin du Vaucluse. On a aimé également son équipe, très disponible, et la vue superbe sur la vallée de la terrasse. Un coup de cœur.

Plus chic

🍴 **Le Fournil :** *5, pl. Carnot.* ☎ *04-90-75-83-62.* 🍴 *Au cœur* du village. Tlj sf lun (plus sam midi en été et mar hors saison). Congés : déc-début fév. Au déj, formule 22 € et menu 30 € ; le soir, menu-carte 30-48 €. L'adresse réputée du bourg. Terrasse bien agréable, sur une mignonne petite place, avec sa fontaine, devant laquelle tout le village défile. Les jours sans soleil, l'intérieur, qui a été entièrement creusé dans la roche, n'est pas mal non plus. Quant à la cuisine, elle est de saison et à l'image de la région.

🍴 **L'Arôme :** *2, rue Lucien-Blanc.* ☎ *04-90-75-88-62.* ● *larome.restau rant@orange.fr* ● *Tlj sf mer et jeu midi (plus jeu soir hors saison). Congés : début janv-fin mars. Menus 31-56 €, carte env 45 €.* Une salle en pierre qui conserve la fraîcheur et une terrasse de poche posée sur les marches de la ruelle. Des tables bien dressées et une cuisine astucieuse, au fond provençal affirmé, ne serait-ce que pour plaire aux nombreux visiteurs étrangers. La carte évolue au fil des saisons et au gré des terroirs. Pas donné, certes, d'autant qu'il n'y a pas de formule le midi. Accueil souriant.

À voir

🎒 🚶 **Le musée de la Boulangerie :** *12, rue de la République.* ☎ *04-90-75-88-34. Dans une vieille maison, en haut du village. Tlj sf mar, avr-juin et sept-oct 10h-12h30, 14h30-18h ; juil-août 10h-13h, 14h-18h ; fermé le reste de l'année. Entrée :*

LE LUBERON

3,50 € ; réduc. Autour d'un four en grès du Second Empire (qui a fonctionné ici jusqu'en 1920), toute une collection d'instruments : pelle à enfourner, panouche, coup de buée (petit réservoir d'eau utilisé pendant la cuisson pour obtenir un pain à la croûte bien dorée), etc. Reconstitution d'un fournil et d'une cuisine provençale. Collections d'affiches et de gravures autour du pain, de moules à gâteau, à glace et à biscuit.

À voir. À faire dans les environs

¶ **L'Enclos des bories :** *quartier Le Rinardas.* ☎ 06-08-46-61-44. ● *enclos-des-bories.fr* ● *Avr-nov, tlj 10h-19h ; le reste de l'année sur rdv. Fermé en cas de forte pluie. Entrée : 5 € ; gratuit moins de 12 ans.* Avec ses 4 ha, ce site est un bon complément à la visite des bories de Gordes. Le site y est beaucoup plus sauvage. Les bories en pierres sèches ont été laissées telles quelles, à demi ruinées et recouvertes de végétation. Elles sont aussi bien plus nombreuses... Aucune explication sur place mais on distingue bien les différentes périodes de construction. On peut, par exemple, observer des bories à meurtrières, souvenir de l'époque où les vaudois y avaient trouvé refuge. Tout au bout du parc vous attend un panorama exceptionnel sur le village de Bonnieux.

🐾🚶 **La forêt de cèdres :** *à 7 km au sud-ouest de Bonnieux par la D 36, tourner à gauche (fléché) au col.* Le cèdre de l'Atlas, implanté ici vers 1860, grâce à des graines récoltées dans le Moyen Atlas marocain, a semble-t-il trouvé la terre du Petit Luberon à son goût, puisque cette forêt est devenue une des plus belles cédraies d'Europe. Ces sous-bois, riches en chants d'oiseaux, dispensent une fraîcheur bienvenue lors des grandes chaleurs. Sentier de découverte (1h).

Manifestations

– **Festival de Musique classique :** *nombreuses manifestations musicales, voir le site* ● *bel-ete.provence.en.luberon.com* ● *Juil, ts les dim à 21h.*

LACOSTE (84480)

Village perché dominé par les ruines (dont une partie a été restaurée) du château du marquis de Sade. Devenu écrivain, le divin marquis s'en est inspiré pour la description du château de Silling où se déroulent les « 120 journées de Sodome ». Son passage dans le village fut assez tumultueux et dura 7 ans, entre 1771 et 1778, date à laquelle sa conduite de mauvais chrétien lui valut d'être emprisonné à la Bastille. À sa mort, le château fut racheté par son concierge. André

UN HOMME TROP LIBRE

Le marquis de Sade restera 28 ans captif. Il explorera toutes les sexualités et sera même condamné à mort par contumace. Il partira avec la sœur de sa femme, une chanoinesse. Mais à l'époque, bien d'autres écrivains étaient libertins. Lui proclamait un athéisme absolu. Il refusait toute autorité. Ses écrits sont, en fait, plus subversifs qu'obscènes. Voilà pourquoi il effrayait tant le pouvoir.

Bouer, ancien propriétaire, l'a restauré à son rythme pendant une quarantaine d'années. Et le château a continué de faire rêver. Les bédéphiles liront avec bonheur *Le Vampire de Lacoste*, de Savard, aux éditions Dargaud. Désormais, c'est le couturier Pierre Cardin qui en est l'heureux propriétaire. Il y présente des expositions temporaires d'art contemporain en été. Et il continue d'investir dans le village, restaurant de nombreuses maisons, l'épicerie, une galerie d'art, un café, ouvrant même un immense centre culturel dans l'ancienne gare de Bonnieux... Par ailleurs, il organise dans les carrières du château un *festival de Musique*, la 2ᵈᵉ quinzaine de juillet (infos : ● festivaldelacoste.com ●).

Adresse et info utiles

🛈 ✉ *Bureau d'information de l'office de tourisme intercommunal de Provence en Luberon :* fait également poste ; en haut du village.

☎ 04-90-06-11-36. ● lacoste-84. com ● Ouv lun-ven (9h-11h30 et 13h30-17h) et sam 9h-11h30.
– *Marché hebdomadaire :* mar mat.

Où dormir ? Où manger ?

🏠 |●| *Café de France :* ☎ 04-90-75-82-25. ● chambrescafedefrance@ hotmail.fr ● En plein centre. Resto fermé le soir hors saison. Congés : 1ᵉʳ nov-31 mars. Double 55 €. Le midi en sem, menu 15 € ; carte 20-30 €. CB refusées. 📶 Ancien relais de poste où – dit-on – Henry Miller commença l'écriture de *Jours tranquilles à Clichy...*

Chambres refaites à neuf, meublées d'ancien. L'une d'entre elles dispose d'un balcon et quelques-unes offrent une belle vue sur la plaine, les villages fortifiés et le Ventoux au loin. Côté resto, agréable terrasse ombragée par des parasols avec un choix pour toutes les bourses, de l'omelette à la grosse entrecôte.

MÉNERBES (84560)

Village-forteresse, ancien bastion huguenot, Ménerbes s'étire en longueur sur un promontoire escarpé et en langueur à la belle saison, avec l'arrivée des premiers flots touristiques. Eh oui, c'est ça aussi Ménerbes... et ça « ménerbe », comme dirait un villageois aussi enrhumé que résistant. Beaucoup de charme, cela dit, pour qui prend le temps de se promener au long des rues, hors saison, et superbe panorama depuis le vieux château. Quelques peintres célèbres sont passés par là, comme Nicolas de Staël et Picasso. Ce dernier offrit une belle demeure à son amante et muse Dora Maar... en cadeau de rupture !

À voir

🍄 *La Maison de la truffe et du vin :* pl. de l'Horloge. ☎ 04-90-72-38-37. ● vin-truffe-luberon.com ● Avr-oct, tlj 10h-18h30 ; nov-mars, jeu-sam 10h-17h. Entrée libre et dégustation gratuite. Au cœur du village, bel hôtel particulier du XVIIᵉ s devenu lieu d'initiation aux techniques de la dégustation de vin ouvert à tous. Faites un tour dans les caves, espace d'information et de vente des crus régionaux. Il s'agit de la plus grande « cave-œnothèque » de la région, et les vins y sont vendus au même prix que chez le producteur. Plusieurs événements tout au long de l'année : sortie cavage avec un trufficulteur et son chien, petit marché de la truffe à Noël, etc.

|●| 🍷 Pour prolonger le bonheur de l'instant, faites un tour du côté du *Restaurant* (avr-oct : 12h30-14h dim-ven et 19h30-21h lun-jeu) et *bar à vins* (les ap-m ainsi que ven et sam soir) de l'accueillant chef Pierre Martre (☎ 04-90-72-38-37 ; ● info@

vin-truffe-luberon.com ●). À la carte, brouillade, omelette et brie de Meaux truffés, ainsi que de savoureux menus complets à la truffe d'été ou d'hiver (27-48 €). À déguster dans de romantiques jardins à la française avec un superbe panorama sur la vallée.

🍴 *Le musée du Tire-Bouchon :* domaine de la Citadelle. ☎ 04-90-72-41-58.
● domaine-citadelle.com ● ♿ À 1,5 km en contrebas du village, sur la route de
Cavaillon. Juil-août 9h-19h (10h le w-e). Avr-juin et sept-oct, tlj 10h-12h, 14h-19h ;
nov-mars, tlj sf dim jusqu'à 17h. Entrée : 4 € ; réduc ; gratuit moins de 15 ans. Les
mille et une façons de déboucher une bonne bouteille : une collection unique de
1 200 modèles du XVIIe s à nos jours. Voir également une compression de tire-
bouchons signée César. Visite en complément de la cave, du grand chai, et pour
finir, dégustation des vins de la propriété.

OPPÈDE (84580)

Deux villages pour le prix d'un : Oppède-les-Poulivets, village de la plaine qui revit
aujourd'hui, avec ses artisans du goût, son bistrot sympa, et Oppède-le-Vieux.
Dans le « club » des villages perchés du Luberon, ce dernier est peut-être celui
auquel on a trouvé le plus de charme. Est-ce pour son ambiance de village abandonné (depuis le XIXe s), où voisinent ruines et maisons restaurées ? Ce qui est sûr,
c'est que le goudron n'a pas encore gagné le village : les ruelles sont pavées ou
encore en terre. Ne pas manquer la visite de la *collégiale Notre-Dame-d'Alidon*,
en surplomb du village, dont la restauration est en partie financée par le *Festival
d'Oppède*, présidé par Michel Leeb (théâtre, humour et musique sur 4 jours début
ou mi-août, avec – chaque année – une belle affiche de célébrités bénévoles !).
Accès au village facilité par l'ouverture d'un parking aménagé dans un jardin à la
fois paysagé et payant, comme il se doit.

Où dormir ? Où manger ? Où boire un verre ?

🏠 🍴 🍷 *Le Petit Café :* pl. de la
Croix, Oppède-le-Vieux. ☎ 04-90-76-
74-01. ● contact@petitcafe.fr ● petit
cafe.fr ● Fermé mer. Congés : janv.
Doubles 75-95 € selon confort, petit
déj compris. Menus 22-28 €. Apéritif
maison offert sur présentation de ce
guide. C'est un condensé de tout ce
que l'on aime en Provence : une jolie
petite place de village, une terrasse
ombragée et fleurie, une cuisine pleine
de soleil et de fraîcheur (anchoïade,
aïoli et délicieux clafoutis avec fruits
du jardin) et 3 chambres d'hôtes soignées avec en prime des espaces
pour se détendre (terrasse-solarium,
salon TV dans une salle voûtée, sauna
et jacuzzi...). Décor de carte postale.
Presque un cliché ! Mais tellement bien.

À faire

➤ *Le sentier vigneron d'Oppède :* balade à travers les cerisiers, les oliviers et
surtout les vignes des environs d'Oppède. Demandez le petit plan au kiosque
situé sur le parking un peu avant le village. Environ 1h30 de marche, ponctuée par
des panneaux explicatifs qui permettent de comprendre un peu mieux le paysage
observé, la vigne et le vin. Et si, au bout du parcours, vous n'y tenez plus, poussez
donc jusqu'à la cave du Luberon à Coustellet (☎ 04-90-76-90-01). Là, vous pourrez goûter le produit des cépages que vous aurez croisés.

ROBION (84440)

Un village que l'on traverse souvent trop vite pour repartir vers Cavaillon, qui
n'est qu'à 5 km par la D 2. Belle église du XVe s, précédée d'une vaste place où
glougloute une fontaine. Au-dessus du village, le cirque du Boulon, joli site naturel.
Belle route sinon pour rejoindre à vélo Maubec, le village voisin, qui en réalité ne
fait qu'un avec Robion.

Où dormir ? Où manger à Robion et dans les environs ?

Campings et gîte

☒ **Les Cerisiers :** chemin de la Tour-de-Sabran, 454, route de Lagnes. ☏ 06-88-39-08-59. • campinglescerisiers@free.fr • lescerisiers-luberon.com • À 3 km de Robion (accès fléché). Ouv avr-fin sept. Forfait pour 2, 24 € en hte saison. Loc de mobile homes pour 2-8 pers 225-790 €/sem. CB refusées. Petit camping de 25 emplacements, bien équipé, avec piscine et pataugeoire pour les enfants, entouré de champs de pommiers et de cerisiers. L'accueil est très sympa, joyeux même. D'ailleurs, si vous êtes gentil, vous aurez peut-être droit à des cerises et confitures de cerises... Aquagym, sorties à vélo organisées 2 fois par semaine en été, spectacles... Location de vélos et de tandems.

☒ ☖ **Les Royères du Prieuré :** 52, chemin de la Combe-Saint-Pierre, 84660 **Maubec**. ☏ 04-90-76-50-34. • camping.maubec.provence@wanadoo.fr • campingmaubec-luberon.com • Ouv d'avr à mi-oct. Compter 12 € pour 2 pers avec tente et voiture. Loc de 2 mobile homes pour 2-5 pers 375-450 €/sem. Nuitée 12-14 € selon saison en gîte. ☎ Un petit camping familial au pied de la colline et du centre ancien de Maubec. Emplacements bien ombragés sur des terrasses séparées par des murets de pierres sèches. Sanitaires neufs. Gîte de 15 couchages également, avec cuisine équipée, ouvert toute l'année (chauffé en hiver).

De prix moyens à plus chic

☖ **Chambres d'hôtes Fa-mille** (Hélène Rodriguez) **:** 39, rue Joseph-Faraud. ☏ 06-30-19-91-66. • helene_robion@msn.com • fa-mille.com • En plein centre. Ouv tte l'année. Compter 75-85 € pour 2 selon saison. ▯ ☎ Réduc de 10 % sur le prix de la chambre sur présentation de ce guide. Cette maison d'hôtes, conviviale et chaleureuse, recèle 3 chambres très simples mais bien tenues. 2 d'entre elles ont la salle de bains intégrée à la chambre (douche italienne), la 3e offre un original lit à eau mais partage une salle de bains commune avec les proprios. Cuisine à dispo. Possibilité de louer à la semaine ou toute la maison pour une grande famille de 6-8 personnes.

|●| **La Bergerie :** 75, chemin du Puits-de-Grandaou, 84660 **Maubec**. ☏ 04-90-76-83-95. • labergerie-maubec@orange.fr • Entre le camping et la place centrale. Tlj sf dim hors juil-août. Formule déj en sem 14,50 €, carte env 30 €. Café offert sur présentation de ce guide. L'ambiance ? Une terrasse en pierre bien ombragée donnant sur les vignes et le vieux village (avec souvent du mistral gagnant !) et de la bonne humeur distillée par un patron surnommé Nounours, originaire de Troyes dans l'Aube et jazzman à ses heures (chanteur et trompettiste, il organise des soirées jazz régulièrement)... Et dans l'assiette, nous direz-vous ? Eh bien, de grosses salades, des pizzas, des pâtes fraîches et des grillades, plus quelques plats provençaux pour faire bonne figure. Le tout est à l'image du patron, généreux et sans chichis.

LE LUBERON

Où acheter de bons produits ?

☗ **Confiturerie de La Roumanière :** pl. de l'Église. ☏ 04-90-76-41-47. • confiturerie-la-roumaniere-robion.fr • Tte l'année, tlj sf dim et j. fériés ; fermé aussi sam hors saison. Une confiturerie artisanale qui offre la possibilité à de nombreuses personnes handicapées moteur de pouvoir travailler. Confitures doublement extra (elles sont fabriquées pour la plupart avec une proportion de 55 % de fruits) et d'une grande originalité. On a craqué pour les confitures de pastèques au citron et à la vanille... Visite de la fabrique sur simple demande.

À voir. À faire dans les environs

🕯 *Le musée de la Lavande :* route de Gordes, 84220 **Coustellet.** ☎ 04-90-76-91-23. ● museedelalavande.com ● ♿ Mai-sept, tlj 9h-19h ; le reste de l'année, 9h-12h15, 14h-18h (derniers tickets 30 mn avt). Congés : janv. Entrée : 6,80 € (audioguide inclus) ; 4 € sur présentation de ce guide ; gratuit moins de 15 ans. Chez les Lincelé, on est cultivateur et distillateur de lavande fine de père en fils depuis quatre générations. Ce joli musée, construit autour de leur collection d'alambics, est d'abord un moyen de promotion de la « vraie » lavande, protégée par une AOC, dont on prendra bien soin de ne pas confondre avec le lavandin (voir la rubrique « Lavande » dans le chapitre « Hommes, culture, environnement » en début de guide). Belle collection, donc, d'alambics en cuivre rouge de 1626 à nos jours, récupérés pour la plupart dans les Alpes-de-Haute-Provence. Devant chaque alambic, des panneaux explicatifs font découvrir toutes les techniques de distillation de la lavande : à feu nu, au bain-marie, à vapeur et à concrète (il n'existe plus que deux alambics à concrète dans le monde, dont celui-là). Deux courts films documentaires. Démonstration du processus, avec alambics *(juil-août, tlj sf sam 10h-12h, 14h-18h, devant le musée).*

| 👓 À la sortie, **boutique** de produits avec huiles essentielles, bouquets séchés, cosmétiques naturels, etc. | Produits de qualité, cela dit pour vous rassurer à la vue de certains prix. |

➤ Ne pas manquer le *marché paysan de Coustellet (au carrefour des routes de Gordes, Cavaillon, Avignon et Apt, mer 17h-19h30 de juin à mi-sept, et dim mat début avr-fin déc).* Difficile d'imaginer cadre plus laid pour un marché du terroir, mais qu'importe le cadre pourvu qu'on ait la qualité. Très renommé dans la région, donc très touristique, il rassemble une centaine d'agriculteurs et de petits producteurs de 18 communes. Le marché accueille en saison des ostréiculteurs de l'étang de Tau. Une demi-douzaine d'huîtres au petit matin, à faire glisser doucement dans le gosier... Attention, il faut arriver tôt, car il y a un monde dingue !

GOULT (84220)

Un peu perché au-dessus de la D 900. Au pied d'un vieux château (qui ne se visite pas), un petit village qui ne manque pas de caractère, avec son église fortifiée et ses vieilles rues.

Où dormir ? Où manger dans le coin ?

De bon marché à prix moyens

🏠 *Chambres d'hôtes Le Mas Marican :* ☎ 04-90-72-28-09. ● claude chabaud@orange.fr ● mas-marican. fr ● En venant de Cavaillon, sur la D 900, au niveau de Lumières, prendre à droite la D 106 vers Lacoste, puis 1re à droite vers le quartier Marican. C'est la 1re ferme sur la gauche (fléché). Congés : nov-fin mars. Compter 62 € pour 2. 📶 La ferme, l'exploitation agricole, les champs de légumes. Une adresse simple, impeccable et confortable. Les 5 chambres (toutes avec sanitaires) sont petites mais à ce prix-là, c'est une aubaine, le sourire de Maryline en prime. Cuisine à disposition.

🍴 *Le chauve sourit :* 84220 Saint-Pantaléon. ☎ 04-32-50-23-58. ● chauve0706@hotmail.fr ● À env 4 km de Goult. Tlj sf dim soir (et ts les soirs hors saison sf ven). Congés : 20 déc-22 déc. Résa conseillée (surtout pour la terrasse). Menu 14,50 € (midi en sem). Carte env 30 €. Café offert sur présentation de ce guide. Au cœur de ce village hors circuits, on retrouve quand même quelques touristes sur la tranquille terrasse, aux côtés de gars qui bossent dans le coin. Tous attirés par l'accueil nettement décontracté, la cuisine franche et généreuse (préparez-vous pour la sieste !) et les prix gentils. Quant à l'enseigne, il suffit d'apercevoir le chef dans sa cuisine ouverte sur la petite salle...

I●I Café de la poste : rue de la République. ☎ 04-90-72-23-23. Midi slt, tlj sf lun. Congés : de mi-janv à mi-fév. Salades 15-20 €. Menu 22 € en sem, carte. Belle terrasse sous les micocouliers, pleine comme un œuf chaque midi en été. Grande salle bistrot avec son zinc, où s'accoudent les habitués, et ses présentoirs à journaux avec les gazettes locales. Ambiance bon enfant pour une cuisine de marché de bonne facture.

I●I La Fleur de sel : 84220 Les Beaumettes. ☎ 04-90-72-23-05. ● lafleur deselbeaumettes@gmail.com ● ✗. Tlj sf dim soir-lun. Congés : de mi-déc à mi-janv. Formule au menu déj en sem 14,50-19,50 €. Autre menu 30 €. Café offert sur présentation de ce guide. Inversons, pour une fois, les rôles : monsieur est en salle (pour un accueil et un service aussi polis qu'attentionnés) et madame aux fourneaux pour une cuisine qui fait preuve de sincérité (et souvent de bonnes idées). Salle à la déco sans effets de manche et grande terrasse sur l'arrière. Et prix très serrés eu égard à la qualité de l'ensemble.

Chic

🛏 Chambres d'hôtes Au Ralenti du lierre : montée du Château, Les Beaumettes. ☎ 04-90-72-39-22. ● info@ auralentidulierre.com ● auralentidu lierre.com ● Compter 115 € pour 2. Clim. 🛜 Un nom pareil, il fallait déjà le trouver... C'est la maison d'hôtes de charme par excellence. Tout a été réalisé au départ avec soin, minutie, passion et, surtout, beaucoup de goût, des salons aux 5 chambres en passant par les espaces extérieurs. Et chaque année voit de nouveaux aménagements apporter leur contribution au bien-être général : un atelier d'artiste par-ci, une chambre (avec cheminée du XVIIIᵉ s) par-là, une piscine par là-bas...

I●I Auberge de la Bartavelle : rue du Cheval-Blanc. ☎ 04-90-72-33-72. ✗. Ts les soirs sf mar-mer. Congés : de mi-nov à début mars. Menu unique 45 €. Terrasse. Dès la porte franchie, c'est toute la Provence qui explose dans ce restaurant. Murs jaunes et tissus provençaux, ambiance décontractée et chaleureuse. Pour un peu, on entendrait des grillons chanter dans la cuisine. En fait, ce sont les casseroles et les poêles qui crépitent sur le feu, où mijotent des plats traditionnels pleins de saveurs et de goûts typiques.

LE LUBERON

Où acheter des fruits confits dans le coin ?

⚜ Confiserie Saint Denis : Z.A. plan des Amandiers, route d'Apt (N 900), Les Beaumettes. ☎ 04-90-72-37-92. Tlj sf dim et j. fériés (tlj Toussaint-Noël) 9h30-12h, 14h30-19h. Visite de la confiserie ven à 17h sur rdv. En déménageant d'Apt aux Beaumettes, cette bonne confiserie à l'ancienne a

pris ses aises, pour mieux servir les habitués. Des fruits confits travaillés par Denis Rastouil, qui ont une douceur extrême et dont le parfum vous restera longtemps en bouche. Accueil très sympathique qui sent bon la Provence éternelle.

À voir. À faire

🎋 Le Conservatoire des cultures en terrasses : accès par le chemin qui grimpe à gauche après l'église. GRATUIT. Ces terrasses, qui forment comme un vaste amphithéâtre, constituent la réponse des paysans provençaux aux pluies diluviennes qui emportent les terrains en pente. Abandonnées, les cultures en terrasses ont pratiquement disparu de la région, sauf ici, où le parc a contribué à leur restauration.

➤ *Circuit pédestre* (avec panneaux explicatifs) de 1h environ pour découvrir tout ce qu'on peut faire avec de simples pierres sèches : murs de soutènement des terrasses (qui retiennent la terre mais laissent passer l'eau), citernes, bories... Ingénieux et finalement très esthétique.

LE PAYS D'APT ET LES MONTS
DU VAUCLUSE

C'est un paysage bien différent qui vous attend, une fois passé Apt (passage plutôt difficile les jours de marché !). Si des envies de solitude vous prennent, vous pouvez filer sur le plateau de Sault (voir plus loin) ou vous préparer à affronter les foules à Roussillon et surtout à Gordes, village devenu l'emblème même du Luberon alors qu'il fait partie des monts du Vaucluse.

APT (84400) 11 170 hab. *Carte Vaucluse, C3*

APT ET SES ENVIRONS

Cité romaine, puis ville épiscopale au Xe s, Apt a perdu de sa superbe à cause de ces faubourgs sans âme que l'on est bien obligé de traverser avant d'atteindre le cœur du vieil Apt, bien plus charmant et... apte (on n'a pas pu s'empêcher !) à séduire le visiteur de passage. Elle dégage aussi une atmosphère qui tranche avec le reste du Luberon, sûrement liée à la présence des néo (pour néoruraux !) et autres babas que le

MERCI QUI ?

C'est grâce au péché mignon des souverains pontifes que naît la production des fruits confits, dès le XIVe s. Le principe ? Remplacer l'eau des fruits par une solution sucrée. Le p'tit secret ? On les imbibe d'un gaz qui rend leur chair perméable au sucre et hop, on les plonge dans un liquide sucré. Plus fort que le pain béni, plus fort que l'hostie : le fruit confit. Merci, les papes !

pays d'Apt a attirés depuis les années 1970.
Il ne faut surtout pas rater le marché du samedi matin, qui s'étend dans tout le centre et où toute la région se retrouve, autour des couleurs et des senteurs de Provence. De temps immémoriaux, le marché a toujours été essentiel à la vie de tout le pays d'Apt, étroitement lié par le jeu des saisons, de la tradition, des coutumes et de l'habitude. Pour son ambiance et son authenticité, le marché d'Apt est labellisé « Marché d'exception ».

Adresses utiles

🖻 *Office de tourisme intercommunal Provence en Luberon* (plan A1) **:** 20, av. Philippe-de-Girard. ☎ 04-90-74-03-18. • luberon-apt.fr • Tlj sf dim hors saison. Visites guidées de la ville et des villages des environs, tous les matins en été (4 €).
■ *La Maison du parc naturel*

régional du Luberon (plan B1) **:** 60, pl. Jean-Jaurès, BP 122, 84404 Apt Cedex. ☎ 04-90-04-42-00. • parcdu luberon.fr • Lun-ven 8h30-12h, 13h30-18h. GRATUIT. Installée dans un hôtel particulier du XVIIe s, elle présente une vaste exposition permanente sur le Luberon. Et abrite un joli musée de

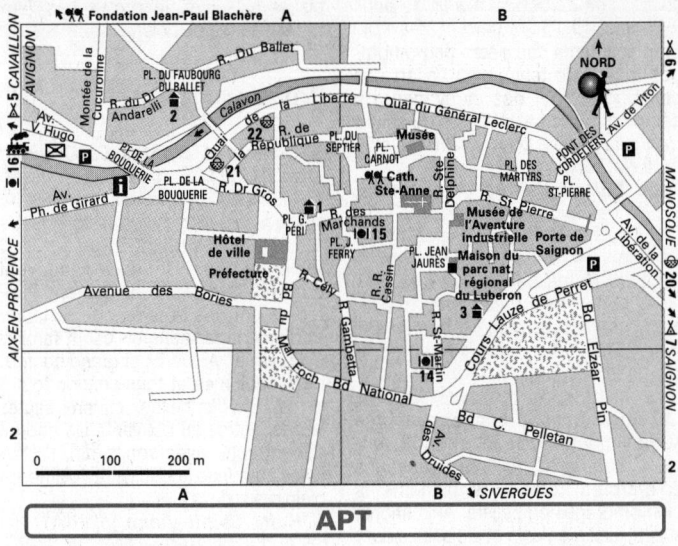

Légende de la carte

■	Adresse utile
🛈	Office de tourisme intercommunal Provence en Luberon

⛺ 🏠 Où dormir ?
1 Hôtel le Palais
2 Hôtel Sainte-Anne
3 Chambres d'hôtes Le Couvent
5 Camping La Clef des Champs
6 Camping municipal Les Cèdres
7 Camping Le Luberon

🍽 Où manger ?
14 Thym te voilà
15 Au Platane
16 Chez Sylla

⊛ Où acheter des fruits confits ?
20 Aptunion
21 Confiserie Le Coulon
22 Confiserie Marcel Richaud

géologie. Au printemps, elle organise en semaine des sorties buissonnières sur le terrain à la découverte de la flore, de la faune, du patrimoine et des richesses géologiques, et c'est gratuit ! Édite gratuitement un calendrier d'activités et un guide des balades et randonnées.

Où dormir ?

Campings

⛺ **La Clef des Champs** (hors plan par A1, 5) : quartier des Puits, chemin des Abbayers. ☎ 04-90-74-41-41. ● la-clef-des-champs2@wanadoo.fr ● camping-luberon.com ● ♿ À 3 km du centre-ville ; à la sortie d'Apt direction Cavaillon, tourner à droite direction Cité Saint-Michel, puis grimper en suivant le fléchage. Ouv avr-sept. Compter 17,50 € pour 2 en hte saison. Loc de mobile homes pour 4 pers 250-650 €/ sem. CB refusées. 27 empl. Beau camping sur les hauteurs, au milieu d'un verger. Piscine, snack et jeux d'enfants. Sanitaires nickel et accueil sympa. Le GR 9 passe dans le secteur.

⛺ **Les Cèdres** (hors plan par B1, 6) : 63, impasse de la Fantaisie. ☎ 04-90-74-14-61. ☎ 06-65-65-22-39. ● lucie. bouillet@yahoo.fr ● camping-les-cedres.fr ● ♿ À 300 m du centre-ville. Ouv 15 fév-15 nov. Compter 10,30 €

pour 2. Loc de bungalows toilés pour 5 pers 240-280 €/sem. 75 empl. Emplacements campeurs peu ombragés mais bien tenus et à l'écart des camping-cars et des caravanes. Un camping municipal tout près du centre mais pas bruyant pour autant. Buvette, épicerie, infos.

⚕ **Le Luberon** (hors plan par B1, **7**) : av. de Saignon. ☎ 04-90-04-85-40. ▤ 06-79-84-71-54. ● leluberon@wanadoo.fr ● campingleluberon.com ● À 1,5 km d'Apt, par la route de Saignon. Ouv avr-sept. Compter 26,90 € pour 2 en hte saison. Hébergement locatif 315-790 €/sem. Réduc de 5 % sur le tarif camping, tente et caravane en basse et moyenne saisons. 110 empl. Dans la nature, avec vue sur les monts de Vaucluse et le Ventoux. Beaucoup de fleurs sauvages et d'arbres fruitiers. Emplacements bien ombragés en paliers. Animations, snack, jeux d'enfants et 2 piscines dont une chauffée.

Bon marché

🏠 |●| **Hôtel le Palais** (plan A1, **1**) : 24 bis, pl. Gabriel-Péri. ☎ 04-90-04-89-32. ● welcome@hotel-le-palais.com ● hotel-le-palais.com ● En face de la mairie. Congés : 15 janv-15 fév. Doubles 55-67 € selon saison. ▭ 🛜 Pas de méprise sur l'enseigne ! Toutefois, le chaleureux jeune couple qui veille désormais à la destinée de cet hôtel, installé dans une vieille maison du centre-ville, a retroussé ses manches pour offrir aujourd'hui de plaisantes chambres, franchement rénovées dans un discret style provençal. Au resto :

Où manger ?

De bon marché à prix moyens

|●| **Au Platane** (plan B1, **15**) : 25, pl. Jules-Ferry. ☎ 04-90-04-74-36. ● auplatane@sfr.fr ● Tlj sf mer et dim en saison (ouv j. fériés) ; dim-lun en basse saison. Congés : 10 j. à la Toussaint. Le midi, formules 15-16,90 € ; menus 20,50 € (végétarien) et 29,90 €.

pizzas maison et plats provençaux (eux aussi !) au feu de bois.

Prix moyens

🏠 **Chambres d'hôtes Le Couvent** (plan B1, **3**) : 36, rue Louis-Rousset. ☎ 04-90-04-55-36. ● loucouvent@orange.fr ● loucouvent.com ● Ouvtte l'année. Compter 98-130 € pour 2 selon confort. Un ancien couvent du XIIᵉ s que Marie et Laurent Pierrepont ont pris le temps de restaurer et d'aménager dans un esprit familial et convivial. Austérité et grand confort, beaux volumes et tons chauds tout à la fois. Si vous hésitez encore, sautez le pas, entrez au couvent ! Un endroit décontracté, avec son jardin, sa terrasse autour de la piscine, au calme, en plein cœur de la ville.

🏠 **Hôtel Sainte-Anne** (plan A1, **2**) : 62, pl. Faubourg-du-Ballet. ☎ 04-90-74-18-04. ● reservation@apt-hotel.fr ● apt-hotel.fr ● Congés : janv. Doubles 89-92 € selon confort et saison. ▭ 🛜 Apéritif offert sur présentation de ce guide. Dans un bel hôtel particulier du XIXᵉ s, sur une petite place avec fontaine glougloutante, 8 chambres personnalisées entièrement refaites, d'allure élégante. Parquet, lustre ancien, mobilier de qualité, salle de bains moderne, l'ensemble est bien pensé et offre beaucoup de confort (clim, écran plat, matelas neuf...). Les plus chères sont vraiment spacieuses ! Le riche petit déj se prend dans un calme patio. Et pour rejoindre le centre-ville, il suffit d'emprunter la passerelle qui enjambe la rivière. Accueil très pro.

Compter 40 € à la carte. 🛜 On grimpe le petit escalier pour découvrir cette terrasse élégante et ombragée par de beaux mûriers platanes. La belle surprise de la ville où l'on offre une cuisine sans complexe, sans chichis et au diapason des produits du marché. Et que voilà de la fraîcheur, des saveurs et du soleil dans les assiettes ! Une cuisine sincère et légère mais sans rogner sur les portions. On se sent en confiance dans cette maison où le chef exprime un vrai tournemain. Et les prix attractifs attirent bien du monde, midi et soir.

I●I Thym te voilà (plan B2, **14**) : 59, pl. Saint-Martin. ☎ 04-90-74-28-25. ● thymtevoila@gmail.com ● ♿ Tlj sf dim, lun et le midi des j. fériés (plus le soir mar-ven hors saison). Congés : de déc à mi-mars. Formules à partir de 11,50 €, menu 26,90 €. Un restaurant sympathique, un peu caché, qui n'en a que plus de mérite d'exister, avec sa terrasse mignonne, sa salle chaleureuse. Cuisine aux saveurs d'ici et d'ailleurs.

I●I Chez Sylla (hors plan par A1, **16**) : 406, av. de Lançon. ☎ 04-90-04-60-37. ● chezsylla@sylla.fr ● À l'entrée ouest d'Apt, sur la D 900. Bien indiqué. Ouv lun-sam 9h-19h (18h30 hors saison) pour la dégustation et 12h-14h pour déj. Le midi, formules 12,50-19,50 €. Réduc de 5 % sur les formules dégustation sur présentation de ce guide. C'est une belle coopérative, présente ici depuis 1925, qui s'est considérablement modernisée au fil des années. Les vins sont divers et variés. La dégustation vaut le coup, mais on peut aussi y faire halte pour le déjeuner. Une petite faim vite comblée par l'assiette de fromages accompagnée d'une salade et de tranches de pains spéciaux. Tout est frais, bien présenté et servi avec bienveillance.

Où manger dans les environs ?

De prix moyens à plus chic

I●I Le Sanglier Paresseux : au centre du village, 84750 **Caseneuve**. ☎ 04-90-75-17-70. ● contact@san glierparesseux.com ● ♿ Fermé dim soir et lun midi juin-août (dim midi et lun hors saison). Congés : 22 déc-29 janv. Formule déj 25 €, menus 31-49 €. Un nom qui fait sourire mais qui a rendu célèbre dans tout le Luberon ce petit resto perché au cœur d'un village oublié. Lignes modernes sur fond de tradition respectée : la cuisine du chef, formé chez *Bocuse* et au *Meurice,* est à la croisée de tous ces chemins parcourus au fil des ans. Parfumée, colorée mais rigoureuse, dans ses cuissons comme dans sa présentation. À savourer l'été en terrasse, pour profiter de la vue imprenable, ou à l'intérieur, près de la cheminée, dans une déco d'aujourd'hui. Service à la fois classe et gentil, à l'image de la maison.

I●I La Table de Pablo : Les Petits-Cléments, 84400 **Villars**. ☎ 04-90-75-45-18. ● restaurantlatabledepablo@ orange.fr ● ♿ Sur la D 124, à la sortie de Villars, en direction de Rustrel. Tlj sf mer midi en saison ; mer, jeu midi et sam midi hors saison. Congés : de janv à mi-fév. Menus 31-40 €. L'un des restos tendance du moment autour d'Apt. Une intelligente cuisine provençale avec un zeste d'originalité et pas mal de savoir-faire. Des plats bien enlevés, réalisés à base de beaux produits du terroir, sélectionnés avec rigueur. Le chef, jeune et passionné, travaille seul en cuisine et va à l'essentiel. Même la déco de la salle est épurée. Quant à sa compagne, sommelière de métier, elle s'occupe du service avec professionnalisme. Le menu du midi est d'un excellent rapport qualité-prix. Carte de vins issus de l'agriculture raisonnée ou bio. Et aux beaux jours, agréable terrasse.

APT ET SES ENVIRONS

Où acheter des fruits confits dans le coin ?

Mme de Sévigné, en son temps, comparait la région d'Apt à un « vaste chaudron à confiture ». La ville reste aujourd'hui la capitale mondiale du fruit confit, classée « Site remarquable du goût ». Chacun de ses artisans se transmettant passion et savoir-faire de père en fils, chacun déclinant toutes les facettes de la confiserie : fruits confits égouttés (les plus courants), glacés (les plus connus) ou cristallisés au candi. Sans oublier les pâtes de fruits, calissons et autres gourmandises.

☙ **Aptunion** (hors plan par B1, **20**) : à 2 km d'Apt sur la N 100 (direction Avignon). ☎ 04-90-76-31-43. Lun-sam 9h-12h30, 13h30-18h30 (sf sam, ferme à 18h). Visite possible de la fabrique sur résa et dégustation gratuite. Fruits confits en vente directe de l'usine. Également des marrons glacés, des fruits à l'alcool ou encore des cerises au marasquin.

☙ **Confiserie Marcel Richaud** (plan A1, **22**) : 112, quai de la Liberté. ☎ 04-90-74-13-56. Ouv mar-sam. Ouv de mi-mars à déc (tlj en déc). Plus cher que le précédent, mais il faut comparer ce qui est comparable... Bref, une belle boutique où l'on vend d'excellents fruits confits. Fabrication artisanale et avec des fruits de saison, ce qui n'est pas le cas partout...

☙ **Confiserie Le Coulon** (plan A1, **21**) : 24, quai de la Liberté. Tlj sf dim-lun. Bien bons fruits confits, de fabrication artisanale.

À voir

🏹 La **vieille ville** (plan A-B1), avec ses hôtels particuliers des XVIe et XVIIe s, la tour des remparts et le vieux quartier.

🏹🏹 **La cathédrale Sainte-Anne** (plan B1) : tlj sf dim mat 10h (9h en été)-12h, 15h-17h (18h en été) ; visite guidée sur rdv au ☎ 04-90-04-85-44. Édifiée aux XIe et XIIe s, agrandie au XIVe s puis remaniée au XVIIe s, la cathédrale-basilique d'Apt est une des plus anciennes de Provence. Siège de l'évêché jusqu'en 1801. Deux cryptes s'étendent sous la nef. La crypte supérieure (XIe s) ressemble à une église en miniature avec ses trois petites nefs (autel du Ve s) et son déambulatoire. La crypte inférieure (Ier s) se résume à un étroit couloir recouvert de dalles carolingiennes se prolongeant par une chapelle. Atmosphère... Chapelle royale construite en l'honneur d'Anne d'Autriche (venue remercier sa patronne pour l'arrivée de Louis XIV), remplie de reliques diverses, et trésor dans la sacristie.

🏹 **Le musée de l'Aventure industrielle** (plan B1) : pl. du Postel. ☎ 04-90-74-95-30. ♿ Juil-août, lun-sam 10h-12h, 14h-18h30 ; le reste de l'année, mar-sam 10h-12h, 14h-17h30. Entrée : 5 € ; réduc ; gratuit moins de 16 ans. Visites guidées en saison ; se renseigner. Ce musée, installé dans une ancienne usine de fruits confits, retrace l'activité industrielle du pays d'Apt à travers ses trois ressources naturelles, l'ocre, l'argile et les cultures fruitières. L'ocre pour la fabrication des pigments de couleur, l'argile pour les faïences et les céramiques architecturales comme les carrelages ou les tuiles, et les cultures fruitières pour la fabrication des fameux fruits confits. Ces petits trésors de bouche qui ont vu le jour ici grâce au climat, à la terre et au savoir-faire des artisans du pays, mais également aux souverains pontifes d'Avignon : Clément VI, pape gourmet, demandait chaque année une dîme de « 50 setiers de fruits confits ».

🏹🏹 **La Fondation Jean-Paul-Blachère** (hors plan par A1) : 384, av. des Argiles-Z.I. ☎ 04-32-52-06-15. ● fondationblachere.org ● Mar-sam 14h-18h30 (plus dim juil-août et déc). GRATUIT. L'entreprise Blachère, spécialisée dans la guirlande lumineuse, est célèbre dans le monde entier pour la qualité de ses illuminations. Son dirigeant, passionné d'art contemporain africain et mécène inspiré, a voulu cette fondation à proximité de ses locaux, afin de la rendre accessible à tous, à commencer par ses employés. Et on ne peut que vous encourager à quitter le centre-ville et à venir vous perdre momentanément dans cette zone industrielle pas franchement glamour. Les expos temporaires organisées par la Fondation sont d'une qualité rare (et magnifiquement éclairées !). Elles accueillent les plus grands artistes actuels du continent africain et de la diaspora. Sur place, une boutique d'art et d'artisanat offre un bel aperçu du savoir-faire africain ; on y trouve, par exemple, de splendides bijoux à prix doux, certifiés « commerce équitable ». Également un restaurant *(midi lun-ven)*, salon de thé (☎ *06-03-84-58-21 ; ap-m mar-sam)*.

À voir dans les proches environs

✗ Les mines d'ocre de Bruoux : *1434, route de Croagne,, 84400* **Gargas.** ☎ *04-90-06-22-59.* ● *accueil@minesdebruoux.fr* ● *minesdebruoux.fr* ● *Tlj : avr-oct 10h-18h (19h juil-août) ; mars et nov 10h-12h30, 13h30-17h. Visites à heures fixes à pré-réserver (juil-août) sur le site. Entrée : 8,10 € ; réduc ; gratuit moins de 6 ans.* Il s'agit de la dernière carrière d'extraction d'ocre en activité. Plus de 50 km de galeries ont été façonnées de 1880 à 1950 et un parcours de 650 m est ouvert aux visites. Elles sont uniquement guidées et limitées à 25 personnes par groupe, il est donc important de réserver. Et pour ceux qui souhaiteraient découvrir le sentier des Ocres ou visiter l'ancienne usine de traitement, voir plus loin, à Roussillon.

✗ Le musée de la Lustrerie Mathieu : *hameau de Sauvans, 84400* **Gargas.** ☎ *04-90-74-92-40.* ● *mathieulustrerie.com* ● *Ouv lun-jeu 8h30-12h, 13h-17h et ven mat. GRATUIT. Se présenter aux bureaux dans l'ancienne usine de carrière d'ocre.* L'entreprise familiale Mathieu, mondialement connue pour ses créations, rééditions et restaurations de lustres, expose une collection privée de plus de 200 pièces du XVe s à nos jours. Cristal, bronze, albâtre et des modèles contemporains surprenants. Depuis la salle d'expo-vente, on peut voir le méticuleux travail effectué dans les ateliers. Visite originale et amusante.

Fêtes

– **Luberon Jazz Festival :** *juin. Rens :* ☎ *04-90-74-55-98.* Petit (mais créatif) festival.
– **Tréteaux de nuit :** *5 j. mi-juil.* Spectacle ou concert tous les soirs dans une cour d'école.

DANS LES ENVIRONS D'APT

SAIGNON (84400)

À 4 km au sud-est d'Apt par la D 48. Village belvédère magnifiquement adossé à un rocher ; vue superbe sur la vallée d'Apt, le Luberon et les monts de Vaucluse. Jolie église romane et ruelles pleines de charme.

Où dormir ?

🛏 Chambre de Séjour avec Vue : *à l'entrée du village.* ☎ *04-90-04-85-01.* ● *info@chambreavecvue.com* ● *chambreavecvue.com* ● *Compter 90 € pour 2, et 110 € pour les suites.* 📶 Une demeure provençale qui réserve une fabuleuse surprise dès qu'on franchit le seuil de la porte d'entrée... On ne va pas tout vous détailler, ce serait dommage, mais sachez qu'ici tout est déjanté, terriblement décalé. En fait, vous entrez dans le monde de Kamila et Pierre, artistes dans l'âme... un peu mécènes et collectionneurs, qui cherchent à vivre – avec les autres (d'où la maison d'hôtes) – au contact de ce qui est beau, différent, dépositaire d'une charge émotionnelle. Le mieux, c'est que vous veniez vous rendre compte par vous-même.

SIVERGUES (84400)

À 12 km au sud d'Apt par la D 114. Ce hameau, l'un des plus beaux du Luberon, a la chance d'être au fond d'un cul-de-sac. Pas d'hôtel de luxe. Bref, autant de raisons qui font que peu de touristes s'y aventurent. Tant mieux ! Croquignolette église du XVIe s et très belle ferme d'alpage en haut du chemin avec une vue imprenable...

BUOUX (84480)

À 8 km au sud d'Apt par la D 113. Le village est surtout connu pour le vallon de l'Aiguebrun voisin. Des gorges creusées par l'une des rares rivières permanentes du Luberon. Vertigineuses falaises, paradis des grimpeurs depuis qu'Edlinger y a ouvert quelques voies. Pas mal de monde donc, dès les beaux jours. De l'entrée du vallon, on peut facilement grimper (à pied) jusqu'aux ruines du fort de Buoux (petit droit d'entrée). Démantelé par Louis XIV qui craignait que les huguenots s'y réfugient, il n'en reste pas grand-chose, mais le site est plutôt exceptionnel. En grimpant depuis Apt (sur la D 113, laissez-vous guider par le parfum !), on pourra s'arrêter à la **distillerie de lavande Les Agnels,** aussi familiale que traditionnelle : ☎ 04-90-04-77-00. ● lesagnels.com ● &. Avr-sept, tlj 10h-19h, 10h-17h30 le reste de l'année. Intéressante visite guidée à 11h et 16h : 6 € ; gratuit moins de 15 ans.

Où dormir ? Où manger ?

De bon marché à prix moyens

☎ ◖◙ *Auberge des Seguins :* au bout de la route. ☎ 04-90-74-16-37. ● aubergedesseguins@gmail.com ● aubergedesseguins.com ● Ouv de mars à mi-nov. Resto tlj mai-sept. Hébergement en ½ pens : compter 42 €/pers en dortoir (nuitée slt 13 €) et 75 €/pers selon confort en chambre double. Au resto, assiette-repas 12 € le midi en sem (mai-sept) ; menus soir et w-e 25-28 €. ☞ Au bout (pour ne pas dire au Buoux) du monde, ce hameau de pierre transformé en petite hôtellerie campagnarde jouit d'une immense pelouse traversée par une rivière, et d'une piscine, le tout au pied d'une belle paroi rocheuse de 200 m de haut, comme sorti d'un rêve baba-cool des années 1960. En fait, le lieu appartenait déjà à la grand-mère en 1927... Aujourd'hui tenu par les petits-enfants, du style décontracté et sans langue de bois, ils proposent un dortoir de 20 places, impeccable, qui conviendra bien aux randonneurs, ainsi qu'une trentaine de chambres sympas et biens tenues, situées dans des petites maisons, certaines troglodytiques. Au resto, assiette de crudités le midi en semaine et truite du vivier le soir et le week-end. Également une buvette avec des assiettes de charcuterie. Pour les sportifs, possibilité d'escalade dans le coin et, pour les archéologues en herbe, quelques grottes et traces préhistoriques...

☎ *Chambres d'hôtes La Sparagoule :* quartier de la Loube. ☎ 04-90-74-47-82. ● lasparagoule@orange. fr ● lasparagoule.com ● Fermé janv. Compter 52 € pour 2. Gîte d'étape (dortoir de 4 pers) nuitée 15,50 €/pers. Odile Malbec accueille tout son petit monde dans cette ancienne ferme, en chambre ou en dortoir. Grande salle avec poutres apparentes et cheminée. Chambres agréables, dispersées sur plusieurs niveaux dans une vénérable maison de village. Intime, sympa et très au calme.

☎ *Chambres d'hôtes Domaine de la Grande Bastide :* ☎ 04-90-74-29-10. ● cayla.bastide@wanadoo.fr ● À quelques centaines de mètres du village. Fléché depuis le centre. Ouv tte l'année. Compter 65-90 € pour 2 selon confort et saison. ☞ Réduc de 10 % sur le prix de la chambre sur *présentation de ce guide.* La bonne grosse bastide comme on l'imagine, authentique vaudoise du XVIIe s. Des pièces spacieuses, aménagées par les proprios avec goût et simplicité. Panorama sur les champs de lavande et les chênes truffiers, et belle piscine en terrasse. On se sent bien par ici. Grande cuisine équipée au rez-de-chaussée, à disposition des clients pour ceux qui veulent popoter sur place. Bien pratique.

LE PLATEAU DES CLAPARÈDES

Il s'étend entre Bonnieux et Apt, et on peut le traverser par la D 232. Vaste étendue dont l'altitude oscille entre 500 et 700 m. Peu peuplé, mais la terre est partout cultivée : cerisiers, champs de lavande ou de céréales qui dessinent un paysage en mosaïque. Des bergers l'arpentent en conduisant de gros troupeaux de moutons. Un peu partout, de petits monticules de pierres arrachées à la terre pour la rendre plus fertile (des « clapas », qui ont donné son nom au plateau), et des bories. Un site méconnu, très beau pourtant.

VIENS (84750)

À une quinzaine de kilomètres au nord-est d'Apt par la N 100, puis à gauche par la D 48 jusqu'à Saint-Martin-de-Castillon (joli et paisible village perché), et enfin la D 190. Très (très !) beau village, dont la partie ancienne a conservé son aspect de nid d'aigle médiéval : ruelles caladées (et sans les foules de Gordes), portes et tours, belles maisons anciennes et château Renaissance (ne se visite pas). Belle vue sur le Luberon et les monts de Vaucluse.

➤ Au départ du village, trois petits sentiers pour découvrir les bories du plateau de Caseneuve (voir également plus haut « Apt. Où manger dans les environs ? »). Dans les environs, belle petite rando à faire dans les gorges d'Oppedette.

Où dormir ? Où manger ?

🛏 |●| *La Bergerie du Luberon* : chemin de la Chaux. ☎ 04-90-75-28-60. 📱 06-87-38-47-78. ● anne.bergerie@gmail.com ● labergerieduluberon.com ● À 200 m du village (fléché). Congés : de mi-nov à début avr. Compter 68 € pour 2 (chambre ou roulotte). ½ pens 53 €/pers. 🛜 Les chambres, très soignées et d'accès indépendant, sont dans des bergeries autour d'une piscine-solarium. Dans le jardin, une authentique roulotte de gitan est aménagée comme un petit nid d'amour avec sanitaires privatifs. Les repas se prennent dans une salle voûtée ou en terrasse. Pour une belle envolée, le voisin propose des balades en montgolfière au départ de son champ. Une maison d'hôtes bien tranquille, tenue par une dame adorable !

|●| *Le Petit Jardin* : à l'entrée du village. ☎ 04-90-75-20-05. Tlj en juil-août sf lun et le soir dim et j. fériés hors saison. Menu déj 14,50 €, autre menu 26,50 €. Apéritif maison offert sur présentation de ce guide. Petit et unique bar-restaurant du village qui propose une cuisine simplement provençale d'un joli rapport qualité-prix.

RUSTREL (84400) ET LE COLORADO PROVENÇAL

À une dizaine de kilomètres au nord-est d'Apt par la D 22. Un petit village tranquillement provençal, surtout connu pour ses carrières d'ocre, bizarrement baptisées dans les années 1930 « Colorado provençal » par un certain Gabriel Jean. Qui n'avait jamais dû mettre les pieds au Colorado...

Adresse utile

ℹ Pour ttes infos touristiques, on peut s'adresser à la mairie le mat et mer ap-m :
☎ 04-90-04-98-49.

Où dormir ? Où manger ?

Camping

⚹ **Camping Le Colorado :** Notre-Dame-des-Anges. ☎ 04-90-04-90-37. 📱 06-98-46-56-59. ● campinglecolorado@yahoo.fr ● camping-le-colorado.fr ● À gauche sur la route d'Apt (fléché). Ouv d'avr à mi-oct. Compter 20 € pour 2 en hte saison. Tentes trappeur, mobile homes et 1 roulotte 290-700 €/sem pour 4-6 pers. 📶 Bordé de montagnes d'ocre, un petit camping bien abrité dans la verdure et bien ombragé. Emplacements des tentes situés sur une butte en surplomb. Locatif bien intégré dans une forêt de pins et de chênes. Aire de jeux, buvette, baraque à frites et belle piscine. Location de vélos de qualité. Accueil dévoué et chaleureux.

Bon marché

🏠 |●| **Gîte d'étape Le Château :** rue des Remparts. ☎ 04-90-04-96-77. ● jmsca84@mac.com ● gitele château.pageperso-orange.fr ● En haut du village. Fermé janv-fév. Nuitée en dortoir 16 €/pers (draps et petit déj en sus) ; ½ pens 42 €/pers,

vin compris. 📶 Apéritif offert sur présentation de ce guide. Un vrai château (flanqué de 4 tours et tout et tout) du XVIIe s sert de cadre à ce gîte d'étape joliment décoré : murs peints à l'éponge, petites frises, etc. On a bien aimé le dortoir (8 places) du rez-de-chaussée, avec sa massive cheminée. Quant à l'appartement, c'est une super affaire ! D'autant qu'il offre une très belle vue sur la vallée. Lave-linge.

Prix moyens

🏠 **Chambres d'hôtes Campagne Istrane :** ☎ 04-90-04-92-86. ● info@istrane.com ● istrane.com ● Du centre du village, prendre la direction d'Apt puis, au 1er rond-point, la 3e route à droite ; c'est à env 500 m, sur la droite. Compter 60 € pour 2 (8,50 €/pers supplémentaire). Vieille ferme dans un tranquille coin de campagne, à deux pas du Colorado (provençal). 4 chambres toute simples. Le petit déj, avec confitures maison et fromage ou jambon de pays, se prend sur la terrasse aux beaux jours, entre deux platanes centenaires. Petite source dans le jardin et chevaux dans les pâtures alentour.

À voir. À faire

🥾🥾 **Le Colorado :** l'érosion autant que la main de l'homme (ces carrières d'ocre ont été exploitées depuis la Révolution) ont façonné ici un paysage au relief tourmenté, à l'apparence fantasmagorique : vallons aux contours extravagants, cheminées de fées pour équilibristes et une palette de couleurs exceptionnelle. Si le mot grec okhra désigne la « terre jaune », les ocres oscillent dans le coin du jaune pâle au rouge vif en passant par de multiples orangés avec, ici ou là, une veine de bleu et les taches vertes des pins.
Attention, la plupart de ces anciennes carrières appartiennent à des particuliers et sont aujourd'hui gérées par l'association **Colorado Rustrel** : 📱 06-43-97-76-06. Entrée gratuite mais parking payant mars-nov, 9h-18h, 5 €/voiture ; plan de 3 circuits pédestres offert pour une superbe balade de 1h15-3h.

Petit conseil : l'ocre tache sérieusement. Pour nettoyer d'éventuelles – sinon inévitables ! – taches : savon de Marseille et eau froide.

LAGARDE-D'APT (84400)

À une vingtaine de kilomètres au nord d'Apt par la D 22 puis la sinueuse D 34 qui livre, à chaque virage ou presque, un panorama somptueux sur le Luberon. Tout en haut, on débouche sur la plus petite commune du Vaucluse : une mignonne chapelle romane, deux ou trois maisons perdues au milieu d'un paysage, à 1 000 m d'altitude, déjà plus alpin que provençal. Austère mais superbe. Seule incongruité : ce semblant d'autoroute qui traverse le hameau. Explication : on aborde ici le plateau d'Albion, où pointaient il y a encore peu quelques ogives nucléaires...

Où dormir ? Où manger ?

🛏 |●| **Ferme-auberge Les Esfourniaux :** ☎ 04-90-75-01-04. Accès fléché depuis la RD 34 vers le plateau d'Albion. Compter 50 € pour 2. Gîte 4 pers 45 €/nuit ou 300 €/sem. Menu tt compris 17 € pour les pensionnaires et 28 € sur résa, pour les extérieurs. CB refusées. 📶 Apéritif offert sur présentation de ce guide. La plus haute (à 1 100 m d'altitude) et la plus ancienne des fermes-auberges du Vaucluse. Si le premier souci de cette exploitation n'est pas de faire joli, les 5 chambres sont coquettes. Côté confort, les matelas sont un peu mous et toutes les chambres disposent de sanitaires (douche et w-c) séparés de la chambre par un rideau. Plats alléchants pour qui adore le genre rustique (agneau, daim, charcuterie et produits de la ferme).
|●| **Le Bistrot de Lagarde :** RD 34.

☎ 04-90-74-57-23. ● lebistrotdelagarde@free.fr ● Fermé lun-mar. Congés : janv-fév. Menu déj en sem 26 €. Menus terroir 38-56 € et dégustation (soir et w-e slt) 70 €. Arrivé sur le plateau, vous vous demandez si vous ne rêvez pas en voyant tant de voitures garées devant une petite maison que des dizaines de panneaux solaires semblent prêts à mettre sous les feux de la rampe. Les locaux trouvent normal que Lloyd Tropeano, le chef (formé chez quelques grands), soit venu jusqu'ici, poussé par le vent et par Laëticia, sa compagne, qui vous accueille avec beaucoup de naturel. Variation sur fond de terroir, la cuisine ici est un vrai bonheur : le lapin sort du chapeau du chef en 2 façons, l'agneau du pays est préparé avec un risotto d'épeautre aux herbettes. La suite, à vous de la découvrir.

À voir

🎒 🚶 **L'observatoire Sirene :** sur la D 34, un peu après Lagarde-d'Apt en venant de Rustrel. ☎ 04-90-75-04-17. ● obs-sirene.com ● ♿ Observations sur rdv slt. Prévoir des vêtements chauds, car l'observatoire est situé à 1 100 m d'altitude. Visites de jour (groupe à partir de 10 pers) 10 € ; visites de nuit 20 € pour 2h en groupe, 7-14 ans ½ tarif. Une « nuit des étoiles » toute l'année, on ne peut rêver mieux ! Construit dans le cadre de la reconversion pacifique des installations militaires stratégiques françaises, l'observatoire bénéficie d'un ciel parmi les plus purs d'Europe, dans un lieu de nature protégée. La visite de jour comprend un petit exposé historique du dispositif nucléaire de la zone, une présentation complète des instruments et surtout, mais malheureusement selon la météo, une séance d'observation du soleil. On peut aussi y voir un télescope de 635 mm, un prototype étudié et construit pour les personnes handicapées moteur, très apprécié par tous ceux qui peuvent ainsi observer assis. Pour voir d'autres corps célestes (planètes, étoiles, galaxies, nébuleuses), c'est bien sûr le soir qu'il faut venir. Accueil formidable.

SAINT-SATURNIN-LÈS-APT *(84490)*

À 9 km au nord-ouest d'Apt par la D 943, joli bourg qui semble accroché à la roche. Grimpette conseillée jusqu'aux émouvantes ruines du village médiéval et du château, baignées par un lac minuscule créé au XVIIe s pour alimenter Saint-Saturnin en eau.

APT ET SES ENVIRONS

Où dormir ? Où manger ?

🏠 I●I *Chambres d'hôtes Le Mas de l'Escaillon :* quartier Damazian. ☎ 04-90-06-28-70. 📱 06-14-83-82-22. ● gilles.costa@yahoo.fr ● masdelescail lon.com ● *Du centre, route de Gordes (D 2), puis, 600 m à droite, direction Poterie-Damazian ; 100 m à droite, grimper sur 600 m, impasse au bout du chemin de terre. Congés : 21-27 déc. Compter 65-110 € pour 2 selon confort et saison. Table d'hôtes 25 € (sur résa).* 📶 *Réduc de 10 % sur le prix de la chambre (en basse saison et à partir de 2 nuits consécutives) sur présentation de ce guide.* C'est une bâtisse moderne mais qui reste dans le style de la région et offre surtout une vue imprenable sur le magnifique paysage entre Gordes et Apt. 3 chambres indépendantes et très différentes, « Terracotta » étant la plus petite mais la moins chère, « Primavera » et « Éden » les plus agréables, cette dernière avec terrasse et la fameuse vue. Accueil souriant de Mme Costa.

🏠 I●I *Hôtel des Voyageurs :* 2, pl. Gambetta. ☎ 04-90-75-42-08. ● hotel. rest.voyageur@orange.fr ● voyageur senprovence.com ● *Resto tlj sf mer et jeu midi. Congés : 22 janv-15 mars. Doubles 60-75 € selon taille. Formule déj 14,50 € ; menus 21,50-34,50 €.* Café offert sur présentation de ce guide. Un établissement avec juste quelques tables en terrasse et une salle champêtre aux murs couleur ocre et au plafond très provençal. Une adresse qui continue de faire le bonheur des voyageurs au fil des années. Les plats sont simples mais réalisés avec un sacré savoir-faire, pleins d'herbes et d'arômes. Mieux vaut toutefois ne pas être pressé, en haute saison. Également 10 chambres spacieuses, rénovées récemment, avec douche à l'italienne, ouvertes sur la calme place ou la terrasse intérieure.

I●I *L'Estrade :* 6, av. Victor-Hugo. ☎ 04-90-71-15-75. *Tlj sf lun (plus mar et dim soir hors saison). Congés : début nov-début mars. Formule 14 € le midi en sem (sf j. fériés) ; carte env 30 €.* Une petite estrade en bois, une petite salle sans fioritures et une petite équipe toute féminine aux manettes. On goûte ici une cuisine franche et généreuse qui plaira bien aux gros appétits. Nombreuses viandes (entrecôte, côtes d'agneau, magret), accompagnées de bonnes patates et de légumes frais. Pour finir de se caler, excellente tarte Tatin aux abricots en saison. Petits vins au pichet très abordables.

Où acheter de bons produits ?

🏺 *Huile d'olive Maurice Jullien :* 24, chemin du Moulin-à-Huile, route d'Apt. ☎ 04-90-75-56-24. *Ouv l'année mar-ven 10h-12h et 14h-18h (ferme à 17h oct-fév). Fermé w-e et j. fériés.* Charmante petite boutique où acheter une huile d'olive parmi les meilleures du Vaucluse. Elle est produite artisanalement, dans les règles de l'art, au moulin que l'on peut voir fonctionner de mi-novembre à fin décembre. Également du miel bio.

LIOUX *(84220)*

Tout petit village face à une falaise vertigineuse où nichent les rapaces (escalade interdite). Magnifique et grandiose !

Où dormir ? Où manger ?

🏠 |●| **Auberge de Lioux :** *La Combe.* ☎ *04-90-05-77-52. Hors du village, sur la route de Sault (D 60), à gauche. Congés : janv-fév. Double 55 € ; 50 €/ pers en ½ pens. Resto sur résa slt. Menu 16 €.* 📶 *Apéritif au comptoir offert sur présentation de ce guide.* Un petit hôtel assez récent, isolé au milieu d'une nature superbe. Quelques chambres sur 2 niveaux, simples mais confortables, avec terrasse et une vue grandiose. Au resto, cailles farcies à la créole, colombo ou couscous aux tripes (!), pour amateurs de spécialités provençales ou... exotiques. Le patron organise régulièrement des concerts, sinon c'est scène ouverte à qui veut bien se lancer (instruments à dispo). Billard, bar, piscine couverte dans le jardin face à la falaise... Idéal pour un séjour entre amis.

ROUSSILLON (84220) 1 300 hab. *Carte Vaucluse, C3*

Le village et le site se confondent, car les maisons sont aux couleurs des ocres extraites des carrières voisines depuis la fin du XVIIIᵉ s. Toutes les maisons sont imprégnées de cette teinte que magnifie la lumière. Jean Vilar avait surnommé l'endroit « Delphes la Rouge ». Promenez-vous dans le village (en choisissant votre heure, car le lieu est éminemment touristique...), et ne ratez pas le panorama près de l'église, ni les rues donnant sur le val des Fées (falaises rouges à l'ouest). Terminez votre balade par les falaises érodées de la chaussée des Géants, rebaptisée désormais le sentier des Ocres : prenez le chemin à l'est, quelques minutes à pied suffisent. Parking payant : 3 € pour 3h, 6h maximum !

Adresse et info utiles

ℹ️ **Bureau de l'information de l'office de tourisme intercommunal Luberon-Pays d'Apt :** *pl. de la Poste.* ☎ *04-90-05-60-25.* ● *roussillon-provence.com* ● *Tte l'année lun-sam, plus dim mat en saison (9h30-12h30).* Petit guide payant pour la découverte du village et les circuits de balades dans les environs. Visites du sentier des Ocres *(2,50 €).* – **Marché hebdomadaire :** *jeu mat.*

Où dormir ? Où manger ?

Camping

⛺ **L'Arc-en-ciel :** *route de Goult.* ☎ *04-90-05-73-96.* ● *contact@ camping-arc-en-ciel.fr* ● *camping-arc-en-ciel.fr* ● 🚲 *À 3 km du village. Ouv de mi-mars à oct. Forfait empl. pour 2 pers 16,90 € en hte saison. Caravanes et mobile homes pour 2-4 pers 220-700 €/sem.* 📶 *(payant).* Bien situé sous les pins. Beaux emplacements en terrasse, bien ombragés. Piscine et pataugeoire, location de VTT. Épicerie. Camping familial de très bon accueil.

Bon marché

🏠 **Chambres d'hôtes chez Mme Cherel Lie :** *La Burlière.* ☎ *04-90-05-71-71.* ● *mulhanc@ hotmail.com* ● 🚲 *Dans la rue principale, entre la supérette Casino et l'école. Compter 48 € pour 2 (douche ou bains et w-c sur le palier) et 51 € pour 1 seule nuit. Également 1 suite familiale 60 € pour 3 pers. Parking gratuit.* 📶 2 chambres simples mais propres et claires, comme le reste du lieu. Certaines ont vue sur le village ou la

LE LUBERON

vallée. L'ambiance est un brin bohème. Petite cuisine à disposition. Et les prix sont fort bas pour ce village.

Chic

🏠 🍴 *Le Clos de la Glycine – Restaurant David :* pl. de la Poste. ☎ 04-90-05-60-13. ● contact@luberon-hotel.fr ● luberon-hotel.fr ● *Resto tlj 12h30-13h30 et 19h15-21h (fermé mer midi, plus mer soir, jeu midi et dim hors saison). Congés : resto de début janv à mi-fév. Doubles 115-170 € selon confort et saison. Plat du jour 16 € le midi en sem (juin-sept). Menus 33-53 €.* 🖥 📶 *Café offert sur présentation de ce guide.* Cet

hôtel dispense un accueil et un service d'une grande gentillesse, ce qui est déjà très appréciable dans un village aussi touristique. Une dizaine de chambres seulement, certaines côté village, les autres côté vallée, spacieuses pour les plus chères (avec coin salon ou terrasse) et bien rénovées, dans un style agréablement contemporain. Pour se restaurer au déjeuner, terrasse intime sous la glycine où l'on se contente volontiers d'un plat quand le soleil cogne dur à cette heure-là. Sinon, resto dans le genre cossu avec une très belle vue sur la vallée et les falaises pour une cuisine semi-gastro de bonne facture.

À voir. À faire

🎭🎭 🏃 *Ôkhra, le conservatoire des ocres et de la couleur :* sur la D 104 (direction Apt), à 1,5 km du centre. ☎ 04-90-05-66-69. ● okhra.com ● ♿ (accès partiel). *Tlj : janv sur rdv ; fév-mars et nov-déc 14h-17h (10h-13h, 14h-17h vac scol) ; avr-oct 10h-13h, 14h-18h (10h-19h juil-août). Pour les visites accompagnées, se renseigner. Entrée : 6,50 € ; réduc ; billet couplé conservatoire et sentier des Ocres : 7,50 € ; gratuit moins de 10 ans.* Installé dans l'ancienne usine Mathieu, un lieu « en or » pour tout savoir sur l'ocre, pigment naturel (issu d'un mariage de minéraux : kaolin, fer et quartz) tiré d'un sable qu'on extrait par ici depuis la fin du XVIIIe s. Ôkhra est une coopérative culturelle sur la couleur. La visite guidée vous fait découvrir les différentes étapes de l'extraction de l'ocre : lavage, décantation, carrelage, cuisson et enfin broyage. Mais, comme son nom l'indique, ce conservatoire veut aussi... perpétuer les savoir-faire traditionnels. Pour ce faire, la coopérative organise régulièrement des ateliers pratiques, de 1 h à 3 semaines, pour professionnels ou simples curieux, et des animations spéciales pour les enfants pendant les vacances. Un parcours pédagogique permet de se familiariser avec tout ça ; les plus curieux suivront une visite guidée.
Également des expositions thématiques annuelles, une bibliothèque, une librairie et un comptoir de vente de pigments naturels et artificiels. Un lieu intéressant à tous points de vue. On offre à tous les visiteurs des fiches techniques sur les pigments et leurs utilisations.

➤ *Le sentier des Ocres :* départ du parking situé vers le cimetière. *Ouv de mi-fév à déc. Tlj 9h-19h30 juil-août, fermeture plus tôt le reste de l'année (se renseigner à l'office de tourisme : ☎ 04-90-05-60-25). Entrée : 2,50 € ; gratuit moins de 10 ans.* Deux sentiers de 900 m (soit 35 mn environ) et 1,3 km (soit 50 mn) permettent de se balader (en prenant son temps !) dans les anciennes carrières. Bonne introduction (ou complément) à la visite du conservatoire. Les parcours sont jalonnés de panneaux

ET POURQUOI OCRE ?

Dame Sermonde, épouse délaissée du seigneur local, tomba amoureuse d'un troubadour. Le mari vindicatif tua l'amant et servit le cœur du bien-aimé, lors d'un repas. Sermonde, apprenant cela (était-elle végétarienne ?), se jeta du haut de la falaise. L'ocre est, dit-on, le sang de la dame ayant imprégné la terre à tout jamais.

explicatifs, de passerelles, de bancs. Superbe et instructif (on vous rappelle toutefois que l'ocre est un puissant colorant, nos chaussures s'en souviennent...). Si d'aventure vous vous tachiez, brossez et rincez à l'eau froide avec du savon de Marseille. Surtout pas d'eau chaude ou tiède, ça fixerait la couleur de façon indélébile !

GORDES (84220) 2 089 hab. *Carte Vaucluse, B3*

Superbe village accroché à un promontoire escarpé sur lequel la lumière joue des tonalités différentes selon les heures. S'il a longtemps été délaissé, les peintres et intellos lui ont redonné vie, et ses vieilles maisons ont aujourd'hui un aspect presque trop léché. Site le plus touristique du Luberon, Gordes peut devenir presque insupportable d'avril à septembre. Impossibilité de stationner sans être aussitôt ponctionné de 4 €, ruelles emplies de foules pas vraiment discrètes, accueil plein de suffisance dans des établissements qui se mettent à augmenter leurs prix sans que les prestations ne suivent. Mais quelle que soit la saison, vous repartirez sans doute avec le souvenir saisissant de votre première arrivée à Gordes, surtout si vous venez de Roussillon. La vue sur le village qui s'offre depuis la route est des plus spectaculaire. On y aperçoit, non sans émotion, les vestiges de cultures en terrasses, du temps où Gordes n'était qu'un joli village vivant modestement...

Adresse et info utiles

🄸 **Office de tourisme :** le château. ☎ 04-90-72-02-75. ● gordes@luberonmesvacances.com ● Tlj. Visite guidée de Gordes mar et jeu à 17h juillet-sept ; 5 €, 3 € (12-18 ans), gratuit moins de 12 ans. Visites nocturnes de Gordes 10 et 24 juil et 14 et 28 août à 21h45 sur résa.
– **Marché hebdomadaire :** mar mat.

LE LUBERON

Où dormir ?
Où manger à Gordes et dans les environs ?

S'il est encore possible de se loger à Gordes et dans ses environs proches sans envisager le casse du siècle, les restos, en revanche, sont souvent beaucoup (beaucoup !) trop chers pour ce qu'ils proposent.

Camping

⛺ **Les Sources :** route de Murs, Fontaville. ☎ 04-90-72-12-48. ● campingdessources@wanadoo.fr ● campingdessources.com ● 🦎 À 2 km du village, sur la D 15 direction Murs. Tlj 13h-15h. Fermé 25 sept-9 avr. Compter 28,80 € pour 2 en hte saison. Loc de mobile homes, chalets et lodges 349-873 €/sem pour 4 pers. 🛜 En pleine nature, sur une colline bien ombragée dans sa chênaie et dominant la vallée. Sanitaires corrects. Près de la moitié des emplacements réservée au locatif (cela dit, les espaces sont bien séparés). Piscine, minigolf, fitness et concerts jazz manouche (en saison). Livraison possible de vélos de location. Petit déj, pizzas à emporter et bar.

Bon marché

🛏 **Chambres d'hôtes chez Alain Gaudemard :** lieu-dit Les Bouilladoires. ☎ 04-90-72-21-59. En montant vers Gordes, à 2 km des Beaumettes.

Congés : nov-mars. Compter 45-53 € pour 2 selon confort. Réduc de 10 % à partir de 4 nuits consécutives sur présentation de ce guide. Sur une exploitation agricole. La maison, réservée aux hôtes, n'a pas le charme de ses voisines de Gordes, mais voilà un joli coin de campagne. Chambres toutes simples, un peu vieillottes, la plupart avec w-c privatifs sur le palier. Il ne manque qu'un entretien impeccable.

🏠 |●| *Chambres d'hôtes Le Vieux Rouvre* : lieu-dit Les Martins. 🖥 06-08-82-64-19. ● *marielle-peyron@orange.fr* ● *levieuxrouvre.cabanova.com* ● Ouv tte l'année. Compter 55 € pour 2. Table d'hôtes 25 €. Remise de 10 % sur le prix de la chambre (hors vac scol printemps-été) sur présentation de ce guide. Un des premiers logements chez l'habitant, ouvert depuis plus d'un quart de siècle et désormais tenu par la fille de la maison. L'endroit a gardé son côté authentique de véritable maison d'hôtes et propose toujours 4 chambres, avec accès à une petite cuisine, dans une dépendance de la ferme, au milieu des vignes. Plutôt rustique, donc. Jardin et terrasses où prendre le soleil.

De chic à plus chic

🏠 |●| *Chambres d'hôtes Le Mas des Oliviers* : Les Coucourdons. 🕿 04-90-72-43-90. 🖥 06-82-57-41-06. ● *mas-des-oliviers@club-internet.fr* ● *masde soliviers.org* ● À env 5 km, par la D 104, prendre le chemin fléché sur la droite quand on entre dans Saint-Pantaléon. Congés : 15 déc-1er fév. Compter 89-100 € pour 2. 🛜 Une bouteille de vin offerte à partir de 2 nuits sur présentation de ce guide. 3 chambres décorées dans le style provençal (pierre du pays, tissus de couleurs chaudes). Chacune est indépendante et dispose d'une terrasse individuelle. La piscine est un peu plus bas (la maison est construite sur le flanc d'une colline), donnant sur la vallée. Ping-pong, jeu de boules et possibilité de barbecue.

🏠 |●| *Auberge de Carcarille* : route d'Apt par la D 2, Les Gervais. 🕿 04-90-72-02-63. ● *contact@carcarille.com* ● *auberge-carcarille.*

com ● ⚒ À env 2 km de Gordes par la D 2 direction Joucas. Congés : 11 nov-7 fév. Resto tlj sf ven midi. Doubles 82-150 €. Formules et menus déj en sem 21-25 €, menus 21-55 €. 🖥 🛜 Chaleureuse auberge aux chambres agréables et de bon confort, avec terrasse ou balcon, certaines récemment rénovées. Salle à manger dans le genre élégant et cuisine de terroir plus qu'honnête. Piscine.

De plus chic
à beaucoup plus chic

🏠 |●| *Le Mas de la Sénancole – Restaurant L'Estellan* : hameau Les Imberts. Hôtel : 🕿 04-90-76-76-55. Resto : 🕿 04-90-72-04-90. ● *gor des@mas-de-la-senancole.com* ● *mas-de-la-senancole.com* ● ⚒ À 5 km de Gordes par la D 2. Resto tlj en saison ; fermé lun-mar nov-mars. Congés : janv. Doubles 99-154 € selon confort et saison. Formules 21-25 € au déj ; 39-52 € midi et soir. 🛜 Café offert sur présentation de ce guide. Belles chambres au confort optimal et à la déco très couleur locale. Également des chambres familiales agrémentées d'une petite terrasse à l'étage. Beau jardin avec piscine extérieure chauffée. Bien sûr, tout cela a un prix, mais la prestation inclut l'accès au sauna, au jacuzzi et au hammam. Le restaurant, situé au milieu d'un jardin arboré, propose une cuisine méditerranéenne de qualité.

🏠 |●| *Le Mas des romarins* : route de Sénancole, lieu-dit L'Enclos. 🕿 04-90-72-12-13. ● *info@masromarins.com* ● *masromarins.com* ● ⚒ Tlj sf dim-lun. Congés : de mi-janv à mi-fév et de mi-nov à mi-déc. Doubles 100-220 € selon confort et saison. Menu slt le soir 39,90 €. Remise de 10 % sur le prix de la chambre sur présentation de ce guide (basse saison hors vac scol). Un hôtel au charme discret mais bien réel qui ne cherche pas à jouer dans la même cour que les grands mais qui les vaut bien, niveau prestations. Vue extraordinaire depuis les chambres les plus chères et depuis la terrasse, où l'on peut se retrouver, au séjour, pour goûter à la jolie cuisine à quatre mains des nouveaux proprios.

À voir

🦃🦃🦃 *Le village :* une balade un peu sportive (ça monte et ça descend !) mais agréable (hors saison...) dans ses ruelles caladées (au sol pavé de galets, quoi). Vieilles maisons, dont l'aumônerie Saint-Jacques, ancienne auberge qui accueillait les pèlerins en chemin pour Compostelle, et, ici ou là, de surprenants panoramas sur le Luberon. On peut même désormais découvrir l'envers du décor en visitant les *caves du palais Saint-Firmin,* rue du Belvédère : si les gens vivaient en surface, autrefois, l'industrie et l'artisanat se développaient sous les fondations des maisons. Visite passionnante de ce petit musée installé dans les caves et découverte d'un *moulin à huile seigneurial* qui a probablement fonctionné jusqu'à la Révolution. *Tlj 15 avr-15 oct 10h-18h (11h-18h mai-juin et sept ; fermé mar). Entrée : 6 € (audioguide inclus) ; tarif réduit 4,50 €.*

🦃 *Le château :* juin-sept, tlj 10h-12h30, 13h30-18h30 (se renseigner au ☎ 04-90-72-02-75). Entrée : 5 €. Château fort classé, construit à partir du XIe s mais considérablement remanié à la Renaissance : de cette époque datent un escalier à vis, petite merveille d'ingéniosité, la grande salle avec plafond à la française et une superbe cheminée elle aussi classée, deuxième de France par ses dimensions. Les appartements accueillent des expos temporaires en saison.

DANS LES ENVIRONS DE GORDES

L'ABBAYE DE SÉNANQUE

Un lieu magique, à ne pas manquer. À 2 km au nord de Gordes, par une route escarpée qui, une fois le haut de la montagne franchi, vous livre une vue superbe sur l'abbaye nichée dans un creux de verdure, noyée dans la lavande en saison.

🦃🦃🦃 *L'abbaye :* ☎ 04-90-72-05-86. ● senanque.fr ● *Se renseigner pour les horaires car visite guidée slt, limitée à 50 pers ; les horaires dépendent de l'affluence et de la vie du monastère (jamais de visite dim mat) ; calendrier précis sur le site internet. Fermé 15 j. en janv, 25 déc et Vendredi saint. Entrée : 7,50 € ; réduc. Route d'accès en sens unique, du coup, détour obligatoire pour revenir ensuite à Gordes.* Un lieu hors du temps, qui ne s'ouvre qu'aux visites accompagnées (mieux vaut réserver), pour mieux préserver la vie contemplative des moines, que la fièvre touristique avait quelque peu perturbés durant les précédentes décennies. Fondée en 1148, cette abbaye est évidemment l'un des plus beaux édifices de l'ordre cistercien, avec un impressionnant dortoir, une sublime église (évidemment d'un extrême dépouillement) et un bien joli cloître. Vous n'y serez pas tout seul en saison !

🕾 Importante librairie et magasin de vente de produits monastiques.

🦃🦃🦃 🚶 *Le village des bories :* à 4 km au sud-ouest de Gordes (accès fléché). Rens : ☎ 04-90-72-03-48 (mairie). Tlj 9h-20h au plus tard selon saison. Entrée : 6 € ; réduc ; gratuit moins de 12 ans. Un village déserté depuis longtemps par ses habitants ! Vous avez sûrement déjà vu certaines de ces habitations en pierres sèches qui parsèment la Haute-Provence. 3 000 constructions de ce type, édifiées sur le principe de la fausse voûte en encorbellement, existent rien que dans le Ventoux, le Luberon et la montagne de Lure. Ici, regroupées en hameau, elles semblent tout droit sortir de la préhistoire, même si elles ont été construites du XIVe au XIXe s et abandonnées il y a 150 ans. Ruelles, bergerie, cuve à vin et fouloir, magnanerie (pour l'élevage de vers à soie), etc., ont été restaurés à partir des années 1950. Dans la borie qui servait d'habitation, on en apprend un peu plus sur le mode de vie des paysans : mobilier réduit à sa plus simple expression (de simples cavités aménagées dans les murs pour ranger la vaisselle). Le village

LE LUBERON

présente également des documents d'archives évoquant le Gordes d'autrefois, ainsi qu'une expo de photos sur les constructions en pierres sèches réparties dans le monde. Le village des bories, classé Monument historique, est l'un des sites les plus visités du Vaucluse.

🗮🗮 *Le musée de l'Histoire du vitrail et du verre et la visite du moulin des Bouillons :* ☎ 04-90-72-22-11. ♿ *Après le village des bories, sur la route de Saint-Pantaléon (D 148). Ouv avr-oct tlj sf mar 10h-12h, 14h-18h. Entrée : par musée 5 € ; pour les 2 musées 7,50 € ; réduc ; gratuit moins de 10 ans.*

Le musée de l'Histoire du vitrail et du verre présente une belle collection de précieux objets égyptiens, grecs et romains qui vient, d'entrée, témoigner de l'épopée verrière du Bassin méditerranéen. On découvre l'évolution du vitrail du Moyen Âge à nos jours, ainsi que celle des outils des verriers.

Dans un genre différent, ne manquez pas, en sortant, la visite du vieux moulin à huile d'olive (XVIe s), instructive et ludique à la fois, si vous suivez les conseils de la guide. À ne pas manquer, un impressionnant pressoir de bois : 10 m de long et 7 t ! Expo sur l'huile d'olive et toutes ses utilisations. Collection de lampes à huile, jarres, amphores. Histoire du savon de Marseille.

LES GORGES DE LA VÉRONCLE

À 4 km à l'est de Gordes par la D 2. Accès au parking fléché (discrètement) à gauche. Un sentier remonte ces gorges creusées par la Véroncle entre Murs et Gordes. Compter 5 grosses heures si vous voulez faire toute la balade. Site somptueusement sauvage mais où subsistent des traces encore bien visibles d'une certaine industrialisation : une dizaine de moulins à farine, en ruine ou réhabilités, jalonnent les gorges.

MURS (84220)

À 10 km de Gordes, par une route sinueuse offrant de belles vues, un village de caractère totalement perdu dans la nature et qui a vu naître Crillon le Brave, compagnon d'armes d'Henri IV. Château du XIIe s (privé...). Parfait pour une étape à l'abri des grandes migrations estivales.

Où camper ?

🏕 *Les Chalottes :* ☎ 04-90-72-60-84. ● camping@communedemurs-vaucluse.fr ● ♿ À 1,8 km de Murs (accès fléché). Ouv de début avr à mi-sept. Forfait empl. 12 € pour 2. CB refusées. 50 empl.* Camping municipal, en pleine nature, perdu au milieu des pins sur une colline en contrebas de Murs. Juste quelques sanitaires mais très bien tenus. Piscine à 1 km. Placement libre si personne à la réception.

LE PAYS DES SORGUES

FONTAINE-DE-VAUCLUSE

| (84800) | 610 hab. | Carte Vaucluse, B3 |

Cette source, la fameuse fontaine du nom, qui jaillit d'une impressionnante barrière rocheuse fermant la vallée (*vallis clausa,* d'où... Vaucluse), est la plus importante source résurgente de France... et même la cinquième mondiale, avec 630 millions de mètres cubes chaque année ! Un site naturel exceptionnel et un village, Vaucluse, pas peu fier d'avoir donné son nom au département. Mais aussi une fréquentation touristique de masse, en été, avec comme conséquences des prestations à la baisse, des magasins de kitscheries le long du chemin qui mène à la source, et des parkings payants à partir de 10h (venez avant !)... Aujourd'hui, Pétrarque, pour pleurer la belle Laure emportée par la peste, choisirait sûrement de venir quand les touristes sont repartis, ou même hors saison...

Adresse utile

🏠 *Office de tourisme intercommunal :* résidence Jean-Garcin. ☎ 04-90-20-32-22. ● oti-delasorgue.fr ● *(pour connaître la hauteur de la Sorgue en ligne !). Tte l'année 9h30-12h30 et 14h30-18h, ainsi que dim mat.* Tous les conseils nécessaires et les topos gratuits pour les 3 randos pédestres et escapades à vélo qui partent de la commune. Nombreuses visites guidées l'été, certaines théâtralisées. Organise également des descentes de la Sorgue en canoë-kayak. Demander le livret « *Pass* découverte » avec ses nombreuses réductions tarifaires.

Où dormir ?
Où manger à Fontaine et dans les environs ?

Des restos partout, qui, tous, proposent la truite comme spécialité. Très fréquentés le dimanche midi par les gens de la région. De qualité banale et sensiblement égale, mais le charme de ceux situés au bord de l'eau n'est pas négligeable. Autre solution, économique, bucolique (et sans risque !) : prévoir le pique-nique, et s'installer sur la petite île (accès par le jardin du musée Pétrarque).

Campings

⊼ *La Coutelière :* route de Fontaine-de-Vaucluse (D 24), Lagnes-Fontaine. ☎ 04-90-20-33-97. ● couteliere@ wanadoo.fr ● camping-lacouteliere. com ● *Ouv avr-6 oct. Compter 28,90 € pour 2 en hte saison selon emplacement. Loc de mobile homes, bungalows et cabanes sur pilotis 300-826 €/ sem pour 2-6 pers.* 📶 *(payant). Apéritif maison offert sur présentation de ce guide.* Ce camping familial à taille humaine propose de belles cabanes sur pilotis au bord de la Sorgue. Emplacements bien ombragés. Aire de services pour camping-cars. Épicerie, dépôt de pain, snack-bar. 2 belles piscines chauffées. Pour ceux qui voudraient s'y essayer, baptêmes de trapèze volant à proximité ! Tennis, terrain multisports et canoë sur la Sorgue. Bon accueil.

⊼ *Les Prés :* aux Prés, évidemment. ☎ 04-90-20-32-38. 📱 06-26-63-22-86. ♿ *À deux pas du village, sur la route touristique de Gordes. Ouv de mi-mars à fin nov. Compter 20 € pour 2 en hte saison. 42 empl. Café offert sur présentation de ce guide.* Une quarantaine d'emplacements au calme, dans un cadre verdoyant agrémenté du cours sonore (trop, au goût de certains) de la rivière. Lave-linge, buvette, barbecue. Piscine en été. Petite île avec roue à aubes et enclos de biquettes.

Très bon marché

🏠 *Hôtel La Font de Lauro :* chemin de la Gaffe, 84800 **Saumane-de-Vaucluse**. ☎ 04-90-20-31-49. ● lafontdelauro@hotmail.fr ● la-font-de-lauro.fr ● *À la sortie de Fontaine-de-Vaucluse en direction de L'Isle-sur-la-Sorgue, sur la D 25 à droite. Congés : début oct-Pâques. Doubles 40-50 €.* 📶 *Boisson de bienvenue offerte sur présentation de ce guide.* Un petit hôtel de campagne

LE PAYS DES SORGUES

tout simple, à l'architecture passe-partout, mais vous ne trouverez jamais moins cher dans le secteur ! En plus, c'est calme. Chambres colorées, pour la plupart refaites, toutes avec douche (w-c extérieurs pour les moins chères). En prime, belle piscine et location de vélos. Accueil chaleureux d'Édith, qui maintient fièrement des prix bas avec un grand humanisme.

De prix moyens à chic

🛏 ⦿| *La Figuière :* 138, chemin de la Grangette. ☎ 04-90-20-37-41. ● contact@lafiguiere-provence.fr ● lafiguiere-provence.fr ● Tlj sf lun, mar et dim soir hors saison. Congés : déc-janv. Compter 70 € pour 2 en chambres d'hôtes. Formule 19 € le midi en sem ; menus 25,30-38 €. 🛜 Café offert sur présentation de ce guide. Sur le chemin du gouffre, dans un havre de verdure à l'abri de la foule, une vieille maison de village qui n'a pas à se forcer pour jouer la carte de la tradition. Belle terrasse au calme, où l'on dîne d'une bonne cuisine de région bercé par le bruit de la fontaine et des ventilos brumisateurs en été. Et pour les amoureux du coin, quelques chambres bien agréables. Excellent accueil.

⦿| *Restaurant Philip :* chemin de la Fontaine. ☎ 04-90-20-31-81. Ouv le midi avr-sept ; et le soir 15 juin-31 août. Congés : oct-mars. Résa impérative, surtout si vous voulez déjeuner au bord de l'eau. Menus 30-45 € (dim pas de carte, menu obligatoire, sf côté snack). C'est le dernier restaurant avant le gouffre, l'un des plus vieux aussi, idéalement placé, au point qu'on se méfierait un peu si les anciens ne vous le recommandaient. Eux, malins, y viennent le soir, en été, une fois les touristes partis. Terrasse fort agréable surplombant le fil de l'eau. On se régale simplement d'une truite, des écrevisses du vivier ou d'une épaule d'agneau confite. Petite restauration possible côté snack, le midi.

⦿| *Chez Dominique :* 6, pl. de la Colonne. ☎ 04-90-20-33-26.

● dominiqueresto@gmail.com ● Tlj sf mer soir-jeu nov-avr. Réserver pour avoir une table au balcon ! 28-42 €. Café offert sur présentation de ce guide. Avec sa terrasse surplombant la fameuse colonne du village, ce resto que l'on redoute à priori être très touristique s'avère une bonne petite table, à l'accueil chaleureux. Servi par monsieur, on apprécie la cuisine provençale sans esbroufe de madame, notamment ses ravioles, sa souris d'agneau confite, ses truites d'élevage au risotto ou simplement de bons filets de hareng pomme à l'huile. Simplement bon.

De chic à beaucoup plus chic

🛏 *Hôtel des Sources :* Château-Vieux. ☎ 04-90-20-31-84. ● hotel dessources@wanadoo.fr ● hotel des sources.com ● Depuis la colonne (au centre du village), passer le pont, c'est à 50 m sur la droite. Congés : de mi-nov à mi-mars. Doubles 75-95 € selon taille et confort. Parking gratuit. 🛜 Un établissement un peu à l'ancienne, comportant une vaste salle à manger aux immenses baies vitrées avec vue sur la rivière. Si l'ensemble continue à vieillir doucement, les chambres, toutes rénovées dans un style contemporain avec beaucoup de couleurs, sont spacieuses et de bon confort. Et il y a le grand parc ombragé avec ses petites sources, au bord de la Sorgue. Accueil très sympathique.

🛏 *Hôtel du Poète :* ☎ 04-90-20-34-05. ● contact@hoteldupoete.com ● hoteldupoete.com ● ♿ Fermé déc-fév. Doubles 98-240 € selon confort, suites également (chères). Parking privé gratuit. 🖳 🛜 Aménagé dans un ancien moulin, un hôtel baigné de tous côtés par la rivière, aussi charmant que son nom le laisse entendre. Chambres d'un excellent confort. Magnifique salle de petit déj avec terrasse au bord de la rivière. Jacuzzi original dans le petit parc, sous un kiosque de verre. Amateurs de romantisme et de tranquillité, vous serez comblés ! Piscine au cœur du jardin, en terrasse.

À voir. À faire

🐾🐾 🏃 La source : *à 10 mn à pied du village.* GRATUIT. La Sorgue de Vaucluse jaillit du fond du gouffre de la Fontaine. Comment ? On sait depuis peu qu'elle provient d'un bassin souterrain de 1 100 km² récupérant les eaux du mont Ventoux, des monts de Vaucluse et de la montagne de Lure. Et dire qu'on la voit couler à Avignon...

On a pu explorer avec un robot ce bassin jusqu'à 308 m de profondeur mais pas encore au-delà... Sur les 630 millions de mètres cubes de débit annuel moyen, le débit atteint parfois 80 m³/s. Auquel cas le niveau de l'eau se situe là où les figuiers sont accrochés sur les roches ! Si vous y êtes un jour où le débit dépasse les 20 m³/s, l'eau franchit la vasque souterraine et forme une cascade qui vaut le coup d'œil. En tout état de cause, c'est l'une des sources les plus abondantes du monde, qui ne s'est jamais tarie et qui coule en permanence, même au plus chaud de l'été. On dit même que sa température à 13 °C ne varie jamais. Elle a d'ailleurs donné naissance à un type de source... la « source vauclusienne », pardi !

➤ Les marcheurs pourront prendre, sur la route principale de Gordes, le GR 6 qui permet de rejoindre l'*abbaye de Sénanque,* puis *Gordes* ; promenade toutefois assez longue (5h de marche juste pour y aller !), et se renseigner en été sur les risques d'incendie (chemins éventuellement fermés). La Maison du tourisme fournit également des topos pour deux autres randonnées et des circuits à faire à vélo.

🎋 Le musée-bibliothèque Pétrarque : *rive gauche de la Sorgue.* ☎ 04-90-20-37-20. ● vaucluse.fr ● *Ouv avr-vac de la Toussaint, tlj sf mar 10h-12h, 14h-18h (17h à l'automne) ; juin-sept 10h-12h30, 13h30-18h. Entrée : 3,50 € ; gratuit moins de 12 ans. Billet jumelé avec le musée d'Histoire : 4,60 €.* Tout petit musée : très joli mais un peu cher pour ce qu'il y a à voir, dommage. Le site est éminemment romantique. Tombé dans l'oubli après le départ de Pétrarque, il ne fut d'ailleurs redécouvert qu'avec les romantiques. On y évoque le séjour du poète humaniste italien dans la *vallis clausa,* de 1337 à 1353, sa rencontre avec Laure à Avignon... au travers de dessins et estampes du XVIᵉ au XIXᵉ s. On peut aussi y voir d'anciens ouvrages (XVIIIᵉ et XIXᵉ s) contenant les œuvres de Pétrarque et de « pétrarquistes ». Toute petite collection d'art moderne autour des écrits de René Char : lithos de Braque, dessins de Giacometti, Picasso...

🎋 L'église Notre-Dame-Saint-Véran : *en principe, tlj.* Mignonne petite église de style roman provençal (XIIᵉ s), construite à l'emplacement d'un ancien temple païen et ignorée des touristes, qui se ruent vers la source.

🎋🎋 Le musée du Monde souterrain : *chemin de la Fontaine.* ☎ 04-90-20-34-13. *Ouv juin-sept tlj 10h-12h30, 14h-19h ; le reste de l'année 14h-19h slt. Entrée : 6,50 € ; réduc. Visite guidée de 40 mn, départ ttes les heures.* Une visite vivante et pédagogique, assurée par des spéléologues passionnés. Pour tout savoir sur l'origine et les différentes explorations de la fontaine. Reconstitution (grandeur nature) de toutes sortes de grottes sur la planète. Belle collection de stalactites et autres cristallisations rassemblées par le spéléologue Norbert Casteret.

🎋🎋 Le musée d'Histoire Jean-Garcin – 1939-1945, l'Appel de la Liberté : *chemin du Gouffre.* ☎ 04-90-20-24-00. *Avr-oct et pdt les vac scol de la Toussaint, tlj sf mar 10h-12h, 14h-18h (10h-18h juin-sept) ; mars, nov et déc, ouv slt le w-e jusqu'à 17h. Entrée : 3,50 € ; réduc ; gratuit moins de 12 ans. Billet jumelé avec le musée Pétrarque : 4,60 €.* Ce musée est dédié à Jean Garcin, autrement dit le colonel Bayard, qui fut le chef des groupes francs de la région R2, avant de devenir jusqu'à sa mort maire de Fontaine-de-Vaucluse. À travers une muséographie originale, quelque 10 000 pièces et documents évoquent au rez-de-chaussée la vie quotidienne pendant l'Occupation. On y aborde des thèmes « légers » comme la mode (avec des sacs à main en carton, les chaussures à semelles de bois), l'alimentation, le rationnement, le système D (ah, l'art de faire des frites avec les

LE PAYS DES SORGUES

épluchures de pomme de terre !), la propagande pétainiste, les loisirs, les spectacles... Au 1er étage, présentation de la Résistance en Vaucluse, de la déportation, de l'idéal de liberté qui animait les hommes et les femmes de cette période noire au travers de films, de revues, de manuscrits et d'œuvres de peintres comme Matisse, Picasso et Miró. Le tout émaillé de textes splendides, d'une forte intensité poétique. Le dernier étage est consacré à René Char, compagnon de résistance de Jean Garcin. Un grand et beau musée, qu'on se le dise !

🎐 🎐 *L'écomusée du Santon et des Traditions de Provence :* pl. de la Colonne. ☎ 04-90-20-20-83. ● musee-du-santon.org ● Tlj 10h-20h en été, 10h-18h hors saison (slt le w-e en janv). Entrée : compter 5 € ; réduc enfants. Pour découvrir les secrets de la fabrication des santons et une collection exceptionnelle de plus de 2 000 personnages et automates. Une soixantaine de crèches... de Provence, évidemment, dont la plus petite crèche connue : 39 personnages qui tiennent dans une coquille de noix ! Elle s'est évidemment fait une place dans le *Guinness des records.*

🎐 *Le moulin à papier :* galerie Vallis-Clausa, chemin de la Fontaine. ☎ 04-90-20-34-14. Juil-août 9h-19h30 ; mai-juin et sept 9h-12h30, 14h-19h ; ferme un peu plus tôt oct-avr. Congés : 1re quinzaine de janv. GRATUIT. Si les moulins de L'Isle-sur-la-Sorgue produisaient du tissu, ceux de Fontaine-de-Vaucluse étaient entièrement consacrés au papier. Voici le dernier vestige d'une industrie papetière qui a existé ici depuis au moins le XVe s. La dernière usine a fermé ses portes en 1968. Reste cette ancienne papeterie transformée en boutique (très touristique, évidemment), mais où l'on peut encore voir fonctionner le fouloir à papier mû par une roue à aubes.
– Tant que vous êtes dans la galerie, profitez-en pour jeter un œil à l'atelier du souffleur de verre et aux galeries d'art. Ou succombez au péché de gourmandise chez les fabricants de tapenade, de berlingots ou encore de tuiles aux amandes...

➤ *Descente de la Sorgue en canoë-kayak :* Kayak-Vert, juste après l'aqueduc. ☎ 04-90-20-35-44. 📱 06-88-48-96-71. ● canoe-france.com ● Tenu par Michel Mélanie, un passionné investi dans la protection et la sensibilisation à l'environnement. Descente de la Sorgue (accompagnée), de Fontaine-de-Vaucluse à L'Isle-sur-la-Sorgue (compter 2h), tous les jours de fin avril à fin octobre. Également un petit parc aquatique pour les tout petits *(Nestor Le Castor),* un étang de pêche à la truite et un resto de grillades sur place *(A Qui Sian Ben).* Également possible avec **Canoë Évasion,** à **Lagnes-Fontaine,** qui se situe, en fait, chemin de la Coutelière, sur la D 24, à côté du camping. ☎ 04-90-38-26-22. Offre les mêmes prestations.

DANS LES ENVIRONS DE FONTAINE-DE-VAUCLUSE

🎐 *Saumane-de-Vaucluse :* à 4 km au nord par la D 57, une petite route qui traverse littéralement le rocher sur la fin. Attention : travaux en 2016, ne se visite pas. Petit village au pied d'un château du XVe s joliment dressé sur un éperon rocheux. Il a appartenu à Baudet de Sade, parent du divin marquis (encore lui !), ce dernier y ayant séjourné également... Jolie vue sur les Alpilles depuis le chevet de l'église romane Saint-Trophime. Pisciculture et jardin floral, pour se rafraîchir.

L'ISLE-SUR-LA-SORGUE

(84800)   20 000 hab.   *Carte Vaucluse, B3*

Enlacée par les bras de la Sorgue, cette ancienne bourgade de pêcheurs au charme fou, construite au XIIe s sur pilotis, n'échappe pas à

l'appellation de « Venise comtadine », c'est-à-dire du Comtat Venaissin, dont elle fut longtemps la ville principale. La cité a toujours attiré du beau monde, des papes en Avignon, dont c'était le vivier, au Roi-Soleil lui-même, jusqu'aux touristes d'aujourd'hui, ne serait-ce que pour l'abondance miraculeuse de sa célèbre voisine, dont la source a maintenu jusqu'à ce jour le nom de la gare ferroviaire : L'Isle-Fontaine. Naissent alors des manufactures de tissu et de soie ainsi qu'un ghetto juif, la *carrerra*, dont les membres devaient (déjà) porter un chapeau de couleur jaune... De ce passé manufacturier, il ne reste aujourd'hui que la fameuse lainière Brun de Vian-Tiran, réputée pour sa qualité haut de gamme.
Une promenade le long des quais vous permettra de découvrir des quartiers toujours bien délimités par corporation (pêche, manufactures, antiquités), des maisons pourvues de terrasses qui bordent l'eau, et surtout de vieilles roues à aubes qui tournent toujours, entretenues pour la gloire, rythmant la vie de cette ville-île. Autrefois, 70 roues donnaient leur force motrice à diverses activités artisanales, qu'une promenade guidée vous fera découvrir. La vieille ville cache maisons Renaissance et hôtels particuliers, ainsi que la superbe église Notre-Dame-des-Anges, à l'exubérante déco intérieure, caractéristique du baroque provençal.

LA VILLE DES BROCANTEURS ET DES POÈTES

L'Isle-sur-la-Sorgue est surtout connue comme la ville des antiquaires et des brocanteurs, la deuxième en France : en 30 ans, leur nombre est passé de 1 à... 350 ! Un succès qui accompagna la floraison des résidences secondaires dans le Luberon. La première foire fut organisée en 1965 et le premier village d'antiquaires fut créé en 1975. Depuis, neuf autres « villages » se sont regroupés autour de la gare et le long de l'avenue des Quatre-Otages. Ouverts tous les week-ends de 10h à 19h, ils s'accompagnent des inévitables marchés à la brocante, le dimanche, auxquels il faut ajouter deux foires annuelles (à Pâques et le 15 août), regroupant quelque 1 000 exposants venus des quatre coins de l'Europe (voire au-delà), et deux plus petites à la Pentecôte et à la Toussaint. Ajoutez à cela un nombre croissant de galeries d'art, éparpillées dans toute la ville : neuf sont ouvertes toute l'année. Voir pour plus de détails la brochure le *Guide des antiquaires,* édité chaque année par l'office de tourisme.
Un conseil tout de même, surtout si vous n'êtes pas spécialiste : gare aux coups de cœur ! En effet, un bon nombre de rééditions, de récup' détournées, etc., se mêlent aux authentiques antiquités... C'est joli, certes, mais la cote n'est pas la même ! Longtemps, les prix ont été délirants. On a même vu dans une vitrine un couple d'éléphants en rotin (vendus autrefois chez *Pier Import* !) « estimé » à 680 € ! Pour corriger cette mauvaise pratique et cette image écornée, les autorités locales ont mis en place un label et une charte de qualité qui impliquent que des experts contrôlent les prix pratiqués. Mais soyez tout de même très vigilant...

Adresses et infos utiles

@ **Office intercommunal de la Sorgue** *(plan B2) : pl. de la Liberté.* ☎ 04-90-38-04-78. ● *oti-delasorgue.fr* ● *Ouv lun-sam et dim mat en saison.* Installé dans un ancien grenier public du XVIIIe s. Demander le livret « *Pass* découverte » avec ses nombreuses réductions tarifaires. Si vous êtes venu pour chiner, demandez le *Guide des antiquaires*.

■ **Adresse utile**

🅸@ Office de tourisme

🏕🏠 **Où dormir ?**

10 La Sorguette
11 Le Cours d'Eau
12 Hôtel Les Terrasses du bassin
13 Chambres d'hôtes Le Pont des Aubes
14 Les Névons
15 Artishow
16 La Carol'Isle

🍽 **Où manger ?**

20 Umami
21 L'Arbre aux thés
22 L'Aparté
24 Café Fleurs
25 Le Vivier

🍽🍷 **Où grignoter ?**
Où boire un verre ?

30 Café de France
31 17, Place aux Vins
32 Caveau de la tour de l'Isle
33 La Prévoté

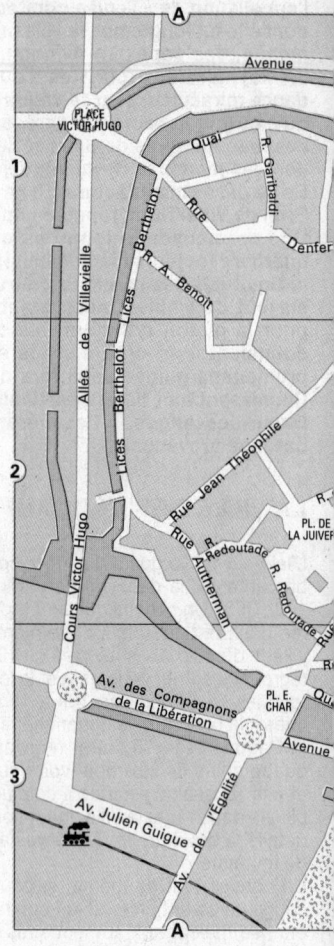

Visites guidées de la ville tous les mardis *(juil-sept, 10h-12h ; compter 4 €)*. Pour les cyclistes : randos accompagnées, fiches gratuites de circuits à vélo et brochure *Escapades à vélo* avec une liste de prestataires de services (plein d'infos sur ● velo-provence.com ●).

– **Vins de pays et AOP Ventoux biologique :** *au domaine de la Gas-qui, chez Jean Feraud, à la sortie du* village. ☎ 04-90-38-01-28. ● *domai nedelagasqui.com* ● *Lun-sam 9h-12h, 14h-19h.* À voir d'abord, à boire ensuite. Lieu étonnant, caché dans les collines, que cette bastide du XVIIIᵉ s à peine touchée par la modernité et habitée par une famille hors du commun.

🅿 *Parkings :* celui du Portalet, gratuit la journée mais pas surveillé, et celui de la poste, gratuit et surveillé.

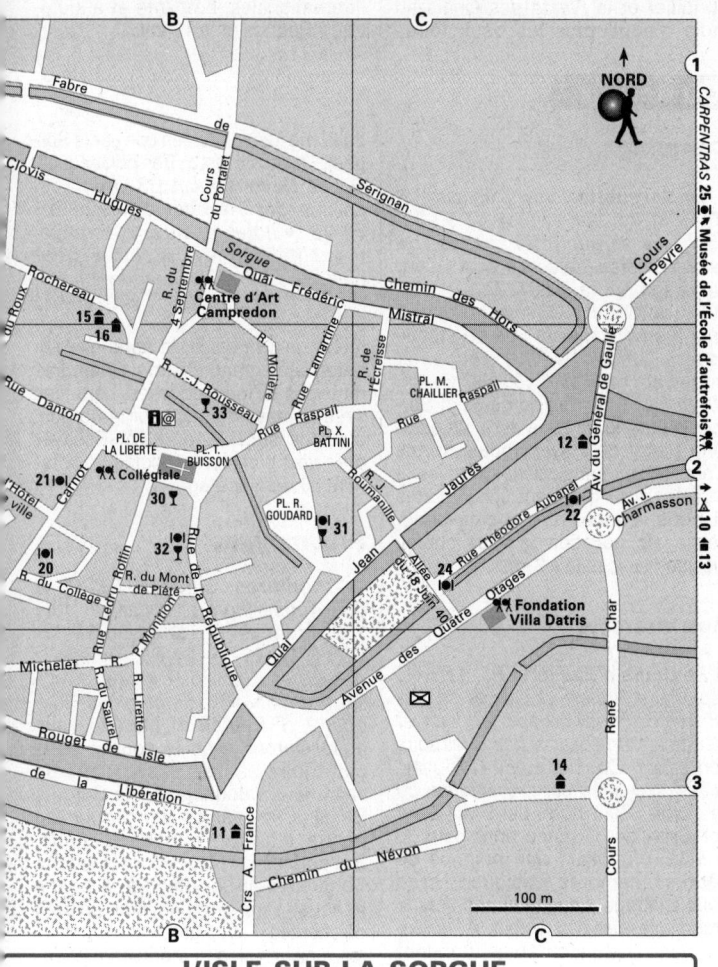

L'ISLE-SUR-LA-SORGUE

Idéal, le dimanche notamment : le parking de la Petite Vitesse, à la gare (tout près du quartier des antiquaires).

– **Marchés :** jeudi matin, marché traditionnel. Marché provençal le dimanche matin, un des plus vivants de Provence. Ne manquez pas le marché flottant *(1ᵉʳ dim du mois d'août 9h-13h),* sur un bras de la Sorgue. Ni surtout celui du Petit

Palais, le samedi matin de mars à décembre. Un des plus authentiques du pays, qui regroupe tous les producteurs locaux, à la sortie du village (direction Robion). Également un marché paysan le lundi soir à la gare en été, et un marché artisanal le 1ᵉʳ samedi de chaque mois.

– **Calendrier des fêtes :** le demander à l'office car elles sont nombreuses, notamment le *Festival de la Sorgue* en juillet et la *Fiesta des Quais* au mois d'août, plus les deux foires internationales (brocante et antiquités) à Pâques et le 15 août.

Où dormir ?

Camping

⊼ **La Sorguette** *(hors plan par C2, 10)* : 871, route d'Apt. ☎ 04-90-38-05-71. ● sorguette@wanadoo.fr ● camping-sorguette.com ● ⚒ À 1,5 km du village sur la D 901. Ouv de mi-mars à mi-oct. Compter 23,70 € pour 2 en hte saison. Loc de mobile homes, bungalows, tipis, yourtes et lodges pour 2-6 pers 406-637 €/sem. 164 empl. ☞ Sur les bords de la Sorgue, au milieu de la verdure, un camping plutôt chic avec toutes sortes d'animations (musicales, sportives...) en été. Loue également tipis, yourtes et pods. Canoë, rando, ping-pong, pêche, etc. Location de vélos (chère). Piscine municipale à 2 km.

Bon marché

🛏 **Le Cours d'Eau** *(plan B3, 11)* : 15, esplanade Robert-Vasse. ☎ 04-90-38-01-18. Fermé le soir jeu-sam et mer tte la journée, ainsi que ts les soirs hors saison. Doubles 40-60 €. ☞ Apéritif maison offert sur présentation de ce guide. Petit hôtel-bar-PMU sans fioritures, sur la place principale de la ville, proposant une poignée de petites chambres basiques, avec double vitrage, douche et w-c. Pas le grand luxe mais pas ruineux. À l'arrière du bar, quelques tables donnent sur un bras de la Sorgue, agrémenté d'une roue à aubes.

🛏 **Les Terrasses du bassin** *(plan C2, 12)* : 2, av. Charles-de-Gaulle. ☎ 04-90-38-03-16. ● corinne@lesterrassesdubassin.com ● lesterrassesdubassin.com ● Un peu avt le rond-point de Carpentras, sur la gauche. Doubles 54-80 € selon confort, saison et vue. ☞ Joliment situé, en plein centre-ville et au-dessus d'un bras de la Sorgue, ce petit hôtel dispose de 8 chambres, confortables (clim) et rénovées au goût du jour. Le tarif varie en fonction de la taille de la chambre et de la vue (demandez-en une sur la Sorgue). Fait aussi resto. Très bon accueil.

🛏 **Les Névons** *(plan C3, 14)* : 205, chemin des Névons. ☎ 04-90-20-72-00. ● hotel-les-nevons@orange.fr ● hotel-les-nevons.com ● Doubles 57-75 € selon confort et saison. ☞ Petit déj-buffet 7 € (au lieu de 9 €) et garage fermé offert sur présentation de ce guide. Un hôtel au look béton sans grand charme. Chambres rénovées et fonctionnelles, certaines avec terrasse donnent sur la Sorgue, d'autres sur... le parking. Essayer d'en voir plusieurs. Piscine et solarium au dernier étage.

Prix moyens

🛏 **Chambres d'hôtes Le Pont des Aubes** *(hors plan par C2, 13)* : 189, route d'Apt. ☎ 04-90-38-13-75. ▯ 06-89-14-54-68. ● lepontdesaubes@yahoo.fr ● lepontdesaubes.com ● Compter 80-95 € pour 2. ☞ Patrice et Martine vous accueilleront avec le sourire dans cette jolie bâtisse posée dans un vaste jardin donnant sur la Sorgue. De plus, la maison est proche du centre mais à l'abri de la foule. 2 chambres à l'étage, dont une côté Sorgue, avec une déco à la bonne franquette très sympathique. Le petit déj, copieux, avec gâteaux et confitures maison (plus des crêpes provençales !), se prend dans la belle grange restaurée avec pierres apparentes et baie vitrée en fer forgé.

Coup de folie

Dans un rayon de 60 m au cœur de la ville, 5 hôtels particuliers de prestige offrent des prestations personnalisées de très grande qualité dans un cadre fabuleux. Loin d'être à la portée de toutes les bourses, un nouveau concept d'hébergement haut de gamme pour un coup de folie. Voici nos 2 préférés :

🛏 *Artishow (plan B1, 15) : 9, rue Denfert-Rochereau.* ☎ *04-32-61-07-95.* ● info@maisonartishow.com ● maisonartishow.com ● *Compter 250-280 € pour 2 selon saison.* 📶 *Un petit déj par chambre et par nuit offert, et 10 % de remise sur le prix de la chambre sur présentation de ce guide.* Belle bâtisse Renaissance appartenant à un marchand d'art contemporain, dont des toiles de maîtres décorent les suites design luxueuses. Magnifique piscine intérieure et terrasse sur le toit donnant sur la collégiale. De toute beauté !

🛏 *La Carol'Isle (plan B1-2, 16) : 11, rue Denfert-Rochereau.* ☎ *04-90-20-81-51.* ● contact@lacarolisle.com ● lacarolisle.com ● ♿ *Compter 250 € pour 2.* 📶 *Remise de 10 % sur le prix de la chambre (à partir de 5 nuits consécutives) sur présentation de ce guide.* Caché derrière de hauts murs du XVIIIe s, un hôtel particulier de style architecturo-écolo à l'esprit riad marocain avec jardin secret, grandes terrasses et un accueil très chaleureux. Piscine et spa également.

Où dormir ? Où manger dans les environs ?

De plus chic à beaucoup plus chic

🛏 *Le Mas de Cure-Bourse : 120, chemin de Serre.* ☎ *04-90-38-16-58.* ● masdecurebourse@wanadoo.fr ● masdecurebourse.com ● ♿ *À env 5 km du centre. Prendre la route de Cavaillon, puis celle de Caumont ; à 900 m du centre de L'Isle-sur-la-Sorgue, tourner à gauche et suivre le fléchage. Congés : 3-17 janv. Doubles 90-225 € et suites 140-225 € selon saison et confort.* 📶 Ce mas, entouré de champs et de vergers, est un ancien relais de poste du XVIIIe s rénové avec beaucoup de goût. Jolies chambres, meublées à la provençale et équipées de TV. Fait aussi resto. Salle à manger égayée d'une grande cheminée.

🛏 *La Bastide rose : chez Mme Salinger, 99, chemin des Croupières, 84250 Le Thor.* ☎ *04-90-02-14-33.* ● contact@bastiderose.com ● bastiderose.com ● *Du Thor, direction Avignon, sortie Intermarché, prendre à droite la bretelle du pont, au stop à gauche direction Velleron, puis encore à gauche sur 1 km. Fermé mar hors saison. Congés : de mi-janv à mi-mars. Doubles 150-230 €. Petit déj 12-22 €.* 🖥 📶 *Salinger, conseiller de Kennedy, vécut ici jusqu'à sa mort. Poppy, son épouse, a transformé la belle propriété familiale en maison d'hôtes et accueille ses « invités » avec chaleur. Très beau parc égayé de sculptures contemporaines et doté d'une petite île au bord d'un bras de la Sorgue. Cette bastide du XVIIIe s, qui produisait de la farine et du papier avant de devenir une marbrerie, abrite désormais 3 chambres et 2 suites, belles et spacieuses, vraiment très agréables. Également un cottage à louer. Piscine. Un resto *Augusto* est sur le lieu. Et pour les curieux ou les férus d'histoire, un petit musée raconte la campagne de JFK vue par son conseiller...

🛏 ◉ *Le Mas des Grès : 1651, RD 901, Four à Chaux, 84800 Lagnes-Fontaine.* ☎ *04-90-20-32-85.* ● info@masdesgres.com ● masdesgres.com ● *Congés : 11 nov-17 mars. Doubles 120-250 € selon confort et saison. ½ pens souhaitée le w-e et en saison 57 €/pers. Menus 20 € le midi en sem, sinon 40 € le soir ttе l'année.* 🖥 📶 *Réduc de 10 % sur le prix de la chambre à partir de 5 nuits consécutives (sf juil-août) sur présentation de ce guide.* Un mas où flotte dans l'air l'accent suisse mélangé à des parfums de cuisine provençale, où l'accueil est débonnaire, la chambre soignée et la piscine accueillante. On y mange une cuisine de saison et de terroir pas compliquée, du style beignets de fleurs de courgette, aïoli et lapin à l'ail. Également des cours donnés par le chef mais avec un fort accent suisse, vous êtes prévenu ! En tout cas, ici, les enfants sont vraiment les bienvenus.

Où manger ?

De bon marché à prix moyens

I●I **Umami** (plan B2, **20**) : 33, rue Carnot. ☎ 04-90-20-82-12. ● umami. lisle@gmail.com ● Tlj sf lun (et mar midi en saison), sinon dim soir et lun. Formule déj 13,90 € ; menu 25,90 € ; carte env 35 €. ☏ L'umami, c'est la saveur parfaite pour les Japonais, la 5e après le sucré, le salé, l'amer et l'acide. Et c'est bien la perfection que recherche ce jeune couple franco-québécois de grand talent en proposant le soir une cuisine créative des plus surprenante ! Des plats de fusion d'une originalité folle, aux saveurs harmonieuses et au dressage stupéfiant, proche d'une œuvre éphémère que l'on n'ose déconstruire ! Ça se passe dans une petite salle discrète, sobre et zen, sous le regard du Bouddha. Et on en est ressortis babas !

I●I **L'Arbre aux thés** (plan B2, **21**) : 12, rue Carnot. ☎ 04-90-26-76-05. ● larbre-aux-thes@sfr.fr ● Mar-dim 10h30-15h, le soir ven-sam (plus mer-jeu en été). Congés : 1re quinzaine de fév. Formule et menu déj 12,90 €. Menu 19,90 € soir, w-e et j. fériés. Des petits coins empreints de zénitude ethnique, de style japonais, chinois, indien ou marocain, dans une ancienne prison voûtée du XIVe s. Pas de carte, seulement une poignée de plats qui changent tous les jours selon le marché et l'humeur des proprios, un couple atypique franco-espagnol. Amélia est sophrologue, Éric dirige une chorale de gospel. Ils ont commencé par faire de bons gâteaux, pour maintenant proposer des petits plats surprenants aux saveurs subtiles à prix imbattables. Ne pas manquer les soirées thématiques pour un dépaysement garanti.

I●I **L'Aparté** (plan C2, **22**) : 1, av. des 4-Otages. ☎ 04-90-95-34-40.

● laparte84@gmail.com ● Tlj sf lun, sam midi et dim soir. Formules et menus déj en sem 12,90-16,90 €. Le soir, formules et menus 20,90-24,90 €. Une petite passerelle mène à une discrète mais charmante terrasse au bord de l'eau précédant une salle pas mal non plus avec sa cheminée. À l'ardoise, une cuisine toute simple, toute bonne, souvent méditerranéenne (au sens large) à base de (jolis) produits du coin. Si l'on ajoute que les prix sont aussi gentils que l'accueil, vous comprendrez que la réservation est conseillée.

De chic à plus chic

I●I **Café Fleurs** (plan C2, **24**) : 9, rue Théodore-Aubanel. ☎ 04-90-20-66-94. ● contact@cafefleurs.com ● ♿ Tlj sf mar-mer (slt mer en saison). Le midi, formules 19,50-25 €, sinon menus 39-53 €. Une adorable terrasse inondée de vigne vierge, le long de la Sorgue et une salle élégante à la déco raffinée. Idéal pour déguster une excellente cuisine semi-gastro, tout ce qu'il y a de plus frais et de saison. Une valeur sûre. Ne manquent plus que Proust et sa madeleine... Quel charme !

I●I **Le Vivier** (hors plan par C1, **25**) : 800, cours Fernande-Peyre. ☎ 04-90-38-52-80. ● info.levivier@wanadoo. fr ● ♿ À la sortie de la ville, direction Fontaine-de-Vaucluse. Tlj sf lun et le midi ven-sam et dim soir hors saison. Congés : 3 sem vac de fév-mars et 2 sem en nov. Formules et menus 26-32 € (le midi en sem), puis 53-75 €. Un resto où le chef excelle dans le mélange des saveurs et des parfums. Un festival d'inventivité. Salle très design et petit salon pour boire un verre en attendant d'avoir une table, pourquoi pas en terrasse au bord de l'eau. Beau choix de vins régionaux à prix convenable.

Où grignoter ? Où boire un verre ?

🍸 **Café de France** (plan B2, **30**) : 14, pl. de la Liberté. ☎ 04-90-38-01-45. ● cafefrance@orange.fr ● Face à la collégiale, un vénérable café au décor

XIXᵉ s immortalisé par le grand photographe Willy Ronis. Terrasse ombragée bien agréable.

|●| ▼ *17, Place aux Vins* (plan B2, **31**) : 17, pl. Rose-Goudard. ☎ 04-90-15-68-67. ● 17.place.aux.vins@gmail.com ● Tlj. Planches 5-16 €. Un bar à vins riche de 450 références, dont de nombreuses sont proposées au verre à prix modique, à accompagner de fromages locaux d'un maître affineur, de charcuterie, foie gras, anchois ou d'une assiette de calamars à l'américaine.

|●| ▼ *Caveau de la tour de l'Isle* (plan B2, **32**) : 12, rue de la République. ☎ 04-90-20-70-25. ● info@caveaudelatourdelisle.fr ● Tlj sf lun et mer hors saison 9h30-12h30 et 15h30-19h, 9h-17h dim. Congés : vac de la Toussaint et fév. Assiettes 6-18 €. Cadeau surprise offert sur présentation de ce guide. Terrasse. Un bar à vins qui propose de sympathiques assiettes (au cas où, c'est aussi une fromagerie !) à déguster autour de bons crus régionaux.

▼ *La Prévoté* (plan B2, **33**) : 4 bis, rue Jean-Jacques-Rousseau. ☎ 04-90-38-57-29. ● contact@laprevote.fr ● Tlj sf mar et mer. Doubles 135-225 € selon saison et confort. Formule déj 23 €. Réduc de 10 % sur le prix de la chambre sur présentation de ce guide. Pour un verre chic dans le bar de cet ancien mais superbe hôtel particulier caché dans une petite rue médiévale derrière l'église, avec son bras de rivière qui passe en dessous.

À voir. À faire

🎭 **La vieille ville** : si vous avez un peu de temps, quittez le quartier des antiquaires et partez à la découverte de ce joli patrimoine provençal, de la collégiale avec son bel intérieur baroque (lire ci-après), des canaux, du quartier des pêcheurs, du quartier juif et de son ancien ghetto... En chemin, vous verrez de nombreux hôtels particuliers, ainsi que 14 roues à aubes qui jalonnent la ville et tournent toujours au rythme de la rivière, notamment dans la rue Jean-Théophile, surnommée « la rue des roues » !

🎭 **La collégiale Notre-Dame-des-Anges** (plan B2) : entre la pl. de la Liberté et la pl. F.-Buisson. Consacrée en 1672 par l'évêque de Cavaillon, monseigneur Jean-Baptiste de Sade, presque aussi sulfureux que le fameux marquis... son fils. Façade de type jésuite avec cadran lunaire. À l'intérieur, surprenante décoration baroque de l'italienne datant du XVIIᵉ s, que l'on doit à l'architecte avignonnais François de Royers de La Valfrenière. Notez les rambardes en fer forgé qui proviennent de la synagogue de la ville (détruite), les 11 chapelles latérales qui correspondent à 11 confréries locales et abritent des toiles de Mignard et Parrocel. Enfin, recomptez à loisir les 222 têtes d'anges qui accompagnent les personnages peints représentant le mystère de la Trinité et qui donnent son sens au nom de la collégiale.

🎭 **La villa Datris** (plan C2) : 7, av. des 4-Otages. ☎ 04-90-95-23-70. ● villadatris.com ● Juil-août, tlj sf mar 11h-19h ; mai-juin et sept-nov, jeu-lun 11h-18h. GRATUIT. L'ancienne Maison Biehn (réputée pour ses textiles) offre depuis peu de formidables expositions temporaires consacrées à la sculpture contemporaine. Des œuvres d'une grande originalité sont exposées sur deux niveaux de cette belle maison aux allures florentines, ainsi que dans la cour et les jardins. La scénographie est épatante !

🎭 **Le Centre d'art Campredon** (plan B1) : 20, rue du Docteur-Tallet. ☎ 04-90-38-17-41. En hte saison, mar-dim 10h-13h, 14h30-18h30 ; en hiver, mar-sam 10h-12h30, 14h-17h30. Entrée : 7 € ; réduc. L'ancien musée Campredon a été joliment rénové pour recevoir des expositions temporaires consacrées à l'art moderne et contemporain.

🎭 **Le musée de l'École d'autrefois** (hors plan par C1) : espace Saint-Antoine, 54, chemin de l'École-de-Saint-Antoine. ☎ 04-90-38-10-07. ● musecole.vaucluse.pageperso-orange.fr ● Juil-août jeu 14h30-17h30 ; sinon mer ap-m, 2ᵉ et 4ᵉ sam du mois. Entrée : 3 € ; réduc ; gratuit moins de 10 ans. Une poignée de bénévoles réunis autour d'un président dynamique animent ces locaux, qui n'ont rien de traditionnel en soi mais renferment pourtant l'âme des écoles d'autrefois. Découvrez notamment la seule machine à lire existant au monde, avec des roues de charrette, un exemplaire loufoque des années 1930.

➤ *Descente de la Sorgue en canoë-kayak : CCKI*, à La Cigalette. ☎ 04-90-38-33-22. ● *canoesurlasorgue.free.fr* ● Club de canoë-kayak sous forme associative, qui propose cours, stages et descente de la Sorgue (durée 2h). Voir aussi *Kayak-Vert* et *Canoë Évasion*, à *Fontaine-de-Vaucluse*, voir plus haut.

DANS LES ENVIRONS DE L'ISLE-SUR-LA-SORGUE

🏃 *Les grottes de Thouzon :* ☎ 04-90-33-93-65. ● *grottes-thouzon.com* ● Sur la D 16, à 3 km au nord du Thor (accès fléché). Ouv avr-oct tlj 10h-12h, 14h-18h (nonstop juil-août jusqu'à 18h45) ; dernière entrée 30 mn avt fermeture. Parking gratuit. Entrée : env 8,80 € ; réduc ; gratuit moins de 5 ans. Découverte en 1902, c'est la seule grotte naturelle du département ouverte au public ; 45 mn de visite guidée le long du lit fossile d'une ancienne rivière souterraine. Tables de pique-nique.

LE COMTAT VENAISSIN

On se croirait quelque part en Toscane, quand le climat se fait douceur, s'il n'y avait, derrière ces fermes isolées au milieu de champs entourés de canaux, la silhouette reconnaissable entre toutes du mont Ventoux, géant débonnaire veillant sur les villes et villages de son piémont.

Le pays de Carpentras, du Ventoux et du Comtat Venaissin a été classé « Pays d'art et d'histoire ». Ce label prestigieux implique une forte dynamique culturelle et patrimoniale, avec des visites guidées à thème de Carpentras, bien sûr, mais aussi de tous les villages du Comtat (Malaucène, Venasque, Caromb, Bedoin, jusqu'à Gigondas, Vacqueyras, Beaumes-de-Venise...).

Adresse utile

🛈 *Service Culture et Patrimoine de la communauté d'agglomération Ventoux-Venaissin :* hôtel de la COVE, 1171, av. du Mont-Ventoux, 84203 *Carpentras.* ☎ 04-90-67-69-21. ● *provence-ventouxcomtat. com* ● ♿ Coordonne les initiatives des 11 communes qui composent ce « Pays d'art et d'histoire ». Vous pouvez aussi vous renseigner auprès des offices de tourisme concernés.

Compter 4 € pour les visites « découverte » (supplément en cas de transport). Elles abordent des thèmes aussi variés que la poésie, les dominicains, l'archéologie, les jardins et les plantes, le vignoble, le patrimoine religieux ou industriel... Ou bien elles s'attachent tout simplement à un monument, à un centre-ville. Certaines sont organisées pour les handicapés et d'autres pour les enfants, se renseigner.

PERNES-LES-FONTAINES

(84210)	10 700 hab.	Carte Vaucluse, B3

À 5,5 km au sud de Carpentras par la D 938, l'ancienne capitale du Comtat Venaissin ressemble encore peu ou prou à ce qu'elle était au XVe s. Pas mal de charme, vraiment, avec ses vieilles murailles baignées par la rivière, ses tours et portes médiévales, et les glouglous de la quarantaine de fontaines qui lui ont donné son nom.

Adresse et info utiles

ℹ ***Office de tourisme :*** *pl. Gabriel-Moutte.* ☎ *04-90-61-31-04.* ● *tourisme-pernes.fr* ● *Tlj sf sam ap-m et dim hors juil-août.* Visite de la ville thématique passionnante tous les jours en semaine en saison *(2-5 €)* et dépliant « Le circuit des fontaines ». Expo « Nos talents sont ici » à l'étage.
– ***Marché des producteurs :*** *de début avr à mi-oct, mer 18h-20h (sept : 17h30-19h30).* Sympathique marché à ne pas manquer.

Où dormir ?
Où manger à Pernes et dans les environs ?

De bon marché à prix moyens

🏠 ***Chambres d'hôtes Les Seignerolles :*** *779, chemin des Seignerolles.* ☎ *04-90-66-48-81.* ● *seignerolles@sfr.fr* ● *À 1,5 km du centre-ville sur la route d'Avignon (D 28), prendre le chemin à droite (non fléché). Congés : nov-fév.* Compter 60 € pour 2 (58 € à partir de la 2e nuit). 📶 Au cœur des champs d'asperges, dans un bâtiment attenant à la maison des proprios, 2 petites chambres fraîches avec salle de bains neuve. Petit déj servi sur une tranquille terrasse. Accueil chaleureux et familial.

🏠 |●| ***Domaine de la Camarette :*** *439, chemin des Brunettes.* ☎ *04-90-61-60-78.* ● *aubergecamarette@hotmail.fr* ● *domaine-camarette.com* ● *De l'office de tourisme, direction Mazan, faire env 1 km et tourner à gauche après le canal (panneau). Resto tlj sf dim soir, lun et mar midi (plus mar soir hors saison). Congés : vac de fév, d'automne et 24 déc-13 janv. Compter 75 € pour 2 en chambre d'hôtes. Formule déj sem 17 € ; menu 32 €.* 📶 Une charmante ferme du XVIIe s où l'on élevait jadis des vers à soie. Aujourd'hui, la famille Gontier produit des vins de pays et des côtes-du-ventoux, notamment des rosés, ainsi que de l'huile d'olive AOC. Excellent accueil à la boutique, où la viticultrice en chef vous fera goûter la production sans vous pousser à la consommation. Mettez-vous ensuite à table dans la jolie courette, ombragée et au calme, afin de goûter la jolie cuisine semi-gastro d'Hugues Marrec. Rien de prétentieux – d'ailleurs, il joue la carte de la modestie –, mais tout est d'une grande fraîcheur et d'une vraie honnêteté. Et puis, si vous décidez de passer la nuit ici, les 2 chambres d'hôtes sont vraiment impeccables !

🏠 |●| ***Domaine de la Grange Neuve :*** *436, chemin de la Grange-Neuve. 84210 La Roque-sur-Pernes.* ☎ *04-90-66-55-27.* ● *contact@domaine-grange-neuve.com* ● *domaine-grange-neuve.com* ● *À env 8 km de Pernes, par la D 28 vers Saint-Didier puis la D 121 direction La Roque-sur-Pernes. Prendre ensuite la D 57 vers Saumane puis fléchage. Doubles 78-88 € selon confort et saison. Menus 24,50-30,50 €.* 📶 Remise de 15 % sur le prix des chambres (à partir de 3 nuits consécutives) sur présentation de ce guide. Ancienne bastide presque perdue en pleine campagne. Et dans le cas de cet hôtel-restaurant c'est, peut-être bien, le site qui nous a le plus emballés : ce tranquille et verdoyant décor de collines et de garrigue, le vaste domaine avec sa piscine un peu perchée. Pour le reste, chambres simplement confortables, cuisine soignée et ambiance familiale.

De chic à beaucoup plus chic

🏠 |●| ***Le Mas de la Bonoty :*** *chemin de la Bonoty.* ☎ *04-90-61-61-09.* ● *infos@bonoty.com* ● *bonoty.com* ●

Resto fermé lun, mar midi et jeu midi ; hors saison dim soir-mer midi. Compter 74-99 € pour 2 en chambres d'hôtes selon confort et saison. Formules et menus 19-25 € (déj sem) puis 34-68 € le soir. 🛜 À l'extérieur de Pernes, limitrophe de Saint-Didier. Une petite route mène jusqu'à cette ancienne bergerie de pierres perdue dans la campagne. Plus que pour les chambres, aux noms de fleurs mais plutôt traditionnelles, on vient ici savourer une excellente cuisine de saison. Le chef met en valeur le meilleur du terroir vauclusien. Cadre éminemment rustique et belle terrasse en bordure d'une jolie piscine.

🏠 *L'Hermitage :* 614, route de Carpentras. ☎ 04-90-66-51-41. ● *hotel-lhermitage@wanadoo.fr* ● *hotel-lhermitage.com* ● ♿ *Sur la D 938 direction Carpentras. Fermé de mi-nov à fin fév. Doubles 78-94 € selon confort et saison.* 🛜 Un hôtel installé dans une très belle maison bourgeoise cachée au fond d'un parc. Chambres de style un peu ancien mais non dénuées de charme, loin s'en faut. Certaines peuvent accueillir 3-4 personnes. Accueil sympa et pas du tout guindé. Piscine.

🍽 *Au Fil du temps :* 51, pl. Louis-Giraud. ☎ 04-90-30-09-48. ● *aufildutempsresto@hotmail.fr* ● *Tlj sf dim soir, lun et midi mar. Formule déj en sem 26 €. Menus 30 € (le midi) puis 40-60 €.* Le glouglou de la fontaine, la devanture en bois, la lumineuse petite salle du resto, la déco sobre et l'atmosphère feutrée invitent à déstresser. La cuisine est à l'image du lieu : gastro mais pas trop, franche, très nature, à base de vrais bons produits locaux et régionaux, que l'on retrouve côté épicerie fine. On vous conseille de déguster le porc du Ventoux sur place, avec des légumes bio du pays.

Où boire un bon thé, un bon café ou un bon chocolat ?

🍵 *Le Haricot magique :* 95, pl. Louis-Giraud. ☎ 04-88-50-85-05. ● *contact@leharicotmagique.com* ● *Fermé dim-lun. Congés : 1 sem vac d'automne et d'hiver.* Sur une calme placette, un salon de thé-librairie proposant une cinquantaine de références de thé, chocolat et café bio à accompagner de gâteaux maison ou de pain d'épice. Ateliers créatifs, lectures, contes, petits spectacles de théâtre et animations diverses donnent plein de vie à cet accueillant *Haricot*, tenu par la sémillante Christine.

À voir

🎨🎨 *La tour Ferrande :* un véritable trésor caché (XIIIe s), visitable l'été avec l'office de tourisme *(en sem à 10h, 3 €).* Superbes fresques médiévales remarquablement conservées. Une bande dessinée géante contant l'histoire chevaleresque de Charles d'Anjou. Un grand moment d'émotion.

🎨 *Les musées pernois :* horaires variables, rens à l'office de tourisme. Fermés mar. GRATUITS. Au détour des ruelles, encore tranquilles, vous serez charmé par les façades des 14 hôtels particuliers que compte le village et par la visite de la maison Fléchier, bel hôtel particulier du XVIIe s qui abrite le *musée des Traditions comtadines.* La *Maison du costume* et le *Magasin drapier,* surprenante boutique d'un autre âge qui a conservé sa devanture et son mobilier d'époque. Enfin, ne pas manquer le *Musée comtadin du cycle,* dans les caves de l'hôtel Brancas (mairie), et ses 50 petites reines, du vélocipède de 1870 avec sa roue avant de 1,50 m au prototype du vélo à grande vitesse du Paris-Pékin 2008 pouvant atteindre les 130 km/h !

🎨 *Le vieux Pernes :* prenez le temps de découvrir les quelque 40 fontaines de ce village attachant, dominé par la tour de l'Horloge, ancien donjon des comtes de

Toulouse. En redescendant, jetez un œil sur la vieille halle, la porte Notre-Dame, son pont et sa chapelle.

DANS LES ENVIRONS DE PERNES-LES-FONTAINES

SAINT-DIDIER *(84210)*

Saint-Didier est une charmante bourgade, entre Pernes et Venasque, qui cache quelques trésors pour les amateurs d'insolite. Notamment la ***nougaterie des Frères Silvain,*** les seuls paysans nougatiers de France : *pl. de la Poste. ☎ 04-90-66-09-57. ● nougat-silvain-freres.fr ● Tlj juil-août 10h-12h, 15h-19h (14h-18h hors saison). Visites commentées gratuites le mat à 10h15 mar-jeu juil-août et mer le reste de l'année. Congés : janv. Fermé lun fév-mai.* Une petite entreprise familiale qui fabrique le meilleur nougat du pays. Entrez dans le magasin d'exposition – ici, on vous fait déguster sans hésitation –, puis jetez un œil sur la salle de fabrication.

Où manger ?

I●I ***L'Autre Côté du Lavoir :*** *impasse du Lavoir. ☎ 04-90-66-15-60. ● lautre-cote-du-lavoir@wanadoo.fr ● ♿ Tlj sf mar et mer midi. Congés : de mi-oct à mi-fév. Menus 27-31 €.* Dans une ancienne grange bordée d'un jardin, tout à côté d'un ancien lavoir (on s'en serait douté !). Fraîche, belle et bonne cuisine de terroir. Goûtez donc la poitrine de veau confite au romarin tout en profitant de la terrasse aux loupiotes multicolores le soir.

VENASQUE *(84210)*

À 7 km de Pernes, perché sur l'un des premiers contreforts des monts de Vaucluse, un autre village labellisé « Plus Beau Village de France ». Centre géographique de l'ancien Comtat Venaissin (auquel, fin linguiste, vous avez déjà deviné qu'il a donné son nom), Venasque, c'est vrai, a du charme. Le village a conservé une belle homogénéité architecturale. De ses remparts, il ne reste que les tours appelées – à tort – « sarrasines ». Le coin est, en outre, un vrai paradis pour les randonneurs.

Adresse utile

🛈 ***Office de tourisme intercommunal :*** *Grand-Rue. ☎ 04-90-66-11-66. ● tourisme-venasque.com ●* Pâques-Toussaint, tlj sf lun mat et dim mat. Vente de petits guides de circuits de randonnée et d'escalade.

Où dormir ? Où manger ?

De bon marché à prix moyens

🛏 ***Chambres d'hôtes La Cigalière :*** *1648, chemin des Garrigues. ☎ 04-90-66-14-20. ▤ 06-09-54-79-01 ● info@la-cigaliere.com ● la-cigaliere.com ● En contrebas du village (fléché). Congés : de nov à mi-mars. Compter 58-65 € pour 2 selon confort et saison. 📶* Dans un mas provençal, bien au calme dans la campagne, une poignée de chambres spacieuses, fraîches et colorées, agrémentées de dessins de Céline, la charmante proprio. Cuisine, salle à manger et salon à dispo. Agréable terrasse ombragée et piscine dans un coin reculé du vaste jardin. Accueil doux comme tout.

🛏 I●I ***Les Remparts :*** *rue Haute. ☎ 04-90-66-02-79. ● les-remparts@aliceadsl.fr ● Congés : début nov-fin mars. Résa vivement conseillée. Double 65 € avec petit déj. Formules et menu déj en sem 14-22 €, le soir*

27-35 €. 🛜 Une bonne cuisine de terroir, raffinée et goûteuse, à déguster dans un cadre romantique en diable, sur une terrasse verdoyante ou dans une véranda avec une vue panoramique d'exception. Excellent accueil d'une équipe jeune et motivée. Une table qui marche fort et affiche souvent complet. Alors si vous voulez goûter au tiramisù provençal à la tomate et au pesto ou à la timbale de rouget, il faudra penser à réserver ! Des chambres toutes simples (mais plutôt jolies) également.

Beaucoup plus chic

🏠 **Maison de charme La Fontaine :** 11, pl. de la Fontaine. ☎ 04-90-60-64-05. ● maisondecharme-venasque@ orange.fr ● maisondecharme-venasque.com ● Congés : fév-mars et nov. Formule 3 nuits min pour 2, 360 €. Compter 680 €/sem. 🛜 On accède par la boutique de décoration du rez-de-chaussée à cette belle bâtisse en pierre située au cœur du village. D'accord, ce n'est pas tout à fait la maison près de la fontaine, chère à Nino Ferrer, mais les 4 suites offrent un bon confort et un bon rapport qualité-prix pour une famille. Toutes avec chambre lit *king size*, salle de bains, salle à manger avec petite cuisine, salon avec cheminée et fauteuils convertibles (pour des enfants), TV, clim et terrasse (sauf la « Suzette »). La déco est un mélange de contemporain et de vieilles pierres bien agréable, frais et reposant. Accueil courtois.

À voir

🎨 **Le baptistère :** pl. du Presbytère, à gauche du grand porche de l'église. ☎ 04-90-66-62-01. Tlj 9h15-13h, 14h-18h30 (17h hors saison). Fermé 14 déc-3 janv. Entrée : 3 € ; réduc ; gratuit moins de 12 ans. Ce baptistère a été construit au VIe s (ce qui en fait un des plus anciens édifices religieux de France) sur les vestiges d'un temple antique. À l'intérieur (imprégné d'une belle lumière et d'une atmosphère toute particulière), d'antiques colonnes de marbre font bon ménage avec les chapiteaux mérovingiens. Au centre, emplacement d'une cuve baptismale à huit côtés.

🎨 **L'église Notre-Dame :** en majeure partie des XIIe et XIIIe s. Belle porte principale. À l'intérieur, sublime Crucifixion, toile anonyme de l'école d'Avignon (1498).

🎨 **Les remparts et les tours dites « sarrazines »,** de construction médiévale sur fondations gallo-romaines. Beau panorama avec table d'orientation sur le mont Ventoux et la plaine du Comtat Venaissin.

CARPENTRAS (84200) 30 000 hab. *Carte Vaucluse, B2*

Capitale – anciennement – fortifiée du Comtat Venaissin, Carpentras abrite encore la porte d'Orange, seul vestige des remparts. Mais l'origine de la ville remonte à cinq siècles avant notre ère. Propriété de la papauté à partir de 1274, elle s'enrichit de beaux monuments du XVIIe au XIXe s. Auparavant, elle fut la capitale de la tribu des Méminiens.

LA FIN DES GHETTOS JUIFS

Il fallut attendre le courageux édit de Tolérance de 1787 pour que les juifs puissent enfin résider en France. Auparavant, ils étaient reclus dans le Comtat Venaissin qui appartenait au pape. À cette époque, la friperie était pratiquement le seul métier qui leur était autorisé. Ce vent de liberté sera accentué par la Révolution.

Carpentras reste célèbre pour avoir été la terre d'élection des communautés juives chassées du royaume de France par Philippe le Bel. Elles se réfugièrent sur les terres du pape, dans la cité conserva jusqu'au XIXe s un quartier juif, ghetto dans lequel s'entassaient un millier de personnes sur une rue de 80 m de long. La synagogue, dont les parties basses datent du XIVe s et la salle du culte du XVIIIe s, est toujours en activité et accueille, chaque année, l'important festival des Musiques juives.

Adresses et infos utiles

🛈 **Office de tourisme** (plan A-B2) : 97, pl. du 25-Août-1944. ☎ 04-90-63-00-78. ● carpentras-ventoux.com ● Tlj sf dim ap-m en été (dim tte la journée hors saison). Avr-oct, visites guidées du patrimoine sur résa (4 €). Également visites gratuites d'ateliers de fabrication du berlingot pdt les vac scol. Le circuit découverte du centre ancien, jalonné de lutrins, incite à la flânerie. Jeu découverte « Jouer, c'est visiter les trésors de Carpentras », pour les familles. Dépliant disponible. Ainsi qu'un carnet touristique très complet.

🚆 **Gare SNCF** (hors plan par A-B3) : bd Pasteur. Infos et résas : ☎ 36-35 (0,34 €/mn). Après 75 ans d'attente, Carpentras a, fin 2014, renoué avec le trafic voyageurs. Liaison avec Avignon (gares centrale et TGV), via Sorgues.

🚌 **Gare routière** (hors plan par A-B3) : bd Pasteur.

■ **Location de vélos : Provence Vélos Location** (hors plan par B1), 46, rue Pierre-et-Marie-Curie ; ☎ 04-90-60-28-07. Entreprise sympathique qui a multiplié les points de chute sans ramasser de gamelle ! Livraison de vélo à votre hébergement. Voir également **Cycles Automne Michel** (plan B2, 1) : 14, rue du Vieil-Hôpital ; ☎ 04-90-60-28-07.

– **Marché :** si vous êtes à Carpentras un vendredi matin, ne manquez sous aucun prétexte le marché provençal, classé « Marché d'exception », qui s'étend dans tout le centre ancien (plus de 350 forains). Également un marché de producteurs (avr-sept, mar 17h-19h, sq. de Champeville, face à l'office de tourisme).

– Ne ratez pas non plus : le **marché aux truffes** (fin nov-fin mars, ven mat, dans la cour de l'hôtel-Dieu). La **fête de la Truffe** (mi-déc).

– **Brocante et puces :** dim 10h-18h, à l'ombre des platanes de l'allée Jean-Jaurès.

Où dormir à Carpentras et dans les environs ?

Camping

⛺ **Lou Comtadou** (hors plan par A-B3, 10) : 881, av. Pierre-de-Coubertin. ☎ 04-90-67-03-16. ● info@campingloucomtadou.com ● campingloucomtadou.mobi ● À 1,5 km du centre sur la route de Saint-Didier. Ouv 1er avr-fin oct. Compter 17,50-28,50 € pour 2 selon emplacement en hte saison. Loc de mobile homes et bungalows pour 2-6 pers 375-868 €/sem. Au pied du mont Ventoux, un camping bien équipé, assez bien ombragé, à deux pas de la piscine municipale et du complexe sportif. 99 emplacements bien délimités par des hautes haies. Snack, bar, petite épicerie et jeux d'enfants.

De prix moyens à plus chic

🏠 **Hôtel L'Univers** (plan A2, 11) : 110, pl. Aristide-Briand. ☎ 04-90-63-00-05. ● univershotel@aol.com ● hotel-univers84.com ● Tte l'année. Doubles 56-64 € selon confort. Garage gratuit pour les vélos et motos, sinon payant. 🛜 Face à l'office de tourisme, un hôtel tout simple mais très pratique. Une vingtaine de chambres spacieuses et rénovées, très prisées des cyclistes. Pas le grand confort, mais elles sont insonorisées et bien tenues. Une bonne affaire pour ce prix. Accueil pro et réduc en saison.

≙ Chambres d'hôtes Les Jardins de Marze (plan B2, **13**) : 29, rue des Marins. ☏ 06-12-99-18-65. ● favier. nathalie@hotmail.fr ● lesjardins demarze.fr ● Tte l'année. Compter 75 € pour 2. ☎ Superbe hôtel particulier du XVIIIe s, avec piscine dans un jardin clos. À l'étage, 2 chambres élégantes, de style contemporain très zen, décorées avec originalité et un superbe appartement au rez-de-jardin, modulable en chambres d'hôtes à la nuit. Tenu par un jeune couple dynamique, soucieux du confort de ses hôtes. Une adresse de charme à prix raisonnables, qui a tout du coup de cœur.

≙ Le Comtadin (plan A2, **12**) : 65, bd Albin-Durand. ☎ 04-90-67-75-00. ● reception@le-comtadin.com ● le-comtadin.com ● ♿ Doubles 90-140 €. Garage payant. ▭ ☎ Un hôtel intelligemment rénové, de style contemporain derrière sa façade XVIIIe s. Une vingtaine de chambres vraiment très confortables. Les supérieures donnent sur le joli patio. Accueil sympa et agréable espace pour le petit déj (un peu cher toutefois).

Où manger ?

De prix moyens à chic

|●| La petite Fontaine (plan A2, **20**) : 13-17, pl. du Colonel-Mouret. ☎ 04-90-60-77-83. ● lapetitefon taine84@orange.fr ● Tlj sf mer et dim. Congés : vac de fév, de printemps et de nov. Menus déj en sem 17 € (23 € en saison) et menu-carte 28 €. Apéritif offert sur présentation de ce guide. Ce resto, idéalement situé dans le quartier semi-piéton, est un des endroits les plus accueillants de Carpentras. La petite terrasse, à côté de la fontaine glougloutante, est particulièrement appréciable. Pour le reste, honnête cuisine provençale qui cherche à sortir de l'ordinaire.

|●| Chez Serge (plan B2, **21**) : 90, rue Cottier. ☎ 04-90-63-21-24. ● res taurant@chez-serge.com ● ♿ Tlj. Congés : fin oct. Formule déj 17 €, sinon menus 27-37 € et 57 € avec truffes d'hiver ou d'été, carte env 40 €. Serge est connu comme le loup blanc à Carpentras et on vient volontiers s'attabler dans sa courette animée ou sur la terrasse en étage (et souvent pleine !), ne serait-ce que pour la bonne ambiance qui y règne. La formule du midi est plus qu'honnête pour le prix, mais la carte propose mieux, notamment l'hiver à l'occasion des soirées vins et truffes.

Où acheter des gourmandises ?

❀ ☛ Pâtissier-chocolatier et confiseur Jouvaud (plan A2, **31**) : 40, rue de l'Évêché. ☎ 04-90-63-15-38. Tlj tte l'année sf 1er janv. Une adresse magique, tenue par toute une famille (3 générations travaillent ensemble), qui sait accueillir et faire plaisir. Les douceurs rivalisent de couleurs, de parfums et d'originalité. Quant aux chocolats, c'est une pure merveille. Salon de thé ouvert dans un coin de la boutique, très agréable.

❀ Confiserie Clavel (plan A2, **30**) : pl. Aristide-Briand (face à l'office de tourisme). ☎ 04-90-29-70-39. Tlj sf lun. Entre l'ardoise de Provence, les perles aux pistaches (Seigneur !), les fruits confits, le nougatin, le craquelin de Carpentras, les lavandines à la menthe de Provence, les berlingots ou encore les caprices d'Offenbach, faites votre choix. Fait également salon de thé et glacier.

❀ Confiserie du Mont Ventoux (hors plan par A-B3, **32**) : 1184, av. Eisenhower. ☎ 04-90-63-05-25. Ouv mar-sam. Visite (gratuite) possible de l'atelier (sur résa). La dernière fabrique artisanale de berlingots. Fils de confiseurs, Thierry Vial perpétue la fabrication de ce petit bonbon, fier symbole de la cité : le fameux tétraèdre strié de blanc, de couleur rouge, jaune, verte, brune ou orange, selon son parfum.

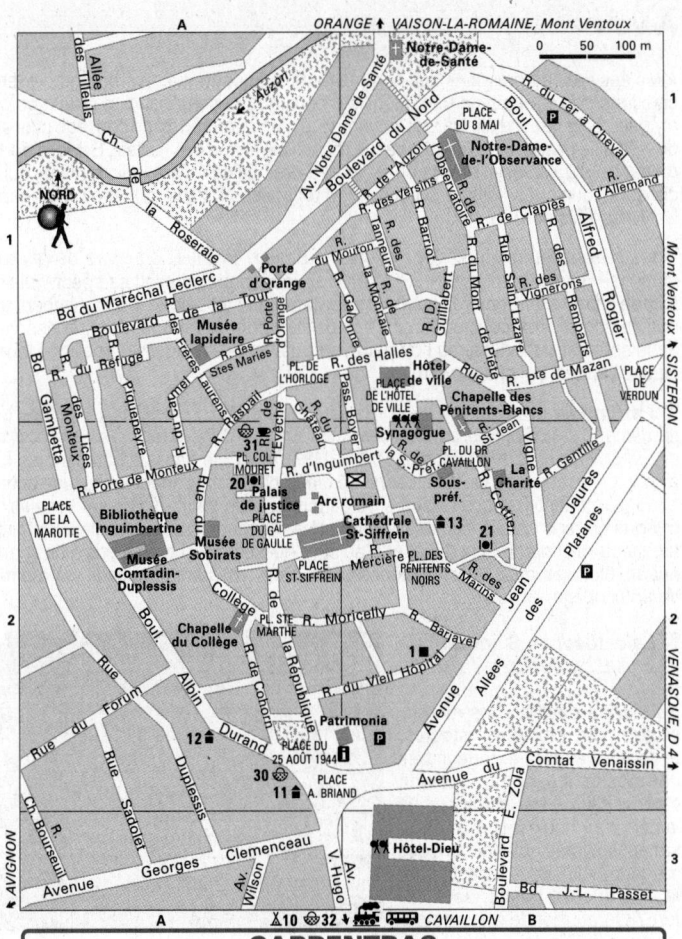

ORANGE ↑ VAISON-LA-ROMAINE, Mont Ventoux

CARPENTRAS

■ Adresses utiles

🚩 Office de tourisme
1 Cycles Automne Michel
(location de vélos)

⚐ 🏠 Où dormir à Carpentras et
dans les environs ?

10 Lou Comtadou
11 Hôtel L'Univers
12 Le Comtadin
13 Chambres d'hôtes
Les Jardins de Marze

|●| Où manger ?

20 La petite Fontaine
21 Chez Serge

⊕ 🍬 Où acheter des gourmandises ?

30 Confiserie Clavel
31 Pâtissier-chocolatier
et confiseur Jouvaud
32 Confiserie du Mont Ventoux

À voir

Avec ses rues pittoresques qui, comme dans beaucoup d'autres bourgs provençaux, s'enroulent comme une coquille d'escargot, le centre ancien mérite qu'on
s'y balade, le nez en l'air. Un vrai labyrinthe où l'on surprend ici un passage couvert
du XIXe s (le passage Boyer), là une rue médiévale (la rue des Halles). Seule la porte
d'Orange, du XIVe s, se dresse en rempart autour de cette ville jadis fortifiée, qui a
conservé quelques édifices prestigieux d'un passé glorieux, comme on dit dans
les livres d'histoire.

🏛🏛 **L'hôtel-Dieu** *(plan B2-3)* : pl. Aristide-Briand. Travaux : en cours de restauration *(se renseigner à l'office de tourisme)*. Immanquable avec sa spectaculaire
façade à frontons. Construit au XVIIIe s sur ordre de monseigneur d'Inguimbert, un
édifice somptueux pour un hôpital ! Superbe apothicairerie, surtout, conservée
dans son état du XVIIIe s, où l'on peut voir pots en faïence de Montpellier, Moustiers, clystères, ballons en verre...

🏛 **Patrimonia** *(plan A-B2)* : pl. du 25-Août-1944. ☎ 04-90-63-00-78 *(office de
tourisme)*. Ouv juil-août tlj (sf dim ap-m) 9h-13h, 14h-18h ; le reste de l'année, tlj sf
dim 9h30-12h30 et 14h (15h mar)-18h. GRATUIT. Abrité dans un bâtiment qui fut
à l'origine un couvent avant de connaître différentes autres affectations, une
petite expo permanente retrace l'histoire de ce territoire du Ventoux Comtat Venaissin,
marqué par son appartenance à la papauté pendant près de six siècles. Histoire,
architecture et patrimoine d'hier et d'aujourd'hui sont présentés grâce à des panneaux, bien sûr, mais aussi quelques petits films, maquette tactile (il y a même,
Ventoux oblige, un vélo)...

🏛 **La cathédrale Saint-Siffrein**
(plan A-B2) : mar-sam 7h30-12h
et 14h-17h.
Bel édifice dont la construction,
étalée sur plusieurs siècles,
explique l'aspect extérieur très
composite. Le portail sud (dit
« porte juive ») est surmonté de
la célèbre « boule aux rats », une
sphère sculptée qu'attaquent des
rongeurs. Allusion à la peste dont
la Provence a beaucoup souf-
fert ? Ou au monde grignoté par
le temps ? À l'intérieur, typique du

LA PORTE JUIVE

*Si les papes protégeaient « leurs » juifs,
il n'empêche que tout était fait pour les
convertir à la religion catholique. Sans
grand succès, d'ailleurs. Les enfants
devaient suivre le catéchisme, et pour
recevoir le baptême, les nouveaux
convertis ne pouvaient pénétrer dans la
cathédrale que par un accès particulier,
la « porte juive ». Faut pas exagérer non
plus.*

gothique méridional, remarquez le magnifique ensemble en bois sculpté du XVIIe s
qui orne le fond de l'abside.
Les collections des musées de la Ville ont toutes été rassemblées par
Mgr d'Inguimbert, évêque de Carpentras (début XVIIIe s), au cours des 25 années
qu'il a passées en Italie. Elles ont été complétées par d'autres donations mais sont
inaccessibles au grand public.

🏛 **Le musée Sobirats** *(plan A2)* : 112, rue du Collège. ☎ 04-90-63-04-92.
Tlj sf mar et j. fériés 10h-12h, 14h-18h. Oct-mars, sur résa. Billet couplé avec
le musée Comtadin-Duplessis : 2 € ; gratuit moins de 12 ans. Dans un ancien
hôtel particulier du XVIIIe s qui, en recevant ce petit musée d'arts décoratifs,
a gardé quelque chose de son atmosphère d'autrefois : une chaise à porteurs
qui ne semble attendre que vous au pied de l'élégant escalier, des salons
meublés Louis XVI et Empire, des tapisseries d'Aubusson ; également une
belle bibliothèque du XVIIIe s, classée : la ***bibliothèque Inguimbertine*** *(accès
professionnels slt)*.

🏃 *Le palais de justice* *(plan A2) : visites commentées en saison.* Ancien palais épiscopal dans un style italien du XVIIe s. Au 1er étage, chambre d'apparat des évêques avec un beau plafond à la française.

🏃🏃🏃 *La synagogue* *(plan B1-2) : pl. de l'Hôtel-de-Ville. Avr-sept, 10h-12h, 14h-17h30 ; oct-mars, le mat sur rdv, l'ap-m 15h, 17h. Ouverture des portes ttes les 30 mn ; ven fermeture à 16h. Fermé w-e et fêtes juives. Entrée : 5 €.* Construite au XIVe s, c'est la plus ancienne de France. Au rez-de-chaussée, bains et piscines, dont la piscine primitive est remplie d'eau de source, conformément à la tradition. Le reste de l'étage est occupé par la boulangerie et les fours, encore en activité jusqu'au début du XXe s. Au 1er étage, on trouve la salle de culte du XVIIIe s, richement décorée avec ses tabernacles, ses chandeliers à sept branches *(menorah)* et le fauteuil du prophète Élie.

🏃 *L'arc romain* *(plan A-B2) :* seul vestige d'époque romaine que l'on trouve dans la ville. Le décor représente deux captifs enchaînés à un trophée. Ils symbolisent le peuple dont Rome s'est rendue maîtresse.

🏃 *Le musée Comtadin-Duplessis* *(plan A2) : 234, bd Albin-Durand. Même n^o de tél, même billet et mêmes horaires que le musée Sobirats (voir plus haut).* Au rez-de-chaussée, évocation de l'histoire du Comtat Venaissin et de ses traditions populaires : monnaies et médailles papales, sceaux du Comtat, collection d'appeaux pour la chasse, coiffes et santons. Collection d'ex-voto. À l'étage, toiles d'artistes locaux : la gloire locale, Joseph-Siffrède Duplessis, grand portraitiste du XVIIIe s, Joseph Vernet, Évariste de Valernes, ami de Degas...

Manifestation

– *Trans'Art : tt l'été.* Une dizaine de festivals s'enchaînent (notamment à l'attention du jeune public) : festival de musiques juives, de musique classique et électro, théâtre, concerts, humour...

DANS LES ENVIRONS DE CARPENTRAS

MAZAN (84380)

À 7 km à l'est de Carpentras par la D 942. Gros bourg surtout connu pour ses carrières de gypse, les plus importantes d'Europe à ciel ouvert (45 ha), dont on tire du plâtre. Le marquis de Sade y a laissé un château (transformé en une hôtellerie 4 étoiles) et le souvenir des pièces de théâtre qu'il y présentait (tiens, pas de scandale pour une fois !). Au cimetière, curieuse allée de sarcophages des Ve et VIe s. Également un *musée communal d'Arts et Traditions (ouv de mi-juin à mi-sept, 11h-12h, 15h-19h sf mar ; GRATUIT).*

Adresse utile

🏢 *Office de tourisme : 83, pl. du 8-Mai.* ☎ 04-90-69-74-27. ● *mazantourisme.com* ● *Tlj sf dim ap-m juil-août, fermé le w-e hors saison.* 🖥 Demander la liste des producteurs de vin bio.

Où dormir ? Où manger ?

🏠 🍴 *Chambres d'hôtes La Grange de Jusalem : route de Malemort.* ☎ 04-90-69-83-48. Fax : 04-90-69-63-53. *Sur la D 163 en allant vers*

Malemort. Double 95 €. Petit déj 7,50 €. Dîner sur résa 32 €. Pas de sonnette, téléphonez ! Face au Ventoux, cet ancien pavillon de chasse du marquis de Sade est placé sous le signe de la sérénité. 3 chambres pleines de douceur, dont une familiale en duplex, avec tomettes anciennes, tissus du pays, joyeux bric-à-brac d'objets divers et une superbe tonnelle pour un petit déj face aux vignes. Maryvonne du Lac partage son amour de la Provence avec ses hôtes, avec une rare générosité, et ses repas sont à son image. Tous les classiques provençaux dans votre assiette. Piscine d'eau salée. Atmosphère bohème. Une très belle adresse, pour un moment d'exception.

AUTOUR DU MONT VENTOUX

LE PAYS DE SAULT

Carte Vaucluse, C2

Un vaste plateau calcaire dominé par la ronde silhouette du Ventoux, où Giono venait souvent puiser la matière de ses romans. Toute une partie du Vaucluse qui reste encore méconnue. Et pourtant... Bleu du ciel, or des champs de blé ou d'épeautre, vert des chênaies, mauve des rangs de lavande, blanc des troupeaux de moutons ou des petits villages en pierre : une vraie toile impressionniste ! Pays de couleurs, le val de Sault est également un pays de senteurs. Outre l'épeautre (blé des Gaulois), on trouve par ici des nougats, des macarons, du miel de lavande... De quoi repartir avec quelques douceurs et quelques kilos en plus !

MONIEUX (84390) *ET LES GORGES DE LA NESQUE*

Porte d'accès au pays de Sault par la D 942, spectaculaire route en corniche. Ces gorges restent une énigme pour les scientifiques : l'eau aurait dû s'infiltrer dans ce plateau calcaire plutôt que d'y couler en surface en creusant doucement ce vertigineux canyon. Ne manquez pas le panorama depuis le belvédère du Castelleras : un couple d'aigles niche, paraît-il, juste en face, dans le rocher du Cire. Deux balades (une de 2h aller-retour et une de 4h en boucle) vous font découvrir les gorges, de Monieux (ou du plan d'eau de Monieux pour la balade de 2h) à la chapelle Saint-Michel, cachée au fond des gorges. Également des chemins de grande randonnée.

Adresse et info utiles

🛈 *Office de tourisme :* pl. Léon-Doux. ☎ 04-90-64-14-14. ● ot-monieux. com ● Tlj mai-sept, fermé le w-e hors saison.

– *Fête médiévale du Petit Épeautre :* 1er dim de sept.

Où dormir ? Où manger ?

🏠 🍴 *Chambres d'hôtes Le Viguier :* 84390 Monieux. ☎ 04-90-64-04-83. ● le.viguier@wanadoo.fr ● leviguier. com ● ♿ Ouv tte l'année. Compter 60 € pour 2. Dîner sur résa 20 €. *Apéritif offert sur présentation de ce guide.* Dans une exploitation agricole (moutons), au départ des gorges de la Nesque. Une poignée de chambres toute simples avec douche et w-c. Idéal pour un séjour en famille (certaines chambres peuvent accueillir 3 à 5 personnes). En hiver, les proprios organisent des séjours truffes.

SAULT (84390)

Perché sur un éperon rocheux dominant le val de Sault, ce gros village cache d'authentiques ruelles médiévales, quelques belles devantures de boutiques du début du XXᵉ s, une *église romane* avec une nef du XIIᵉ s et un étonnant *musée* traitant d'histoire naturelle, d'archéologie et... d'égyptologie *(ouv juil-août ; GRATUIT)*.

Adresses et infos utiles

🏠 @ *Office de tourisme inter-communal Ventoux Sud, site de Sault :* av. de la Promenade. ☎ 04-90-64-01-21. ● ventoux-sud.com ● Tlj sf dim hors saison. Topoguides pédestres, cyclotouristiques, cartes IGN, vente de brochures et livres thématiques. Intéressants « Circuits des lavandes » à faire à pied, à vélo ou en voiture.
@ *Internet :* à la *Maison du département,* rue Porte-Royale. Lun-ven 9h-12h15, 13h30-17h. Gratuit.
◼ *Location de vélos :* Cycles Albion, route de Saint-Trinit (face à l'Écomar-ché). ☎ 04-90-64-09-32. ● albioncy cles.com ● Lun-sam 9h-12h30, 14h30-19h (8h30-19h juil-août). De bons vélos

pour partir à l'assaut du Ventoux.
◼ *La Ferme aux Lavandes :* route du Ventoux. ☎ 04-90-64-00-24. Catherine Liardet vous propose, en juillet-août, la visite de l'exploitation, des champs et du jardin (sur inscription) ; compter 7 € pour une visite complète avec dégustation. Collection de plus de 200 variétés de lavandes.
– *Marché hebdomadaire :* mer mat. Depuis 1515 (!). Marché important et animé de mai à septembre.
– *Fête de la Lavande :* chaque année le 15 août. Concours de coupe, défilés avec groupes folkloriques et attelages, Salon du livre, village des métiers d'art et grand repas champêtre.

Où dormir ? Où manger ?

Camping

⛺ *Le Défends :* route de Saint-Trinit, Le Défends. ☎ 04-90-64-07-18. ● campingsault@wanadoo.fr ● mairie-sault-84.fr ● ♿ À 2 km du village, face à l'hippodrome (accès fléché). Ouv avr-fin sept. Empl. pour 2 avec tente et voiture env 21,20 € en hte saison. 100 empl. 📶 Camping municipal, dans une forêt de chênes et de cèdres, des emplacements spacieux (et, logiquement, très ombragés). Pas d'équipements, mais piscine municipale (payante) et complexe sportif *(ouv slt juil-août)* juste à côté.

Très bon marché

|◉| *La Fugone :* av. de l'Oratoire. ☎ 04-90-64-12-54. Tte l'année. Fermé mer-jeu midi hors saison. Carte env 15 €. Café offert sur présentation de

ce guide. À l'écart du flot touristique, petit resto de village tenu par un chef corse chaleureux proposant de bonnes pizzas au feu de bois et de bons petits plats économiques à l'ardoise. Pour la vue, on se contentera d'une fresque de champs de lavande au mur.

De bon marché à prix moyens

🏠 |◉| *Chambres d'hôtes Bleu-Or :* Verdolier. 📱 06-60-71-32-08. ● pessey. lydie@orange.fr ● weekend-pays-bleuor.com ● À 4 km du village, sur la route de Carpentras, prendre à droite avt la montée. Ouv avr-oct. Compter 60-65 € pour 2 selon confort (comprenant les 2 petits déj). 📶 Au cœur d'un calme vallon, dans une maison récente, 2 chambres simples mais confortables avec belle salle de bains commune et une petite roulotte dans le jardin avec sanitaires attenants. Lydie, apicultrice et masseuse sportive, propose des week-ends détente avec visite de ses ruches en vareuse, un bon massage au retour de rando sur le GR 4 et des assiettes de pays autour de la piscine. Vélos à dispo. Un bon rapport qualité-prix et un accueil vraiment chaleureux.

🛏 *Chambres d'hôtes La Bastide des Bourguets :* ☎ 04-90-64-11-90. ● bastidedesbourguets@hotmail.com ● bastidedesbourguets.com ● *Direction Carpentras par les gorges de la Nesque/Monieux ; la maison est à 3 km à gauche. Congés : oct-mars. Comp-ter 75 € pour 2.* Ancienne et superbe ferme tout en pierre, installée au milieu des champs de lavande. Au 1er étage, 4 chambres vastes, coquettes et colo-rées. Au petit déj, miel, confitures et gâteau maison. Pour vous détendre, une agréable piscine, sans oublier les trois ânes qui feront la joie des enfants. Accueil chaleureux.

🛏 |●| *Le Louvre :* pl. du Marché. ☎ 04-90-64-08-88. ● info@louvre-provence.com ● louvre-provence. com ● ♿ *Tlj sf dim soir hors saison* et lun. Congés : du 30 nov à mi-mars. Double 82 €. Formule 17,50 € le soir en sem ; menus 21,50-29 €. 🛜 *Apéritif et café offerts sur présentation de ce guide.* Cet hôtel a un bon goût d'autre-fois avec sa salle à manger désuète au possible (mais charmante) et sa généreuse cuisine de terroir. Aux beaux jours, superbe terrasse ombragée sur la place du village. Chambres fonction-nelles, doucement modernisées (même si certaines restent un peu datées). Demandez-en une avec vue sur le Ven-toux. Accueil enjoué.

|●| *Le Provençal :* rue Portes-des-Aires. ☎ 04-90-64-09-09. ● restoleprovencal@orange.fr ● *Tlj sf lun soir et mar hors saison. Congés : 1er déc-15 janv. Formule déj en sem 13 €, menus 17,50-24,50 € ; carte 28,50 €.* Au cœur du village, salle à la déco contemporaine avec des touches provençales, pré-cédée d'une petite terrasse ombragée. Belle cuisine, qui rassemble tous les produits de ce pays de cocagne : toast de chèvre fermier, blanquette d'agneau, porc du Ventoux et gibier en saison. Belle carte des vins. Excellent accueil.

Où acheter de bons produits ?

🍯 *Nougaterie André Boyer :* pl. de l'Europe. ☎ 04-90-64-00-23. Tlj tte l'année jusqu'à 19h. Cette très belle boutique propose, entre autres déli-cieuses spécialités, un excellent nou-gat au miel de lavande.

🍯 *Maison de producteurs :* rue de la République. ☎ 04-90-64-08-98. Tlj 9h30-12h30, 14h-19h, de mars à mi-nov (hors saison, slt w-e et mer). Coo-pérative agricole. Directement du pro-ducteur au consommateur : essence de lavande, miel de lavande, petit épeautre...

SAINT-CHRISTOL-D'ALBION (84390)

À 11 km au sud-est de Sault par la D 30. À l'extrémité du plateau d'Albion. Haut lieu de la spéléologie. Toute l'année, sur réservation, randonnée-géologie avec découverte du milieu souterrain. Accessible à tous. Gîte d'étape. *ASPA* (Accueil spéléo du plateau d'Albion) : rue de l'Église. ☎ 04-90-75-08-33. ● aspanet.net ● Tout en haut de ce paisible village, ne manquez pas la très belle et romane *église Notre-Dame-et-de-Saint-Christophe.* Et prenez le temps de détailler tous les chapiteaux des colonnes du chœur, sculptés avec une extrême précision : feuilla-ges et tout un bestiaire plus ou moins fantastique, comme les oiseaux de paradis, les sirènes-oiseaux qui soufflent dans des olifants...

– *Foire aux agnelles et béliers des Préalpes du Sud :* 1er dim d'août.

Voir aussi, dans les environs, à 9 km au sud par la D 34, l'observatoire *Sirene* à Lagarde-d'Apt (voir, plus haut, « Le pays d'Apt et les monts du Vaucluse ») et le château médiéval de Simiane-la-Rotonde, à 13 km à l'est, par la D 166 et la D 18 (voir plus loin le chapitre « Les Alpes-de-Haute-Provence »).

SAINT-TRINIT (84390)

À 9 km au nord-est de Sault par la D 950, ce village, au cœur même du plateau d'Albion, est entouré de champs de lavande et de magnifiques forêts. Il possède une église du XIIe s, bel échantillon de l'architecture romane de Haute-Provence.

À voir dans les environs

ХХ Ferrassières : petit village de la Drôme, historiquement rattaché au comté de Sault, au cœur des lavanderaies du plateau d'Albion. Des paysages sublimes quand la lavande est en fleur !

AUREL (84390)

À 5 km au nord de Sault par la D 942, le village favori des peintres. Joli site : toits de tuile et murs de pierre comme accrochés à la pente. Largement aussi beau que certains villages perchés du Luberon, et sans la foule. En montant vers l'église, *atelier de poterie-céramique de Patricia Lechantoux* (☎ 04-90-64-05-63 ; tlj en saison 10h-19h ; sur rdv hors saison).

Adresse utile

🔲 Petit *point info :* près du Relais-Poste, dans le virage. | ☎ 04-90-64-11-20. Tlj en saison sf mer mat.

Où dormir ? Où manger ?

🏠 🍴 *Le Relais du mont Ventoux :* au cœur du village. ☎ 04-90-64-00-62. ● aurel_relaisdumontventoux@hotmail.com ● relais-du-mont-ventoux.com ● Ouv de fin mars à mi-nov. Doubles 60-80 € selon saison. Menus 16-32 €. 🔊 Café offert sur présentation de ce guide. Ce sympathique hôtel familial, bien connu des cyclistes et randonneurs, offre des chambres confortables, simplement mais joliment rénovées, et installées, au hasard d'escaliers de pierre, dans les anciens remparts avec des murs de 1,20 m d'épaisseur ! Une vraie ruche ! La plupart offrent de leurs fenêtres ou balcons une superbe vue sur le pays de Sault. Jacuzzi de 12 places gratuit pour la détente après l'effort. Bonne cuisine de région au resto dans une salle un peu bohème ou en terrasse. Excellent accueil.

À voir dans les environs

ХХ *La vallée du Toulourenc :* petit détour dans la Drôme. Après Montbrun-les-Bains et Reilhanette, on retrouve le Vaucluse à Savoillan. Au cœur du bourg, l'*Auberge de Savoillan* est une bonne étape pour un repas copieux à base de produits de pays du style caillette maison et canard à l'orange (☎ 04-75-27-13-95 ; ● bernard.martine84390@orange.fr ● ; tlj sf mer soir – fermé mer-jeu hors saison ; menus 17 € en sem et 22 €). Gîte « en cadre campagnard ». Accueil franc et sans fioritures.

BRANTES (84390)

Petit village en pierre perché sur un contrefort du Ventoux, étonnant d'authenticité et de charme ! Une balade idéale pour se mettre à l'abri du mistral, ou se rafraîchir au bord du Toulourenc, entre Saint-Léger et le hameau de Veaux. En décembre, « Brantes dans les étoiles », c'est pas mal non plus : illuminé et décoré comme pour un Noël d'antan, le village prend des allures de crèche provençale. Ateliers d'art, chocolats chauds et desserts de Noël un peu partout.

Où manger ?

La Poterne : au bourg. ☎ 04-75-28-29-13. ● lapoternebrantes@ yahoo.fr ● Avr-oct, tlj 11h-19h (jusqu'à 23h, juil-août sf dim soir). Plats 10-12 € (20 € pour une brouillade aux truffes). Dans cette adresse atypique, dotée d'une terrasse avec un très chouette panorama sur le Ventoux et les Baronnies, vous vous régalerez de tartines, salades, omelettes aux herbes, gâteaux maison... Jus de fruits de saison pressé en direct (jus de fraise à tomber !). Expos (photos, peinture...) régulières et concerts certains soirs d'été.

À voir

Le village médiéval et ses artisans d'art : surplombant la vallée du Toulourenc, face au versant nord du Ventoux, il se découvre surtout par la route de Montbrun-les-Bains et le col des Aires (la D 41). Le village a conservé pas mal d'authenticité. On y trouve un atelier de faïence (dans l'ancien château), mais aussi une couturière (des pièces uniques !) et une célèbre santonnière, Véronique Dornier (la dame aux « santons bleus »). Mignonne chapelle que la municipalité laisse au maximum ouverte pour des expos.

LE MONT VENTOUX

Carte Vaucluse, C2

Il domine la région du haut de ses 1 912 m. La végétation variée et étonnante n'est pas son moindre charme. La route monte en serpentant à travers les cèdres, les chênes verts et blancs, les hêtres, puis, plus haut, les sapins, les mélèzes qui laissent la place à la pierraille en approchant du sommet, où se dévoile un paysage quasi lunaire. De là-haut, vue extraordinaire et panoramique : des Alpes jusqu'à Notre-Dame-de-la-Garde par temps clair ! À faire, un classique : l'ascension pédestre du Ventoux de nuit pour arriver au sommet pour le lever du soleil. Magique !

Le climat est rude : les vents soufflent parfois à plus de 200 km/h (le record enregistré au sommet, en 1967, est de 320 km/h !), et il n'est pas rare que le col soit fermé par la neige jusqu'après Pâques. Il y a d'ailleurs deux petites stations de ski sur les pentes du Ventoux : enneigement un peu capricieux, mais il est plutôt amusant de découvrir des chalets à la mode suisse à quelques kilomètres des mas provençaux.

Le mont et ses villages sont au cœur du Pays d'art et d'histoire du Ventoux et du Comtat Venaissin. Pour plus de renseignements, se reporter au début de chapitre consacré au Comtat Venaissin.

BÉDOIN (84410)

Le bourg est niché au creux des premiers contreforts sud du Ventoux. Il se targue de posséder l'une des plus grandes forêts communales de France, qui s'étage de 350 à 1 910 m d'altitude et dans laquelle on trouve plus de 1 000 espèces végétales différentes. D'ailleurs, une grande partie est classée « Réserve mondiale de la biosphère » par l'Unesco.

Bédoin est l'étape idéale pour les fous de vélo qui veulent se lancer

LE MUR DE LA PESTE

En 1720, la peste débarque à Marseille. Très vite, on décide de construire un mur de 2 m de haut et long de 27 km, le but étant de protéger les terres du pape de l'épidémie sévissant en Provence. Le mur passait par Gordes, Sénanque et Sisteron. 1 000 hommes armés protégèrent la ligne sanitaire, en vain. On trouve quelques vestiges du mur à Bédoin.

à l'assaut de cette montée mythique du mont Ventoux, dont les pentes à près de 15 % sont terribles pour les jambes. C'est d'ailleurs l'une des étapes classiques du Tour de France. Victime du dopage (c'est désormais admis), le coureur cycliste Tom Simpson y a laissé la vie en 1967 ; les cyclistes amateurs abandonnent en souvenir quelques objets personnels au pied de sa stèle.

Les offices de tourisme de Bédoin, Sault et Malaucène ont installé sur leur façade des « vélodateurs », matériel qui permet de mesurer le temps réalisé pour l'ascension du Ventoux. Ce « carnet de col » est vendu par ces offices (2 €) de Pâques à novembre, les utilisateurs n'ont plus alors qu'à le composter au départ et à l'arrivée au sommet du Ventoux.

Adresses et info utiles

🏢 **Office de tourisme :** *espace Marie-Louis-Gravier.* ☎ 04-90-65-63-95. ● *bedoin.org* ● *Tlj en juil-août. Hors saison, fermé sam ap-m et dim.* Visites guidées du village en saison, certaines théâtralisées en nocturne (4-6 €). Propose à la vente un topoguide des randonnées sur le Ventoux (14 balades, 7 €) et des parcours cyclistes gratuits. Organise des ascensions nocturnes du Ventoux (15 €).

■ *Location de vélos : Bédoin Location,* face à l'office de tourisme. ☎ 04-90-65-94-53. ● *bedoin-location. fr* ● *Avr-oct, tlj 8h30-18h.* Un parc de 200 vélos bien réglés pour affronter le

Ventoux. Pour ceux qui ne veulent faire que la descente, location de *free ride* et navette.

■ *Les Vignerons du mont Ventoux :* *quartier la Salle, à la sortie du village sur la route de Carpentras.* ☎ 04-90-65-95-72. ● *bedoin.com* ● Outre la vente de vin dans la grande cave, les vignerons proposent en saison des activités d'œnotourisme : balades à pied, à vélo ou en calèche dans les vignes, ateliers de découverte avec dégustation...

– *Marché :* lun. Producteurs de fruits, légumes, vins et fromages envahissent le cours et les places.

Où dormir ?
Où manger à Bédoin et dans les environs ?

Campings

⛺ **La Pinède :** *chemin des Sablières.* ☎ 04-90-65-61-03. ● *camping.muni cipal@bedoin.fr* ● ♿ *À 600 m du* village, en direction de Crillon-le-Brave. *Ouv 15 mars-31 oct.* Compter 15 € pour 2 avec tente et voiture en hte saison. Loc de 3 chalets pour 5 pers 290-470 €. 🛜 Camping municipal au milieu des pins avec de bons emplacements en terrasses sur une colline. Accueil agréable. Buvette, piscine et tennis (payant).

△ **La Garenne :** 120, chemin de l'Ancien-Stade. ☎ 04-90-65-63-05. ● camping-ventoux.fr ● ♿ À l'entrée du village, du bd circulaire, prendre 2 fois à gauche après le centre culturel. Ouv avr-oct. Forfait 19 € pour 2 en hte saison. Loc de mobile homes pour 4-6 pers 360-640 €. 🛜 Apéritif, café et bouteille de vin (séjour min 1 sem) offerts sur présentation de ce guide. Un camping familial de bon confort avec une foule d'équipements : belle piscine, trampolines, musculation, sanitaires impeccables, resto, snack... Vastes emplacements ombragés sous la pinède, au calme sur une colline et des mobile homes sur des terrasses en palier à l'écart des campeurs. Belle vue dégagée. Vraiment bien.

Bon marché

|●| **La Gousse d'ail :** rue du Marché-aux-Raisins (derrière l'office de tourisme). ☎ 04-90-12-82-02. ● lagoussedail84@orange.fr ● Tlj sf mer (plus dim soir hors juil-août). Congés : mars et oct. Formule déj 12 €. Menus 17-25 €. Apéritif offert sur présentation de ce guide. La bonne auberge conviviale (et très populaire !) pour déguster une cuisine provençale goûteuse. Sitôt assis en terrasse, on vous pose la planche de saucisson pour patienter. Un demi-saucisson plus tard, suit une délicieuse terrine maison (à volonté également), puis arrive le plat (navarin d'agneau, croustillant de taureau, aïoli...). Et copieux ! Sûr, on s'est régalés. Chapeau, la patronne ! Elle en a d'ailleurs toujours un sur la tête.

De prix moyens à plus chic

🏠 |●| **L'Escapade :** pl. Portail-l'Olivier. ☎ 04-90-65-60-21. ● hotel@lescapade.eu ● lescapade.eu ● Au centre du bourg, derrière l'office de tourisme. Ouv tte l'année. Resto tlj sf jeu et ven midi. Congés : de mi-nov à mi-mars. Doubles 55-85 € selon confort et saison. Formule 15 € (le midi en sem), menus 19-29 €. 🛜 Apéritif offert sur présentation de ce guide. Petit hôtel classique qui propose de jolies chambres, très soignées. L'ensemble est plutôt réjouissant. Au resto, généreuse cuisine provençale.

🏠 **Chambres d'hôtes La Sidoine :** 1374, chemin de la Madelaine, 84410 Crillon-le-Brave. ☎ 04-90-37-16-11. ☎ 06-59-23-77-43. ● lasidoine@nordnet.fr ● lasidoine-gite-ventoux.com ● À env 3 km au nord-ouest de Bédoin (fléché). Compter 68-89 € pour 2 selon confort et saison. Une ancienne ferme, en pleine campagne évidemment. Carrelage, fer forgé et meubles anciens : les chambres sont simplement plaisantes. Et toutes tournées vers le Ventoux (un peu votre raison d'être ici, non ?). Cuisine et coin repas à disposition. Piscine et jacuzzi. Accueil épatant.

🏠 |●| **Hôtel des Pins – Restaurant L'Esprit Jardin :** 171, chemin des Crans. ☎ 04-90-65-92-92. ● hoteldespins@wanadoo.fr ● hoteldespins.net ● ♿ Au pied du Ventoux, en direction de Carpentras. Resto tlj soir slt et midi w-e et j. fériés. Congés : de mi-nov à début mars. Doubles 70-120 € ; suite 180-200 €. Menus 28-40 €. 🛜 Un hôtel qui a su reprendre de belles couleurs et de la fraîcheur grâce à une jeune équipe dynamique et efficace. On peut, sans hésiter, l'estampiller « hôtel de charme ». Chambres très contemporaines avec salle de bains ouverte ou design et de superbes suites, joliment décorées, où le goût méditerranéen et le sens du confort ne sont pas oubliés. Piscine en contrebas avec espace massage et quelques hamacs sous les pins et les chênes. En prime, un resto de bonne qualité en terrasse ou dans 2 salles colorées avec mur végétal. Une excellente adresse !

CAROMB (84330)

Bourg agricole perché sur l'un des derniers soubresauts du Ventoux, dont la spécialité est la longue figue noire. On s'y arrêtera aussi pour l'église du XIVe s, une des plus vastes du Vaucluse (construite hors les murs) et une des plus bruyantes : ses cloches s'entendent à une dizaine de kilomètres à la ronde. À l'intérieur, un orgue de 1701 et un triptyque de Grabuset. On pourra faire une jolie balade sur les bords du lac du Paty (baignade interdite mais pêche autorisée). Buvette au passage.

Adresse utile

🛈 *Office de tourisme :* 44, pl. du Château. ☎ 04-90-62-36-21. • ville-caromb.fr • *En saison avr-sept ouv* mar-sam. Visites guidées en saison le mardi (16h devant l'office).

Où camper ?

⛺ *Le Bouquier :* 1330, av. Charles-de-Gaulle. ☎ 04-90-62-30-13. 📱 06-42-77-19-64 • campinglebouquier@gmail.com • lebouquier.com • ♿ *Ouv 16 avr-30 sept. Compter 16 € pour 2 en hte saison. Loc de 3 mobile homes pour 4-8 pers 350-650 €.* 📶 Presque noyé dans une végétation typiquement provençale (avec de l'ombre, donc), un accueillant petit camping familial qui gagne régulièrement en confort (les sanitaires viennent, par exemple, d'être rénovés). Piscine. Snack.

LE BARROUX (84330)

Dominé par un superbe (et plutôt colossal dans son genre) château fort privé, un autre joli village perché. Prenez le temps de vous promener dans les ruelles étroites, bordées de maisons anciennes. Pour les puristes, une abbaye... traditionaliste, le monastère Sainte-Madeleine, avec messe en grégorien le dimanche à 10h. Et puis une originalité : une ferme expérimentale d'élevage de lamas ! Pour une approche intéressante de ces camélidés des Andes et une visite des ateliers de tissage et de tapisserie... Infos et résas : ☎ 04-90-65-25-46. • leslamasdubarroux.com •

Où dormir ? Où manger ?

🏠 🍴 *Maison d'hôtes L'Aube safran :* 450, chemin du Patifiage (route de Suzette). ☎ 04-90-62-66-91. 📱 06-12-17-96-94. • contact@aube-safran.com • aube-safran.com • *Congés : Toussaint-Pâques. Compter 170-185 € pour 2 selon saison. Table d'hôtes sur résa 45 €.* 🖥️ 📶 Une adresse de charme, magnifique tout simplement. Les chambres, très actuelles, sont vraiment superbes. Luxe et sobriété, simplicité et raffinement, art contemporain et vieilles pierres, design et authenticité se côtoient dans une secrète et parfaite alchimie. Un lieu pour se ressourcer, au milieu des pins et des arbres fruitiers, avec vue sur les Dentelles de Montmirail. Pour parfaire l'ensemble, une piscine à débordement et un jacuzzi. Mais l'originalité du domaine, vous l'avez deviné, c'est la célèbre fleur-épice réimplantée ici (le safran fut cultivé dans la région jusqu'au XIXe s, puis disparut). Ateliers culinaires, pour les fans. Table d'hôtes avec légumes maison et vin bio. Et du safran, forcément.

🍴 *L'Entr'potes – Bar à vins du Gajuléa :* 201, cours Louise-Raymond. ☎ 04-90-65-57-43. • gajulea84@orange.fr • ♿ *Tlj sf lun, plus dim soir hors saison. Menus 16 € (le midi en sem)-25 € et carte.* Michel Philibert, un ancien du gastro voisin le *Saule Pleureur*, a ouvert à l'entrée de ce joli village une table élégante et tout aussi gastronomique. À l'étage, jouissant de la même vue panoramique sur la vallée mais dans une atmosphère un peu sombre, le bar à vins propose une carte canaille, à l'ardoise régulièrement renouvelée.

⊛ **Frères Carme :** *chemin de Chaudeyrolles.* ☎ *04-90-65-13-60.* 🖥 *06-23-35-54-16.* • *frerescarme. com* • *En retournant vers Caromb par la D 13, prendre la petite route de montagne qui monte au lac du Paty sur la gauche. Nicolas et Sébastien vous accueillent tout simplement dans la propriété familiale nichée au cœur* des collines du Paty. Dans leur ancien moulin à huile, vous pourrez déguster leurs vins, côtes-du-ventoux rouges ou rosés. Leurs bouteilles sont finies à la cire et arborent de ce fait un côté chic. Paysans, ils proposent également leur huile d'olive maison et, en saison, une cueillette dans les vergers de cerisiers... Accueil et cadre d'exception !

MALAUCÈNE (84340)

Joliment posé au pied de la face nord du Ventoux, un gros bourg très provençal avec son cours ombragé de platanes et les ruelles sinueuses de son centre ancien, où s'offrir une aimable petite balade à la fraîche.

🛈 **Office de tourisme :** *pl. de la Mairie.* ☎ *04-90-65-22-59.* • *ot-malaucene@ wanadoo.fr* • *Ouv lun-sam (tlj juil-août sf dim ap-m).* Visites guidées le mercredi à 18h, théâtralisées en saison à 21h. Montées nocturnes au mont Ventoux tous les mercredis soir en été. ■ **Location de vélos :** *Ventoux Bikes, 1, av. de Verdun.* ☎ *04-90-62-58-19.* • *ventoux-bikes.fr* • *Tlj 9h-19h en hte saison.* Des pros de la petite reine.

Campings

⋌ **Le Bosquet :** *à la sortie de Malaucène, sur la route de Suzette.* ☎ *04-90-65-29-09 ou 24-89.* • *camping.lebosquet@wanadoo.fr* • *provence.guideweb.com/camping/bosquet* • ♿ *Ouv d'avr à mi-oct.* Empl. pour 2 avec tente et voiture 26,80 € en hte saison. Loc d'une caravane et de mobile homes pour 2-5 pers 185-584 €. CB refusées. Petit camping sportif et familial aux emplacements bien délimités, avec piscine, snack-bar, ping-pong et jeux de boules. Belle vue sur le flanc ouest du Ventoux.

⋌ Plusieurs **aires naturelles de camping,** notamment **Le Groseau** et **La Saousse** *(contacter l'office de tourisme).*

De très bon marché à bon marché

🛏 **Gîte d'étape du Ventoux :** *quartier des Grottes.* ☎ *04-90-65-29-20.* • *anaelle.c84@gmail.com* • *legitedu ventoux.com* • *À env 1,5 km de Malaucène. Prendre direction Beaumont-du-Ventoux ; à droite au niveau des sapeurs-pompiers (mur rouge), puis tt droit à 300 m (fléché). Tte l'année.* Nuitée 18 € sans draps (petit déj en sus 7 €), ½ pens possible. CB refusées. Parfaitement au calme, tout simple, un gîte d'étape nickel, avec 9 petites chambres de plain-pied pouvant accueillir de 2 à 5 personnes (capacité totale : 25 personnes) et une cuisine bien équipée à disposition. 2 blocs sanitaires plutôt bien entretenus. Terrasse sur le devant et espace gazonné.

🛏 *Gîte d'étape et chambre d'hôtes La Ferme du désert :* route de Beaumont-du-Ventoux. ☎ 04-90-65-29-54. ● fermedudesert@hotmail.com ● gite-vaucluse-ventoux.com ● À 2 km par la D 153 (accès fléché). Congés : 11 nov-1er mars. Nuitée 16 €/pers en dortoir (sac de couchage demandé et petit déj en sus 6 €) ; chambre 60 € pour 2. Étape de 1 nuit offerte pour nos lecteurs qui voyagent en randonnant sur présentation de ce guide. Un dortoir de 10 lits dans une petite maison de pierre, au milieu des vergers et des champs de tournesol, au pied du Ventoux. Et une chambre d'hôtes avec cuisine équipée, moustiquaire au-dessus du grand lit, divan coloré... Le tout sous un toit en pente avec poutres apparentes.

De prix moyens à plus chic

🛏 *Hôtel Domaine des Tilleuls :* route du Mont-Ventoux. ☎ 04-90-65-22-31. ● info@hotel-domainedestilleuls.com ● hotel-domainedestilleuls.com ● ♿ Congés : de mi-nov à mi-mars.

Doubles 76-110 € selon confort et saison. 🖥 📶 Un petit déj par chambre offert sur présentation de ce guide (pour une résa de 2 pers). Dans une bâtisse du XVIIe s, une vingtaine de chambres, toutes personnalisées et de très bon standing. Piscine au milieu d'un grand parc planté de tilleuls, platanes, frênes, cèdres et autres essences qu'il ne tient qu'à vous de découvrir, en paix.

🍽 *La Chevalerie :* 53, pl. de l'Église. ☎ 04-90-65-11-19. ● philippe.galas@free.fr ● Fermé lun, jeu midi hors saison et dim soir. Congés : 1er-12 déc. Formule déj 21 € ; menus 31-45 €. Apéritif offert sur présentation de ce guide. Philippe Galas, le chef, met toute son énergie dans une carte courte mais saisonnière, faisant la part belle aux produits régionaux. Comme il ne travaille qu'à l'ardoise, ses plats changent souvent, même si certains sont presque devenus des classiques, comme le foie gras aux figues séchées, la caillette ou encore le râble de lapin farci aux escargots. Agréable terrasse sur les remparts, dans un charmant jardin fleuri.

LE HAUT VAUCLUSE

LES DENTELLES DE MONTMIRAIL   *Carte Vaucluse, B2*

Ce célèbre site tire son nom de son massif de falaises calcaires déchiquetées qui surgit entre les arbres et la garrigue. Jolie fantaisie de la nature, les Dentelles, qui culminent à 734 m d'altitude, offrent, avec leurs parois verticales d'un gris argenté, un formidable terrain de jeux aux grimpeurs : quelque 580 voies d'escalade praticables 12 mois par an ! Pour ceux qui préfèrent garder les pieds sur terre : 40 km de sentiers balisés (carte IGN *Top 25* n° 3040). Tout autour du massif, des petits villages surveillent les vignes qui mûrissent sous un soleil d'enfer. Leurs noms doivent immanquablement vous évoquer quelques souvenirs : Gigondas, Vacqueyras, Beaumes-de-Venise...
Le secteur fait partie intégrante du Pays d'art et d'histoire du Ventoux et du Comtat Venaissin. Pour plus de renseignements, se reporter au début du chapitre consacré au Comtat Venaissin.

BEAUMES-DE-VENISE (84190)

Petit village adossé à sa colline, dont les ruelles et les hauteurs ont leur petit cachet, Beaumes doit sa notoriété à ses côtes-du-rhône d'excellente qualité.

À commencer par le célèbre muscat de Beaumes, le meilleur de France, qu'on se le dise ! Beaumes-de-Venise a d'ailleurs reçu le titre « Site remarquable du goût » pour ce suave breuvage. Délicieux à l'apéritif (et plus ou moins sec), il fait merveille avec le melon. Une bonne raison de rester un jour de plus dans la région !

Adresses et info utiles

⊡ @ Office de tourisme : à la Maison des dentelles, pl. du Marché. ☎ 04-90-62-94-39. ● ot-beaumesdevenise. com ● Ouv tte l'année lun-sam ; plus dim mat en saison. 🛜 Exposition artistique permanente et produits artisanaux. Visites guidées du village et du moulin à huile, de la chapelle Notre-Dame-d'Aubune, des sites historiques du plateau des Courens...

■ Cave des Vignerons de Beaumes : 228, route de Carpentras. ☎ 04-90-12-41-00. ● beaumes-de-venise.com ● Tlj jusqu'à 19h (en saison). Plusieurs activités d'œnotourisme, notamment participation à une matinée de vendanges sur résa (3 sam courant sept-oct), avec déjeuner à la coopérative.

■ Syndicat des vins de pays de Vaucluse : quartier Ravel. ☎ 04-90-12-45-20. ● vins-igp-vaucluse.fr ● La véritable découverte de ce début de siècle : des vins de pays qui méritent une nouvelle reconnaissance.

■ Conservatoire des AOC de Beaumes de Venise : cours Jean-Jaurès. ☎ 04-90-36-11-26. ● beaumesdevenise-aoc.fr ● Pour tout savoir sur les crus du coin.

– Marchés nocturnes d'artisans : 1 fois/sem juil-août.

Où dormir ? Où manger ?

De prix moyens à plus chic

⌂ Chambres d'hôtes Thym et Romarin : rue Flandre-Dunkerque. ☎ 04-90-65-00-24. ● gpechiodat@gmail.com ● thym-romarin.com ● À quelques mn du centre de Beaumes (prendre la rue qui longe le stade, faire 300 m, puis fléché à droite). Compter 75-90 € pour 2 selon saison. 🖥 🛜 Une jolie maison néoprovençale qui a su masquer son côté récent (on aime bien les vieilles choses en Provence !) grâce à son agréable atmosphère et ses 3 chambres, bien proprettes et soignées, décorées façon couleur locale. L'une d'elles peut accueillir une famille... mais il y a de fortes chances que les enfants préfèrent dormir dans l'adorable et minuscule roulotte (qui peut servir de chambre d'appoint pour les mômes quand les parents prennent une « vraie » chambre !). La piscine et la pelouse sur le devant jouent aussi leur petit rôle dans ce confort général.

|●| Auberge Saint-Roch : av. Jules-Ferry. ☎ 04-90-65-08-21. ● auberge saintroch@orange.fr ● Tlj sf jeu. Formules 14-23 € et menus 23-38 €. Des produits frais, très joliment cuisinés par un tout jeune chef, servis avec le sourire dans une salle rustico-chic.

Où dormir dans les environs ?

⌂ Chambres d'hôtes Au Coin du figuier : 94, chemin des Roumeses, hameau des Sablons, 84260 **Sarrians.** ☎ 04-90-12-18-49. ● aucoindesfi guiers@sfr.fr ● aucoindesfiguiers.com ● À 6 km de Sarrians, vers Orange, prendre à droite avt le pont de l'Ouvèze, puis 2 fois à droite (fléché). Tte l'année. Compter 85-95 € pour 2 selon saison. 🛜 François se consacre à plein temps à ses hôtes, Aude, décoratrice, a donné sa touche aux 3 confortables chambres, de style contemporain, restaurées de matériaux naturels, dans la grange de cette ferme de famille. Cosy, originales, elles abritent une salle de bains ouverte ou une douche à l'italienne derrière le lit. Vaste jardin avec piscine, kiosque servant de cuisine et de bar l'été à dispo, potager ouvert | et bien sûr une figueraie. Ici, repos et convivialité prennent tout leur sens !

VACQUEYRAS (84190)

Charmant village aux ruelles étroites montant vers le mur d'enceinte du château. Beau clocher provençal au sommet d'une tour de garde du XIIe s. Pour découvrir le patrimoine viticole du village, itinéraire pédestre en 16 panneaux, évoquant aussi bien l'histoire, le climat, les cépages, l'architecture. Compter 2h30-3h pour flâner au gré des 8 km du parcours. Départ du centre du village.
– *Fête des Vins :* 13-14 juil. Les viticulteurs font déguster leur production.

Où camper ? Où manger dans le coin ?

⚹ *Camping des Favards :* 1349, route d'Orange, 84150 *Violès.* ☎ 04-90-70-90-93. • campingfavards@gmail.com • favards.com • De Violès, direction Orange (D 67) sur 1,5 km. Ouv de mi-avr à début oct. Compter 19,24 € pour 2 en hte saison selon emplacement. Mobile homes, caravanes et tithomes (340-440 €/sem). 🛜 Apéritif offert sur présentation de ce guide. Après le camping à la ferme, le camping à la vigne. Des emplacements impeccables de 100 et 200 m², plats et herbeux, avec des haies de séparation, le tout au milieu d'un domaine viticole de 20 ha avec vue sur les Dentelles de Montmirail. Assez peu d'ombrage, en revanche, dommage. Sanitaires, laverie automatique et barbecue à disposition... alimenté par des souches de vigne, évidemment ! Se balader sur le sentier pédestre et vigneron avant de déguster les vins du caveau familial. Location d'un gîte également. Piscine. Accueil très aimable.

|●| *Le Café du cours :* cours Stassart, Vacqueyras. ☎ 04-90-65-87-08. • cafeducours@sfr.fr • Au cœur du village. Tlj midi et soir en été ; slt midi lun-ven hors saison. Menus 23-29 €. Apéritif offert sur présentation de ce guide. À l'ombre des platanes, chaleureux café-resto de village tenu par deux sœurs qui s'appliquent à bien faire, en toute simplicité. De bonnes grillades, un frais carpaccio de courgettes et des petits plats provençaux à accompagner d'un vacqueyras, bien sûr. Et le vendredi soir, c'est la fête au village : soirée musicale et scène ouverte. Service un peu débordé.

|●| *Côteaux & Fourchettes :* croisement de la Courançonne, 84290 *Cairanne.* ☎ 04-90-66-35-99. • info@ coteauxetfourchettes.com • Au croisement des routes D 975 et D 8, entre Vaison et Orange. Tlj sf jeu, ainsi que soir dim-lun hors saison. Résa conseillée. Formule déj sf dim 24 €. Menus 33-44 €. Kir offert sur présentation de ce guide. Perdue au cœur du vignoble, à la croisée des vignes de Rasteau, Vacqueyras et Gigondas, une maison récente sur un rond-point. C'est dans ce lieu perdu qu'a choisi Cyril Glémot de poser ses couteaux et ses fourchettes pour proposer une cuisine provençale créative de haute volée. Dans une salle moderne et épurée, en terrasse ou sous l'appentis dans le jardin, on se régale de plats raffinés, savoureux, gorgés de soleil, au dressage finement travaillé. Superbe carte des vins, forcément ! Seul bémol, la première bouteille est à 18 € (l'apéritif est déjà à 12 € !), ce qui peut rapidement faire grimper l'addition. Service impeccable et sommelier fin connaisseur. Une grande table !

|●| *Auberge La Tuilerie :* 786, chemin de la Tuilerie, 84150 *Violès.* ☎ 04-90-70-92-89. • xavier.henry2@wanadoo.fr • Sur la route de Vaison. Tlj sf mar ; slt ven soir et w-e hors saison. Congés : janv-fév. Résa nécessaire. Menu déj sf dim 20 €, menu unique le soir 28 €. Apéritif offert sur présentation de ce guide. Chouette, une auberge de campagne sur un domaine viticole ! Les propriétaires ont décidé d'exploiter à la fois leur site, bucolique, et leur savoir-faire, le vin (certifié bio), pour proposer

en saison une formule du style ferme-auberge. Le principe est celui d'une table d'hôtes. On mange dans le jardin ombragé, au milieu des vignes, avec une petite vue sur les Dentelles. Atmosphère champêtre en diable, on se croirait dans un roman du XIXᵉ s, service nonchalant inclus... Ça commence par le kir accompagné de petites mises en bouche (tapenade, poichichade, etc.), ça continue avec 2 petites entrées provençales bien fraîches, avant le plat de viande ou de poisson, enfin fromage et dessert, et le vin du domaine est inclus. C'est excellent, tout est maison, et franchement, c'est le genre d'adresse qui réconcilie avec les régions touristiques si on était fâché !

GIGONDAS (84190)

Les Romains avaient nommé le village *Jocunditas,* qui signifie « joie et allégresse ». Ils ne s'étaient pas trompés. Et les amateurs ne manqueront pas de faire, dans la joie et la bonne humeur, quelques dégustations de cet excellent cru, parmi les plus réputés des côtes-du-rhône. Il y a plus de 40 producteurs. Le village a conservé peu ou prou son aspect médiéval. À découvrir dans la partie haute : un cheminement de sculptures.

C'est d'ici, à notre humble avis, que vous aurez la plus jolie vue sur les Dentelles ; d'ailleurs, elles font partie du territoire communal. Mais que cela ne vous empêche pas de pousser jusqu'au col du Cayron, d'où vous aurez une vue impressionnante sur tout le massif.

➤ Quelques idées de randos : la roche du Midi (50 mn), le col d'Alsau (1h), la tour Sarrazine (1h30).

Adresses utiles

🛈 Office de tourisme : *pl. du Portail.* ☎ 04-90-65-85-46. ● *gigondas-dm. fr* ● *Ouv lun-sam (et dim mat juil-août).* Vous y trouverez la liste des producteurs viticoles, ainsi que des cartes de randos et topoguides.

■ Le Caveau du Gigondas : *juste à côté de l'office de tourisme.* ☎ 04-90-65-82-29. *Tlj sf 2 sem en janv.* Le caveau, vitrine de l'AOC, propose au même prix qu'à la propriété les vins élaborés par les producteurs indépendants. Vente et dégustation sur place : bien pratique si vous n'avez pas le temps de sillonner le vignoble.

■ Gigondas – La Cave : *quartier des Blâches.* ☎ 04-90-65-83-78. ● *cave-gigondas.fr* ● *Tlj. La Cave de Gigondas* est l'une des meilleures coopératives de la région. Mieux qu'une dégustation à la cave, rendez-vous directement au *Caveau des Gourmets,* pour un accord mets-vins (voir « Où dormir ? Où manger ? »).

Où dormir ? Où manger ?

Très bon marché

🏠 Gîte d'étape des Dentelles : *à l'entrée du village.* ☎ 04-90-65-80-85. ● *infos@gite-dentelles.com* ● *gite-dentelles.com* ● ♿ *Congés : janv-fév. Nuitée 17-19 €/pers (draps en sus 4 €), adhésion 1 €.* 📶 Relais moderne et impeccable pour groupes de randonneurs mais pas seulement. 2 dortoirs de 13 places et 11 chambres à 2 lits. Sanitaires neufs. Cuisine équipée, cheminée et barbecue. Jeux de société et agréable terrasse à l'avant pour se relaxer après une rude journée de marche. École d'escalade, randos pédestres ou à VTT. Et un accueil formidable !

🍽 Carré Gourmand : *rue du Corps-de-Garde.* ☎ 04-90-37-11-28. ● *carregourmand@hotmail.fr* ● *Ts les midis (sf lun hors saison) 10h-18h en été. Congés : janv-fév. Carte 17-19 €.* Café offert sur présentation de ce guide. Une terrasse de poche, une petite salle du style bistrot et une courette minuscule à l'arrière, voilà pour le décor de ce salon de thé accueillant et plein de charme. Petite restauration raffinée, d'une grande fraîcheur, avec une assiette du style crumble de courgettes et chèvre frais ou une autre, idéale pour l'apéro du midi, avec caillette, tapenade et verre de gigondas. Également de délicieuses pâtisseries, des glaces artisanales sans colorant et un bon choix de café et de thé. Accueil souriant.

De bon marché à prix moyens

I●I Le Caveau des gourmets : passage du Pot-Perché (pl. principale). ☎ 04-90-36-34-82. ● gourmets@cave-gigondas.fr ● Tlj, le midi slt avr-oct ; sinon slt ven-dim. Congés : janv-mars.

Formules déj 18-36,50 € (prix différents avec ou sans achat de vin). Réduc de 5 % sur les achats de vin (hors promo et avantages fidélité). La cave coopérative de Gigondas s'est offert une belle vitrine en contrebas de la place du village. Elle propose une restauration aussi ludique que délicieuse, sur le principe de l'accord mets-vins, poussé ici à son paroxysme. Les menus comprennent 5 plats servis en verrines, aussi bien salées que sucrées, chaudes que froides. Chaque verrine est accompagnée de sa dose dégustation de vin pour un accord parfait. Si la première gorgée est un peu frustrante (on la boit vite !), à la cinquième ou huitième, on se félicite que les verres soient si petits ! Service en terrasse et accueil chaleureux, assuré par les vignerons eux-mêmes.

SABLET (84110)

Passez à Sablet, bourgade verdoyante très prisée des écrivains pour son calme. Arrêtez-vous au caveau Les Genêts (☎ 04-90-46-84-33), sur la route de Vaison, pour déguster à toute heure des tartines aux saveurs provençales, avec un verre de vin de la propriété. Vente de vins et produits du terroir, sinon.
– **Fête du Livre :** début juil. Dédicaces, ventes, concours...

SÉGURET (84110)

Construit sur le flanc d'une colline rocheuse avec laquelle il se confond, c'est l'un des plus beaux villages de Provence, remis en valeur grâce à l'association Les Amis de Séguret. Ruelles pavées et poternes (passages couverts) ont été superbement restaurées ! Belle rando en boucle au départ de Séguret.

Où dormir ? Où grignoter ?

I●I Auberge-restaurant La Bastide Bleue : route de Sablet. ☎ 04-90-46-83-43. ● bastide-bleue@orange.fr ● bastidebleue.com ● À 500 m avt Séguret en venant de Sablet ou de Vaison. Resto ouv slt le soir ; tlj en juil-août ; fermé mer hors saison. Doubles 68,50-81-50 € selon saison. Formule déj 18,50 € ; menus 25-30 €. Café offert sur présentation de ce guide. Située au pied du village, une très jolie maison provençale dotée de 7 chambres rénovées au goût du jour, dont quelques familiales. Petit bémol,

ce n'est pas toujours très lumineux ni assez ventilé. La jolie piscine au milieu des vignes compense un peu cette lacune. On s'attable dans une agréable salle ou sur la belle terrasse, typiquement provençale. Cela dit, la cuisine n'est pas passionnante. Accueil courtois.

La Maison d'Églantine : rue des Poternes. ☎ 04-90-46-81-41. ● contact@lamaisondeglantine.com ● Tlj Pâques-janv. Aux beaux jours, la petite terrasse de ce mignon salon de thé auprès de la fontaine vous tend les bras (une vraie carte postale !) ; idéal pour faire une pause et déguster une part de tarte ou une glace artisanale avec un cocktail de fruits frais.

SUZETTE (84190)

Panorama, panorama, panorama ! D'abord, en montant vers Suzette, à chaque détour de la route apparaissent les Dentelles et la plaine du Rhône. Tout en haut, le Ventoux se dévoile face au col où s'est niché ce petit village.

Où dormir ?

🏠 **Chambres d'hôtes Le Dégoutaud :** Le Barroux, 84340 **Malaucène.** ☎ 04-90-62-99-29. • le.degoutaud@ wanadoo.fr • degoutaud.fr • ♿ À 2 km de Suzette (fléché), en redescendant vers Malaucène. Compter 73-78 € pour 2 selon saison. 🛜 Apéritif offert sur présentation de ce guide. Posé à 350 m d'altitude dans un décor de rêve, un superbe vieux mas autour duquel Pierre Marin cultive abricots, cerises, olives et quelques pieds de vigne. 3 chambres très réussies dans le style romantico-campagnard et entretenues avec constance. Enfin, charmante terrasse où se prend le petit déj. Le soir, on peut y déguster son marché les yeux perdus vers l'horizon... cuisine et barbecue à disposition. Piscine. Accueil aussi chaleureux qu'authentique.

LAFARE (84190)

À quelques kilomètres de Beaumes par la D 90, Lafare est un joli petit village au cœur des Dentelles. Comme Gigondas, camp de base idéal pour se balader dans le massif. Une curiosité dans le coin : la Salette, rivière qui, comme son nom l'indique, est... salée.

Où dormir ? Où manger ?

🏠 **Gîte d'étape de Lafare :** pl. de la Fontaine. ☎ 04-90-82-20-72. • andre@charmetant.org • gitelafare. free.fr • Au centre du village. Ouv tte l'année, sur résa. Nuitée 16 €/pers en dortoir ; 40 € la chambre double, draps en sus. 3 dortoirs de 4-5 lits superposés et une chambre double. Ni repas ni petit déj, mais cuisine à disposition. André est guide de haute montagne et organise des stages d'escalade dans les Dentelles, bien sûr, mais aussi dans le Verdon, les calanques de Marseille... Accueil chaleureux.

🍽️ **Le Bistro de Lafare :** pl. du Château. ☎ 04-90-28-19-44. • bistrodelafare@orange.fr • ♿ Dans le village (c'est fléché). Congés : janv. Tlj sf lun (plus dim, mar et soir mer-jeu hors saison). Formules 11,50-18,50 € et menus 25,50-28,50 €. Carte env 20 € le soir. Digestif offert sur présentation de ce guide. Dans l'esprit des « Bistrots de pays », un lieu de vie ouvert dès le petit déj, qui fait aussi épicerie et invite régulièrement vignerons comme musiciens à partager leur passion. Jolie petite cuisine de région servie dans la bonne humeur dans une salle à la déco contemporaine ou, dès que c'est possible, sur une terrasse face aux Dentelles.

VAISON-LA-ROMAINE

(84110)   6 200 hab.   *Carte Vaucluse, B2*

Capitale celto-ligure, puis cité alliée à Rome, la ville conserve quelques beaux témoignages de cette époque : le théâtre, les ensembles thermaux... Vaison

devint au IVᵉ s le siège d'un évêché qui resta ici jusqu'en 1791. Elle fut également, aux Vᵉ et VIᵉ s, le siège de deux conciles. C'est grâce à celui de 529 que l'on chante le kyrie à la messe du dimanche. Au XIIᵉ s, les comtes de Toulouse prennent possession de la ville et décident d'entamer la construction d'un château qui la domine encore aujourd'hui sur la rive gauche de l'Ouvèze. Au XIXᵉ s, l'expansion démographique poussa les habitants à développer l'autre rive de Vaison. Mais c'est en 1907 que les premières fouilles ont attiré l'attention sur l'importance du site romain. On y découvre un vaste panorama de l'architecture sur le Iᵉʳ et IIᵉ s.

Aujourd'hui, la cité s'étend sur les deux rives de l'Ouvèze. Lieu plutôt fréquenté, Vaison est le troisième site touristique du département du Vaucluse mais n'a pas cédé – heureuse surprise – à la manie des parkings payants.

Adresses et info utiles

🛈 @ **Office de tourisme :** pl. du Chanoine-Sautel, BP 53. ☎ 04-90-36-02-11. • vaison-ventoux-tourisme.com • Tlj sf dim hors saison. Borne interactive pour télécharger les circuits pédestres et à vélo (disponibles également sur • escapado. fr •). Écrans tactiles pour consulter tous types d'info.

■ **Location de vélos : Intersport** (route de Nyons ; ☎ 04-90-36-24-01) et **Cycle Chave** (route d'Avignon ; ☎ 04-90-41-95-17). Fermés dim.

– **Marché provençal :** mar mat. L'un des plus importants du Vaucluse !

Où dormir ? Où manger ?

Campings

� **La Cambuse :** domaine de la Cambuse, route de Villedieu. ☎ 04-90-36-14-53. 📱 06-32-18-15-54. • dom. lacambuse@wanadoo.fr • domainela cambuse.com • ♿ À 3,5 km au nord de Vaison par les D 51 et D 94. Ouv de mai à mi-oct. Compter 13 € pour 2 en hte saison. CB refusées. Bienvenue à la ferme ? Oui, ou plutôt bienvenue à la vigne ! Une aire naturelle de 25 places dans une pinède de 3 ha jouxtant les vignes des proprios. Emplacements en terrasses, plats et herbeux. Sanitaires rénovés. Piscine. Vente de vin de pays et d'huile d'olive. Accueil à la bonne franquette, sympa et authentique.

⊀ **Camping du Théâtre Romain :** quartier des Arts, chemin du Brusquet. ☎ 04-90-28-78-66. • info@camping-theatre.com • camping-theatre.com • Ouv de mi-mars à début nov. Compter 25 € pour 2 en hte saison. Loc de mobile homes 2-4 pers 220-650 €/ sem selon saison. 📶 Comme son nom l'indique, situé non loin du théâtre antique et à seulement 500 m du centre-ville. 75 emplacements séparés par des haies (plus ou moins ombragés, cela dit), le tout dans une ambiance assez tranquille de camping familial (pas d'animation). Aire de services pour camping-cars. Piscine, location de VTT, pétanque, ping-pong et billard.

De bon marché à prix moyens

🏠 **Chambres d'hôtes Le Mas de la Combe :** chemin de la Combe. ☎ 04-90-36-12-01. • masdelacombe@orange.fr • masdelacombe-vaison-ventoux.com • À env 2 km au nord du centre-ville, par l'av. Gabriel-Péri puis, à droite, le chemin de La Combe et encore à droite à la patte-d'oie. Compter 70-75 € pour 2. 📶 En surplomb du village, dans un grand jardin doté d'une piscine en terrasse, avec une très belle vue, au sud, sur le village et les Dentelles. On ne dirait pas, mais cette jolie maison en pierre du pays n'a qu'une trentaine d'années et elle ne dépareille vraiment pas dans le paysage. Ici, il y en a pour tous les budgets, de la chambre d'hôtes au gîte en passant par le studio. Tous sont impeccables, modernes et fonctionnels. Petit déj inclus pour la chambre d'hôtes. Charmant accueil de la famille Ditta et atmosphère tranquille.

🛏 Chambres d'hôtes Au Coquin de sort : *1242, chemin de Saume-Longue. ☎ 04-90-35-03-11. 📠 06-07-42-03-57.* ● *cokin2sor@orange.fr* ● *aucoquinde sort.com* ● *Compter 80 € ; 70 € à partir de 2 nuits.* 🖥 🛜 Vous recherchez l'originalité ? Alors réservez dans cette maison d'hôtes tout droit sortie d'une B.D. ou d'un film fantastique pour adolescents comme on sait les faire aujourd'hui... Le couple de proprios orléanais a conçu 3 chambres vraiment étonnantes, mélange de coins et de recoins, de vieilles pierres et d'arrondis champignonnesques, avec un escalier en fer forgé par-ci, un dos de lit dessiné comme une horloge par-là, et puis des tas de détails que vous découvrirez par vous-même... Pour prolonger l'esprit bohème, il y a même une roulotte dans le jardin, pouvant servir d'appoint pour les enfants... ou de chambre pour les couples très amoureux. Excellent petit déj et bon accueil.

🛏 Hôtel Burrhus : *1, pl. Montfort. ☎ 04-90-36-00-11.* ● *info@burrhus. com* ● *burrhus.com* ● *Doubles 61-98 € selon confort et saison. Parking clos payant.* 🖥 🛜 Situé en plein centre, ce charmant hôtel, égayé de murs ocre et de ferronneries, dispose d'une terrasse vraiment idéale pour prendre son petit déj en profitant de l'animation matinale d'une vraie place de Provence. Chambres toutes différentes, provençales, plus basiques ou à la déco carrément futuriste ! Vous êtes chez des passionnés d'art contemporain (4 expos par an). Accueil aussi charmant que la maison.

🛏 Chambres d'hôtes Les Tilleuls d'Élisée : *1, av. Jules-Mazen, lieu-dit Le Bon-Ange. ☎ 04-90-35-63-04.* ● *anne.viau@vaisonchambres.info* ● *vaisonchambres.info* ● *À env. 500 m de la ville médiévale. Compter 72-78 € pour 2 selon saison. Parking.* 🛜 À deux pas de la cathédrale, au calme. Jeune couple discret mais sympathique, qui a rénové avec soin cette bonne grosse demeure de famille. 5 chambres soignées et nickel, claires et au calme,

dont 2 se partagent la même salle de bains, idéales pour une famille. Au petit déjeuner, que l'on prend sous les tilleuls, confitures maison.

|●| O'Natur'elles : *36, pl. Monfort. ☎ 04-90-65-81-67. Tlj sf lun-jeu soir en basse saison. Congés : 15 j. début nov. Formule 16 € et menu 21,50 € le midi en sem. Carte 20-25 € le soir.* Dans une agréable salle printanière ou sur la petite terrasse face à la place principale du centre-ville, la douce Béatrice vous requinque avec une cuisine équilibrée et élaborée par ses soins, à base de produits régionaux frais, de saison et essentiellement bio. Assiettes végétariennes, aïoli à la morue, camembert rôti, côtelettes d'agneau... Que du bon et du « natur'elle » !

|●| La Lyriste : *45, cours Taulignan. ☎ 04-90-36-04-67.* ● *lalyriste@wana doo.fr* ● *Tlj sf lun et mer midi plus mer soir hors saison. Congés : vac de Noël. Formule déj en sem 15,50 €. Menus 22-29 € ; carte.* Une bonne adresse qui va son bonhomme de chemin à l'écart des foules. Accueil discret mais souriant, salle dont la déco n'est peut-être pas le point fort et terrasse jaune comme le soleil, pour une bonne cuisine régionale qui s'autorise parfois quelques originalités.

De chic à plus chic

🛏 Chambres d'hôtes L'Évêché : *14, rue de l'Évêché, Haute-Ville. ☎ 04-90-36-13-46.* ● *eveche@aol. com* ● *eveche.free.fr* ● *Congés : oct-fév. Résa impérative. Compter 87-145 € pour 2.* 🛜 De belles chambres dans une partie de l'ancien évêché, une maison du XVIIe s qui a donc une âme, surtout avec ses bouquins empilés un peu partout. Les chambres les plus chères sont en réalité des suites, et l'une d'elles dispose même d'un solarium. L'ensemble est tenu depuis près d'un quart de siècle par un couple charmant. TV pour le soir et jolie terrasse pour le petit déj.

🛏 La Fête en Provence : *pl. du Vieux-Marché, Haute-Ville. ☎ 04-90-36-36-43.* ● *fete-en-provence@wanadoo.fr* ● *hotellafete-provence.com* ● *Fermé mer. Studios et appartements pour*

1-4 pers ; compter 80-110 € pour 2, duplex 120 €. 🛜 *Un bel endroit niché au cœur des vieilles pierres de la ville haute. Beaux appartements, bien arrangés, avec du mobilier en bois d'olivier, des sièges en cuir et des tentures qui tamisent agréablement la lumière du jour. Salon de thé dans la cour en été. Piscine à deux pas, dans un cadre fort sympathique. Fait aussi resto.*

🏠 🍴 **Hostellerie du Beffroi :** *rue de l'Évêché, Haute-Ville, BP 85.* ☎ *04-90-36-04-71.* ● *lebeffroi@wanadoo.fr* ● *le-beffroi.com* ● *Doubles 80-190 € selon confort et saison. Resto (tlj sf mar ou jeu), menus 29-48 €. La saladerie sur la terrasse en juil-août, tlj sf lun, pour grignoter une salade ou déguster une glace. Garage payant.* 🛜 *Dans la ville médiévale, une auberge très confortable installée dans 2 maisons des XVIe et XVIIe s, avec une chapelle, celle des Pénitents-Blancs, au (beau) milieu. Tout le charme de l'ancien (tomettes anciennes, boiseries et vieilles pierres, bibelots et meubles d'époque jusque dans les chambres) mais avec tout le confort qu'on attend aujourd'hui d'un 3-étoiles. Évidemment, tout cela a un prix... Piscine avec vue superbe sur Vaison.*

🏠 **Maison d'hôtes Le Jour et la Nuit :** *1205, chemin des Ruches.* ☎ *04-90-65-55-23.* 📱 *06-80-48-66-47.* ● *contact@journuitvaison.fr* ●

journuitvaison.fr ● *De Vaison, direction A 7 Orange-Roaix par la D 975 ; au bout de 1 km, petite route à droite vers Le Plan, faire le tour de la propriété à droite et encore à droite. Congés : 19 déc-2 janv. Compter 90-140 € pour 2 selon confort. Table d'hôtes (oct-mai) sur résa 30 € tt compris. Réduc de 10 % sur le prix de la chambre sur présentation de ce guide. Si vous aimez les contrastes, vous allez adorer ! Cette belle bâtisse en pierre du XVIIe s parfaitement restaurée, au milieu des vignes et des abricotiers, abrite 6 chambres contemporaines jusqu'à l'excès. Mais cela peut en amuser plus d'un. Couleurs flashy, portes coulissantes, douches et vasques design, on vous laisse découvrir le reste par vous-même ! Le Jour et la Nuit, oui, c'est bien trouvé. Excellent accueil.*

🍴 **Bistro du' O :** *rue du Château, dans le bas de la ville médiévale.* ☎ *04-90-41-72-90.* ● *bistroduo@yahoo.fr* ● ♿ *Tlj sf dim et lun. Congés : 2 sem en janv et 2 sem en nov. Résa conseillée. Formules 19-21 € et menus 24 € le midi, 32-45 € le soir ; carte 40 €. Sous une voûte de pierre blanchie, cette jolie petite salle a été reprise par un couple jeune et tonique qui s'applique dans le même répertoire néo-terroir épuré, qui fit le succès du lieu au temps du grand chef de Roaix. Plats goûteux, cuisine plaisante, aux prix actuels. Pas de terrasse.*

Où dormir dans les environs ?

🏠 **Chambres d'hôtes Soleil et Ombre :** *chez Agnès Brunet, rue de la Bourgade, 84110 Villedieu.* ☎ *09-50-54-72-17.* 📱 *06-60-90-65-68.* ● *harz@free.fr* ● *soleil-et-ombre.fr* ● *À env 7 km au nord de Vaison par les D 51 et D 94. Ouv début avr-début nov. Compter 65 € pour 2 (55 € à partir de la 2e nuit).* 📺 🛜 *Remise de 10 % sur le prix de la chambre sur présentation de ce guide.* Un charmant petit village provençal comme on l'imagine, avec

un café sans âge (mais toujours très animé) dont la terrasse envahit la placette et, au fond, une terrasse-tonnelle pour se protéger de la chaleur accablante en été. C'est celle d'Agnès, une charmante mamie qui a toujours le sourire aux lèvres, même lorsqu'elle égare ses clés en rentrant des courses... 2 chambres colorées, spacieuses et en un mot impeccables. Et pas chères, qui plus est. Petit jardin clos à l'arrière, très mignon.

Où manger une bonne glace ?

🍦 **Glacier-chocolatier Peyrerol :** *7, cours Henri-Fabre.* ☎ *04-90-36-04-91.*

● *gilles.peyrerol@gmail.com* ● *Tlj sf lun hors saison.* Pour les gourmands, de fins chocolats à la fève de cacao de République dominicaine, des gâteaux et des macarons à tomber, ainsi qu'une vingtaine de sorbets maison délicieux.

Il va falloir choisir entre la réglisse, la violette, le caramel au beurre salé et la banane de la Réunion !

À voir

➤ L'entrée des fouilles, du musée et du cloître de la cathédrale est payante. *Billet pass « tous monuments » valable 24h : 8 € ; réduc 4 € ; gratuit moins de 11 ans ; le pass donne droit à la visite guidée. Audioguide 3 € pour l'ensemble des sites (y compris la visite de la ville médiévale). Tlj ; avr-mai 9h30-18h ; juin-sept 9h30-18h30 ; le reste de l'année 10h-12h, 14h-17h (ou 17h30). Fermé en janv. Infos et visites guidées pdt les vac scol sur résa :* ☎ 04-90-36-50-48.

🏃🏃🏃 🕴 *La ville romaine :* ou du moins ce qui en a été dégagé, avec la vaste *villa de l'Apollon Lauré* au début du champ de fouilles du quartier de Puymin. Il s'agit d'un des plus beaux sites antiques qui soient, c'est en tout cas le plus grand site archéologique français ouvert au public. Des ruines de maisons construites par de riches propriétaires subsistent quelques éléments qui donnent une idée de leur splendeur d'antan. Et bien qu'une partie soit encore sous la rue, les dimensions sont particulièrement frappantes ! Une signalétique indique la nature des pièces d'habitation, et des vues cavalières (croquis en trois dimensions) permettent d'imaginer les édifices en élévation.
– Le *théâtre*, de l'autre côté de la colline, est plus petit et moins bien conservé que celui d'Orange. Du haut de ses gradins, belle vue sur les collines. Remarquez la jolie corniche sculptée dans la galerie souterraine qui dessert les gradins.
– Visitez le *musée Théo-Desplans*, notamment pour sa belle collection de statues impériales, dont celles de l'empereur Hadrien et de Sabine, son épouse, et pour les exceptionnelles mosaïques mises au jour dans la villa du Paon. Également des collections d'objets usuels.
– Le quartier de la *Villasse*, situé vers la cathédrale, est de loin la partie la plus impressionnante. On déambule dans les rues antiques, s'imaginant sans mal la vie trépidante qui régnait dans ces quartiers où les échoppes côtoyaient les villas fastueuses et les thermes. Même réduite à l'état de « plan », cette ville romaine dégage une atmosphère fascinante.

🏃 *La ville romane :* avec la *cathédrale Notre-Dame-de-Nazareth,* l'un des édifices romans les plus intéressants de Provence. Remarquez l'architecture octogonale de la coupole sur trompes. N'oubliez pas de voir le beau *cloître,* puis allez jeter un coup d'œil à la *chapelle Saint-Quenin,* du XIIᵉ s, à 300 m, qui possède une abside triangulaire remarquable par sa forme et par la qualité du travail de la pierre. La nef date, elle, du XVIIᵉ s.

🏃🏃🏃 *La ville médiévale :* passez le vieux *pont gallo-romain* sur l'Ouvèze. Le pont en lui-même vaut le coup d'œil, avec une seule arche de 17 m d'ouverture. Agréable promenade à travers les « calades » (rues pavées de galets) de la vieille ville où de nombreuses maisons ont été restaurées. Superbes façades Renaissance. Arrêtez-vous au pied de la porte fortifiée surmontée d'un beffroi, puis devant l'église, et, si vous êtes courageux, grimpez jusqu'au château : la vue est magnifique. Puis passez par la place du Vieux-Marché, la rue des Fours, le quartier de la Juiverie, etc.

🏃 *La ville provençale :* nouveau cœur de ville avec la place Montfort entièrement réaménagée avec une esplanade piétonne, des fontaines, un canal d'eau vive et le chemin d'écriture...

Fêtes et manifestations

– *Festival Brassens :* fin avr-début mai. 11 j. de concerts.
– *Festival Vaison Danses au théâtre antique :* 3 sem en juil. ☎ 04-90-28-74-74.
● vaison-danses.com ● Spectacles de danses. Théâtre et variétés en été.
– *Chœurs lauréats :* 3 j. fin juil. ● festivaldeschoeurslaureats.com ● Dans la cathédrale romane Notre-Dame-de-Nazareth. Le plus grand rassemblement européen
de lauréats de concours polyphoniques.
– *Semaine de théâtre antique :* juil-début août. Festival de théâtre antique,
moderne et contemporain inspiré... de l'Antiquité, évidemment. Conférences et
forum.
– *Choralies :* ts les 3 ans, prochain festival début août 2016. Les chorales « À Cœur
Joie » du monde entier se donnent rendez-vous pour le plus grand festival
d'Europe. Pendant une huitaine de jours : ateliers, répétitions, concerts.
– *Festival Au Fil des Voix :* 8-11 août. ● aufildesvoix.com ● Les grandes voix du
monde.
– *Rencontres gourmandes :* 3 j. fin oct-début nov. ● rencontres-gourmandes.
com ● Animations, concours gastronomiques et dégustation de produits du terroir. Elles sont encadrées de la mi-octobre à la mi-novembre par le *festival des
Soupes.* Élection de la meilleure soupe parmi toutes celles préparées dans la
vingtaine de villages du pays ! ● soupes84.free.fr ●

DANS LES ENVIRONS DE VAISON-LA-ROMAINE

CRESTET (84110)

À 3,5 km au sud-est de Vaison-la-Romaine par la D 938. Village perché sur une
crête, comme son nom l'indique. Plein de charme et de pittoresque, avec ses
vieilles maisons de pierre à peine séparées les unes des autres par d'étroites
ruelles interdites aux voitures. Du haut du village, à côté du château (ancienne
résidence des évêques de Vaison), belle vue sur le Ventoux et les Baronnies.

Où dormir ?

🛏 I●I *Le Mas d'Hélène :* quartier
Chante-Coucou. ☎ 04-90-36-39-
91. ● mas-helene@orange.fr ● lemas
dhelene.com ● À quelques km au
sud de Vaison, par la D 938. Congés :
30 nov-1er mars. Doubles 79-120 €
selon saison, confort et vue. Menu
34 €. 📶 Apéritif offert sur présentation
de ce guide. Une bâtisse moderne,
rappelant vaguement les mas d'antan,
avec une vue splendide sur la vallée.
Tranquillité absolue, chambres fraîches
et classiques, bien équipées, dans les
bleus, jaunes et blancs. Rassurant plus
qu'original. Cadre bourgeois et sans
surprise. Belle piscine dans le fond
avec transats. Fait resto également.

L'ENCLAVE DES PAPES

Carte Vaucluse, B1

Une curiosité que cette enclave vauclusienne dans le département de la
Drôme. Vous connaissez l'histoire, et même l'Histoire ? Les papes, qui ne
cessaient d'agrandir leur domaine et d'en tirer de substantiels revenus,
s'étaient rendus propriétaires de Richerenches, Valréas, Visan puis Grillon.

LE HAUT VAUCLUSE

La réunion de ces villages constitua, dès cette époque, une « enclave » pontificale dans les terres du futur royaume de France. L'enclave des Papes était née. Elle le restera pendant un demi-millénaire, jusqu'à ce que la Révolution française lui impose un rattachement au département du Vaucluse...

VALRÉAS (84600)

Perchée sur une colline encore dominée par son donjon du XIIe s, la petite ville, qui fut une cité importante des États pontificaux, a encore de beaux restes avec ses vieux quartiers, la belle église romane de Notre-Dame-de-Nazareth au portail... gothique, la chapelle des Pénitents-Blancs datant du XVIe s, le château de Simiane, palais construit au XVe s puis remanié aux XVIIe et XVIIIe s, qui abrite désormais l'hôtel de ville. Sinon, Valréas reste un bourg commerçant et assez peu touristique...

Adresse utile

🏠 @ **Office de tourisme :** av. du Maréchal-Leclerc. ☎ 04-90-35-04-71. ● ot-valreas.fr ● Tlj sf dim ap-m en été ; fermé dim en mi-saison et sam ap-m nov-fév. 📶 Borne Internet sur place.

Où dormir ? Où manger ?

🏠 I●I **Chambres d'hôtes Domaine des Grands-Devers :** route de Saint-Maurice-par-la-Montagne, lieu-dit Les Françons. ☎ 04-90-35-15-98. ● phbouchard@grandsdevers.com ● grandsdevers.com ● À 6 km au sud de Valréas, sur la D 191, direction Visan. Compter 68 € pour 2 (60 € à partir de la 2e nuit). Table d'hôtes sur résa 1 soir sur 2, 25 €. Paul-Henri Bouchard, viticulteur de son état, embrasse un vaste domaine viticole depuis sa solide demeure. Il vous y accueillera avec gentillesse, dans des chambres simples et confortables, toutes avec sanitaires. Les cigales dans les oreilles, une goutte de vin au fond du verre... on est plutôt bien. Propose des ateliers dégustation, en collaboration avec d'autres viticulteurs.

À voir

🥾 Un **circuit piéton,** fléché ou audioguidé au départ de l'office de tourisme, permet de partir à la découverte des principaux monuments et hôtels particuliers.

🥾 **Le musée du Cartonnage et de l'Imprimerie :** 3, av. Maréchal-Foch. ☎ 04-90-35-58-75. ♿ (expo permanente au rdc). Tlj sf mar et dim mat 10h-12h, 15h-18h (14h-17h en hiver). Entrée : 3,50 € ; gratuit moins de 12 ans. Le cartonnage, c'est tout le processus de transformation de la feuille de carton en emballage. Ce musée, unique en France, retrace l'histoire de la fabrication des boîtes en carton à Valréas, destinées à la parfumerie, la bijouterie, la confiserie, la pharmacie, etc. Vous saurez tout sur la fabrication et l'impression des célèbres boîtes à courant d'air inventées ici pour l'expédition des graines de vers à soie et souvent joliment décorées. Cette activité qui connut son essor au début du XXe s, et qui perdure, a permis l'industrialisation du cartonnage en France. Expositions temporaires. Projection d'une vidéo.

Fête

– **Nuit du Petit-Saint-Jean :** *23 juin.* Depuis 1504 ! La Saint-Jean est ici fêtée dans le faste : roi d'une année, le Petit-Saint-Jean, un garçon de 3 à 5 ans, est couronné en grande pompe avant de conduire un cortège de quelque 400 personnages en costumes d'époque (hallebardiers, gardes pontificaux...) à travers toute la ville.

GRILLON *(84600)*

À 4 km de Valréas. Le *quartier du Vialle,* à l'architecture typique d'un village féodal qui menaçait de tomber en ruine, a été réhabilité par un architecte. Et le mélange entre une architecture résolument contemporaine (verre et métal) et les vieilles pierres fonctionne étonnamment bien ! Maison des Trois-Arcs, maison Milon, maison du Boulanger : un cheminement signalétique permet de découvrir ces curiosités et trésors architecturaux.

RICHERENCHES *(84600)*

À 7 km de Valréas. Le vieux quartier est encore enclos dans l'enceinte d'une commanderie de templiers fondée en 1136 (ce fut la première de Provence). On produisait ici tout ce qui était nécessaire aux expéditions de ces moines-soldats, à commencer par leurs destriers, suffisamment solides pour le chemin jusqu'à Jérusalem.
Pour les amateurs de la *Tuber melanosporum,* qui viennent parfois de fort loin en hiver, Richerenches est avant tout LE centre truffier le plus important du sud de la France et un des plus importants d'Europe.

Adresse et info utiles

🛈 **Office de tourisme – La Commanderie templière :** *pl. Hugues-de-Bourbouton.* ☎ 04-90-28-05-34. ● *tourisme.richerenches@orange.fr ● Ouv lun-ven 10h-13h, 14h30-18h30, sam 9h30-12h30, 15h-18h. En hiver, horaires réduits.* La Commanderie, entièrement restaurée, accueille un office de tourisme, des salles d'exposition (sur les Templiers, la truffe, etc.) ouvertes sur les horaires de l'office et en accès libre. Propose également tout un programme de visites guidées, de dégustation d'omelette aux truffes (de mi-décembre à début mars), de conférences et d'animations.

Où dormir ? Où manger ?

🛏 ▮◉▮ **Chambres d'hôtes La Ferme de la Commanderie :** *domaine de Bourbouton.* ☎ 04-90-28-02-29. ● *fermecommanderie@gmail.com ● fermecommanderie.com ● Tte l'année. Compter 95 € pour 2. À l'écart de la maison, 4 petits chalets de bois à louer à la nuit (90 € pour 2 pers) ou à la sem (660 € pour 4 pers). Table d'hôtes sur résa 25-40 € tt compris.* 📶 Cette maison de pierre du XVᵉ s n'était plus que ruines. Jean-Marie et Françoise en ont fait un lieu attachant : de vieux meubles qui sentent bon la cire, une cheminée où brûlent ceps et sarments, des chambres aussi charmantes que personnalisées. Belle piscine au milieu d'un jardin luxuriant et charmant, agrémenté d'un étang. À la table d'hôtes, cuisine provençale à base de produits de qualité. Vins des vignobles alentour. Piscine.

Fêtes et manifestations

– **Ban des truffes :** *mi-nov. Ouv le sam qui suit le 15 nov.* Il annonce l'ouverture officielle du marché aux truffes avec un défilé...

LE HAUT VAUCLUSE

– *Marché aux truffes :* sam de mi-nov à mi-mars 10h-13h, sur l'av. du Mistral et sur l'av. de la Rabasse (nom de la truffe en provençal). Rabassaires et courtiers négocient cachés derrière les coffres des voitures. En parallèle, marché provençal traditionnel.

– *Messe des truffes :* 3e dim de janv. Les panières ne se remplissent pas de monnaie, mais de truffes !

VISAN (84600)

La quatrième commune de l'enclave, réputée pour ses vins et son patrimoine. Haute terre des papes depuis 1344, cette place forte adossée à un amphithéâtre de collines chaudes et colorées domine la plaine. Rues sinueuses, bordées d'hôtels particuliers. Une chapelle rurale de toute beauté, Notre-Dame-des-Vignes, classée Monument historique.

LA VALLÉE DU RHÔNE

ORANGE   (84100)   30 630 hab.   *Carte Vaucluse, A2*

Orange est un lieu de passage depuis la plus haute Antiquité. Et elle le fut jusqu'à l'arrivée de l'autoroute. Elle revit chaque été, le temps d'un festival lyrique qui reste une des attractions majeures du sud de la France : les Chorégies ! Colonie romaine fondée en 35 av. J.-C., elle a gardé du passage des premiers légionnaires un arc de triomphe tout à fait remarquable (superbement restauré) et un théâtre dont le mur de scène est resté dans un état de conservation exceptionnel. Évidemment, tous deux sont inscrits au Patrimoine mondial de l'Unesco. Le reste a disparu sous les coups successifs des Wisigoths et autres envahisseurs de tout poil. Après avoir été vassale du Saint Empire romain germanique au XIIe s, la cité appartint à la maison des Baux. En 1530, la principauté passa par héritage à la maison de Nassau.

C'est d'ailleurs cette famille d'Orange-Nassau qui finit de détruire les vestiges romains de la ville en utilisant les pierres pour construire une forteresse au XVIIe s, château qui fut rasé, sur ordre de Louis XIV, par le comte de Grignan (gendre de Mme de Sévigné) pendant une guerre qui l'opposait à Guillaume d'Orange. Fin de l'histoire et des pierres romaines. Dommage !

En outre, cette ville qui semblait couverte de poussière retrouve progressivement ses couleurs. Les maisons ont été repeintes, des voies piétonnes ont été créées ; le vieil Orange revit peu à peu. Autre changement de couleur : beaucoup ont vu rouge, en juin 1995, quand la ville a basculé sous un régime de droite extrême (puisqu'on n'a pas le droit de dire l'inverse). Depuis, la mairie n'a cessé de changer d'étiquette, mais jamais de maire. La ville est belle et pleine de gens très sympathiques ; et quelle que soit sa couleur politique, il serait dommage de la boycotter.

Adresses et infos utiles

fi *Office de tourisme* (plan A-B2) : pl. des Frères-Mounet ☎ 04-90-34-70-88. ● otorange.fr ● Tlj sf dim et j. fériés hors saison. Visites thématiques en saison.

Plein d'infos sur l'application gratuite pour mobile : ● otorange.mobi ●

✉ *Postes :* 679, bd Édouard-Daladier (plan B2) et 48, cours Aristide-Briand

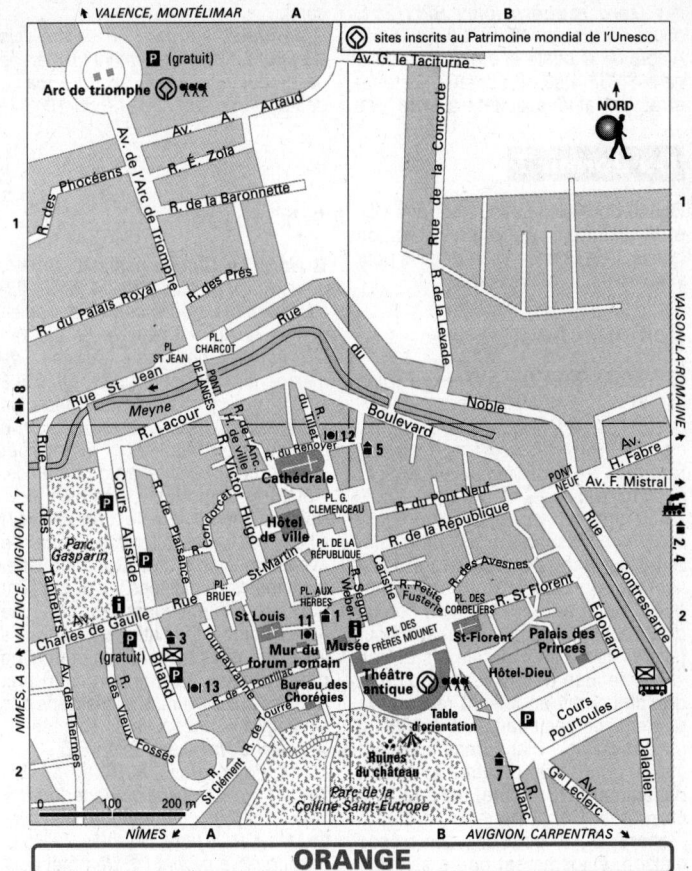

■ Adresse utile
  🛈 Office de tourisme

🛏 Où dormir ?
  1 Hôtel L'Herbier d'Orange
  2 Hôtel de Provence
  3 Hôtel Le Glacier
  4 Chambres d'hôtes
     Justin de Provence

  5 Hôtel Lou Cigaloun
  7 Hôtel Saint-Jean
  8 Chambres d'hôtes Villa Aurenjo

|●| Où manger ?
  11 Le Forum
  12 La Roselière
  13 Au Petit Patio

(plan A2).
■ ***Maison de la Principauté :*** 15,
rue de la République. Ouv tte l'année.
Expos temporaires de peintures, sculptures et artisanat.
🚆 ***Gare SNCF*** *(hors plan par B2) : av.*

Frédéric-Mistral. ☎ *36-35 (0,34 €/mn).*
● *voyages-sncf.com* ● 3 TGV directs/j.
en provenance de Paris desservent
Orange (sinon, nombreux TGV avec
changement à Avignon, Valence ou
Lyon).

🚌 *Gare routière* (plan B2) : 201, cours Pourtoules. ☎ 04-90-34-15-59. À côté de la poste et à env 1 km de la gare SNCF. Pas de bureaux, juste un arrêt (achat des tickets à bord des cars).

– *Marchés :* jeu mat, en centre-ville (parking difficile). Également un marché de producteurs cours Aristide-Briand, début juin-fin sept, mar 17h30-19h30.

Où dormir ?

Bonne nouvelle ! Orange est une ville étonnamment abordable question hôtels. Une bonne raison de plus pour y séjourner ou y faire étape.

Bon marché

🏠 *Hôtel L'Herbier d'Orange* (plan A2, 1) : 8, pl. aux Herbes. ☎ 04-90-34-09-23. ● info@lherbierdorange. com ● lherbierdorange.com ● Congés : fév. Doubles 59-64 €. Petit parking payant. 💻 📶 Réduc de 10 % sur le prix de la chambre (hors juil-août) sur présentation de ce guide. Situé sur une petite place très provençale à proximité du théâtre antique. Repris par un charmant couple de Bretons qui se met en quatre pour faire plaisir à sa clientèle. Ils ont eu la bonne idée de restaurer la plupart des chambres en faisant ressortir la pierre de ce beau bâtiment du XVIIᵉ s, mêlant du bois blanc dans un esprit marin, tandis que d'autres attendent patiemment leur heure, mais restent correctes. Gentil petit jardin clos à l'arrière. Et, au petit déj, des crêpes maison, évidemment on ne se refait pas !

🏠 *Hôtel de Provence* (hors plan par B2, 2) : 60, av. Frédéric-Mistral. ☎ 04-90-34-00-23. ● hoteldeprovence84@orange.fr ● hoteldeprovence84.com ● En face de la gare et à 10 mn à pied du centre. Congés : vac scol Noël et fév. Doubles 55-80 €. Garage payant. 📶 Réduc de 10 % sur le prix de la chambre (sf de juil à mi-août) sur présentation de ce guide. Cet ancien relais de poste abrite de belles petites chambres, plutôt confortables (TV, clim et salles de bains rénovées). Certaines peuvent accueillir jusqu'à 4 personnes. Une bonne affaire. Et il y a une (toute petite) piscine sur la terrasse, à l'arrière. Resto sur place.

Prix moyens

🏠 *Hôtel Le Glacier* (plan A2, 3) : 46, cours Aristide-Briand. ☎ 04-90-34-02-01. ● info@le-glacier.com ● le-glacier.com ● ♿ Au centre-ville. Fermé ven 12h-lun 14h nov-mars. Congés : de mi-déc à mi-janv. Doubles 68-139 € selon confort et saison. Garage clos payant. 💻 📶 Réduc de 10 % sur le prix de la chambre (hors juil-août et j. fériés) sur présentation de ce guide. Hôtel très confortable, très bien tenu, dans la même famille depuis 1947. Chambres toutes différentes, certaines avec parquet, d'autres avec moquette, mais toutes climatisées. La plupart ont été très joliment rénovées, chacune avec sa propre thématique. Pour toutes les bourses, et sans aucun doute l'un des meilleurs rapports qualité-prix d'Orange. D'ailleurs, les musiciens des Chorégies y sont souvent hébergés.

🏠 *Hôtel Saint-Jean* (plan B2, 7) : 1, cours Pourtoules. ☎ 04-90-51-15-16. ● hotel.saint-jean@wanadoo.fr ● hotelsaint-jean.com ● Congés : 2 sem fin déc-début janv. Doubles 70-85 €. Parking privé payant. 📶 Un hôtel pour vous rendre le séjour à Orange agréable. Chambres qu'on découvre, surpris, sourire aux lèvres. Chromos anciens, détails insolites, bon confort et climatisation. Il y a même une chambre troglodytique, creusée dans le rocher de la colline Saint-Eutrope (la n° 11). Très calme, côté cour.

🏠 *Hôtel Lou Cigaloun* (plan B2, 5) : 4, rue Caristie. ☎ 04-90-34-10-07. ● contact@hotel-loucigaloun.com ● hotel-loucigaloun.com ● Doubles 65-134 € selon confort et saison (plus cher pdt les Chorégies). Garage payant. 💻 📶 Dans une bâtisse historique du XVIIᵉ s, au cœur de la ville, un hôtel entièrement rénové, géré par une dame chaleureuse, très à l'écoute et aux petits soins pour ses clients.

Chambres pleines de charme, spacieuses, insonorisées, toutes différentes et personnalisées. Dans une bonne odeur de lavande, elles sont réparties sur 2 ailes avec plusieurs petits salons offrant livres et magazines. Belle salle de petit déj attenante à une petite cour calme.

De plus chic à beaucoup plus chic

🏠 *Chambres d'hôtes Justin de Provence* (hors plan par B2, *4*) : chemin du Mercadier, quartier des Crémades. ☎ 04-90-69-57-94. ● contact@justin-de-provence.com ● justin-de-provence.com ● Congés : janv. Compter 125-200 € selon confort et saison. 🛜 Remise de 10 % sur le prix de la chambre sur présentation de ce guide. Il était une fois une ancienne bergerie, achetée par Justin en 1927, que la petite-fille, Isabelle, restaura entièrement avec l'aide de son mari. En chinant à gauche à droite, ils ont su reconstituer un décor d'antan exceptionnel, mêlant l'ancien et le moderne.

5 chambres, toutes très différentes, de la romantique à la suite avec lit à baldaquin et baignoire sur pattes, en passant par la chambre Art déco. Et puis, que dire du parc de 7 ha, du vieux bistrot reconstitué dans le jardin, de la superbe piscine intérieure, du hammam et du jacuzzi, tout cela en accès libre ? Que c'est un remarquable rapport qualité-prix-charme, crénom !

🏠 *Chambres d'hôtes Villa Aurenjo* (hors plan par A1, *8*) : 121, rue François-Chambovet. ☎ 04-90-11-10-00. ● info@villaaurenjo.com ● villa-aurenjo.com ● À la sortie de l'autoroute, prendre Centre-ville ; au 2e rond-point, direction Arc de triomphe ; 300 m après Intermarché, 1re à droite. Compter 120-240 € selon saison et confort. 🖥️ 🛜 Une authentique demeure de charme, avec parc, rivière, platanes et piscine, sauna, cela dit dans le désordre. Un grain de folie n'étant pas pour déplaire à l'hôtesse tonique qui gère cette maison où Van Gogh sert de trait d'union entre la Hollande et la Provence, terres d'attache des propriétaires.

Où manger ?

De prix moyens à plus chic

🍴 *Le Forum* (plan A2, *11*) : 3, rue du Mazeau. ☎ 04-90-34-01-09. ● restaurantleforumorange@hotmail.com ● Tlj le soir sf mer, et le midi dim et j. fériés, juil-août tlj le soir slt. Menus 26 € (midi en sem)-34 €. À deux pas du théâtre, une petite salle intime dans les tons violet et gris. Cuisine d'excellente tenue, basée sur les produits du terroir. Les menus changent à chaque saison, comme il se doit, mais vous devriez y retrouver la terrine de foie gras, le carré d'agneau en croûte aux herbes ou le duo de lotte et gambas. Service, toutefois, un peu hésitant, en saison.

🍴 *Au Petit Patio* (plan A2, *13*) : 56, cours Aristide-Briand. ☎ 04-90-29-69-27. ● benoit.morin0017@orange.fr ● Tlj sf mer soir, jeu soir et dim. Congés : dernière sem d'août et vac scol de Noël. Résa conseillée pour une

table dans le patio. Menus 19 € le midi, 28-39 € le soir. Dans une salle provençale orangée à la déco très actuelle ou dans le fameux petit patio ombragé (mais pas d'orangers), les Orangeois se retrouvent nombreux le midi pour une cuisine qui améliore le quotidien. Viande en sauce légère, poisson à la cuisson juste et mignardises dès le 1er menu du midi, on est convaincus. On reviendra le soir, pour une cuisine plus élaborée. Équipe sympa au service.

🍴 *La Roselière* (plan A2, *12*) : 4, rue du Renoyer. ☎ 04-90-70-51-66. ♿ Tlj sf dim-lun. Congés : août. Carte env 26 €. CB refusées. Si le temps ne permet pas de manger dehors, laissez-vous entraîner à l'intérieur par la musique de Brel, Higelin ou Mahler... Déco vraiment hétéroclite, de bric et de broc ! Bien sûr, ce n'est pas cela qui nourrit. Difficile de vous mettre l'eau à la bouche car Fred, la patronne haute en couleur, a son caractère et change

LA VALLÉE DU RHÔNE

de carte comme d'humeur. Disons qu'elle pratique une cuisine de bistrot (du style filets de hareng, pied de cochon, andouillette), avec quelques détours exotiques de temps à autre (le colombo, par exemple). Une adresse qui fonctionne à l'humeur, alors si ce n'est pas votre cas, passez votre chemin !

Où dormir ? Où manger dans les environs ?

Chambres d'hôtes Mas Julien : 704, chemin Saint-Jean. ☎ 04-90-34-99-49. ● info@mas-julien.com ● mas-julien.com ● À la sortie d'Orange, direction Roquemaure. Congés : déc-fév. Compter 90-120 € pour 2 selon confort et saison. 🖥 🛜 Un bien sympathique mas provençal perdu dans la campagne, à 10 mn du centre-ville, avec des chambres climatisées et agréables à vivre, un parc pour s'évader, un espace bien-être (balnéo, massages), une piscine pour s'ébattre (couverte en demi-saison) et un coin salon. Très joli petit déj préparé par Valère, ancien restaurateur. Kitchenette à disposition pour préparer votre pique-nique.

Le Mas des Aigras – La Table du Verger : chemin des Aigras. ☎ 04-90-34-81-01. ● mas-des-aigras@orange.fr ● masdesaigras.com ● À la sortie d'Orange, direction Piolenc (4 km). Oct-mars, hôtel et resto fermés lun soir, mar-mer ; avr-sept, resto fermé le midi des lun, mer et sam. Congés : vac scol de Noël, fév et automne. Résa indispensable.

Doubles 75-160 € selon confort et saison. Menus 22 € le midi en sem, puis 31-55 €. 🛜 De belles chambres au calme, dans un mas isolé. Alain Davi, un des meilleurs chefs du pays, formé chez des étoilés célèbres, adore travailler les produits bio. Vous allez vous régaler. Jardin, piscine.

Chambres d'hôtes Domaine du commandeur : hameau de Derboux, 84840 **Mondragon.** Prendre la sortie nº 19 « Bollène » depuis l'autoroute. Compter env 10 mn. ☎ 04-90-30-95-30. ● domaineducommandeur@gmail.com ● domaineducommandeur.fr ● Fermé de mi-oct à mi-mars. Doubles 100-140 €, petit déj inclus. Table d'hôtes 20-30 €. Ce mas en pierre du XVIIIe s a tout d'une maison de famille chaleureuse. Bien au calme, il fait bon se balader dans les 4 ha de la propriété ou bien lézarder au bord de la piscine. Quant aux chambres, elles sont charmantes et toutes décorées différemment. La table d'hôtes sert un délicieux côtes-du-rhône bio dont les grappes poussent sur la propriété.

À voir

Pour partir à l'assaut des monuments et à la découverte du joli centre-ville, passez donc récupérer le petit circuit proposé par l'office de tourisme sur les traces des Romains et des princes Nassau. Succinct en infos mais très bien fait (et gratuit).

Le théâtre antique (plan B2) : rue Madeleine-Roch. ☎ 04-90-51-17-60. ● theatre-antique.com ● Visite tlj 9h30-16h30 en hiver, 9h30-17h30 mars et oct, 9h-18h avr-mai et sept, 9h-19h juin-août. Attention, dernier audioguide 1h avt fermeture car c'est le temps nécessaire à la visite. Entrée avec audioguide : 9,50 € (en fin de journée, tarif spécial sans audioguide : 8,50 €) ; réduc et forfait familles ; gratuit pour les moins de 7 ans. Chasse aux énigmes gratuite pour les 7-12 ans. Billet valable également pour le musée d'Art et d'Histoire.

Le théâtre le mieux conservé de l'Antiquité. Outre une excellente acoustique, le mur de scène est quasiment intact. Les corbeaux, pierres saillantes en haut de la façade, servaient à recevoir les mâts et cordages soutenant le velum, toile protégeant du soleil les spectateurs qui assistaient pendant de longues heures à des représentations uniquement diurnes d'une grande originalité. Le théâtre servit à la représentation des fameux mystères du Moyen Âge (un genre théâtral dont chaque représentation s'étendait souvent sur plusieurs jours), puis fut envahi par des maisons et des ruelles pendant les guerres de Religion. Il ne fut déblayé de tout cela, pour retrouver son vrai visage, qu'au XIXe s. Les gradins pouvaient contenir 8 000 à 10 000 spectateurs, répartis selon leur rang social ; les meilleures places se situaient au niveau de l'orchestre.

Le mur de scène, haut de 36 m, a perdu son riche placage de marbre, de colonnes et de mosaïques. Mais il a gagné en 2006 un toit de verre d'une conception audacieuse, étendant sur le monument une aile protectrice de 61 m de long et de plus de... 200 t qui traverse la scène sans aucun point d'appui ! Une statue censée représenter l'empereur Auguste, remise en place en 1950, occupe toujours une niche centrale au-dessus de la porte destinée à l'entrée des artistes. Parcours multimédia (« Les fantômes du théâtre ») à découvrir dans les quatre grottes situées derrière les gradins (inclus dans prix de la visite). Concerts et animations sont régulièrement organisés, dont le fameux festival des Chorégies d'Orange (voir plus loin « Fêtes et festivals »).

⊙ 🎭🎭🎭 *L'arc de triomphe* (plan A1) : jamais aucun triomphe ne fut commémoré ici. Qu'importe, voilà l'un des plus beaux monuments de la Gaule romaine. Construit au Ier s de notre ère, peut-être en l'honneur d'Auguste, il se situe en dehors des remparts romains, sur la voie dite d'Agrippa. L'arc fut fort endommagé, lorsqu'il servit de tour au Moyen Âge et qu'il était habité mais une restauration complète lui a changé sa physionomie.

🎭 *Le parc public de la colline Saint-Eutrope* (plan A-B2) : il surplombe le théâtre (idéal pour écouter opéras et concerts !). Très beau panorama sur le Ventoux et les Dentelles de Montmirail, ainsi que (hum !) sur Marcoule (regardez la Dent, pas la centrale atomique).

🎭 *Le musée d'Art et d'Histoire* (plan A2) : rue Madeleine-Roch. ☎ 04-90-51-17-60. Horaires identiques à ceux du théâtre antique (voir plus haut). Billet combiné avec le théâtre ou 5,50 € pour le musée seul. Un étonnant petit musée installé dans un hôtel particulier du XVIIe s. Le clou : un très bel ensemble de frises provenant du décor du théâtre et trois cadastres de la campagne orangeoise établis sur des plaques de marbre au cours du Ier s de notre ère. On obtenait ainsi un recensement précis des propriétés de chacun. Pour le reste, le musée aurait bien besoin d'un rafraîchissement. Expositions sur des thèmes différents chaque année.

Fêtes et festivals

– **Orange se met au jazz** : fin juin. Rens au service culturel : ☎ 04-90-51-57-57. Concerts gratuits en ville à 21h ou 21h30.
– **Concerts au théâtre antique** : également des concerts de variétés tt l'été. Spectacle équestre fin mai : les Équestriades.
– **Chorégies** : de mi-juil à début août. Rens détaillés à l'office de tourisme et aux Chorégies, 18, pl. Silvain, BP 205, 84107 Orange Cedex. ☎ 04-90-34-24-24.
● choregies.com ● L'acoustique du théâtre a très vite donné l'idée de l'utiliser à nouveau : en 1869 sont nées les *Chorégies d'Orange*. Fêtes pour comices agricoles au départ, elles ont accueilli, au fil des décennies, toutes sortes de spectacles en plein air, comportant ou non des chœurs. Depuis 1972, le festival s'est spécialisé dans l'art lyrique, produisant de véritables créations d'opéras entrés dans la légende du siècle : les Chorégies sont ainsi vite passées du plan régional au plan international, de par la qualité des œuvres et des distributions choisies. À la différence d'Avignon, le festival s'étend dans le temps, avec une représentation par-ci par-là. Il est donc difficile de le suivre de bout en bout... dommage ! De toute façon, les tarifs pratiqués n'incitent pas à la gourmandise lyrique... Aucune chance d'indigestion !

– *Rencontres théâtrales :* *sept. Rens et résas :* ☎ 04-90-51-57-57. *Gratuit sur résa.* Auteurs et écrivains du répertoire français.
– *Les Légions romaines :* *vers la mi-sept. Rens :* ☎ 04-90-51-17-60. Dans le théâtre antique : animations diverses ; revue de troupes, défilés des légionnaires romains dans le centre-ville.
– *Les Jeudis d'Orange :* *août, au centre-ville.* Animations nocturnes (musiques, illuminations...).

DANS LES ENVIRONS D'ORANGE

PIOLENC (84420)

Traversé par l'ancienne nationale 7, qui a désormais son musée ici (mais la visite n'est pas indispensable...), Piolenc reste la capitale régionale de... l'ail.
– *Fête de l'Ail :* *dernier w-e d'août.*

À voir

🎭 🚶 *Le parc Alexis-Gruss :* *N 7.* ☎ 04-90-29-49-49. ● alexis-gruss.com ● *Ouv début mai-début sept ; tlj (sf mer en mai-juin et lun en juil-sept) 9h30-16h30. Entrée : 24 € ; enfant : 20 €.* En plus de la visite du site avec un musée et des animations (ateliers découverte des arts du cirque, démonstrations équestres et... douche de l'éléphante !), le cirque Gruss propose ses spectacles.

SÉRIGNAN-DU-COMTAT (84830)

L'Harmas est une raison majeure pour s'arrêter dans cette jolie bourgade dont les maisons en pierres chaudes se sont regroupées autour de l'église du XVIIe s, à la façade d'inspiration baroque italien. Mais la visite (sur rendez-vous) de la cave coopérative n'est pas mal non plus dans son genre. Bons vins de pays à découvrir. ☎ 04-90-70-04-22.

À voir

🎭 🚶 *L'Harmas de Jean-Henri Fabre :* *route d'Orange.* ☎ 04-90-30-57-62. ● jhfabre@mnhn.fr ● *Avr-oct, tlj sf mer, sam mat et dim mat 10h-12h30, 14h30-18h (17h oct) ; juil-août, tlj sf sam mat et dim mat 10h-12h30, 15h30-19h. Entrée : 6 € ; réduc.* Le célèbre naturaliste et entomologiste a vécu et travaillé 36 ans (de 1879 jusqu'à sa mort en 1915) dans cette maison bourgeoise baptisée L'Harmas (« terre en friche » en provençal). Une maison où Jean-Henri Fabre, un des esprits les plus curieux de son temps, avait laissé un peu de sa passion pour les plantes et les insectes. Après 6 ans de travaux, la maison a retrouvé une nouvelle jeunesse ; l'entrée, la salle à manger et le cabinet de travail ont été reconstitués à l'identique. C'est la première « maison de mémoire dédiée à un naturaliste du XIXe s et à l'histoire naturelle ». On découvre pêle-mêle une collection d'insectes et de papillons, une vieille affiche du film *Monsieur Fabre* de Henri Diamant-Berger, avec Pierre Fresnay, ses aquarelles de champignons, un fabuleux herbier de 25 000 planches, des lettres reçues de Darwin, de Mistral, des recueils de poésies provençales. Dans ce jardin méditerranéen, plus de 500 espèces de plantes ont pris racine, et les végétaux ont évidemment été choisis d'après les écrits de Fabre. Bassin, fontaines et lavoir abritent grenouilles et crapauds accoucheurs, mais aussi libellules et, au détour d'un sentier, peut-être rencontrerez-vous les tortues d'Hermann. Un lieu qui reste fidèle à son propriétaire jusqu'au jardin, redessiné selon le plan de Fabre.

🍴 🚶 **Le Naturoptère :** *juste en face de L'Harmas.* ☎ 04-90-30-33-20. ● contact@ naturoptere.fr ● ♿ *Lun, mar, jeu et ven 9h-12h30, 13h30-17h, les autres j. 13h30-18h ; juil-août, lun-ven 10h-18h. Entrée : 6 € ; réduc ; gratuit moins de 7 ans. Programmation ateliers :* ● naturoptere.fr ● Une visite complémentaire à celle de L'Harmas mais qui conviendra surtout aux plus jeunes. Dans un bâtiment conçu selon des critères écologiques, c'est un centre culturel et pédagogique sur la nature avec de petites expos permanentes (espace Fabre, développement durable...) et d'autres temporaires.

🍴 **Le musée-atelier Werner-Lichtner-Aix :** *au centre du village.* ☎ 04-90-70-01-40 (en saison).* ● lichtner-aix.com ● *Ouv du 1er mai à mi-oct 14h-18h, sf dim-mar et j. fériés. GRATUIT.* Peintre, graveur et sculpteur allemand mort en 1987 à 48 ans. Berlinois tombé amoureux des couleurs de la Provence (qui lui donnera d'ailleurs son nom d'artiste, « Aix »), Werner Lichtner-Aix s'y installe en famille. Son atelier, resté en l'état, niché dans une jolie maison du village sur trois niveaux, est aujourd'hui ouvert au public grâce à son épouse Monique. Huiles, aquarelles, gravures, lithographies, sculptures... On y découvre ses œuvres et le matériel qu'il utilisait, comme cette presse à eaux-fortes. Bonnes explications.

CHÂTEAUNEUF-DU-PAPE

(84230)   2 130 hab.   *Carte Vaucluse, A2*

Entouré de villes de culture (Orange au nord, Avignon au sud), Châteauneuf-du-Pape offre une belle transition avec sa terre viticole hautement renommée. Dominant de vastes vignobles, le bourg était protégé par un château construit au XIVᵉ s, dont il ne reste que quelques ruines. C'était, en fait, la résidence champêtre des papes durant leur séjour dans la cité avignonnaise.
Jean XXII, pape de son état, n'a pas seulement laissé un château.

IL N'EST PAS INTERDIT D'INTERDIRE

En 1954, Lucien Jeune, maire de Châteauneuf-du-Pape, promulgue un arrêté municipal qui interdit le survol de la commune aux... soucoupes volantes. Arrêté toujours en vigueur. Et scrupuleusement respecté par les extraterrestres. Aucune soucoupe volante n'a, à ce jour, été verbalisée au-dessus du vignoble...

On lui doit également la réputation de ce vignoble qui jouit d'une situation exceptionnelle, d'un climat et d'un sol permettant une maturation parfaite du raisin. Exemple unique, le châteauneuf-du-pape résulte de l'assemblage de 13 cépages différents, dont une majorité de grenache qui lui donne tout son corps.
L'AOC, obtenue en 1936, fut un soulagement et une victoire pour tous les vignerons des alentours, dont le nectar ne servait qu'à bonifier les bourgognes et les bordeaux. Une chance que certains se soient rendu compte des qualités de ce vin, aux bouteilles si caractéristiques frappées des armes papales.

Adresse utile

ℹ️ **Office de tourisme :** *pl. du Portail.* ☎ 04-90-83-71-08. ● *pays-provence. fr* ● *Ouv lun-sam.* 📶 Vous y trouverez un livret complet concernant la zone Rhône-Ouvèze (à savoir les villages de Bédarrides, Caderousse, Courthézon,

Jonquières, Sorgues). En juillet-août, visites guidées organisées, avec dégustation de produits locaux *(5 € ; gratuit moins de 16 ans)*. Demander le livret « Escapade au cœur du vignoble », parcours pédestres de 1 à 4h, jalonnés de panneaux d'infos sur le vignoble. Borne d'info multimédia.

Où dormir ? Où manger ?

â lôl *Hôtel-restaurant La Garbure :* 3, rue Joseph-Ducos. ☎ 04-90-83-75-08. ● garbure@orange.fr ● la-garbure. com ● Ts les soirs sf dim-lun hors saison. Congés : 2 sem nov. Doubles 76-92 € selon taille. Menus 25-32 €, et même 55 €. Garage privé payant. 🛜 Au cœur du village, une adresse familiale qui tient la route depuis une bonne trentaine d'années. Terrasse et jardin, tennis à 100 m. On y mange une bonne cuisine de saison, aux saveurs et à l'accent du terroir. Pour dormir, une poignée de chambres climatisées et insonorisées, à la déco un peu désuète mais confortables. Accueil très amical.
lôl *La Maisouneta :* 7, rue Joseph-Ducos. ☎ 04-90-32-55-03. ● lamaisouneta@hotmail.fr ● Fermé mar soir et mer, plus le soir dim, lun et jeu hors saison. Congés : 23 déc-12 janv. Formule (midi et soir) 15 €. Carte env 35 €. Kir, verre de vin ou digestif offert sur présentation de ce guide. Un petit resto à la déco au goût du jour, qui a l'originalité de proposer sa carte dans un vieux 33 tours des années 1970-1980 (dont on peut demander l'écoute !). Au menu de Neil Young, de Genesis ou des Bee Gees, on choisira donc entre pâtes fraîches, gnocchis et raviolis maison ou un bar grillé, un magret au miel et un reblochon gratiné aux herbes de Provence. C'est bon, copieux et vraiment pas cher. Et l'accueil est très sympa.
lôl *Le Pistou :* 15, rue Joseph-Ducos. ☎ 04-90-83-71-75. ● charlotte. ledoux@aliceadsl.fr ● Tlj sf dim soir et lun (plus le soir mar-ven hors saison). Congés : 2de quinzaine de janv et 1re quinzaine de nov. Formule déj 15 €, menus 17,50-27 €. À 50 m de la mairie, un petit bistrot gourmand où il fait bon se retrouver, en salle comme côté cour, à la fraîche, pour savourer une petite cuisine provençale pleine de trouvailles et de parfums. Pas mal de safran : dans les brochettes de noix de Saint-Jacques, dans la crème brûlée... Service attentionné et très sympathique. Quelques tables en terrasse côté rue.

Où acheter de bons produits ?

🐝 *Bernard Castelain :* à 3 mn de Châteauneuf, sur la route d'Avignon. ☎ 04-90-83-54-71. ● vin-chocolat-castelain.com ● Tlj sf dim. Dangereux artisan chocolatier... du moins pour les inconditionnels du chocolat. Pas bon marché, mais quelle finesse ! Goûtez au « palet des papes » et au « galet de Châteauneuf ». Visite possible de la chocolaterie et ateliers chocolat pour les plus gourmands !
🐝 *Distillerie Blachère :* route de Sorgues. ☎ 04-90-83-53-81. Vente directe tte l'année, lun-ven. Fabricant de vieux marc de Châteauneuf, mais également de liqueurs comme l'origan du Comtat, qu'on retrouve dans les papalines, sirops et pastis.
🐝 *Vinadéa :* 8, rue du Maréchal-Foch. ☎ 04-90-83-70-69. ● vinadea.com ● Tlj. La maison des Vins de Châteauneuf vous accueille sans réelle contrainte d'horaires, à la différence des vignerons, fermés le week-end pour la plupart. Vous y trouverez conseil avisé, choix quasi exhaustif et prix « serrés », puisque les vins sont vendus à prix départ cave. Dégustation gratuite.
🐝 *Le Petit Serre :* 8, rue du Commandant-Lemaître. ☎ 04-90-83-74-41. Tlj 8h-20h. Cette petite épicerie fine, spécialisée dans les produits de terroir de qualité, est tenue par la dynamique Mme Serre. Vigneronne elle-même, elle vous fera partager ses coups de cœur, sans forcément vous orienter vers les flacons les plus chers. Là encore, les prix pratiqués sont les mêmes que chez les producteurs.

À voir

¶ *Le château des Papes :* construit par ordre du pape Jean XXII au XIVᵉ s, c'était la résidence d'été des souverains pontifiés dont il ne subsiste aujourd'hui qu'un pan de mur, un donjon et un cellier pontifical. Belle vue sur la vallée du Rhône. C'est ici que se tiennent les conseils de l'échansonnerie des Papes, confrérie bachique de Châteauneuf.

¶ *L'église Notre-Dame-de-l'Assomption :* on ne connaît pas précisément sa date de construction, mais elle est probablement antérieure au milieu du XIIᵉ s. Belle voûte romane en plein cintre.

¶ *La chapelle Saint-Théodorit :* ouv mai-oct en fonction des expos organisées. C'est le monument le plus ancien de Châteauneuf. Elle date du Xᵉ s. De style roman, elle se compose d'une nef terminée par une abside en cul-de-four. Récemment restaurée, on a découvert dans le chœur des fresques datant du XIIᵉ s.

¶ *Le musée du Vin :* maison Brotte, av. Pierre-de-Luxembourg. ☎ 04-90-83-59-44. ● brotte.com ● ♿ (sf mezzanine). De mi-mai à sept, tlj 9h-13h, 14h-19h ; sinon 9h-12h, 14h-18h. GRATUIT. Apprendre et se divertir à la fois, tout un programme. Un tout nouvel espace muséographique pour tout savoir sur le vin, l'appellation d'origine contrôlée, le vignoble de Châteauneuf-du-Pape. Importante collection d'outils de vigneron : tonnellerie, fouloirs, beau pressoir du XVIᵉ s et foudre du Moyen Âge. Comme tout vigneron qui se respecte, et qui est fier de son savoir-faire, la famille Brotte a souhaité terminer la visite par un caveau. Dégustation gratuite et commentée.

Fêtes

– *Les Printemps de Châteauneuf, salon des vins :* avr. Rassemblement de plus de 80 producteurs. Dégustation de vins et produits locaux.
– *La Véraison :* 1ᵉʳ w-e d'août. La véraison, début de la maturité du raisin, fait l'objet de 3 jours de spectacles, animations, reconstitutions historiques, marché et festival de musique médiévale. Soirée de gala avec repas gastronomique et spectacle médiéval le vendredi.

DANS LES ENVIRONS DE CHÂTEAUNEUF-DU-PAPE

COURTHÉZON (84350)

C'est le plus ancien village de France, dont l'origine connue remonte à 4 560 av. J.-C. environ, et aussi l'un des rares villages du Vaucluse à avoir conservé une grande partie de ses remparts du XIIᵉ s. Plus prosaïquement, il doit aussi sa notoriété à... Michelle Torr qui l'a popularisé dans une des chansons de son répertoire (bon, d'accord, c'est pas forcément une référence !). Pour les amoureux du vin, quelques belles maisons : *La Janasse* (27, rue du Moulin ; ☎ 04-90-70-86-29) ; *Beaucastel,* la cave des frères Perrin (739, chemin de Beaucastel ; ☎ 04-90-70-41-00) ; ou encore le *domaine Paul-Autard* (route de Châteauneuf ; ☎ 04-90-70-73-15 ; sur rdv de préférence).

LES ALPES-DE-HAUTE-PROVENCE

ABC DES ALPES-DE-HAUTE-PROVENCE

▶ *Superficie :* 6 925 km².
▶ *Préfecture :* Digne-les-Bains.
▶ *Sous-préfectures :* Barcelonnette, Castellane, Forcalquier.
▶ *Population :* 166 316 hab.
▶ *Densité :* 24 hab./km².

 On allait jadis dans les Basses-Alpes. Et puis, à l'image des Côtes-du-Nord commuées en Côtes-d'Armor, on parle doré-navant des Alpes-de-Haute-Provence. Alpes, Provence : tout est dit ou presque de la diversité de paysages qu'offre ce département ; d'innombrables petites routes vous trans-porteront des villages provençaux pur jus à la haute monta-gne et des étourdissantes gorges du Verdon aux chromatiques champs de lavande du plateau de Valensole. Les couleurs et la lumière s'y associent pour faire naître des paysages d'une beauté éblouissante. Ce département a su rester très nature puisque 50 % du territoire est en zone protégée : parcs naturels régionaux du Verdon au sud et du Luberon à l'ouest, parc national du Mercantour à l'est et Réserve naturelle géologique de Haute-Provence au cœur du territoire.

Le ciel y est d'une limpidité sans égale. Le plus clair d'Europe disent les spécialistes du CNRS, qui ont planté les lunettes de leur observatoire sur le plateau de Forcalquier. Un firmament qui doit beaucoup aux vents qui soufflent encore ici avant de s'abîmer sur le massif montagneux, mais aussi à l'absence de grandes métropoles. Digne-les-Bains, la préfecture, compte tout juste 16 844 âmes. Manosque, cité la plus populeuse du département, atteint à peine les 23 000.

Longtemps restées le parent pauvre de la Provence, ces hautes terres célébrées par Giono ont su préserver l'environnement et les traditions. Les marchés ressemblent à des marchés, les maisons de pays proposent de vrais bons produits, du miel de lavande au fromage de Banon et des confi-tures de fleurs de mélèze au génépi de derrière les fagots. Bref, on apprécie aujourd'hui la qualité de vie qui y règne. Le tourisme s'y veut « durable » ; et si certains sites, comme Moustiers-Sainte-Marie ou les gorges du Verdon, n'ont plus de publicité à se faire, il existe encore des lieux presque confidentiels : vallées discrètes, villages de charme, chapelles oubliées... Tant mieux pour les routards, qui vont pouvoir se plonger dans les eaux vives de l'Ubaye, grimper vers les lacs d'altitude, glisser l'hiver sur des pistes ensoleillées ou, pour les moins sportifs, se régaler à l'ombre des oliviers en dégustant les produits locaux. Parce qu'ici, on aime bien évidemment vivre en plein air.

Adresses utiles

Agence de développement touristique des Alpes-de-Haute-Provence (Maison des Alpes-de-Haute-Provence) : *agence fermée au public, rens :* ☎ 04-92-31-57-29. ● *alpes-haute-provence.com* ● Télécharger sur le site le *passeport des musées*, valable pour 2 personnes dans une trentaine de lieux du département *(réduc dans les musées, bien faire tamponner son passeport à chaque visite).* Également une appli *Visit 04* téléchargeable pour embarquer dans son téléphone portable ou sa tablette tout plein d'informations pratiques sur le département.
■ **Gîtes de France des Alpes-**de-Haute-Provence (plan Digne-les-Bains, A2, 1) : rond-point du 11-Novembre, BP 201, 04000 **Digne-les-Bains.** ☎ 04-92-31-30-40. ● *gites-de-france-04.fr* ● *À l'arrière de l'office de tourisme. Ouv lun-ven 9h-12h, 14h-17h.*
■ **Guides de pays de Haute-Provence :** ☎ 04-92-76-66-23. 📱 06-82-33-69-31. ● *sabrinagdp@orange.fr* ● Association de guides qui proposent des visites guidées de l'ensemble des sites, villes ou villages des Alpes-de-Haute-Provence (et du Luberon) : circuits oliviers, gypserie, charbonnier, balade gourmande...

LA HAUTE-PROVENCE

DIGNE-LES-BAINS

(04000) 16 844 hab. *Carte Alpes-de-Haute-Provence, C3*

À 600 m d'altitude, dans un écrin de montagnes, située sur la route Napoléon, entre Provence et Alpes, cette tranquille préfecture est aussi une station thermale. On y vient soigner, entre autres, ses rhumatismes ou effectuer des cures de bien-être. L'eau a d'ailleurs toujours tenu un rôle fondamental dans la vie de cette cité au confluent de trois vallées. La ville s'est d'abord développée dans le quartier actuel du bourg avant de se caparaçonner de fortifications au XIIIe s, pour faire face au brigandage. Enclavée, à l'écart des grandes voies de communication, Digne ne devra son réveil qu'au passage de Napoléon au XIXe s. Entre ces deux périodes, seule une épidémie de peste qui décima la population a marqué l'histoire. Mais la grande figure de Digne est une routarde (autant dire que ça nous fait plaisir), une dénommée Alexandra David-Néel... Une aventurière d'avant-garde dont vous ferez plus ample connaissance en visitant la Fondation qui lui est dédiée.

Comment y aller ?

En bus

– **Lignes Express régionales :** ☎ 0821-202-203 (0,09 €/mn). ● *info-ler.fr* ●
➢ *Depuis/vers la gare TGV. d'Aix et l'aéroport Marseille-Provence :* 4-5 liaisons/j. (correspondance avec le TGV).
➢ *Depuis/vers Aix-en-Provence (ville) et Marseille Saint-Charles (gare) :* 4-7 liaisons/j.
➢ *Depuis/vers Nice (via Castellane) et Gap :* 1-2 liaisons/j.

LA HAUTE PROVENCE

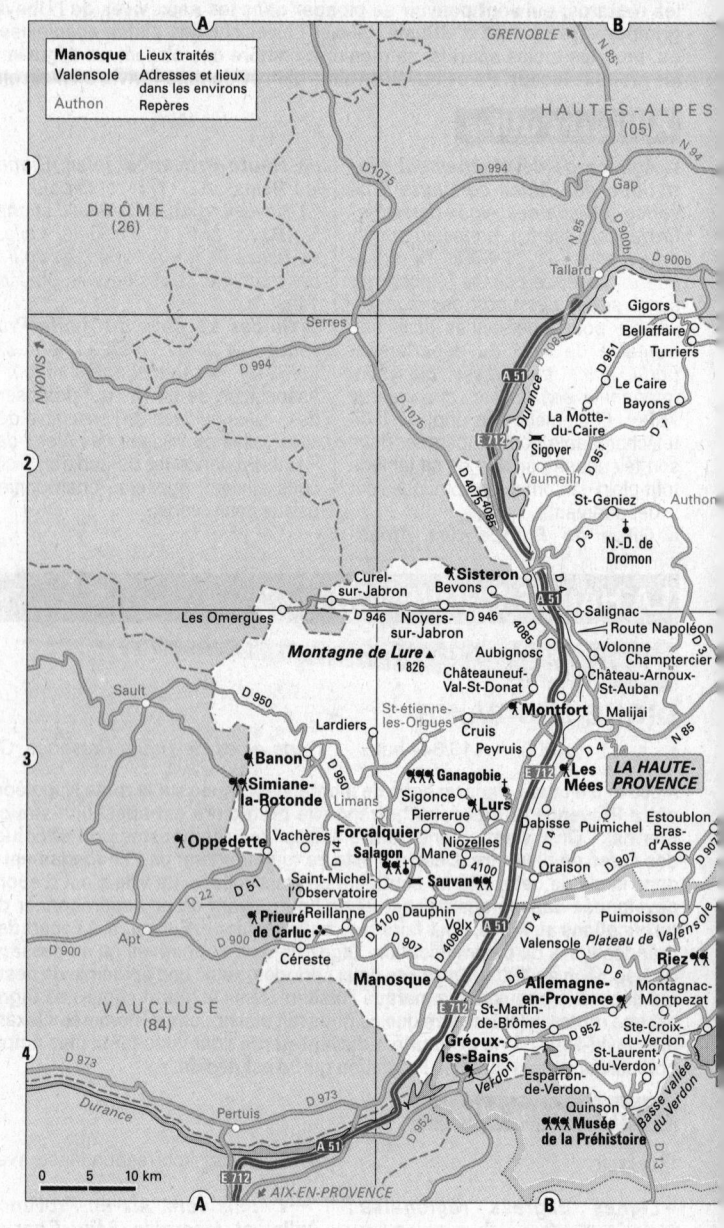

0   5   10 km

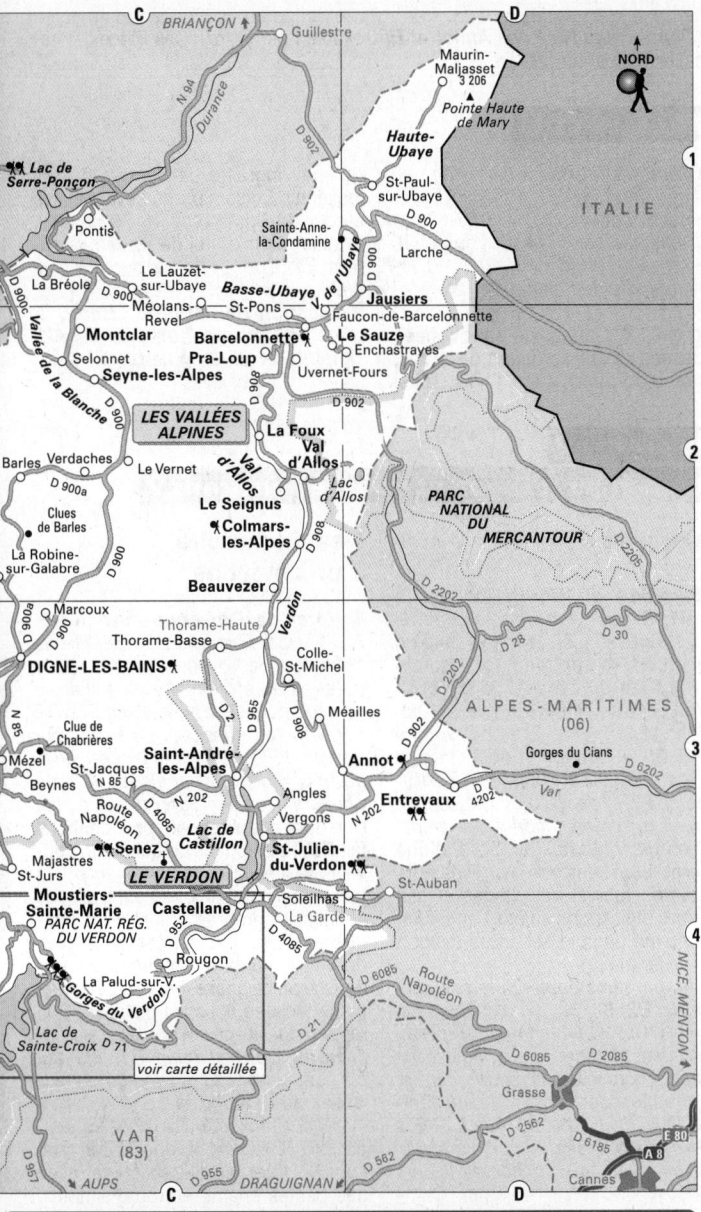

LES ALPES-DE-HAUTE-PROVENCE

En train

➤ *Depuis/vers Nice (via Annot et Entrevaux) :* par le train des Pignes. 4 trajets/j. (voir plus loin « À faire »).

Adresses utile

🛈 *Office de tourisme (plan A1) :* pl. du Tampinet, BP 201, 04001 Digneles-Bains Cedex. ☎ 04-92-36-62-62. ● ot-dignelesbains.fr ● Ouv juil-août, lun-sam 8h-19h, dim 9h-12h, 16h30-18h ; le reste de l'année 9h-12h, 14h-18h (sf sam ap-m ; fermé tt le sam déc-fév). 📶 Cartes de randonnées pédestres et VTT au départ de la ville, en collaboration avec l'IGN, ainsi qu'une vingtaine de circuits à faire (payants). Également des cycloguides autour de Digne (env 15-20 circuits), location de matériel de *via ferrata* sur résa. *Visite de la ville mar sur résa (tarif 3 €).*

■ *Location de voitures : Hertz,* 2, route de Marseille (hors plan par A2). ☎ 04-92-31-25-86. ● hertz.fr ●

Où dormir ?
Où manger à Digne et dans les environs ?

Campings

⛺ *Camping du Bourg (hors plan par B1, 5) :* route de Barcelonnette. ☎ 04-92-31-04-87. ● info@camping digne.com ● campingdigne.com ● ⚑. À 1,5 km du centre-ville direction Barcelonnette. Ouv d'avr à mi-oct. Selon saison, tente 2 pers et voiture 15-18,50 € ; loc de mobile homes 4 pers 354-459 €/sem. CB refusées. Réduc de 10 % (hors mobile homes) sur présentation de ce guide. 119 emplacements, au bord d'une rivière, bien entretenus. Plusieurs courts de tennis, des stages et des tournois multisports en été. Lac à 4 km et à 45 mn de marche, accès direct à une *via ferrata*.

⛺ *Camping Les Eaux-Chaudes (hors plan par B2, 6) :* 32, av. des Thermes. ☎ 04-92-32-31-04. ● info@campingl seauxchaudes.com ● campingleseaux chaudes.com ● ⚑. À 2 km du centre, en direction de l'établissement thermal. Ouv de mi-avr à mi-oct. Selon saison : tente 2 pers et voiture 16,80-23 € ; loc de mobile homes 4 pers 458,50-651 €/sem. 140 empl. Camping doté de tout le confort moderne, au bord de la rivière. Au calme. Avec le lac des Ferréols à 4 km. Supermarché à 800 m. Piscine.

De bon marché à prix moyens

🏠 *Hôtel de Provence (plan A-B2, 7) :* 17, bd Thiers. ☎ 04-92-31-32-19. ● hoteldeprovence@wanadoo.fr ● hotel-alpes-provence.com ● Fermé dim soir hors saison. Doubles 62-75 € selon confort et saison. Familiale pour 5 pers 115 €. Parking (5 places) privé gratuit. 📶 Apéritif maison et café offerts sur présentation de ce guide. Une dose d'atmosphère pour cet hôtel familial installé dans ce qui fut un couvent : vieil escalier, tomettes au sol, le tout entièrement rénové il y a quelques années. Chambres colorées et simplement confortables, certaines avec de vieux meubles provençaux avec douche ou baignoire. Pour se détendre, petite terrasse sous les platanes. Bon rapport qualité-prix et bon accueil.

🏠 *Hôtel Central (plan B1, 8) :* 26, bd Gassendi. ☎ 04-92-31-31-91. ● webmaster@lhotel-central.com ● lhotel-central.com ● Tte l'année sf janv. Double 50 € avec lavabo ; 65 € avec sdb. 📶 Hôtel familial en étage, avec des petites chambres toute simples, mais d'une irréprochable propreté. La plupart donnent sur la rue piétonne (le bar du rez-de-chaussée ferme tôt). À préférer donc aux 3 orientées côté

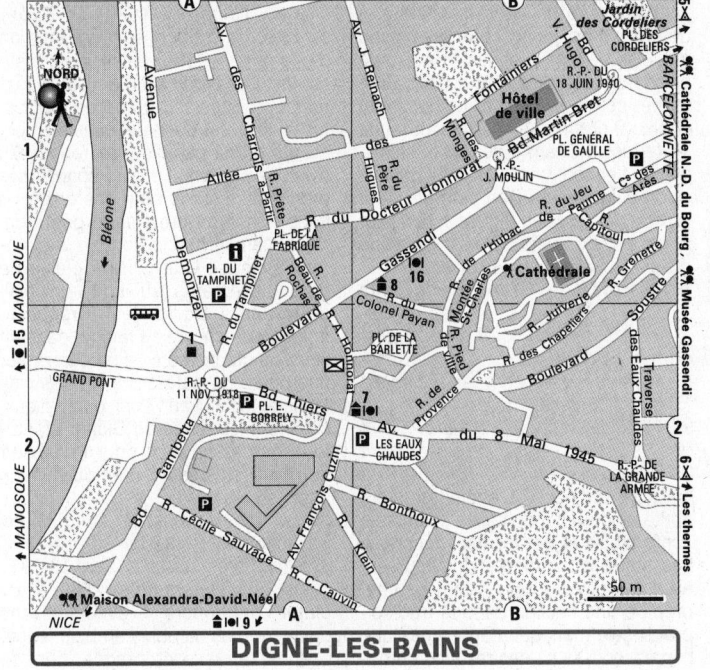

LA HAUTE PROVENCE

DIGNE-LES-BAINS

■ **Adresses utiles**

🛈 Office de tourisme
1 Gîtes de France des
   Alpes-de-Haute-Provence

⚐ ⌂ |●| **Où dormir ? Où manger ?**

5 Camping du Bourg

6 Camping Les Eaux-Chaudes
7 Hôtel de Provence et Hôtel
   du Grand-Paris
8 Hôtel Central
9 Chambres d'hôtes Les Oliviers
   et Hôtel & Pension Villa Gaïa
15 L'Art d'Oise
16 La Taverne

---

boulevard, qui peut être bruyant tôt le matin. Accueil dynamique et souriant.

⌂ *Chambres d'hôtes Les Oliviers* (hors plan par A2, **9**) **:** *1, route des Fonts.* ☎ *04-92-31-36-04.* 📠 *06-21-99-01-02.* ● *marylou.frison@sfr.fr* ● *À 6 km du centre-ville. Prendre la N 85 direction Nice ; puis à droite la D 12 direction le golf de Digne ; enfin, à gauche en direction de « Les Fonts » ; c'est 200 m plus loin. Fermé nov-mars (sf les gîtes). Doubles avec sdb 65-75 €. Gîtes 4-6 pers 390-550 €.* Simple mais bien tenu. En pleine campagne, une ferme qui propose 4 chambres et 2 appartements au mobilier rustique et bien

équipés, dans un environnement très vert et très calme, au pied du Cousson.

⌂ |●| *Hôtel & Pension Villa Gaïa* (hors plan par A2, **9**) **:** *24, route de Nice.* ☎ *04-92-31-21-60.* ● *contact@ hotelvillagaia.fr* ● *hotelvillagaia.fr* ● ♿ *À 3 km au sud-ouest par la N 85 (route de Nice), fléché sur la droite. Ouv de mi-avr à mi-oct. Resto ouv ts les soirs sf mer. Doubles avec sdb 72-120 € selon confort et saison. ½ pens 88-98 €/pers.* 📶 *Apéritif offert sur présentation de ce guide.* Perdue dans une verdure rafraîchissante de 3 ha, une ancienne maison de cure datant du XVIIIe s, largement revisitée

LA HAUTE PROVENCE

au XXᵉ s. Cette bâtisse aux beaux volumes offre un cadre propice à la détente. Ses jolies chambres avec meubles de famille et vastes salles de bains donnent toutes sur le parc. Côté parties communes, on a l'embarras du choix : 2 grands salons, bibliothèque ou terrasse. Charme désuet et calme, auquel tiennent vos hôtes : TV dans le salon uniquement. Bon petit déj. Tout proche du train des Pignes si l'on veut partir en excursion. Pas de piscine mais un hammam au feu de bois.

🛏 🍴 *Hôtel du Grand-Paris* (plan A-B2, **7**) : 19, bd Thiers. ☎ 04-92-31-11-15. ● info@hotel-grand-paris. com ● hotel-grand-paris.com ● Resto fermé le midi lun-jeu. Congés : 15 nov-1er avr. Doubles avec sdb 95-110 € selon confort et saison. Petit déj 17 €, cher ! Formule déj en sem 28 €, autres menus 38-70 €. Parking privé payant. 🖥 🛜 L'ancien couvent abrite aujourd'hui de belles chambres, confortables et très joliment décorées. Les suites sont même démesurées, avec terrasse et coin salon. Le chef prépare une cuisine dans la tradition provençale mais qui n'oublie pas que l'on est au XXIᵉ s ; des recettes éprouvées qu'il a su adapter à sa main. Les produits sont beaux, les assiettes tout autant, les saveurs agréables.

🍴 *L'Art d'Oise* (hors plan par A2, **15**) : pl. Gassendi, 04660 **Champtercier**. ☎ 04-92-34-50-22. Depuis Digne, suivre la N 85 sur 4 km en direction de Château-Arnoux, puis tourner à droite vers Champtercier. Tlj sf lun-mar et j. fériés. Congés : 10-20 oct. Repas 13-29 €. Café offert sur présentation de ce guide. Cet excellent petit resto est venu se blottir en plein cœur d'un mignon village, au creux de l'église. Ici, la chair est bonne et sans sermon, au gré d'une carte qui se renouvelle avec les saisons. Le chef connaît ses producteurs sur le bout des doigts : il vous donnerait presque le petit nom de la maman brebis dont vous dévorez l'agneau ! Une cuisine pleine de rebondissements qui suit les voies d'Alexandra David-Néel lorsque le fromage de chèvre se réfugie dans un sushi ou qu'une côte de porc trône sur une purée de patate douce. Les vins (généreux choix au verre), quant à eux, célèbrent les terres de Giono. Et, surtout, gardez un coin pour le dessert qui finira en beauté d'émouvoir vos papilles !

🍴 *La Taverne* (plan B1, **16**) : 36, bd Gassendi. ☎ 04-92-31-30-82. Tlj sf dim-lun. Formules déj en sem 13-18 €, menu 25 €. Une grande salle d'allure plutôt contemporaine avec ses tons orange et ses meubles en bois foncé. Grande terrasse ombragée, bondée les week-ends aux beaux jours. Dans l'assiette, une bonne cuisine provençale où poissons et légumes sont à l'honneur. Mais on peut aussi opter pour la salle d'à côté, couverte de briques, qui propose une version brasserie avec grillades, pâtes et pizzas. Accueil sympathique.

Où acheter de bons produits du terroir ?

⊛ *Maison de Produits du Pays Dignois :* N 85, 04510 **Mallemoisson**. ☎ 04-92-34-49-56. ● maisonpays-dignois.fr ● À 12 km au sud-ouest de Digne. Tlj 10h-19h (18h30 dim et j. fériés). On trouve ici un très bel assortiment de produits du cru au prix des producteurs. Miel, fromage, biscuits, chocolat, jus de fruits, huile, dérivés de la lavande, mais aussi des objets d'artisanat local en céramique, en cuir...

À voir

🗡 *La vieille ville :* de la piétonne et commerçante rue de l'Hubac, grimpez la montée Saint-Charles : escaliers caladés, passages voûtés, vieilles maisons construites dans le rempart (on distingue encore deux tours des XIIIᵉ et XIVᵉ s), treilles et matous à la toilette... Un certain charme. On débouche sur la... maison d'arrêt, prison construite à l'emplacement de l'ancien château des Évêques, dont il reste le puits fortifié Saint-Charles.

Quelques pas plus bas, la **cathédrale Saint-Jérôme** (plan B1 ; ouv juin-sept tlj 15h-18h ; le reste de l'année, contacter le ☎ 04-92-32-06-48), du XVᵉ s, son campanile provençal et sa façade classée Monument historique. Du parvis, le regard est inévitablement aimanté par l'impressionnante barre rocheuse qui ferme l'horizon, la barre des Dourbes. Également, le **musée départemental d'Art religieux** (☎ 04-92-36-75-00 ; ouv lun-ven 9h-17h ; GRATUIT). Dans la cathédrale Saint-Jérôme, vaste collection d'objets religieux : calices, ciboires et autres croix de procession richement décorées, santons puisqu'on est en Provence, et autres objets précieux.

Ensuite, descendre la... montée Saint-Jérôme jusqu'à la minuscule place du Marché dont les boutiques forment un décor figé dans les années 1950. Pour mémoire, c'est ce quartier que Victor Hugo avait choisi comme cadre des premières pages des Misérables. Mais une HLM a remplacé l'évêché où Jean Valjean vole de l'argenterie à l'évêque qui l'a recueilli...

♥♥ Le musée Gassendi (hors plan par B1) : 64, bd Gassendi. ☎ 04-92-31-45-29. ● musee-gassendi.org ● ♿ Tlj sf mar et j. fériés ; avr-sept, 11h-19h ; oct-mars, 13h30-17h30 ; fermé Noël-Jour de l'an. Entrée : 4 € ; réduc ; gratuit moins de 21 ans et pour ts le 1ᵉʳ dim du mois.

Fondé en 1889, un musée à vocation encyclopédique (beaux-arts, histoire, sciences...). La visite se fait des étages vers le rez-de-chaussée, en débutant par la reconstitution du cabinet de travail d'Étienne Martin, peintre et fondateur du musée. La salle suivante présente des peintures de paysages et quelques scènes d'intérieur donnant l'image d'une Provence rurale et éternelle, celle du félibre Frédéric Mistral. Et même si certaines toiles gigantesques d'Étienne Martin (comme Le Relais, hyperréaliste avant l'heure) retiennent le regard, on baigne ici dans un redoutable conservatisme (Martin voyait dans son musée « un lieu de résistance de la tradition contre toutes les avant-gardes »), heureusement contrebalancé par River Of Earth, argile et cheveux mêlés, figée sur un mur entier par l'artiste contemporain Andy Goldsworthy (un espace est dédié au circuit des Refuges d'Art, parcours d'art contemporain du même artiste : sur 150 km d'itinéraires de randonnées tout autour de Digne, en pleine nature (rens au musée ou sur ● refugedart.fr ●). Car l'art contemporain a pris ses quartiers dans les collections historiques et scientifiques du musée. Petite halte dans le cabinet de travail d'une autre gloire locale (dont le musée a pris le nom), l'érudit humaniste Pierre Gassendi, qui nous invite à sa table pour écouter les cours que Michel Onfray lui a consacrés. Puis vient la collection d'art ancien (XVIᵉ-début XIXᵉ s), avec une intéressante muséographie : un accrochage thématique, des œuvres proches du visiteur et des cartons très didactiques. S'y distinguent plusieurs Académies d'hommes de Van Loo, remarquables de technique ; une très animée Chasse au sanglier de Stefano Della Bella ; une adorable esquisse, Concert champêtre de Watteau, les corps bizarrement désarticulés des jeunes garçons un rien ambigus du maniérisme ; Concert ou Sainte Cécile d'un anonyme de l'école italienne du XVIIᵉ s ; la superbe composition de la Vierge au missel de Carol Maratta... Mais personne ne vous empêche d'avoir d'autres petits coups de cœur, comme ce buisson de corail au centre de la salle, de l'artiste contemporain Hubert Duprat ! Après un herbier contemporain de herman de vries (qui écrit son nom sans majuscule par horreur des hiérarchies), la mezzanine présente une incroyable collection de 8 000 échantillons de terres issues des voyages de ce même artiste à travers le monde. Voir aussi la magnétisante et tout aussi contemporaine Tabula terra du New-Yorkais Tom Shannon. Un bel escalier mène ensuite vers les collections scientifiques. Là, une foule d'instruments plus ou moins connus, dont, faute d'en comprendre vraiment le fonctionnement, on se contente d'apprécier la poétique accumulation.

Enfin, au rez-de-chaussée, les mystificateurs moulages et photographies d'hydropithèques du Catalan Joan Fontcuberta, installés dans une chapelle basse. Cette dernière voisine avec le grand cabinet de curiosités contemporain de Mark Dion, artiste américain. Juste à côté, dans la dernière chapelle, une intéressante collection de papillons est exposée en alternance avec des photos de Bernard Plossu.

🎋 **Le jardin des Cordeliers** (plan B1) : *av. Paul-Martin.* ☎ *04-92-31-59-59.* ♿ *De mi-mars à mi-nov, lun-ven 9h (14h lun)-18h. GRATUIT.* Dans l'enceinte du collège, agréable petite balade dans ce jardin paysager dont les végétaux sont regroupés selon leur usage médicinal, sensoriel, aromatique (inévitablement, vu la région, du thym, du romarin, de la lavande), culinaire et esthétique.

🎋🎋 **La cathédrale Notre-Dame-du-Bourg** (hors plan par B1) : *à la sortie de la ville, direction Barcelonnette.* ☎ *04-92-32-06-48. De mi-juin à sept, tlj sf mar 15h-18h ; le reste de l'année, visite guidée pour les groupes sur rdv. Téléphoner pour s'assurer des disponibilités des bénévoles.* Une des plus belles églises romanes de Provence. Des fouilles, entreprises depuis le milieu des années 1980, ont mis au jour les fondations d'édifices plus anciens (VIe et XIIe s). L'église actuelle, édifiée entre 1200 et 1330, a été abandonnée à la fin du XVe s, quand la ville s'est déplacée sur la butte voisine. Usé mais toujours élégant, un portail d'inspiration lombarde, encore gardé par deux lions de pierre. À l'intérieur, on est frappé par l'ampleur et l'harmonie des quatre grandes travées du vaisseau unique. Vestiges de peintures murales des XVe et XVIe s. On peut reconnaître un *Jugement dernier* (des charbons ardents qu'un supplicié avale à la louche, un Belzébuth encore très dissuasif...), une *Annonciation*, le défilé des Vices et des Vertus, dans la tradition romane. Pour le reste, le mobilier d'origine ayant disparu pendant les guerres de Religion, la décoration a été confiée à des artistes contemporains : vitraux abstraits en verre soufflé et 12 symboles de cuivre incrustés dans le sol.

🎋🎋🎋 **La crypte archéologique :** ☎ *04-92-61-09-73 ou 04-92-31-67-77. Ouv mai-sept, tlj sf mar 10h-12h, 15h-18h. Entrée : 4 € ; gratuit moins de 12 ans. Le reste de l'année slt sur rdv pour les groupes. Visite de 1h30, 2 ven/mois à 14h, sur résa (guidée par des bénévoles ayant participé à la restauration). Tarif : 5 €.* On déambule dans les entrailles de ce qui fut le cœur de la cité antique de Digne, où 20 siècles d'histoire s'empilent, se croisent et se succèdent.

🎋🎋 **La Maison Alexandra-David-Néel** (hors plan par A2) : 27, av. Maréchal-Juin. ☎ 04-92-31-32-38. ● alexandra-david-neel.com ● À 1,5 km à la sortie de Digne, sur la N 85 entre les 2 grands ponts à 100 m en face du stade Jean-Rolland en s'éloignant de la ville. Visites guidées slt, tlj à 10h (sf janv-mars en sem), 14h et 15h30 précises. Fermé lun

UN MARI BIEN COMPRÉHENSIF

Après son mariage, Alexandra David-Néel déprima. Ses rêves de voyage la taraudaient. Son mari acceptera qu'elle vive comme elle l'entendait. En 1911, elle négocie avec lui d'entreprendre seule un voyage en Inde de 18 mois. Elle reviendra 14 ans plus tard.

oct-juin. Limité à 19 pers/visite. Compter 1h45. GRATUIT.
Indispensable pour mieux cerner la personnalité de cette femme étonnante, née en 1868 d'un père huguenot et d'une mère catholique. Individualiste et d'une grande curiosité, elle quitte avant sa majorité le domicile familial, avec pour tout bagage une bicyclette, pour fuguer en Espagne... Après des études de langues orientales et de musique, elle part, à 23 ans, pour l'Inde, d'où elle revient fascinée. Elle y retournera à nouveau en 1896. 14 années durant, elle parcourt des milliers de kilomètres, traverse le Tibet à pied, vit 2 mois dans la capitale interdite, Lhassa, où elle est la première Occidentale à séjourner (elle se fait repérer par excès de propreté... elle est la seule du coin à se baigner chaque jour à la rivière !). Le 14e dalaï-lama visitera la maison de la première bouddhiste de France à deux reprises (en 1982 et 1986).

En France, Alexandra David-Néel se prend d'amour pour la Provence et choisit Digne pour y bâtir, grâce aux droits d'auteur de son livre *Le Voyage d'une Parisienne à Lhassa* et à une somme remise par un maharajah népalais, *Samten Dzong*, sa forteresse de la méditation, où l'on découvre la reconstitution d'un temple bouddhique, une vitrine avec quelques souvenirs de voyage, un ensemble de trois *mandalas* de sable très rare, le siège où elle dormait et d'où elle écrivait sur son bureau-table de camping. À 69 ans, elle repart pour l'Orient et la Chine... À 78 ans, elle rentre à Digne où elle écrit de nombreux livres. À 100 ans, elle fait renouveler son passeport, désireuse de repartir au Tibet... Mais elle part pour une nouvelle incarnation à 101 ans, le 8 septembre 1969, cédant l'ensemble de ses droits d'auteur à la Ville de Digne et ses collections d'objets au musée Guimet de Paris. Ses cendres et celles de son fils adoptif, le lama Yongden, ont été dispersées dans les eaux du Gange en 1973.

🎫🎫 🚶 *Le Musée-Promenade* (réserve géologique) : parc Saint-Benoît, 10, montée Bernard-Dellacasagrande. ☎ 04-92-36-70-70. ● museepromenade.com ● *À 2 km du centre-ville, sur la D 900 ; passé le pont de la Bléone, c'est indiqué sur la gauche. Juil-août, tlj 9h-19h ; sept, tlj sf sam 9h-12h, 14h-17h30 (16h30 ven) ; mêmes horaires le reste de l'année, mais fermé w-e et j. fériés. Congés : déc-mars. Entrée : 8 € ; réduc (avec le sentier des papillons). Depuis le parking en bas, compter 15 mn de marche à travers les beaux sentiers pour accéder aux salles d'expo. Visite globale : env 2h.*

C'est un peu la vitrine de la Réserve géologique de Haute-Provence (voir plus loin le chapitre consacré à la vallée du Bès). Comme son nom l'indique, on s'y promène beaucoup. On accède au musée par différents sentiers aménagés de toute beauté : le « sentier de l'eau » où se succèdent cascades et mousse sauvage, celui des « cairns », curieuses sculptures naturelles en pierre réalisées par l'artiste Andy Goldsworthy, et le « sentier des remparts », offrant la plus jolie vue sur Digne et la vallée de la Bléone.

À l'intérieur du bâtiment du Musée-Promenade, on découvre une dizaine d'aquariums où barbotent de nombreuses espèces vivantes, pour certaines (comme les nautiles) survivantes de temps très anciens, des salles d'exposition très bien agencées qui retracent un monde vieux de plusieurs millions d'années. Une curiosité locale : les étoiles de Saint-Vincent, semblables à celles de la Madone d'Utelle, au-dessus de Nice, petits fossiles à cinq branches que les enfants ramassaient lors des pèlerinages. Vieilles de millions d'années, ces étoiles étaient montées en bijoux d'or ou d'argent au XIXe s. Exposition de nombreux autres fossiles et, pour les passionnés, de très bonnes et complètes publications sur la géologie dans cette région.

Également une exposition retraçant l'histoire de la Pangée, lorsque la Terre était constituée d'un unique continent, 250 millions d'années avant notre ère. Mise en perspective avec notre situation actuelle et l'évolution de notre planète dans 200 millions d'années, lorsque les continents ne formeront à nouveau plus qu'un : à quoi ressemblera la Terre et quels animaux la peupleront ?

Enfin, le *sentier des Papillons* où les représentants d'une centaine d'espèces typiques de la région volettent en liberté. *Visite guidée à 11h et 14h30 en sem.*

À faire

🎫🎫🎫 🚶 *Le train des Pignes :* chemins de fer de Provence, av. Pierre-Semard. ☎ 04-92-31-01-58. ● trainprovence.com ● *Jouxte la gare SNCF. Circule tte l'année tlj. Achat du billet en gare ou dans le train. 4 départs/j. : 7h15, 10h45, 14h25 et 17h35. Pas de résas, arriver au moins 15 mn à l'avance en saison. A/R Digne-Entrevaux : adulte 29,40 €, enfant (jusqu'à 12 ans) 14,80 € ; réduc ; gratuit moins de 4 ans. Trajet : 2h jusqu'à Entrevaux, 3h30 jusqu'à Nice.* On doit la ligne ferroviaire Nice-Digne à l'ingénieur dignois Alphonse Beau de Rochas, l'inventeur

LA HAUTE-PROVENCE

du moteur à quatre temps. En 1861, 1 an après l'annexion du comté de Nice à la France, il propose en effet de relier le littoral à l'arrière-pays. Pour s'adapter aux contraintes du relief, les rails sont écartés de 1 m (au lieu de 1,40 m), ce qui permet des virages plus serrés. Le premier tronçon entre Digne et Mézel est mis en service en 1891, et atteint Nice 20 ans plus tard. Gros boulot : 25 tunnels, 16 viaducs et quelque 15 ponts métalliques rythment la ligne sur 150 km.

POURQUOI TRAIN « DES PIGNES » ?

Sa lenteur d'antan permettait aux passagers de descendre tout au long du chemin et à tout moment afin de ramasser « la pigne », mot d'usage courant pour désigner la pomme de pin dans le midi de la France. Mais pour d'autres, son nom viendrait de la suie recouvrant les locomotives, les faisant alors ressembler aux fonds des marmites italiennes, les « pignates ».

L'ensemble est truffé de fortifications et tous les ouvrages d'art (dont les gares) peuvent être détruits en moins de deux (les Français craignant à l'époque un retour en force et inamical des Italiens...). Faites-vous plaisir, offrez-vous ce tortillard de bon confort qui relie Digne à Nice à une allure de sénateur méridional... Même si vous ne l'empruntez pas jusqu'au bout, rejoignez au moins Entrevaux, à la limite des Alpes-Maritimes, à travers des paysages étonnants, en faisant escale dans des villages pépères où il fait bon boire un pastis, sur la place... À l'aller, faire par exemple une halte dans la ville médiévale d'Annot à l'heure du déjeuner, puis reprendre le train dans l'après-midi pour Entrevaux (station suivante). On a le temps de visiter l'étonnante place forte avant de remonter dans le dernier convoi vers Digne (arrivée le soir). Ceux qui continueront jusqu'à Nice ne le regretteront pas. Sur ce tronçon, ne ratez pas Touët-sur-Var. La ligne chemine le long du Var, dans une large et profonde vallée (jusqu'à Plan-du-Var). Impressionnant. Et puis, les cheminots en herbe auront peut-être envie de faire un bout de chemin sur le train à vapeur affrété entre Entrevaux et Puget-Théniers (*Association GECP* : ☎ 04-93-03-80-80 ; ● traindespignes.fr ● ; dim mai-oct, plus ven de mi-juil à mi-août ; trajet partiel, Entrevaux-Annot, par exemple : adulte 20 €, enfant 16 €).

%% **La route Napoléon :** ● route-napoleon.com ● Celle-là même que Napoléon emprunta il y a 200 ans, à son retour de l'île d'Elbe. Débarqué à Golfe-Juan, il se faufila sans trop de publicité jusqu'à Grenoble par la route la moins exposée aux villes royalistes. Outre son intérêt historique, elle traverse des paysages sublimes et des panoramas uniques.

% **Les thermes** (hors plan par B2) : vallon des Sources. ☎ 04-92-32-32-92. ● thermesdignelesbains.com ● À 3 km au sud-est. Visite guidée jeu à 14h (sf sept-oct) : 2 €. Congés : 1-2 sem fêtes de fin d'année. Forfait « aromatherma » (bain bouillonnant et modelage) env 39,90 € ; plusieurs autres formules (voir leur site ainsi que leurs promotions). Lancez-vous dans l'aromathérapie, une évidence au pays de la lavande, qui devrait vous stimuler, ou essayez le modelage méditerranéen à l'huile d'olive ou aux pierres chaudes, voire le modelage tibétain au bol kansu. À l'espace détente, hammam, sauna et piscine à 34° C.

Sports et loisirs

– ***Via ferrata :*** *départ du centre-ville. Accès tlj, de mi-avr à mi-oct 6h-20h ; le reste de l'année 8h-17h. GRATUIT. Loc de matériel à l'office de tourisme* (☎ 04-92-36-62-62) *ou au* Camping du Bourg (☎ 04-92-31-04-87). *Encadrement par des guides sur demande* (35-40 €).

– ***Les lacs des Ferréols :*** *accès par la N 85 direction Nice, fléché sur la droite, à la sortie de la ville. Accès libre.* Deux jolis plans d'eau, très bien aménagés, au bord de la Bléone. Baignade (surveillée de juin à début septembre) et plein d'activités annexes possibles en été : murs d'escalade, minigolf, beach-volley, trampolines, etc.

– *Parapente :* écoles professionnelles (baptême biplace, stages...). **Hauts-les-Mains :** ☎ 06-62-21-69-33 ; ● haut-les-mains.fr ● **Yadelouest :** ☎ 06-64-29-85-24 ; ● yadelouest.fr ●

– *Escalade :* site de Courbons à 3 km de Digne, falaises équipées de plus de 100 itinéraires.

– *Golf :* 57, route du Chaffaut. ☎ 04-92-30-58-00. ● ngf-golf.com/gardengolf-digne/ ● À 6 km du centre-ville, par la N 85, puis fléché sur la droite après le lac des Ferréols. Tlj. Un golf de 18 trous en pleine nature, entouré de quelques champs de lavande. Parmi les plus beaux de France !

➤ ⚅ *VTT :* 300 km de sentiers balisés autour de Digne, sur 17 circuits de 7 à 33 km. De la balade familiale au parcours sportif. Descriptif gratuit (avec locations et autres renseignements pratiques) disponible à l'office de tourisme. Également deux parcours itinérants. Un classique : le circuit du Golf.

Fêtes et manifestations

– *Rencontres cinématographiques – Histoire du cinéma :* mars et nov. ☎ 04-92-30-87-10. ● centreculturelrenechar.fr ● Compétition de courts métrages, rétrospectives de cinéastes confirmés et découverte de nouveaux talents.
– *Corso de la Lavande :* 1er w-e d'août. Digne fête avec conviction (5 jours et 5 nuits !) l'odorante plante, emblématique de la région. Deux défilés de chars (dimanche après-midi et lundi en nocturne), bals, concerts, feux d'artifice, grosse fête foraine, etc. Au cours du week-end, joutes musicales de fanfares de différents pays, mais aussi distillation de lavande et vente de produits dérivés.
– *Foire de la lavande :* 3e sem d'août. ☎ 04-92-31-05-20. ● foire-lavande.com ● Vente de produits locaux, visites de distilleries de lavande, animations diverses.
– *Journées tibétaines :* sept. Organisées par la Maison Alexandra-David-Néel. Divers enseignements proposés par des maîtres, comme réaliser un mandala devant le public.
– *Fête de la Randonnée des 3 vallées :* 1er w-e d'oct. S'inscrire (bien à l'avance) au ☎ 04-92-32-05-05. Ensuite, on choisit son itinéraire en fonction de son niveau et de ses envies (40 itinéraires différents).
– *Rencontre internationale « Accordéon et culture » :* mi-oct. ☎ 04-92-30-87-10. ● centreculturelrenechar.fr ● L'occasion de découvrir qu'accordéon ne rime pas forcément avec flonflons...
– *Foire aux santons :* fin nov-début déc au village de **Champtercier**.

DANS LES ENVIRONS DE DIGNE-LES-BAINS

LA VALLÉE DU BÈS

Prêt pour un voyage à travers le temps ? En suivant plein nord la D 900A depuis Digne, on traverse, avec la vallée du Bès, quelque 300 millions d'années de l'histoire de la terre. Voilà, sans conteste, le secteur le plus riche de la Réserve naturelle géologique de Haute-Provence. Créée en 1984 pour protéger les très nombreux sites géologiques et paléontologiques de la région, cette réserve est la plus grande du genre en Europe. Elle s'étend sur 2 300 km² et 59 communes dans les Alpes-de-Haute-Provence et le Var. L'extraction des fossiles y est, naturellement, interdite...

LA HAUTE PROVENCE

Où dormir ? Où manger dans le coin ?

△ *Camping Le Pont du Martinet :* D 900A, 04140 **Barles.** ☎ 04-92-35-14-67. ● amzwarts@gmail.com ● *Ouv de mi-juin à mi-sept. Tente 2 pers et voiture en hte saison 23,50 €.* Dans un environnement bucolique à souhait, à deux pas des clues de Barles, un camping d'une très grande simplicité... Ici, pas d'autres étoiles que celles du firmament. On plante sa tente, on écoute la rivière chanter, le vent lui répondre dans les arbres, et on est tout bonnement au paradis. Pour l'accueil, révisez vos verbes irréguliers néerlandais...

🏠 |●| *Gîte de Flagustelle :* 04140 **Verdaches.** 📱 06-62-16-19-47. ● contact@gite-flagustelle.com ● gite-flagustelle. com ● *Au centre du village, derrière l'église. Congés : avr. Nuitée en dortoir 23 €/pers (draps et petit déj compris),* double 33 € ; petit déj 6 €. ½ pens (sur résa) 37 €/pers. Apéritif offert autour du repas sur présentation de ce guide. Ce gîte de 18 places a été aménagé dans l'ancienne école. Alix, Patrick et leurs trois enfants y ont posé leurs valises. Possibilité d'utiliser la cuisine (2 €) pour ceux qui ne veulent pas se mettre les pieds sous la table. Simple, propre et lumineux. Évidemment, autour, on trouve de quoi faire : sports d'eaux vives, randonnées... Pas mal de topo-guides et de doc à votre disposition, et panier pique-nique sur demande. Alix et Patrick proposent aussi une rando bicyclette de 30 km (retour minibus) dans la vallée du Bès *(adulte env 18 € et enfant 13 € ; réduc famille de 4 pers).* Sinon, on peut également louer des vélos seuls.

À voir. À faire

🐾🐾🚶 **La dalle aux ammonites :** *à 2 km au nord de Digne, sur la gauche de la D 900A.* Site unique au monde, cette grande dalle de calcaire inclinée est un ancien fond marin où sont restés figés pour l'éternité près de 1 550 fossiles. Sur le lot, plus de 1 000 ammonites, ces petits céphalopodes vieux de 200 millions d'années qui ont disparu en même temps que les dinosaures, il y a 65 millions d'années.

🐾🐾 **La Robine-sur-Galabre (04000) :** *à une dizaine de km de Digne par la D 900A, puis la D 103.* Étrange paysage, sorti de la nuit des temps. D'amples collines de marne noire, à la rare végétation, ici appelées « robines », d'où, élémentaire mon cher Watson, le nom de ce tranquille village.

🐾🚶 **Le site de l'ichtyosaure :** *à 9 km au nord de Digne par la D 900A ; parking sur la gauche, puis accès à pied (compter 45 mn aller par un sentier balisé).* Agréable petite randonnée le long du lit d'un torrent, puis sous les frondaisons d'une chênaie, pour atteindre au flanc d'un plateau le squelette fossilisé de ce reptile marin, conservé à l'endroit même où il a été découvert.

🐾 🚶 **Les empreintes de pas d'oiseaux :** *un peu plus loin sur la D 900A.* Un autre site remarquable de la vallée du Bès : les empreintes de p'tits zoziaux conservées dans le sable sur lequel ils ont gambadé, il y a 20 millions d'années. Balade facile à faire en pleine forêt domaniale du Bès.

🐾🐾 **Les clues de Barles :** *en continuant la D 900A vers Barles.* Étroites et tortueuses gorges creusées dans la roche par le torrent. Là encore, plein de curiosités géologiques pour qui prendra la peine de s'arrêter. Après la clue du Péouré, traversée en tunnel, la source de Fontchaude. Sur la gauche, de l'autre côté du torrent, on distingue nettement le fossile d'une... sirène (hydropythèque, pour faire savant) : le crâne humain, la queue de poisson... Info ou intox ? La visite du musée Gassendi à Digne apporte la réponse. On arrive ensuite à la dernière et fameuse clue de Barles. Un à-pic magnifique, couvert de végétation, avec la rivière aux eaux claires qui coule au fond.

🎿 *Barles (04140) : encore et toujours sur la D 900A, à la sortie des gorges.* Village à 1 000 m d'altitude, qui marque la première frontière entre la Provence et les Alpes. Les maisons sont plus massives et moins hautes, elles prennent des airs anguleux, les toits se couvrent d'ardoise pour se protéger du froid. Premier exemple d'architecture alpine.
– À la sortie du village vers le nord, la ***Maison de la géologie*** (☎ 04-92-35-09-34 ; *début juil-début sept ; ouv mer-dim 10h-13h, 14h30-18h30 ; GRATUIT*) présente l'histoire de la vallée dans ses rapports avec les hommes : ressources minérales, matériaux de construction, etc.

➢ De Barles, on peut, par l'agréable et bucolique col de Maure, rejoindre la vallée de la Blanche (voir plus loin le chapitre qui lui est consacré). Sinon, en redescendant vers Digne par la D 900 pour boucler la boucle, une petite halte s'impose à ***Marcoux,*** village agréable et fleuri au printemps qui abrite une église romane tardive, avec un très beau maître-autel en bois sculpté du XVIIe s. La route est très jolie.

LA VALLÉE DE L'ASSE

À une quinzaine de kilomètres au sud-ouest de Digne. Petite vallée paisible. Ceux qui veulent y être en deux tours de roues emprunteront la célébrissime route Napoléon (N 85) direction Nice, puis la D 907. Ceux qui préfèrent les itinéraires bis (voire ter) et la vérité historique (c'est par là que Napoléon est passé, la N 85 ne recouvrant en fait qu'une partie de son trajet) grimperont la D 20 vers le col de Corobin. Jolie route de montagne (c'est un des terrains de jeux du rallye de Monte-Carlo) et beaux panoramas sur le massif des Dourbes. Après le col, la route rejoint la N 85 à Norante.

LE VOL DE L'AIGLE

Quittant l'île d'Elbe, Napoléon débarque à Golfe-Juan en mars 1815, avec près d'un millier d'hommes. La progression du convoi vers la capitale est pénible, l'Aigle voulant éviter de traverser la Provence, acquise aux royalistes. L'hiver et le relief épuiseront les troupes. À Gap, Napoléon fera don d'une somme pour que des refuges soient désormais construits au niveau des cols. Certains sont aujourd'hui des hôtels.

Où dormir ? Où manger ?

Camping

🏕 *La **Célestine** : Les Palus, D 907, 04270 **Beynes**.* ☎ 04-92-35-52-54. 📱 06-16-52-09-60. ● lacelestine@yahoo.fr ● camping-lacelestine.com ● ⚓ *Sur la D 907, depuis Mézel, direction Riez, 2 km sur la droite. Ouv mai-sept. Selon saison, tente 2 pers et voiture 18 € ; loc de mobile homes 531 €/sem.* 📶 *Remise de 10 % sur le prix de la loc de mobile home/sem (tte saison). 96 empl.* Terrain plat, en pleine campagne et joliment « paysager ». Emplacements bien au large. Un chouette plan d'eau en guise de piscine quand le soleil cogne.

Bon marché

🏠 🍽 *La **Toupinelle** : pl. Saint-Nicolas, 04270 **Bras-d'Asse**.* ☎ 04-92-34-41-25. ● latoupinelle@wanadoo.fr ● latoupinelle-en-verdon.com ● ⚓ *(au resto). Resto ouv jeu-dim midi (hors saison) et mar-dim midi (juil-août). Congés : janv. Doubles 49-69 €. Formule et menus 16,90-19,90 €.* 📶 *Café offert sur présentation de ce guide.* Sympathique bistrot de pays où l'on déguste, sous la tonnelle, une délicieuse cuisine concoctée avec des produits frais, de saison et de la région ; tout ça pour le plus grand plaisir des papilles. À l'étage, 4 chambres simples, tout confort et très joliment décorées, aux noms épicés de « Girofle », « Serpolet », « Marjolaine »... qui sont une très bonne halte.

🏠 **Hôtel de la Place :** 25, pl. Victor-Arnoux, 04270 *Mézel*. ☎ 04-92-62-57-75. ● 04bar-hotel@numericable.fr ● *Au cœur du village. Ouvtte l'année. Doubles avec w-c sur le palier 35 € ; avec sdb 38 €, familiale 53 €.* Une agréable adresse de village qui vient d'être reprise. Un bar d'habitués, provençal en diable avec sa terrasse sous les platanes. Juste au-dessus, 7 chambres toute simples, certaines très grandes (w-c sur le palier), d'autres plus petites mais avec salle de bains. Tout le charme de l'auberge à grand-papa, qui a su se

mettre au goût du jour.

🍴 **Le Pressoir Gourmand :** pl. Victor-Arnoux, 04270 *Mézel*. ☎ 04-92-35-58-10. ● lepressoirgourmand@gmail.com ● *Au cœur du village. Tlj sf dim soir et lun. Formule (midi et soir) 17,50 € ; menu 19,50 €.* Ici, on joue la carte du local, du régional... du *slow food* décliné à tous les étages. Bœuf de Seyne-les-Alpes, canard bio de Champtercier, café torréfié à Vinon. Fraises et asperges respirent le même air que vous. Finalement, les plus « estrangers » à ce pays dignois sont les proprios, venus échouer ici leur accent de « pointu » marseillais. Ils font carton plein avec leur cuisine fine et inventive, servie avec attention à l'ombre des platanes, à des prix très pondérés.

À voir

🐐🐐 *La clue de Chabrières :* sur la N 85, vers Barrême. La route se glisse entre de vertigineuses murailles calcaires. Paysage magnifique, impressionnant et encore sauvage. Si vous redescendez ensuite la vallée vers Mézel, l'aller-retour s'impose, avec des vues de toute beauté et différentes dans les deux sens.

🐐 *Mézel* (04270) : sur la D 907. Un village typique comme on les aime, discret, avec ses petites places, sa longue rue principale jalonnée de maisons anciennes et de belles portes de bois. Plusieurs chapelles, dont l'une est dotée d'une bien grosse horloge, certainement pratique dans le passé quand on travaillait aux champs. Également une distillerie traditionnelle.

🐐🐐 *Beynes* (04270) : de Mézel, prendre la D 907, direction Riez, puis la 1re à gauche. Une route toute « mistoulinette » et sinueuse, à laquelle personne n'a jugé bon de donner un numéro, conduit à travers champs et forêts jusqu'à cet adorable petit village perché. Un de ces petits mondes de tuile et de pierres sèches, oubliés des touristes, dont les Alpes-de-Haute-Provence ont le secret. Compter une bonne demi-heure pour grimper là-haut. Intéressant de faire la route uniquement si l'on poursuit par la balade à pied jusqu'en haut du village !

🐐 *Majastres* (04270) : de Mézel, prendre la D 907, direction Riez ; à 2,5 km, prendre à gauche la D 17 sur 17 km. Si vous avez le temps, ou si vous souhaitez faire une des randos qui partent de Majastres, voici une route pleine de charme, très tortueuse, qui vous mènera vers un village au bout de nulle part.

🐐🐐 *Le vieux Bras-d'Asse* (04270) : à 15 km au sud-ouest de Mézel par la D 907. Dominant Bras-d'Asse, classique bourgade provençale, des ruines qu'on croirait sorties d'un film d'épouvante. Il faut y grimper pour découvrir l'envers du décor. Depuis 1979, une association belge redonne vie au village que ses habitants avaient déserté au milieu du XIXe s, préférant les terres plus riches de la vallée. L'église et plusieurs maisons ont été rénovées.

LA VALLÉE DE LA MOYENNE DURANCE

Rivière aux sautes d'humeur autrefois redoutées (Frédéric Mistral la jouait gagnante dans le tiercé des grands fléaux de la Provence avec le mistral et... le parlement d'Aix-en-Provence), la Durance a, au fil des siècles, creusé dans les Alpes du Sud un large et long couloir fertile en diable. De la voie domitienne d'hier à l'autoroute d'aujourd'hui, beaucoup de fadas se contentent de filer sur cette voie de passage naturelle pour descendre plus au sud ou grimper plus au nord. Prenez le temps d'y musarder sur fond de vergers, d'églises oubliées, de jolis villages perchés.

MALIJAI (04350)

Sur les rives de la Bléone, juste avant sa confluence avec la Durance, le nom provençal de ce bourg signifie « mal placé »... il faut dire qu'il subissait les crues de ces deux enfants terribles. Son château, bâti en 1770, s'est fait une petite place dans la grande histoire lorsque Napoléon y passa le nuit du 4 au 5 mars 1815. Une étape « bien placée » pour négocier l'ouverture du verrou qu'était la forteresse de Sisteron sur la route vers Grenoble. Bel exemple d'architecture classique. Les pièces du rez-de-chaussée, qui accueillent désormais la mairie, présentent un élégant ensemble de gypseries, typiques de la région : cartouches, trumeaux... *Visite libre possible aux horaires d'ouverture de la mairie (☎ 04-92-34-01-12 ; lun-ven 9h-12h, 13h30-17h30 ; 17h ven).* On peut aussi se dégourdir les jambes dans le (petit) parc à la française.

CHÂTEAU-ARNOUX-SAINT-AUBAN (04160)

Petite ville (c'est quand même la 3e du département !) dans un joli site au-dessus de la Durance, toisé par la tour d'un pittoresque *château Renaissance* qui abrite aujourd'hui la mairie dont on peut visiter l'escalier à vis et la salle du Conseil *(lun-ven 8h30-12h, 13h30-17h).* La commune compte également le 2e plus important *site ornithologique* de la région PACA après la Camargue. Un sentier balisé de 10 km permet de le découvrir à pied ou à vélo. Et puis, sur les hauteurs, la *chapelle Saint-Jean (ouv en été, mer 16h-19h ; accès fléché sur 2,5 km depuis la D 4085 entre Saint-Arnoux et Saint-Auban)* a été superbement revisitée par Bernar Venet qui y a introduit des vitraux et mobiliers du XXIe s sous de vénérables voûtes du XVIIe s.

Adresses utiles

🏠 **Office de tourisme et base VTT du Val de Durance :** dans la vieille ferme de Font-Robert, le long de la N 85 (av. de la Bastide). ☎ 04-92-64-02-64. ● valdedurance-tourisme. com ● Ouv juin-sept, lun-sam, plus dim mat en juil-août ; oct-mars, lun-ven, plus sam mat en mars, avr et oct.

Pour les VTT, ouv le w-e.
– Théâtre Durance : Les Lauzières, BP 39. ☎ 04-92-64-27-34. ● theatre durance.fr ● 🏃 Un jeune théâtre à la programmation ambitieuse et éclectique : musique, théâtre, danse, cirque... pour petits et grands.

Où dormir ? Où manger dans le coin ?

🏠 🍴 **La Magnanerie :** N 85, Les Fillières, 04200 **Aubignosc.** ☎ 04-92-62-60-11. ● lamagnane rie04@wanadoo.fr ● la-magnanerie.

net ● ❄ *(au resto slt). À 3 km au nord-ouest de Château-Arnoux. Tlj sf lun (et dim soir hors saison). Doubles 78-98 €, avec salon pour les plus chères. Formule 21 €, menus 31 € au déj en sem ; puis 55-89 €.* 🖥 📶 Un hôtel-restaurant de qualité, dont les chambres colorées sont joliment décorées et d'un vrai confort au goût du jour. Côté resto, une grande salle au cadre design ponctuée d'œuvres contemporaines, lumineuse le jour ou plus intime en soirée, mêlant harmonieusement les matières et les couleurs. La carte affiche une cuisine régionale revisitée, moléculaire diront certains, à base de denrées de producteurs locaux, le plus souvent bio. Personnel jeune et prévenant pour une clientèle d'habitués et autres curieux venus tenter l'expérience grâce au 1er menu, véritable aubaine pour son très bon rapport qualité-prix. L'été, agréable terrasse sur l'arrière.

●|● *La Bonne Étape :* N 85, à Château-Arnoux. ☎ 04-92-64-00-09. ● contact@bonneetape.com ● Tlj. Congés : 3 janv-13 fév. Formule (midi et soir) avec verre de vin 19,50 €. Carte 25 €. Au gastronomique attenant, menus déj en sem 35 €, puis 75-115 €. Un quelconque restaurant de bord de nationale ? Assurément pas ! Derrière des intitulés de plats très classiques, presque banals, c'est tout le talent du chef étoilé Jany Gleize qui s'exprime. Incroyable ce qu'une cuisse de canard sauce aux champignons ou une panna cotta aux fruits rouges peuvent être sublimées par les mains de cet artiste du piano ! Et pour aller plus haut, plus loin sur les pentes de cette gastronomie-là, il suffit de passer dans la salle d'à côté, tirée à quatre épingles, pour une note bien plus salée.

VOLONNE (04290)

À 2,5 km au nord de Château-Arnoux, sur la rive gauche de la Durance. Un îlot médiéval qui a su préserver tout son charme, notamment dans le quartier de Vière. Des deux tours perchées au sommet du village, belle vue sur la vallée de la Durance. Enfin, un château du XVIIe s. Juste attenant, poussez la porte au n° 1 de la place : un grand escalier y recèle un très beau décor de gypseries de style maniériste, classé Monument historique.

MONTFORT (04600)

Serpentant entre de bien vieilles maisons de pierre, des ruelles, qui se transforment vite en escaliers, grimpent vers un château du XVIe s. Peut-être bien le plus spectaculaire des villages perchés au-dessus de la Durance. Joli panorama sur la vallée, avec les rochers des Mées en fond de tableau, franchement superbes quand ils sont éclairés, les nuits d'été.

À voir dans les environs

🎒🎒 *La chapelle Saint-Donat : accès par la D 4096, puis la D 101 ; petit parking à gauche après le 1er pont.* Un semblant de sentier grimpe en 5 mn à travers une chênaie vers ce superbe et rare vestige du premier art roman méridional, là même où saint Donat s'était retiré en ermite au VIe s après avoir évangélisé la montagne de Lure. L'église fut érigée au XIe s telle une basilique modèle réduit, avec trois portes pour faciliter l'accueil des pèlerins. Des grilles interdisant l'accès à l'édifice, on peut découvrir la séduisante sobriété de la nef et du chœur prolongé par trois absides, lors des Journées du patrimoine, au moment du pèlerinage annuel effectué par les Montfortains le 1er ou 2e week-end de septembre (groupes folkloriques, messe) ou par le biais des guides de pays (☎ 04-92-76-66-23).

LES MÉES (04190)

Petite incursion sur la rive gauche, vers ce bourg provençal pur jus : façades pastel, clocher à campanile d'une église du XVIᵉ s, bistrots qui étirent leurs terrasses sous les platanes et quelques vestiges d'un passé de cité fortifiée. Mais l'intérêt principal des Mées, ce sont les incroyables rochers gris, curieusement découpés par l'érosion, qui dominent d'une bonne centaine de mètres la ville et la campagne environnante. Cette impressionnante fantaisie géologique a évidement une origine légendaire. Il s'agirait de moines, pétrifiés par saint Donat pour avoir regardé avec une certaine concupiscence de belles prisonnières mauresques. Les rochers ont depuis hérité du surnom de *Pénitents des Mées,* et effectivement, peuvent évoquer une procession de moines encapuchonnés. Belle balade balisée pour les approcher (descriptif gratuit du circuit de 2h à 2h30, disponible au syndicat d'initiative). On tangente, au passage, la *ferme solaire* la plus étendue de l'Hexagone : pas moins de 200 ha de cellules photovoltaïques *(visite gratuite avec navette ; rens au syndicat d'initiative).*

Adresse utile

🛈 *Syndicat d'initiative :* bd de la République. ☎ 04-92-34-36-38. ● lesmees-tourisme04.com ● Ouv juil-août, lun 14h-19h, mar-ven 10h-12h30, 15h-19h et sam 9h-12h30 ; le reste de l'année, 10h-12h, 14h30-17h30 sf lun mat, sam ap-m (plus mer ap-m oct-avr). Fermé dim et j. fériés. Liste des accompagnateurs pour visites guidées ou randos en montagne.

Où dormir ? Où manger aux Mées et dans les environs ?

De bon marché à prix moyens

🏠 ॥●॥ *Chambres d'hôtes Campagne du Barri :* quartier La Croix. ☎ 04-92-34-36-93. ● olga.mancin@ wanadoo.fr ● provence.guideweb/bb/ campagne-barri ● À 1 km au nord-est des Mées par la D 4 (route de Digne) ; c'est fléché sur la gauche. Tte l'année (sur résa de nov à mi-mars). Double 60 €. Gîte (2-3 pers) 220-300 €/sem. Table d'hôtes 20 €. Piscine. 🛜 Remise de 10 % sur le prix de la chambre (de mi-sept à mi-mars) sur présentation de ce guide. Passé une zone pavillonnaire lambda, on atteint cette grande maison du XVIIIᵉ s, toute rose, au calme et entretenue avec soin. La charmante Olga Mancin lui a redonné une âme après plus de 50 ans d'abandon. Un salon avec un papier peint de 1794, des meubles anciens, des tomettes partout... Belles chambres personnalisées, spacieuses et confortables, donnant sur le jardin ombragé, ses chaises longues et le rocher des Pénitents.

Également une chambre dans un petit cabanon. Cuisine familiale à base de produits du jardin. Accueil adorable.

🏠 *Chambres d'hôtes Les 3 Grains :* la Bastide Blanche, 04190 **Dabisse**. ☎ 04-92-34-33-25. 📱 06-60-25-20-13. ● milletmh@wanadoo.fr ● lestrois grains.net ● À 8 km au sud des Mées, à la sortie de Dabisse, un peu en retrait de la D 4 sur la gauche. Double 78 €. Spa. 🛜 Cette belle demeure cossue de la fin du XIXᵉ s a bénéficié d'une jolie restauration. Ses 3 chambres spacieuses possèdent chacune une déco et un charme particuliers. Petit salon accessible aux hôtes, jolie cuisine d'été à disposition à côté de la piscine et accueil extra.

🏠 ॥●॥ *Auberge des Pénitents :* 8, bd de la République. ☎ 04-92-34-03-64. ● lespenitents04190@gmail.com ● aubergedespenitents.com ● À gauche, sur la rue vers Montfort. Doubles 72-80 € selon saison. Petit déj inclus. Tlj sf mar soir-mer. Au déj, formule 17 € et menus 25 €, sinon 28-40 €. 🛜 Café offert sur présentation de ce guide. JP, le chef, mitonne avec inventivité des recettes faites de produits locaux bien maîtrisés. Le menu pioche dans une jolie carte. Accompagnements variés et sophistiqués divertissent agneaux, canettes et poissons... même le menu-enfants s'épargne les frites ! Si vous faites confiance à la maison, la ripaille compte jusqu'à 5 services, toujours apportés avec le sourire en salle ou dans le jardin. Et pour faire pénitence de toutes ces agapes, la demeure bourgeoise peut vous accueillir sous les hauts plafonds de sa poignée de chambres, toutes décorées avec fraîcheur et dans le vent.

De chic à plus chic

|●| *La Marmite du Pêcheur :* bd des Tilleuls. ☎ 04-92-34-35-56. ● *christo pheroldan@wanadoo.fr* ● &. *À la sortie de la ville, direction Digne. Tlj sf mar. Menus déj (sf dim) 22 €, puis 38 et 56 €.* Un resto de la mer au cœur des terres. Déco dans les tons orangés et chocolat pour une cuisine de qualité

qui sait tirer le meilleur des produits de la Méditerranée et de ses rivages. Quelques viandes également pour les carnivores.

|●| *Le Vieux Colombier :* 04190 *Dabisse.* ☎ 04-92-34-32-32. ● *sno wak@wanadoo.fr* ● *À 6 km au sud des Mées, le long de la D 4. Fermé dim soir et lun-mar. Congés : 1re quinzaine de janv. Menus déj 28 €, puis 38-56 €. Apéritif maison offert sur présentation de ce guide.* De cette grande bâtisse en bordure de route, ancien relais de poste du XIXe s, on ne soupçonne guère les délices du cadre – belle salle cossue avec cheminée, poutres au plafond, agréable et grande terrasse à l'ombre des marronniers – et de la table. Sylvain Nowak s'appuie sur des valeurs sûres. Produits nobles parfaitement maîtrisés, tradition légèrement revisitée. La carte change selon le marché et l'humeur du chef, tandis qu'en salle madame assure un service efficace. Une adresse à la qualité constante.

PEYRUIS (04310)

Les ruines perchées d'un château, une vieille église au clocher gardé par des gargouilles, des ruelles jamais rebaptisées depuis le Moyen Âge qui longent des maisons des XVIe et XVIIe s, des fontaines qui glougloutent, d'acharnées parties de pétanque sur la place centrale inévitablement ombragée de platanes. Bref, une jolie petite ville provençale pleine d'une quiète authenticité...

Où dormir ? Où manger ?

🏠 |●| *Chambres d'hôtes Les Grandes Molières :* route de Mallefougasse à Montfort. ☎ 04-92-68-11-41. ● *cathy.raquet@wanadoo.fr* ● *lesgran desmolieres.com* ● *À 5 km à l'ouest de Montfort par la D 4096, puis la D 101 (direction Mallefougasse), et enfin 2 km d'un chemin bien fléché à gauche de la route. Double 77 € ; dortoir (groupes constitués) 25 €/pers. Table d'hôtes 23 €.* 📶 Il est des lieux qui vous projettent droit et loin dans le passé. Les austères murs extérieurs en pierre blanche de cette bâtisse en cachent la merveille intérieure avec des voûtes à foison, une cuisine proprement superbe, un escalier magistral, et des passages quasi secrets où une minette

perdrait ses petits. Les chambres, dotées de tout le confort, sont aménagées avec le goût simple mais certain de la campagne. Et dans le silence extrême de cet ancien relais de poste du XVIIe s, on croirait entendre s'affairer les palefreniers. Les extérieurs ne sont pas mal non plus, avec des espaces de repos pour profiter d'une incroyable vue sur les Pénitents des Mées. À la clé, un bel accueil de Cathy et Michel.

🏠 |●| *Les Galets :* quartier Pont-Bernard. ☎ 04-92-35-27-68. ● *auber gelesgalets@orange.fr* ● *aubergeles galets.com* ● *Sur la D 4096, un peu avt Peyruis, sur la gauche en venant de Forcalquier. Resto tlj sf lun, sam midi et dim soir. Doubles 59-89 €, familiales*

89-115 €. Petit déj 12 €. Formule déj (sf dim) 24 €, menu 29 €. 🛜 Apéritif offert sur présentation de ce guide. Impossible de rater la façade rouge de ce petit hôtel récent ; une excellente étape pour sillonner le coin. 10 chambres au confort moderne et aux noms évoquant des bois exotiques ou des voyages. Très jolie déco différente dans chaque chambre, déclinée en accord avec son nom... Préférez les chambres sur l'arrière, même si les deux sur la nationale sont bien isolées.

À voir dans les environs

🕴🕴🕴 *Le prieuré de Ganagobie :* ☎ 04-92-68-00-04. Accès par la D 4096 direction Manosque, puis, à 7 km, la D 30 à droite ; c'est indiqué. Tlj sf lun 15h-17h (fermé 1 sem en janv). GRATUIT. Sur un magnifique plateau planté de chênes verts d'où la vue porte jusqu'aux sommets alpins enneigés. Le monastère originel date du milieu du Xe s, cadeau de l'évêque de Sisteron à l'abbaye de Cluny. Les bâtiments restaurés au XVIIe s abritent toujours une communauté de bénédictins venus de l'abbaye de Hautecombe en Savoie. Seule l'église du XIIe s se visite. Superbe portail aux voussures festonnées. Les 12 apôtres se serrent sur le linteau, sous un tympan où trône le Christ en majesté. Intérieur d'une très (très !) grande sobriété. Inévitablement, le regard est attiré vers l'abside, pavée d'une remarquable mosaïque, du XIIe s également. Une rénovation a redonné tout leur éclat aux carreaux blancs, noirs, roses et rouges. Nette influence orientale (les croisés avaient apparemment ramené quelques idées de déco) pour ces monstres fabuleux enveloppés d'entrelacs. Une illustration originale de l'éternelle lutte contre les forces du Mal (toutes les scènes regardant vers l'est figurant, à priori, le Bien). Ceux qui veulent prolonger leur méditation peuvent emprunter l'un des sentiers aménagés autour du monastère. Celui qui mène aux remparts de Villevieille, par exemple, est une balade facile de 4 km.

LURS (04700)

Un village à l'architecture harmonieuse, outre une rénovation peut-être trop léchée, dominant avec superbe la vallée de la Durance. Belle vue sur la campagne environnante. Elle fut la résidence épiscopale de Sisteron du XIIe s à la Révolution, d'où la *promenade des Évêques,* jalonnée de 15 oratoires, conduit à une petite chapelle (environ 20 mn aller-retour). Le village, déserté par ses habitants, a d'ailleurs failli disparaître avant que Giono, au lendemain de la Seconde Guerre mondiale, ne le fasse découvrir à Samuel Monod, alias Maximilien Vox, un des maîtres français de la typographie. Dans son sillage, d'autres typographes, des graphistes... s'installeront au village où se tiennent chaque été, depuis 1955, des rencontres internationales de professionnels de l'imprimerie.

Où dormir ?
Où manger à Lurs et dans les environs ?

|●| *La Terrasse de Lurs :* rue de la Mairie. ☎ 04-92-87-77-52. ● info@ laterrassedelurs.fr ● Tlj sf mar-mer. Formule 20 €, menu 25 €. C'est Le Bonheur fou qui a déménagé de Manosque jusqu'ici. Toujours la même cuisine de marché ensoleillée et servie avec le sourire. Grande terrasse, avec vue évidemment !

🛏 *Chambres d'hôtes Chante Oiseau :* domaine des Clots, 04300 Sigonce. ☎ 04-92-75-24-35. ● info@ chanteoiseau.com ● chanteoiseau. com ● À 6 km au nord-ouest de Lurs par la D 116 ; à Sigonce, prendre à gauche, à l'entrée du village, c'est indiqué.

Tte l'année. Doubles 80-90 €. Également 8 gîtes 2-8 pers, 600-1 900 €/sem selon saison. Ou encore une cabane dans un arbre pour 2-4 pers, 120-150 €/nuit. 📶 *Dans un cadre enchanteur, une maison (et ses dépendances)* joliment restaurée pour voir la vie au calme. Un ample saule pleureur à l'entrée, un jardin fleuri où gazouillent les oiseaux, une grande terrasse, des chambres aménagées avec goût et une belle piscine.

ORAISON *(04700)*

Rive gauche de la Durance, au pied du plateau de Valensole. Au printemps, les champs de tulipes en fleur aux alentours déclinent une belle féerie de couleurs. Cette « ville à la campagne » s'anime joyeusement lors de son marché hebdomadaire. Au hasard de rues qui, curiosité locale, portent les noms de morts des deux guerres mondiales, on découvrira une église gothique et romane du XVIIe s, un château de style Renaissance, un pont roman, les courses de lévriers et de chevaux, un lac où faire trempette... Pasteur est venu y étudier les vers à soie.

Adresse et info utiles

🏛 ***Office de tourisme :*** *9, allées Arthur-Gouin.* ☎ *04-92-78-60-80.* ● *oraison.com* ● *Juil-août, lun-sam mat 9h-12h30, 15h-18h30. Sept-juin, lun-sam 9h-12h30, 14h30-18h. Mars-mai, lun-ven 9h-12h30, 14h30-18h et sam 9h-12h30. Janv-fév et oct-déc, lun-ven 9h-12h30, 14h-17h30 et sam 9h-12h30.* Accueil souriant. Intéressantes visites guidées de la ville *(ven sur résa, 4 pers min).* Également des visites guidées botaniques *(mai-sept, jeu ; sur résa ; 2 €)* et de Perl'Amande, une fabrique de produits à base d'amandes *(jeu à 10h30, sur résa ; 2 €).* Nombreux circuits de randonnée *(doc à disposition).*
– ***Marché :*** *mar mat sur les places du centre-ville.*

Où dormir ? Où manger à Oraison et dans les environs ?

⚊ ***Les Oliviers :*** *chemin de Saint-Sauveur.* ☎ *04-92-78-20-00.* ● *camping-oraison@wanadoo.fr* ● *camping-oraison.com* ● ♿ *Dans Oraison, prendre à gauche en venant de Manosque, tt droit sur 500 m, puis fléché à droite. Ouv de mi-avr à fin sept (loc tte l'année). Selon saison : tente 2 pers et voiture 14-19 € ; mobile homes 4 pers 290-710 €/sem. CB refusées. 66 empl.* Petit camping familial au milieu des... oliviers, pardi (d'ailleurs, on peut acheter l'huile produite ici) ! Les emplacements sont spacieux et disposent de belles vues sur la montagne de Lure. Animations en été. Préférable de réserver l'été. Piscine.

🍴 ***L'Orison :*** *36, rue Paul-Jean.* ☎ *04-92-78-79-95. Sur la rue principale, en limite du centre-ville, sur la gauche en allant vers Les Mées. Tlj sf dim soir-lun. Formule déj en sem 16 €, menus env 23,50-29,50 €.* Quoi de neuf à l'horizon ? Un petit resto proposant une cuisine de belle facture, produits frais de producteurs locaux. La formule du midi est imbattable et les menus proposent de bons petits plats semi-gastronomiques. Carton plein dans l'assiette, joliment dressée, le salé étant clairement plus abouti que le sucré. Service sans ambages et à grandes enjambées !

🍴 ***Maison Nouer :*** *place du village, 04700 Puimichel.* ☎ *04-92-74-98-10. À 13 km à l'est d'Oraison, par la D 12. Tlj sf mar soir et mer (hors saison, fermé le soir lun-jeu et dim).*

*Congés : vac scol Toussaint et fév.
Menus déj en sem 18 €, puis 28 €.
Digestif offert sur présentation de ce
guide.* Il faut une bonne raison pour
aboutir à ce petit bout de vallée aussi
paumée que charmante. Les effluves
de la lavande du plateau de Valensole y
flottent déjà, au-dessus de champs
de lupins. Est-ce cet environnement
qui inspire le chef de ce bistrot de

pays ? Une cuisine traditionnelle
refaçonnée juste ce qu'il faut avec
plein de petites idées neuves inat-
tendues. À déguster dans une salle
contemporaine ou (mieux encore)
sous les ombrages d'un acacia qui
rafraîchit une belle terrasse, entre
les mains d'un service franc et pas
chichiteux.

LA HAUTE PROVENCE

MANOSQUE

(04100)   23 000 hab.   *Carte Alpes-de-Haute-Provence, B4*

**« La nuit, la ville ne respirait plus que par ses fontaines. » Du Jean Giono
pur jus, bien sûr. Manosquin à la vie, à la mort, inspiré pour Jean le
Bleu par sa cité au cœur médiéval, aux rues tortueuses, aux petites
places sans symétrie, aux portes fortifiées, aux vestiges de remparts
plus que suggérés. La campagne alentour a complété le tableau de ce
peintre en écriture, la chanson de ce ménestrel de la « provençalité », la
sculpture de ce façonneur de mots. Un destin de conteur et de témoin
des transitions entre le XIXe et le XXe s, qui aura donné des envies à
d'autres enfants du pays ; comme Pierre Magnan, qui vous fera aimer et
découvrir cette région à travers les aventures du commissaire Laviolette,
ou comme René Frégni. Alors, joignons la lecture au réel et direction
Manosque toute !**

CROQUIGNOLETTES ANECDOTES MANOSQUINES

C'est à Manosque qu'échoit, en 1495, le triste privilège de connaître les premiers
cas de syphilis, maladie introduite par des Provençaux qui venaient de guerroyer
(entre autres « amuseries »...) en Italie. Cette même année, la population emmenée
par les pères Carmes et les franciscains se livre à un véritable pogrom en attaquant les habitations des juifs manosquins...
En 1516 survient un triste épisode, qui a longtemps valu à la ville le surnom de
« Manosque la Pudique » : François Ier, de retour de la bataille de Marignan (quelle
année déjà ?), s'arrête à Manosque. Les consuls chargent une très jolie jeune fille
de lui offrir les clés de la ville. Le regard appuyé du roi ne laissant aucun doute sur
ses intentions, la jeune demoiselle, qui ne veut ni désobéir au roi ni se compro-
mettre, décide de se défigurer. Elle se lacère le visage et expose ses blessures à
des vapeurs de soufre...

Adresse et info utiles

🏠 *Office de tourisme (plan B2) :* 16,
pl. du Docteur-P.-Joubert. ☎ 04-92-
72-16-00. ● manosque-tourisme.
com ● *Juil-août ; hors saison, ouv lun-
sam 9h-19h, dim et j. fériés 10h-12h.
Sept-juin, ouv lun-sam 9h-12h15 et
13h30-18h (fermé sam ap-m nov-fin*

fév). Visites guidées sur résa (payantes)
du centre historique.
■ *Manobus :* service de transports
urbains gratuits. Rens sur ● mano
bus.fr ● 4 lignes très pratiques pour
joindre les quartiers éloignés du vieux
centre.

LA HAUTE-PROVENCE

Où dormir à Manosque et dans les environs ?

Camping

☒ **Camping Oxygène** (hors plan par B2, **6**) : Les Chabrands-Villedieu, 04210 **Valensole.** ☎ 04-92-72-41-77. 📱 06-80-62-94-05. ● sarlo xygene@libertysurf.fr ● camping-oxygene.com ● À env 10 km au nord-ouest de Manosque par la D 907 puis la D 4 direction Oraison. Ouv de mai à mi-sept. Selon saison, tente 2 pers et voiture 17-22 €. CB refusées. 100 empl. Un camping de grand confort avec une bien belle et grande piscine, de l'ombre, des emplacements bien délimités et des sanitaires bien entretenus. Petit parcours technique pour VTT. Excellent point de chute pour (vrais) campeurs en tente ou caravane. Vraiment proche de Manosque et au calme. Un coup de cœur.

De bon marché à prix moyens

🏠 **Chambres d'hôtes Un jardin en ville** (hors plan par B2, **9**) : 8, av. de la Libération. ☎ 04-92-71-17-40. ● jardinenville@gmail.com ● chambres-provence.fr ● Tte l'année. Double 60 €, suites familiales 80-100 €. 📶 Donne sur un petit rond-point mais avec des doubles vitrages efficaces. Charmante maison de 1930, dans laquelle vos hôtes accueillants ont aménagé 4 chambres simples et fraîches (dont une suite avec 2 chambres), bien agréables pendant les grosses chaleurs. Pas de table d'hôtes mais une cuisine à disposition. Petit déj servi dans le jardin aux beaux jours.

De prix moyens à plus chic

🏠 |●| **Chambres d'hôtes La Bastide de l'Adrech** (hors plan par A2, **10**) : av. des Serrets. ☎ 04-92-71-14-18. ● contact@bastide-adrech.com ● bastide-adrech.com ● À la sortie sud de la ville, direction Pierrevert-Apt, puis direction Les Plantiers, puis à droite (fléché sur 1 km). Congés : 12 j. début janv et 15 j. début oct. Double 78 €. Table d'hôtes 26 €. 📶 Ce couple-là tenait autrefois un restaurant avant de sauver de l'abandon une imposante et superbe bastide du XVIIe s, posée dans un coin de campagne aux faux airs de Toscane. Et permettre à d'autres de partager le charme de ces vieilles pierres, ces sols aux tomettes lustrées par le temps, ce majestueux escalier central qui distribue 5 superbes chambres (dont une pour 4 personnes). Plus ravissantes les unes que les autres, elles sont parfois séparées des salles de bains par un simple rideau... mais ça fait partie du charme des lieux. Également 2 gîtes (4-6 places) vraiment très jolis. Un véritable coup de cœur.

🏠 **Chambres d'hôtes Les Monges** (hors plan par A2, **5**) : 3627, route d'Apt. ☎ 04-92-72-68-41. ● contact@lesmonges.com ● les monges.com ● Prendre la direction Apt par la D 907, puis 3 km après le panneau de sortie de Manosque, c'est indiqué sur la gauche. Ouv 29 avr-3 oct. Doubles 70-85 €. Gîte pour 4 pers 680-920 €/sem selon saison. Ferme du XVIIe s entièrement restaurée par ses actuels propriétaires, plantée sur un promontoire et dominant la campagne. Les 5 chambres, habillées dans des tissus et des teintes très actuels, portent des noms de fleurs et en possèdent la couleur dominante dans la déco. Les salles de douche sont également très bien imaginées et ornementées. Pas de table d'hôtes, mais on peut utiliser la cuisine ou le coin près de la piscine, là où se prend le petit déj lorsqu'il fait beau ! Excellent accueil.

🏠 **Hôtel Le Pré Saint-Michel** (hors plan par A1, **7**) : 435, montée de la Mort-d'Imbert. ☎ 04-92-72-14-27. ● info@presaintmichel.com ● pre saintmichel.com ● À 2 km à la sortie de la ville, route de Dauphin (c'est

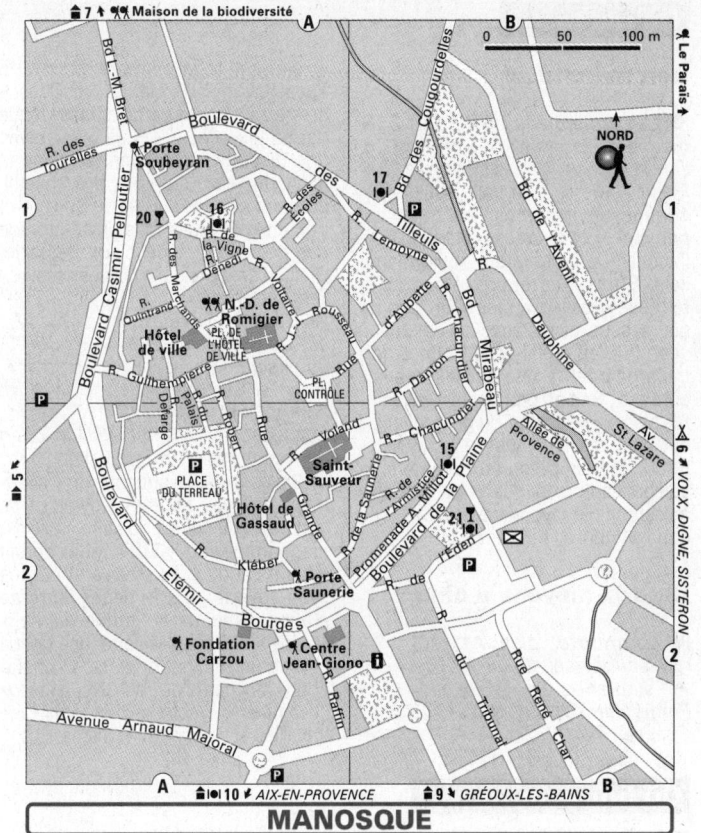

MANOSQUE

- ■ **Adresse utile**
  - 🅱 Office de tourisme

- ⚠ 🏠 **Où dormir ?**
  - 5 Chambres d'hôtes Les Monges
  - 6 Camping Oxygène
  - 7 Hôtel Le Pré Saint-Michel
  - 9 Chambres d'hôtes
    Un jardin en ville

- 10 Chambres d'hôtes
  La Bastide de l'Adrech

- |●| **Où manger ?**
  - 15 Le Parmentier
  - 16 L'Antidote
  - 17 Sens et Saveurs

- 🍷 |●| **Où boire un verre ?**
  - 20 Café du Coin
  - 21 Café de la Poste

fléché depuis le centre). Ouv tte l'année. Doubles avec sdb 67-200 € selon saison et confort, avec TV et clim. Parking. 🛜 Un peu à l'extérieur de la ville, un hôtel à la déco provençale sobre et de bon goût.

Chambres confortables, aux tons façon *Côté Sud* et salles de bains modernes. Certaines ont une terrasse donnant sur le jardin. Piscine pour les jours de farniente sous les grandes chaleurs.

LA HAUTE PROVENCE

Où manger ?

Bon marché

|●| *Le Parmentier* (plan B2, 15) : 23 B, rue de la Plaine. ☎ 04-92-87-04-76. Ouv le midi slt, lun-sam. Formule 15 €. Menu 19,90 €. Si la salle est grande comme un mouchoir, elle n'en est pas moins chaleureuse. Comme l'est l'accueil de cette petite équipe familiale. Et puis, on apprécie surtout la terrasse dressée à même un pan du cours, sous les platanes qui ont connu Jean le Bleu en langes ! Carte et formule gardent la tête sur les épaules côté prix, tout en proposant des recettes bien originales. Le burger provençal est bien meilleur que celui de Mac-Beurk, le pain perdu aux chanterelles célèbre l'automne, quand les gnocchis à l'espagnole rayonnent de soleil. Une ode véritable au goût !

De prix moyens à chic

|●| *L'Antidote* (plan A1, 16) : 34, rue Soubeyran. ☎ 04-92-76-54-81. ● restaurant-antidote@wanadoo.fr ● Fermé dim soir, lun et mer. Congés : 1 sem en mars, 1 sem fin sept et 2 sem en déc. Plat du jour et verre de vin 19 €. Formules 24-25 €. Menu 30 €. Dans le centre, une bonne petite adresse tenue par un jeune couple. Elle officie avec une discrétion attentionnée dans la mignonne salle aux tons provençaux. Lui concocte une cuisine du Sud fine et inventive. Produits frais, juste cuisson des poissons, et délicieux desserts. Bref, un antidote qui a fait ses preuves ! Terrasse en été.

|●| *Sens et Saveurs* (plan B1, 17) : 43, bd des Tilleuls. ☎ 04-92-75-00-00. ● sens-et-saveurs@orange.fr ● Tlj sf dim et j. fériés (plus le soir lun et jeu hors saison). Menus 17-21 € le midi, puis 28-36 €. Apéritif maison offert sur présentation de ce guide. *Sens et Saveurs* est avant tout une aventure familiale ; Laurent Nowak et sa femme Marie ont fait de cette ancienne magnanerie du XVIIᵉ s une bonne table. Grande salle voûtée et cuisine semi-ouverte pour le décor. Terrasse aux beaux jours, à l'entrée du vieux Manosque. Dans l'assiette, une bonne cuisine un tantinet créative, le chef a appris aux côtés de son père, au *Vieux Colombier* à Dabisse. Des plats bien travaillés et des cuissons justes.

Où boire un verre ?

▼ *Café du Coin* (plan A1, 20) : 20, rue Soubeyran. ☎ 04-92-72-10-13. Tlj. Populaire, modique, vos glouglous accompagneront ceux de la fontaine (eau non potable... même avec du pastis !) sur la jolie place ombragée par une bande de platanes.

▼ |●| *Café de la Poste* (plan B2, 21) : rue Reine-Jeanne (en face de la poste !). ☎ 04-92-72-69-02. ● nathalie. badiou0870@orange.fr ● ♿ Tlj sf dim et j. fériés. Formule 14 €. Menu 23 €. 📶 Apéritif maison offert sur présentation de ce guide. Un endroit sympa pour boire un verre, se donner rendez-vous ou encore grignoter à toute heure. Grande terrasse ombragée et salle inspirée des brasseries à l'intérieur.

Achats

🌀 *Le Moulin de l'Olivette* : rondpoint de l'Olivette. ☎ 04-92-72-00-99. ● moulinolivette.fr ● ♿ À la sortie de la ville, direction Sisteron par la D 4096. Lun-sam. Pour goûter et acheter l'huile d'olive de Manosque dans cette maison fondée en 1928.

🌀 *L'Occitane-en-Provence* : Z.I. Saint-Maurice. ● loccitane.com ● À la sortie de la ville, route de Valensole. Boutique, musée et jardin, tlj sf j. fériés 10h-19h (18h dim). Visite (1h) gratuite de l'usine lun-ven slt sur inscription (☎ 04-92-70-32-08 ;

• *reservations.visites@loccitane. com* •). Une usine, son musée et sa boutique pour découvrir les dessous chic de la fabrication de cette gamme de produits provençaux qui véhicule – à sa façon – l'image de la Provence un peu partout sur la planète. Pour les amateurs, les prix à la boutique sont inférieurs de 10 % par rapport à ceux des boutiques *L'Occitane*.

À voir

Le vieux Manosque

Derrière les boulevards « périphériques » qui suivent encore le tracé des anciens remparts, une vieille ville, provençale dans l'âme, où il faut musarder dans un quasi-labyrinthe de rues, d'androns (ces ruelles partiellement couvertes) et de placettes.

🏃 *La porte Saunerie (plan A-B2) :* elle garde l'entrée de la vieille ville. Construite au XIVᵉ s, elle doit son nom aux entrepôts de sel qui se trouvaient autrefois à côté. Au-dessus de cette porte sont représentées les armoiries de la ville : « L'écusson aux quatre mains », chacune d'elles représentant l'un des quatre quartiers médiévaux qui auraient composé la ville initiale.

🏃 *La rue Grande (plan A1-2) :* au nᵒ 23, admirez l'*hôtel de Gassaud* (actuel presbytère), l'un des plus beaux de la ville, dans lequel Mirabeau fut placé en résidence surveillée en 1774 pour dettes. Les fanas de Giono savent qu'au 14, rue Grande, on peut voir la *maison de « Jean le Bleu »,* où se trouvaient également l'atelier de repassage de sa mère et la cordonnerie de son père. Passez par l'*église Saint-Sauveur,* bel orgue baroque de 1625 et superbe campanile en fer forgé construit en 1725 par Guillaume Bounard de Rians (un des plus ouvragés et des plus anciens de Provence). Au débouché de la rue Grande, sympathique place de l'Hôtel-de-Ville. Remarquable façade dudit hôtel de ville, d'un classicisme caractéristique du XVIIIᵉ s. À l'intérieur, bel escalier et gypseries, et au 1ᵉʳ étage *(accessible lun-ven 8h30-12h, 13h-17h),* une série d'aquarelles raconte l'histoire de Manosque.

🏃🏃 *L'église Notre-Dame-de-Romigier (plan A1) :* d'origine romane, avec un portail Renaissance, elle abrite une des plus anciennes Vierges noires de France, Notre-Dame du romigier (*roncier* en provençal, la légende voulant qu'elle ait été découverte, au VIᵉ s, sous un buisson d'épines). Statue de bois d'une facture un peu primitive, affichant un étrange sourire. Un superbe sarcophage paléochrétien des IVᵉ et Vᵉ s en marbre de Carrare sert d'autel. À voir encore, une belle croix de cimetière en pierre du XVIᵉ s, le baptistère, l'orgue de 1850.

🏃 *La porte Soubeyran (plan A1) :* voûte et base du XIVᵉ s, campanile construit en 1830 par Beauchampt d'Apt. Sa forme (en poire) rappelle l'enceinte de la vieille ville.

Autour du centre ancien

🏃 *La Fondation Carzou (plan A2) : dans la chapelle du Couvent-de-la-Présentation, 7-9, bd Élémir-Bourges.* ☎ 04-92-87-40-49. • *fondationcarzou.fr* • *Avr-oct, mar-sam 10h30-12h30 et 14h-18h. Hors saison, mer-sam 14h-18h. Congés : 23 déc-2 janv. Entrée : 3 €. Visites commentées sur résa.* Carzou, peintre d'origine arménienne que l'on ne peut taxer d'incorrigible optimiste, mettra 7 ans, dès 1984, à représenter l'Apocalypse, reprenant les thèmes d'une exposition de 1957 sur les angoisses du monde actuel. À voir comme témoignage.

🏃 *Le centre Jean-Giono (plan A2) :* 3, bd Élémir-Bourges. ☎ 04-92-70-54-54. • *cen trejeangiono.com* • ♿ *(rdc slt). Oct-mars (sf vac de Noël), mar-sam 14h-18h ; avr-sept, mar-sam 9h30-12h30, 14h-18h. Entrée : 4 € ; réduc.* Dans une belle bâtisse provençale de la fin du XVIIIe s. Exposition permanente « Jean Giono ou le cœur de Noé », pour ceux qui ne connaîtraient pas l'œuvre de l'écrivain. Organise également des expositions et des balades littéraires, individuelles ou en groupe. Bibliothèque, vidéothèque, librairie, stages, rencontres avec des comédiens, écrivains, etc. Expositions temporaires.

Un peu plus loin

🏃 **Le Paraïs** (maison de Giono ; hors plan par B1) : à hauteur du 190, montée des Vraies-Richesses. ☎ 04-92-87-73-03 (prendre rdv par tél). Ven ap-m slt. GRATUIT. Une petite allée conduit à cette maison. Giono vécut de 1930 jusqu'à sa mort à Lou Paraïs. Joli jardin d'où l'on domine toute la ville. L'association Les Amis de Giono y assure une visite le vendredi de 14h30 à 17h (sa bibliothèque, son bureau).

🏃🏃 🏃 **La Maison de la biodiversité** (hors plan par A1) : route de Dauphin, chemin de la Thomassine. ☎ 04-92-87-74-40. ● parcduluberon.fr ● ♿ (salle d'expos, salle vidéo et sanitaires). Fléché sur 4 km depuis le centre-ville (direction Dauphin). Juil-sept : mar-sam 10h30-13h, 15h-18h30 ; visite guidée à 10h30 et 16h30 (durée 1h). Oct-juin : slt mer 10h-12h30, 14h-16h30 ; visite guidée à 10h30 et 15h. Tarif : 4 € ; gratuit moins de 18 ans. Dans ce site de 68 ha bénéficiant d'un microclimat particulier par sa douceur, une promenade originale et pédagogique dans l'extraordinaire diversité du monde végétal qui accompagne la vie d'un homme au quotidien. Vous pourrez découvrir, à 10 mn du centre de Manosque, un verger conservatoire de plus de 500 variétés fruitières traditionnelles, un potager de variétés légumières anciennes, différents jardins à thèmes (des roses, des osiers, des figuiers, des légumes oubliés), une terrasse en prairies fleuries... Et profiter d'un réseau de captage d'eau, d'une salle d'exposition, d'une aire de pique-nique...

🏃🏃 **La colline du Mont-d'Or** : à 2 km au nord-est de la ville. Du sommet avec sa « tour » (pans de mur d'une tour du château des comtes de Forcalquier, dont dépendait Manosque), on découvre un magnifique panorama : la vieille ville en forme de poire et ses toits patinés, le ruban du canal bordé de cultures et de vergers, parallèle à la Durance. On révise sa carte des horizons : le Luberon, la Sainte-Victoire, la Sainte-Baume, le mont d'Aiguines surplombant les gorges du Verdon, et les premiers sommets des Alpes.

🏃 **La colline de Saint-Pancrace** : à 2 km au sud-ouest de la ville (suivre le fléchage « Chapelle de Toutes-Aures »). Encore une colline ? Normal, en celte, Manosque signifie « habitants des collines ». Celle-ci est coiffée d'une longue chapelle romane. Joli panorama depuis ses 466 m d'altitude. Un petit sentier autour du thème de l'olivier a été aménagé et le GR 4 passe par là. Depuis plus de 250 ans, chaque lundi de Pâques, une grande fête y est organisée, la Saucissonnade. L'occasion de profiter des premiers beaux jours pour un pique-nique en famille.

Fêtes et festivals

– **Rencontres cinéma de Manosque** : fin janv-début fév. Rens au service culturel de la mairie : ☎ 04-92-70-34-07. Une équipe de passionnés, découvreurs de talents, organise ces rencontres « Du réel à l'imaginaire », attirant chaque année des cinéastes de continents différents.
– **Festival Musiks à Manosque** : 2de quinzaine de juil. La rencontre des musiques plurielles à ciel ouvert. Programme riche en grosses pointures de la chanson, sans bourse délier.
– **Rencontres Giono** : 3-4 j. fin juil. Organisées par Les Amis de Jean Giono, rens sur le programme : ☎ 04-92-87-73-03. ● jeangiono.org ● Spectacles, lectures, films, café littéraire, expos, conférences, débats...

– **Correspondances :** *fin sept.* Pour donner l'envie aux gens d'écrire. Ateliers d'écriture, écritoires disséminés dans la ville, lectures, rencontres, et spectacles tous les soirs.

DANS LES ENVIRONS DE MANOSQUE

🎒🚶 *L'écomusée de l'Olivier :* ancienne route de Forcalquier, 04130 **Volx.** ☎ 04-86-68-53-15. ● ecomusee-olivier.com ● ♿ À 7,5 km au nord-est de Manosque, par la D 4096 puis la D 13. Tlj sf dim 10h-18h ; juil-août, tlj 10h (14h dim)-18h30. Fermé janv-fév. Dernière entrée 45 mn avt. Tarif : 4 € ; réduc ; 2,50 € sur présentation de ce guide ; gratuit moins de 16 ans. Également des visites guidées. « Là où l'olivier renonce, finit la Méditerranée. » Quelle meilleure introduction à ce musée consacré à l'olivier que cette citation de Georges Duhamel ? Diversité des provenances et des variétés, récolte des olives, utilisation de l'huile d'olive pour soigner, nourrir, chauffer, éclairer ou encore en cosmétique, procédés de fabrication (de l'artisanat le plus simple à la mécanisation)... Rien n'est oublié dans ce beau musée installé dans un décor sobre et contemporain dont on vous laisse deviner la couleur dominante. C'est entre les murs de pierre d'un ancien four à chaud, premier site de production de sa marque *L'Occitane,* qu'Olivier Baussan (un prénom prédestiné !) – également fondateur d'*Oliviers & Co* – a installé, en 2006, cet écomusée dédié à l'arbre poussant des deux côtés de la Méditerranée. Scénographie pédagogique et ludique : panneaux thématiques, vidéos, audiophones, diffuseurs de senteurs, collection de lampes à huile, huiliers des XVIIIe et XIXe s, vieux bidons en tôle, dénoyauteur, malaxeur, presse hydraulique, etc. On y trouve même un avis émis par la mairie d'Aix en 1809 réglementant l'entrée des olives ! Ou encore une explication du caractère sacré de l'olivier dans les trois religions monothéistes. Histoire de prendre conscience que l'enjeu et l'importance de l'oléacée, ni d'Orient ni d'Occident selon le Coran (belle piste de tolérance, non ?), ne datent pas d'hier. Animations ludiques et quiz pour les enfants. Avant de repartir, on s'arrête devant l'énorme matte (souche) d'olivier centenaire provenant de Manosque. Conférences régulières sur l'art et l'olivier, et expo chaque année, de mai à octobre, d'artistes contemporains travaillant sur le thème de l'olivier. Jolie boutique avec dégustation des huiles « PPP » (Première Pression Provence), qui commercialise la production de près d'une quarantaine d'oléiculteurs provençaux et tout un tas de jolis objets et produits écoresponsables.

🍽 *Les Petites Tables :* ☎ 04-86-68-53-14. ● lespetitestables@gmail.com ● Ouv mar-sam 12h-15h (18h mer hors saison et lun-sam en plein été). Plats 10-19 €. Chouette petite table pour joindre l'agréable d'une belle visite à l'agréable de bonnes grosses assiettes, composées de produits frais et choisis. Si l'on est de passage ici le mercredi, on verra juste à côté le petit marché bio (l'après-midi) d'où s'alimente cette carte qui vire carrément au gourmand lorsque les desserts maison pointent leur truffe. Accueil gentil qui ne ménage pas sa peine pour vous expliquer les petits secrets du chef...

LE PAYS DE FORCALQUIER
ET LA MONTAGNE DE LURE

« C'est évident que nous sommes là dans le contraire du commun. Il faut du caractère et un peu d'âme », disait Giono de la montagne de Lure, cette barrière montagneuse qui, sur une cinquantaine de kilomètres, borde, au nord, le pays de Forcalquier. Une terre qui hésite entre nord et sud, entre Provence et Dauphiné, où la tuile dispute la vedette à la lauze, où la gentiane bleue des crêtes fait écho à la lavande des collines. Une terre où l'olivier rencontre le hêtre, où les vieux villages narguent la campagne du haut de leurs pitons. Le paysage est ouvert, franchement lumineux, le ciel y est plus clair qu'ailleurs, l'air y est plus pur.

Et puis, quoi que ressemblant au Luberon, ce pays est moins snob. On y trouve de jolies adresses... et à des prix sans commune mesure. L'automne apporte aux forêts de hêtres et de chênes des couleurs magnifiques que l'on ne retrouve pas dans les régions de pins et de conifères. Les traditions pastorales, l'artisanat, les gens ont conservé la simplicité de la terre. Un terroir qui se retrouve dans les assiettes de (très) bon petits et grands restos, ou de « Bistrots de pays » (c'est ici d'ailleurs que cette appellation est née dans les années 1990, véritable remède contre la désertification des campagnes !) avec pour point d'orgue le fromage de Banon et les apéritifs à base de plantes aromatiques de Forcalquier. Les acharnés du brodequin relieront Sisteron à Forcalquier via la montagne de Lure en 3 jours, par le *GR 6*.

Enfin, côté nourritures spirituelles, le pays accueille de nombreux acteurs mus par la passion du livre (éditeurs, libraires, graphistes, relieurs...). Classé *pôle d'excellence rurale « Pays du livre et de l'écriture »*, il propose tout au long de l'année des activités et rencontres autour de ces thèmes.

FORCALQUIER

(04300)   4 790 hab.   *Carte Alpes-de-Haute-Provence, B3*

Bâtie sur le versant d'une colline, la vieille ville occupe un joli site qui fait oublier ses faubourgs plus discutables. À la fois provençale et préalpine, Forcalquier a de la personnalité, un vrai charme brut. Point de fort ici, mais une fontaine sur un rocher calcaire, « Font Calquier ».

Au XIIe s, Forcalquier était un petit État indépendant, établi par les seigneurs locaux qui avaient profité des rivalités opposant les comtes de Toulouse, ceux de Barcelone, la république de Gênes et

BOTTIN MONDAIN

Raymond Bérenger V n'était « que » comte de Provence et de Forcalquier. Comme il ne s'en laissait pas conter, il maria ses quatre filles à des rois : Marguerite épousa Louis IX (Saint Louis) ; Éléonore se maria avec Henri III d'Angleterre ; Sancie convola avec Richard de Cornouailles, roi des Romains et frère d'Henri III d'Angleterre ; Béatrice s'unit au frère de Saint Louis, Charles d'Anjou, roi de Naples et de Sicile. Quand on aime, on ne compte pas !

l'empereur germanique. Ils réussirent à maintenir leur indépendance jusqu'à la fin du XIIIe s. Cette indépendance politique a fait des petits dans le domaine religieux, puisque l'évêque de Sisteron s'est retrouvé avec une seconde cathédrale à Forcalquier. Depuis, on tient au terme de « cocathédrale », unique en France. La ville, au fil des siècles, n'aura de cesse de cultiver cet esprit un peu rebelle. En 1789, c'est à Forcalquier que se firent élire les députés aux états généraux des pays de Digne et de Sisteron. C'est à Forcalquier encore que s'amorça la révolte républicaine contre le coup d'État de Napoléon III. Et le pays de Forcalquier accueillit un important maquis pendant la Seconde Guerre mondiale.

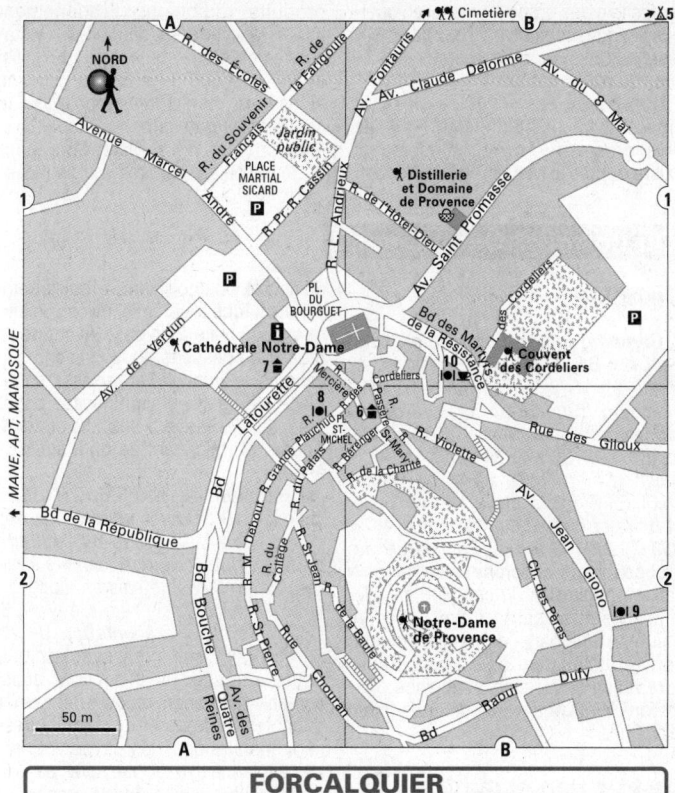

LA HAUTE PROVENCE

FORCALQUIER

■ **Adresse utile**		**6** Maison d'hôtes Passère
🏠 Office de tourisme inter-		**7** Le Grand Hôtel
communal Pays de Forcalquier		**8** Aux 2 Anges
– Montagne de Lure		**9** Le 9
🏠 ⦿ ⚑ ⚔ Où dormir ? Où manger ?		**10** Salon de thé l'EntrE dEux
5 Camping Indigo Forcalquier		

Adresse et infos utiles

Attention, le lundi, jour de marché, la traversée du bourg est impossible (voir plus bas « Marché »).

🏠 Office de tourisme intercommunal Pays de Forcalquier – Montagne de Lure *(plan A1)* **:** 13, pl. du Bourguet. ☎ 04-92-75-10-02.

● *haute-provence-tourisme.com* ● *Ouv juil-août, lun-dim mat ; sept-juin, tlj sf mar et dim 9h-12h, 14h-18h.* Très dynamique. Propose de nombreuses animations et des visites de la ville en juillet-août (sur résa). Carte gratuite très bien conçue pour découvrir les hautes plaines provençales par de petites routes loin des grands axes, avec quelques suggestions de haltes. Également réservations pour de nombreuses activités de pleine nature.

– *Marché :* lun mat. 400 exposants en été ! L'un des plus vieux – et des plus gros – de Provence, puisqu'il existe depuis le Moyen Âge : artisanat, produits régionaux. Franchement impressionnant (les difficultés de stationnement en saison aussi...). En juillet et août, parking de la Bonne-Fontaine et navette municipale pour rallier le centre-ville (gratuits).

– *Marché :* jeu ap-m. Marché paysan, à 80 % bio ou agriculture très raisonnée.

Où dormir ? Où manger ?

Camping

⏃ *Camping Indigo Forcalquier (hors plan par B1, 5)* : route de Sigonce. ☎ 04-92-75-27-94. ● forcalquier@ camping-indigo.com ● camping-indigo.com ● ⏃ À env 500 m du centre-ville. Ouv de mi-avr à fin sept. Selon saison : tente 2 pers et voiture 15,50-24 € ; loc de chalets, tentes (toile et bois) et mobile homes 4 pers 462-833 €/sem. 130 empl. Fait partie du groupe *Indigo,* qui prône un retour aux valeurs originelles du camping, fait de simplicité et de contact direct avec la nature. La plupart des emplacements sont spacieux et ombragés. Sanitaires bien entretenus. Ambiance plutôt familiale. Location de vélos. Piscine chauffée.

De très bon marché à bon marché

⌂ *Le Grand Hôtel (plan A1, 7)* : 10, bd Latourette. ☎ 04-92-75-00-35. ● contact@grandhotel-forcalquier. com ● grandhotel-forcalquier.com ● Doubles avec sdb mais sans ou avec w-c 55-59 €. 📶 Un escalier labyrinthique dessert sur 3 étages des chambres de taille et confort variables. Bien entretenues, elles offrent un niveau de prestation appréciable au regard du prix et de leur situation centrale. TV, ventilo et double vitrage (vraiment utile côté boulevard) pour la plupart.

|●| *Aux 2 Anges (plan A2, 8)* : 3, pl. Saint-Michel. ☎ 04-92-75-04-36. Tlj sf lun soir et mar. Menu unique 16,50 €. Voilà l'adresse familiale par excellence. La sœur et la maman aux fourneaux, le frère au service. Après un assortiment d'entrées fraîches (au propre comme au figuré), on choisit sur l'ardoise entre 4 plats... tous alléchants, mijotés le jour même, ou cuits à l'instant. Avant de se régaler de desserts, tous maison. Si la salle est minuscule, la terrasse sur la place est vaste. Mais n'hésitez pas à réserver, l'adresse a ses aficionados. Sourire et fraîcheur : de quoi être aux anges !

|●| 🍵 *Salon de thé l'EntrE dEux (plan B1, 10)* : bd des Martyrs (rue des Lices). ☎ 04-92-77-06-64. ● lentre deuxforcalquier@gmail.com ● Fermé sam et dim soir hte saison. Congés : janv. Assiette 13 € ; repas env 18 €. *Café offert sur présentation de ce guide.* Voilà une bien sympathique petite adresse, où il est tout aussi agréable de prendre un petit déj que de grignoter au déjeuner ou dans l'après-midi. Installé dans les caves voûtées de l'ancienne synagogue, avec sa jolie petite salle creusée dans la roche, et sa belle terrasse en teck à l'extérieur. Dans l'assiette, essentiellement des produits issus de l'agriculture biologique et des plats végétariens. Accueil charmant.

|●| *Le 9 (plan B2, 9)* : av. Jean-Giono. ☎ 04-92-75-03-29. Tlj. Congés : janv-fév. Formule déj 17 €, menus 22-28 €. *Réduc de 5 % sur le total de l'addition sur présentation de ce guide.* Cette table vaut bien de pousser jusqu'à elle et de quitter l'effervescence du centre. Le menu varie selon un thématique du moment. Les plats, eux, ont les deux pieds dans le terroir (vendredi, c'est aïoli) et la tête dans les étoiles avec des effluves de romarin, citron ou noisette. Belle salle aux allures contemporaines et agréable terrasse qui surplombe les cerisiers en fleurs (lorsqu'elles se font fruit, elles sautent dans le clafoutis maison). Service attentionné.

Prix moyens

🛏 **Maison d'hôtes Passère** (plan B2, 6) : 8, rue Passère. ☎ 04-92-73-22-13. ● info@beatricecols.com ● beatricecols.com ● Selon saison, doubles avec sdb 70-90 € et studio 380-430 €/sem. 🛜 Cette belle demeure du XVIIIᵉ s dont Forcalquier a le secret vous livre de grandes chambres décorées avec

justesse. D'aucunes parées de couleurs recherchées. Une autre au diapason de la pierre (équipée d'une kitchenette pour joindre l'utile à l'agréable). On prend le petit déjeuner dans la cour, au glouglou de la fontaine, en compagnie de pierres séculaires. Le tout sous la houlette de Béatrice, peintre et galeriste... d'où le bon goût de l'ensemble, pardi !

Où dormir ? Où manger dans les environs ?

De bon marché à prix moyens

🍴 **Bistrot de Pierrerue** : rue de la Ferraille, 04300 **Pierrerue**. ☎ 04-92-75-33-00. ● maryvonne.kutsch@orange.fr ● À env 6 km à l'est de Forcalquier par la D 12 direction Lurs. Ouv ts les soirs sf lun (et mar hors saison). Formule déj 18 €, menus 27-31 € le soir, carte. Un couple d'Américains a repris ce bistrot de pays. Les produits sont bio tant que faire se peut. On vient ici pour se régaler autant d'une pièce de charolais que d'un poisson sauvage, sans oublier de laisser une place pour les desserts maison. À l'intérieur, grande salle toute simple, mais pas de terrasse sur la rue, trop étroite.

🛏 🍴 **Chambres d'hôtes Le Relais d'Elle** : route de La Brillanne, 04300 **Niozelles**. ☎ 04-92-75-06-87. ● relais.d.elle@wanadoo.fr ● relaisdelle.com ● À env 8 km de Forcalquier par la D 4100 ; en venant de La Brillanne, continuer sur 2-3 km. Congés : 10 janv-10 fév. Selon saison, double 72 €, gîte 6 pers 1 200 €/sem. Table d'hôtes 26 € (tt compris). Une belle bâtisse posée dans un cadre verdoyant. 5 chambres dont une suite, à la plaisante déco, aménagées avec beaucoup de goût. Très belle terrasse sur l'arrière, donnant sur la campagne et les collines environnantes, où l'on prend le dîner aux beaux jours ; au petit déj, les guêpes vous chassent parfois à l'intérieur ! Belle piscine. Beaucoup de charme et excellent rapport qualité-prix, surtout en dehors des chaleurs estivales (toutes les chambres, y compris les plus grandes, étant au même tarif).

🛏 🍴 **Campagne Berne** : Les Cences, 04300 **Pierrerue**. ☎ 04-92-75-42-59. ● info@lacampagneberne.com ● lacampagneberne.com ● De Forcalquier, passer Pierrerue, c'est indiqué plus loin à droite. Doubles 78-86 €. Gîte 4-6 pers 610-810 €/sem. Table d'hôtes 30 €. 🛜 (salle à manger). Un petit déj par pers et par nuit offert sur présentation de ce guide. 5 chambres bien aménagées, tout confort, colorées et décorées de fresques peintes par un client. Le tout dans une ancienne bergerie, au calme dans ce petit coin de campagne. Table d'hôtes concoctée par Bruno, un ancien des cuisines de Matignon ! Produits frais et bio tous les jours. Accueil adorable d'Éric et Bruno : les habitués ne s'y trompent pas, réservez bien à l'avance...

🛏 **Auberge Charembeau** : route de Niozelles, **Charambau**. ☎ 04-92-70-91-70. ● contact@charembeau.com ● charembeau.com ● ♿ À 3,5 km du centre par la D 4100 (direction Niozelles-Oraison) ; c'est indiqué à droite. Fermé 15 nov-1ᵉʳ mars. Doubles avec sdb 70-160 € selon saison et confort ; petit déj 12 €. Formule hôtel-résidence (chambre 2-5 pers + cuisinette) 625-1 200 €/sem selon taille et nombre de pers. 🖥 🛜 En pleine nature, perchée au-dessus d'un petit bois, face à des prés à moutons. D'une vieille ferme du XVIIIᵉ s, cette très accueillante famille a fait l'une des plus belles adresses du pays de Forcalquier. Une vingtaine de chambres où l'on a ses aises, éminemment tranquilles, à la déco néoprovençale ; certaines avec balcon, d'autres avec une vaste terrasse, toutes équipées

LA HAUTE PROVENCE

confortablement. Beau petit déj, servi sous les arbres du parc aux beaux jours. Piscine pour les uns, balades à vélo (loués sur place) pour les autres.

À voir. À faire

🏃 La cathédrale Notre-Dame (plan A-B1) : ancienne cathédrale des XIIe-XIVe s, assez austère, à la fois romane et gothique. Ses deux clochers s'opposent : l'un massif du XIVe s, l'autre plus léger et aérien du XVIIe s. À la partie originelle (nef, transept et chœur) bâtie en croix latine vinrent s'ajouter, au XVIIe s, les collatéraux nord et sud. Impressionnant grand orgue dont les parties les plus anciennes remontent au XVIIe s.

🏃🏃 La vieille ville : *plan détaillé à l'office de tourisme.* De l'église Notre-Dame, grimper la rue Mercière, puis prendre à droite la rue Plauchud jusqu'à l'adorable place Saint-Michel. Au centre, fontaine de style gothique, œuvre d'un sculpteur qui devait être quelque peu libertin (voir l'encadré). Rue Grande, une jolie enfilade de portes anciennes du

> ### EAU TROUBLE
>
> *La fontaine Saint-Michel est la fierté de Forcalquier. Tout en haut, on aperçoit saint Michel terrassant le dragon. Et pendant cet acte de bravoure, deux personnages (entre les jets d'eau) en profitent pour se faire des papouilles déplacées. Dur d'être un héros.*

n° 10 au n° 14. Juste au-dessus, la place du Palais (anciennement de justice) avec à gauche un joli bâtiment du XIXe s (siège de l'association Alpes de lumière) et juste au-dessus un escalier à vis (classé) qui permet de grimper à la rue Bérenger en contrehaut. Allez, on redescend l'escalier, on traverse la place, pour rejoindre la rue du Collège et voir, au n° 10, un bel hôtel particulier et au n° 12, l'ancien temple protestant (fin du XVIe s). On descend ensuite vers l'harmonieuse place Jeanne-d'Arc avec sa fontaine. À une petite portée de cloches, un joli campanile ajoute au cachet... Le reste de la découverte est au gré de vos envies !

🏃 La terrasse Notre-Dame-de-Provence (plan B2) : *suivre le fléchage « Citadelle ».* Prenez le temps de grimper, par la calade (rue empierrée dont les pierres sont posées sur champ), au sommet de la ville. Henri IV n'a laissé que quelques pierres de la citadelle des comtes de Forcalquier, et le XIXe s y a planté une chapelle très kitsch qui fait passer le Sacré-Cœur pour un chef-d'œuvre de sobriété... Pas grand-chose à voir là-haut (si ce n'est le panorama, superbe) mais tout à entendre : le dimanche de 11h30 à 12h15, un joueur fait sonner « à coups de poings » un carillon d'église.

🏃 ⚜ Le couvent des Cordeliers (plan B1) : bd des Martyrs-de-la-Résistance. Du XIIIe s, il est l'une des premières fondations franciscaines en Provence. Les jardins ainsi que le cloître ont été réhabilités et sont ouverts en permanence. Expos l'été, dans l'ancien réfectoire.
– Le couvent accueille aussi l'**Université européenne des senteurs et des saveurs.** ☎ 04-92-72-50-68. • couventdescordeliers.com • *Tlj 8h30-12h30, 13h30-18h30 sf dim.* Boutique proposant un échantillon de produits de la Route des saveurs et des senteurs, dont la vente exclusive de l'eau de toilette des Cordeliers. Nombreux ateliers *(compter 2h ; env 30-45 €/pers)* organisés sur le parfum *(on crée sa propre fragrance ; lun et jeu ap-m)*, l'herboristerie *(mer ap-m)*, l'art de l'apéritif en Provence *(ven ap-m)*.

🏃🏃 Le cimetière (hors plan par B1) : *au nord de la ville ; de la pl. du Bourguet, par la rue Andrieux. Accès : 8h-19h en été (17h30 en hiver).* Un site très original, classé

Monument historique pour son architecture de verdure (ifs taillés en arcades). Monumentaux caveaux des grandes familles de la ville, mausolées des ordres religieux et, dans un coin, de modestes croix de bois pour sir Jack Drummond, sa femme et leur fillette, les victimes de la médiatiquement et tristement célèbre affaire Dominici.

🏃 *La via Domitia :* longue voie créée par les Romains pour montrer aux Ibères que tous les chemins mènent à Rome. Cet axe majeur passait juste derrière Forcalquier. Il en reste de nombreuses traces avec des sites comme Alaunium (Notre-Dame-des-Anges), le pont de Ganagobie, la borne de Tavernoure ou l'ancien relais routier de Catuiacia (aux abords de Céreste).

🏃 ⊛ *Distillerie et Domaines de Provence* (plan B1) : 9, av. Saint-Promasse. ☎ 04-92-75-15-41. ● distilleries-provence. com ● Juil-août, tlj sf dim ap-m 9h-19h ; avr-déc, tlj sf mar et dim 10h-12h30, 14h-18h30 et lun 10h-19h. Espace dégustation et vente. On peut goûter ici tous les apéritifs provençaux élaborés à la distillerie : pastis, absinthe, *rinquinquin* de pêche, gentiane de Lure et autres farigoules. Il y a même de l'absinthe, ré-autorisée en France depuis les années 1990.

LA GRANDE ABSENTE

L'absinthe aura parcouru bien du chemin depuis les pentes du Jura suisse. Les artistes du XIXe s y puisaient leur inspiration. Devenue phénomène de société, et surtout vecteur majeur de l'alcoolisme à l'orée du XXe s, c'est en partie au lobby des viticulteurs, touchés de plein fouet par le phylloxéra, que cette « fée verte » doit son interdiction. Elle restera en sommeil jusqu'en 1988 où la plante pourra être de nouveau distillée...

Fêtes et manifestations

– *Biennale « Femme en scène » :* 1 sem début mars, les années impaires. Programmation pluri-artistique et culturelle.
– *Biennale « Savoir-faire et Métiers d'art » :* 1er w-e d'avr les années paires. Une soixantaine d'artisans d'art de haut niveau travaillent devant le public.
– *Rencontre musicale de Haute-Provence :* fin juil-début août. Musique de chambre.
– *Concerts d'orgue :* août, ts les dim 17h30, à la cathédrale Notre-Dame. GRATUIT.
– *Journées du théâtre de chambre :* 1er w-e de nov.
– *Ronde des crèches :* fin déc-janv. Itinéraire des crèches avec santons classés, sur le pays de Forcalquier. Dépliant disponible à l'office de tourisme.

LE PAYS DE FORCALQUIER

MANE (04300)

Agréable bourg un peu perché, seulement animé par une petite poignée de commerces, à côté du prieuré de Salagon. Belle balade dans les ruelles empierrées du vieux village (X[e] s) pour monter vers le château (privé, ne se visite pas). On y découvre un site riche en histoire médiévale.

Où dormir ?

🛏 *Le Mas du Pont Roman :* chemin de Châteauneuf. ☎ 04-92-75-49-46. ● info@pontroman.com ● pontroman. com ● 🅿 À la sortie de Mane, par la D 4100 direction Apt ; c'est fléché sur la droite. Tte l'année. Doubles avec sdb

100-120 €, 3 nuits min en été ; petit déj 10 €. 📶 Au milieu des champs. La route passe suffisamment au large pour qu'on goûte pleinement la tranquillité de ce charmant endroit, une vieille bastide du XVIIe s intelligemment remaniée. Une dizaine de chambres, chacune avec sa personnalité, toutes très « déco ». 2 piscines, une dans le jardin, l'autre, avec balnéo, au cœur de la maison. Une aile plus récente, au bout d'une belle pelouse, accueille des gîtes. Sauna.

Où remplir son panier de bons produits ?

🏪 **Maison des produits du Pays de Haute-Provence :** *à la sortie de Mane direction Apt.* ☎ 04-92-75-37-60. ♿ *Tlj 10h-18h (19h en été).* Au prix des producteurs, tout ce que cette micro-région peut proposer en merveilles de gueule. Dont de l'épeautre, l'une des spécialités du coin. Mais le miel, l'huile d'olive, les produits dérivés de la lavande et autres confitures vous allècheront aussi au fil des présentoirs... à consommer sans modération.

À voir

🥾🚶 **Salagon, musée et jardins :** *à 500 m au sud-ouest de Mane, par la D 4100.* ☎ 04-92-75-70-50. ● musee-de-salagon.com ● ♿ *(jardins slt). Tlj 10h-18h (19h mai et sept ; 20h juin-août ; fermé mar (hors vac scol) oct-15 déc et de mi-déc à fin janv. Entrée (audioguide compris) : env 7 € mai-sept, 5 € en hiver (fév-avr) ; réduc ; gratuit moins de 6 ans.* Connu depuis plus de 2 000 ans, ce site a vu se succéder de nombreuses constructions. Aujourd'hui, il reste du prieuré du XIIe s une église romane ornée de fresques murales du XIVe s. Également un beau chapiteau illustrant le baptême du Christ dans le Jourdain et d'intéressants bas-reliefs. Un sol dallé en verre permet d'apprécier quelques vestiges d'une villa gallo-romaine qui occupait ces terres avant les Bénédictins. Un logis prieural Renaissance voisine l'église. Depuis 1981, c'est un musée-conservatoire ethnologique de la Haute-Provence, lieu de mémoire de la vie dans la région. Des expositions permanentes et temporaires sur la vie du pays y sont organisées tous les ans. On aime, en plus, sillonner les très plaisants jardins ethnobotaniques (jardin médiéval, jardin des senteurs, jardin des simples, jardin des temps modernes...). Au total, 2 500 plantes sont à partager avec d'affairées abeilles sur 6 ha de verdure. De quoi découvrir les herbes des fièvres et refroidissements, plantes remèdes, plantes des femmes (sic), purges (dont le fameux ricin)... Ateliers de découverte pour les enfants et les non-voyants, concerts, journées à thème, expositions...

🥾🚶 **Le château de Sauvan :** *route de Céreste.* ☎ 04-92-75-05-64. ● chateaude sauvan.com ● *À 2 km au sud-ouest de Mane par la D 4100. Visites en mars, ts les dim et j. fériés à 15h30. 1er-30 avr et 1er-15 nov, jeu, w-e et j. fériés à 15h30. 1er mai-30 juin et 1er-30 sept, tlj à 15h30 sf mar et mer. Tlj juil-août à 15h30. Entrée : 8 €. Compter 1h30 de visite commentée. Parc seul (sonnez) : 3 € ; mêmes j. d'ouverture, 10h-12h, 15h-17h30.* Totalement restauré depuis plus de 20 ans par les propriétaires, ce « petit Versailles de Provence » surprend par sa taille et son style peu courant dans la région. Jardins à la française, lions en pierre, grande terrasse avec vue sur Mane, cheminée monumentale dessinée par Viollet-le-Duc, collection de faïences, bibliothèque, salon de musique du XVIIIe s, chapelle, bel escalier où vous noterez l'empreinte des sabots du cheval de l'une des dernières héritières, qui exigeait de lui de la monter jusqu'à sa chambre. Grandes chambres desservies par une galerie de 45 m de long. Que du beau !

🕯 **Le couvent des Minimes :** *chemin des Jeux-de-Maï.* ☎ 04-92-74-77-77. C'est pour les religieux des Minimes, un ordre mendiant institué par saint Vincent de Paul, que le marquis Melchior de Forbin Janson fonde en 1613 le couvent. La culture et l'étude des plantes représentent alors une activité importante de la vie du couvent. Louis Feuillée, botaniste de Louis XIV, y fait ses études et y écrit deux traités sur la botanique. Après la Révolution française, le couvent reste inoccupé jusqu'en 1862, date à laquelle il est restauré et transformé en hospice. En 2007, les franciscaines quittent le lieu qui devient un hôtel de grand luxe sous les auspices de la célèbre marque *L'Occitane*.

℡ Pour profiter du lieu, on peut toujours casser un gros billet pour boire un verre au bar lounge *Le Pesquier* ou au bar musical *Le Caveau des Minimes*.

DAUPHIN (04300)

Un des plus beaux villages de la région. Ramassé sur une butte rocheuse, encore enserré, pour partie, dans les fortifications du XIVᵉ s. Des fontaines, des androues, de vieilles maisons d'un beau calcaire sable, une croquignolette boulangerie-alimentation cachée dans une maison de village, des ruelles médiévales en calade qui grimpent vers l'église du XVᵉ s. C'est dans ce type de décor hors du temps que l'on imagine les *Jourdan* et autres *Allibert* qui inspirèrent les personnages de Giono. Superbe panorama de là-haut.

À voir dans les environs

🦴 *Le musée de la Mémoire ouvrière, Mines et Mineurs de Haute-Provence :* au pied de Dauphin, sur une rue parallèle à la D 13, **Saint-Maime.** ☎ 04-92-79-58-15 (mairie). Ouv pdt les vac scol de Pâques, d'été et de la Toussaint (zone B), tlj sf lun 14h30-16h30 (sur résa à la mairie en dehors de ces périodes). GRATUIT. Un petit musée qui retrace l'histoire des mines de lignite de la région. Photos, témoignages, objets, outils.

SAINT-MICHEL-L'OBSERVATOIRE (04870)

À vrai dire, on vient surtout ici pour visiter l'observatoire et le Centre d'astronomie, ou encore pour arpenter le « chemin des étoiles », qui file à travers le village jusqu'à une table d'orientation. Il en est ainsi depuis qu'en 1938 le CNRS a planté là ses installations astronomiques.

Adresse utile

🛈 **Office de tourisme :** château d'Agoult, pl. de la Fontaine. ☎ 04-92-76-69-09. • saintmichellobserva toire.com • Ouv avr-juin et sept-oct lun-mer-ven 14h (13h30 mer)-17h30 ; juil-août, lun-ven 9h30-12h, 13h30-17h30, 20h30-21h30 (19h30-20h30 ven) ; sam 14h-17h30, 20h30-21h30.

Où dormir ? Où manger ?

🛏 I●I **Hôtel-restaurant L'Observa-toire :** pl. de la Fontaine. ☎ 04-92-76-63-62. • hotrestobs@wanadoo.fr • hotel-restaurant-lobservatoire.com • Au cœur du village. Tlj sf dim soir-lun ; fermé vac de la Toussaint et Noël-Jour de l'an. Double 77 €. Formule déj 17 €, menus 21 € (déj)-30 €. Charmant petit hôtel de campagne, qui semble avoir toujours été là. Un bout de terrasse ombragée par un tilleul bicentenaire, un vieux bistrot-journaux... 5 chambres à la fraîche déco provençale, et un appartement. Au resto, une cuisine au gré du marché (et le chef a du métier !) à déguster à l'ombre sur l'adorable petite place avec sa fontaine.

I●I **Auberge Les Coupoles :** pl. du Serre. ☎ 04-92-76-67-01. Tlj sf lun soir. Congés : déc-janv. Menu déj en sem 13 €. Menus 19-32 €. Belle carte qui change tous les 3 mois, proposant une bonne cuisine de marché, simple mais goûteuse. Grande terrasse sur la place sous une pergola en fer forgé qui se remarque, et salle intérieure avec une belle vue sur la vallée pour les jours plus frais.

À voir

🥾 **L'Observatoire de Haute-Provence – Institut Pythéas :** ☎ 04-92-70-65-40. ● obs-hp.fr ● *Navette gratuite obligatoire au départ du village. Résas et billets auprès de l'office de tourisme Avr-début nov, visites mer à 14h15, 15h et 16h ; juil-août, mar-jeu 14h-17h. Entrée : 4,90 € ; réduc.* Fondé en 1937 par le CNRS sous un ciel dit « le plus pur de France » ! On étudie l'environnement proche et lointain en astronomie-astrophysique, en sciences de l'atmosphère et en écologie. La visite débute par la projection d'un film sur les recherches effectuées et se poursuit dans la plus grande des coupoles. Cette dernière abrite le télescope de 1,93 m qui a permis, en 1995, de découvrir la première planète « extrasolaire » (qui tourne autour d'une autre étoile que notre Soleil), située à 48 années-lumière. N'oubliez pas que ce site est avant tout un lieu de recherche scientifique, qui impose parfois des règles strictes (discrétion, pas de chiens...).

🥾 🧗 **Le Centre d'astronomie :** *au plateau du Moulin-à-Vent.* ☎ 04-92-76-69-69. ● centre-astro.fr ● *Achat des billets au syndicat d'initiative (7,30 € le jour et 12 € le soir).* Propose toute l'année des séances d'observation du soleil en journée et des observations du ciel en soirée, à destination de tout public : lecture du ciel à l'œil nu, aux jumelles ou aux télescopes.
– **L'Été Astro :** *1er juil-3e ven de sept.* Nombre d'animations scientifiques et ludiques sont proposées à l'observatoire, au Centre d'astronomie et dans le village de Saint-Michel : observation du Soleil, soirées « découverte », nuits des perséides, conférences...

CÉRESTE (04280)

Aux portes du Luberon, voici un petit village aux confins du département, avec sa place, ses platanes, bien vivant surtout les jours de marché. Une promenade s'impose dans les ruelles caladées du vieux village, encore cerné par les monumentaux vestiges de ses remparts médiévaux : jolies fontaines, fenêtres, portes, maisons anciennes. C'est à Céreste que le poète René Char a dirigé, pendant la Seconde Guerre mondiale, un réseau de résistants.

Adresse et infos utiles

🛈 **Bureau d'informations touristiques de Céreste – Provence en Luberon :** *pl. de la République.* ☎ 04-92-79-09-84. ● oti@cc-paysapt.fr ● luberon-apt.fr ● *Lun-sam 9h30-12h30, 14h-18h.* Accueil souriant et dynamique. Renseignements sur les randonnées pédestres, hébergements, vente de produits locaux, visites guidées... Petit dépliant sur le prieuré de Carluc.
– **Marché :** *jeu.*
– **Art de mai :** *au printemps.* Expos d'artistes locaux, peintures, photos, etc., et **Journées de l'art :** *août.*

À voir dans les environs

🥾 **Le prieuré de Carluc :** *fléché à gauche, à 2,5 km de Céreste par la D 4100 en direction de Reillanne, puis 1 km. Accès libre. Visite guidée possible en été (rens à* *l'office de tourisme ; tarif : 5 €)*. Ancien prieuré de l'ordre de Montmajour avec sa chapelle romane, les restes de deux églises, les vestiges d'une galerie funéraire, une nécropole taillée à même la roche et la nature tout autour. Un lieu surprenant et bucolique.

REILLANNE *(04110)*

À l'écart de la D 4100, un joli petit patelin dont les maisons semblent grimper à l'assaut d'une colline. Marché le dimanche matin en été sur la place, où se trouve on vous le donne en mille... une fontaine. Tout en haut, l'imposante chapelle Saint-Denis domine, de son beau clocher en peigne, le village et la vallée de l'Encrème, offrant un très beau panorama sur les Alpes.

Adresse utile

Office de tourisme : *cours Thierry-d'Argenlieu.* ☎ *04-92-76-45-37.* ● *reillanne-en-provence.com* ● *Ouv* | *mar-sam 9h-12h, 14h30-17h30, plus dim et j. fériés 10h-12h juil-août.*

VACHÈRES *(04110)*

Et un joli village perché, un ! Riche d'histoire (une balade dans les ruelles suffit pour s'en persuader) et depuis longtemps, puisque, du haut de cet éperon rocheux peuplé depuis la préhistoire, vous contemplez 100 millions d'années d'évolution. Le résultat des découvertes sur ce site est visible au *musée Mémoires de pierres – Mémoires d'hommes* : ☎ *04-92-75-67-21.* 🗈 *06-01-59-11-54. Tlj : juil-août 15h-18h ; avr-juin et sept-11 nov ven, dim et j. fériés en principe 14h30-17h30 ; sur rdv le reste de l'année. Fermé 15 déc-31 janv. Entrée : 3,80 € ; réduc.* Pièces maîtresses : un fossile de chevrotin vieux de 30 millions d'années, une statue gallo-romaine du Ier s av. J.-C., dite « du guerrier de Vachères ». Et des plaques de calcaire aux fossiles de végétaux et insectes, des silex taillés, des stèles funéraires, etc.

OPPEDETTE *(04110)*

De Vachères, une belle petite route offrant de somptueuses échappées sur la montagne de Lure et le Luberon mène jusqu'à Oppedette, superbe, le plus perché des villages perchés de Haute-Provence. Site vraiment étonnant : ce village médiéval semble flotter au-dessus des frondaisons. Une rue unique, de vieilles bâtisses, discrètement mais joliment rénovées.
Le village domine les gorges d'Oppedette, un canyon miniature, long de 2,5 km, bordé de falaises hautes de 100 à 150 m. Un sentier balisé permet d'approcher facilement ces gorges creusées par le Calavon (la balade au cœur des gorges est, elle, beaucoup plus ardue).

SIMIANE-LA-ROTONDE *(04150)*

On aperçoit, perchée sur la colline, l'imposante rotonde, donjon de l'ancien château des seigneurs de Simiane. Et, tout autour, un village fleuri superbement restauré, aux ruelles caladées et aux beaux hôtels particuliers évoquant la prospérité de Simiane à la Renaissance, grâce à l'activité des maîtres verriers.
Situé au cœur des champs de lavande, le village accueille sur son territoire la plus importante coopérative agricole de France pour la production de lavande et de lavandin (lire le paragraphe « Lavande » dans « Hommes, culture, environnement »).

LA HAUTE PROVENCE

L'été, au son des cigales et des grillons, l'atmosphère change un peu, pas seulement de par la lavande et les roses trémières, mais aussi parce qu'il y a plus de monde, entre autres pour le festival de Musique ancienne, qui fait vibrer la mystérieuse rotonde. Simiane est une bonne halte pour sillonner les parages.

Adresse utile

🛈 **Office de tourisme :** à l'entrée du château. ☎ 04-92-73-11-34. ● simiane-la-rotonde.fr ● Mai-août, tlj 10h30-13h, 14h-19h ; mars-avr et sept-11 nov, tlj sf mar 13h30-18h. Fermé 12 nov-fin fév.

Où dormir ? Où manger à Simiane et dans les environs ?

Bon marché

🏠 |●| **Auberge La Fontaine :** à la sortie du village direction Apt par la D 51. ☎ 04-92-73-13-79. ● infos@gitela fontaine.fr ● gitelafontaine.fr ● Double 75 € ; 3 pers 105 €. Table d'hôtes 22 €. 📶 Apéritif maison et café offerts sur présentation de ce guide. Agréables chambres aux couleurs chaudes, alliant bois et belles faïences dans les salles de bains. Des doubles, dont certaines avec mezzanine peuvent se décliner en familiales. Et, ça tombe bien, les chevaux et autres animaux raviront les bambins avant des galipettes dans la piscine. Et, si vos souvenirs de conservatoire reviennent, un piano vous tend ses touches.

|●| **Le Chapeau rouge :** Bas-Village. ☎ 04-92-74-22-86. ● catherine.lom bard0841@orange.fr ● Sur la D 51, au bas du village. En saison, tlj sf lun soir et mar ; sinon tlj le midi plus ven et sam soir. Congés : fév et nov. Formules 19,50-29 € ; menus 16-35 €. Apéritif offert sur présentation de ce guide. Bonne cuisine de terroir, uniquement à base de produits locaux, à déguster sur la grande et très agréable terrasse ombragée. Délicieux fromages de chèvre (production locale), tapas. Soirées jazz ou salsa certains soirs de juin à septembre. On sent d'ailleurs, dans les plats et dans la déco, comme une petite musique cubaine...

Prix moyens

🏠 **Chambres d'hôtes Le Clos de Rohan :** D 30. ☎ 04-92-74-49-42. 📱 06-20-06-59-76. ● francoise. cavallo@terranet.fr ● le-clos-de-rohan.eu ● Depuis Simiane, suivre la D 18 (direction Revest) sur 6 km ; prendre à gauche la D 118 (direction Apt), puis la D 30 à gauche (toujours Apt) ; fléchage 6 km plus loin à gauche, juste avt le panneau d'entrée dans le Vaucluse. Suites 100-120 € selon saison. Flacon d'huile essentielle offert sur présentation de ce guide. C'est dans un recreux de vallon, en limite du département, qu'est allée se nicher cette admirable grande bâtisse, isolée de tout et caparaçonnée depuis 1710 (au moins !) dans d'épais et superbes murs de pierre. Les 2 immenses suites (60 m² chacune) bénéficient du décor historique du lieu : poutres magistrales, sols et murs hors d'âge, craquements et petits grincements. Mais la patte de votre hôte, l'avenante Françoise, est venue mâtiner ce passé vénérable avec des mobiliers et éléments de confort bien d'aujourd'hui. Ajoutez-y des massages (sur résa), une petite piscine et quelques sièges posés à même la campagne et... en avant pour un bain de « zénitude ».

À voir

🏰🏰 **Le château médiéval et sa rotonde :** immanquable, en haut du village. ☎ 04-92-73-11-34. Mêmes horaires que l'office de tourisme. Entrée : 4,50 € ; réduc. Billet combiné avec l'abbaye, valable sur la saison : 8,50 €. Un donjon de la fin du XIIe s, massif et haut de 18 m, qui, vu de l'extérieur, reste un... donjon. C'est à l'intérieur que cela se passe : sous une élégante voûte en coupole s'étend une superbe salle digne d'une église, colonnes aux chapiteaux romans dont il faut prendre le temps de détailler les sculptures... Une récente restauration des salles du château permet désormais au public de profiter d'expos historiques, artistiques et botaniques, ainsi que du laboratoire d'aromathérapie *(ouv slt le w-e en mars, oct et nov)*.

🍴🚶 *Le jardin de l'abbaye de Valsaintes :* à Boulinette. ☎ 04-92-75-94-19. ● valsaintes.org ● *Indiqué depuis Simiane. Tlj : mai-sept, 10h30-19h ; avr et oct 14h-18h. Fermé nov-mars. Entrée : 7 €, donnant accès au jardin et à l'église abbatiale ; réduc ; remise de 1 € sur le ticket d'entrée adulte sur présentation de ce guide. Compter 1h de visite.* Loin de tout, ce « Jardin remarquable », aux pratiques d'entretien 100 % naturelles, a posé ses pistils dans une belle et massive abbaye cistercienne, remaniée au XVIIe s. Collection de 550 variétés de rosiers, un jardin sec avec 350 espèces et variétés de plantes, une collection de lavandes, un jardin de curé, une petite oliveraie, un calendrier solaire protohistorique... On peut également participer à une journée complète d'initiation au maintien d'un jardin naturel, avec le maître de séant, Jean-Yves Meignen *(env 50 € la journée avec pique-nique)*.

Festival

– *Les Riches Heures musicales de la Rotonde :* 15 j. début août. Rens et résas : ☎ 04-92-75-90-14. ● festival-simiane.com ● Festival de musique ancienne dans la rotonde.

BANON (04150)

Joli village médiéval plein de charme, qui abrite encore de nombreux bâtiments des XIVe et XVe s. Le vieux Banon, ceint par les ruines des remparts de l'ancien château, est accessible par un beau portail à mâchicoulis, qui s'ouvre sur la rue des Arcades, magnifiquement caladée. Le reste est à l'avenant. Ce village cher à Nicolas Hulot est avant tout célèbre pour son fameux petit fromage de chèvre, enfermé par un brin de raphia dans des feuilles de châtaignier qui, par le passé, l'aidait à se conserver jusqu'à l'hiver. Tout fier de son AOC, plusieurs fois médaillé d'or au Salon de l'agriculture.
– Pour plus de renseignements sur le fromage : *Maison régionale de l'élevage, 480, route de la Durance, à Manosque.* ☎ 04-92-87-47-55.

Adresse et info utiles

ℹ @ *Office de tourisme intercommunal du Pays de Banon :* pl. de la République. ☎ 04-92-72-19-40. ● village-banon.fr ● Ouv 15 avr-15 oct, lun-sam 9h-12h, 14h-17h (14h30-18h juil-août) ; le reste de l'année, lun, mar et jeu ap-m, et le mat mar-sam. Borne Internet.
– *Marché :* mar mat, pl. de la République ; sam mat, pl. de la Gendarmerie.

Où prendre le thé ?

🍵 *Les Bons Moments :* rue Saint-Just. ☎ 04-92-73-39-94. Tlj sf lun. Congés : 1er-10 nov. Un joli salon de thé qui fait aussi brocante. Pour faire une pause ou bouquiner après être passé à la belle librairie *Le Bleuet*, juste à côté. Adorable petit jardin-terrasse sur l'arrière, en caillebotis et bambou.

LA HAUTE PROVENCE

LA HAUTE PROVENCE

Où acheter de bons produits ?

☻ *Charcuterie La Brindille Melchio :* *pl. de la République.* ☎ *04-92-73-23-05. Tlj 8h30-12h, 14h30-19h (non-stop juil-août).* Le nombre de fromages de chèvre et de saucisses proposés à la vente est impressionnant. Essayer la brindille, spécialité locale. Pour les amateurs de fromage, la *cacheille* : préparation en pot de chèvre macéré dans du marc de Bourgogne. Il faut s'accrocher !

À voir. À faire

🥾 *L'Église Haute :* *au sommet du village médiéval. Tlj 10h30-19h. Programme des événements à l'office de tourisme.* Cette ancienne chapelle du château, agrandie en église au XVIIe s, présente d'étonnantes proportions dans son style roman tardif. Histoire de la décoiffer un peu, l'association *banon.culture* y organise toute l'année expositions (peinture, sculpture...) et événements (concerts, lectures...).

🥾 *L'écomusée de la Fromagerie :* *route de Carniol.* ☎ *04-92-73-25-03. Prendre la direction Simiane-Apt. Ouv en principe avr-oct lun-ven 14h30-17h30, plus sam en juil-août (téléphoner avt). GRATUIT.* Visite de la fromagerie pour découvrir les secrets de fabrication du fameux fromage AOC, des méthodes anciennes aux machines modernes utilisées aujourd'hui. Vente de fromage également.

🥾🥾 *La route de la Lavande :* au printemps et au début de l'été, remonter la route entre Banon et Revest-du-Bion, narines au vent dans ces étendues violettes, avec le mont Ventoux et la montagne de Lure en « stéréorizon ».

Fête

– *Fête du Fromage :* *mi-mai.* Une fête placée sous la trilogie pain-vin-fromage. On adore...

LA MONTAGNE DE LURE

LARDIERS (04230)

Un de ces petits villages pleins de charme, où la blancheur de la pierre des maisons varie selon la lumière du jour. Posé à flanc de colline, il regarde depuis des lustres la montagne de Lure.

Où manger ?

|●| *Café de la Lavande :* *pl. de la Lavande.* ☎ *04-92-73-31-52. Tlj sf lun. Congés : 2de quinzaine de nov. Plat du jour 12 €. Menu unique 28 €. CB refusées.* Premier « Bistrot de pays », précurseur de ce mouvement apparu pour lutter contre la désertification des villages dans les années 1990. Quelques habitués passent pour le petit coup de blanc du matin ou le pastis de l'apéritif. Mais ils devraient faire comme vous et prendre le temps de déguster un bon repas (brandade de morue, légumes farcis...).

À voir dans les environs

🥾🥾 *Le signal de Lure :* le point culminant de la montagne de Lure, à 1 826 m d'altitude. De Saint-Étienne-les-Orgues, on gagne le sommet en une quinzaine de kilomètres par la D 113, route sinueuse bordée de cèdres et de pins. En cours de route, on peut s'offrir un petit détour (chemin fléché sur la droite) jusqu'aux discrets vestiges de Notre-Dame-de-Lure, abbaye bénédictine détruite pendant les guerres de Religion. Joli site, au cœur de la forêt. Là-haut, paysages presque désolés, comme ceux de la Sainte-Victoire (Bouches-du-Rhône) ou du Ventoux (Vaucluse) qui se dévoilent à l'horizon. Vue admirable, jusqu'à la mer par temps clair et avec un œil de lynx. Aux beaux jours, on y randonne, au cœur d'une faune et d'une flore semi-alpestres. D'anciennes bergeries et charbonnières sont encore visibles. En contrebas, une modeste station de ski. C'est ici (une stèle le rappelle en bord de route) que le premier observatoire français fut construit par un... Belge, l'astronome Wendelin, qui avait découvert les qualités uniques du site en terme de pureté du ciel.

Du sommet, la D 113 se fait D 53 et traverse une splendide forêt en redescendant vers la vallée du Jabron (voir « Dans les environs de Sisteron »).

CRUIS (04230)

Mignon village qui a pour cœur l'abbaye Saint-Martin du XIIe s, sur laquelle on a rebâti une adorable église au XVIe s *(ouv de juin à mi-sept, mar-sam 14h30-18h ; 15h-19h juil-août ainsi que dim).* Dans le chœur, on trouve un cloître et l'un des plus beaux retables dorés et baroques de toute la Haute-Provence (XVIIe s). Voir aussi la crèche du XIXe s, dont les santons sont classés : Joseph, Marie et Jésus sont en cire. En sortant de l'église, descendre la rue sur 20 m : un portail à gauche livre l'accès à ce qui fut le cloître de l'abbaye. Un pan de mur vous permet d'imaginer son faste gothique d'alors (beaux chapiteaux aux motifs végétaux).

Où dormir ? Où manger à Cruis et dans les environs ?

🛏 *Chambres d'hôtes Le Jas de Péguier :* route de Peyruis, 04200 Châteauneuf-Val-Saint-Donat. ☎ 04-92-62-53-33. ● jasdp@orange. fr ● jasdepeguier.fr ● Fléché depuis la sortie du village de Châteauneuf (à gauche direction Peyruis). Congés : déc-janv. Doubles 54-58 € ; gîtes jusqu'à 7 pers env 573-911 €/sem selon saison. Table d'hôtes occasionnelle 27 €. 🖥 🛜 5 chambres indépendantes dans un vieux jas plein de charme, aménagé avec un goût certain. Le bâti comme la décoration sont pleins de relief, de rebondissements, d'originalité. « La bergerie » a conservé sa vieille mangeoire. 2 autres chambres ont nidifié dans le pigeonnier, pour roucouler. « Le verger » ouvre de plain-pied sur un petit jardin, face à la montagne de Lure. Les petits et les grands seront ravis de visiter l'arboretum et le potager, imaginés par le père de la propriétaire. Délicieuse piscine face aux vestiges du vieux village médiéval de Châteauneuf. À disposition : jacuzzi, trampoline,

ping-pong, VTT et jeux de boules. Les poules garantissent de bons œufs frais au petit déj.

🛏 |●| *Chambres d'hôtes Le Mas Saint-Joseph :* route de Lure, 04200 Châteauneuf-Val-Saint-Donat. ☎ 04-92-62-47-54. ● contact@lemas saintjoseph.com ● lemassaintjoseph. com ● À 1,5 km de Châteauneuf par la D 951 (direction Malefougasse) ; fléché à droite. Avr-début nov. Double et roulotte 69 €. Table d'hôtes 18-23 €. Gîte pour 4 pers 413-644 €/sem selon saison. 🛜 Une grande maison traditionnelle du XVIIIe s, surplombant la vallée, refaite et entretenue par une sympathique famille. Chambres modernes toutes différentes, décorées avec goût, bien fraîches l'été. On a un petit faible pour celle qui abrite un vieux four à pain restauré. Repas à la table familiale, sur la terrasse face aux collines ou dans une ancienne grange si le temps est capricieux. Sinon, il y a aussi un coin cuisine équipée à disposition. Belle piscine, espace détente avec jacuzzi et table de massage (payant). Les proprios sont non-fumeurs, donc...

🏠 |●| *Chambres d'hôtes Le Mas de Foulara :* D 16, 04230 Cruis. ☎ 04-92-77-07-96. ● foulara@free.fr ● foulara. free.fr ● Fléché à droite, à 1 km de Cruis par la D 16 (direction Montiaux). Congés : nov-avr. Double 65 €. Table d'hôtes 26 €. 📶 Posé au milieu de 29 ha de pâturages et de cultures, superbe mas du XVIIᵉ s, doté d'une élégante cour intérieure. Devant, un vieux bassin servait de retenue d'eau et de lavoir. Dans une aile indépendante, 5 chambres installées aux 1ᵉʳ et 2ᵉ étages. Elles sont coquettes, campagnardes, avec de belles tomettes anciennes et sentent bon la cire. Accueil souriant et discret. Une adresse qui fait des émules !

🏠 |●| *Auberge de l'Abbaye :* au cœur du village de Cruis. ☎ 04-92-77-01-93. ● auberge-abbaye-cruis@wanadoo. fr ● auberge-abbaye-cruis.monsite-orange.fr ● Resto fermé le midi lun-jeu en juil-août, sinon mar soir, mer, et dim soir hors saison. Fermé de mi-déc à mi-mars. Doubles 55-75 € selon taille ; petit déj 12 € (!). Formule 26 €, menus 26-59 €. Une petite maison de pierre, à l'ombre de l'église. Un hôtel aux chambres simples mais impeccables et spacieuses, tout confort et d'une vraie tranquillité. Dont une avec sa petite terrasse et la vue ! Resto gastronomique de qualité, tenu par un chef qui a fait ses preuves au piano. Tandis que madame a fait les siennes côté accueil, souriant et serviable. Terrasse très agréable dans la cour intérieure de l'hôtel.

SISTERON

(04200)   7 700 hab.   *Carte Alpes-de-Haute-Provence, B2*

Un enchevêtrement de toits, un dédale de ruelles au pied d'une imposante citadelle perchée au-dessus de la Durance et face au superbe rocher de la Baume. Classée « porte du Luberon », la ville est une voie de passage, un carrefour. Située sur la route Napoléon, elle est aussi une étape sur les chemins de Saint-Jacques-de-Compostelle. Épargnées par les violents bombardements d'août 1944, la cathédrale, la vieille ville et la citadelle sont, aujourd'hui, tout l'intérêt de cette ville. Sisteron est aussi la patrie de Paul Arène, écrivain malheureusement peu connu, qui fut le nègre de Daudet.

UN PEU D'HISTOIRE

D'abord oppidum (ville fortifiée) ligure, l'ancienne Segustero des Romains, évêché du Vᵉ s à la Révolution, a connu des périodes fastes au Moyen Âge et du XVIIᵉ au XVIIIᵉ s, notamment grâce à ses tanneries de peaux de mouton. Mais, vu sa position stratégique, Sisteron s'est souvent trouvé en première ligne des conflits qui ont secoué la région. À son retour de l'île d'Elbe en mars 1815, Napoléon a connu quelques instants de doute devant ce verrou. Son émissaire, Cambronne, a dû user de beaucoup de mots pour négocier le passage de l'ex-futur Empereur avec le maire, royaliste, et le gouverneur, républicain...

Adresses et info utiles

ℹ️ *Office de tourisme :* 1, pl. de la République. ☎ 04-92-61-36-50. ● sisteron-tourisme.fr ● ♿ Tlj sf dim hors saison. Jeux de piste dans la ville pour les enfants (1 € la fiche). Visites guidées gratuites par le service culture (☎ 04-92-61-54-50) : juil-août, tlj sf sam à 17h.

LA HAUTE PROVENCE

🚆 *Gare SNCF :* av. de la Libération. ☎ 36-35 (0,34 €/mn). Liaisons avec Marseille, Gap et Briançon.
🚌 *Gare routière :* au centre-ville.

☎ 04-92-34-47-23.
– *Marchés :* mer et sam mat. Foire le 2ᵉ sam du mois.

Où dormir ? Où manger ?

Pas grand-chose de follement réjouissant, dans la ville même, pour se restaurer. Voir donc nos adresses des chapitres voisins.

Camping

⛺ *Camping municipal Les Prés-Hauts :* 44, chemin des Prés-Hauts (dans le quartier Basse-Chaumiane). ☎ 04-92-61-19-69. ● contact@camping-sisteron.com ● camping-sisteron.com ● ♿ À 3 km au nord de Sisteron, sur la route de La Motte (D 951). Bien fléché. Ouv avr-sept. Réserver pour juil-août. Selon saison, tente 2 pers et voiture 14,50-21,50 € ; mobile homes 4-6 pers 290-545 €/sem. 145 empl. Dans un joli coin, sur les berges de la Durance, un camping très familial de bon confort. Calme et ombragé. Ping-pong. Espace pique-nique et barbecue. Le GR 6 passe dans le coin. Bon accueil. Piscine.

De bon marché à prix moyens

🏠 *Chez M. et Mme Berte, chambres d'hôtes :* 168, av. Jean-Moulin. ☎ 04-92-32-48-04. ● loubert04@gmail.com ● sisteronchambresdhotes.fr ● Double 70 €. 🛜 Bien plus que 2 banales chambres d'hôtes, on trouve ici carrément 2 appartements avec cuisine, salon, salle de bains. Accès indépendants. Les petits déjeuners sont pris dans la salle à manger des proprios, par ailleurs tout simplement adorables, attentionnés et pleins de bons conseils sur la région. Une adresse en ville chaudement recommandée.

🏨 🍴 *Grand Hôtel du Cours :* pl. de l'Église. ☎ 04-92-61-04-51. ● hotelducours@wanadoo.fr ● hotel-lecours.com ● ♿ Hôtel fermé de début nov à mi-mars. Doubles 81-97 € selon confort et situation, petit déj 12 €. Au resto, formule déj 15 €, menus 18-37 €. Garage payant. 🛜 Apéritif offert sur présentation de ce guide. Le « Coursse », comme on appelle ici l'institution de la ville. Déco rustico-médiévale à l'accueil un peu datée, un peu chargée, mais tout ça est fort bien entretenu. Chambres soit classiques, soit modernes. Toujours confortables, spacieuses... et plus calmes sur l'arrière. Pour info, une fête foraine s'installe juste devant le week-end de la Pentecôte...

🍴 *Le Brasero :* 27, rue Deleuze. ☎ 04-92-61-56-79. Tlj sf lun, mar soir hors saison. Formule déj 11 €, menus 17,50-23,50 €. Café offert sur présentation de ce guide. Allez, ici pas de chichis. Dans un décor très scénarisé, à mi-chemin entre le ranch façon Sergio Leone et le chalet de montagne, un accueil très sympa, un service qui court tout ce qu'il peut, des menus pas excessifs, même le soir quand les autres restos se gorgent d'importance, et des plats copieux piochant dans une large palette. Les viandards seront à la fête autour de crépitantes « brasérades ».

À voir. À faire à Sisteron et dans les environs

🎬 *La cathédrale Notre-Dame-des-Pommiers :* accès de mi-avr à fin oct, horaires variables. Ancienne cathédrale du XIIᵉ s, de style roman. Beau portail, sculpté de tout un bestiaire fantasmagorique. Les fenêtres, peu nombreuses au départ, ont été bouchées au fil du temps et des transformations. On y voit quand même suffisamment clair pour remarquer les trois puissantes nefs qui en font un des plus grands édifices religieux de Provence. Remarquable retable du XVIIᵉ s.

Dans les chapelles, plusieurs toiles de l'école provençale des XVIIe et XVIIIe s : Mignard, Van Loo, Coypel... Au fait, ne cherchez pas de producteurs de cidre alentour : la cathédrale n'a pas été construite dans un verger de pommiers, mais entre les murs de la ville (*pomerium* en latin...).

🍴🍴 **Le musée Terre et Temps :** *6, pl. du Général-de-Gaulle.* ☎ *04-92-61-61-30. Derrière la cathédrale. Ouv mar-sam 9h-12h, 14h-17h30. Fermé déc-janv. GRATUIT.* Créé dans l'enceinte d'une chapelle du XVIIe s, un petit mais surprenant musée qui retrace l'histoire du calcul du temps : des instruments, des documents qu'il faut prendre le temps (ben oui !) de détailler. Les procédés les plus rudimentaires avec ce réveil chinois à encens (des bâtons gradués, à combustion très régulière), ces horloges à eau de Malaisie (un seau et une noix de coco percée qui se remplit doucement !) ; les étonnantes clepsydres (cadrans solaires qui fonctionnaient sans soleil !) qui équipaient déjà les temples égyptiens, le célèbre pendule de Foucault, la moderne technique du quartz... Et les instruments de mesure de l'âge de la Terre, des cercles concentriques des troncs d'arbre (celui exposé ici était déjà planté quand Gutenberg inventait l'imprimerie en 1434) à la datation absolue au carbone 14. Des calendriers de toutes les cultures et de toutes les religions du monde (et un écran tactile pour chercher les dates correspondantes à celle du jour). Malgré quelques fiches un peu techniques pour le néophyte, une visite passionnante qu'on pourra compléter en suivant la « route du Temps » qui part de Sisteron vers Saint-Geniez et le col de Fontbelle (voir plus loin « La haute vallée du Vançon et la vallée des Duyes »).

🍴 **La vieille ville :** un circuit bien fléché démarre à droite de la cathédrale pour déambuler dans un petit *labyrinthe d'andrones* (la version provençale des passages sous voûtes), de placettes et d'escaliers quasi secrets. La ville ayant préservé son visage populaire, elle n'a pas encore trop léché ses murs : profitez de cette authenticité préservée. Au gré du circuit et de panneaux explicatifs bien faits, vous noterez la *rue Longue Androne* percée au XIIIe s, d'autres beaux passages sous voûtes *rue Font-Chaude,* et, quasiment sur le boulevard central, sur la place du docteur Robert, la très belle *tour du campanile* bâtie au XVIe s, remaniée au XVIIIe s et dotée d'un campanile au XIXe s.

🍴 🚶 **Le musée scout Baden-Powell :** *6, rue de la Mission.* 📱 *06-89-86-66-85. Ouv juil-août, tlj sf dim ap-m et lun, ou sur rdv (selon disponibilités des bénévoles). GRATUIT.* Un petit musée qui retrace l'histoire du scoutisme, la mémoire de Robert Baden-Powell (1857-1941), son fondateur, et qui rappelle que le scoutisme compte quelque 40 millions de jeunes, garçons et filles, à travers la planète.

🍴🍴 🚶 **La citadelle :** ☎ *04-92-61-27-57.* ● *citadelledesisteron.fr* ● *Ouv avr-11 nov, tlj 9h-18h (18h30 en mai, 19h juin et sept, 19h30 juil-août, 17h30 en oct et 17h en nov). Entrée : env 6,40 € ; réduc ; gratuit pour les moins de 6 ans. Compter 1h30 de visite fléchée et sonorisée. Livret enfants, proposant une découverte ludique et pédagogique (1 €).*
Masse impressionnante agrippée au roc et qui verrouille le défilé de la Durance. Aujourd'hui classée Monument historique, cette citadelle devait exister bien avant le XIe s, mais elle fut repensée et reconstruite entièrement au XVIe s par un ingénieur militaire d'Henri IV. Et Vauban ne put qu'admirer l'ouvrage, puisqu'il n'y toucha pas. Louis-Philippe ordonna quelques travaux de renforcement au XIXe s. De superbes panoramas se dévoilent en plusieurs endroits de la visite : la ville basse, depuis la terrasse qui couronne le rempart supérieur, le rocher de la Baume depuis la guérite du Diable. Impressionnant escalier souterrain de quelque 350 marches, évocation du passage de Napoléon et collection de voitures à cheval dans le musée, vitraux contemporains et expos de peintures dans la chapelle Notre-Dame (XVe s). Expo permanente « Vauban et ses prédécesseurs » dans la poudrière.

🍴 *L'écomusée du pays sisteronais :* rond-point Melchior-Donnet. ☎ 04-92-32-48-75. *Ouv de mi-sept à mi-juin, tlj sf lun mat et mar 10h-12h, 15h-19h (18h en juin et sept). GRATUIT.* Petite exposition permanente des objets usuels de la vie quotidienne, jadis. Et, chaque année, une exposition temporaire traitant d'un thème dédié.

🏊 *Le plan d'eau :* au pied de la ville. Fin juin-fin août. GRATUIT. Baignade surveillée l'été, sur les bords de la Durance. Jeux pour les enfants, aire de pique-nique. Souvent beaucoup de monde en été, mais de l'espace et une belle vue sur la ville.

Fêtes

– *Fête de l'Agneau :* mi-mai (années paires). Rens à l'office de tourisme : ☎ 04-92-61-36-50. Transhumance dans la ville, grand repas provençal, animations...
– *Nuits de la citadelle :* de mi-juil à mi-août. Rens : Art-Théâtre-Monuments, ☎ 04-92-61-06-00. ● nuitsdelacitadelle.fr ● Théâtre, danse et musique avec en toile de fond le rempart de la citadelle des comtes de Provence.
– *Fête médiévale :* 3e w-e d'août (années paires). ● kiadihot@orange.fr ● Dans la citadelle, une journée à l'heure médiévale.
– *Rues en fête :* une date en juil et une autre en août. Animations vespérales dans tte la ville (cirque, théâtre de rue, musique...).

DANS LES ENVIRONS DE SISTERON

🍴 *La Paléogalerie :* Le Mardaric, 04290 **Salignac.** 📱 06-52-63-79-72. *À 8 km de Sisteron, par la D 4 (sur la rive gauche de la Durance). Ouv juil-sept, tlj 10h-13h, 15h-19h ; hors saison, les w-e sur rdv (selon disponibilité). Tarif : 5 € ; gratuit moins de 12 ans.* Un petit bond de 100 millions d'années vous tente ? Alors, direction cette collection privée d'un passionné de paléontologie. Sous les jolies voûtes de cette maison, un bestiaire des temps perdus vous attend, parfois carrément décliné sous forme d'œuvres d'art : fossiles d'ammonites, d'étoiles de mer, de poissons, mais également des ichtyosaures (bonne chance pour expliquer au petit dernier la fonction sociale de ces bestioles-là !).

LA VALLÉE DU JABRON

Une vraie vallée, tracée entre la montagne de Lure et les Hautes-Baronnies, par le Jabron. Le long de la trentaine de kilomètres de cet affluent de la Durance, serpente l'agréable D 946 au sein de paysages verdoyants jalonnés de belles maisons de pierre. Un tourisme très discret (d'où quelques belles adresses de chambres d'hôtes) et un état d'esprit particulier : la vallée accueille, depuis les années 1970, pas mal de néoruraux venus « faire de la chèvre » ou du bio, comme dans certains coins de la Drôme (qui, avec le village de Montfroc, s'est d'ailleurs offert une petite enclave dans la vallée). Au-delà du col de la Pigière, on peut revenir sur Sisteron par les sauvages et superbes gorges de la Méouge (D 542 puis D 942).

Où dormir ? Où manger dans le coin ?

De bon marché
à prix moyens

🏠 🍴 *Chambres d'hôtes Le Mas du Figuier :* La Fontaine, 04200 **Bevons.**

☎ 09-81-73-31-74. 📱 06-82-60-14-39. ● masdufiguier@gmail.com ● masdufiguier.fr ● 🦌 À 8 km à l'ouest de Sisteron par la D 946, puis à droite par la D 553, puis à droite un peu avt Bevons ; c'est tt au bout d'une petite

LA HAUTE PROVENCE

route. Résa conseillée longtemps à l'avance. Dortoirs 11 pers par randonneurs 25 €/pers, petit déj inclus. Double 68 €. Insolite, une cabane dans les arbres 100 € pour 2 ! Gîtes 2-4 pers 400-500 €/sem selon saison. Table d'hôtes 25 €. 🛜 Il faut le vouloir pour venir jusqu'ici, mais une fois sur place, quel bonheur ! À l'écart d'un tout petit village, un mas du XVIIIᵉ s au cœur de grands espaces et avec vue plein sud sur la montagne de Lure. Des chambres pas immenses, mais d'une belle patine ou, pour les grands enfants, une cabane en bois perchée à 10 m de hauteur. Et une des chambres avec son hammam privé. Sauna. Grands arbres pour se mettre au frais et lire tranquillement, vastes terrasses où prendre le (beau) petit déj ou discuter autour d'un pastis. Cuisine à base de produits du marché.

🏠 *Chambres d'hôtes Le Jas de Caroline :* Chênebotte, 04200 Noyers-sur-Jabron. ☎ 04-92-62-03-48. ● denis-isabelle@hotmail.fr ● lacaroline.free.fr ● ⚓ À 12 km à l'ouest de Sisteron par la D 946. Traverser le village, prendre à droite la route avt le cimetière et suivre le fléchage. Congés : fin oct-début mai. Selon saison, doubles avec sdb 60-80 € ; 80-100 € si on utilise la kitchenette. Dans un hameau, une ancienne bergerie transformée en une belle maison de pierre aux volets bleu pétant, entourée d'un agréable jardin, bien entretenu. Beau panorama sur la montagne de Lure. 2 chambres, simplement mignonnes, dont une transformable en suite avec petit salon et coin cuisine. Excellent accueil et calme absolu.

🏠 ⏹ *Ferme-auberge Danse l'Ombre :* Les Remises, 04200 Curel-sur-Jabron. ☎ 04-92-62-05-86. ● danselombre@wanadoo.fr ● fermeauberge-danselombre.fr ● ⚓ À env 20 km à l'ouest de Sisteron par la D 946 ; accès fléché sur la gauche, entre Saint-Vincent-sur-Jabron et Curel. Sur résa slt. Double 65 €. Menu 22 € (20 € pour les pensionnaires), dîner-spectacle 25 €. CB refusées. 🖥 À flanc de vallée, une ferme-auberge façon « néo », où on fait l'artiste autant que le paysan. Belle salle d'humeur champêtre aux murs en pierre, et terrasse sous les tilleuls. À l'étage, 4 chambres avec parquet, jolies salles de bains colorées, et un coin salon. Plats d'une certaine originalité à base de produits bio de la ferme. L'endroit accueille une fois par mois des spectacles (musique, chanson, théâtre...) et autres expositions, également ateliers de remise en forme. Ambiance décontractée et conviviale. Les enfants vont adorer rendre visite aux animaux : brebis, cochon, lapins... visite pédagogique pour eux ! Accueil simple et très sympa.

🏠 *Chambres d'hôtes Le Moulin de la Viorne :* 04200 Les Omergues. ☎ 04-92-62-01-65. ● moulindelaviorne@free.fr ● moulindelaviorne.com ● À 35 km de Sisteron par la D 946 ; fléché sur la droite, 1 km avt Les Omergues. Ouv Pâques-Toussaint. Doubles avec sdb 75-85 € selon taille. 🛜 Remise de 10 % sur le prix de la chambre à partir de 2 nuits consécutives (hors juil-août) sur présentation de ce guide. Dans un joli et tranquille coin de campagne, superbe moulin du XVIIᵉ s, ancienne propriété d'une commanderie templière d'Avignon. Une maison d'artiste. Toiles contemporaines un peu partout, jusque dans les élégantes et grandes chambres aux meubles anciens. Normal, le propriétaire des lieux est peintre, son atelier se trouve d'ailleurs au rez-de-jardin de la maison. Accueil charmant. Bon petit déj à base de produits bio. Bibliothèque, belle piscine et cuisine d'été.

LA HAUTE VALLÉE DU VANÇON ET LA VALLÉE DES DUYES

Voici 90 km (compter 3h) de l'une des plus jolies balades routières du département, qui reprend, pour moitié, l'itinéraire de la « route du Temps » (brochure à l'office de tourisme de Sisteron). Au départ de Sisteron, passez la Durance pour prendre, à La Baume, la route de Saint-Geniez (D 3). En montant, observez le *point de vue sur la vallée et la citadelle.* La route s'engage ensuite dans les gorges du défilé de Pierre-Écrite. Avant Saint-Geniez sur votre gauche, ne ratez pas, justement, la *pierre écrite* : une paroi rocheuse qui porte une curieuse inscription romaine commémorant le passage en ces lieux de C. P. Dardanus, ex-préfet des Gaules, au Ve s. Quelques kilomètres plus loin, une fois passée la *Vallée Sauvage* (lire plus loin « À voir ») et les villages de *Saint-Geniez* et *Authon,* posés sur un vaste plateau d'alpage, la route suit la crête au-dessus des *gorges du Vauson.* Les points de vue sont magnifiques. Au-delà du *col de Fontbelle,* on descend vers la vallée des Duyes. On apprécie le calme village de *Thoard,* sorti d'un autre temps, avant de redescendre par la D 17 sur la vallée de la Bléone et l'axe routier qui ramène à Sisteron. Les cyclistes emprunteront cette route de toute beauté, à condition d'avoir du temps... et des jambes. Attention, ça grimpe !

LA HAUTE PROVENCE

Où dormir ? Où manger dans le coin ?

🏠 |●| *Chambres d'hôtes Chardavon :* hameau de Chardavon, 04200 **Saint-Geniez.** ☎ 04-92-61-29-04. ● *gino devos@wanadoo.fr* ● *chardavon.be* ● À 14,5 km au nord-est de Sisteron par la D 3 ; indiqué sur la gauche avt Saint-Geniez. Tte l'année. Double 55 €. Gîte 4-6 pers 450 €/sem. Table d'hôtes 23 €. 📶 Une des rares fermes que l'on croise en empruntant la « route du Temps » depuis Sisteron. Tranquille, donc. Une bergerie du XVIIIe s, doucement restaurée, en famille, par un couple de Flamands francophones. 5 chambres spacieuses, au frais, refaites à neuf et bien équipées. Vieilles pierres apparentes, salles voûtées et un vieux distillateur à lavande en cuivre qui trône à l'entrée font le charme du lieu. Piscine (hors sol). La table d'hôtes s'y nourrit de produits locaux à tendance bio.

🏠 |●| *Chambres d'hôtes Les Rayes :* campagne les Rayes, 04200 **Saint-Geniez.** ☎ 04-92-61-22-76. ● *les. rayes@wanadoo.fr* ● *lesrayes.fr* ● À 16 km à l'est de Sisteron. 1 km après Saint-Geniez, prendre à gauche (fléchage) un chemin de terre (et cailloux) qui monte sur 2 km. Slt sur résa. Doubles 76-83 € selon saison. Gîtes 4-12 pers 535-1 200 €/sem. Table d'hôtes 22 €. On ne regrette pas les efforts fournis pour arriver jusqu'ici. Cette ancienne bergerie ressemble aujourd'hui à une page de magazine de déco : charme et calme se mêlent à l'incroyable panorama qui s'offre à vous, à perte de vue... on y verrait presque la mer Méditerranée ! Tout est soigné, des chambres à la salle boisée, jusqu'au salon de jardin en fer forgé. On y trouve même une piscine, une plaisante terrasse, un bouledrome et une aire de jeux qui ravira les enfants. Un lieu plein de charme.

À voir

🎿 🚶 *La Vallée Sauvage – Parc animalier :* à *Saint-Geniez.* ☎ 04-92-61-52-85. ● *lavalleesauvage.com* ● À l'entrée du village, sur la droite en venant de Sisteron. Début avr-début nov 10h-19h : tlj pdt les vac scol ; w-e et j. fériés hors vac scol. Entrée : 11 € ; 8 € pour les 3-16 ans ; gratuit moins de 3 ans ; réduc de 10 % sur présentation de ce guide. À 1 100 m d'altitude, dans un parc boisé de 15 ha, un minizoo sans cages pour rencontrer des animaux de la région. Marmottes, lapins, daims, mouflons, cerfs, sangliers et animaux de la ferme s'y ébattent. Sans oublier les paons qui font « léon » à l'entrée ! Coin câlin pour caresser les lapins. Pédagogique et plaisant pour les petits. Aire de pique-nique et snack (en été). Boutique.

🎿 *La chapelle Notre-Dame-de-Dromon :* 1 km après *Saint-Geniez,* prendre la route sur la droite en direction de Chabert, fléché. ☎ 04-92-62-64-15 (mairie). Ouv juil-août en principe mar-dim 10h-12h, 16h-18h ; sinon sur rdv. Visite guidée : 2 €. À 200 m à pied d'un petit parking, une modeste chapelle du XVIIe s cache une crypte semi-souterraine du XIᵉ s, découverte par hasard en 1656 par un berger, et sur laquelle planent bien des légendes. On y accède par un petit escalier dans le chœur de la « nouvelle » église bâtie juste au-dessus. L'ensemble est modeste mais émouvant avec ses colonnes en marbre surmontées de beaux chapiteaux. L'un d'entre eux a été bêtement martyrisé par un prêtre qui y voyait des choses (!). La visite guidée et passionnée est très instructive.

LES HAUTES-TERRES-DE-PROVENCE

Des plateaux dominent ici la Durance, creusés de jolies petites vallées encore provençales, même si le caractère montagnard y pointe déjà le nez. Depuis Sisteron, en partant par le nord et la D 951, de sympathiques et bucoliques petites routes rejoignent La Motte-du-Caire via les calmes et jolis villages de Valernes (montez jusqu'à l'église pour la vue), Vaumeilh (haut lieu du vol à voile), Sigoyer, Melve. Des innombrables vergers de La Motte-du-Caire, on glisse vers Bayons au cœur de l'encore sauvage vallée du Sasse. L'incroyable route des Tourniquets gagne ensuite Turriers. Une microrégion, un peu à part, à découvrir l'été, en famille, en suivant – par exemple – la *route des Rochers qui parlent.*

Adresse utile

🛈 **Office intercommunal de tourisme :** 04250 *Le Caire.* ☎ *04-92-68-40-39.* ● *hautesterresprovence.com* ● *Au pied de la via ferrata de la Grande-Fistoire, env 1 km après Le Caire,* direction Gigors. Tlj (sf w-e 15 déc-15 mars) lun-ven 8h30-12h, 14h-17h30 tte l'année ; juil-août non-stop. Accueillant et dynamique.

Où dormir ? Où manger dans le coin ?

Camping

⚑ *L'Amandier :* D 951, 04250 **Gigors.** ☎ *04-92-55-13-10.* 📱 *06-50-80-32-91.* ● *info@camping-amandier.com* ● *camping-amandier.com* ● ⚒ *Au pied de Gigors, sur la route d'Espinasses. Ouv mai-sept (tte l'année pour le locatif, slt les chalets). Selon saison : tente 2 pers et voiture 13,50-18 € ; loc de bungalows toilés 5 pers 250-480 €/sem ; gîtes 400-630 €/sem. 30 empl.* Le camping au calme par excellence, en bordure de rivière avec un accueil enjoué et décontracté de Magali et David, toujours aux petits oignons. Nombreuses activités pour les petits et les grands : rando, baignade, VTT, *via ferrata...* Emplacements ombragés, frais la nuit car nous sommes à 850 m d'altitude. Jolis gîtes avec pièce voûtée ou mezzanine. Également un resto en saison, soirées à thème. N'en jetez plus, on est conquis. Piscine.

De très bon marché à bon marché

🛏 |●| *La Maison des hôtes :* rue de la République, 04250 **La Motte-du-Caire.** ☎ *04-92-68-42-72.* ● *info@sejour-nature-provence.com* ● *maison-des-hotes.com* ● *Au centre du bourg. Double avec sdb (w-c sur le palier) env 59 €. ½ pens 89 € pour 2.* Grosse maison de village, flanquée d'un grand jardin. Un certain charme, à l'ancienne, proposant quelques chambres simples et colorées. Piscine. Accueil souriant, ambiance familiale. Cuisine itou, petits plats provençaux ou créoles. Pour les autonomes de la poêle, cuisine à dispo.

🛏 |●| *Chambres d'hôtes La Bulle :* Les Jurans, 04250 **Bellaffaire.** ☎ *04-92-55-11-59.* ● *michel.sauron@club-internet.fr* ● *gitelabulle. com* ● *Après Gigors, prendre à droite la D 301 (direction Freyssinie), ensuite c'est indiqué. Double 51 €, familiale*

(4 pers) 69 €. Également 2 gîtes de 5-6 pers 320-420 €/sem selon saison. Table d'hôtes 19 €. 🛜 Dans un hameau en pleine campagne montagnarde, des chambres d'hôtes et gîtes très simples mais bien entretenus, dans un cadre reposant pour buller. Le propriétaire est musicien et possède un studio dans la maison à faire des envieux. Il donne des cours de musique si on le souhaite (22 €/h). ▮●▮ *Roche Cline :* av. du Maréchal-Leclerc, 04250 **Turriers.**

☎ 04-92-56-11-38. ● hotel-rochecline@gmail.com ● Tlj sf dim soir et lun soir. Menus 14-16 €. Café offert sur présentation de ce guide. La bonne table à la campagne pour régaler ceux qui parcourent cette jolie route des Tourniquets. Un lieu qui dut être moderne quand Platini était encore n° 10 ; un accueil bien sympa et sans stress ; un four à bois qui garantit de bonnes grillades et un bon pain maison ; un vacherin (maison aussi) d'anthologie !

LA HAUTE PROVENCE

À voir. À faire

🪨 *Le château de Sigoyer (04200) :* du XVe s. On n'en verra véritablement que les terrasses (vue superbe sur la Durance, la montagne de Lure...). Amusante visite virtuelle, en 3D, grâce à la borne informatique installée sur une des portes latérales de l'église. Gratuit et permanent.

🪨 *L'église de Bayons (04250) :* clé à se procurer au village, chez Josette Alphand (l'adresse est indiquée sur la porte de l'église). Immense pour un si petit village. Portail du XIVe s qui mérite qu'on s'y attarde. Ample nef, édifiée au XIIe s, d'une extrême sobriété. Somptueux maître-autel du XVIIe s et une intéressante série de toiles anciennes.

➤ 🚶 *La route des Rochers qui parlent :* rens à l'office intercommunal de tourisme, 04250 **Le Caire.** ☎ 04-92-68-40-39. ● sentierdescontes.com ● ♿ 6 livrets différents, 20 € chacun (ou 10 € la loc), sans date de péremption mais non réutilisables ; disponibles dans les offices de tourisme des alentours. On peut également les commander, ajouter 1 € de frais postaux. Existe pour les personnes à mobilité réduite. Initiative très originale : un jeu de piste interactif géant ! Un moyen à la fois ludique et instructif (qui enchante bien souvent les enfants) de découvrir l'histoire médiévale et les légendes de la région. Six itinéraires aventure, d'une demi-journée à 1 journée, à suivre en voiture sur 55 à 110 km, muni d'un « livret magique », à la fois bouquin et B.D., doté d'une puce électronique. Il faut déchiffrer des énigmes pour dénicher, après de courtes marches, les « Rochers qui parlent », évoquant un pan d'histoire locale, une légende et livrant de nouveaux indices...

➤ 🚶 *Le sentier des Contes :* pass 10 €, 15 € à l'achat (21 contes), disponible 15 mars-15 déc. Rens à l'office intercommunal de tourisme : ☎ 04-92-68-40-39. ● hauteparole.com ● Également une balade à la rencontre de *contes Haute Parole* confiés aux « Rochers qui parlent » par des conteurs et conteuses francophones.

➤ *La via ferrata de la Grande-Fistoire :* 04250 Le Caire. ☎ 04-92-68-40-39 (office intercommunal de tourisme). ● viaferrata-alpes.com ● Droit d'accès de 5,50 € (âge min 12 ans) ; équipement louable sur place 12,50 € (3 € pour un équipement partiel ; pièce d'identité demandée). Accompagnement par un guide sur résa. Pour les initiés, différents parcours de *via ferrata* sur ce pic rocheux de 250 m de haut aux multiples difficultés. Passerelle de 60 m avec un très beau panorama. Pont népalais de 32 m de long. Trois tyroliennes de 130, 150 et 220 m. Bonne chance !

LES VALLÉES ALPINES

LA VALLÉE DE LA BLANCHE

Non, ce n'est pas la fameuse vallée Blanche au pied du Mont-Blanc ! Modestement longue d'une vingtaine de kilomètres entre Seyne et la Durance, c'est pourtant une vraie vallée de montagne, cernée de sommets qui frisent les 3 000 m d'altitude. Le glacier le plus au sud de France tente désespérément de résister au réchauffement climatique. Une vallée, aussi, qui s'encaisse superbement en formant les magnifiques gorges de la Blanche. Tailladées dans les schistes gris, les strates semblent en dessiner les courbes de niveaux. Le rallye de Monte-Carlo adore user ses pneus ici, laissant au passage quelques messages d'encouragement sur les parois. À vos marques ! À l'extrémité, changement de décor : la vallée s'ouvre, devient agricole et verdoyante. Les stations familiales de ski l'hiver s'y font jolie campagne aux villages bucoliques l'été. Comme sa voisine l'Ubaye mais plus petitement, elle envoya au début du XXᵉ s ses bergers jouer aux cow-boys au Nevada.

SEYNE-LES-ALPES

(04140)   1 480 hab.   *Carte Alpes-de-Haute-Provence, C2*

Un bourg montagnard à 1 260 m d'altitude, paisible et authentique, qui a de l'allure, joliment coiffé d'une citadelle, vestige d'un passé guerroyer. Seyneles-Alpes a connu son apogée de la fin du XIXᵉ s au début du XXᵉ s avec... l'élevage et le commerce du mulet. Une activité aujourd'hui en déclin, mais vous pourrez en découvrir quelques beaux spécimens locaux au gré de vos promenades. Les possibilités de randonnées dans les alentours sont d'ailleurs nombreuses. Ski alpin l'hiver au Grand-Puy, petite station voisine et ski de fond au col du Fanget.

Adresses utiles

🅗 @ *Office de tourisme Blanche Serre-Ponçon :* pl. d'Armes. ☎ 04-92-35-11-00. ● *info@blanche-serreponcon.com* ● *blanche-serre-poncon.com* ● Tlj sf dim ap-m 9h-12h, 14h30-18h. Accueil serviable. Topoguide de randos sur les environs (5 €).

■ *Association Fort et Patrimoine du pays de Seyne :* à la mairie. ☎ 04-92-35-31-66. ● *fortetpatrimoine.free.fr* ● Propose des visites guidées en été (5 €) : fort, villages, musées, etc.

Où dormir ? Où manger à Seyne et dans les environs ?

Camping

⋏ *Camping Lou Passavous :* au village, route de Roussinal, 04140 *Le Vernet.* ☎ 04-92-35-14-67. ● *loupassavous@orange.fr* ● *loupassavous.com* ● ⚒ À 10,5 km au sud-est de Seyne par la D 900. Ouv de mai à mi-sept. Selon saison : tente 2 pers et voiture 15-23,50 € ; bungalows 4 pers 540-640 €/sem. CB refusées. Dans la vallée du Bès, un joli petit camping de montagne, bien au calme et à deux pas du torrent. 57 grands emplacements. Plan d'eau pour la pêche et piscine juste à côté. Resto simple et pizzas. Les aimables gérants hollandais bichonnent bien l'ensemble. Les GR 5 et GR 6 passent dans le secteur. Joli coin pour les randonnées et le rafting. Piscine.

Bon marché

🏠 |●| **Le Vieux Tilleul :** Les Auches. ☎ 04-92-35-00-04. ● hotel@vieux-tilleul.fr ● vieux-tilleul.fr ● Au pied du bourg, à 2 km ; fléché à gauche depuis la D 7 (route d'Auzet). Fermé dim soir en hte saison. Congés : 15 nov-20 déc. Double 69 €. ½ pens 70 €/pers (resto réservé aux pensionnaires). 🖥 🛜 Réduc de 10 % sur le prix de la chambre sur présentation de ce guide. Un hôtel au vert avec un look suranné tout à fait charmant (des lambris, de la pierre). Chambres simples et plaisantes, certaines avec terrasse. Salles de bains mignonnettes. Cosy salon au coin de la cheminée, quelques bouquins à portée de bras dans la vaste réception, particulièrement lumineuse et ouverte sur la campagne environnante. Cuisine de tradition qui fera l'affaire des résidents. Piscine et grand parc planté de vieux arbres. Accueil plaisant.

🏠 |●| **Le Relais de la forge :** pl. du Village. ☎ 04-92-35-16-98. ● relaisde laforge@orange.fr ● relaisdelaforge.fr ● ♿ (1 chambre). Tlj sf lun et dim soir ; fermé de mi-nov à mi-déc. Doubles 51,50-65,90 € selon confort. Menus 17-30 €. 🛜 Café offert sur présentation de ce guide. Chambres grandes, calmes, simples et propres. Le patron, sympathique, a quitté la banlieue parisienne pour se mettre au vert dans une ancienne forge reconvertie. Cuisine traditionnelle qui tient vraiment bien la route. D'ailleurs, le patron livrera volontiers quelques anecdotes aux amateurs de rallyes, car celui de Monte-Carlo pose régulièrement ici ses champions. Piscine chauffée. Sauna.

🏠 |●| **Chez le Poète :** pl. du Village, 04140 **Selonnet.** ☎ 04-92-35-06-12. ● chezlepoete@orange.fr ● chez-le-poete.fr ● Resto fermé dim soir hors saison. Double 65 €, petit déj compris. Au déj en sem, formule 15 € et menu 11 € ; autre menu 24 €. 🛜 Digestif offert sur présentation de ce guide. Le p'tit hôtel-resto de campagne où tout le village ou presque se retrouve au bar, dans une chaude ambiance. On a surtout été séduits par l'accueil chaleureux et la copieuse cuisine de ménage. Petite salle sans prétention, agréable terrasse. Et, pour le dépannage surtout, des chambres toute simples mais bien tenues et avec TV donnent pour la plupart sur la place.

🏠 |●| **Maison d'hôtes de l'Arnica :** route du col des Fillys, 04340 **La Bréole.** ☎ 04-92-85-54-81. ● cro leke@gmail.com ● chambres-hotes-arnica.com ● À 14 km au nord de Seyne, par la D 900, puis la D 900C à Selonnet, puis à droite la D 7 (direction La Bréole). Fermé 14 nov-20 déc. Doubles avec sdb 62-75 €. Gîte 4 pers 550-850 €/sem. Table d'hôtes 22 €. 🛜 Une adresse de charme un peu perdue, sur les hauteurs du lac de Serre-Ponçon. Ancienne bergerie fort joliment restaurée. Chambres sous les toits, chaleureuses et zen, à la déco dans l'air du temps, avec une belle place réservée aux livres. Meubles de famille, cérusés pour certains. Un soin du détail, jusque dans les salles de bains. Également un gîte, arrangé comme un chalet, dans l'ancienne grange à foin, charmant et bien exposé. Chouette petit coin lecture sur la mezzanine. En résumé, une belle étape.

À voir

🏹🏃 **La citadelle :** en haut du village, accès à pied ou en voiture. ☎ 04-92-35-31-66. ♿ (en partie). Pdt les vac scol, tlj (sf grosses intempéries) 10h-18h Entrée : 4 € ; visite guidée : 6 € (2 visites guidées/sem l'été) ; réduc ; gratuit moins de 10 ans. Du

XVIIe s, elle ceinture une grande tour de guet du XIe s. Elle n'avait évidemment pas échappé à l'œil avisé de Vauban. Mais son projet d'agrandissement, un peu trop ambitieux, n'a jamais été réalisé. D'autant que le rattachement de l'Ubaye à la France avait retiré à Seyne pas mal de son intérêt stratégique... Longtemps laissée à l'abandon, la citadelle renaît doucement depuis les années 1970 grâce au travail d'une association. Parcours de découverte pour les enfants. En été, expos temporaires et, dans une salle du fort, l'une des œuvres de la Viapac (route d'Art contemporain dans tout le département) : on vous laisse découvrir... chut, il dort !

VAUBAN L'HUMANISTE

D'abord soldat (contre les armées du roi !), Vauban devient ingénieur. Tirant les leçons des sièges meurtriers auxquels il a participé, il repense la stratégie militaire et signe sa première victoire en 1667 en prenant Tournai, Douai et Lille aux Pays-Bas espagnols. Il adapte les fortifications du pays et devient le plus talentueux ingénieur militaire d'Europe. En 53 années au service de Louis XIV, il aura construit 130 places fortes et villes fortifiées, et participé à plus de 50 sièges ! L'homme de guerre était aussi un humaniste qui voulait réduire les pertes humaines.

🦌 *Le vieux village :* ♿ *Visite guidée possible en saison (2h ; 5 €), depuis l'avant-fort de la citadelle. Rens auprès de l'association* Fort et Patrimoine *(voir « Adresses utiles »).* Agréable balade dans les ruelles de cette ancienne ville frontière : portes datées de solides maisons montagnardes, placettes, un lavoir, une forge, une petite école... transformés en petits musées du temps jadis. Au passage (intérieurs visibles lors des visites guidées), la *chapelle des Pénitents* (dominicains), fondée en 1445 et remaniée dans un style baroque. Pièce maîtresse : une toile du XVIIe s, représentant la procession des Pénitents blancs. De facture un peu naïve mais étonnante. Également l'*église Notre-Dame-de-Nazareth,* bel exemple d'art roman du XIIIe s, avec les inévitables chapiteaux délicatement sculptés de monstres grimaçants.

🦌 🚶 *La Maison du mulet :* le Haut-Chardavon. Rens à l'office de tourisme ☎ 04-92-35-11-00. Descendre au pied du village par la D 7 ; prendre à droite (direction Chardavon), puis 1 km plus loin à gauche (direction le Haut-Chardavon). En été slt ; le reste de l'année, se renseigner à l'office de tourisme. Entrée : 5 €. Une ferme du XIXe s pour honorer ces mulets, baudets, jetons et jetonnes, bardines et... bardots qui firent la richesse de Seyne. Espace muséographique et animations.

Sports et loisirs

➤ *Randonnées :* parmi toutes celles que compte la vallée, un grand classique, les *lacs du Col-Bas* (2h30 A/R ; topoguide à l'office de tourisme). Route de Saint-Pons sur les hauteurs de Seyne, direction maison forestière. Départ à la barrière du Col-Bas. Suivre le balisage jaune pour découvrir, en chemin, ces frais petits lacs de montagne, de superbes vues sur la vallée et une curiosité : des tourbières, rares en Provence.

➤ 🚶 *Randonnée avec un âne :* sur les alpages de la Grande-Montagne. Loc à la journée à la station du Grand-Puy (à 5 km, route de Digne) juil-août slt. ☎ 04-92-35-04-08.

– 🚶 *Les écuries de Seyne :* Les Colombets, quartier Sainte-Rose. À 3 km en contrebas de Seyne, par la D 7. 📞 06-87-22-11-10. • migayrou.mathieu@gmail. com • Balades à cheval, cours et stages en tout genre par une équipe jeune et pro. Vous pouvez y aller au galop !

– *Baptême de vol à voile ou de planeur : Vélivole,* à la plate-forme des Auches. ☎ 04-92-35-25-13. *Ouv début avr-fin sept. Compter 70 € pour un baptême (30 mn).* Vol d'initiation biplace. Découvrez Seyne vu du ciel, flirtez avec les hauts sommets...

Fête

– **Concours mulassier :** *2ᵉ sam d'août.* Une date essentielle, vous l'avez compris, dans la vie seynoise. C'est le dernier concours en France depuis que le Poitou a cessé cette activité. Les éleveurs présentent leurs bêtes, juments et mulets, pour la plupart descendus des alpages la veille.

DANS LES ENVIRONS DE SEYNE-LES-ALPES

Les gorges de la Blanche : *par la D 900 puis la D 900C.* Étroit et beau défilé en aval de Selonnet, dans lequel la Blanche se glisse pour rejoindre la Durance. Sauvages et pittoresques, ces gorges méconnues à la roche sombre raviront les randonneurs comme les pêcheurs.

L'élevage de rennes et de bisons d'Amérique : *GAEC ferme Beridon, L'Infernet, 04140 Auzet.* ☎ 04-92-35-05-57. *À 10 km de Seyne par la D 7. Tlj pdt les vac scol ttes zones 10h-13h, 14h-18h (17h en hiver) ; se renseigner le reste de l'année. Entrée : compter 6 € ; réduc.* Plus exotique que le mulet ! Marie-José vous fera visiter son exploitation et vous contera son aventure, au milieu des rennes, des bisons d'Amérique et d'un lama. Les enfants en raffolent.

MONTCLAR

(04140)   480 hab.   *Carte Alpes-de-Haute-Provence, C2*

Montclar, avec ses maisons typiquement montagnardes, était de ces villages en voie d'extinction dans les années 1970 : au compteur, 200 habitants, neuf élèves à l'école et plus d'épicerie. Le maire lance alors l'idée d'une station de ski mais aucun promoteur ne pointe le bout de son chéquier. Les habitants s'embarquent alors seuls dans le projet, et Saint-Jean-Montclar sort de terre. Une petite station qui maîtrisera bien son expansion et ne fait pas trop tache dans le paysage. Comme dans toutes les réussites gauloises, cocoricooo et grand banquet bien arrosé... d'eau de source de Montclar, qui glougloute ici avant d'être mise en bouteilles. Ça change du génépi !

Adresses utiles

@ Point accueil : *station Saint-Jean-Montclar.* ☎ 04-92-30-92-01. ● montclar.com ● *Tlj (sf w-e hors saison) 9h-12h, 14h-18h (13h30-17h30 hors saison).* Une carte multiactivités, *Montpassloisirs (69-89 € pour une famille de 4-5 pers), donne accès à ttes les activités et des réducs sur certaines visites. Accueille aussi le* **bureau de poste** *(ouv 9h-12h, 15h-17h).*

Où dormir ? Où manger ?

Les Alisiers : *route de Seyne, col Saint-Jean.* ☎ 04-92-35-30-88. ● lesa lisiers@orange.fr ● (slt resto). *Sur la route de Seyne (D 207), à la sortie de* Saint-Jean-Montclar. *Resto fermé lun et dim soir, mar-mer sf en juil-août, vac de fin d'année et vac de fév. Double 65 € ; familiale (3-4 pers) 130 €. Menus*

19 € (sf sam soir et dim), puis 28,50 €. Réduc de 10 % sur le prix de la chambre (avr-juin et oct-nov) sur présentation de ce guide. Dans un très gros chalet, une salle discrètement rustique avec cheminée, un vieux ventoir (pour séparer les grains de blé de la tige), une jolie vue pour qui dégote une table du côté des fenêtres, une grande terrasse aux beaux jours et la goûteuse cuisine du chef, Christophe Israël, faite de recettes bien originales, et servie avec le sourire. Une poignée d'appartements occupe le reste du chalet, avec petit balcon pour certains et au calme pour tous. Grande pelouse à l'arrière pour compter les sauterelles. Atmosphère familiale.

🏠 |●| *Hôtel L'Espace – Restaurant Le Dormillouse :* col Saint-Jean. ☎ 04-92-35-37-00. ● info@hotel-espace.com ● hotel-espace.com ● ⚒ Congés : mai, oct et nov. Doubles 79-89 € selon confort et saison. ½ pens 66-79 €/pers. 📶 *Apéritif offert sur présentation de ce guide.* Dans un immeuble, pratique car au cœur de la station et au pied des pistes. Bon accueil.

🏠 *Domaine de l'Adoux :* La Miande. ☎ 04-92-32-51-42. ● domainede ladoux@wanadoo.fr ● domainede ladoux.fr ● ⚒ Doubles 95-115 €, petit déj inclus. 📶 (ou câble). Un grand chalet de 4 étages axé sur la déco en bois brut, qui accueille 28 chambres de bonne taille, modernes et chaleureuses, d'un bon rapport qualité-prix. Pin naturel et tons rouges sont au programme. On sent l'attention portée par Alain et Odile Quièvre, les proprios, pour faire de ce domaine une escale confortable et familiale, tant au niveau du concept que des aménagements et des loisirs. Chaleureux salon-bar avec une grande cheminée devant laquelle déguster une tisane des montagnes au génépi, spécialité de la maison. Pour se distraire, les possibilités ne manquent pas : piscine chauffée en été, tennis, badminton, ping-pong, sauna, fitness, spa, massages... Également des jeux géants d'échecs ou de dames, et une bibliothèque. Idéal pour les familles donc. Équipe sympathique.

🏠 |●| *La Petite Bonnette :* Les Piolles – Col Saint-Jean. ☎ 04-92-31-84-95. 🖥 06-89-42-36-91. ● la.petite.bon nette@neuf.fr ● lapetitebonnette.com ● *Direction Seyne, prendre un chemin qui monte à gauche ; indiqué. Doubles 65-70 €. Table d'hôtes 24 €/pers tt compris. Salle bien-être massage env 50 €/h.* 📶 Dans une adorable maison tout en bois, avec vue imprenable sur la campagne et les montagnes environnantes, 5 chambres charmantes. Aux doux noms de « Le coin des marmottes », « L'élan du cœur » ou encore « La dormillouse »... chacune de couleur différente (beige, rouge, blanche ou marron), elles sont toutes décorées dans un style montagnard actuel, avec beaucoup de goût, et des salles de bains pile dans le ton. Excellent rapport qualité-prix-charme.

Ski et neige

– 🎿🧍 *Ski alpin :* domaine de *Saint-Jean-Montclar* (1 350-2 500 m). Quinze remontées mécaniques et 50 km de pistes pépères ou un peu plus nerveuses réparties sur deux vallées, côté station et côté Dormillouse. Deux orientations, donc enneigement à priori assuré (canons à neige le cas échéant...). Une station ultra-familiale.

À faire

– 🧍 *Le parc des Écureuils :* à Saint-Jean-Montclar. 🖥 06-87-42-92-94. ● parc desecureuilsmontclar.e-monsite.com ● *À 200 m de la station de ski de Saint-Jean, sur la D 900. Juil-août, tlj 10h-19h (dernier départ à 17h30) ; également pdt les vac de Pâques, sur résa. Entrée : enfant 13,50 €, adulte 18 €.* Deux hectares sécurisés pour se promener d'arbre en arbre, assuré par un harnais. Sensations garanties à tous les « écureuils » à partir de 4 ans et de 1,04 m.

– Sentiers thématiques sur les chapelles et soirées « Contes sous les étoiles », entre autres, en été *(programme et infos au syndicat d'initiative,* ☎ *04-92-30-92-01).*

LA VALLÉE DE L'UBAYE

Pourquoi faudrait-il à tout prix associer la haute montagne à la Savoie et à la Haute-Savoie ? Vous saurez maintenant qu'il ne faut pas oublier l'Ubaye, ce coin de paradis perdu, accessible par une route depuis le début du XXe s seulement. Portrait rapide : pas de milliers de clampins à vos basques, les autoroutes et autres gares TGV étant bien loin ; un ciel tellement pur qu'on s'y noie avec près de 300 jours de soleil par an ; une ribambelle de sommets dépassant allègrement les 3 000 m, qu'on atteint après avoir gambadé avec les marmottes en été et goûté au génépi ou à l'alcool de myrtille et à l'un de ces délicieux agneaux aux herbes. Bien sûr, cette montagne se mérite, ses gîtes et ses refuges aussi. D'où que l'on arrive, il faut franchir des cols, s'aventurer sur d'étourdissantes routes de montagne comme celle du col de Restefond-la-Bonette, la plus haute d'Europe, ou celle du col d'Allos. La vallée, enclavée et peu ouverte sur l'extérieur, est fraîche toute l'année. Barcelonnette s'y blottit, petite capitale fière et chargée d'une histoire peu banale. Plus avant, en s'enfonçant dans la Haute-Ubaye, se dévoile une nature sauvage, bien peu colonisée par le développement touristique. Finalement, malgré la neige d'hiver qui explique l'existence de stations de ski, il suffit d'entendre chanter l'accent des gens de la vallée pour savoir qu'on est toujours en Provence !

Pas étonnant que Giono en soit tombé fou d'amour, un amour lyrique : « Les terres y montent jusqu'à 3 000 m d'altitude. Les aspérités les plus hautes sont des déserts blancs, le reste des landes d'une infinie beauté, couvertes de lavandes et de forêts, d'alpages et de roc, portant le silence et la paix, sous un ciel si égal et si bleu que dans l'exaspération, il blanchit comme un visage en colère. »

➢ Un avantageux *pass 7 sites à 7 €* donne accès à la majorité des musées de la vallée : à Barcelonnette, Saint-Paul-sur-Ubaye, Jausiers, Meyronnès-Saint-Ours et au Lauzet, le musée de l'École à Pontis et la Maison du bois à Méolans-Revel. Vous l'achetez dans l'un des sites concernés et vous pourrez visiter les autres sans payer davantage.

LA BASSE-UBAYE

Une trentaine de kilomètres séparent le lac de Serre-Ponçon de Barcelonnette. Flore méditerranéenne sur l'adret, forêt sur l'ubac, l'Ubaye, qui traverse ces flancs sauvages et presque vierges, offre des paysages totalement inédits. En amont du village du *Lauzet-sur-l'Ubaye,* la rivière devient un formidable terrain de jeux pour les amateurs de sports d'eaux vives.

LE LAUZET-SUR-UBAYE *(04340)*

Village-étape de la Basse-Ubaye qui s'est agrandi lorsque, en 1958, on a détruit le village d'Ubaye en raison de la construction du barrage de Serre-Ponçon. En contrebas du bourg (c'est fléché), pittoresque pont roman (XIIe s) jeté en travers d'un petit défilé rocheux. C'est le plus vieux pont de la vallée.

Où dormir ? Où manger ?

⏇ |●| *Alberga Amont :* *Costeplane.* ☎ 04-92-32-27-20. ● *contact@nature sejours.fr* ● *naturesejours.fr* ● *Depuis le village, quitter la D 900 face au monument aux morts, direction Costeplane ; fléché sur 2,5 km. Tte l'année. Doubles 50-65 € selon saison. Table d'hôtes 20 €.* ☍ *Sur cette petite route digne d'une spéciale de rallye, on se demande où Tonton Routard vous envoie ! Tout simplement dans une petite perle suspendue à sa montagne et où l'accueil* de Patricia et Fabrice a vraiment son importance. La guitare pendue à l'entrée donne le ton : le lieu est domaine de la fée musique. On y dort dans d'agréables chambres, parfois sous combles, bien entretenues et déclinées par thèmes. Super terrasse en encorbellement sur la vallée (bien plus bas) et jolie salle commune avec quelques instruments de musique et sono à dispo... les bœufs avec Fabrice (musicien lui-même) sont fréquents. Pas de bémol, y'a tout bon !

À voir. À faire au Lauzet et dans les environs

⚘ *Le musée du Lauzet :* pl. de l'Église. ☎ 04-92-81-00-22. *Ouv 16 juin-16 sept et pdt les vac scol de printemps, mer-dim 14h30-18h30 ; juil-août, tlj 10h-12h30, 14h30-19h ; visite sur résa le reste de l'année. Entrée :* 2 € ; réduc. Inclus dans le pass 7 sites à 7 €. Un « musée de la Vallée », consacré aux rapports de l'homme avec son territoire, la nature et aux activités qui en découlent (cueillette, chasse, etc.).

⚘⚘ *Le lac de Serre-Ponçon :* la pièce maîtresse de l'aménagement de la Durance, et la plus grande retenue d'eau artificielle d'Europe. Le site écrase de majesté : 1 270 000 000 m³ sur 20 km de long et 2 800 ha (aussi vaste que le lac d'Annecy), entouré par des sommets de 2 000 m d'altitude et fermé par un barrage de 600 m de long sur 115 m de haut. Construit en 1960, il a sorti la région de sa léthargie, permettant le développement d'une activité touristique d'été sur les berges du côté Hautes-Alpes. Côté Alpes-de-Haute-Provence, des rives arides, plus sauvages, qui cachent quelques petites criques vers La Bréole.

⚘⚘ *Le musée de l'École :* 05160 **Pontis.** ☎ 04-92-81-00-22. *Dans un petit village au-dessus du lac de Serre-Ponçon. Ouv pdt les vac scol de printemps et 16 juin-16 sept mer-dim 14h30-18h30 ; juil-août, tlj 10h-12h30, 14h30-19h. Entrée :* 2 € ; réduc. Inclus dans le pass 7 sites à 7 €. C'est l'un des sept musées exposant la vie de la vallée et de ses habitants. Ici, l'ancienne école à classe unique est devenue à la fois le lieu et le thème du petit musée.

⚘⚘ *Les Demoiselles coiffées :* 05160 **Pontis.** Une curiosité géologique : des blocs de rochers (en réalité, un mélange de bois, sable, cailloux et rochers laissés par les glaciers) sculptés par l'érosion. On les appelle aussi, avec poésie encore, les cheminées des fées. On les aperçoit depuis la route entre Pontis et Sauze-du-Lac, mais, plus sympa, un sentier permet de s'en approcher. Gare que ces fées ne vous transforment pas en grenouille !

– ⚘ *Baignade :* dans le lac du Lauzet. Petit plan d'eau plus que vrai lac, buvette, location d'embarcations à pédales. Dans le *lac de Serre-Ponçon,* plage aménagée à Saint-Vincent-les-Forts. Attention, ne pas suivre les indications qui mènent au village (qui est perché !), mais direction Gap-La Bréole ; lac indiqué à droite en face du village de Lautaret.

MÉOLANS-REVEL (04340)

On retiendra le caractère résolument montagnard de ces deux hameaux accrochés aux escarpements de la montagne, de part et d'autre de l'Ubaye, et que l'histoire a réuni sous un même vocable. Le *clocher-tour de Méolans,* fièrement campé sur son éperon rocheux, toise du haut de ses 400 ans les activités humaines du XXIe s.

LES VALLÉES ALPINES

Où dormir ? Où manger ?

Bon marché

🏠 |●| *Gîte de séjour La Fourandève :*
La Chanenche-Haute. ☎ 04-92-81-
97-94. ● *info@fourandeve.com* ● *fou
randeve.com* ● *On y grimpe depuis
La Fresquière (hameau sur la D 900)
par une route bien fléchée et sportive
sur 2,5 km. Ça se mérite ! Tte l'année.
Chambres 2-6 pers avec sdb 23,50-
27,50 €/pers selon occupation. Draps
fournis et lits faits.* 📶 *Réduc de 10 %
sur le prix de la chambre (1er oct-15 déc
et tt le mois d'avr) sur présentation de
ce guide.* Un chalet sans artifice extérieur, mais bien décoré en dedans, avec
sa petite cheminée et un monumental
fourneau en faïence. Le tout accroché
à la pente, face à une superbe nature.
Coin télé et salle de jeux en mezzanine. Chambres simples, confortables
et lumineuses, à choisir plein sud
pour bien profiter de la vue. Terrasse
et jardin où coule une petite source, la
Fourandève. Accueil très avenant de
Thierry et Stéphanie.

🏠 |●| *Gîte-auberge Les Terres Blan-
ches : au village.* ☎ 04-92-81-
94-37. ● *contact@les-terres-blanches.
com* ● *les-terres-blanches.com* ● *Traverser l'Ubaye au niveau de la Maison
du bois. Congés : sem de Noël. Gîte
4 pers 36 € ; 36 €/pers en ½ pens.
Double 54 € ; 64 €/pers en ½ pens
(sur résa).* 📶 *Café offert sur présentation de ce guide.* Grosse maison du
XVIIe s, adossée à un rocher où trône
une petite chapelle. Cadre champêtre
et fleuri en été et belle vue sur la vallée.

Sur la façade, un joli cadran solaire
de 1773, surplombé de la phrase
« Donnez-moi le soleil, et je vous don-
nerai l'heure ». Chambres gentiment
arrangées. Accueil sympa. Cuisine
familiale.

Prix moyens

🏠 *Maison d'hôtes Les Méans :*
La Fresquière. ☎ 04-92-81-03-91.
● *lesmeans04@gmail.com* ● *les-
means.com* ● *Depuis la D 900, fléché par la route qui grimpe juste en
face de la Maison du bois. Doubles
90-95 € selon saison, suite 2 pers 110-
120 €.* 📶 Adresse de charme dans une
grande et belle ferme du XVIe s, qui
revient de loin : vieux four à pain dans
le jardin, superbe escalier, immense
salle à manger-salon voûtée pour le
petit déj à base de produits bio et la
lecture au coin du feu. Cuisine ouverte
très conviviale. Vastes chambres très
agréables, à la déco bourgeoise, travaillée avec un souci écologique : de
la chaux au mur, des tissus et objets
de déco choisis... Également une suite
pour ceux qui viennent en famille. Vous
êtes chez des sportifs : Frédéric et
Élisabeth, adorables, sont moniteurs
de ski et guides de haute montagne,
et leur fils, Vincent, faisait partie de
l'équipe de France de ski. Si vous
voulez enquiller leurs traces, le GR 56
passe à deux pas de la maison. Un
bain nordique chauffé au bois (à 38 °C)
est installé au fond du jardin. Massages
sur réservation.

Achats

🍯 *Confitures Tron :* *La Chanenche-
Haute.* ☎ 04-92-81-26-98. ● *nico
lastron@voila.fr* ● *Fléché depuis le
hameau de La Fresquière (sur la D 900)
sur 1,5 km. Tlj à partir de 14h (téléphonez avt quand même), sf dim. Pot (250-
450 g) 3,30-4,50 €.* Les gourmands
vont adorer ces rayonnages chargés à
l'envi de généreuses tartes, de pâtes
de fruits et de pots de confitures déclinant plusieurs centaines de parfums.

Les fruits utilisés sont bio et souvent
produits localement.

🍯 *Distillerie Lachanenche :* *La Fresquière.* ☎ 04-92-81-95-56. ● *saveur
delachanenche@orange.fr* ● *Juste au-
dessus de la D 900. Lun-ven 8h-12h,
14h-19h (ou 18h30) ; sam (de mi-mai à
mi-sept) 8h-12h, 15h30-18h. Bouteille
½ l : 20,50 € la liqueur (40°), 16,80 € la
liqueur de fruit (20°) et 10,80 € le vin
aromatisé.* Une distillerie qui fait feu de

toutes plantes. Seul maître mot, des végétaux locaux et si possible bio. Certains cueillis en forêt (hysope, mélèze), d'autres dans les plantations du distillateur (fruits rouges et agastache... une plante mexicaine). Spécialité du lieu : le génép...hips !

⊕ **L'Atelier du Cade :** *pl. du Village.* 📱 *06-15-26-98-27.* ● *atelierducade.*

com ● *Tlj en juil-août 10h-12h, 15h-19h, le reste de l'année sur rdv.* Fabrice Le Conte fait du tournage sur bois de cade (une variété de genévrier) et autres écorce ou loupe de bois fruitiers. La loupe donne à ses créations (utilitaires ou décoratives) beaucoup d'ajourements et d'irrégularités.

À voir

🍴🧍 🚶 **La Maison du bois :** *La Fresquière.* ☎ *04-92-37-25-40.* 📱 *06-73-41-06-49.* ● *maisondubois.fr* ● 🚶 *Sept-juin, ouv mer-sam 14h30-18h ; juil-août, tlj 15h-18h30. Congés : 15 nov-20 déc. Entrée : compter 4 € ; 2,50 € pour les moins de 15 ans. Compris dans le pass 7 sites à 7 €.* Le bâtiment en mélèze (imputrescible) est déjà une réussite en lui-même, à l'image de ce qu'on trouve à l'intérieur d'ailleurs. Une expo permanente structurée en plusieurs thèmes : comment le bois a changé le monde (si, si !), la filière bois et ses différents métiers, reconnaître un arbre à son fruit, à son bois (il existe d'ailleurs une xylothèque, sorte de bibliothèque du bois), le bois utilisé comme énergie... Pédagogique et vraiment intéressant, pour tous. En sortant, on fait la différence entre aubier et bois de cœur, entre les cernes de printemps et les cernes d'hiver, et on admire sur le parking le gypaète barbu sculpté dans du mélèze et de l'épicéa. Plus de 1 t et 10 m d'envergure, réalisé par des bénévoles. Chapeau ! Démonstrations permanentes du travail du bois dans l'atelier attenant.

Possibilité de visiter une scierie hydraulique toute proche *(juil-août slt, jeu mat sur résa, 3,50 €).*

Sports et loisirs

– **Rafting, canoë-kayak... :** l'Ubaye est une rivière de référence pour les amateurs de sports d'eaux vives. De Méolans à Barcelonnette, ses berges se sont littéralement couvertes de structures qui proposent des descentes de la rivière de toutes les façons – ou presque... – possibles, enfin surtout en rafting. Quelques adresses pour ceux que ça tente :

■ **Eau Vive passion :** *pont du Martinet, Le Four-à-Chaux.* ☎ *04-92-85-53-99.* ● *sudrafting.fr* ● Pour découvrir les joies du *hot dog, hydrospeed, baby raft,* canyoning, parcours d'aventure...

dans une ambiance jeune, décontractée et professionnelle. Autre adresse : **Rock N'Raft,** *Les Thuiles.* ☎ *04-92-81-92-81.* ● *rafting-ubaye.com* ●

BARCELONNETTE

(04400)　　2 880 hab.　　*Carte Alpes-de-Haute-Provence, C2*

Avec ses quelque 3 000 habitants, Barcelonnette, au cœur de l'Ubaye, représente à elle seule la moitié de la population de toute la vallée. Autant le dire, nous, on aime bien Barcelo (comme on dit dans le coin). Pour son côté alpin qui ne se la joue pas (la ville est à 1 135 m d'altitude), pour la simplicité et la gentillesse des gens du coin qui savent recevoir. Mais aussi pour son ambiance feutrée, sans faux-semblants, ses petits concerts de rue en été, et les villas impressionnantes construites à leur retour par des immigrants du Mexique, entre 1900 et 1950. Oui, du Mexique ! Une histoire qui continue de faire rêver nombre d'habitants et de visiteurs...

UN BOUT DE CATALOGNE EN PROVENCE

Au Moyen Âge, Faucon et Saint-Pons étaient deux villes puissantes en conflit permanent. En 1231, pour stopper ces querelles de clocher, le comte Béranger IV fit créer une ville entre les deux qu'il nomma Barcelonnette. En effet, ce comte de Provence était aussi gouverneur de Catalogne et comte de... Barcelone !

LA BELLE HISTOIRE DES BARCELONNETTES

C'est d'une tradition séculaire qu'est née l'aventure mexicaine de Barcelonnette. Depuis des lustres, chaque famille de la vallée avait un métier à tisser qui permettait, durant les longues périodes hivernales, de confectionner des draps avec la laine de mouton. Cette production était ensuite écoulée par colportage dans toutes les régions de France et à travers l'Europe. Or, au début du XIXe s, le Mexique proclama son indépendance sur l'Espagne et devint une sorte de terre promise. D'autant plus alléchante que la région de Barcelonnette souffrait alors d'isolement et de conditions de travail et de vie très dures.

Les frères Arnaud ne furent pas seuls à s'enrichir. L'émigration connut son véritable essor lorsque deux de leurs employés au Mexique regagnèrent la vallée après 15 ans d'absence, bardés de 250 000 francs-or. Ce retour, en 1845, déclencha une hémorragie. Tout le monde se passait le mot et... en avant pour l'aventure ! Si la vallée de l'Ubaye offrit le plus fort contingent à cette émigration, le reste du département des Alpes-de-Haute-Provence fut

À L'OUEST, DU NOUVEAU

En 1805, Jacques Arnaud, originaire de Jausiers, s'expatrie en Amérique. En Louisiane française d'abord puis, de fil en aiguille, au Mexique vers 1820, où il installe un modeste négoce de tissus. Le succès est tel qu'il fait fortune et appelle auprès de lui sa famille et d'anciens employés d'Ubaye. Des liens se tissent ainsi entre l'Ubaye et le Mexique...

aussi concerné (Seyne-les-Alpes, Digne...). En un siècle, quelque 2 500 habitants de la vallée émigreront, en quête de richesse et de gloire. Environ 300 réussirent, créant un véritable empire « Barcelonnette » au Mexique. Des fortunes qui se firent essentiellement dans l'industrie textile et le commerce de nouveautés : fondateurs des premiers grands magasins dans les métropoles mexicaines, ils créèrent de vastes empires commerciaux cotés en bourse. Or, toute légende a son revers. En effet, l'histoire a gommé les années de privations, de luttes, d'humiliations rencontrées là-bas pour s'imposer et réussir. Quand il y avait réussite. Car nombreux furent ceux qui, après 10, 15 ans de travail et de souffrances, ne trouvèrent que l'échec et parfois la mort au bout d'un chemin, à des milliers de kilomètres de leur famille. Mais sans drame, point de légende.

Et puis, si l'on peut arracher un homme à sa terre, jamais on n'arrachera la terre au cœur des hommes. 90 % restèrent au Mexique et devinrent mexicains, mais certains revinrent jusque dans les années 1950 finir leurs jours du côté de Barcelonnette. Ils firent bâtir des villas absolument somptueuses (on en dénombre environ 65 entre Barcelonnette et Jausiers) et de monumentaux caveaux de famille, témoins de leur puissance et d'une incroyable aventure humaine.

LES VALLÉES ALPINES

Comment y aller ?

– *Lignes Express Régionales :* rens au ☎ 0821-202-203 (0,09 €/mn). ● info-ler.fr ●
➢ *De/vers Digne :* 1-2 bus/j.
➢ *De/vers Gap :* 3 bus/j. (1 seul le dim).

➢ *De/vers la gare d'Aix-en-Provence TGV et l'aéroport de Marseille-Provence :* les *navettes blanches* desservent Pra-Loup et Le Sauze chaque sam de fin déc à mi-avr. A/R 35 € (retour le sam suivant).

Comment circuler dans la vallée ?

Navettes gratuites depuis Barcelonnette : rens dans les offices de tourisme. Juil-août, compter 2 bus/j. pour *Jausiers* (tlj sf dim, dessert le plan d'eau de Jausiers) ; *Le Lauzet* (mer slt sur demande et sam, via La Fresquière-Méolans-Revel) ; *Pra-Loup* (tlj sf dim, via Molanès) ; *Sauze 1 700* (tlj sf dim, via Le Sauze, Enchastraye) ; *Saint-Paul* et *Larche* (lun slt sur demande, mer et sam).

Adresses et infos utiles

🅸 *Office de tourisme* (plan B1, 1) : pl. Frédéric-Mistral. ☎ 04-92-81-04-71. ● info@barcelonnette.com ● Ouv de mi-juin à mi-sept, tlj 9h-12h30, 13h30-19h ; le reste de l'année, tlj sf dim 9h-12h, 14h-18h. Nombreux documents à disposition.
🅸 *Service tourisme de la CCVU* (plan A1, 2) : 4, av. des Trois-Frères-Arnaud.

☎ 04-92-81-03-68. ● ubaye.com ● Très compétents, les responsables du tourisme au sein de la communauté de communes de la vallée de l'Ubaye vous donneront tous les renseignements dont vous avez besoin.
– *Marché :* le mat mer et sam.
– *Marché fermier :* pl. de la Mairie, juil-août, lun mat.

Où dormir ?

Campings

La ville dénombre plusieurs campings avec tous les niveaux d'équipement. Renseignements plus précis à l'office de tourisme. Attention, taux de remplissage important en été. S'y prendre à l'avance. Voici l'un de nos préférés, une référence dans le secteur :

⛺ *Le Tampico* (hors plan par A2, 10) : 70, av. Émile-Aubert. ☎ 04-92-81-02-55. ● contact@letampico.fr ● letampico.fr ● À 1 km de Barcelonnette, direction Pra-Loup. Resto ouv le soir, juin-août. Camping ouv mai-sept et vac scol. Tente 2 pers et voiture 17,50 €. Hébergement locatif 260-710 €/sem selon saison et capacité. 90 empl. Apéro offert sur présentation de ce guide aux horaires d'ouverture du resto. Une belle situation pas trop près de la route. Proprios présents et très accueillants. Sanitaires bien entretenus, excellent rapport qualité-prix. Pizzeria, grill ouvert le soir, juin-août. Bien ombragé. Navettes juste devant pour le centre de Barcelonette et les stations alentour.

De bon marché à prix moyens

🏠 *La Placette* (plan A1, 11) : 14, rue Émile-Donnadieu. ☎ 04-92-81-03-37. ● contact@hoteldelaplacette. com ● hoteldelaplacette.com ● Tte l'année. Doubles 56-83 € selon confort et saison. 🛜 10 % de remise sur le prix de la chambre (de mi-sept à mi-juin). Cette « vieille » référence de la ville est une de ces mamies qui revoient leur coiffure en y mettant

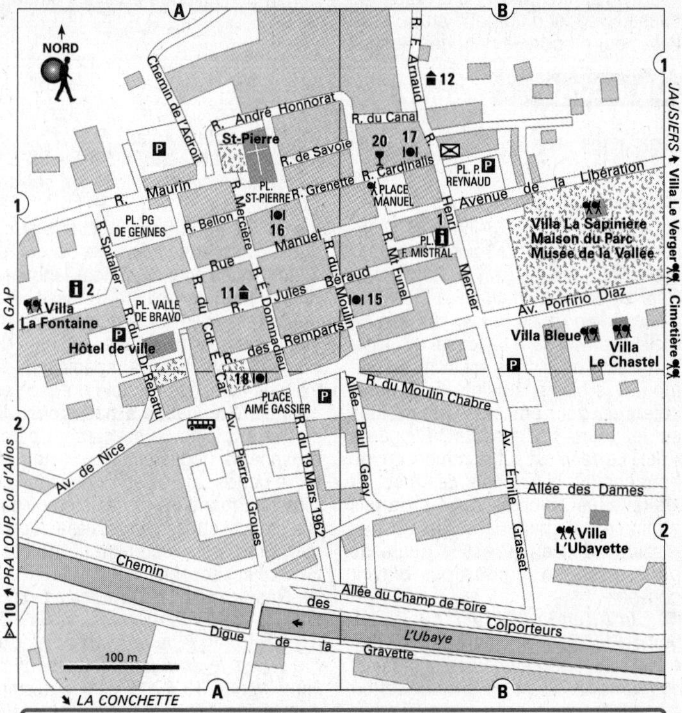

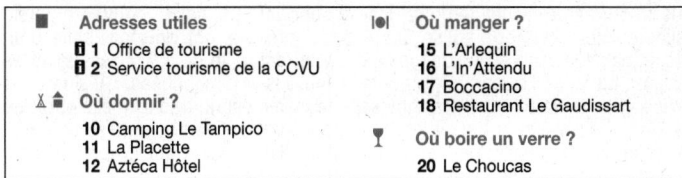

BARCELONNETTE

■	Adresses utiles	|◉|	Où manger ?
ℹ 1 Office de tourisme		**15** L'Arlequin
ℹ 2 Service tourisme de la CCVU		**16** L'In'Attendu
		17 Boccacino
⚠ ▲ **Où dormir ?**		**18** Restaurant Le Gaudissart
10 Camping Le Tampico		
11 La Placette		🍸 **Où boire un verre ?**
12 Aztéca Hôtel		**20** Le Choucas

un gros poil de fantaisie. La déco y est résolument dans le vent sans être ostentatoire. Les chambres, pas immenses, sont bien aménagées. Elles offrent le confort nécessaire pour une petite étape agréable en plein cœur de Barcelo.

▲ **Aztéca Hôtel** (plan B1, **12**) : 3, rue François-Arnaud. ☎ 04-92-81-46-36. ● hotelazteca@wanadoo.fr ● azteca-hotel.fr ● ♿ Doubles 61-118 € selon confort et saison. Petit déj 10 €. 📶 Un bel hôtel, d'aspect récent mais construit autour d'une ancienne « villa mexicaine » du XIXe s. Chambres joliment décorées, dont les moins coûteuses offrent un bon rapport qualité-prix. Les plus spacieuses, les plus belles aussi (et logiquement les plus chères), sont, comme les parties communes, dans un réjouissant style mexicain. Très confortables et pas kitsch pour deux pesos. Côté pesos, justement, les prix en haute saison tirent un peu sur les cordons de la bourse. Quoiqu'en limite du centre-ville, l'hôtel reste très calme, entouré d'un petit jardin. Idéal l'été pour prendre le petit déj. Accueil convivial. Navettes pour les stations de ski.

Où manger ?

Bon marché

lol L'Arlequin (plan B1, **15**) : 15, rue du Moulin. 📱 06-79-73-27-74. Tlj juin-sept ; fermé lun et le midi le reste de l'année. Carte 22 € ; vin à prix d'amis ! Café et digestif maison offerts sur présentation de ce guide. Un coin de ruelle caché et sans histoires. Le calme d'une salle où le ciel s'est invité au plafond. Des portraits peints de femmes célèbres qui font les Colombines sur les murs. Et l'assiette ? Pleine de relief ! La carte est suffisamment courte pour garantir la fraîcheur des mets, et les recettes proposées sont à la fois originales et goûteuses, de l'entrée jusqu'au dessert. C'est le genre de porte qu'on ne regrette pas d'avoir poussée...

lol L'In'Attendu (plan A1, **16**) : 4, pl. Saint-Pierre. ☎ 04-92-31-30-95. ● matthieu_42@hotmail.com ● Tlj, sf dim-lun hors saison. Formule déj en sem 18 €, menu 22 € ; carte 25-30 €. C'est vrai qu'elle est plutôt inattendue cette petite adresse de poche, bien mise, avec ses jolies tables. Elle vaut aussi pour sa délicieuse terrasse, installée sur le parvis de l'église Saint-Pierre, baignée par le soleil à la tombée du jour. Là, sous l'œil divin, on goûte à une cuisine traditionnelle française évolutive, ainsi que la définit le chef. C'est rudement bon, et on s'en lèche les babines. Service souriant.

lol Boccacino (plan B1, **17**) : 3, rue Cardinalis. ☎ 04-92-81-34-64. ♿ Fermé mar-mer midi hors saison. Congés : 16 nov-17 déc. Formule 13 €, menus 19,90-28,80 €. Digestif maison offert sur présentation de ce guide. 3 ambiances pour ce resto à tendance design-montagnard : la terrasse, une petite salle sous voûte de pierre ou un jardin intérieur très coloré. À vous de choisir ! Côté cuisine, spécialités de viandes flambées (terrible potence au cognac, une viande à partager, délicieuse et pleine de saveurs) et pâtes artisanales (tagliatelles aux morilles extra certes, mais pas données). Les plus gourmand(e)s ne résisteront pas à la croustiflette (on vous laisse découvrir), l'idéal pour reprendre des forces ! Service impeccable.

lol Restaurant Le Gaudissart (plan A2, **18**) : pl. Aimé-Gassier. ☎ 04-92-81-00-45. ● legaudissart@orange. fr ● Tlj sf le soir dim-lun. Congés : janv. Menus 18,50-29 €. Il y a dans cet ancien relais à chevaux la belle ambiance d'un bar d'habitués : l'accueil bonhomme au comptoir, le service sans chichis mais efficace et souriant. La salle, conventionnelle et agréable, est pourtant celle d'un vrai resto. De ceux qui rassurent les familles endimanchées. Cuisine dans le même esprit, traditionnelle et pleine de saveurs. Grande terrasse côté rue. Excellent rapport qualité-prix au bout du compte.

Où dormir ? Où manger dans les environs ?

De bon marché à prix moyens

🛏 **lol Maison d'hôtes Le Rozet** : route du col d'Allos, 04400 Uvernet-Fours. ☎ 04-92-81-10-64. ● lerozet@club-internet.fr ● chambresdhotelerozet. com ● À 6 km au sud-ouest de Barcelonnette par la D 908, fléché sur la gauche 1,5 km après l'embranchement pour Pra-Loup. Congés : 10 j. fin avr, 10 j. fin sept et fêtes de Noël. Double 75 €. Table d'hôtes 27 €. 🖥 📶 Jolie maison, joli coin de nature où ne filtre, à travers la forêt, que le diffus grondement du torrent. Après avoir habité en Afrique pendant 16 ans, Marie-Claire et son mari ont posé leurs valises dans cette ancienne ferme-bergerie surplombant les gorges du Bachelard. 5 chambres simples et gaies pour 2 ou 3 personnes, un spacieux salon-salle à manger où trône une cheminée, et un bain scandinave pour finir de se détendre, à moins que vous ne préfériez le jacuzzi dans le jardin. Pour les motards, un garage peut abriter leur monture. Pas de resto alentour, mais ça tombe bien, puisque vos hôtes seront contents de partager un repas avec vous. Excellent accueil, naturel et chaleureux.

🏠 ▮●▮ *Gîte l'Éterlou* : Villevieille, 04400 *Faucon-de-Barcelonnette*. ☎ 04-92-36-15-78. ● serge.bardini@sfr.fr ● gite-auberge-eterlou.com ● ♿ (1 chambre). *Tt de suite à gauche à la sortie de Barcelonnette, en direction de Jausiers. Selon taille, chambres avec sdb 2-6 pers 24 €/ pers ; ½ pens 35-66 €/pers.* 🛏 📶 *Apéritif et digestif offerts sur présentation de ce guide.* Idéalement placé, au calme, face au Chapeau-de-Gendarme. Dans un ancien corps de ferme avec le petit lavoir dans le jardin et son parquet d'origine à l'intérieur, bien patiné par le temps. Chambres simples, au mobilier en bois brut, confortables. Petit déj avec confitures maison. Excellent accueil des proprios qui sauront vous conseiller sur les balades alentour. Possibilité de panier pique-nique pour vos randos. Au fait, un éterlou est un chamois qui n'a pas plus d'un an ou deux...

▮●▮ *Le Passe-Montagne* : route du col de la Cayolle, 04400 *Uvernet-Fours*. ☎ 04-92-81-08-58. *À 3 km au sud-ouest de Barcelonnette par la D 902 (direction col de la Cayolle). Tlj pdt les vac scol, sf mar-mer hors saison. Congés : juin et de mi-nov à mi-déc.*

Menus 23-33 €. Café offert sur présentation de ce guide. La bonne table du coin, dans un gros chalet de bois, récent, à la mode montagnarde. De la terrasse, qui donne dans les pins, on peut admirer les pics du Pain-de-Sucre et du Chapeau-de-Gendarme. L'hiver, une immense cheminée réchauffe l'atmosphère paisible. Le chef a redécouvert la cuisine mi-provençale, mi-alpine de sa grand-mère en l'adaptant à sa manière. Mais ce qu'il aime particulièrement cuisiner, ce sont les escargots de Digne, qu'il accommode de plein de façons, selon l'humeur. Le chef travaille avec une dame qui ramasse morilles, sanguins, mâche sauvage, pissenlits...

Prix moyens

🏠 *Chambres d'hôtes Domaine de Lara* : D 609, 04400 *Saint-Pons*. ☎ 04-92-81-52-81. 📱 06-62-05-01-32. ● arlette.signoret@wanadoo.fr ● domainedelara.com ● *À 2,7 km à l'ouest de Barcelonnette par la D 900 ; au niveau de l'aérodrome, tourner 2 fois à droite ; c'est 600 m plus loin. Congés : 20-30 juin et 1er nov-20 déc. Doubles avec sdb 90-99 €.* 📶 Paisible, au cœur d'un paysage de carte postale : une petite forêt de pins, un discret torrent, les sommets à l'horizon... Grande et belle ferme, superbement rénovée : pierres apparentes, impressionnantes poutres de bois dans le salon, mobilier ancien, objets de famille. Chambres un peu sombres, au charme ancien. Ambiance un peu chic mais sans rien de pesant. Très bon accueil.

Où boire un verre ?

🍸 *Le Choucas* (plan B1, 20) : 4, pl. Manuel. ☎ 04-92-81-15-20. ● contact@lechoucas-barcelonnette.fr ● *Ouv en saison 7h-2h.* 📶 Petit bar sympathique, un peu branché ou en tout cas animé. Salle intime ou terrasse, pour finir la soirée sur cette charmante petite place où défile toute la ville. Et le soleil y brille quasiment toute la journée ! Billard.

Achats

🍰 *Pâtisserie Génot* (plan A1) : 47, rue Manuel. ☎ 04-92-81-01-46. *Fermé dim ap-m et lun hors vac scol.* La « feuilletine » (gâteau praliné aux amandes croustillantes...) est excellente, foi(e) d'amateurs.

🍴 *Le Pain de sucre* *(plan A1) :* *13,* *rue Manuel.* ☎ *04-92-81-01-59. Tlj sf mar-mer hors saison ; fermé 1 sem en juin et 2 sem en sept.* Une bonne pâtisserie à la fois sandwicherie, proposant des pains maison bien spéciaux ainsi qu'une excellente glace au génépi.

🍴 *La Baïta* *(plan B1) :* *pl. Manuel.* Boutique de produits mexicains (à Barcelonnette, cela s'imposait) : bibelots, bijoux, vêtements...

À voir

🎋 *La place Manuel* *(plan B1) :* le cœur de la cité, avec la tour Cardinalis du XIVe s, qui donne l'heure à toute la ville. C'est le seul et unique vestige d'un couvent de dominicains qui se trouvait là. Fréquents concerts en saison, autour ou sur le petit kiosque à musique.

🎋🎋 *Les villas « mexicaines » :* petite balade architecturale à travers des rues et avenues tracées en damier (à l'américaine !), à la recherche de ces opulentes bâtisses fin XIXe-début XXe s, qui n'ont en fait rien de... mexicain ! Elles témoignent plutôt de cet éclectisme architectural caractéristique des villes d'eaux et autres stations balnéaires, édifiées à la même époque. Quelques jolis spécimens à l'est du centre, avenue des Trois-Frères-Arnaud par exemple, où l'on distinguera, notamment au no 6, la belle *villa de La Fontaine* *(plan A1),* précédée d'une... fontaine, où trône un griffon. À l'ouest, grosse concentration dans l'avenue de la Libération. Immanquable *villa La Sapinière* *(plan B1),* actuel musée de la Vallée (lire ci-après), la seule dont on pourra découvrir l'intérieur : superbe parquet en marqueterie, non moins superbes faïences du cabinet de toilette. Un peu plus loin, autre témoin de la première génération de ces « villas mexicaines », *Le Verger* abrite aujourd'hui l'ONF *(hors plan par B1).* Encore un bel alignement, avenue Porfirio-Diaz (au passage, on ne connaît pas beaucoup d'autres villes à avoir baptisé une avenue du nom d'un dictateur mexicain...). Au no 1, imposante et sobre *villa Bleue* *(plan B1),* une des dernières à avoir été construites (en 1931). Le splendide vitrail Art déco de la façade évoque d'ailleurs la saga mexicaine. Au no 3, *Le Chastel* *(plan B1),* très italianisant, au cœur d'un jardin superbement entretenu. Avenue Émile-Grasset, voir aussi *La Roseraie,* puis au no 16, allée des Dames, *L'Ubayette* (actuelle sous-préfecture ; *plan B2),* néogothique avec quelques intentions tyroliennes *(Lalalaiou !).*

🎋🎋 *Le musée de la Vallée et la Maison du parc du Mercantour* *(plan B1) :* villa La Sapinière. ☎ *04-92-81-27-15. Juil-août, tlj 10h-12h, 14h30-18h30 ; vac scol (hors été), 15-30 juin et début sept tlj sf mar 14h30-18h ; le reste de l'année, se renseigner ; fermé certains j. fériés. Congés : 15 nov-15 déc. Entrée : 4 € ; réduc. À la Maison du parc (☎ 04-92-81-21-31 ; ● mercantour.eu ●), ttes les infos sur le Mercantour et belle expo de photos de montagne.* Installé dans l'une de ces fameuses villas dites « mexicaines », il ne pouvait que raconter l'épopée incroyable des « barcelonnettes ». Pourquoi le comte de Provence, fondateur de la ville, l'a-t-il ainsi baptisée ? Quel fut le déclencheur de cette émigration ? Une épopée qui nécessitait, à la fin du XIXe s, 25 jours de traversée au départ de Nantes... via Paris !

🎋🎋 *Le cimetière* *(hors plan par B1) :* un petit cimetière, aux tombes parfois étonnantes de variété et d'opulence (marbre de Carrare, serpentine du Queyras...). Il fallait bien que la réussite des émigrés se vît au-delà de la mort... D'impressionnants mausolées, comme celui de la famille Signoret ; l'immanquable dôme qui domine celui de la famille Tron ; la porte sculptée de la tombe de la famille Antoine Signoret de Tournoux...

Sports et loisirs

➢ *Randonnées :* *petit guide (1,50 €) en vente à l'office de tourisme.* Les environs regorgent de superbes balades. Depuis la vallée, plus de 80 lacs sont accessibles, blottis modestement au creux d'une vallée perdue, majestueusement perchés sur un col ou encore au détour d'un verrou glaciaire. En chemin, selon la saison, incontournable cueillette de champignons, framboises, fraises des bois... Quelques suggestions : les *lacs de la Cayolle* (4h pour faire une boucle depuis le col de la Cayolle) ou les *Eaux tortes,* curieux marais d'altitude, au pied du glacier de l'Estrop (6h). Pour des randonnées accompagnées, s'adresser à **Rando Passion** *(plan A1 ; 31, rue J.-Béraud ;* ☎ *04-92-81-43-34 ;* ● *rando-passion.com* ●). Sorties « marmottes », faune et flore, VTT, randonnées aquatiques ; en hiver, ski de fond, raquettes... Et **Montagnes d'Ubaye « L'école d'aventure »** *(plan A1 ; 37, rue Manuel ;* ☎ *04-92-81-29-97 ;* ● *ubaye-aventure.com* ●). Randos des deux côtés de la frontière, sorties spécial enfants...

➤ 🚲 **VTT et cyclotourisme** : à VTT, 20 parcours sur 340 km dans la vallée de l'Ubaye, de la balade en famille au raid sur plusieurs jours. Pour les amateurs de sensations fortes, la descente du col de Restefond (40 km, à faire avec un guide) ou la Transubayenne (106 km).
Les adeptes de la route s'offriront la « randonnée des sept cols ». De bons mollets, du souffle, une carte à composter au sommet de chaque col (en vente dans les offices de tourisme), et un diplôme au bout de l'effort ! **Granphi'Sport** (☎ *04-92-81-23-69).* Loue VTT et vélos de route.

– **Parapente** : **Ubaye Parapente**, *Le Pont-Long.* ☎ *04-92-81-34-93.* ● *ubaye-parapente.com* ● *Ouv tte l'année.* Baptêmes et stages. Encadrement vraiment compétent.

– 🚶 **Parcours d'aventure** : **Jungle Parc**, *Les Terres-Neuves, à Saint-Pons, route de Gap.* 📱 *06-14-41-12-26.* Parcours dans les arbres. Câbles, tyroliennes, pont de singe, lianes et passerelles vous permettent de jouer les Tarzans. Trois parcours de niveaux différents ; compter 2-3h pour deux parcours.

– L'hiver, navettes gratuites pour les stations du Sauze, de Pra-Loup et Sainte-Anne-de-Condamine.

Festivals

– **Les Enfants du jazz** : *2de quinzaine de juil. Rens à l'office de tourisme.* ● *barce lonnette.com* ● Des jazz(wo)men réputés (Dee Dee Bridgewater, André Ceccarelli, Didier Lockwood, Michel Legrand, Al Jarreau...) et de jeunes musiciens âgés de 10 à 20 ans célèbrent le voyages des frères Arnaud en Louisiane... Expositions et concerts.
– **Fêtes latino-mexicaines** : *5 j. autour du 15 août. Rens à l'office de tourisme.* Barcelonnette ressuscite son prestigieux passé historique avec des expositions et des animations.
– **Biennale de musique classique de Barcelonnette** : *6 j. à partir du 20 août (années paires).* Concerts (payants) interprétés par l'orchestre symphonique... de Nancy.

PRA-LOUP – LES MOLANÈS

(04400)   614 hab.   *Carte Alpes-de-Haute-Provence, C2*

Perchée sur un replat du flanc nord de la vallée de l'Ubaye, Pra-Loup 1600 est née dans les années 1960, ce qui n'est pas un très bon millésime dans le domaine architectural. En été, la station n'est pas des plus esthétique. Sous une bonne couche de neige, ça s'arrange l'hiver. Son cœur est un grand centre commercial en arc de cercle, où se concentrent la plupart des restaurants

et des boîtes. Une patinoire naturelle et une aire de jeux contribuent, avec le « reboisement » des façades dans un style montagnard, à donner à Pra-Loup un aspect assez chaleureux. La station s'est aussi développée aux Molanès, 1,5 km plus bas, où se regroupent plutôt des hébergements. Paradoxalement, le plus bel ambassadeur de la station n'est pas un skieur mais un joueur de tennis : Sébastien Grosjean, qui a grandi et débuté sa carrière ici.

Adresse et info utiles

🏢 *Office de tourisme :* à Pra-Loup 1600. ☎ 04-92-84-10-04. • praloup.com • Ouv 9h-12h, 14h-18h ; en hiver et en juil-août tlj ; en intersaison lun-ven. 📶
– *Navettes :* gratuites entre Barcelonnette et Pra-Loup.

Où dormir ? Où manger ?

De bon marché à chic

🏠 |◉| *Hôtel Les Blancs :* Les Molanès, lieu-dit Les Blancs. ☎ 04-92-84-04-21. • hotellesblancs@gmail.com • hotel.lesblancs.free.fr • Resto ouv le soir lun-sam ; plus le midi ven-dim et j. fériés en hte saison. Congés : de mi-avr à mi-juin et de mi-sept à mi-déc. Doubles et junior suites 66-112 € selon saison, petit déj 10 €. ½ pens imposée les w-e, pdt les vac de fév et de Noël, 125 €/pers. Repas env 25 €. 📶 Apéritif offert sur présentation de ce guide. Une trentaine de chambres, dont une partie en duplex, simples et bien tenues ; également des familiales (jusqu'à 5 personnes). Toutes les salles de bains sont différentes, spacieuses et joliment aménagées. Le resto et la terrasse, tout en bois, donnent sur une belle piscine couverte et chauffée, un jacuzzi, un sauna ainsi qu'une petite salle de fitness, et la télécabine qui mène au sommet. Bien pratique ! Atmosphère sympathique et accueil charmant des propriétaires.
🏠 |◉| *Le Prieuré :* Les Molanès. ☎ 04-92-84-11-43. • info@prieure-praloup.com • prieure-praloup.com • À droite, au bord de la route d'accès à Pra-Loup 1600. Congés : fin sept-15 déc. Doubles 77-93 € avec petit déj selon saison. ½ pens imposée les w-e et vac scol d'hiver 130-145 € pour 2. Au resto, plats 12-25 €. 🖵 📶 Un ancien prieuré du XVIIIe s qui a été transformé en hôtel rustique, chaleureux et bien tenu, plein sud face au Pain-de-Sucre et au Chapeau-de-Gendarme. Une

vue, comme on dit, imprenable et des prix qu'on prend plutôt bien. La piscine en été est bien agréable. Jacuzzi et sauna complètent le versant aquatique de cette adresse franchement montagnarde. Accueil avenant qui n'hésite pas à vous surclasser si l'hôtel n'est pas complet.
🏠 |◉| *Chambres d'hôtes La Ferme du couvent :* ☎ 04-92-84-05-05. 🖥 06-10-19-01-61. • nathalie.riehl@wanadoo.fr • la-ferme-du-couvent.com • Résa obligatoire. Double 80 € ; apparts 400-900 € selon saison. Table d'hôtes 25 €. Chambres où il fait bon séjourner, été comme hiver, dans une ferme 6 fois centenaire. Admirez l'entrée en rondins de bois, qui date du XIVe s ! Ambiance chaleureuse, simple et conviviale, au coin du feu. Cuisine traditionnelle concoctée avec les produits du pays. Avec un peu de chance, quelques morilles seront tombées dans le plat le soir de votre passage ! Mais n'espérez pas en savoir plus : Jean-Pierre et Nathalie sont de grands amateurs et ramasseurs de champignons, et gardent leurs coins secrets ! Superbes petits déj proposés par l'énergique maîtresse de maison. Petit jardin de curé, avec sa balançoire et ses jolies roses en été.
🏠 *Résidence prestige Odalys Le Hameau de Praroustan :* Pra-Loup 1500. ☎ 04-92-84-12-01. • praloup@odalys-vacances.com • Fermé de mi-avr à mi-juin et de sept à mi-déc. Studios 4 pers à partir de 185 €/sem. Difficile de ne pas tomber sous le charme de cette résidence où il fait

bon goûter les plaisirs de la montagne bien au chaud devant sa cheminée ! La résidence se compose d'appartements et chalets individuels (10 ou 12 personnes) décorés avec raffinement et offrant un superbe panorama. Une ambiance cosy que l'on retrouve autour de la piscine intérieure chauffée. Également à votre disposition : sauna, hammam et salle de fitness. À 800 m des télésièges et de la supérette.

Ski et neige

🎿 🚶 *Ski alpin :* domaine Espace Lumière (1 500-2 600 m), relié à celui de Val d'Allos – La Foux. 39 remontées mécaniques et 180 km de pistes « ski au pied ». Bref, le domaine skiable le plus important des Alpes du Sud et la station préférée des Marseillais de tous âges. Cependant, les champs de neige de La Foux sont assez éloignés et il faut prévoir une bonne matinée pour les rallier. Les pistes, variées et agréables, séduiront surtout les skieurs moyens, sans ennuyer les as de la glisse. Et en fin d'après-midi, quand le soleil cerne les sommets de l'Ubaye encore enneigés, la vue devient grandiose.

– *Snowboard :* la station a tout prévu, ou presque, pour les snowboarders et autres adeptes des nouvelles glisses avec un *rider space* de 40 ha. Un superbe *rider park* sonorisé, un *big air,* un *rider cross,* deux zones de *rider rocks,* un *rider snow* et, en bordure des pistes, six zones de *free ride,* où la neige reste à l'état brut mais sans risque d'avalanche.

Sports et loisirs

➤ *Randonnées :* quelques belles balades au départ de la station en été, dont le grand classique de la *Grande Séolane.* Compter la journée aller-retour, avec accompagnateur de préférence. On y découvre un univers minéral très riche, car on grimpe sur une klippe (gros caillou arraché lors de la naissance des montagnes et qui semble posé là comme par hasard, à l'envers sur la montagne). On pique-nique au sommet, d'où l'on embrasse un panorama grandiose sur toutes les Alpes.

➤ 🚴 *VTT :* cinq pistes accessibles par télécabine *(juil-août).* 530 m de dénivelée avec des tracés adaptés à tous les niveaux.

LE SAUZE

(04400) 504 hab. *Carte Alpes-de-Haute-Provence, C2*

Située entre 1 400 et 2 400 m d'altitude, née en 1934, c'est l'une des plus anciennes stations de France, qui a su garder un caractère de village montagnard et bon enfant, entre alpages et mélèzes. La station de ski familiale par excellence, qui mériterait bien toutefois quelques aménagements. Si l'ex-championne olympique Carole Merle y trouve ses origines, attention, ici on skie pépère sur des pistes modestes. La station est divisée en deux parties : Le Sauze (qui mêle petite station et village ancien) et Super-Sauze (immeubles taillés avec complaisance dans le béton). Entre les deux, le vrai vieux village d'Enchastrayes. La fermeture du col d'Allos, l'hiver, décourage les Niçois, qui en font leur villégiature en été, lorsque c'est un paradis pour la randonnée.

Adresse et info utiles

🏠 @ **Office de tourisme du Sauze :** chalet de la Montagne, 04400 **Le Sauze.** ☎ 04-92-81-05-61. ● info@sauze.com ● sauze.com ● Tlj en saison (voir le détail des horaires sur le site).
– **Navettes :** tte l'année et gratuites, entre Jausiers, Barcelonnette, Super-Sauze, et tte la vallée.

Où dormir ? Où manger ?

🛏 🍴 **Chambres d'hôtes La Bergerie du Loup :** D 209, 04400 **Enchastrayes.** ☎ 04-92-81-32-46. ● contact@labergerieduloup.com ● labergerieduloup.com ● ♿. En contrehaut de la D 209 entre Le Sauze et Super-Sauze. Double 70 €/pers en ½ pens (imposée). Menu 32 € côté ferme-auberge (le soir slt sur résa). Vous voilà dans la plus haute exploitation maraîchère d'Europe (si, si !). En majorité, les produits cuisinés par Augustine proviennent d'ailleurs de la ferme. Les 5 chambres, dont 2 familiales avec entrée indépendante, aménagées dans l'ancien fenier, sont chaleureuses, toutes de bois vêtues. Également deux chevaux, des canes et des oies, des chiens,

un chat... Quant au Loup, qui prête son nom au lieu, demandez-en la signification, chargée de sens. Une escale conviviale et reposante où « prendre le temps de vivre » n'est pas un vain mot.

🍴 **Restaurant d'altitude La Cabane à Jo :** Super-Sauze. 📱 06-16-22-75-08. ● appino.dany@hotmail.fr ● Accès en télésiège ou à pied (45 mn) depuis Super-Sauze. Tlj le midi slt, 20 juil-27 août et 20 déc-6 avr. Menu 24,50 €. CB refusées. Apéritif offert sur présentation de ce guide. Charmant restaurant d'altitude, très convivial, où il fait bon s'attarder un moment, soit l'hiver après quelques chutes à skis, soit l'été après quelques coups de chaleur en rando.

Ski et neige

– **Snowboard :** un snowpark et de beaux espaces pour le free ride.
– **Raquettes :** quatre sentiers balisés avec des haltes bienvenues dans les restos d'altitude.
– **Village d'igloos :** il fait son apparition tous les hivers et on peut passer la nuit au sommet des pistes. Montagne d'Ubaye, « l'école d'aventure » : ☎ 04-92-81-29-97.

Sports et loisirs

➤ **Randonnées :** quelques musts des balades dans ce petit coin de montagne. Le Chapeau-de-Gendarme (compter 6h30) au départ de Super-Sauze ou la Croix-de-l'Alpe (compter 5h15 aller-retour à partir de La Rente). Pour découvrir la forêt de mélèzes, les alpages et le minéral.
➤ Un sentier sur les traces et animaux de montagne, un sentier de découverte de la faune et, l'hiver, un jeu de piste à skis pour la famille (carnets de route à retirer à l'office de tourisme), et un sentier ludique (enfant 6-12 ans).

JAUSIERS

(04850)   1 190 hab.   Carte Alpes-de-Haute-Provence, D1

Surplombant le bourg, un mignon clocher posé sur un haut rocher. Tout près, en contrebas, Lou Filadour, maison d'enfance des trois frères Arnaud (voir l'introduction de Barcelonnette, plus haut). À ce propos, le village est jumelé avec... Arnaudville, en Louisiane, en souvenir des frangins. Ce typique bourg de montagne est par ailleurs un bon point de chute pour des randonnées ou d'autres activités de pleine nature, été comme hiver.

Adresse et infos utiles

🛈 **Office de tourisme :** *rue Principale.* ☎ 04-92-81-21-45. ● *jausiers.com* ● *Tte l'année. Tlj 8h30-12h, 14h30-18h (19h juil-août) ; fermé dim sept-juin.*

– **Marché :** *dim mat juil-août.*
– **Navettes :** *gratuites en juil-août entre Jausiers, Barcelonnette et Super-Sauze.*

LES VALLÉES ALPINES

Où dormir ? Où manger ?

🛏 |◑| **Chambre d'hôtes La Bousquetière :** *12-14, route des Sanières, Le Forest-Haut.* ☎ 04-92-31-53-94. ● *mariellemagne@gmail.com* ● *labousquetiere.com* ● *À la sortie de Jausiers (direction Barcelonnette), tourner à droite à la pompe à essence (montée de la Grasse) ; c'est fléché sur 1,5 km. Doubles 80-155 € selon saison et taille. Table d'hôtes 28 €.* 📶 *Après un jovial bonjour des proprios et passé une salle à manger ouverte sur la cuisine, concept moderne dans un décor à l'ancienne, on fait son choix entre des chambres grandes (même la « petite »), vraiment confortables, équipées, meublées et décorées avec goût. Ciels de lit à la clé. Pour y ajouter un moment de zénitude, espace sauna et jacuzzi très agréablement aménagé dans une pièce voûtée avec son salon de détente, ses bougies, itou, itou... Et si vous plantez le camp 1 semaine, vous pouvez jouir d'un gîte dans la même veine. Un lieu qui a une âme !*

🛏 |◑| **Chambres d'hôtes La Mexicaine :** *122, rue Borgne.* ☎ 04-92-84-69-63. 📱 06-71-51-27-34. ● *villalamexicaine@gmail.com* ● *lamexicaine.com* ● *À 1 km du village, fléché à droite, juste après le pont sur l'Ubaye en direction de Nice. Doubles 54-74 € selon saison. Gîtes 4 pers 275-490 €. Table d'hôtes 23 €.* 📶 *Réduc de 10 % sur le prix de la chambre à partir de 2 nuits. (1er janv-31 mai et 30 sept-31 déc). Dans une de ces fameuses villas... mexicaines (le premier qui demande « c'est quoi ? », c'est 2h de colle !). 5 chambres dont une suite dans les étages, et 2 gîtes pour 4 personnes au rez-de-chaussée. Tous spacieux, sobres et confortables. Mobilier en bois clair. Idéal pour les familles, les randonneurs et autres sportifs. Accueil chaleureux par les propriétaires, des Belges tombés sous le charme de l'endroit.*

🛏 **Le Château des Magnans :** *route de Nice.* ☎ 04-92-33-99-27. ● *chateaudesmagnans@dgmail.fr* ● ♿ *Fléché à gauche, à 2 km de Jausiers, sur la route de Nice. Doubles 79-129 € ; petit déj 9,50 €. Compter 410-630 €/sem l'appart 2-4 pers.* 📶 *Machine à boissons chaudes gratuite sur présentation de ce guide.* Une palanquée d'appartements, dont 15 dans le château. Préférez aller faire la « Belle au bois dormant » dans ceux-là ! Et surtout dans le n° 203 avec une belle vue sur la vallée. Cela dit, la déco est similaire dans chaque appartement, très fonctionnels, avec cuisine équipée, canapé clic-clac et grandes salles de bains. Pour ne rien gâcher : sauna, hammam, bain bouillonnant et piscine couverte à disposition. Resto sur place.

Achats

🛍 **Maison des produits de pays :** *à l'entrée du village quand on arrive de Barcelonnette.* ☎ 04-92-84-63-88. ♿ *Tlj 10h-12h, 14h30-18h45 ; en été* 10h-19h45. Artisanat et produits locaux de la vallée de l'Ubaye (bonbons, miel, charcuterie, fromages, confitures, alcools, bière, savons, tisanes, céramique, vêtements en mohair...) sur plus de 400 m². Une vitrine qui tient ses promesses. D'autant plus intéressant que les prix sont les mêmes que chez les producteurs.

À voir. À faire

🎒🏃 **Le musée de Jausiers :** *Grand'Rue.* ☎ 04-92-81-00-22. *Ouv 16 juin-16 sept et vac scol, mer-dim 14h30-18h30 (17h30 vac scol de Toussaint et Noël ; 18h Pâques) ; juil-août, tlj 10h-12h30, 14h30-19h. Congés : de nov à mi-déc. Entrée : 2 € ; réduc. Inclus dans le pass 7 sites à 7 €. Compter 1h de visite.* C'est un des « musées de la Vallée ». Celui-ci aborde les relations de l'homme à son environnement. Une salle géologique (l'ancienne écurie du bâtiment) rappelle qu'à une époque la mer recouvrait les parages. Or, badaboum ! Explosion de volcans sous-marins, phénomène de tectonique des plaques, la remontée des fonds marins constitue aujourd'hui... la crête des Alpes ! Voyez d'ailleurs les étonnantes ridules laissées sur une roche par le courant et les vagues. Belle collection de fossiles et minéraux. Mais surtout des explications pédagogiques sur le phénomène de creusement d'une vallée ou d'un goulet et de l'installation de l'homme, ou l'importance de l'eau dans notre vie et dans l'environnement. Impressionnantes photos de l'inondation qui a eu lieu à Jausiers en 1957. Sur certaines, on distingue l'épaisseur de la coulée de boue... Également une salle consacrée à l'archéologie.

🎒 **L'église :** typique de ces vallées aux portes de l'Italie, un peu austère à l'extérieur, intérieur d'un baroque presque exagéré. Sur la droite, curieux autel des âmes du purgatoire, garni de crânes et autres os humains dont on dit qu'ils sont véritables...

🎒🎒 **Le château des Magnans :** *situé à flanc de colline, au-dessus du bourg.* La plus extraordinaire des demeures dites « mexicaines » de la vallée. Édifié de 1903 à 1913, ce « château » adopte un style médiéval (très) fantaisiste qui fait penser aux folies architecturales de Louis II de Bavière. S'il ne se visite pas, on peut en revanche y dormir (lire plus haut).

🎒 **Le plan d'eau de Siguret :** *Le Chalet-du-Lac.* ☎ 04-92-34-86-55. *Entrée payante en juil-août (compter 2,50 €) ; tarif familles ; également des carnets de 10 entrées.* En saison, baignade surveillée de 10h à 18h, tennis, mur d'escalade, terrain de volley, bar-restaurant.

DANS LES ENVIRONS DE JAUSIERS

🎒🎒🎒 **Le col de Restefond, la Bonette :** liaison directe Barcelonnette-Nice (149 km). La plus haute route de France et d'Europe, depuis qu'un notable niçois a eu la riche idée de dévier le tracé de quelques kilomètres pour la faire passer, à 2 802 m d'altitude, au pied de la cime de la Bonette. Une voie de montagne, d'ailleurs fermée à la circulation l'hiver, renseignez-vous... Paysages très sauvages, sublimes. Superbe panorama depuis la Bonette (un p'tit quart d'heure de marche).

LA HAUTE-UBAYE

En amont de Jausiers, un bassin verdoyant jusqu'à Saint-Paul, des gorges étroites ensuite, puis les paysages presque désolés de la haute montagne autour de hameaux qui figurent parmi les habitats permanents les plus hauts d'Europe. Plusieurs petites vallées adjacentes comme celle de l'Ubayette, qui, via le col de Larche, mène vers l'Italie. Une vallée préservée, en bordure du parc national du Mercantour, qui recèle bien des trésors ! L'été, de fabuleuses randonnées peuvent y durer plusieurs jours, grâce aux nombreux refuges aussi bien en France qu'en Italie. L'hiver, c'est le royaume du ski de fond (notamment à Larche ou à Saint-Paul), de randonnées à skis et à raquettes. On part découvrir des univers vierges de toute trace et insoupçonnés des lève-tard. Pour les fous d'escalade, de nombreuses voies de haute montagne vers la vallée de Maurin.

À voir. À faire

🏃 **Les forteresses de l'Ubaye :** *visites guidées des sites de Roche-la-Croix, Cuguret et Saint-Ours (Meyronnès) de mi-juin à mi-sept. Inscription auprès des offices de tourisme de Barcelonnette et Jausiers, début des visites au pied des forts.* Du milieu à la fin du XIXe s, de grands chantiers ont échelonné sur 35 km des défenses successives avec, comme nœud du dispositif, l'énorme montagne fortifiée de Tournoux, mais aussi tout un système de vigies et sémaphores, routes stratégiques... Si Tournoux a abrité des munitions jusqu'en 1987, Roche-la-Croix dispose toujours de son armement et de sa centrale électrique. Offrez-vous la visite guidée, c'est passionnant !

➤ **La Transubayenne :** *rens sur le site internet • ubaye.com • et dans les offices de tourisme de Larche, Jausiers et Barcelonnette, avec plan des pistes disponible et topoguides VTT.* La vallée de l'Ubaye est traversée d'ouest en est par cette piste VTT longue de 100 km. Des tronçons de différents niveaux sont accessibles au plus grand nombre et permettent de découvrir les villages de la vallée.

Ski et neige

🎿 **Ski alpin :** *à Sainte-Anne-la-Condamine. Rens : ☎ 04-92-84-33-01.* Une station de ski familiale et économique, à taille vraiment humaine. Aux rares chalets construits en bois dans le respect de la tradition sont venues s'ajouter, dans les années 1960-1970, quelques bâtisses moins élégantes mais tout de même respectueuses de l'environnement. Tout petit domaine skiable (30 km de pistes). En revanche, l'enneigement est très bon et le cadre superbe.

🎿 **Ski de fond :** *plusieurs circuits damés (30 km au total) au départ de Larche.* Pour les enfants, un espace ludique de 4 000 m². Belles balades dans le vallon du Lauzanier, au cœur du parc du Mercantour. Petit domaine (17 km) également à Saint-Paul.

🎿 **Nordic Walking :** *à Saint-Paul-sur-Ubaye.* Itinérance douce en ski de fond, à raquettes ou à pied. La balade permet de découvrir le village, les hameaux et le magnifique point de vue sur le pont du Châtelet.

SAINT-PAUL-SUR-UBAYE *(04530)*

Bourg de montagne sur la route du col de Vars qui marque la frontière avec les Hautes-Alpes.

Achats

🍺 **Brasserie artisanale La Sauvage :** *D 902 (à la sortie du village en direction du col de Vars). ☎ 04-13-79-20-01. Ouv mar-sam (plus lun pdt les vac scol) 10h-12h30, 15h-19h.* De belles brunes, de plantureuses blondes et flamboyantes rousses... à consommer avec modération puisque la brasserie occupe les locaux d'une ancienne gendarmerie.

🍺 **L'atelier du Châtelet :** *La Grande-Serenne. ☎ 04-92-84-36-90. Tlj* *juil-août ; sinon, téléphoner avt. Sur la route de Maljasset, Olivier Houset propose des objets en bois de très belle* facture dans l'atelier même où il les fabrique.

À voir

🏃🏃 *L'église Saint-Pierre-et-Saint-Paul :* *visite guidée possible en juil-août.* ☎ 04-92-32-00-37. Une belle illustration de cette tradition romane qui a perduré dans les vallées alpines : portail du XIIIᵉ s marqué par la simplicité du roman, mais rehaussé par une pietà du XVᵉ s. Clocher carré du XVᵉ s de style lombard, flanqué de petites pyramides où trônent des gargouilles. Joli portail latéral avec des restes de bas-reliefs et de sculptures. L'érosion, sans doute appuyée par la massette des révolutionnaires, s'est acharnée sur le visage des personnages sculptés !

🏃🏃🏃 *Le musée de la Vallée Albert-Manuel :* *route de Maljasset.* ☎ 04-92-81-00-22. ♿ *(accès partiel). Ouv de mi-juin à mi-sept et pdt les vac scol de printemps :* mer-dim 14h30-18h30 *et de mi-juil à fin août tlj* 10h-12h30 *et* 14h30-19h. *Visite guidée sur résa (compter 1h) début juil-fin août, jeu à 17h. Sur rdv le reste de l'année. Entrée : 2 € ; réduc ; gratuit moins de 10 ans. Compris dans le pass 7 sites à 7 €.* Installé dans la vaste grange d'une vieille maison, ce musée aborde la vie rurale traditionnelle d'autrefois, à travers une collection d'outils et de machines agricoles anciens. Des maquettes animées construites par Albert Manuel (au nom prédestiné), le dernier forgeron à avoir exercé dans la vallée, font revivre les activités traditionnelles : le transport du bois, le tissage de la laine... Reconstitution d'un intérieur, petites collections de vêtements anciens et cache en peau de mouton des gardiens qui traquaient les passeurs de sel italiens. Le dimanche suivant le 15 août : Journée du musée vivant, pour retrouver les gestes d'autrefois (rempailleur, scieur de long, etc.).

MAURIN-MALJASSET *(04530)*

La vallée s'encaisse de plus en plus et se fait sauvage, sur fond de forêts aux essences multiples : chênes, mélèzes, peupliers, érables. De facétieuses marmottes y traversent la route, et même parfois quelques chamois au printemps, avant que l'été ne les pousse vers les hauts sommets. Dans cette solitude alpine, quelques belles maisons traditionnelles, avec leurs toits de lauzes piqués de hautes cheminées. Un hameau où il ne reste à l'année qu'une poignée d'habitants. À 1 903 m d'altitude, c'est l'un des plus hauts habitats permanents d'Europe. Pourtant, la gaieté règne : c'est vrai qu'avec l'Italie toute proche et la beauté des versants français, il y a des compensations.

Où dormir ? Où manger ?

🛏 |◉| *Gîte-auberge de La Cure :* *au cœur du hameau.* ☎ 04-92-84-31-15. ● maljasset.gite@yahoo.fr ● maljasset. fr ● *Congés : de mi-avr à mi-juin et de mi-sept à Noël. Selon saison, dortoirs 6-8 pers 39,50-40 €/pers en ½ pens (imposée).* 📶 *Apéritif offert sur présentation de ce guide.* Dans l'ancien presbytère de ce superbe hameau de montagne, rénové dans le respect du patrimoine de la région, 4 dortoirs tout équipés d'une capacité totale de 26 places. Pour les pensionnaires, petite salle d'auberge accueillante et voûtée. Cuisine familiale. Panorama unique sur les montagnes environnantes. En été, c'est le paradis des randonneurs, l'hiver, c'est ski de randonnée, de fond ou raquettes. Accueil extra de Klytë, qui a laissé les kangourous pour les marmottes, et d'Hubert qui est le fiston de cette lignée familiale qui tient le lieu depuis 1969 !

🛏 |◉| *Chambre d'hôtes Les Zélés :*

au cœur du hameau. ☎ 04-92-84-37-64. ● leszeles@yahoo.com ● les zeles.com ● Ouv de fév à mi-avr et juin-août. Chambre avec sdb 54 €/pers en ½ pens (imposée). 📶 Ici, on n'est pas au bout du monde, mais presque... Superbe et vieille ferme en pierre avec toit de lauzes, à 1 900 m d'altitude. 5 chambres (pas immenses), champêtres et chaleureuses. La table est imposée le soir, mais vu qu'il n'y a pas de restos dans les parages, on apprécie la cuisine familiale et traditionnelle proposée. Belle pièce de jour pour se détendre et, question nature, vous serez servi... le GR 5 passe à côté de la maison. Accueil cordial.

À voir

🦌 **L'église de Maurin :** juste après Maljasset, une des dernières traces de civilisation de la vallée avec deux bergeries plus haut dans la montagne. Une toiture de lauzes, une petite tour carrée, un bout de cimetière pour cette église du XVIe s (l'édifice du XIIe s ayant été emporté par une avalanche). À 15 mn à pied par le chemin du col Mary, les restes d'anciennes et impressionnantes carrières de serpentine de Maurin. Ce marbre vert veiné de blanc a été exporté dans le monde entier (les escaliers de l'Opéra Garnier à Paris ainsi que le tombeau de Napoléon aux Invalides en sont fait).

➤ **La boîte aux lettres la plus haute d'Europe :** au col Mary. Belle randonnée de 5h jusqu'au col à travers les alpages à moutons, avec retour par les lacs d'altitude du Marinet. Jadis, entre Barcelonnette et l'Italie, une lettre mettait plusieurs jours. Les guides français et italiens firent croire aux autorités qu'il existait, au col Mary, une boîte aux lettres relevée régulièrement par le facteur de Maljasset (deux heures et demie à pied pour relever une boîte presque toujours vide !).

INAUGURATION AU PIED DE LA LETTRE

Pour bluffer les autorités dubitatives, la boîte aux lettres de Mary fut inaugurée officiellement par tout un tralala de vrais et faux guides italiens et français, vraies et fausses personnalités en cols blancs, sous la bénédiction du curé. Discours officiels, timbres commémoratifs, et vin à volonté. Seul le facteur boudait.

Gag ou pas, la boîte existe encore, un peu mal en point. Les guides relèvent aujourd'hui une fois par semaine les rares lettres laissées par les randonneurs... pas trop pressés !

FOUILLOUSE (04530)

On quitte la route de Maljasset pour franchir le superbe **pont du Châtelet.** Son arche unique de pierre a été audacieusement lancée, en 1880, à une centaine de mètres au-dessus d'une étroite gorge creusée par l'Ubaye. Un site classé, assez surréaliste ! Ensuite, les lacets succèdent aux lacets. Au loin, « un p'tit village, un vieux clocher... » à 1 900 m d'altitude. On est toujours dans la « douce France de notre enfance », mais Dieu que cet adorable hameau est solitaire au milieu de sa chorale de sommets qui chantent déjà « Bella ciao ». Un must dans la Haute-Ubaye. Multiples et superbes randonnées dans le coin, à commencer par celle qui mène au *lac des Neuf-Couleurs* (6h aller-retour, possibilité de passer la nuit dans un refuge).

Où dormir ? Où manger ?

🛏 |●| 🍷 *Gîte-auberge Les Granges :* au cœur du hameau. | ☎ 04-92-84-31-16. ● gite.fouillouse@ gmail.com ● gitelesgranges.com ●

Congés : nov. Dortoirs ou doubles avec sdb partagée 20-52 €/pers en ½ pens (imposée). 📶 C'est un bon gros chalet de montagne, aux murs épais comme ça, aux planchers qui craquent, à l'aménagement tout simple. Au rez-de-chaussée, longue salle à manger voûtée gentiment dressée. Et devant, une terrasse qui donne sur le spectacle bucolique de la montagne. Allez, vous aurez le choix entre y boire simplement un coup, y dévorer une excellente part de tarte, ou y établir le camp, dérangés par le seul bruit du vent dans les herbes. Accueil jeune et très sympa.

L'UBAYETTE

Petite vallée qu'on suit en prenant la route de Larche (D 900). Les villages, détruits par l'armée allemande en 1944, sont de cette architecture utilitaire de l'après-guerre, qui n'a pas plus de charme à la montagne qu'ailleurs... Mais la vallée, aux pentes verdoyantes, mérite un petit détour. On rejoint, à 1 991 m d'altitude, le col au paysage lunaire. En haut, un ancien poste-frontière à l'abandon (« Pour l'Europe », affirme une grande inscription en façade...). Si vous faites quelques tours de roues vers l'Italie, amis vélocyclistes, vous découvrirez immédiatement sur votre gauche une discrète stèle qui rappelle au souvenir du plus grand des cyclistes italiens, Fausto Coppi, qui passa certainement par ici. En contrebas, le mignon petit lac italien de la Madeleine et sa buvette, prisée des motards.

Où dormir ? Où manger ?

🛏 |●| *Gîte-auberge du Lauzanier :* 04530 **Larche.** ☎ 04-92-84-35-93. 🍴 *(accès au resto slt). À la sortie de Larche, sur la D 900, direction col de Larche. Chambres 49 €/pers en ½ pens (imposée). Plat du jour 12 € ; menu 19,50 €. CB refusées.* Petit bâtiment récent, au départ des pistes de ski de fond. Chambres de 2 à 10 personnes au look un peu collectivité mais confortables. Au resto, ouvert aux extérieurs et imposé aux résidents le soir, petite terrasse ensoleillée face à la montagne. Cuisine familiale, toute simple et nourrissante.

HAUT VERDON – LE VAL D'ALLOS

Après avoir usé ses semelles dans l'Ubaye, en route pour le col puis le val d'Allos. Une route que ceux qui ont le pied alpin trouveront tout simplement sublime mais que tous les autres jugeront terriblement étroite sinon, ici ou là, un peu vertigineuse.
Mais il faut bien avouer qu'on reste ému face à des paysages majestueux qui suivent le passage du col d'Allos. Un caractère alpin marqué, ponctué de stations de ski en altitude, qui va s'atténuant en descendant la vallée. On passe du monde frais de la montagne à l'univers langoureux et insouciant de la Provence.

LE PARC NATIONAL DU MERCANTOUR

Jumelé avec celui de l'Argentera en Italie, le parc du Mercantour est une sorte de bastion qui résiste au béton, aux sirènes de l'or blanc, aux appels des résidences secondaires. Forcément, puisque le site est protégé. Mais cette identité farouche ne date pas d'hier. Lors du plébiscite de 1860 consacrant le rattachement du comté de Nice à la France, Napoléon III laissa

courtoisement au roi Victor-Emmanuel la jouissance de son territoire de chasse préféré. Il faudra attendre 1947 pour que tout le Mercantour soit officiellement rattaché à la France.
Entre les Alpes-de-Haute-Provence et les Alpes-Maritimes, le Mercantour reste un paradis pour la randonnée en été et un monde à part, de 70 000 ha, fait de haute montagne, de cirques, de lacs et de vallées glaciaires. Un monde où les gens de cet arrière-pays dur et âpre se sont habitués à des conditions de vie difficiles. On y trouve une flore extrêmement riche, unique en Europe : 1 500 espèces dont 200 rares, et la célèbre saxifrage. Les trois grands ongulés, chamois, bouquetins et mouflons, y cohabitent avec bonheur. Et puis maintenant, il y a les randonneurs ! Et les loups...

🛈 **Parc national du Mercantour :** ☎ 04-93-16-78-88. ● mercantour.eu ● | Permanence aux offices de tourisme de Colmars et de Val-d'Allos. Infos et doc.

VAL-D'ALLOS (LA FOUX, ALLOS, LE SEIGNUS)

(04260) | Carte Alpes-de-Haute-Provence, C2

Trois sites pour une même station qui a pris le nom de la vallée. Nichée au fin fond de la vallée du Verdon où la rivière du même nom prend sa source, à 1 800 m d'altitude, il y a d'abord *La Foux,* station nouvelle, aux petits immeubles bardés de bois qui plairont ou pas dans ce somptueux cirque montagneux. Huit kilomètres et quelques plus bas, à 1 400 m d'altitude, s'étend *Val-d'Allos – Le village,* qui préserve un centre ancien avec son petit charme. Et 100 m au-dessus se perche enfin *Le Seignus,* véritable station-village composée de petites résidences et nombreux chalets. Station familiale par excellence, d'ailleurs labellisée « Famille Plus Montagne », elle mâtine d'activités nouvelles les traditions de la montagne.

Adresses utiles

🛈 **Office de tourisme :** pl. de la Coopérative, 04260 **Allos.** ☎ 04-92-83-02-81. ● valdallos.com ● En été et au gros de l'hiver, tlj lun-sam 8h45-12h15, 14h-18h30, dim et j. fériés 9h-12h, 15h-18h ; hors saison, horaires proches, fermé dim. Office compétent. Très bonne carte des randos alentour (5 €). Livret d'accueil très détaillé et programme d'animations. Sorties thématiques (2 fois par semaine) autour de la découverte du patrimoine religieux, du patrimoine bâti et de l'histoire de la vallée. Nombreuses animations été comme hiver.
🛈 **Antenne à La Foux :** ouv slt juil-août et déc-avr ; mêmes horaires que celui d'Allos.

Où dormir ? Où manger ?

À Val-d'Allos – Le village

🛏 **L'Attrapeur de Rêves :** rue de la Citadelle. ☎ 04-92-83-30-16. 📱 06-86-99-41-11. ● blain.jean-francois@orange.fr ● attrapeurdereves.com ● À 50 m de l'office de tourisme, à droite en descendant. Double 80 €. Gîtes 5-7 pers 450-950 €/sem selon saison. Remise de 10 % sur le prix de la chambre sur présentation de ce guide. En plein cœur du village, faites un voyage en terre amérindienne, chez Jean-François, d'origine québécoise. 2 superbes chambres d'hôtes, sur le thème rétro du ski et de la randonnée à travers le temps. Déco montagnarde réussie, avec mélèze, pierres, petits cœurs et tissus épais à carreaux. On adore aussi les salles de bains et les mezzanines (idéales pour les enfants). Accueil chaleureux, autour du poêle et du comptoir de la cuisine. Propose aussi un gîte tout confort, dans le même style. Dur de décoller pour aller sur les pistes dans ces conditions !

▐●▌ *Le Bercail :* Grand-Rue. ☎ 04-92-83-07-53. Tlj sf mar-mer hors saison. À 100 m de l'office de tourisme, à gauche en descendant. Menus 15-25 € ; fondues 18-30 €. Punch (hips !) ou café offert sur présentation de ce guide. Belles voûtes en pierre. Ici, le caquelon est roi, et la fondue a le relief de la montagne : efficace, copieuse. Le menu d'appel a, quant à lui, la platitude de la plaine.

Au Seignus

🏠 ▐●▌ *Hôtel L'Ours Blanc :* ☎ 04-92-83-01-07. ● tahoe@hotel-loursblanc. com ● hotel-loursblanc.com ● Ouv de juin à mi-sept et de mi-déc à fin mars. Selon confort et saison, doubles avec sdb 63-82 € ; ½ pens 60-72 €/pers. Carte de vin. 📶 Un petit hôtel qui contraste agréablement avec les grosses structures à l'entour, au pied des remontées mécaniques, d'où l'on a une belle vue sur la vallée. Chambres simples et lumineuses (une ayant même une double exposition). Chaleureuse entrée qui incite à faire une halte dans le canapé, après avoir choisi un bouquin ou un jeu de société dans les rayonnages. Terrasse exposée plein sud, le long de la route.

Au col d'Allos

🏠 ▐●▌ *Le Refuge du Col d'Allos :* à 2 250 m, en direction de Barcelonnette. ☎ 04-92-83-85-14. 📱 06-71-59-11-81. Ouv de mi-juin à mi-sept. Dortoir 19 €/pers ; petit déj 7 € ; ½ pens 40 €/pers. Menu 19 €. Sophie et Pierre vous accueillent dans leur refuge, après une bonne grimpette en voiture ou à pied. Ils ont de sérieux arguments pour vous motiver. Petits plats maison, soit au coin de la cheminée, soit sur la terrasse aux beaux jours. Et quelle vue ! Ils proposent même un dîner aux chandelles sur réservation. Spécialités de gnocchis, ravioles, bouillabaisse de poulet et autres pâtisseries. Le plat du jour saura toujours vous contenter. Sans oublier la jovialité de Pierre. Un coup de cœur.

Ski et neige

🎿 *Ski alpin :*

➤ *À La Foux :* relié à Pra-Loup, ce domaine (230 km de pistes) est le plus vaste des Alpes du Sud. Pour ceux qui voudraient rester côté Verdon, La Foux a l'avantage d'occuper un cirque montagneux. Avec cinq versants, tous exposés différemment, on peut suivre le soleil en passant d'un site à un autre.

➤ *Au Seignus :* domaine de taille moyenne avec 50 km de pistes variées (1 500-2 400 m). Liaison par téléphérique pour ceux qui voudraient séjourner au cœur du village. Une station pionnière où a été installée, en 1936, la première remontée mécanique du Haut-Verdon.

🎿 *Domaine nordique :* à Val-d'Allos – Le village, 20 km d'itinéraires dédiés à la promenade sur neige damée ainsi qu'un itinéraire thématique sur neige à découvrir en famille. Le tout accessible gratuitement.

– Les attractions d'après (ou d'avant !) ski sont nombreuses : patinoire artificielle, randonnées à raquettes avec accompagnateur ou sur des itinéraires balisés, école de conduite sur glace, circuit trappeur, maison des petits montagnards et une impressionnante piste de luge sur rail de 900 m ouverte été comme hiver.

Sports et loisirs

➤ *Randonnées :* il y en a plein ! Il n'y a pas foule (sauf pour le lac d'Allos) et on profite largement de paysages grandioses facilement accessibles, de nombreuses forêts dans lesquelles il fait bon se perdre. Enfin, pas trop longtemps quand même ! Quelques suggestions :

➤ *Le lac des Grenouilles par le sentier nature :* départ à l'entrée de La Foux, derrière les terrains de tennis. Promenade tranquille d'une demi-journée sur un sentier balisé, en boucle. Des panneaux informatifs concernant la faune et la flore donnent plein d'explications.

➤ *Balade du col de l'Auriac :* petit sentier de 3h30 en montée A/R. On suit le même itinéraire que le précédent pendant 45 mn, puis on bifurque à droite en montant (balisage jaune et rouge), direction le *refuge de l'Estrop* *(tlj sf dim et j. fériés ; résa obligatoire :* 📱 *06-32-06-05-65).* Seuls les 200 derniers mètres présentent une petite difficulté. On peut pique-niquer en haut du col. Après la sieste, les plus courageux s'attaqueront au sommet : 1h30 de plus.

➤ *Le lac d'Allos :* accès facile depuis le parking du Laus, à 13 km par la D 226 (sauf en juillet-août où c'est réglementé). Sinon, par le GR 56 au départ d'Allos pour les bons randonneurs uniquement en 1 journée avec 1 nuit au refuge du lac pour avoir le temps de profiter. *Attention, chiens interdits, même en laisse* (sous peine d'amende). Autant dire qu'il y a un peu foule

> ## DES LARMES DE SÉCHERESSE
>
> *Le fond du lac d'Allos abrite un rocher gravé (probablement dans les années 1920) en patois : « Couré mi veras, ploureras » (« Quand tu me verras, tu pleureras »). Le jour où les habitants du coin aperçoivent l'inscription, c'est qu'ils manquent cruellement d'eau.*

en été à suivre le sentier de découverte (1h de marche jusqu'au lac), jalonné de panneaux qui permettent de « lire » ce paysage de montagne. Le lac d'Allos est à 2 225 m. D'origine glaciaire, long de 1 km et large de 600 m, il atteint 42 m de profondeur. C'est le plus grand lac naturel d'altitude d'Europe. La limpidité des eaux et la lumière ambiante confèrent au lieu des couleurs magnifiques, douces et profondes à la fois. Cela est dû au fait que les micro-organismes et autres plantes ne pouvant y vivre, à cause du manque d'oxygène, le bleu du ciel s'y reflète sans aucun obstacle. Magique !

➤ 🚲 *VTT :* carte précise gratuite à l'office de tourisme. Pas mal d'itinéraires balisés. Certains sont accessibles grâce aux remontées mécaniques, il ne reste plus qu'à dévaler les pentes.

– 🧍 *Parc de loisirs :* ☎ 04-92-83-01-89. *Prix d'entrée variable (renseignez-vous) ; gratuit jusqu'à 5 ans et après 75 ans !* Pour qui aime côtoyer de près ses voisins, pour les jeunes et moins jeunes, un grand plan d'eau artificiel situé dans un cadre magnifique, au pied du village d'Allos. Foultitude d'activités : baignade, toboggan aquatique, embarcations à pédales, kayak, minigolf, terrains de jeux de ballon... À proximité immédiate se trouvent également un centre équestre et un parcours accrobranche.

LES VALLÉES ALPINES

COLMARS-LES-ALPES

(04370)   400 hab.   *Carte Alpes-de-Haute-Provence, C2*

Au creux de la vallée, au milieu des forêts et des prairies, surprenante rencontre avec une petite bourgade fortifiée, au caractère médiéval encore marqué. Elle a énormément de charme, toujours sertie de ses remparts du XIVe s réaménagés sous François Ier puis Louis XIV, superbement enjambés par

l'église, poinçonnés d'une bordée d'archères, surplombés par un chemin de ronde et percés de portes à l'allure massive. À l'époque, la ville était réputée pour sa production de drap de laine. Levez les yeux, vous verrez d'ailleurs quelques greniers ouverts, où séchait le drap. Dominant ce très beau site, le fort de Savoie vous accueille au nord, et le fort de France au sud. Il faut dire que ça guerroyait ferme à l'époque, les Savoyards débarquant régulièrement dans cette zone frontière. Le problème est que, contrairement à nous, ils ne venaient pas y faire du tourisme.

LES VALLÉES ALPINES

Adresse utile

🛈 *Office de tourisme :* D 908. ☎ 04-92-83-41-92. • colmars-les-alpes.fr • *Hors les remparts, presque en face de l'église. Tlj sf dim.* 📶 *(24h/24, y compris depuis l'extérieur).* Appli sur l'histoire des draperies téléchargeable gratuitement (codes QR sur les panneaux explicatifs dans le village) ; sinon, tablettes en loc. *(gratuit ; caution 500 €).* Dans les mêmes locaux, la *Maison du parc national du Mercantour* a une permanence en été *(9h-12h15, 14h-17h45).*

Où dormir ? Où manger ?

⛺ *Aire naturelle de camping « Les Pommiers » : chez Mme Palmieri, La Buissière.* ☎ 04-92-83-41-56. 📱 07-86-40-21-76. • contact@camping-pommier.com • camping-pommier.com • ♿ *À 500 m du centre, fléché sur la gauche, direction Saint-André-des-Alpes. Ouv de mi-avr à début oct. Tente 2 pers et voiture 13 €. Loc de caravane 210 €/sem. CB refusées. 25 empl.* Un petit camping familial idéalement placé, avec son herbe bien verte, au calme, au milieu des montagnes. Stop camping-cars. Propre. Boulanger tous les matins et commerces à 500 m. Barbecues individuels à disposition. Estampillé « Bienvenue à la ferme ».

🍴 *Pizzeria Le Gaulois : pl. de l'église Saint-Martin.* ☎ 04-92-83-41-16. • dubus.bastien@orange.fr • *Tlj sf mar-mer hors saison. Congés : de mi-mai à mi-juin et nov. Pizzas 10-14 € ; salade 16 €.* Une petite salle montagnarde ou des grandes tablées en terrasse, à l'ombre du clocher de l'église. Bonnes pizzas et spécialités de montagne à la tomme de Savoie ou au reblochon. Mais aussi avec quelques piments d'Espelette ! Service sans chichis et cordial.

À voir

🚶🚶 *Le village :* panneaux explicatifs en lave émaillée. À l'abri de ses remparts, toujours fidèles au poste depuis le haut Moyen Âge, le village a préservé quelques petites pépites, et un indéniable cachet. En ignorant quelques erreurs de casting urbanistiques, il faut se plonger dans les ruelles au tracé médiéval ; écouter chanter une multitude de fontaines qui devaient être bien pratiques par temps de siège ; jeter un œil (voire deux) dans la très mignonne *chapelle Saint-Joseph* avec ses massives colonnes en pierre volcanique, à côté de la porte de Savoie ; lever les yeux vers le toit du *clocher de l'église Saint-Martin,* tatoué d'une croix en tuiles vernissées.

🚶🚶 *La maison-musée :* rens au ☎ 04-92-83-41-92 ou 17-99. *Ouv l'ap-m ts les w-e et tlj juil-août 14h-18h. Entrée : 4 € ; gratuit moins de 12 ans. Partenaire passeport des musées.* L'entrée donne accès au chemin de ronde et dans les tours qui accueillent des expositions. Musée d'Arts et de Traditions populaires sur trois étages d'une vieille maison du village ayant appartenu à une famille de notaires.

Tous les objets proviennent du haut Verdon et sont antérieurs à 1920. Reconstitution d'un salon bourgeois, d'une cuisine paysanne, d'un atelier de cordonnier, costumes anciens, etc. Également des photos noir et blanc retouchées au fusain (demandez ce qui est écrit au dos de l'une d'elles). Étonnant, voyez comment les propriétaires ont tout simplement annexé l'ancien chemin de ronde. Un fait courant à Colmars. Dans les tours, on découvre ce qu'est la bravade (une photo des années 1950 montre le maire et le curé qui jouent à saute-mouton !), la salle consacrée à l'agriculture, et la collection de papillons de Dany Lartigue. Petit jardin de poche ombragé par un érable.

🎥🎥 *Le fort de Savoie :* ☎ 04-92-83-41-92. *Juil-août, tlj 14h30-19h ; visite commentée lun, mer et sam à 10h (départ devant l'office de tourisme). Entrée : 2 € ; gratuit moins de 14 ans.* Il a, comme le village, un charmant air moyenâgeux. Pourtant ce fort fut bâti (comme le fort de France, au sud du bourg) à la fin du XVIIe s par Richerand. L'inévitable Vauban n'est jamais passé à Colmars : il a juste signé les plans des fortifications à... Saint-Paul-de-Vence. Dans la grosse tour ronde, impressionnantes charpentes en bois de mélèze. Quatre salles voûtées, où logeait autrefois la garnison, abritent désormais des expositions.

Fêtes

– *Fête patronale de la Saint-Jean-Baptiste :* 23, 24 et 25 juin. Célébrations religieuses, défilés militaires, bals, banquets...
– *Fête médiévale :* 2e w-e d'août. 2 jours durant, la ville ressort ses surcots et autres souquenilles du Moyen Âge. Concerts, marchés, ateliers, repas, animations...

BEAUVEZER

(04370)　　　　350 hab.　　　　*Carte Alpes-de-Haute-Provence, C2*

Charmant et authentique petit village, juché à 1 170 m d'altitude au-dessus de la vallée. De rustiques maisons montagnardes y ont poussé en hauteur pour chercher le soleil, bordant d'obscures et pentues ruelles aux noms pittoresques : rue Rompe-Cul, rue des Chats... De vieilles boutiques aux enseignes de bois que les années ont écaillées et quelques hôtels à la mode du début du XXe s, abandonnés ou reconvertis en appartements ; souvenirs de l'époque où la bonne société niçoise ou marseillaise venait ici faire des cures « d'air et de lait ». Beauvezer fut aussi le siège de la dernière manufacture de draps de la région, fermée en 1962.

Où dormir ? Où manger à Beauvezer et dans les environs ?

Camping

⛺ *Les Relarguiers :* route de Colmars. ☎ 04-92-83-47-73. ● contact@relarguiers.com ● relarguiers.com ● ⚓ À la sortie du village, sur la gauche de la D 908, direction Thorame. Fermé de nov à mi-déc. Selon saison : tente 2 pers et voiture 15-25 € ; mobile homes 4 pers 240-470 €/sem. 172 empl. Au pied du village, pris dans les pins, bien au frais, un joli terrain tout confort. La végétation qui sépare les emplacements donne à chacun un peu d'intimité. Barbecue, aires de jeux pour les plus jeunes. Pizzeria en juillet-août. Le GR 6 passe dans le coin. Accueil très aimable et jolie déco dans les parties communes. Piscine.

Bon marché

⌂ **Hôtel Le Bellevue :** *pl. du Village.* ☎ *04-92-83-51-60.* ● *info@lebellevue.eu* ● *lebellevue.eu* ● *Double 65 € ; ½ pens 60 €/pers.* 📶 Un petit hôtel (une douzaine de chambres) qui était déjà là au début du XXᵉ s, pour accueillir la belle société de la Côte d'Azur venue respirer le grand air de la montagne. Aujourd'hui tenu par un sympathique couple hollandais, il a conservé un petit côté rétro, pas du tout désagréable. Chambres rénovées, plaisantes (la nᵒ 3 a un petit balcon donnant sur la place) et spacieuses. Bar-resto avec terrasse verdoyante, également parfait pour le petit déj. Atmosphère conviviale et cosmopolite.

Achats

🎁 **Maison de produits de pays du haut Verdon :** *à droite de la D 908 en arrivant de Colmars.* ☎ *04-92-83-58-57. Tlj pdt les vac scol (également ven et w-e hors vac scol) et 1ᵉʳ juin-30 sept 9h30-12h30, 14h30-19h (non-stop en juil-août).* Un lieu qui regroupe des artisans et producteurs locaux que vous auriez parfois du mal à dénicher. Il y en a pour tous les goûts : confitures, poteries, laine mohair, miel de lavande et de montagne, génépi... Idéal pour le pique-nique, avec la charcuterie et les fromages de montagne. Il y a même de l'hydromel et d'énormes yaourts fermiers.

DANS LES ENVIRONS DE BEAUVEZER

LA VALLÉE DE L'ISSOLE

Petite vallée encore sauvage, pas du tout touristique, qui relie Beauvezer à Saint-André-les-Alpes. En aval de Thorame-Haute, la route poursuit au travers de paysages qu'on pourrait croire canadiens : vastes étangs, prairies festonnées de forêts. Juste avant La Batie, jetez un coup d'œil aux fresques du XIIᵉ s de la toute petite chapelle Saint-Thomas (clé à prendre en route, au gîte de Château-Garnier ou à la Miellerie). On descend ensuite sur Saint-André à travers les bois.

Où dormir ? Où manger ?

⛺ ⌂ |●| **Camping, gîtes et chambres d'hôtes La Ferme du Villard :** *04170 Thorame-Basse.* ☎ *04-92-83-92-53.* ● *camping@thorame-basse.com* ● *thorame-basse.com* ● *À droite à l'entrée de Thorame-Basse. Camping ouv mai-oct ; gîtes et chambres tte l'année. Empl. pour 2 pers avec voiture 10,50 € ; double 50 € ; gîtes à la sem env 310-360 € selon saison. Table d'hôtes (hors juil-août) 16-20 €.* À 1 200 m d'altitude, un paisible village parfait pour la randonnée. Vaste camping, pas loin d'un petit étang, dans une très belle nature. Appartements et chambres pas très gais mais bien tenus. Toute la famille Pougnet accueille chaleureusement.

LA VALLÉE DE LA VAÏRE

Via le col de La Colle-Saint-Michel (D 908 depuis Thorame-Haute), on rejoint la petite et verdoyante vallée de la Vaïre jusqu'à Annot. Si vous avez le temps, poussez « la chansonnette » jusqu'à Peyresq à 4 km, isolé, pris dans les montagnes à 1 528 m et restauré depuis 20 ans par des familles belges qui animent le village l'été. La route dégringole ensuite vers le fond de la vallée, offrant une vue superbe sur *Méailles* et ses vieilles maisons de pierre agrippées à leur piton rocheux. On traverse enfin *Le Fugeret* avec son vieux pont du XVIIIᵉ s et sa fontaine, puis un chaos de blocs rocheux qui annonce ceux d'Annot.

Où dormir ? Où manger ?

🏠 🍴 *Auberge L'Oustalet :* 04170 *La Colle-Saint-Michel.* ☎ 04-92-83-23-80. ● louisette.ricaud@orange.fr ● gite-auberge-colle-st-michel.com ● *Au village. Resto tlj ; hors saison sur résa. Double avec sdb 50 €/pers en ½ pens. Gîte de séjour (pour 15 pers) également env 200 €/w-e ou 500 €/sem en hte saison. Menu 22 €.* 📶 Ambiance très

campagne, sans chichis dans cette ancienne ferme réhabilitée. Chambres d'un honnête confort et tranquilles. À table, dans l'ancienne étable, la cuisine du pays est simple mais copieuse, avec plantes et herbes du coin (épinards sauvages renommés !). Familiale et naturellement sympathique.

LES VALLÉES ALPINES

ANNOT

(04240)   1 100 hab.   *Carte Alpes-de-Haute-Provence, C-D3*

Annot (prononcez « Annote ») connut son heure de gloire à la fin du XIVᵉ s, lorsque le comté de Nice ne fit plus partie de la Provence. Comme la ville était proche de la frontière, une garnison s'y établit. Annot devint alors un centre d'échanges entre la Provence, le comté de Nice et le Piémont. Un marché hebdomadaire et une foire franche furent institués.
Au XVIIIᵉ s, l'industrie lainière se développa, aux côtés de fabriques de tuiles, de chapeaux et de distilleries d'essence de lavande. Trois moulins à huile dans la région produisaient quelque 30 000 l d'huile de noix. Mais l'industrie du noyer commença à boire la tasse dans les années 1870, et en 1890 la fabrication d'huile avait cessé.
Aujourd'hui, Annot préserve un joli petit centre doté de vieilles ruelles et de plaques qui, au fil des rues, racontent cette belle histoire. Ce village mi-provençal, mi-alpin, empreint de fraîcheur, à 705 m, offre de nombreuses possibilités de randonnées dans un très beau cadre de montagnes. L'été, la vallée fleure bon la lavande et le tilleul.

Adresse utile

ℹ️ *Office de tourisme :* pl. du Germe. ☎ 04-92-83-23-03. ● accueil@annot-tourisme.com ● *Mai-oct, mar-sam (ouv lun juil-août) 9h-18h30, dim et j. fériés 10h-15h ; fermé à 17h et dim*

et j. fériés oct-mai. Visite guidée de la ville mar et ven (juin-sept). 📶 *(payant).* Accueil compétent et d'une grande gentillesse.

Où dormir ? Où manger ?

De bon marché à prix moyens

🏠 🍴 *Hôtel de l'Avenue :* av. de la Gare (presque à l'angle avec la rue principale). ☎ 04-92-83-22-07. ● contact@

hotel-avenue.com ● hotel-avenue.com ● *Ouv fin mars-fin oct. Resto ouv slt le soir. Doubles 65-80 €. Menu 26 € (soir) ; à la carte compter 35-40 €.* 📶 La bonne adresse du coin. Derrière une façade pimpante, jolies chambres, agréables et modernes, avec des petites attentions disposées çà et là. Côté resto, la Provence est au rendez-vous autour d'une cuisine revisitée, même si le menu n'est pas très sexy. Salle joliment contemporaine, beaux bouquets de fleurs fraîches. Déco personnelle et soignée dans l'ensemble de l'hôtel. Remarquable petit déj. Accueil énergique et souriant de la patronne. Une bonne escale.

|●| ✿ **Oh ! 3 Cèpes :** 1, pl. du Revelly. ☎ 04-92-83-57-10. Tlj 7h-22h (sf soirs mar-mer et j. fériés en basse saison). Congés : janv-mars. Formule déj et plat du jour (jusqu'à 17h) 12,50 € ; Carte 18-22 €. Digestif maison offert sur présentation de ce guide. Ça ressemble à l'épicier du coin, avec des rayons gorgés de bons produits qui prônent le « kilomètre zéro » et revendiquent largement le bio. Miel, vins, fruits, poisson (des truites venant du Cians !). Et tout ce beau monde se pousse du coude pour faire la star dans votre assiette. Une cuisine vraiment pas chère, super fraîche, pleine de saveurs conjuguées, servie avec gentillesse sur un coin de table de l'épicerie ou une agréable terrasse. Allez, on attribue une note de « 3 cèpes » à ce resto de terroir pur jus.

|●| **Pizzeria Le César :** pl. du Revelly. ☎ 04-92-83-31-50. Tlj sf dim soir et lun hors saison ; fermé de mi-nov à début janv. Plat env 15 €. Café offert sur présentation de ce guide. On a beau être en Provence, on ne dédaigne pas pour autant une grande pizza, à la pâte fine et croustillante. Également quelques plats de viande pour les humeurs carnassières, des salades et des pâtes (maison). Un décor qui fleure le pastis, à l'ombre de la terrasse.

À voir. À faire

🎿🎿 **Le vieux village :** plein de caractère avec ses rues tortueuses, passages voûtés, pierres disjointes, maisons des XVIe et XVIIe s... Montez la Grand-Rue, qui s'ouvre sous une porte fortifiée. Les trottoirs, piliers et dallages sont en... grès d'Annot. De superbes portes sculptées anciennes. Un bel hôtel particulier du XVIIe s, la **maison des Arcades,** abrite le **musée Regain :** ☎ 04-92-83-23-03 (office de tourisme). Ouv juil-août, tlj sf mer. GRATUIT. Expos temporaires. Rue Notre-Dame, belles portes encore, surmontées de linteaux armoriés dont le plus ancien remonte à 1484. Tout au bout, beau et long lavoir. À une portée de cloches, l'église romane est flanquée de bas-côtés du XVe s qui portent un étonnant graffiti révolutionnaire, tracé à la peinture rouge (évidemment). À l'arrière, notez l'abside surélevée en tour de défense crénelée et un joli clocher Renaissance.

➢ **La Chambre du Roi (ou chaos de grès d'Annot) :** livret à l'office de tourisme. Promenade superbe (compter de 2h30 à 3h). Annot est célèbre pour ses rochers de grès, curieusement façonnés par l'érosion. Dès l'entrée sud du village, remarquez les maisons blotties dans le rocher. Classé « Espace naturel sensible », ce chaos rocheux, où se mêlent sites d'escalade, paysages étonnants, mystère des

LE SEIGNEUR DE L'ANNOT

Selon une légende, un seigneur vint au XIe s demander asile au seigneur d'Annot (Sigummana alors) pour abriter sa belle et sa cour. Tous se réfugièrent dans une caverne avant d'être découverts par leurs ennemis. Une énorme bagarre s'ensuivit, provoquant, dit-on, cet énorme chaos de pierre.

blocs de grès cyclopéens, sources de légendes ancestrales et d'histoires plurimillénaires, est à découvrir au cours d'une randonnée. Prendre le sentier balisé derrière la gare, qui grimpe jusqu'à un défilé à l'entrée duquel se creuse à droite la caverne dite « Chambre du Roi ». Plus loin sur ce chemin, une corniche offre une vue splendide à 180° ! Puis on atteint les *Portettes,* arcs naturels de grès, les sous-bois pleins de fraîcheur des *Espaluns* et la chapelle *Notre-Dame-de-Vers-la-Ville.* Tout au long de la rando, des bornes interactives (avec codes QR) présentent la richesse de ce patrimoine.

➤ **Les bords de la Vaïre :** traverser la rivière à partir de la place des Platanes, et suivre à droite la rivière par un chemin qui mène à la jolie *chapelle de Verimande,* construite par les Templiers.

– **Eau Vive Évasion :** *base de Guillaumes, petit bureau sur la pl. du Revelly.* 📱 *06-86-18-08-32.* ● *eau-vive-evasion.com* ● *Slt sur résa.* Les joies du rafting, de la nage en eaux vives, du canyoning et de la rando aquatique en bonne compagnie (30 ans d'expérience).

– **Le centre équestre de Vérimande :** *quartier Vérimande.* 📱 *06-17-75-54-33.* ● *centreequestreannot.fr* ● *Ouv tte l'année.* Balades à poney ou à cheval.

Fêtes

– **Saint-Fortunat :** *sam-mar de la Pentecôte.* Avec bravade en costumes Empire et fanfare.

– **Festival de Folklore national :** *1 w-e mi-juil (années paires).* Groupes venant de toutes les régions de France.

– **Annot'Goût :** *1 w-e en oct.* Quatre chefs étoilés viennent cuisiner ; démonstrations de cuisine et animations.

ENTREVAUX

(04320)   960 hab.   *Carte Alpes-de-Haute-Provence, D3*

Entre de sévères falaises qui semblent s'être entrebâillées pour lui laisser de la place, une place forte militaire, dominée par une citadelle haut perchée, intacte depuis le XVIIIe s. La ville verrouilla longtemps un lieu stratégique, puisqu'elle était située à la frontière des États de la maison de Savoie. Vauban améliora ses fortifications de 1692 à 1706. Loin des grands centres touristiques de la côte, elle n'a pas subi de restauration trop agressive ; au contraire, les façades fissurées et un certain laisser-aller font bien sentir l'effritement du passé... Côté papilles, ne manquez pas de goûter à la spécialité locale : la *secca,* une délicieuse salaison de rond de gîte de bœuf, hélas en voie de disparition.

Adresse utile

🏛 **Bureau d'accueil :** *à l'entrée de la vieille ville (tour de gauche du pont-levis).* ☎ *04-93-05-46-73. En été, tlj* 10h-12h30, 14h-18h. *Horaires restreints le reste de l'année.*

Où dormir ? Où manger ?

🏠 **Chambres d'hôtes La Maison de Julie :** *Le Plan-d'Entrevaux.* ☎ *04-92-02-46-42.* ● *contact@maisonjulie. com* ● *maisonjulie.com* ● Prendre la N 202 vers Annot sur 1,5 km ; puis à gauche la D 560 sur 2 km ; fléché ensuite. *Congés : nov-mars.* Double 60 €. *Gîte 4 pers 70 €/nuit (hors* juil-août) ou 400-450 €/sem. 📶 *Dans la maison de Julie, vous êtes reçu par...* Carole et son sourire réservé. Ici, 2 vastes chambres sobres et coquettes. L'une dotée d'une véranda, l'autre d'une mezzanine pour les bambins ; toutes deux avec de mignonnes salles de bains. Gîte à l'avenant... Les petit déj se prennent sur la terrasse et on peut utiliser une cuisine. Pour compléter le panégyrique, une vue panoramique sur la vallée du Varet les clues à l'entour.

|●| Crêperie du Chevalier : rue Basse-des-Remparts. ☎ 04-93-05-43-68. Ouv de mi-fév à mi-nov, tlj sf lun-mer en basse saison (le soir sur résa). Galettes 10-12 € ; crêpe env 8 €. Apéritif maison offert sur présentation de ce guide. Pour le miam-miam, c'est un peu morne plaine à Entrevaux. Alors il faut s'enfoncer dans les petites ruelles presque secrètes pour un vrai moment de réjouissance autour de galettes qui font la part belle à des garnitures originales : la très locale secca, des escargots (mais oui !), de la fondue de poireau... quant aux crêpes sucrées, ça glisse toujours tout seul !

À voir

La vieille ville : vaut vraiment le détour. On y pénètre par un pont-levis et on se laisse dériver dans les rues ombragées aux hautes maisons pittoresques. La tortueuse *rue Serpente*, la *rue Coude* (devinez-en la forme), l'*Androne-la-Voûte* (c'est son nom !) couverte sur une bonne vingtaine de mètres, et la *rue Rompe-Col* qui a dû voir de belles gamelles. Juste derrière la mairie, belle placette bordée d'antiques bâtisses, dont l'ancien *hospice Saint-Jacques.* Juste à gauche, jetez un œil à la belle fortification avec pont-levis de la *porte de France.*

L'église : l'ancienne cathédrale, date du début du XVIIe s et s'est « naturellement » intégrée dans les fortifications ordonnées par Vauban. D'où son clocher crénelé qui servait de tour de guet et de défense. La porte en bois exprime un style Louis XV bien affirmé, avec force rocailles et moulures. L'intérieur est un chef-d'œuvre de décoration baroque et gothique. Le maître-autel, somptueux, traité à la feuille d'or, est un des plus beaux de la région. Superbes stalles (une bonne cinquantaine), en noyer sculpté.

Le musée de la Moto : rue Serpente. ☎ 04-93-79-12-70 (le soir). ● franck. lucani@wanadoo.fr ● Accès fléché. Tlj mai-août 10h-12h30, 14h-18h, slt le w-e en avr et sept. GRATUIT. Quelque 75 modèles de tout ce qui a deux roues et un moteur. Le résultat de 40 ans de « collectionnite » aiguë... accroché jusqu'aux plafonds, sur deux étages d'une ancienne remise. Des pièces rares, étonnantes ou mythiques : un Solex, un scooter de parachutiste, des motos pliables, une mobylette à deux moteurs. Et l'accueil d'un passionné qui ne se fera pas prier pour vous raconter sa collection personnelle.

La citadelle : accès tte l'année. Entrée : 3 € (machine délivrant des jetons : prévoyez de la monnaie). Une dizaine de rampes en zigzag mènent au vieux château. La construction de cet étonnant chemin fortifié, commandé par Vauban, nécessita 50 années de travaux. Il la voulait imprenable, elle le resta. On monte en 30 mn à la *citadelle* proprement dite. De loin, et d'en bas, elle a des airs de minimuraille de Chine. Le bâtiment en lui-même comprend trois casernes, une boulangerie et la maison du commandant. Situé à 150 m au-dessus du fleuve, de là-haut, la vue panoramique sur la ville, les Alpes-de-Haute-Provence, la vallée du Var est tout bonnement sensationnelle.

DANS LES ENVIRONS D'ENTREVAUX

Les gorges de Daluis et du Cians : parmi les plus grandioses paysages de la région. Dans le département voisin des Alpes-Maritimes, mais l'accès aux gorges de Daluis se fait par la N 202, à mi-chemin entre Entrevaux et Annot. Après le charmant village de Guillaumes, la D 28 mène à Valberg puis Beuil, avant de redescendre à travers les gorges du Cians. Une jolie façon d'aborder la Côte d'Azur, par l'arrière-pays.

🕯 *Le pont de la Reine-Jeanne :* très beau pont classé situé sur la N 202, juste après le tunnel sur la gauche, à 8 km d'Entrevaux. Il est surtout visible en descendant d'Annot vers Entrevaux.

🕯🚶 On peut gagner le Verdon par la N 202 et le *col de Toutes-Aures.* Belle route, tranquille pour une nationale, succession de clues vertigineuses comme la région en a le secret et de vallées plus aimables. Vous noterez, au passage, juste avant le village de Vergons, *Notre-Dame-de-Valvert.* Une très belle chapelle qui baigne ses formes romanes et son toit en lauzes dans un magnifique paysage. Passé le croquignolet cimetière, on pénètre dans cet intérieur superbe de simplicité avec sa nef unique et ses trois chapelles absidiales. L'ensemble nous vient tout droit du XIIe s, presque sans une ride.

LE VERDON

SAINT-ANDRÉ-LES-ALPES ET LE LAC DE CASTILLON (04170) 950 hab. *Carte Alpes-de-Haute-Provence, C3*

À 900 m d'altitude, au confluent de l'Issole et du Verdon, un petit bourg commerçant. En aval de Saint-André, 500 ha de la vallée ont été noyés en 1947 sous les eaux du lac de Castillon, à la construction du premier des cinq barrages qui, aujourd'hui, jalonnent le cours du Verdon.

Adresse et info utiles

🅸 *Office de tourisme :* pl. Marcel-Pastorelli, à côté de la mairie. ☎ 04-92-89-02-39. ● saintandrelesalpes-verdontourisme.com ● Ouv juin-sept, lun-sam 9h-12h, 13h30-18h, dim et j. fériés 10h-12h30 ; juil-août, tlj 9h-13h, 13h30-19h ; horaires restreints le reste de l'année. Visites guidées du village juin-sept, mar à 10h (4 € ; durée 2h30). Circuit des anciennes draperies : brochure à l'office de tourisme et panneaux explicatifs en ville.
– *Marché :* sam et mer.

Où dormir ? Où manger à Saint-André-les-Alpes et dans les environs ?

Campings

⚠ *Camping municipal Les Iscles :* route de Nice. ☎ 04-92-89-02-29. 🖷 06-70-41-83-46. ● accueil@camping-les-iscles.com ● camping-les-iscles.com ● ⚡ À 1 km au sud-est de Saint-André par la N 202 (fléché). Ouv avr-15 oct (jusqu'à fin oct pour loc). Tente 2 pers et voiture 12,50 €. Selon saison, loc de mobile homes 2-4 pers 245-525 €/sem. 200 empl. Tout près du Verdon, pas trop loin du village et pourtant au calme, ce terrain a bien des vertus : belle pinède, nombreux barbecues bien répartis, tennis et minigolf à proximité. Maxi-camping et miniprix. Pensez à réserver.

LE VERDON

⛺ *Camping Les Steppes du Khaan* : 04170 *Angles.* ☎ 04-92-83-73-64. 📱 06-73-92-67-86. ● angles04@hotmail.fr ● amivac.com/site17704 ● Depuis la N 202, prendre entre les 2 tunnels vers le village d'Angles ; puis, à l'entrée, chemin de droite sous les arbres, tt droit, le champ de yourtes se trouve sur la gauche. Ouv de mi-avr à mi-oct. Yourtes 250-350 €/sem ; pour 2 pers 55 €/nuit. 6 empl. Direction la Mongolie pour une ou plusieurs nuits dans l'habitat traditionnel mongol, la yourte. Décoration traditionnelle très réussie, chaleureuse et haute en couleur. Douche et sanitaires communs. Dépaysant !

De très bon marché à prix moyens

🏠 *Hôtel Lac et Forêt* : route de Nice. ☎ 04-92-89-07-38. ● info@lacforet.com ● lacforet.com ● ♿ Sur la N 202 en direction de Saint-Julien, à la sortie du bourg, sur la droite. Ouv Pâques-11 nov. Doubles 67-82 € ; supérieure env 110 € ; petit déj 9,50 €. 📶 Hôtel installé face au lac, dans une grosse bâtisse d'un autre siècle aux faux airs de manoir. De beaux espaces et le charme de l'ancien, même si certains trouveront la déco très kitsch, des papiers peints « fleuris » de ces chambres spacieuses à la moquette élimée de leurs salles de bains. Et puis, il y a une poignée de « supérieures » qui se pomponnent à la mode du XXIe s, bien plus chères. L'ensemble est bien tenu. Calme la nuit, malgré la nationale juste devant.

🏠 ▮◉▮ *Le Bel Air* : route de Nice. ☎ 04-92-89-03-04. ● lebelair04@orange.fr ● hotel-belair-verdon.com ● Doubles 45-50 €. Resto ouv midi et soir. Formule 13,50 €, carte 20-25 €. 📶 Petit établissement de bord de route récemment repris. Les (toutes) petites chambres, bien entretenues, s'y parent de couleurs flashy. Préférez nettement celles à l'arrière, avec mini-balcon, à celles de l'avant donnant sur la nationale. Fait aussi resto.

▮◉▮ *Le Chamatte* : 04170 *Vergons, sur la N 202, entre Castellane et Saint-Julien-du-Verdon et Annot.* ☎ 04-92-89-10-83. Tlj sf mer ; hors saison, fermé le soir dim-jeu. À partir de 18 €. Sur la placette du village. Un petit bistrot de pays caché sous son tilleul, avec sa terrasse croquignolette, sa fontaine qui glougloute et son clocher qui marque les heures. Au menu, produits de saison et de pays. Salade du berger, avec fromages locaux et assiette de charcuterie. Mais aussi de bons petits plats, servis avec le sourire. Au fait, le « Chamatte » est le nom de la montagne de 1 878 m, en forme de poire, juste derrière. Alors gardez un peu de place en dessert pour la « poire chamatte » (crème de marron, chocolat chaud et sirop).

À voir autour du lac de Castillon

🚶 *Le réseau miniature* : chemin des Vertus, à *Saint-André-les-Alpes.* ☎ 04-92-89-08-61. ● house.coullet@free.fr ● Prendre la route de Digne, puis tourner à droite juste après le pont du chemin de fer. Sur rdv tte l'année. GRATUIT. M. Coullet, ancien ingénieur de la SNCF, est un fou de chemins de fer. Il ouvre au public son incroyable réseau miniature, terriblement réaliste (regardez les feux tricolores en action...).

🚶🚶 *Saint-Julien-du-Verdon* : village autrefois perché qui s'est retrouvé les pieds dans l'eau. Jolis site et vue sur le lac, deux églises, et un cimetière de poche terriblement romantique. Sans oublier le four communal, toujours en place (pas loin de la seule cabine téléphonique du village). Plage et activités nautiques en contrebas. *Biké Beach* : plage du Touron. 📱 06-76-48-79-71. ● bike-beach.com ● Tlj de mi-juin à mi-sept.

🚶 *Le barrage de Castillon* : sur la D 956, direction Castellane. Cet ouvrage sert également de pont sur le Verdon. Ne se visite pas. Pas grave, il n'a rien de franchement spectaculaire. Une curiosité quand même dans le coin : l'insolite présence (en pleine montagne !) de la Marine nationale, qui a installé un centre de recherches sur le lac (ces plates-formes que l'on aperçoit depuis la route qui mène au barrage).

➤ 🕴 *Le site du Mont-Chalvet :* *brochure à l'office de tourisme. Navette (5 €) depuis l'école de parapente Aérogliss, puis 2h de marche A/R. Petit sentier de découverte. Avec sa table d'orientation, on fait une pause pour admirer le paysage.*

Sports et loisirs

⌂ *Plages :* *plage du plan à* *Saint-André-les-Alpes.* ⛄ *Baignade surveillée juil-août.* Activités : embarcations à pédales, canoë et même du *paddle board* (du kayak... debout).

– *Parapente :* *rens auprès d'*Aérogliss. ☎ 04-92-89-11-30. ● *aerogliss.com* ● Saint-André étant une des capitales françaises (européennes et même mondiales !) du vol libre, c'est l'occasion de découvrir les sensations du delta et du parapente dans un cadre ensoleillé de montagnes.

– *Rafting, canoë-kayak, canyoning, etc. :* la vallée du Verdon se prête remarquablement aux randonnées terrestres et aquatiques, au canyoning et canoë raft. Voici deux spécialistes : *Pro-Verdon Activités* (📱 06-88-25-16-52 ; ● *verdon-info. net* ●), et *Aqua-Bond* (📱 06-61-99-13-79 ; ● *facebook.com/aquabondrafting* ● ; *de mi-juin à mi-sept).*

– *École de voile Sails'n Sun :* 📱 06-60-05-90-69. Cours particuliers et collectifs. Location de planches à voile et catamarans, dériveurs, rando voile.

DANS LES ENVIRONS DE SAINT-ANDRÉ-LES-ALPES

LA CATHÉDRALE DE SENEZ

À 19 km au sud-ouest de Saint-André par la N 202, puis la D 4085. On imagine mal qu'un aussi petit village puisse cacher une cathédrale aussi imposante. Et pourtant, Senez fut bien le siège d'un évêché du VIe au XVIIIe s. Après la visite, en route pour Castellane avec, au programme, les superbes clues de Taulane, puis le site géologique des Sirènes et Fossiles, et enfin une vue panoramique sur Castellane et son rocher.

🕴🕴 *La cathédrale de Senez :* *résa (à l'avance) auprès de Mme Aillaut :* 📱 06-30-87-42-21. *Visite guidée : 2 €.* Cette cathédrale du XIIe s, aux proportions majestueuses, est un bel exemple de ce dépouillement caractéristique de l'architecture romane (même si elle a été sérieusement rénovée au cours du XVIIe s). À l'intérieur, notez la place disproportionnée laissée au clergé (chœur, stalles). Des tapisseries d'Aubusson et de Flandres datant de la fin du XVIIe s et illustrant des scènes de l'Ancien Testament revêtent certains murs. Elles ont fait l'admiration de Napoléon Ier qui faisait du tourisme sur la « route... Napoléon », le 3 mars 1815. À voir également, deux beaux retables baroques de 1678 et 1691 avec colonnes torses. De belles chasubles sont exposées dans le transept. La visite continue par le cimetière (au passage, vue sur le très beau chevet de la cathédrale), les restes du cloître, le séminaire et l'école des filles.

Où dormir ? Où manger dans les environs ?

🏠 |🍴| *Domaine d'Aiguines :* 04330 Saint-Jacques. ☎ 04-92-34-25-72. | ● *alix.chaillan@wanadoo.fr* ● À une dizaine de km au nord-est de Senez par la D 4085 ; 3 km après Barrême, prendre à droite la N 202 direction Saint-André, puis fléché. Fermé dim soir et ts les soirs hors saison. Slt sur résa. Gîte 2 pers env 441-556 €/sem. Menus 25-33 €. Digestif maison offert sur présentation de ce guide. Vous aimez le canard ? Vous devriez vous régalor. Frédéric et Alix Chaillan ont fait de leur ferme du XVIIe s un temple du foie gras et une conserverie artisanale.

Le palmipède se décline, entre autres, en daube (original), servi dans une belle véranda ou sous un majestueux saule pleureur. Un petit lac sur place et des animaux, ce qui ravit toujours les enfants. Le gîte pour 2 personnes, tout confort, poutre et pierre, avec une vue délicieuse, au calme, finira de vous combler. L'idéal pour recharger les batteries ! Accueil adorable.

CASTELLANE

(04120)   1 610 hab.   *Carte Alpes-de-Haute-Provence, C4*

Porte des gorges du Verdon, à l'est, Castellane est une charmante bourgade posée au milieu de montagnes et qui semble protégée par un à-pic de 184 m sur lequel on aperçoit une chapelle. Les habitants du coin avaient l'habitude d'aller s'y réfugier lors des incursions barbares. Napoléon est aussi passé par Castellane pour y déjeuner le 3 mars 1815, avant d'amorcer sa célèbre remontée à travers les Alpes.

Aujourd'hui, la cité a des allures de « capitale du camping » en été, avec pas moins de 18 terrains sur sa commune, et vit donc du tourisme généré par les amateurs de randonnées, de beaux paysages et de sports en eaux vives. Attention à la foule en été. La ville multiplie sa population par 10 et prend une tout autre configuration en juillet-août, au point que certains locaux n'osent même plus aller faire leurs courses chez leurs commerçants habituels. On vous aura prévenu.

Adresse et info utiles

🔲 @ **Office de tourisme :** rue Nationale. ☎ 04-92-83-61-14. ● castellane. org ● Tte l'année, lun-sam 9h-12h, 14h-18h (et dim 10h-13h en mai-juin et sept) ; juil-août, tlj 9h-19h30. Propose une visite de la ville : 15 juin-15 sept ven à 10h. Durée : env 1h30. Sinon,

il existe un itinéraire « Le circuit des silhouettes ».

– **Marché :** mer et sam mat, sur la place du village. Plus important le samedi avec produits régionaux, poterie, coutellerie...

Où dormir ? Où manger ?

Campings

On vous l'a dit, Castellane est une ville aux multiples campings, donc difficile de faire réellement un choix. La plupart se trouvent sur la route menant aux gorges du Verdon. Renseignez-vous sur leurs équipements auprès de l'office de tourisme. Il est préférable de réserver plusieurs semaines à l'avance.

De très bon marché à prix moyens

🛏 **Le Grand Hôtel du Levant :** pl. Marcel-Sauvaire. ☎ 04-92-83-60-05. ● hoteldulevant@live.fr ● touring-levant. com ● Doubles 45-95 € selon taille et saison. 🛜 Cette solide bâtisse juchée sur ses arcades semble défier les années. Les tables et vieux échiquiers du lobby laisseraient imaginer des clients en redingote attendant une improbable diligence. Pourtant, on trouve ici des chambres bien de notre temps et de taille variable. Les moins chères, avec douche, sont les plus petites. Le double vitrage isole bien de la rue, mais autant choisir l'arrière, plus calme. Accueil souriant et pro.

|●| *La Main à la Pâte :* rue de la Fontaine. ☎ 04-92-83-61-16. *Près de la pl. de la République. Fermé mer hors saison. Congés : de mi-déc à fin janv. Pizza 10 € ; carte 18 €. Digestif maison offert sur présentation de ce guide.* Un petit resto tout simple, avec sa salle aux murs jaunes et poutres apparentes, et sa terrasse dans la petite rue piétonne. Ambiance plutôt bon enfant pour manger des salades, des pâtes ou des pizzas. Et c'est plutôt bon.

Chic

⌂ *Nouvel Hôtel du Commerce :* pl. Marcel-Sauvaire. ☎ 04-92-83-61-00.

● *contact@hotel-du-commerce-verdon.com* ● *hotel-du-commerce-verdon.com* ● ♿ *Fermé nov-mars. Doubles 95-135 €, petit déj buffet compris.* 🛜 L'adresse bourgeoise de la ville. Accoudée à la poste, cette grande maison débute par la façade d'un bon vieil hôtel coquet d'antan. Façon XIXe s. Et puis, dès le hall, on est projeté dans une chic tendance bling-bling, sous quelques vénérables poutres qui en ont vu des vertes et des pas mûres. Les chambres sont spacieuses et confortables. D'aucunes ont vue sur le roc. Celles donnant sur la place du village, un peu bruyantes les jours de marché, ont pour certaines un balcon. D'autres, encore plus récentes, avec écran plat, parquet et jolies salles de bains, occupent une annexe attenante. Agréable terrasse. Accueil plutôt avenant et pas guindé.

LE VERDON

Où dormir ? Où manger dans les environs ?

De très bon marché à bon marché

⌂ |●| *Gîte d'étape et chambres d'hôtes de la Baume :* hameau de La Baume. ☎ 04-92-83-70-82. ● *accueil@gite-de-la-baume.com* ● *gite-de-la-baume.com* ● *À 9 km au nord par la D 955 sur 5 km, puis à gauche par la D 402 (direction La Baume). Resto ouv le soir sur résa, menu 19 €. Nuit en gîte 25 €, draps et serviettes en sus. Double avec sdb 63,50 €. Petit déj inclus. ½ pens 39,50 € en gîte et 47 € en chambre. CB refusées.* 🛜 Dans un hameau perché, à 1 150 m d'altitude, au-dessus du lac de Castillon (à 4 km). Joli panorama. Dans une maison accolée à une chapelle, un gîte de 3 chambres de 4 à 6 lits pouvant accueillir jusqu'à 23 personnes, avec sanitaires communs. Sinon, dans une petite maison indépendante, en pierre du pays, 3 mignonnes chambres d'hôtes. Accueil jeune et décontracté. Cuisine familiale, d'inspiration régionale.

⌂ *Gîte d'étape des Bayles :* Les Bayles, 04120 **Soleilhas.**

☎ 04-93-60-40-17. ● *bjm.gourette@ gmail.com* ● *gitedesbayles.perso. sfr.fr* ● *À 16 km à l'ouest de Castellane, par la D 4085 puis la D 102 ; traverser le village et tourner à gauche au monument aux morts. Congés : 15 nov-25 déc. Nuit 15 € (loc possible à la sem). CB refusées. Remise de 10 % sur le prix de la chambre (hors avr-sept) sur présentation de ce guide.* À 1 100 m d'altitude, au cœur d'une tranquille vallée, hors circuits touristiques, à l'orée des Alpes-Maritimes. Dans une maison traditionnelle, un petit gîte d'étape de 15 places réparties en 4 chambres de 3 ou 4 lits. Cuisine équipée et grandes tables à disposition. Accueil jeune et décontracté. Pour les routards randonneurs, le GR 4 passe à proximité.

⌂ |●| *Hôtel-restaurant Lou Jas :* 110, rue des Bayles, 04120 **Soleilhas.** ☎ 04-94-67-14-63. ● *dominique-man dine@gmail.com* ● *hotel-restaurant-loujas.com* ● *À 16 km à l'ouest de Castellane, par la D 4085 puis la D 102 ; dans le village à gauche. Tlj sf mer en basse saison, hors vac scol. Congés : janv. Double 53 € selon confort et saison. ½ pens (imposée en août) 50 €/*

pers. Menu 19 €. 🛜 Apéritif maison offert (pour 2 pers) sur présentation de ce guide. Dernière étape avant les Alpes-Maritimes (et pas loin des superbes clues de Saint-Auban). Une petite auberge de montagne aux chambres bien entretenues. L'ambiance est familiale, l'accueil chaleureux. Dans un cadre chargé de bibelots, on vous servira une bonne cuisine traditionnelle, avec du gibier ou des cuisses de grenouilles en saison, des raviolis au chèvre, aux noix...

Prix moyens

🛏 **Chambres d'hôtes de Chasteuil :** hameau de **Chasteuil** (04120). ☎ 04-92-83-72-45. ● gchasteuil@gmail.com ● gitedechasteuil.com ● Par la D 952 en direction de Moustiers

sur 9 km, puis la C 2 à droite, ça grimpe sur 2,5 km. Congés : 15 nov-15 fév. Doubles 79-84 €. Table d'hôtes 17-23 €. 🛜 Un savon « Les essentiels » maison offert sur présentation de ce guide. À l'orée des gorges du Verdon, au sommet d'un joli hameau perché, un lieu d'une grande quiétude. Les accueillants Pascal et Nancy ont transformé cette belle bâtisse en pierre, ancienne école, en hébergement. Les 5 chambres indépendantes sont claires et joliment décorées. L'une d'elles dispose d'un coin cuisine (petit supplément). Au premier, agréable salle à manger avec grande baie vitrée d'où l'on jouit d'un très beau panorama sur les montagnes alentour. C'est là qu'on goûte la bonne soupe au pistou en été. Savonnerie artisanale, eau chauffée par panneaux solaires... Beaucoup de charme.

À voir. À faire à Castellane et dans les proches environs

🕯 **L'église Saint-Victor :** construite au XIIᵉ s dans un style entre le roman et le gothique, mais considérablement modifiée par la suite. Clocher d'inspiration lombarde qui a utilisé quelques éléments des anciens remparts. À l'intérieur (visible lors des visites guidées), éclairé par de remarquables baies, quelques toiles du XVIIIᵉ s et de curieux bustes-reliquaires en bois peint.

🕯 **La vieille ville :** au bout de la rue Saint-Victor, on passe par la tour de l'Horloge, surmontée d'un campanile, près de l'office de tourisme. C'était l'une des portes de l'ancienne enceinte. Charmante rue du Mitan, un peu gâchée par les boutiques à touristes. Placette ornée d'une fontaine aux lions.

🕯🕯 👫 **La Maison Nature et Patrimoines :** pl. Marcel-Sauvaire. ☎ 04-92-83-19-23. ● maison-nature-patrimoines.com ● ♿ Regroupe le musée Sirènes et Fossiles, le musée du Moyen-Verdon et le Relais du parc naturel. Tlj de mi-juin à mi-sept (ainsi que les vac de Pâques et de la Toussaint). Ouv w-e et j. fériés 10h-13h, 15h-18h30 ; juil-août tlj, mêmes horaires. Entrée : 4 € ; 3 € sur présentation de ce guide ; réduc ; gratuit moins de 7 ans. Musée géologique joliment aménagé en hommage aux siréniens, que l'on appelle également vaches marines. Ces paisibles mammifères marins sont les ancêtres des lamantins. Leur nom vient du mythe des sirènes. Grâce à des panneaux illustrés, des sculptures animalières, photos, etc., on traverse le temps depuis l'Antiquité jusqu'à aujourd'hui. À compléter par la visite au-dessus de Castellane, au col des Léques, du site protégé où fut découvert ce gisement de mammifères fossilisés vieux de 40 millions d'années. Le musée du Moyen-Verdon est orienté tradition et savoir-faire d'antan. Enfin les « écogardes » du parc sont là pour vous conseiller sur les activités et les randonnées à faire près de Castellane. Visites guidées et animations sur résa. Sorties géologiques proposées de juin à septembre.

🕯🕯 **La chapelle Notre-Dame-du-Roc :** sentier facilement accessible, qui se fait en 45 mn. Départ boulevard Saint-Michel, face au parking. C'est le chemin officiel de procession de pèlerinage, avec des haltes et des paliers successifs. La chapelle est surmontée d'une grande statue de la Vierge. Vue superbe sur Castellane et les environs.

🍴 *Citromuseum :* D 4085, à 1 km du centre, en direction de Digne. ☎ 04-92-83-76-09. • citromuseum.com • Ouv de mi-avr à mi-oct 14h (10h juil-août)-18h. Entrée : 7 € ; réduc. De l'indétrônable Traction à la Méhari des pompiers, en passant par l'Ami 6, la Diane ou le Tube... « j'aime, j'aime, j'aime »... une centaine de véhicules chevronnés. Et une boutique d'objets votifs pour les fidèles.

🚶 ⊕ 🚶 *Les ruchers Apijouvence :* 04120 *Le Cheiron.* ☎ 04-92-83-61-43. • apijouvence-miel-provence.com • À 4 km au nord de Castellane sur la route du lac de Castillon. Boutique tlj tte l'année ; téléphoner avt en hiver. Juil-août, visite tlj (sf dim) à 15h30 ; compter 2h30 d'explications passionnantes. GRATUIT. Ceux qui jusque-là n'ont pas développé un intérêt particulier pour les abeilles en ressortiront conquis. Ici, on est apiculteur de père en fils, par passion. Il faut entendre Jacques parler avec émerveillement des abeilles, de leur surprenante organisation, et de tout ce qu'elles produisent comme « substances bénéfiques ». Miel, gelée royale (une sécrétion des glandes cervicales de l'abeille ouvrière, exclusivement destinée à l'alimentation de la reine ou des futures reines), propolis, pollen... autant de produits issus de la ruche, bourrés de vertus.

Sports et loisirs

– Plusieurs agences (prestations assez proches) organisent des sorties dans les gorges du Verdon en *rafting, canyoning, hydrospeed...* Rens à l'office de tourisme.

Fêtes

– *Fête du Pétardier :* dernier w-e de janv (ou le sam le plus proche du 31 janv). Une fête qui célèbre la fin du siège de la ville par les protestants en 1586. Chaque année, on rend hommage à Judith Andrau (voir l'encadré). Fête très colorée et chantante.
– *Fête de la Transhumance :* mi-juin (le w-e). Passage du troupeau dans le village, grand marché paysan, concerts de musique traditionnelle et occitane...
– *Mercredis musicaux :* mer à 21h en juil-août. Sur la place et dans les ruelles. Toutes musiques.

FEMME EN PÉTARD...

En 1586, Judith Andrau avertit les habitants de la présence d'explosifs posés par les huguenots contre une porte de la ville. Du coup, l'attaque fut un échec. Judith Andrau se paya même le luxe d'ébouillanter le capitaine ennemi, et les assaillants pétardiers prirent la poudre d'escampette tout péteux. Une Castellanaise-plosive !

LES GORGES DU VERDON

Sans prétendre concurrencer le Grand Canyon du Colorado, les gorges du Verdon apparaissent cependant comme les plus impressionnantes d'Europe. Tel un grand coup de hache entre les Alpes-de-Haute-Provence et le Var, elles forment une sorte de frontière naturelle qui a laissé une profonde entaille de

LE VERDON

21 km de long dans la terre. Là, le Verdon débite jusqu'à 800 m³ d'eau à la seconde au moment des plus fortes crues !

Aujourd'hui, deux barrages permettent aux randonneurs d'accéder au fond du canyon (se renseigner au préalable). Falaises vertigineuses qui vous écrasent de leurs 300 à 600 m de hauteur, chaos rocheux, rives sauvages, etc. C'est le paradis des randonneurs et des grimpeurs. Paradoxalement, les gorges du Verdon sont une découverte récente, puisqu'elles ne furent explorées qu'au début du XXᵉ s.

En 1997, ce site exceptionnel a servi de base à un *parc naturel régional,* créé afin de « concilier développement économique et protection de l'environnement ». Couvrant 180 000 ha, il concerne quelque 45 communes, dont 25 dans les Alpes-de-Haute-Provence (et 20 dans le Var). Il court du plateau de Valensole au haut pays varois et du pays d'Artuby aux massifs préalpins de Mondenier de Canjuers. Voilà une découpe qui outrepasse donc les querelles de campanile.

Le parc du Verdon s'est placé sous le feu des projecteurs en s'engageant à préserver ses paysages des lignes à très haute tension. Par ailleurs, depuis 1995, un ambitieux programme vise à réintroduire le vautour fauve, espèce décimée en Provence au XIXᵉ s, soit par tir, soit par empoisonnement à la strychnine. Les ornithologues en herbe lèveront les yeux au ciel pour repérer ces vautours fauves, des aigles royaux (une dizaine d'espèces recensées), voire de plus modestes hirondelles. Pour la flore, des panneaux sur les sentiers de découverte comme celui du Lézard indiquent arbres, arbustes et plantes aromatiques (sauge, fenouil, marjolaine...). Pour en savoir plus, rendez-vous à la Maison des gorges du Verdon de La Palud. Les gorges du Verdon font également partie de la réserve géologique de haute Provence. Pas touche, donc, aux minéraux et fossiles. Allez plutôt les découvrir au musée Sirènes et Fossiles de Castellane. En revanche, la pêche y est ouverte... dans les limites légales, bien sûr ! On trouve d'ailleurs dans le Verdon et ses affluents truites, brochets, carpes et bien d'autres espèces encore. Enfin, de nombreux sentiers permettent d'entrer dans le vif du sujet et les routes surplombant les gorges livrent d'époustouflants paysages. Mais le Verdon, c'est aussi la découverte des villages perchés, de ruines gallo-romaines, d'églises et du patrimoine local. Escapade imprégnée d'histoire, de couleurs et de coutumes parfois pluricentenaires.

Rien d'étonnant, donc, que cette *cassure du Verdon* ait largement inspiré le septième art. Elle crève l'écran dans des films comme *Les Spécialistes* avec Gérard Lanvin et Bernard Giraudeau, *Une chance sur deux* avec Vanessa Paradis, Alain Delon et Jean-Paul Belmondo, ou *Le Salaire de la peur* avec Yves Montand, censé se dérouler en Amérique du Sud mais réalisé pour partie ici, faute de moyens.

Adresses et infos utiles

⌂ @ Office de tourisme : château, 04120 **La Palud-sur-Verdon.** ☎ 04-92-77-32-02. • lapalud-verdon tourisme.com • Avr-oct, tlj sf mar 10h-12h, 16h-18h ; juil-août, 10h-13h, 16h-19h. Super accueil, jeune et dévoué. Et si vous êtes grimpeur ou randonneur, n'hésitez pas à poser des questions, l'équipe connaît bien le terrain. Écomusée du Grand Canyon à l'étage. Sorties accompagnées, conférences...
■ *Maison du parc :* domaine de Valx,

04360 *Moustiers-Sainte-Marie.* ☎ 04-92-74-68-00. • parcduverdon. fr • À 3 km de Moustiers-Sainte-Marie, au rond-point d'accès à la rive droite des gorges. Nombreuses brochures, conseils et cartes pour la rando.
■ *Maison des guides :* rue Grande, 04120 **La Palud-sur-Verdon.** ☎ 04-92-77-30-50. • escalade-verdon.fr • Au cœur du village. Moniteurs pour parcours découvertes et sportifs.

■ **Verdon Passion :** *voir à Moustiers-Sainte-Marie.* Parapente de rêve, au-dessus des gorges.
■ **Aventures & Nature :** *04120 La Palud-sur-Verdon.* ☎ *04-92-77-30-43.* ● *aventuresetnature.com* ● Pour découvrir les joies du canyoning, de l'escalade, de l'aquarando, des activités nature en plein air,

encadrées par des professionnels.
➤ **Bus pour Moustiers, Aix-en-Provence et Marseille :** de La Palud-sur-Verdon. Circulent juil-août, tlj sf dim et j. fériés ; avr-juin et sept-oct, lun et sam à 13h15 ; le reste de l'année, slt sam, sur demande de Riez à La Palud (☎ *04-42-54-72-82*).

Où dormir ? Où manger ? Où boire un verre dans le coin ?

À Rougon (04120), dans les gorges

De bon marché à prix moyens

🛏 |●| **Auberge du Point-Sublime :** Le Point-Sublime. ☎ 04-92-83-60-35. ● pointsublime@orange.fr ● auberge-pointsublime.com ● À l'entrée des gorges (en venant de Castellane), sur la D 952, juste au-dessus du Point-Sublime (logique...). Tlj sf mer et jeu midi hors saison. Congés : début oct-fin avr. En saison, résa conseillée. Doubles 69-77 € selon taille et saison. ½ pens imposée lun w-e, j. fériés et pdt les vac scol : 73-77,50 €/pers. Formule déj 18 €, menus 26,90-37 €. 📶 Remise de 10 % sur le prix de la chambre (hors w-e, ponts et vac scol) sur présentation de ce guide. Une institution locale, dans la même famille depuis 1946. Le grand-père de l'actuelle propriétaire a d'ailleurs établi la première carte de rando du coin ! Chambres habituelles d'une auberge de campagne, à la déco certes un peu fanée mais bien tenues et d'un bon confort. Certaines donnent sur une petite terrasse d'où l'on a une belle vue sur les montagnes alentour. Terrasse sous une tonnelle où est servie une classique cuisine ménagère. Accueil adorable.
|●| **Crêperie Le Mur d'abeilles :** à Rougon. ☎ 04-92-83-76-33. ● murabeille@yahoo.fr ● 📶 Au bout du village (c'est fléché). Congés : nov-mars. Crêpes 4-20 €, formule 12 €. Apéro maison ou café offert sur présentation de ce guide. Dans ce sublime village

en nid d'aigle, qui domine les gorges, un étonnant mur d'abeilles (une enfilade de ruches dans un muret en pierre sèche), une adorable terrasse posée sur un jardinet et 4 ou 5 tables sous une véranda. Et une vue, une vue, une vue ! On y est accueilli comme dans la famille. Les crêpes sont bien bonnes. On vous recommande celle au miel, fromage de chèvre et pignons, vous aurez le choix de l'arôme de ce miel maison lors de la commande, les autres produits venant de chez les copains paysans. Propose aussi quelques chambres. Un vrai coup de cœur !

À La Palud-sur-Verdon (04120) et dans les environs

« Petite capitale » du Verdon, gentiment animée en saison, qui concentre la plupart des adresses du secteur. En été, il y a même des minibouchons à l'entrée de La Palud. Difficile de dénicher ici la future légende de la gastronomie.

De très bon marché à prix moyens

🛏 **Auberge de jeunesse :** route de la Maline. ☎ 04-92-77-38-72. ● lapalud@hifrance.org ● hifrance.org.org ● 📶 À 500 m sur une colline face au village ; bien fléché. Ouv avr-août. Accueil 8h-10h, 18h-20h. Réserver. Carte FUAJ obligatoire, vendue sur place. Nuit à partir de 20,20 €/pers, draps et petit déj compris. 📶 En bordure d'un joli coin de campagne tranquille. Petite AJ récemment rénovée et très bien tenue à l'ambiance familiale et conviviale. 54 lits

LE VERDON

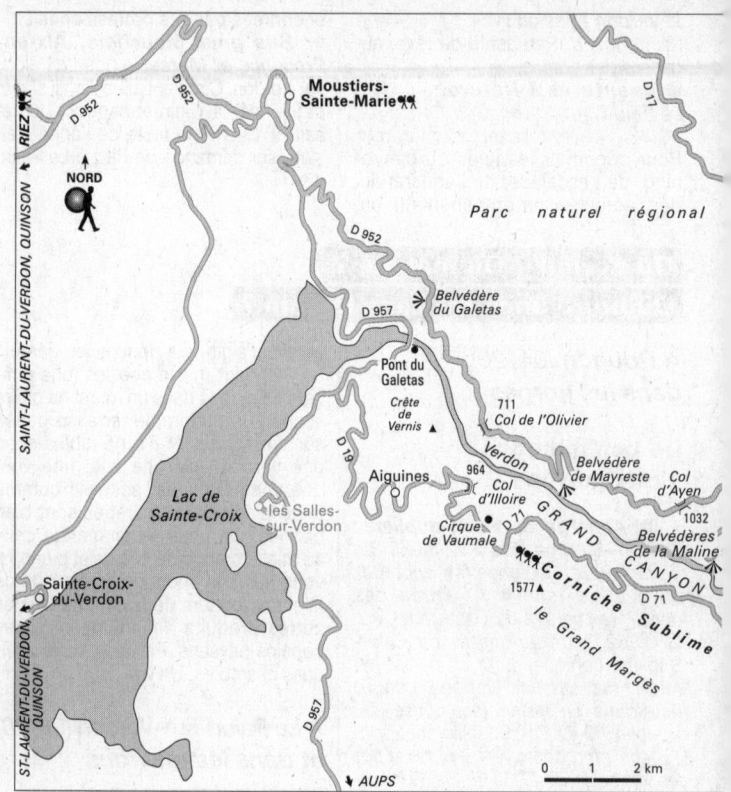

répartis dans des chambres pour 2, 4, 5 ou 6 personnes, la plupart avec lavabo. Cuisine sympa à disposition. Terrasse dehors pour prendre son petit déj ou son repas face à la montagne et au village.

🏠 **|●| Hôtel-restaurant Le Provence :** route de la Maline. ☎ 04-92-77-38-88. ● hotelleprovence@aol.com ● verdonprovence.com ● 🍴 Ouv Pâques-Toussaint. Doubles 60-90 € selon confort et saison. Formule 18 €, menus 20-30 €. 🖥 📶 Sangria offerte sur présentation de ce guide. À peine en contrebas du village, un petit hôtel familial derrière une façade provençale mangée par la vigne vierge. Chambres rénovées et bien tenues, à la déco simple et colorée.

Demander plutôt celles avec un petit balcon, pour une jolie vue sur les crêtes. Cuisine efficace et copieuse faute d'être originale. Accueil sympathique.

🏠 **|●| Gîte d'étape L'Arc-en-Ciel :** pl. de l'Église. ☎ 04-92-77-32-28. ● o.dobelober@free.fr ● verdonarcenciel-gite.com ● Congés : vac de Noël. Nuit en dortoir 11 €/pers ; petit déj (copieux et délicieux) 6 €. Formule 10 €, menus 13-16 €. Au calme sur la place du village, un gîte d'une capacité de 12 personnes. Espace détente. Pas de cuisine. Ambiance jeune, très décontractée. Location de VTT.

🏠 **|●| Gîte Chalet Le Refuge :** Les Bondils. ☎ 04-92-83-68-45.

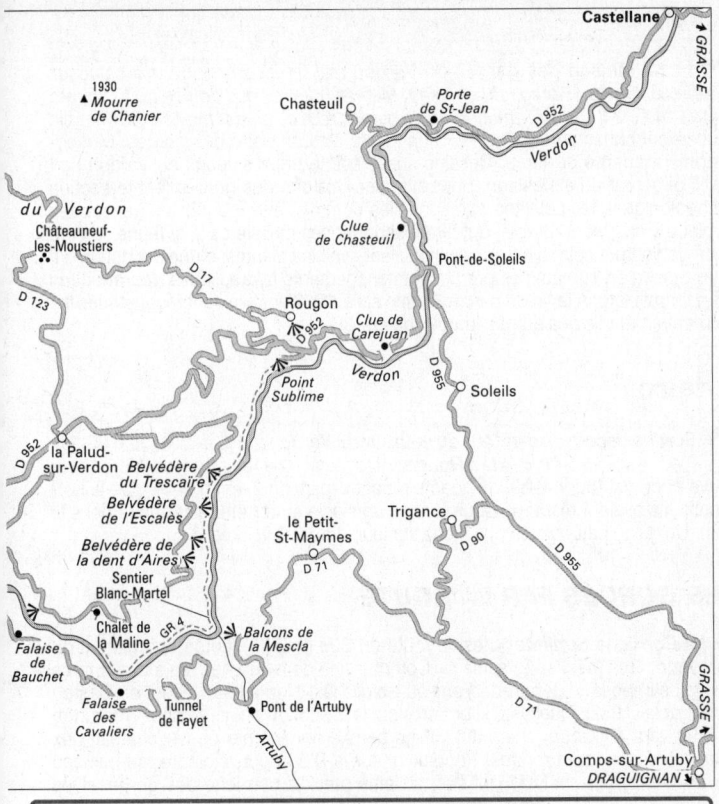

LES GORGES DU VERDON

● chalet-le-refuge@wanadoo.fr ●
verdon-chalet.com ● Au nord par la
D 123 (direction Châteauneuf-les-
Moustiers) ; à 7 km, indiqué sur la droite
vers Les Chauvets ; montez, montez,
c'est sur la petite route à votre gauche
2 km après le hameau des Subis. Accès
possible aussi depuis le Point-Sublime,
12 km après Rougon. Ouv avr-oct. Nuitée en ½ pens (repas du soir + petit
déj) 55-69 €/pers. Sur résa, possibilité
de venir slt manger. À 1 300 m d'altitude, sur un terrain herbeux incliné,
Luce et Laurent cultivent leur gentillesse extrême et leur accent belge. Ils
vous régaleront d'une cuisine 100 %
naturelle, sincère et pleine de saveurs.

Vous pourrez également dormir dans
de petits chalets pour 2 personnes (les
plus chers, avec salle de bains), dans
une yourte pour 2-4 personnes décorée avec goût ou dans l'un des tipis
pour 4-6 personnes dressés sur place
(confort un peu plus spartiate). Vue
superbe sur la vallée. Accueil et repas
valent bien la grimpette !

🍴 **Chalet de la Maline :** route
des Crêtes. ☎ 04-92-77-38-05. Une
terrasse penchée au-dessus du vide,
300 m au-dessus du Verdon. Idéal pour
boire un coup en pleine magie de cette
merveilleuse route des Crêtes. Petite
restauration, à grignoter face au panorama époustouflant.

À voir

🏃🏃 👤 *La Maison des gorges du Verdon :* ☎ 04-92-77-32-02. ● lapaludsur
verdon.com ● *Au 1ᵉʳ étage du château. Mêmes horaires que l'office de tourisme.
Entrée : 4 € ; 2 € sur présentation de ce guide ; réduc ; gratuit moins de 6 ans.* Un
musée qui constitue une introduction idéale à toute visite des gorges. Muséographie moderne et aérée. Dessiné sur le sol, le trajet sinueux du Verdon sert
de fil directeur à l'exposition, pour évoquer l'histoire des gorges (petite section
archéologique), les activités traditionnelles comme l'élevage d'ovins (remarquez
la pince à castrer du berger, qui fera frissonner ces messieurs !), la faune, la flore
(incroyable, tout ce que les anciens faisaient avec les plantes, d'une décoction d'if
à un pipeau en sureau), les premiers aménagements hydrauliques (reproduction
d'un tunnel), etc. À la fin du parcours, une salle dans laquelle sont reconstitués les
éléments naturels des gorges (parois, galets...).

À faire

🏃🏃 *Sorties découverte autour du vautour du Verdon :* *15 juin-15 sept.* 📱 06-26-
47-50-00. ● voirlepiaf.fr ● *Rdv à Rougon.* L'occasion de fêter le retour du vautour
fauve et du vautour moine, de géants rapaces (plus de 2,5 m d'envergure !) inof-
fensifs. Ils avaient disparu depuis près d'un siècle et ont été réintroduits dans le
coin. Un guide naturaliste vous mène sur leurs traces à la jumelle.

LES GORGES PAR LA ROUTE

➤ *La Corniche Sublime :* c'est la route du Sud (la D 71), côté département du
Var, donc ; très (très) spectaculaire. Compter une demi-journée (en s'arrêtant, ce
qui, ici, s'impose !). Départ de *Pont-de-Soleils* (à 12 km au sud-ouest de Castellane, par la D 952). Quelques kilomètres sur la D 955, qu'on quitte pour emprunter
la D 90 vers *Trigance,* charmant village perché dominé par un fier château aux
quatre grosses tours rondes. Poursuivre sur la D 90 pour rejoindre, au hameau
de *Saint-Maymes,* la D 71 qui suit, au plus près, la corniche des gorges. Des
balcons de la Mescla, panorama saisissant sur les eaux du Verdon qui se mêlent
(c'est la *mescla,* « mêlée » en provençal) à celles de l'Artuby. Le Verdon semble
se recroqueviller autour d'une étroite crête rocheuse ; 2 km plus loin, du *pont de
l'Artuby,* audacieux ouvrage d'une seule portée, on domine l'Artuby de 180 m.
Aux *tunnels du Fayet,* superbe vue plongeante (du deuxième tunnel) sur la courbe
effectuée par le canyon (parking, ça va de soi). À la *falaise des Cavaliers,* à-pic
impressionnant (attention aux enfants, il n'y a aucune protection !). Aux *falaises de
Bauchet,* la route longe la partie la plus étroite des gorges. Belle vue en enfilade.
Un peu plus loin, le *cirque de Vaumale,* au point le plus élevé de la route (1 200 m),
offre un ample panorama. Au *col d'Iloire,* on jouit de la dernière vision, superbe,
du canyon. Après Aiguines, la route redescend vers les eaux bleu turquoise du lac
de Sainte-Croix (voir plus loin et le *Routard Côte d'Azur*). On rejoint sur ses rives la
D 957 qui permet de rallier Moustiers-Sainte-Marie.

➤ *La route du Nord :* compter une demi-journée. Vers La Palud-sur-Verdon, la
D 952 venant de Castellane est superbement encaissée dans les hautes gorges.
Venant de Moustiers, elle offre une belle succession de belvédères : celui de *Gale-
tas* sur le lac de Sainte-Croix et l'étroit débouché des gorges, le belvédère de
Mayreste (une petite grimpette en guise d'apéro pour une première vision des
gorges)... Peu après La Palud (800 m) vers Castellane, tourner à droite sur la D 23
dite *route des Crêtes* (en sens unique). Une quinzaine de belvédères s'ouvrent
sur de magnifiques panoramas. Du premier, celui de *Trescaïre,* impression la plus
saisissante. On est complètement à pic de la paroi. Du deuxième, le belvédère de

la Carelle, la vue porte plus loin. Du troisième, *l'Escalès,* vue très panoramique sur le canyon et l'arrière-pays. Le seul permettant de suivre complètement le tracé du Verdon. Tout en bas, le refuge de la Maline. Rejoindre la D 952. Aimable diversion par la D 123 et la D 17 jusqu'au village nid d'aigle de *Rougon.* Gros rocher dominé par les ruines d'un château féodal. Paysage d'une réelle splendeur. Panorama exceptionnel. Ouvrez l'œil pour saisir en vol les vautours fauves, réintroduits dans les falaises. Rejoindre la D 952. 200 m à pied pour rejoindre le *Point-Sublime,* un promontoire d'où l'on a une vue superbe sur l'entrée du Grand Canyon. Quelques centaines de mètres après le Point-Sublime s'amorce, sur la droite, la descente vers l'impasse du *couloir Samson,* qui mène à la rivière (parking très limité). C'est là que débouche le célèbre *sentier Blanc-Martel* (qui part du refuge de la Maline). Départ également du sentier du Lézard. Pour plus d'infos, voir ci-après « Les gorges à pied ».

LES GORGES À PIED

Quelques conseils

Bien que dépourvues de difficultés majeures, les balades au fond du canyon nécessitent tout de même un certain matériel et quelques précautions :
– d'abord, prévoir de *bonnes chaussures,* une *réserve d'eau potable,* un *anorak* léger, un *pull* pour les passages un peu frais, une *lampe torche,* une petite *trousse de secours* ;
– utile d'acheter la *carte IGN* au 1/25 000 *Moustiers-Sainte-Marie* ou la « TOP 25 » n° 3442, ainsi que le *topoguide* des sentiers de grande randonnée GR 4 *De Grasse à Pont-Saint-Esprit par le canyon du Verdon* ;
– NE JAMAIS QUITTER LES SENTIERS, ne pas tenter de prendre des raccourcis (qui peuvent se terminer dans le vide) ;
– NE PAS TRAVERSER LE VERDON, sauf nécessité absolue. Le délestage des barrages peut amener de brutales variations du niveau de l'eau. Remous éventuels ou tout simplement impossibilité de repasser le gué ;
– TENIR SÉRIEUSEMENT COMPTE DE LA MÉTÉO. Les orages peuvent être soudains et violents ;
– NE PAS CUEILLIR LES FLEURS, NE PAS FAIRE DE FEU ET NE LAISSER AUCUNE ORDURE. Avec 700 000 visiteurs par an, les gorges crèveraient du moindre manque de civisme.

➤ **Le sentier Blanc-Martel (ou du TCF) :** la « grande classique » des gorges, toutefois réservée aux randonneurs expérimentés. Départ à 8 km de La Palud, au *refuge de la Maline,* rive nord, sur la *D 23.* Arrivée au *Point-Sublime.* Emprunter la navette (horaires pas très fiables et souvent bondée) ou l'auto-stop (qui fonctionne en été) ou les taxis locaux qui, depuis La Palud ou Rougon, vous déposent à la Maline et vous reprennent au Point-Sublime (renseignements à la Maison des gorges). Lorsque la navette ou les taxis locaux ne fonctionnent pas, il faut compter sur l'auto-stop (qui fonctionne en saison) ou prévoir deux véhicules. Compter environ 6h de marche. Œuvre du *Touring-Club de France* dans les années 1930. Ce fut un rude labeur. Il porte le nom des premiers explorateurs des gorges, Isidore Blanc, instituteur du coin et le spéléologue Édouard-Alfred Martel qui, quelques jours après s'y être aventuré pour la première fois, voyait déjà l'avenir : « Cela restera le privilège des enragés qui ne craindront point de se mouiller jusqu'au ventre au moins deux jours de suite. » Une vue un peu courte : le sentier accueille jusqu'à plusieurs centaines de marcheurs chaque jour, l'été. Mieux vaut donc le parcourir au printemps et à l'automne (moins de monde, météo plus stable, fraîcheur)... voire dans le sens inverse du flot de marcheurs, en commençant au départ du Point-Sublime. Pour la description de cet itinéraire extrêmement varié, se reporter aux brochures spécialisées. N'oubliez pas en tout cas votre lampe de poche (on traverse deux tunnels creusés dans la roche). Ceux qui souffrent du vertige affronteront quelques passages délicats, notamment une brèche à franchir à l'aide d'escaliers métalliques avec main courante (quelque 252 marches fort bien scellées pour 100 m de dénivelée). Sentier sûr, qui suit le balisage rouge et blanc du GR 4, hors de portée des sautes d'humeur du Verdon.

➤ 🚶 **Les sentiers de découverte du Lézard :** pour de courtes balades en famille. Parcours balisés de 30 mn à 4h. Petit livret disponible à la Maison des gorges de La Palud et à celle du parc à Moustiers-Sainte-Marie. Départ du Point-Sublime (panneau d'info) et du couloir Samson. Petits circuits pédagogiques qui descendent à la rivière et entrent dans le Grand Canyon par les tunnels du Blanc-Martel (prévoir des lampes) permettant de mieux décrypter cet étonnant paysage et son histoire. Idéal avec des enfants.

➤ **Le sentier des Pêcheurs :** départ de La Colle-de-l'Olivier (à 8 km de La Palud par la D 952, direction Moustiers). Balisage jaune. Très agréable circuit (compter 3h30), avec quelques passages un peu acrobatiques, pour voir le Verdon de loin (superbes panoramas) et de près (le sentier descend jusqu'à la rivière). À conseiller aux amateurs de géologie (cascades de tuf classées en « Réserve naturelle régionale »).

➤ **Le sentier de l'Imbut :** de 4 à 6h. Départ de l'*Auberge des Cavaliers,* sur la rive gauche (D 71) ou du *Chalet de la Maline* rive droite, par la passerelle de l'Estellié. Belle mais difficile (sinon très difficile) rando au cœur de la partie la plus sauvage des gorges, réservée à ceux qui ont déjà quelques kilomètres dans les chaussures et qui n'ont pas le vertige (étroit sentier en corniche, ici ou là, impressionnant). Relire trois fois les « Quelques conseils » énumérés plus haut, surtout en ce qui concerne la météo. Prudence, prudence, toujours se renseigner avant d'y aller... Itinéraire en cul-de-sac, que vous pouvez toujours faire avec l'aide d'un accompagnateur pour en apprécier toutes les richesses.

MOUSTIERS-SAINTE-MARIE

(04360)   700 hab.   *Carte Alpes-de-Haute-Provence, C4*

L'un des plus jolis sites de la région, l'un des plus originaux aussi, brillamment mis en lumière les nuits d'été. Accroché à la montagne, le village a souvent été comparé à une crèche grandeur nature. Il fut fondé en 433 par des moines venus des îles de Lérins via Riez. Toutes les maisons s'étagent de part et d'autre de l'Adou qui dégouline en cas-

L'ÉTOILE DU CROISÉ

Cette chaîne en fer forgé, au milieu de laquelle est suspendue une étoile (devenue le symbole de la ville), relie sur 227 m les deux bords de la falaise, entaillée par le torrent. Elle aurait été tendue au XIIIe s par un ancien seigneur croisé, en ex-voto pour sa libération et son retour au pays.

cade du plus bel effet, franchi par de pittoresques ponts en dos d'âne. Moustiers doit surtout sa réputation au XIIe s à l'église Notre-Dame-de-Beauvoir, sujette aux pèlerinages, puis à l'eau et aux commerces qu'elle développe autour de la tannerie, la papeterie, la poterie ou la fabrique de draps. Ce n'est qu'à la fin du XVIIe s qu'apparaît la célèbre faïence, réputée être « la plus belle, la plus fine du Royaume », connue dans le monde entier et qui vaut aujourd'hui à Moustiers de porter le label « Ville et Métiers d'art ». Aux XVIIe et XVIIIe s, cette faïence connut une période de prospérité impressionnante : on comptait jusqu'à 700 fours et plus de 30 ateliers employant

400 personnes. Richelieu et la Pompadour étaient même clients ici. Mais comme pour tous les phénomènes de mode, le succès grandissant de la blanche porcelaine de Limoges aura raison des faïenciers de Moustiers. À tel point que le dernier mettra la clé sous la porte en 1874.

On croyait la tradition perdue à jamais. C'était compter sans Marcel Provence (au nom bien choisi) qui, dès 1927, remit les fours en activité. Depuis, la faïence a repris ses droits dans le village.

Un site naturel exceptionnel, un artisanat séculaire, un village de charme... tous les ingrédients sont réunis pour que Moustiers soit, aujourd'hui, un peu victime de son succès : il y a souvent foule dans les petites rues le week-end et en été.

Adresse et info utiles

🏠 @ **Office de tourisme** (plan B1) : pl. de l'Église. ☎ 04-92-74-67-84. ● moustiers.fr ● Juil-août, ouv lun-ven 9h30-19h, w-e fermé 12h30-14h ; mars-juin et sept-nov, tlj 10h-12h, 14h-18h (17h30 en mars et oct-nov ; 17h déc-fév). Visite de la ville en juil-août mar et ven à 10h, jeu à 17h (3 €). Équipe dynamique et sympa. Nombreuses brochures.

– **Marché provençal** : ven mat pl. de la Mairie. Nocturnes mer, juil-août pl. de la Mairie (avec animations et concerts).

Où dormir ?

Campings

⚕ **Le Vieux Colombier** (plan B2, 10) : quartier Saint-Michel. ☎ 04-92-74-61-89. 📱 06-05-42-40-74. ● contact@ lvcm.fr ● lvcm.fr ● ⚒ En contrebas du village, à droite sur la route du lac. Ouv de mi-avr à mi-sept. Selon saison : tente 2 pers et voiture 16,60-19,30 € ; loc de mobile homes 4 pers 320-630 €/ sem. 70 empl. Un petit camping familial, tranquille, joliment planqué sous les chênes et les platanes. Bonne base possible pour les gorges du Verdon et le lac de Sainte-Croix. Le GR 4 passe dans le coin et le village n'est qu'à 600 m.

⚕ **Camping Manaysse** (plan A2, 11) : rue Frédéric-Mistral. ☎ 04-92-74-66-71. 📱 06-25-37-51-12. ● manaysse@ orange.fr ● camping-manaysse. com ● ⚒ Au rond-point sur la route de Riez. Ouv avr-oct. Tente 2 pers et voiture 11,50 €. Loc caravane 260 €/ sem. CB refusées. 97 empl. Très bon accueil, bon rapport qualité-prix, sanitaires propres. Terrain herbeux et caillouteux, avec jolie vue sur Moustiers en contrebas. Calme. Aire de jeux. Accueil camping-cars.

⚕ **Domaine Le Petit Lac** (hors plan par B2, **19**) : route des Salles-en-Verdon. ☎ 04-92-74-67-11. ● info@ lepetitlac.com ● lepetitlac.com ● ⚒ À 3 km de Moustiers-Sainte-Marie. Ouv avr-fin sept, début oct. Pour 2 pers avec tente et voiture, compter 18,40-26 € selon saison ; mobile homes 2-6 pers 344-732 €/sem. Bungalows 2-4 pers 279-608 €/sem. Bungalows 2-5 pers 289-603 €/sem. Chalets 2-6 pers 398-819 €/sem. 📶 Réduc de 10 % sur le prix de l'empl. camping ou une loc à la sem. Camping familial et convivial bien équipé et spacieux. Situé idéalement dans le parc régional du Verdon, entre le lac de Sainte-Croix et Moustiers-Sainte-Marie (départ de sentiers PR directement du camping et GR 4 à 500 m). Baignade aménagée et surveillée dans le petit lac attenant (eau de source). Bar-pizzeria avec terrasse en juillet et août, minigolf, boulodrome, emplacement barbecue, petite épicerie de produits locaux ou issus du commerce équitable. Bon accueil.

De bon marché à chic

🏠 **Chambres d'hôtes L'Escalo** (plan B1, **18**) : rue de la Bourgade. ☎ 04-92-74-69-93. ● reservation@lescalo.com ●

lescalo.com • Congés : du 30 déc à mi-mars. Doubles 59-68 € selon saison. ☏ Un petit déj/pers/nuit. Un raide escalier (pardi !) dessert les chambres « du bas », décorées de meubles soit « africanisants » soit « antiquairisants », toujours de bon goût. La plus petite, tout en haut, est la moins chère avec fenêtre de toit. Les petits déjeuners s'apprécient sur la terrasse couverte et ouverte sur la verte vallée au loin. On bénéficie d'un astucieux coin repas avec réfrigérateur et micro-ondes. Et, au sommet de l'échelle des valeurs du lieu, l'accueil jeune et dynamique de la maîtresse de maison.

La Maison de Melen (hors plan par A2, **12**) : chemin Embourgues. ☏ 04-92-74-44-93. 📱 06-87-04-14-80. • maisondemelen@wanadoo.fr • maison-de-melen.fr • Sur la route de Sainte-Croix, 1re à gauche puis fléché à droite. Ouv avr-Toussaint. Double 72 €. ☏ Jolies chambres, sobrement décorées, très fraîches, dans une ferme réhabilitée de fort belle manière. Salles de bains en faïence de Salernes. Accueil adorable et très attentif de la propriétaire. Une grande chambre occupe l'étage, tandis que les 3 autres donnent sur une belle campagne, avec des transats qui n'incitent pas vraiment au travail. Dîner possible (sur résa). Très calme. L'idéal pour se ressourcer !

Le Clos des Iris (plan A2, **13**) : chemin de Quinson. ☏ 04-92-74-63-46. • closdesiris@wanadoo.fr • closdesiris.fr • Au pied du village, à 50 m de La Bastide de Moustiers. Congés : déc-fév. Résa indispensable. Selon saison, doubles 73-82 €, suites 108-140 € ; petit déj 11 €. ☏ 2 petits déj offerts pour 3 nuits consécutives (15 oct-15 avr). Un mas provençal rose aux volets violets, mignon et très fleuri, caché sous les marronniers, les cerisiers et les figuiers, magistralement entretenu par une souriante maîtresse de maison. Chambres très coquettes (boutis, joli mobilier en bois), personnalisées et décorées avec grand soin. Un vrai bonheur de tranquillité et de paix. Une adresse hybride, entre l'hôtel et la chambre d'hôtes, idéale pour un week-end familial.

La Bonne Auberge (plan B2, **14**) : quartier Saint-Michel. ☏ 04-92-74-66-18. • contact@bonne-auberge-moustiers.com • bonne-auberge-moustiers.com • En contrebas du village, à 3 mn à pied du centre historique. Tlj sf le midi mar, jeu et sam en saison ; fermé lun et dim soir hors saison. Doubles 65-90 € selon saison. Au resto, menus déj en sem 21 €, puis 27-39 €. Apéritif offert sur présentation de ce guide. Un hôtel de tradition, dans un bâtiment relativement récent. Chambres confortables, à la déco un peu désuète et très chaudes en été qui ont vu le passage de Bébel et d'un ancien Premier ministre israélien, M. Barak. Côté resto, bonne cuisine, dans la tradition toujours. Vaste salle d'une certaine élégance, service aussi diligent que courtois et rapport qualité-prix beaucoup plus évident que chez beaucoup d'autres au village. Une bonne auberge, effectivement. Grande piscine, terrasse. Charmant accueil.

Chambres d'hôtes Les Oliviers (hors plan par B2, **15**) : quartier Saint-Michel. ☏ 04-92-74-67-34. 📱 06-86-82-07-37. • lesoliviersmoustiers@gmail.com • chambres-moustiers-verdon.fr • À 1,5 km du village, sur la route du lac, à gauche. Tte l'année. Doubles 70-75 € selon saison. ☏ Une maison récente au look provençal, derrière un jardin odoriférant. Chambres pas immenses (mais elles sont de plain-pied sur de petites terrasses), simplement mais joliment décorées. Accueil souriant de Martine et Gérard. Route de passage, mais le soir, ça se calme sacrément. Pas d'inquiétude !

Hôtel Le Colombier (plan B2, **16**) : quartier Saint-Michel. ☏ 04-92-74-66-02. • infos@le-colombier.com • le-colombier.com • À 600 m du village, par la route du lac. Congés : nov-mars. Doubles avec sdb, TV, 80-115 € selon vue et saison ; suites 105-135 €. 🖥 ☏ Un bâtiment récent, bien entretenu. Chambres conventionnelles mais d'un vrai confort et tranquilles. Préférez celles avec terrasse ou balcon, côté vallée. Pour plus d'espace, il y a aussi des suites lumineuses proposées dans un bâtiment à part. Terrasse pour le petit déj, aux beaux jours. Spa et jacuzzi en plein air, tennis. Accueil très aimable et parking privé gratuit (c'est un atout à Moustiers...).

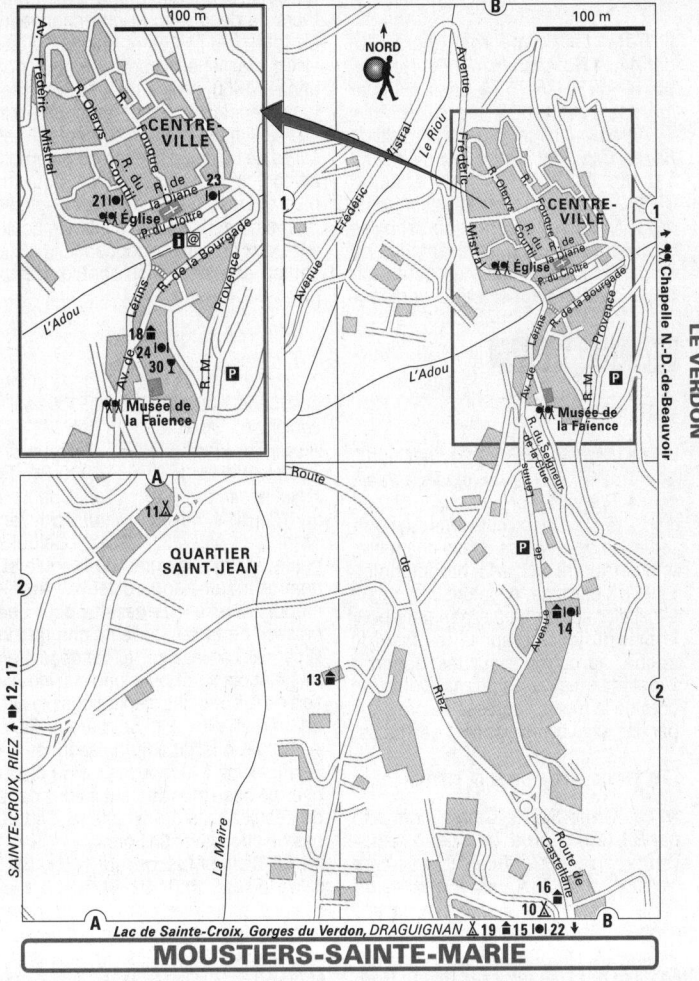

LE VERDON

MOUSTIERS-SAINTE-MARIE

(carte : *Lac de Sainte-Croix, Gorges du Verdon, DRAGUIGNAN* △ 19 ⌂ 15 |●| 22 ↓)

■	**Adresse utile**
❶ @	Office de tourisme

△ ⌂ **Où dormir ?**

- **10** Le Vieux Colombier
- **11** Camping Manaysse
- **12** La Maison de Melen
- **13** Le Clos des Iris
- **14** La Bonne Auberge
- **15** Chambres d'hôtes Les Oliviers
- **16** Hôtel Le Colombier
- **17** Hôtel La Ferme rose
- **18** Chambres d'hôtes L'Escalo
- **19** Domaine Le Petit Lac

|●| **Où manger ?**

- **21** Le Jadis
- **22** La Ferme Sainte-Cécile
- **23** La Treille Muscate
- **24** Le Da Vinci

▼ **Où boire un verre ?**

- **30** Saveurs et Nature

Chic

🛏 *Hôtel La Ferme rose* (hors plan par A2, **17**) : chemin de Peyrengue. ☎ 04-92-75-75-75. ● contact@lafer merose.com ● lafermerose.com ● ♿ Après la bifurcation vers la route de Sainte-Croix, 1ʳᵉ à gauche puis fléché à droite. Ouv avr-début nov. Doubles 87-160 € selon confort et saison, petit déj 11,50 €. 🖥 📶 Une boisson de bienvenue offerte sur présentation de ce guide. Plantée dans un petit morceau de campagne, cette ancienne ferme provençale plaira aux amateurs de déco rétro et collectionneurs de tout poil. Tables et chaises d'une vieille brasserie marseillaise, juke-box années 1950, projos de ciné, ventilos, jouets anciens... Dans les chambres, ça se calme et le charme opère : belles salles de bains en faïence de Salernes, balcon, voire terrasse privée (pour les plus chères...). Une adresse originale pour amoureux en mal d'intimité douillette, aux prix en conséquence, mais le confort et la séduction sont là. Beaux petits déj. Piscine.

Où manger ?

Bon marché

🍽 *Le Jadis* (plan B1, **21**) : rue Courtil. ☎ 04-92-77-27-31. ● lejadis@gmail. com ● Tlj sf ven. Formule déj 13 € ; plat env 22 €. Digestif ou café offert sur présentation de ce guide. Dans une ruelle, un restaurant-pizzeria croquignolet, tout vert et rouge. À l'intérieur, on peut s'installer sur de hauts tabourets pour le plat du jour ou sur la terrasse de poche, au calme, pour les lasagnes végétariennes ou les pizzas. De l'autre côté de la ruelle, l'adresse se prolonge par une salle bis, proposant des tapas.

De prix moyens à chic

🍽 *La Ferme Sainte-Cécile* (hors plan par B2, **22**) : route des Gorges-du-Verdon. ☎ 04-92-74-64-18. ● patcres pin@aol.com ● ♿ À 2 km à la sortie de la ville, dans un tournant en pleine campagne. Tlj sf lun et dim soir (en basse saison). Congés : de mi-nov à mi-mars. Formule déj 28 € (en sem), menu 37 €. Une de nos adresses préférées dans le coin. Dans une belle maison à la non moins belle terrasse, dînez au son des cigales d'une cuisine raffinée qui allie souvent sucré-salé. Agneau de pays, pêche du jour, pain maison, fromages des producteurs locaux, comme le miel de Raphaël Scipion... Le restaurant gastronomique avé l'assent ! Jolie salle également. On aime !

🍽 *Le Da Vinci* (plan B1, **24**) : rue du Docteur-Senes. 📱 06-63-63-00-24. Tlj sf ven et dim soir hors saison. Congés : du 12 nov à mi-fév. Menus déj (en sem) 22 €, puis 35 €. Allez, quelques pas au-dessus du gros de la foule et, comme dirait Léonard (euh... Archimède) : euRêka ! Terrassette pour une brassée de tables, salle fraîche quand le cagnard assassine, le tout décoré en rouge et blanc. Et puis, une cuisine qui sort de la botte des inspirations pleines de « i » et de « o ». Savoureux filets de rouget à la tapenade, lasagnes de veau... éclair à la mousseline de pistache : ce beau monde vient à vous dans de beaux habits du dimanche. Certes, pas de quoi gaver un tigre.

🍽 *La Treille Muscate* (plan B1, **23**) : pl. de l'Église. ☎ 04-92-74-64-31. ● la. treille.muscate@wanadoo.fr ● Tlj sf mer (+ mer soir et jeu hors saison). Congés : déc et janv. Menus 22 € (midi en sem) et 30-50 €. Sur la terrasse de la place de l'Église, bercé par le son de la cascade toute proche. Au-delà du cadre plus que plaisant (attention à la foule en été), la cuisine réconforte : créativité, élégance et qualité pour des recettes à base de produits frais, d'herbes et d'olives du pays... Service irréprochable.

Où dormir ? Où manger dans les environs ?

🛏 🍽 *Ferme de séjour Le Petit Ségriès* : Le Petit-Ségriès, 04360 Moustiers-Sainte-Marie. ☎ 04-92-74-68-83. ● sylvie@chambre-hote-verdon.

com ● chambre-hote-verdon.com ●
À 5 km à l'ouest de Moustiers par la
D 952 (direction Riez, fléché sur la
droite). Fermé de mi-nov à fin mars.
Résa conseillée. Doubles avec sdb
79-82 €. Gîtes 14 pers 1 183-1 890 €/
sem. Table d'hôtes 27 € (sf mer et
dim). ☏ Digestif offert sur présentation de ce guide. Une grande ferme
noyée sous les fleurs, en pleine nature,
où un sympathique jeune couple élève
des brebis. Chambres spacieuses,

simplement décorées mais très bien
tenues, pour 2 à 4 personnes. Certaines disposent d'une jolie salle de bains
colorée. Vue superbe sur les environs.
À table, cuisine à base d'agneaux de la
ferme et des produits de producteurs
du coin (vente à emporter également).
Ambiance familiale et conviviale. Noël
propose des locations de VTT et vous
soufflera quelques tuyaux pour de
belles balades à travers les champs de
lavande avoisinants. Vraiment sympa !

Où boire un verre ?

♟ *Saveurs et Nature* *(plan B1, 30)* :
chemin Sainte-Anne. ☎ 04-92-74-64-
48. ▤ 06-72-73-77-88. ● apiscipion@
gmail.com ● En haut du village. Fermé
mar hors saison. Congés : fin oct-début
avr. Le sympathique Raphaël Scipion
vous fait découvrir sa bière artisanale
au miel et ses autres produits régionaux, notamment différents miels que

l'on peut goûter sur place, fabriqués
dans le respect de la nature. Également
des jus de fruits frais préparés devant
vous. 3 ou 4 tables dehors pour siroter
ces bons breuvages, et une boutique
pour prolonger le plaisir en se baladant
dans les ruelles sinueuses ou de retour
chez soi.

À voir

♟♟ *Le vieux village* *(plan B1)* : s'y promener tôt le matin est un vrai plaisir. On
écoute le son des cascades d'eau, on franchit les petits ponts, on se rafraîchit
près des lavoirs, on se balade de petite place en ruelle pavée avec passages sous
voûtes à la clé et on découvre même quelques oliviers cachés dans son enceinte.

♟♟ *L'église* *(plan B1)* : on remarque d'abord son clocher, vigoureusement lombard. C'était un clocher « branlant », qui oscillait quand sonnaient les cloches.
Rassurez-vous, il ne bouge plus depuis le XVIIe s. À l'intérieur, nef romane unique
de la première moitié du XIIe s, surmontée de belles voûtes (il vous en coûtera 1 €,
carrément, pour l'éclairage...). Le chœur gothique du XIVe s est, quant à lui, encadré de deux colonnades et latéraux. Bizarrement, la nef et le chœur ne sont pas
alignés. Intéressant mobilier, dont un très beau sarcophage du Ve s servant d'autel.

♟♟ *Le musée de la Faïence* *(plan B1)* : pl. Montelupo (attenant à la mairie).
☎ 04-92-74-61-64. Avr-oct, tlj sf mar 10h-12h30, 14h-18h (19h juil-août). Nov-déc
et fév-mars, slt w-e et vac scol 14h-17h ; fermé janv. Entrée : env 3 € ; gratuit moins
de 16 ans. Au gré d'une agréable muséographie, on suit l'histoire de la faïence des
origines de cette tradition artisanale vers les XVIIe et XVIIIe s aux pièces contemporaines. La faïence est faite d'argile tamisée, foulée, conservée en cave humide.
Ensuite, le « biscuit » (ravalez votre salive, c'est le nom de la pièce de base en terre
cuite) est tourné, moulé puis cuit pendant 36h, et peint à la main... Les très belles
pièces exposées permettent de suivre l'évolution des modes, au gré de la maîtrise
des techniques. Initialement cuits à « grand feu », les motifs bleus sur fond blanc
(déjà superbement raffinés) se sont peu à peu embourgeoisés de quelques rares
couleurs. La salle des grotesques présente quelques beaux spécimens de ce style
en vogue au XVIIIe s. En 1760, les frères Ferrat parviendront à maîtriser la cuisson
au « petit feu », qui permet l'usage de plus nombreux pigments et une plus grande
finesse des dessins. Une salle est dédiée à cette évolution d'alors, juste avant
d'embrayer sur les temps modernes : expo d'œuvres produites par la douzaine

d'ateliers du village aujourd'hui en activité. Pour finir, une originale exposition de céramiques créées sur le thème de Picasso.

🏃 *La chapelle Notre-Dame-de-Beauvoir* (hors plan par B1) : c'est la petite église haut perchée que l'on aperçoit au milieu des cyprès en levant la tête. La grimpette est sévère (compter 20 mn), mais le bonheur est grand en arrivant en haut. Pour la vue incroyable, d'abord ; pour le lieu ensuite. Cette chapelle de pèlerinage aurait été établie ici au Ve s, mais le bâtiment actuel date du XIIe s. Jusqu'au XVIIe s, ce fut un lieu vénéré par les parents ayant eu un enfant mort-né. Pas très réjouissant ! Or ces enfants ne pouvaient être enterrés par l'Église, et l'on venait

> **IMPÔT : LE MOUSTIERS... PROVISIONNEL !**
>
> *À la fin du XVIIe s, Louis XIV a besoin de quelques deniers pour payer ses guerres. Il impose « le luxe » (les édits somptuaires). Et tous les nobles, lui compris, de fondre leur vaisselle en or ou en argent pour acquitter cet ISF avant l'heure. Bingo pour Moustiers, car comme en témoigne Saint-Simon : « Tout ce qu'il y eut de grand et de considérable se mit en huit jours à la faïence. » Autrement dit, la plastique des assiettes en faïence fit un carton !*

chercher ici des signes de suscitation : frémissement de peau, stigmates... des signes de vie tangibles. Dès qu'ils étaient prouvés, il pouvait donc y avoir baptême et, par la suite, enterrement. Les pitchouns évitaient ainsi les limbes de l'enfer éternel.

À faire

■ *Verdon Passion Parapente* (plan B1) : Le Courtil. ☎ 06-08-63-97-16. ● info@ verdon-passion.com ● verdon-passion.com ● Voici une excellente façon de s'envoyer en l'air, au-dessus des superbes gorges du Verdon, et du non moins superbe lac de Sainte-Croix. En compagnie de pros et de quelques drôles d'oiseaux (des vautours ou des aigles, par exemple !). Pour trois francs six sous, de 7 à 80 ans et plus !

➤ *Randonnées au départ de la ville :* 12 sentiers balisés partent du village. Un panneau près du parking du haut les mentionne. Très bon topo de randos en vente à l'office de tourisme *(fiche 1 €, livret 9 €)*. À vos chaussures !

➤ *Balade nautique sur le Verdon :* au Pont-du-Galetas, à l'extrémité nord-ouest du lac *(accès par la D 957 entre Moustiers-Sainte-Marie et Les Salles-sur-Verdon)*. Possibilité de louer une barque, un bateau à moteur, un kayak ou un canoë, et de s'engouffrer dans le canyon du Verdon pour une balade de 30 mn ou 1h. Cadre franchement fantastique.

LA BASSE VALLÉE DU VERDON

LE LAC DE SAINTE-CROIX

Une mer à la montagne ! Le plus vaste des lacs du Verdon (peu ou prou, la superficie du lac d'Annecy, pour situer). Des eaux turquoise, émeraude, cyan... à faire pâlir un arc-en-ciel, au cœur d'une nature restée encore sauvage, côté Alpes-de-Haute-Provence, l'activité touristique, quoique limitée, s'étant surtout développée sur les rives varoises. Un seul village, Sainte-Croix-du-Verdon, joliment perché au-dessus du lac.

– *Feu d'artifice :* 1er w-e d'août pour la fête Saint-Sauveur sur le lac.

Où dormir ? Où grignoter en buvant un verre dans le coin ?

🛏 **Chambres d'hôtes La Maison du bois doré :** *sur la D 111, entre Riez et Sainte-Croix-du-Verdon ; Plan-de-Croix, 04500* **Montagnac-Montpezat.** ☎ 04-92-78-05-87. 📠 06-86-97-01-86. ● contact@lamaisonduboisdore. fr ● *lamaisonduboisdore.fr ● Fermé nov-mars. Double 89 €.* 📶 *(sur demande).* Au milieu des champs de lavande et des fleurs de lotus, des pins et des chênes, au calme absolu, dans une ancienne miellerie. 4 chambres spacieuses, toutes avec leur petite terrasse et transats. Dans chacune domine une couleur joliment affirmée : vert anis, rouge coing, jaune amande ou blanc cassis, et l'accueil... en or. Salles de bains avec douche et baignoire, grands lits. Une des très belles adresses des environs.

🛏 **L'Auberge du Castellas :** *sur la D 111. 04500* **Sainte-Croix-du-Verdon.** ☎ 04-92-77-87-92. *À 1 km du village, un direction d'Aups. Ouv avr-sept. Doubles 59-64 € selon vue.* Ce bâtiment sans grand charme au look *seventies,* gardé par une dynastie de chats, abrite une dizaine de chambres. Dotées de petites salles de bains, elles peuvent se targuer d'une déco tendance aux couleurs vives pour les unes, pâlottes pour les autres. Côté lac, avec terrasse ou balcon, elles jouissent d'une vue panoramique sur les eaux du lac. Les autres donnent vers la route peu passante. Le tout reste simple, à l'image de la salle de petit déjeuner et de l'accueil.

🍴 **|●| La Taverne du Lac :** *pl. du village, 04500* **Sainte-Croix-du-Verdon.** *Ouv avr-oct. Tlj 9h-minuit.* Dans le discret mais mignon village de Sainte-Croix, notre petit chouchou pour boire un coup en sirotant du regard la plus belle vue qui soit sur le lac. Une carte de bières à faire mousser d'envie une taverne bruxelloise. Testez une *Corne du roi des pendus...* une tuerie à 10° ! Et entamez la soirée avec un *Delirium nocturnum.* À accompagner d'une planche combinant charcuterie et fromage... pour éviter le *Delirium tremens !*

À faire

– 🏄 **Association Voile et Nautisme :** *route du bord du Lac, 04500* **Sainte-Croix-du-Verdon.** ☎ 04-92-77-76-51. ● *voileverdon.fr ● Au sud-ouest du lac. Début mars-fin nov.* Une petite équipe qui se démène pour vous assurer des activités de ce côté du lac un peu moins fréquenté (tant mieux, profitez-en !) : optimist, planche à voile, catamaran *(Hobie Cat),* aviron, *stand-up paddle,* bateau collectif... Cours particuliers, stages tous niveaux, baptême, location de matériel. Promenades en bateau, en particulier le soir pour admirer le coucher du soleil.

QUINSON (04800)

Du lac de Sainte-Croix, on suit de sympathiques sinueuses routes départementales jusqu'à Quinson, niché en fond de vallée. Encore un village à l'accent provençal, avec ses ruelles, vieilles pierres, anciennes portes et petites fontaines, curieusement toutes construites la même année, en 1877. Mais ici, on découvre en plus l'un des plus impressionnants musées d'Europe sur la préhistoire.

Adresse utile

🛈 **Office de tourisme :** *chapelle de la rue Saint-Esprit.* ☎ 04-92-74-01-12. | ● otquinson@gmail.com ● *quinson. fr/ot ● Ouv en juil-août, tlj sf sam en* *principe ; sinon se renseigner.* Infos sur Quinson et les basses et moyennes gorges du Verdon. Visites guidées du village l'été *(2 € ; 6 € avec le musée).*

Où dormir ? Où manger à Quinson et dans les environs ?

Prix moyens

🛏 |●| *Relais Notre-Dame :* D 13. ☎ 04-92-74-40-01. ● relaisno tredame@orange.fr ● relaisnotre dame-04.com ● ♿ Près du musée de la Préhistoire, vers le pont. Tlj sf lun soir-mar, plus lun midi hors saison. Doubles 84-105 € selon confort et saison, ½ pens 80-87 €/pers (à partir de 2 j.). Formule env 21 € ; menus 24,80-41 €. 📶 L'adresse familiale du village. Chambres rénovées, coquettes et bien tenues, certaines côté jardin. Celles côté rue disposent du double vitrage. À table, honnête cuisine régionale servie en salle ou en terrasse sous les platanes. Piscine, balançoire, petit jardin.

Chic

🛏 |●| *Le Moulin du château :* 04500 **Saint-Laurent-du-Verdon.** ☎ 04-92-74-02-47. ● info@moulin-du-chateau. com ● moulin-du-chateau.com ● ♿ (1 chambre). À 5 km au nord-ouest de Quinson par la D 11, puis à droite la D 311 ; fléché au village. Resto ouv le soir slt sf jeu, plus lun et sam hors saison ; réservé aux résidents. Congés : de début nov à mi-mars. Résa conseillée, et à l'avance. Doubles 102-130 € selon confort et saison. Menus 28-32 €. 💻 📶 Une vraie adresse de charme dans une belle maison ancienne, hier moulin du château de Saint-Laurent (l'enseigne est explicite !), au milieu des oliviers. Incroyable salle de lecture avec la meule « géante » d'origine, terrasse face au grand et élégant jardin, quelques chambres, raffinées, où l'on découvre vraiment ce que peut être la douceur de vivre... Mais une adresse de charme avec une conscience environnementale : chauffage au gaz, produits d'entretien écolos et refuge de la LPO dans le grand jardin. Douce cuisine à base de produits frais et de saison, souvent bio (évidement). Épatant accueil, teinté d'un charmant accent suisse. Très calme.

À voir. À faire

🎭🎭🎭 🚶 *Le musée de la Préhistoire des gorges du Verdon :* ☎ 04-92-74-09-59. ● museeprehistoire.com ● ♿ À la sortie du village par la route de Montmeyan (D 13). Juil-août, tlj 10h-20h ; le reste de l'année, tlj sf mar 10h-18h (19h avr-juin et sept) ; fermé de mi-déc à fin janv. Entrée : env 7 €, audioguide compris (visite guidée 9 €) ; 5 € pour les 6-17 ans ; forfait famille (2 adultes et 2 enfants) 20 €. Animations (voir le site). L'un des plus grands musées de préhistoire d'Europe, rien que ça ! Une longue barre aux murs en pierre de la région (signée lord Norman Foster, le concepteur du nouveau Reichstag à Berlin et du viaduc de Millau), de prime abord un peu massive et austère, mais qui se révèle très agréable une fois à l'intérieur. Dès l'entrée, on est accueilli par les trois mousquetaires de la préhistoire : un mammouth, un mégacéros, un rhinocéros laineux et un tigre aux dents de sabre (z'ont pas l'air bien aimables !). Sur 4 200 m², en commençant par le 1er étage, on découvre les premiers pas de l'humanité en Provence et son évolution, sur près d'un million d'années, soit jusqu'à l'Antiquité. Approche logiquement chronologique. De vastes espaces et des vitrines très bien conçues (supervisées par le professeur Henry de Lumley, expert en la matière) accueillent des milliers d'objets trouvés dans la région du Verdon, dont certains remontent aux origines de l'homme (du moins, aussi loin que les spécialistes ont pu remonter), comme ces petites pointes de l'époque du Paléolithique archaïque (- 400 000 ans), d'ailleurs appelées

« pointes de Quinson ». Très bons dioramas et plusieurs vidéos en 3D, dont une sur la grotte de la Baume-Bonne, le site historique qui a inspiré le musée et sur lequel des historiens ont travaillé pendant plus de 50 ans. Expositions temporaires au rez-de-chaussée, animations pour les enfants et visites guidées possibles sur réservation de la grotte de la Baume-Bonne (à 2h30 de marche aller-retour). Un musée intelligent, pédagogique, qui réconciliera les plus réfractaires de cette période de l'histoire, et dont on pourra compléter la visite par celle du village préhistorique avec son jardin néolithique (à la sortie du village, vers le parking du musée).

➤ *Remonter le cours du Verdon en bateau électrique : Verdon Electronautic,* *à la sortie de Quinson, sur les bords du Verdon, face au parking du musée de la Préhistoire.* ☎ 04-92-74-08-37. ● verdon-electronautic.com ● ♿ *Avr-oct, 9h-19h. Compter 15-25-45 €/h selon taille du bateau (jusqu'à 8 passagers).* Il faut 5h de visite (aller-retour) pour parcourir toutes les gorges du Verdon entre Quinson et Esparron. La base se trouve presque à l'entrée des gorges. En 3h de balade, on a déjà un bel aperçu du paysage.

– *Base Yannick : base nautique de Montpezat.* ☎ 06-08-54-50-02. ● canoeverdon. free.fr ● ♿ *Propose des visites et loc de canoës et bateaux électriques. Sur présentation de ce guide, le tarif ½ journée sera appliqué pour 1 journée en canoë ou en kayak.* Les visites « préhistoriques », proposées par Yannick Bernier dans les gorges du Verdon sont très prisées. D'ailleurs, Yann Arthus-Bertrand y a vu une autre version du Paradis !

Fête

– *Fête de la Préhistoire : 3e w-e de juil.* Quinson fête la préhistoire à travers différentes manifestations. Ressortez les peaux de bêtes !

ESPARRON-DE-VERDON (04800)

Village « caché mais point sauvage », qu'ils disaient... Un village perché au-dessus d'un petit lac, surpeuplé en été, bien tranquille sinon. Pittoresque château, flanqué d'un donjon médiéval, où l'on peut même dormir (si on casse sa tirelire).

Adresse utile

🛈 *Office de tourisme : hameau du port.* ☎ 04-92-77-15-97. ● esparron deverdon.com ● *Juil-août, tlj sf sam mat ; se renseigner hors saison.* Équipe compétente et serviable.

Où dormir ?

🏠 *Chambres d'hôtes du château d'Esparron :* ☎ 04-92-77-12-05. 🖳 06-64-65-17-00. ● chateau.espar ron@gmail.com ● château-esparron. com ● *Ouv de mi-avr à mi-oct. Doubles avec sdb 140-280 €.* 📶 Eh oui, le prix fait comme un choc, surtout quand on arrive sans savoir ce qui nous attend, après une balade estivale sur les berges du lac. L'agitation s'arrête au pied de ce très beau château, qui appartient à la famille Castellane depuis le XIIIe s. L'héritier et sa charmante épouse ont eu la bonne idée de transformer ces lieux vénérables en chambres d'hôtes de luxe, avec beaucoup de goût, d'esprit et de respect pour ces vieux murs. Splendides salles de bains. Petit déj servi dans l'ancienne cuisine joliment aménagée. Pour un coup de folie.

À voir. À faire

👫 🧍 L'écomusée « La Vie d'Antan » : *rue des Fontaines.* ☎ 04-92-77-13-70. ● esparrondeverdon.com/ecomusee ● ♿ *(rdc). À 100 m de la mairie, au cœur du village. Mai-sept, tlj sf mar14h30-18h30 (juil-août 10h-12h, 15h-19h). Entrée : 2,50 € ; 2 € sur présentation de ce guide ; gratuit moins de 10 ans.* Un musée de poche. Costumes et objets provençaux authentiques. Parmi les curiosités, une machine à laver le linge du XIXᵉ s qui fonctionnait à la cendre de bois, entièrement en planches, une robe de mariée du XIXᵉ s noire, une chemise conjugale (avec l'inscription « Dieu le veut ! »), un collier de chien antiloups, etc. Une salle à l'étage présentant des scènes de cordonnier, de culture du chanvre (pour faire du tissu ! On vous voit venir...), une reconstitution d'apothicairerie (les proprios possèdent plus de 300 pots !), une machine à faire des suppositoires, reconstitution d'une chambre d'accouchement du XIXᵉ s. Au sous-sol, une pièce mettant en scène les lavandières et illustrant la culture du blé. Visite guidée par Marie-Thérèse ou Roger, les propriétaires, toujours prêts à fournir des explications et à raconter des anecdotes savoureuses aux enfants comme aux parents.

– La poterie de la Forge : *rue des Fontaines.* ☎ 04-92-77-18-61. *Dans le village, 50 m au-delà de l'écomusée. Tlj en été.* Propose des démonstrations. Pour les futurs amateurs !

– 🧍 Le club nautique d'Esparron de Verdon : ☎ 04-92-77-15-25. ● cnev@orange.fr ● cnev.online.fr ● Pour s'initier à la voile, au dériveur, à la planche à voile, au *stand-up paddle...* Stages, cours particuliers, baptêmes, locations. Sorties accompagnées de 1 à 2h en vieux gréement *(le w-e slt, groupe min 4 pers sur résa).* Sortie en *paddle* de lieux insolites. Encadrement jeune et sympa.

GRÉOUX-LES-BAINS

(04800)   2 580 hab.   *Carte Alpes-de-Haute-Provence, B4*

Au pied des champs de lavande du plateau de Valensole, vrai village provençal comme on les imagine. Un campanile qui fanfaronne, de vieilles maisons qui font cercle autour d'une colline, des rues piétonnes ombragées en été (mais attention à la foule), des venelles, escaliers et autres petits passages qui mènent au château surplombant le village. En contrebas de ce vieux village, Gréoux devient « les-Bains », modeste station thermale avec beaucoup des attributs du genre : de paisibles curistes qui font des mots croisés entre deux séances aux thermes, de grands hôtels à l'ancienne mode, trois parcs et un casino. Les Romains avaient, évidemment, découvert dès le Iᵉʳ s les vertus bienfaisantes des eaux du coin. Ils s'y remettaient, paraît-il, de leurs orgies... Les indications thérapeutiques d'aujourd'hui : rhumatologie et voies respiratoires, traumatologie, pneumologie...

Adresse et info utiles

ℹ @ Office de tourisme : *7, pl. de l'Hôtel-de-Ville.* ☎ 04-92-78-01-08. ● greouxlesbains.com ● *Juil-août, tlj 9h-19h (18h dim et coupure déj 12h30-14h30) ; fermé dim hors saison, horaires variables.* Randos de 2h à 1 journée sur des sentiers pédestres thématiques (sur résa, mars-déc ; 6 à 20 €). Également, des randos VTT (carte gratuite des circuits balisés). Équipe très pro.

– Marché : *mar mat, pl. de la Mairie (petit), et jeu mat, parking des Marronniers (grand). En juil-août, nocturnes le ven.*

Où dormir ? Où manger ? Où boire un coup ?

Campings

Les 2 campings sont très proches : depuis le centre, prendre la direction Saint-Pierre-Saint-Julien-le-Montagnier sur 1,5 km. Fléché après le pont sur le Verdon.

⚑ *Camping Le Verseau :* 113, chemin Gaspard-de-Besse. ☎ 04-92-77-67-10. 📱 06-69-97-92-35. ● info@camping-le-verseau.com ● camping-le-verseau.com ● ⚒ Ouv mars-nov. Selon saison, tente 2 pers et voiture 14,70-22 € ; loc de chalets et mobile homes 4 pers 268-710 €/sem. Au bord du Verdon, avec une jolie vue sur le village. 120 emplacements pas bien vastes, séparés par des haies de cyprès dans un cadre charmant. Grand terrain de jeux, beau boulodrome et non moins belle piscine.

⚑ *La Pinède :* route de Saint-Pierre, BP 34. ☎ 04-92-78-05-47. ● lapinede@wanadoo.fr ● camping-lapinede-04.com ● ⚒ Ouv mars-nov. Selon saison, tente 2 pers et voiture 14,10-21,80 € ; loc de mobile homes à partir de 4 pers 323-750 €/sem. Apéritif maison offert sur présentation de ce guide. 166 emplacements étagés sous les pins (sans blague !) mais aussi chênes et autres essences. Un beau site, avec piscine, tennis, jeux pour les enfants, terrain de boules, snack... Sanitaires propres. Piscine.

De très bon marché à bon marché

|●| *Les Oliviers :* 41, av. des Alpes. ☎ 04-92-75-24-27. ● restaurant-les-oliviers@orange.fr ● À pied, depuis la mairie, aller vers le parking des Aires et prendre la traverse en contrebas. En voiture, contourner le centre en direction de Vinon-sur-Verdon par l'av. des Alpes. Tlj sf dim soir et mer. Formule 15 € ; menus 17 € (midi)-35 € ; carte. Éric (au piano) et Karine (en salle) proposent à vos palais un véritable condensé de Provence à des prix au ras de la lavande... La farandole des saveurs est complète : romarin et thym viennent juste de quitter la garrigue, les olives semblent être directement tombées dans votre assiette depuis l'olivier qui déborde sur la terrasse. Itou pour les figues blanches en fin d'été, le miel local, l'aneth frais, et une feuille de sauge confite (hmm !) parachevant le dressage des assiettes. Les cigales, peu gênées par la route, complètent cette carte postale culinaire et vous ôtent l'envie de quitter cette adresse qui rayonne de goût.

|●| *L'Ardoise :* Le Grisélis, av. des Marronniers. ☎ 04-92-73-76-58. ● boutique.lardoise@orange.fr ● ⚒ Tlj sf dim et lun. Congés : déc-mars. Resto les midis et le soir tapas. Plats du jour 13-15 €, menu 22 €. Apéritif offert sur présentation de ce guide. Un endroit original, à la fois épicerie fine, boutique de déco et miniresto. Et surtout une ardoise, une terrasse colorée et une grande tablée à l'intérieur pour partager des petits plats locaux bien ficelés (carbonara de calamars, marmite de poisson à l'aïoli, soupe au pistou, etc.). Thé bio pour faire passer le tout. Accueil souriant.

🍸 |●| *Les Saveurs du Sud :* av. des Marronniers. ☎ 04-92-74-23-24. Tlj 8h30-1h30. Congés : déc-fév. Repas 13 €. Sur présentation de ce guide, apéritif maison offert à nos lecteurs qui s'y restaurent. Bel espace à l'ambiance d'autrefois et à l'architecture métallique moderne. Idéal à la nuit tombante, en terrasse sous les... marronniers, pardi, pour boire une bière, un cocktail détonant ou pour grignoter un bout : quelques spécialités très locales genre... des moules-frites. Jolie salle plus au calme sur l'arrière du resto.

De prix moyens à chic

🛏 |●| *Les Colonnes :* 8, av. des Marronniers. ☎ 04-92-70-46-46. ● grandhoteldescolonnes@wanadoo.fr ● hoteldescolonnes.fr ● Doubles 74-85 € selon saison et situation ; petit déj 11 €. Plat du jour 13 €. 📶 L'ancien logis a fait peau neuve, aménageant sa trentaine de chambres de façon moderne. Les salles de bains sont rutilantes. Piscine, et même un petit spa pour prendre soin de soi. Côté village, les chambres sont un peu plus bruyantes, préférez côté piscine (plus chères). Pas de clim, mais des ventilos à dispo. Accueil sympa. La brasserie *8e Avenue,* au rez-de-chaussée est bien dans le mistral (dans le vent, té !) *avé* son « deck » en bois, ses couleurs rouge et noir et ses petits plats mi-bistrotiers, mi-cuisine du monde.

🏠 *Résidence-club Odalys Côté Provence :* av. des Thermes. ☎ 04-92-78-99-16. ● coteprovence@odalys-vacances.com ● odalys-vacances.com ● À 200 m de l'établissement thermal. Fermé de mi-nov à début mars. À partir de 255 €/sem pour 4 pers. 🛜 *(payant).* Les 111 appartements offrent tout le confort désiré (kitchenette, connexion Internet payante, balcon ou terrasse). Hiver comme été, on profite de la piscine semi-découverte chauffée avec buses massantes, et, de juin à septembre, de la piscine extérieure chauffée. Et pour ceux que les activités de plein air rebutent, vous avez toujours la possibilité de faire un peu d'exercice dans l'espace remise en forme !

🏠 *La Castellane :* 171, av. des Thermes. ☎ 04-92-78-00-31. ● hotel caste@aol.com ● villacastellane.com ● Doubles env 83-103 € selon saison ; petit déj 12 €. 🛜 Pile poil à côté des thermes, ce pavillon de style Mansard affiche son côté très chic dès l'extérieur : parc planté d'arbres séculaires, blason et mascaron en façade, grande piscine... Et puis, l'accueil se révèle pas du tout collet monté, et les chambres sont arrangées dans le goût du temps. Grandes juste ce qu'il faut, aux soubassements lasurés de blanc, dotées d'un mobilier contemporain et de salles de bains pimpantes. Une belle adresse à la fois calme et très centrale.

🍴 *La Caverne :* 715, rue Grande. ☎ 04-92-78-19-54. Tlj sf dim soir lun et mer soir hors saison. Congés : janv. Formule 17,50 €, menus 25,50-41,50 €. Il faut dépasser la terrasse sur rue pour saisir le coté « caverne » de cette salle partiellement voûtée. Le chef, avec une belle maîtrise, saute allègrement du statut de « disciple d'Escoffier » à celui de « Maître restaurateur ». Quant à ses autres titres, suivez les diplômes sur les murs. La carte est à la fois pétrie de tradition et de relief, avec une navigation parfaite pour les cuissons. Les saveurs coulent en bouche de la crépine au fondant, et de l'agneau jusqu'au chocolat. Une table bien dressée, un service tout en prévenance : si nos ancêtres préhistoriques du Verdon avaient des cavernes aussi gastronomiques, ils devaient faire bombance !

Où acheter de bons produits d'ici ?

🏵 *Calissons Durandeu :* 46, rue Grande. ☎ 04-92-78-00-01. Ouv d'avr à mi-déc. Tlj sf dim ap-m et lun 7h-12h45, 15h30-19h. Une belle et bonne confiserie provençale à Gréoux depuis 1851, la seule à faire des calissons dans la région. Et des bons !

🏵 *Fromages de chèvre du Domaine de la Fare :* D 82 vers Manosque. 📱 06-59-00-16-28. Fermé de mi-déc à fin mars. Venir vers 17h à l'heure de la traite. Une bonne adresse pour les banons. Présent également au marché de Gréoux.

🏵 👪 *Santonnier Truffier-Douzon :* 84, chemin Sainte-Annette. ☎ 04-92-78-01-72. Lun-sam 14h-18h. Pas moins de 8 générations successives font de ce santonnier l'un des plus anciens de Provence. Et l'un, également, à perpétuer la fabrication selon les méthodes ancestrales. Petit musée avec de belles pièces historiques, et crèche permanente (oui, mais le petit Jésus et le Ravi ne sortent qu'au moment de Noël !)...

À voir. À faire

🏰 *Le château des Templiers :* il domine le village de ses murs sévères. Expositions temporaires sous les belles voûtes de l'ancienne salle des gardes. À découvrir le mercredi dans le cadre de la visite guidée du village organisée par l'office de tourisme *(sur résa, tarif : 4 €).*

🕏 *L'église Notre-Dame-des-Ormeaux :* dans le vieux village, face à la mairie. Du XIIᵉ s, son nom tient au fait que la place était autrefois plantée d'ormes. La nef en berceau est romane, le bas-côté et les chapelles ont été ajoutés aux XVᵉ et XVIᵉ s. Elle possède un chœur gothique carré, aux voûtes parées de brique et un retable en bois doré du XVIIᵉ s.

🕏🕏 🕏 *Le musée des Jouets anciens et des Miniatures :* 16, av. des Alpes. ☎ 04-92-78-16-52. 📱 06-84-62-71-23. À la sortie du village, prendre direction Vinon-sur-Verdon. Ouv de mi-avr à fin oct, lun, mer et ven sf j. fériés 16h-19h. Entrée : adulte 7,50 € ; 4-12 ans 6 €. Prévoir 2h de visite. L'intarissable Mme Portugal collectionne les poupées depuis l'âge de 8 ans... À la retraite, elle a créé ce surprenant musée, réparti sur 12 pièces. Véritable caverne d'Ali Baba de la miniature, de la poupée et de bien d'autres jeux et jouets, avec plus de 20 000 pièces et plus de 140 mises en scène : les clowns, Paris, les personnages de B.D., les chevaliers, la maternité (poupée préférée de madame), la haute couture, l'école, le Petit Prince, les poupées russes, etc., et la ferme, notre mise en scène préférée. Grande bibliothèque consacrée aux sujets, vidéo, salle de jeux. Alors, garçon ou fille, petit ou grand, bienvenue au paradis de l'enfance retrouvée !

🕏🕏 *La chapelle Notre-Dame-des-Œufs :* à l'extérieur du village, route de la plage de Saint-Julien. Depuis le parking, compter 1h30 à pied l'A/R. Cette petite chapelle, blottie dans les monts, est célèbre pour ses pèlerinages, censés guérir la stérilité féminine. À part ça, très joli point de vue sur le vieux village.

– Le casino : villa Les Jarres, av. des Thermes. ☎ 04-92-78-00-00. Tlj 11h-3h (4h le w-e et avr-oct). Pour les amateurs ou les routards joueurs et fortunés, une salle de jeux traditionnels et une salle de machines à sous. Thé dansant (payant) le dimanche à 16h et 19h en juillet-août, et le mercredi hors saison.

UN RETARDATAIRE RAVI

Dans la crèche provençale, tout le monde est en place bien avant le 24 décembre : tous les corps de métiers ont paré leurs habits du dimanche, Joseph et Marie trônent, entre le bœuf et l'âne gris. Les deux derniers à faire leur apparition (le 24 à minuit), sont le petit Jésus (il ne peut pas être là avant, puisqu'il n'est pas encore né !) et le Ravi. Ce personnage qui lève les bras au ciel pour annoncer, ravi, que... Il est né le divin enfant !

PMA : PROCRÉATION MIRACULEUSEMENT ASSISTÉE

La tradition veut que le lundi de Pâques, les femmes qui désirent, sans succès, une grossesse, montent jusqu'à Notre-Dame-des-Œufs, un œuf dans chaque main : un pour le gober, l'autre à enterrer sur place. Si l'œuf enfoui est retrouvé intact à la date du 2ᵉ pèlerinage (le 8 septembre, jour de naissance de Marie), le vœu devrait être exaucé... Sinon, il reste la procréation médicalement assistée...

– Les thermes : av. du Verdon. Derrière le casino. Ouv de mars à mi-déc. Ne se visitent pas (bâtiment pas très emballant). ☎ 0800-05-05-32 (gratuit depuis un poste fixe). ● chainethermale.fr ● Thermes troglodytiques, célèbres depuis les Romains ; on y traite les rhumatismes et les problèmes de voies respiratoires, entre autres, mais on y pratique aussi des séances de remise en forme sur 2 jours. Les eaux thermales de Gréoux, pour info, sont sulfurées, calciques, sodiques, sulfatées et magnésiennes (rien que ça !) et sortent de terre à 42 °C.

– Canyon Parc : château Laval, route de Valensole. 📱 06-75-22-39-89. ● canyon-parc.fr ● Ouv Pâques-Toussaint, tlj 9h30-17h ; hors vac scol, w-e,

LE VERDON

mer ap-m et sur rdv les autres j. de la sem. De l'accrobranche à tous les étages, de 3 à 77 ans (et plus) !

Manifestations

– **Soirées au château :** *juil-août.* Spectacles tout public (humour, théâtre, musique, lyrique).
– **Dimanches musicaux :** *les dim mai-oct.* Concerts gratuits au parc Morelon (jazz, chanson populaire, classique...).
– **Foire aux santons :** *pdt les vac de la Toussaint.* Avec les santonniers de la région ; ateliers pour enfants.

LE PLATEAU DE VALENSOLE

Entre les vallées du Verdon, de la Bléone et de la Durance, découvrez ce vaste plateau quand la lavande est en fleur fin juin, début juillet. Un vrai moment de bonheur. À la fraîche, on profite pleinement des senteurs et des couleurs de la terre et du ciel. Sur la route, de village en village, les fontaines, lavoirs et chapelles témoignent d'un riche patrimoine régional, hérité du Moyen Âge, et même de l'Antiquité, notamment à Riez.

VALENSOLE (04210)

Une des communes les plus étendues de France. Le bourg en lui-même, quoique typiquement provençal avec ses vieilles rues et portes, son église du XIIIe s, sa fontaine datant de 1734, ses vieux bistrots et ses chapelles, vous retiendra moins que son plateau planté de lavandes à l'infini, avec ses distilleries, visitables en été, et son musée de l'Abeille, sur la route menant à Manosque. Le miel de lavande qui est produit là classe le plateau parmi les « Sites remarquables du goût ».

Adresse utile

🏠 **Office de tourisme :** *pl. des Héros-de-la-Résistance.* ☎ 04-92-74-90-02. ● valensole.fr ● *Dans le centre. Tte l'année. Lun-sam mat 9h-12h, 14h-18h ; ouv non-stop, plus sam ap-m et dim en juil-août.* Excellent accueil et renseignements sur les visites de distilleries, les journées découverte avec repas...

Où dormir ?

🏠 **Chambres d'hôtes château du Grand Jardin :** *chez Jacques et Alia Glory, 1, chemin Amiral-de-Villeneuve.* ☎ 04-92-74-96-40. ● info@lechateau-valensole.com ● lechateau-valensole. com ● *Doubles 120-160 €. Table d'hôtes 28 ou 48 €.* 📶 Demeure Napoléon III à la lisière du village, qui abrite aujourd'hui 3 chambres et 2 suites, dont les noms et le décor transportent dans une époque révolue. Une jolie terrasse et un petit jardin. Accueil sympathique des propriétaires, passionnés d'histoire et de patrimoine. Également un salon de thé.

Fête

– **Fête de la Lavande :** *3e dim de juil.* Visites de distilleries, vente de produits, survols en hélicoptère des champs en fleur, groupes folkloriques...

SAINT-MARTIN-DE-BRÔMES (04800)

À 6 km au nord-est de Gréoux par la D 952. Un village discret, typiquement provençal, offrant une vue impressionnante quelle que soit la route par laquelle on y arrive. Une jolie église romane et de vieilles maisons des XVe et XVIe s, encore placées sous la protection d'une haute et costaude tour templière.

Où dormir ? Où manger ?

🛏 ❙●❙ **Hôtel-restaurant La Fontaine :** *5, pl. de la Fontaine.* ☎ 04-92-78-02-05. ● hotel-rest-lafontaine@wanadoo.fr ● verdon-tourisme.com/lafontaine ● *Sur la D 952, à l'entrée du village quand on arrive de Gréoux. Congés : 15 fév-3 mars. Résa conseillée en hte saison. Doubles avec lavabo 47 €, avec sdb 52-54 € selon confort. Menus 19,90-45 €.* 📶 *Chambres simples et* bien tenues par deux jeunes couples qui vous accueillent tout sourire. Une tapenade et ses croûtons introduisent de bons plats du coin au gré du marché et d'appétissantes pâtisseries. L'apéro maison au citron, à la vanille et à la cannelle, n'est pas mal non plus. De surcroît, les prix sont gentils. Petite terrasse par l'entrée côté village près d'une fraîche fontaine.

ALLEMAGNE-EN-PROVENCE (04500)

À mi-chemin entre Gréoux et Riez, un petit village pittoresque avec ses vieilles maisons en galets roulés, pourvu d'un étonnant système d'irrigation au départ du vieux lavoir, mais surtout marquant par son imposant château des XIVe et XVIe s.

UN ALAMAN... DES ALLEMAGNIENS

Autrefois des Barbares alamans se sont implantés dans les parages. Le nom est resté. On précisa « en-Provence » après la Seconde Guerre mondiale, pour l'image du bourg mais aussi d'un point de vue pratique : pas mal de courriers finissaient outre-Rhin ! Quant aux habitants d'Allemagne, ce ne sont pas des Allemands mais des Allemagniens.

Adresse utile

🛈 **Syndicat d'initiative :** *pl. de Verdun.* ☎ 04-92-75-01-73. *Sur la place du* village. *Tlj sf dim et j. fériés, de mi-mars à nov 9h30-12h, 15h-18h.* **Bonnes infos.**

Où dormir ?

Bon marché

🛏 **Chambres d'hôtes L'Oustaou Angelvin :** *rue Antoine-Calvi.* ☎ 04-92-77-42-76. ● angelvingerard@orange.fr ● verdon-tourisme.com/loustaou ● Tte l'année. *Doubles 55-65 €. Gîtes 2-6 pers 280-800 €/sem selon saison (loc au w-e hors saison).* 📶 *Un flacon d'huile essentielle de lavandin offert sur présentation de ce guide.* Dans une belle maison du XVIe s, face au château, 2 chambres bien agréables, modulables en appartement avec coin cuisine. Beaucoup d'espace, déco un peu vieillotte mais l'ensemble est bien tenu. Adresse sans chichis, à l'image des hôtes, qui vous offrent volontiers le verre de l'amitié (préparé par monsieur) dans leur agréable jardin. L'été, accès à une cuisine d'extérieur. Animaux bienvenus (on trouve d'ailleurs chien, tortue, tourterelle, dans cette sympathique arche de Noé !). Gîtes avec accès direct au jardin. Barbecue. Piscine.

LE VERDON

Chic

🛏 **La Maison des collines :** chemin Saint-Véran. ☎ 04-92-72-07-38. 📱 06-88-79-69-09. ● frederic.arzano@orange.fr ● lamaisondescollines.com ● Depuis Allemagne, prendre la route de Valensole, fléché à droite et sur 4 km de route. Depuis Riez, prendre la route de Valensole sur 2,5 km, puis fléché à gauche sur 2,5 km (chaussée en mauvais état par endroits). Ouv de mai à mi-sept. Doubles 140-150 €. Bordée d'oliviers et de chênes blancs et verts, de romarin, voici une des adresses les plus élégantes des environs, avec vue magnifique sur les collines avoisinantes. Chambres vastes, à la déco design, aux teintes chaleureuses et modernes. Rideaux de lin, objets chinés, savons artisanaux, vasques de pierre plate : tous les petits détails donnent un charme fou à l'endroit. Les propriétaires adorables, Françoise et Frédéric, y sont aussi pour beaucoup. Piscine superbe, d'où l'on a l'impression de nager dans les arbres ! Petit déj inclus, et très copieux, sur la terrasse avec crêpes maison. Un vrai coup de cœur et l'idéal pour une halte sereine.

Achats

👐 **Maison des produits du Pays du Verdon :** route de Riez. ☎ 04-92-77-40-24. ♿ À mi-distance (3 km) d'Allemagne et de Riez par la D 952. Tlj 9h30-12h, 14h-18h (19h juin et sept ; 20h juil-août ; en non-stop) ; fermé de janv à mi-fév. Une maison qui sert de vitrine à une trentaine d'agriculteurs et artisans du pays du bas Verdon. On y trouve de tout, pour tous les goûts. Bons produits pour un pique-nique ou pour rapporter à la maison : plats cuisinés provençaux, terrines et pâtés, fromages de chèvre, vin, jus de pomme, miel, confiture d'amande au pastis, savons et bien sûr lavande et lavandin, tissus provençaux, santons dont certains à peindre (à vos pinceaux !)...

À voir

👁👁 **Le château d'Allemagne-en-Provence :** ☎ 04-92-77-46-78. Visites guidées (1h) : de juil à mi-sept, tlj sf lun à 16h et 17h ; Pâques-juin, de mi-sept à la Toussaint, w-e et j. fériés aux mêmes horaires ; fermé l'hiver. Entrée : env 8 € ; réduc. Jolie demeure prise dans la végétation d'où émerge une tour carrée crénelée, du XIIe s. Les façades, superbes, sont, elles, typiquement Renaissance avec leurs fenêtres à meneaux. À l'intérieur, plafonds à la française, monumentale cheminée en gypseries du pays d'Aix. Bel escalier à vis. Parc avec arbres séculaires rares et jardin médiéval.

RIEZ (04500)

Ancienne colonie de droit latin sous Auguste, c'est la plus antique des cités des Alpes-de-Haute-Provence qui se fait aujourd'hui appeler Riez-la-Romaine, même si de cette époque ne subsistent que quelques colonnes de granit, vestiges d'un temple. Évêché du Ve s à la Révolution française, Riez garde quelques traces de ce passé, dont un baptistère qui demeure l'un des rares exemples de

LES GYPSIERS KINGS

Bien cachées derrière les portes de certains immeubles, les gypseries sont à Riez ce que la faïence est à Moustiers. Absent du dico (parigot), ce mot est une pure déclinaison provençale du « gypse » (de la pierre à plâtre). Rois de cette industrie jadis importante, les gypsiers fabriquaient des décors surajoutés aux cheminées, aux plafonds, aux rampes d'escalier...

l'architecture provençale de l'Antiquité tardive. Sinon, on ne peut qu'être touché par le vieux village, magnifique même s'il est usé par les siècles, ensemble urbain avec ses maisons médiévales côtoyant des bâtiments Renaissance.

Adresse et info utiles

🛈 *Bureau de tourisme :* pl. de la Mairie. ☎ 04-92-77-99-09. ● ville-riez. fr ● 🚶 *Près de la pl. du Marché. Juil-août, lun-sam ; sinon, lun-sam sf l'ap-m mer et sam.* 🛜 Accueil charmant, importante documentation (circuit des fontaines). Circuit découverte pour une visite du centre historique.
– *Marché :* mer et sam.

Où dormir ? Où manger ?

Camping

⛺ *Camping Rose de Provence :* rue Édouard-Dauphin. ☎ 04-92-77-75-45. 📱 06-72-99-76-54. ● info@rose-de-provence.com ● rose-de-provence. com ● 🚶 *À 500 m à la sortie du bourg en direction de Quinson à gauche après la gendarmerie. Puis fléché. Ouv avr-oct. Selon saison, tente 2 pers et voiture 13,80-18,50 € ; loc de mobile homes, chalets et bungalows toilés 2-4 pers 210-609 €/sem.* Cadeau spécial pour résa de 2 nuits consécutives sur présentation de ce guide. Un joli terrain avec 85 emplacements spacieux et ombragés et doté de bons équipements dont un espace « fitness de plein air » récent. Également un trampoline avec aire de repos et brumisateurs, une aire de pique-nique et un barbecue collectif. Bon accueil.

De prix moyens à chic

Voir également plus haut les excellentes chambres d'hôtes *La Maison des collines*, situées sur le territoire d'Allemagne-en-Provence, mais tout aussi proches de Riez.

🍽 *Le Rempart :* 17, rue du Marché. ☎ 04-92-77-89-54. ● christophe. joriot@wanadoo.fr ● À l'orée du vieux village, au pied du clocher de l'église. Tlj sf mar hors saison. Formule 22 € ; menus 29-39 €. Resto hégémonique tenu par une jeune équipe (certains serveurs roulent un peu des mécaniques...). Déco du Sud, un peu mode, pour les petites salles, grande terrasse ensoleillée et quelques tables encore dans la rue piétonne. Cuisine italo-provençale qui s'exprime notamment au travers de grandes assiettes-repas. Desserts (maison pour beaucoup) copieux et agréablement présentés.

🏠 *Hôtel des Colonnes :* 52-54, rue René-Cassin. ☎ 04-92-72-29-24. 📱 06-18-29-39-02. ● contact@ hoteldescolonnes-riez.fr ● hotel descolonnes-riez.fr ● *Doubles 70-100 €, suite 150-160 € pour 4 pers selon saison ; table d'hôtes (hors juil-août) 30 €.* 🛜 Dans un ancien hôtel particulier du XVIIe s. 3 chambres d'hôtes dont une suite pour 3-4 personnes (parfait pour les familles). Toutes ont une atmosphère différente, des teintes grises au grège en passant par le gris patiné, les tomettes et le vieux carrelage. Un doux mélange entre le charme de l'ancien, avec de multiples objets chinés mais aussi le confort moderne. Possibilité de table d'hôtes sous la tonnelle. Excellent accueil.

À voir

🏛 *La vieille ville :* depuis la *place de la Colonne,* notable pour sa fontaine jaillissant d'une (vraie) colonne romaine, on pénètre dans la vieille ville par la *porte Aiguière* (du XIVe s). Monter jusqu'à la place Neuve, que prolonge la Grand-Rue jalonnée de **maisons Renaissance.** Au n° 12, derrière une belle façade percée de fenêtres à meneaux, et une jolie porte voûtée, l'**hôtel de Mazan** (XVIe s) cache de superbes décors de gypseries. Gypseries encore pour les frises et pilastres de la **maison bourgeoise** du n° 25-27 ; à laquelle, à l'instar de sa jolie voisine du n° 29, les années n'ont pas fait de cadeau. Cinquante mètres plus loin, la **porte Saint-Sols** (XIVe s) qui verrouillait l'entrée occidentale de la ville. Juste après, à gauche, la **cathédrale.** De sa construction au XVe s n'ont résisté que le clocher et quelques chapelles. Elle date, pour l'essentiel, du XIXe s. Revenir sur ses pas. Juste avant de repasser la porte Saint-Sols, coup d'œil sur les hauts du bourg, dominés par une ancienne tour de défense reconvertie en **tour de l'Horloge** (les courageux peuvent toujours y aller synchroniser leur montre !). Juste à droite après la porte, parcourir la place de la coquille, puis la rue basse jusqu'à la **place Saint-Antoine** : gypseries toujours pour la belle façade Renaissance (superbe porte également) du n° 7. Au n° 1, on accède dans l'ancien **palais épiscopal** (XVe s) qui a perdu la calotte pourpre pour le bonnet phrygien.

🏃🏃 **Les colonnes romaines :** à la sortie du bourg en direction d'Allemagne, on les aperçoit, sur la droite, au milieu d'un champ. Quatre sobres colonnes en granit gris de l'Esterel surmontées de chapiteaux corinthiens en marbre blanc. Uniques vestiges d'un temple vraisemblablement dédié à Apollon.

🏃🏃 **Le baptistère :** sur la route d'Allemagne, juste après les colonnes romaines. Intérieur non visitable jusqu'à la fin des rénovations. Ce petit bâtiment est un des derniers édifices du Ve s encore visibles en France. Bien que sérieusement restauré au XIXe s, l'intérieur conserve huit belles colonnes romaines de granit qui supportent une intéressante coupole du XIIe s. Quelques vestiges gallo-romains y sont exposés : autels, sarcophages... De l'autre côté de la route, quelques discrets vestiges de la ville gallo-romaine et d'une cathédrale paléochrétienne.

🏃 **La chapelle Saint-Maxime :** à 2 km au nord-est. Petite chapelle du XVIIe s mais qui, comme souvent à Riez, s'est approprié quelques anciennes colonnes romaines. On y monte surtout pour le panorama sur la vallée et le village.

Fêtes

– **Fête de la Transhumance :** 3e w-e de juin.
– **Fête du Blé :** 1er dim d'août.

SAINT-JURS (04410)

Une première chapelle isolée fait face aux montagnes (superbes lumières en fin de journée), suivie de ce délicieux village et son église. Vue imprenable : en saison, champs – et odeur – de lavande à perte de vue. Si ça, c'est pas la Provence !

Où dormir ?

🏕 **Ferme de Vauvenières :** Vauvenières, Saint-Jurs. ☎ 04-92-74-44-18. 📱 06-63-94-09-73. ● contact@ferme-de-vauvenieres.fr ● ferme-de-vauve nieres.fr ● &. À 2 km en contrebas du village, sur la D 108, en pleine nature. Ouv 15 avr-15 oct. Tente 2 pers et voiture 18 €. CB refusées. 25 empl. Café offert sur présentation de ce guide.

Au cœur des champs de lavande, un petit camping simple avec boulodrome et échiquier géant... et son jardin de plantes aromatiques. Loue également plusieurs gîtes de 2 à 10 personnes (compter 30-40 €/nuit/pers). Restaurant sur réservation, le soir, qui valorise les produits locaux (formule 20 € avec ¼ de vin et café).

les ROUTARDS sur la FRANCE 2016-2017

(dates de parution sur • routard.com •)

Découpage de la FRANCE par le ROUTARD

Autres guides nationaux

- La Loire à Vélo
- La Vélodyssée (Roscoff-Hendaye ; avril 2016)
- Nos meilleurs campings en France
- Nos meilleures chambres d'hôtes en France
- Nos meilleurs restos en France
- Nos meilleurs sites pour observer les oiseaux en France
- Tourisme responsable

Autres guides sur Paris

- Paris
- Paris à vélo
- Paris balades
- Restos et bistrots de Paris
- Le Routard des amoureux à Paris
- Week-ends autour de Paris

les ROUTARDS sur l'ÉTRANGER 2016-2017

(dates de parution sur • routard.com •)

Découpage de l'ESPAGNE par le ROUTARD

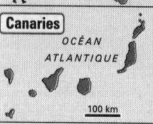

Découpage de l'ITALIE par le ROUTARD

Autres pays européens

- Allemagne
- Angleterre, Pays de Galles
- Autriche
- Belgique
- Budapest, Hongrie

- Crète
- Croatie
- Danemark, Suède
- Écosse
- Finlande
- Grèce continentale
- Îles grecques et Athènes
- Irlande
- Islande

- Madère
- Malte
- Norvège
- Pologne
- Portugal
- République tchèque, Slovaquie
- Roumanie, Bulgarie
- Suisse

Villes européennes

- Amsterdam et ses environs

- Berlin
- Bruxelles
- Copenhague
- Dublin
- Lisbonne
- Londres

- Moscou
- Prague
- Saint-Pétersbourg
- Stockholm
- Vienne

les ROUTARDS sur l'ÉTRANGER 2016-2017

(dates de parution sur • routard.com •)

Découpage des ÉTATS-UNIS par le ROUTARD

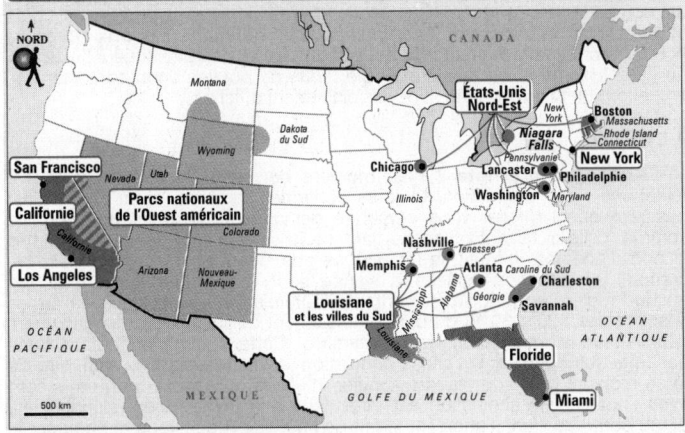

Autres pays d'Amérique

- Argentine
- Brésil
- Canada Ouest
- Chili et île de Pâques

- Équateur et les îles Galápagos
- Guatemala, Yucatán et Chiapas
- Mexique

- Montréal
- Pérou, Bolivie
- Québec, Ontario et Provinces maritimes

Asie et Océanie

- Australie côte est + Ayers Rock (mai 2016)
- Bali, Lombok
- Bangkok
- Birmanie (Myanmar)
- Cambodge, Laos
- Chine

- Hong-Kong, Macao, Canton
- Inde du Nord
- Inde du Sud
- Israël et Palestine
- Istanbul
- Jordanie
- Malaisie, Singapour

- Népal
- Shanghai
- Sri Lanka (Ceylan)
- Thaïlande
- Tokyo, Kyoto et environs
- Turquie
- Vietnam

Afrique

- Afrique de l'Ouest
- Afrique du Sud
- Égypte

- Kenya, Tanzanie et Zanzibar
- Maroc
- Marrakech

- Sénégal
- Tunisie

Îles Caraïbes et océan Indien

- Cuba
- Guadeloupe, Saint-Martin, Saint-Barth

- Île Maurice, Rodrigues
- Madagascar
- Martinique

- République dominicaine (Saint-Domingue)
- Réunion

Guides de conversation

- Allemand
- Anglais
- Arabe du Maghreb
- Arabe du Proche-Orient
- Chinois

- Croate
- Espagnol
- Grec
- Italien
- Japonais

- Portugais
- Russe
- G'palémo (conversation par l'image)

Les Routards Express

Amsterdam, Barcelone, Berlin, Bruxelles, Budapest (nouveauté), Dublin (nouveauté), Florence, Istanbul, Lisbonne, Londres, Madrid, Marrakech, New York, Prague, Rome, Venise.

Nos coups de cœur

- Nos 52 week-ends dans les plus belles villes d'Europe (octobre 2015)
- France   - Monde

PETITS TRUCS ET ASTUCES
POUR ÉVITER LES ARNAQUES !

Un routard informé en vaut deux ! Pour éviter les arnaques en tous genres, il est bon de les connaître. Voici un petit vade-mecum destiné à parer aux coûts et aux coups de bambous. À commencer par **l'affichage des prix** : dans les hôtels comme dans les restos, il est **obligatoire** et doit être situé à l'extérieur de l'établissement, de manière visible. Vous ne pouvez donc contester des prix exorbitants que s'ils ne sont pas clairement affichés.

À L'HÔTEL

1 - Arrhes ou acompte ? : au moment de réserver votre chambre par téléphone – par précaution, toujours confirmer par écrit (ou mail) – il n'est pas rare que l'hôtelier vous demande de verser à l'avance une certaine somme, celle-ci faisant office de garantie. Il est d'usage de parler d'arrhes et non d'acompte (en fait, la loi dispose que « sauf stipulation contraire du contrat, les sommes versées d'avance sont des arrhes »). Légalement, aucune règle n'en précise le montant. Toutefois, ne versez que des arrhes raisonnables : 25 à 30 % du prix total, sachant qu'il s'agit d'un engagement définitif sur la réservation de la chambre. Cette somme ne pourra donc pas être remboursée en cas d'annulation de la réservation, sauf cas de force majeure qu'il vous faudra justifier (maladie ou accident) ou en accord avec l'hôtelier si l'annulation est faite dans des délais jugés raisonnables. Si, au contraire, l'annulation est le fait de l'hôtelier, il doit vous rembourser le double des arrhes versées. À l'inverse, l'acompte engage définitivement client et hôtelier.

2 - Subordination de vente : comme les restaurateurs, les hôteliers ont interdiction de pratiquer la subordination de vente. C'est-à-dire qu'ils ne peuvent pas vous obliger à réserver plusieurs nuits d'hôtel si vous n'en souhaitez qu'une. Dans le même ordre d'idées, on ne peut vous obliger à

> **« QUI DORT DÎNE ! »**
>
> *Cet adage, venu du Moyen Âge, signifie que les hôteliers imposaient le couvert aux clients qui prenaient une chambre. Déjà de la vente forcée !*

prendre votre petit déjeuner ou vos repas dans l'hôtel ; ce principe, illégal, est néanmoins répandu dans la profession, toléré en pratique, surtout en haute saison... notamment dans les zones touristiques, où la demande est bien plus importante que l'offre ! Bien se renseigner.

3 - Les réservations en ligne : elles se sont généralisées. Par l'intermédiaire de sites commerciaux ou en direct sur les sites des hôtels, elles sont simples et rapides. Mais voilà, les promesses ne sont pas toujours tenues et l'on constate parfois des dérives, notamment via les centrales de résa telles que promos bidons, descriptifs exagérés, avis d'internautes truqués... Des hôteliers s'estiment étranglés par les commissions abusives. N'hésitez pas à contacter l'hôtel sur son site pour vous faire préciser le type de chambre que l'on vous a réservé (sur rue, sur jardin ?).

4 - Responsabilité en cas de vol : un hôtelier ne peut en aucun cas dégager sa responsabilité pour des objets qui auraient été volés dans la chambre d'un de ses clients, même si ces objets n'ont pas été mis au coffre. En d'autres termes, les éventuels panonceaux dégageant la responsabilité de l'hôtelier n'ont aucun fondement juridique.

5 - En cas d'annulation : si vous avez réservé une chambre (sans avoir rien versé) et que vous avez un empêchement, passez un coup de téléphone pour annuler, c'est la moindre des politesses. Trop peu de gens le font, ce qui rend les hôteliers méfiants.

AU RESTO

1 - Menus : très souvent, les premiers menus (les moins chers) ne sont servis qu'en semaine ou que le midi, et avant certaines heures (12h30 et 20h30 généralement). C'est parfaitement légal, à condition que ce soit clairement indiqué sur le panneau extérieur : à vous d'être vigilant et d'arriver dans les bons créneaux horaires ! Il peut arriver que ce soit écrit en tout petit. Par ailleurs, bien vérifier que le « menu d'appel », le moins cher donc, est toujours présent dans la carte qu'on vous donne une fois installé. Il arrive qu'il disparaisse comme par enchantement. N'hésitez pas à le réclamer si vous êtes entré pour ce menu précis.

2 - Le « fait maison » : cette grande « tendance culinaire » de ces dernières années s'oppose aux plats sous-vide ou congelés achetés par les restaurateurs, réchauffés sur place et « agrémentés » d'une petite touche personnelle pour noyer le poisson (ou la souris d'agneau). Depuis 2013, le label « fait maison » permet de vérifier si les plats sont réellement préparés ou non sur place.

3 - Commande insuffisante : il arrive que certains restos refusent de servir une commande jugée insuffisante. Sachez, toutefois, qu'il est illégal de pousser le client à la consommation. Mais l'on peut également comprendre que commander un seul plat pour 3 personnes peut agacer un tantinet le restaurateur. Tout est une question de juste équilibre.

4 - Eau : une banale carafe d'eau du robinet est gratuite – à condition qu'elle accompagne un repas – sauf si son prix est affiché. On ne peut pas vous la refuser, sauf si elle est jugée impropre à la consommation par décret. La bouteille d'eau minérale quant à elle doit, comme le vin, être ouverte devant vous. L'arnaque dans certains restos « pousse-conso » consiste à proposer d'emblée une eau minérale et de la facturer 7 €, voire plus... À la question du serveur : « ...et pour l'eau, Badoit ou Vittel ? » vous êtes en droit de répondre « une carafe ! ».

5 - Vins : les cartes des vins ne sont pas toujours très claires. Exemple : vous commandez un bourgogne à 16 € la bouteille. On vous la facture 32 €. En vérifiant sur la carte, vous découvrez que 16 € correspondent au prix d'une demi-bouteille. Mais c'était écrit en petits caractères illisibles. Attention au prix parfois exorbitant des vins au verre. Abus bien courant, l'année de référence n'est plus disponible : on vous sert un millésime plus récent mais au même tarif ! Vous devez obligatoirement en être informé avant le débouchage de la bouteille.

6 - Couvert enfant : le restaurateur peut tout à fait compter un couvert par enfant, même s'il ne consomme pas, à condition que ce soit spécifié sur la carte. Parfois il est libellé « Enfant ne mangeant pas », tant d'euros ! Cela dit, ce n'est quand même pas courant et ça donne une petite idée de la générosité du restaurateur !

7 - Sous-marin : après le coup de bambou et le coup de fusil, celui du sous-marin. Le procédé consiste à rendre la monnaie en plaçant dans la soucoupe (de bas en haut) : les pièces, l'addition puis les billets. Si l'on est pressé, on récupère les billets en oubliant les pièces cachées sous l'addition. Malin !

N'oublions pas que l'hôtellerie et la restauration sont des métiers de service, qui ne souffrent ni l'approximation, ni les (mauvais) écarts. Nous supprimons de nos guides tous les établissements qui abusent. Mais la réciproque est aussi valable : tout est question de respect mutuel.

Bonne route !

INDEX GÉNÉRAL

Attention, les départements des Alpes-Maritimes et du Var sont traités dans le *Routard Côte d'Azur,* et le département des Hautes-Alpes est traité dans le *Routard Isère, Hautes-Alpes.*

A

B

C

INDEX GÉNÉRAL

D

E

F

G

H-I-J

L

M-N

MARSEILLE

MARSEILLE

O

P

Q-R

S

OÙ TROUVER LES CARTES ET LES PLANS ?

IMPORTANT : DERNIÈRE MINUTE

Sauf exception, le *Routard* bénéficie d'une parution annuelle à date fixe. Entre deux dates, des événements fortuits (conditions d'accès aux sites, fermetures inopinées, etc.) peuvent intervenir et modifier vos projets de visites. Pour éviter les déconvenues, nous vous recommandons de consulter la rubrique « Guide » par pays puis région, de notre site ● *routard.com* ● et plus particulièrement les dernières *Actus voyageurs.*

Les **Routards** parlent aux **Routards**

Faites-nous part de vos expériences, de vos découvertes, de vos tuyaux. Indiquez-nous les renseignements périmés. Aidez-nous à remettre l'ouvrage à jour. Faites profiter les autres de vos adresses nouvelles, combines géniales... On adresse un exemplaire gratuit de la prochaine édition à ceux qui nous envoient les lettres les meilleures, pour la qualité et la pertinence des informations. Quelques conseils cependant:
– Envoyez-nous votre courrier le plus tôt possible afin que l'on puisse insérer vos tuyaux sur la prochaine édition.
– N'oubliez pas de préciser l'ouvrage que vous désirez recevoir.
– Vérifiez que vos remarques concernent l'édition en cours et notez les pages du guide concernées par vos observations.
– Quand vous indiquez des hôtels ou des restaurants, pensez à signaler leur adresse précise et, pour les grandes villes, les moyens de transport pour y aller. Si vous le pouvez, joignez la carte de visite de l'hôtel ou du resto décrit.
– N'écrivez si possible que d'un côté de la lettre (et non recto verso).
– Bien sûr, on s'arrache moins les yeux sur les lettres dactylographiées ou correctement écrites!
En tout état de cause, merci pour vos nombreuses lettres.

Les Routards parlent aux Routards:
122, rue du Moulin-des-Prés, 75013 Paris

e-mail: • *guide@routard.com* •
Internet: • *routard.com* •

Routard Assurance *2016*

Née du partenariat entre *AVI International* et le *Routard*, *Routard Assurance* est une assurance voyage complète qui offre toutes les prestations d'assistance indispensables à l'étranger : dépenses médicales, pharmacie, frais d'hôpital, rapatriement médical, caution et défense pénale, responsabilité civile vie privée et bagages. Présent dans le monde entier, le plateau d'assistance d'*AVI International* donne accès à un vaste réseau de médecins et d'hôpitaux. Pas besoin d'avancer les frais d'hospitalisation ou de rapatriement. Numéro d'appel gratuit, disponible 24h/24. *AVI International* dispose par ailleurs d'une filiale aux États-Unis qui permet d'intervenir plus rapidement auprès des hôpitaux locaux. À noter, *Routard Assurance Famille* couvre jusqu'à 7 personnes, et *Routard Assurance Longue Durée Marco Polo* couvre les voyages de plus de 2 mois dans le monde entier. *AVI International* est une équipe d'experts qui répondra à toutes vos questions par téléphone : ☎ 01-44-63-51-00 ou par mail • *routard@avi-international.com* •
Conditions et souscription sur • *avi-international.com* •

Édité par Hachette Livre (58, rue Jean-Bleuzen, CS 70007 92178 Vanves Cedex, France)
Photocomposé par Jouve (45770 Saran, France)
Imprimé par Jouve 2 (Quai n° 2, 733, rue Saint-Léonard, BP 3, 53101 Mayenne Cedex, France)
Achevé d'imprimer le 11 janvier 2016
Collection n° 15 - Édition n° 01
89/1824/9
I.S.B.N. 978-2-01-912429-8
Dépôt légal : janvier 2016

PAPIER À BASE DE
FIBRES CERTIFIÉES

⊟ hachette s'engage pour
l'environnement en réduisant
l'empreinte carbone de ses livres.
Celle de cet exemplaire est de :
550 g éq. CO₂
Rendez-vous sur
www.hachette-durable.fr